7년 연속  **전체 수석**  **합격자 배출**

강정훈
감정평가 및 보상법규

2차 | 종합문제(연습) #1

강정훈 편저 　　　　동영상강의 www.pmg.co.kr

브랜드만족
1위
박문각

근거자료
후면표기

제7판

박문각

박문각 감정평가사

1. 본 **감정평가 및 보상법규 종합문제(연습)**는 감정평가사 제2차 시험 응시자들을 위한 기본 문제와 응용문제, 그리고 기출 응용문제 훈련을 위한 교재입니다. 감정평가사 제2차 논술 시험에서 가장 중요한 것은 출제자의 의도에 부합되는 논지의 쟁점을 목차화하고, 이를 토대로 자신의 논증을 객관적으로 피력하는 것이라 하겠습니다. 따라서 교재가 그러한 쟁점 부각 목차 훈련과 아울러 실제 시험의 적응에 큰 도움이 되리라 생각됩니다.

2. 본 교재를 공부하기에 앞서 먼저 감평행정법과 감정평가 및 보상법규 기본서 수강과 아울러 이론서를 2~3회 탐독 후에 이론적인 숙지를 바탕으로 기본문제부터 응용 사례문제를 차분히 풀어보는 연습을 하신다면 좋은 성과를 거두실 수 있으리라 생각합니다. 수험 공부에 있어서 보상법규 관련 법령에 대한 숙지와 관련 판례의 검토는 전제가 되어야 함으로 평상시 보상법전과 판례집을 휴대하고 다니면서 항상 관계법령 및 판례를 찾아보고 꼼꼼히 점검하는 습관을 들여야 할 것입니다.

3. "고시 공부의 첫 번째 왕도"는 기출문제를 분석하고 이를 토대로 향후 출제 가능성을 고찰하여 보는 것이라 하겠습니다. 따라서 평상시 기출문제에 대한 목차와 응용가능성에 대하여 염두에 두면서 공부를 하신다면 실전에서 소기의 성과를 거둘 수 있으리라 생각됩니다.

4. 본서의 특징은 최근 2024년 7월 현재 개정된 3법, 공익사업을 위한 토지 등의 취득 및 보상에 관한 법률과 부동산 가격공시에 관한 법률, 감정평가 및 감정평가사에 관한 법률 등 우리 시험 범위 관련 법령(2024년 7월자 개정법령까지 모두 개정 반영)을 기준으로 하여 관계법령의 순서대로 문제가 편저된 것이 특징입니다. 2024년~2025년 최신 개정판 보상법전과 **감정평가 및 보상법규** 판례집을 토대로 확인을 하면서 공부에 임한다면 그 효과는 배가 되리라 생각됩니다. 기존의 문제집의 틀을 벗어나서 획기적인 방법으로 문제를 구성한 만큼 큰 도움이 되리라 생각됩니다. 특히 최근에 제정된 행정기본법 관련 내용을 모두 반영하였고, 토지보상법상 환매권 행사요건 개정과 감정평가법 징계 등 개정 내용을 모두 반영하였습니다.

5. 실전 시험에서 중요한 부분은 답안의 함축과 요약입니다. 그런 점에서 본서는 수험용 답안과 베타답안을 통하여 답안 분량으로 어떻게 문장을 축약하여 답안을 구사하는지를 보여줌으로써 평상시 이런 점을 고민하셨던 분들에게는 좋은 길잡이가 되리라 여겨집니다. 행정법 쟁점과 보상법규 쟁점이 혼합된 내용을 보여주면서 행정법과 보상법규가 잘 정선된 기본문제와 사례문제를 통해서 실전에 적합하도록 행정법과

보상법규 문제를 유기적으로 구성하고 예시답안을 배치하였습니다. 최근 대법원 판례문제를 많이 추가하였고, 법령이 개정되어 **감정평가 및 보상법규 종합문제**를 1권과 2권으로 나누어 1권에는 토지보상법 문제를, 2권에는 부동산공시법과 감정평가법 문제를 수록하였습니다.

6. 풍납토성보존을 위한 사업인정사건 2017두71031 판결을 비롯하여 최근에 대법원에서 업그레이드된 손실보상 당사자적격에 대한 대법원 2018두67 판결, 공익사업시행지구 밖 간접손실보상 대법원 2018두227 판결, 재결신청청구거부처분 취소소송을 적시한 대법원 2018두57865 판결, 표준지공시지가와 과세처분 사이의 하자의 승계 대법원 2018두50147 판결, 감정평가법인등에 대한 과징금부과처분과 성실의무위반 2020두41689 판결 등을 모두 문제에 반영하여 수록하였습니다. 결국 감정평가사 2차 **감정평가 및 보상법규** 시험에서 승부의 관건은 대법원 판례 유형의 문제를 어떻게 답안지에 효과적으로 정해진 시간 안에 정해진 지면에 정해진 내용을 잘 기술하는 것입니다.

7. 본서 출간에 많은 도움을 주신 박문각 박용 회장님과 출판사 노일구 부장님 등 출판사 관계자 여러분들께 진심으로 감사 인사드리고, **감정평가 및 보상법규** 자료 수집과 책 오타 수정에 많은 도움을 준 김가연 예비감정평가사님에게 고마운 마음을 전합니다.

"역사는 도전과 응전의 연속이다."라고 한 역사학자 아놀드 토인비의 명언처럼 본 교재가 여러분들 인생에 있어서 "아름다운과 도전과 응전의 도구"가 되길 바랍니다. 고맙습니다.

좌우명 : 미래는 준비하는 자의 것이다!
(태양이 떠오르거든 앞만 보고 뛰어라!)

감정평가사 · 법학박사 강정훈

감정평가사란?

감정평가란 토지 등의 경제적 가치를 판정하여 그 결과를 가액으로 표시하는 것을 말한다. 감정평가사(Certified Appraiser)는 부동산·동산을 포함하여 토지, 건물 등의 유무형의 재산에 대한 경제적 가치를 판정하여 그 결과를 가액으로 표시하는 전문직업인으로 국토교통부에서 주관, 산업인력관리공단에서 시행하는 감정평가사시험에 합격한 사람으로 일정기간의 수습과정을 거친 후 공인되는 직업이다.

시험과목 및 시험시간

가. 시험과목(감정평가 및 감정평가사에 관한 법률 시행령 제9조)

시험구분	시험과목
제1차 시험	❶「민법」중 총칙, 물권에 관한 규정 ❷ 경제학원론 ❸ 부동산학원론 ❹ 감정평가관계법규(「국토의 계획 및 이용에 관한 법률」, 「건축법」, 「공간정보의 구축 및 관리 등에 관한 법률」 중 지적에 관한 규정, 「국유재산법」, 「도시 및 주거환경정비법」, 「부동산등기법」, 「감정평가 및 감정평가사에 관한 법률」, 「부동산 가격공시에 관한 법률」 및 「동산·채권 등의 담보에 관한 법률」) ❺ 회계학 ❻ 영어(영어시험성적 제출로 대체)
제2차 시험	❶ 감정평가실무 ❷ 감정평가이론 ❸ 감정평가 및 보상법규(「감정평가 및 감정평가사에 관한 법률」, 「공익사업을 위한 토지 등의 취득 및 보상에 관한 법률」, 「부동산 가격공시에 관한 법률」)

나. 과목별 시험시간

시험구분	교시	시험과목	입실완료	시험시간	시험방법
제1차 시험	1교시	❶ 민법(총칙, 물권) ❷ 경제학원론 ❸ 부동산학원론	09:00	09:30~11:30(120분)	객관식 5지 택일형
	2교시	❹ 감정평가관계법규 ❺ 회계학	11:50	12:00~13:20(80분)	

	1교시	❶ 감정평가실무	09:00	09:30~11:10(100분)	과목별
제2차 시험	중식시간 11:10 ~ 12:10(60분)				4문항
	2교시	❷ 감정평가이론	12:10	12:30~14:10(100분)	(주관식)
	휴식시간 14:10 ~ 14:30(20분)				
	3교시	❸ 감정평가 및 보상법규	14:30	14:40~16:20(100분)	

※ 시험과 관련하여 법률·회계처리기준 등을 적용하여 정답을 구하여야 하는 문제는 시험시행일 현재 시행 중인 법률·회계처리기준 등을 적용하여 그 정답을 구하여야 함

※ 회계학 과목의 경우 한국채택국제회계기준(K-IFRS)만 적용하여 출제

다. 출제영역 : 큐넷 감정평가사 홈페이지(www.Q-net.or.kr/site/value) 자료실 게재

응시자격 및 결격사유

가. 응시자격 : 없음

※ 단, 최종 합격자 발표일 기준, 감정평가 및 감정평가사에 관한 법률 제12조의 결격사유에 해당하는 사람 또는 같은 법 제16조 제1항에 따른 처분을 받은 날부터 5년이 지나지 아니한 사람은 시험에 응시할 수 없음

나. 결격사유(감정평가 및 감정평가사에 관한 법률 제12조, 2023.8.10. 시행)
다음 각 호의 어느 하나에 해당하는 사람
1. 파산선고를 받은 사람으로서 복권되지 아니한 사람
2. 금고 이상의 실형을 선고받고 그 집행이 종료(집행이 종료된 것으로 보는 경우를 포함한다)되거나 그 집행이 면제된 날부터 3년이 지나지 아니한 사람
3. 금고 이상의 형의 집행유예를 받고 그 유예기간이 만료된 날부터 1년이 지나지 아니한 사람
4. 금고 이상의 형의 선고유예를 받고 그 선고유예기간 중에 있는 사람
5. 제13조에 따라 감정평가사 자격이 취소된 후 3년이 지나지 아니한 사람. 다만 제6호에 해당하는 사람은 제외한다.
6. 제39조 제1항 제11호 및 제12호에 따라 자격이 취소된 후 5년이 지나지 아니한 사람

※ 이하 공고문 참조

CONTENTS
이 책의 차례

PART 01 공익사업을 위한 토지 등의 취득 및 보상에 관한 법률

Chapter 01 기본문제

Chapter 02   심화문제

CONTENTS
이 책의 차례

01

공익사업을 위한 토지 등의
취득 및 보상에 관한 법률

기본문제

문제

최근에 행정기본법이 제정(2021.03.23.) 시행(2021.09.24.)되었다. 행정기본법은 행정의 원칙과 기본사항을 규정하여 행정의 민주성과 적법성을 확보하고 적정성과 효율성을 향상시킴으로써 국민의 권익 보호에 이바지함을 목적으로 제정되었다. 특히 행정기본법에서 행정행위를 함에 있어서 행정법 일반원칙 중 비례의 원칙, 신뢰보호의 원칙, 실권의 법리, 부당결부금지의 원칙이 중요하게 규정하고 있다. 해당 비례의 원칙과 신뢰보호의 원칙, 실권의 법리, 부당결부금지의 원칙에 대해 설명하고, 우리 3법(공익사업을 위한 토지 등의 취득 및 보상에 관한 법률, 부동산가격공시에 관한 법률, 감정평가 및 감정평가사에 관한 법률)에서 적용되는 사례에 대해 1-2가지씩 예를 들어 해당 법리를 설명하시오. 30점

Ⅰ. 논점의 정리
Ⅱ. 행정법의 일반원칙
   1. 비례의 원칙(행정기본법 제10조)
      (1) 비례의 원칙의 개념 및 근거
      (2) 비례의 원칙의 내용
      (3) 관련 판례 검토
   2. 신뢰보호의 원칙(행정기본법 제12조 제1항)
      (1) 신뢰보호의 원칙의 개념 및 근거
      (2) 신뢰보호의 원칙의 내용
      (3) 한계
   3. 실권의 법리(행정기본법 제12조 제2항)
      (1) 실권의 법리의 개념 및 근거
      (2) 실권의 법리의 내용

   4. 부당결부금지원칙(행정기본법 제13조)
      (1) 부당결부금지원칙의 개념 및 근거
      (2) 부당결부금지원칙의 내용
Ⅲ. 보상법규 3법과 관련한 행정법 일반원칙 사례
   1. 비례의 원칙이 적용되는 사례
   2. 신뢰보호의 원칙이 적용되는 사례
   3. 실권의 법리가 적용되는 사례
   4. 부당결부금지원칙이 적용되는 사례
Ⅳ. 사안의 해결

Ⅰ   논점의 정리

행정법의 일반원칙인 비례의 원칙, 신뢰보호의 원칙, 실권의 법리, 부당결부금지원칙에 대해서 검토하고, 개별 법률인 공익사업을 위한 토지 등의 취득 및 보상에 관한 법률(이하 '토지보상법'), 부동산 가격공시에 관한 법률(이하 '부동산공시법'), 감정평가 및 감정평가사에 관한 법률(이하

'감정평가법')에서 적용될 수 있는 사례에 대하여 검토한다. 최근에 행정의 원칙과 기본사항을 규정하여 행정의 민주성과 적법성을 확보하고 적정성과 효율성을 향상시키고자 행정기본법이 제정된바, 행정법 일반원칙과 관련된 규정을 적시한다.

> ↪ 행정기본법 입법목적
> 제1조(목적)
> 이 법은 행정의 원칙과 기본사항을 규정하여 행정의 민주성과 적법성을 확보하고 적정성과 효율성을 향상시킴으로써 국민의 권익 보호에 이바지함을 목적으로 한다.

Ⅱ 행정법의 일반원칙

1. 비례의 원칙(제31회 1번 기출)(행정기본법 제10조)

> ↪ 행정기본법 제10조(비례의 원칙)
> 행정작용은 다음 각 호의 원칙에 따라야 한다.
> 1. 행정목적을 달성하는 데 유효하고 적절할 것
> 2. 행정목적을 달성하는 데 필요한 최소한도에 그칠 것
> 3. 행정작용으로 인한 국민의 이익 침해가 그 행정작용이 의도하는 공익보다 크지 아니할 것

(1) 비례의 원칙의 개념 및 근거

비례의 원칙이란 과잉조치금지의 원칙이라고도 하는데, 행정작용에 있어서 행정목적과 행정수단 사이에는 합리적인 비례관계가 있어야 한다는 원칙을 말한다. 일반적으로 헌법 제37조 제2항의 기본권제한 규정과 행정기본법 제10조를 근거로 한다.

(2) 비례의 원칙의 내용

1) 적합성의 원칙

적합성의 원칙이란 행정은 추구하는 행정목적의 달성에 적합한 수단을 선택하여야 한다는 원칙을 말한다.

2) 필요성의 원칙

필요성의 원칙이란 적합성의 원칙에 따라 적합한 수단이 여러 가지인 경우에 국민의 권리를 최소한으로 침해하는 수단을 선택하여야 한다는 원칙을 말한다.

3) 상당성의 원칙

상당성의 원칙이란 행정조치를 취함에 따른 불이익이 그것에 의해 달성되는 이익보다 심히 큰 경우에는 그 행정조치를 취해서는 안 된다는 원칙을 말한다.

4) 원칙들 간의 상호관계

적합성의 원칙, 필요성의 원칙, 그리고 상당성의 원칙은 단계적인 구조를 이룬다. 즉, 많은 적합한 수단 중에서도 필요한 수단만이, 필요한 수단 중에서도 상당성 있는 수단만이 선행되어야 한다.

(3) 관련 판례 검토

판례는 "공용수용은 공익사업을 위해 타인의 특정 재산권을 법률의 힘에 의해 강제적으로 취득하는 것으로 수용할 목적물의 범위는 원칙적으로 해당 사업을 위해 필요한 최소한도에 그쳐야 한다."고 판시하여 공용수용에 있어 비례의 원칙이 그 판단기준으로 적용되고 있다.

> 행정주체가 택지개발 예정지구 지정 처분과 같은 행정계획을 입안·결정하는 데에는 비록 광범위한 계획재량을 갖고 있지만 행정계획에 관련된 자들의 이익을 공익과 사익 사이에서는 물론, 공익 상호 간과 사익 상호 간에도 정당하게 비교·교량하여야 하고 그 비교·교량은 비례의 원칙에 적합하도록 하여야 하는 것이므로, 만약 이익형량을 전혀 하지 아니하였거나 이익형량의 고려대상에 포함시켜야 할 중요한 사항을 누락한 경우 또는 이익형량을 하기는 하였으나 그것이 비례의 원칙에 어긋나게 된 경우에는 그 행정계획은 재량권을 일탈·남용한 위법한 처분이다. 또 여기서 비례의 원칙(과잉금지의 원칙)이란 어떤 행정목적을 달성하기 위한 수단은 그 목적달성에 유효·적절하고 또한 가능한 한 최소침해를 가져오는 것이어야 하며 아울러 그 수단의 도입으로 인한 침해가 의도하는 공익을 능가하여서는 아니 된다는 헌법상의 원칙을 말하는 것인데, ...(이하 생략)
> (출처 : 대법원 1997.9.26. 선고 96누10096 판결[택지개발예정지구지정처분취소등])

2. 신뢰보호의 원칙(행정기본법 제12조)

> ➲ 행정기본법 제12조(신뢰보호의 원칙)
> ① 행정청은 공익 또는 제3자의 이익을 현저히 해칠 우려가 있는 경우를 제외하고는 행정에 대한 국민의 정당하고 합리적인 신뢰를 보호하여야 한다.

(1) 신뢰보호의 원칙의 개념 및 근거

신뢰보호의 원칙이란 행정기관의 어떠한 언동에 대해 국민이 신뢰를 갖고 행위를 한 경우 그 국민의 신뢰가 보호가치 있는 경우에는 그 신뢰를 보호하여 주어야 한다는 원칙을 말한다. 행정기본법 제12조, 행정절차법 제4조 제2항에 실정법상 근거를 두고 있다.

(2) 신뢰보호의 원칙의 내용

1) 요건

신뢰보호의 원칙이 적용되기 위해서는 ① 국민의 신뢰가 되는 행정청의 공적 견해표명의 존재, ② 그 견해표명이 정당하다고 신뢰한 국민에게 귀책사유가 없을 것, ③ 국민이 그 견해표명을 신뢰하고 어떠한 행위를 하였을 것, ④ 행정청이 위 견해표명에 반하는 처분을 함으로써 그 견해표명을 신뢰한 국민의 이익이 침해되는 결과가 초래될 것, ⑤ 마지막으로 행정청이 위 견해표명에 따른 처분을 함으로써 공공 또는 제3자의 이익이 현저히 해할 우려가 없을 것을 요건으로 한다.

2) 관련 판례 검토

> 일반적으로 행정상의 법률관계 있어서 행정청의 행위에 대하여 신뢰보호의 원칙이 적용되기 위하여는, ① 행정청이 개인에 대하여 신뢰의 대상이 되는 공적인 견해표명을 하여야 하고, ② 행정청의 견해표명이 정당하다고 신뢰한 데에 대하여 그 개인에게 귀책사유가 없어야 하며, ③ 그 개인이 그 견해표명을 신뢰하고 이에 어떠한 행위를 하였어야 하고, ④ 행정청이 위 견해표명에 반하는 처분을 함으로써 그 견해표명을 신뢰한 개인의 이익이 침해되는 결과가 초래되어야 하며, 어떠한 행정처분이 이러한 요건을 충족할 때에는, ⑤ 공익 또는 제3자의 정당한 이익을 현저히 해할 우려가 있는 경우가 아닌 한, 신뢰보호의 원칙에 반하는 행위로서 위법하게 된다.
> (출처 : 대법원 1998.5.8. 선고 98두4061 판결[폐기물처리업허가신청에대한불허가처분취소])

(3) 한계

신뢰보호의 원칙이 성립한다고 하더라도 법률적합성의 원칙, 중대한 사정변경으로 인한 한계, 제3자 보호의 필요성 등으로 인한 한계가 존재한다.

3. 실권의 법리

> ➲ 행정기본법 제12조
> ② 행정청은 권한 행사의 기회가 있음에도 불구하고 장기간 권한을 행사하지 아니하여 국민이 그 권한이 행사되지 아니할 것으로 믿을 만한 정당한 사유가 있는 경우에는 그 권한을 행사해서는 아니 된다. 다만, 공익 또는 제3자의 이익을 현저히 해칠 우려가 있는 경우는 예외로 한다.

(1) 실권의 법리의 개념 및 근거

실권의 법리라 함은 행정청에게 취소권, 철회권, 영업정지권 등 권리의 행사의 기회가 있음에도 불구하고 행정청이 장기간에 걸쳐 그의 권리를 행사하지 아니하였기 때문에 상대방인 국민이 더 이상 행정청이 그의 권리를 행사하지 아니할 것으로 신뢰할 만한 정당한 사유가 있게 되는 경우에는 그 권리를 행사할 수 없다는 법리를 말한다. 이론적인 논의로 대법원은 실권의 법리를 신의성실의 원칙의 파생원칙에 근거한 것으로 본다. 현행법으로는 행정기본법 제12조 제2항에 근거하고 있다.

(2) 실권의 법리의 내용

실권의 법리가 적용되기 위해서는 행정청이 취소사유나 철회사유 등을 앎으로써 권리행사 가능성을 알았어야 한다. 또한 행정권 행사가 가능함에도 불구하고 행정청이 장기간 권리행사를 하지 않았어야 하며, 상대방인 국민이 행정청이 이제는 권리를 행사하지 않을 것으로 신뢰하였고 그에 정당한 사유가 있어야 한다.

4. 부당결부금지원칙

> ● 행정기본법
> 제13조(부당결부금지의 원칙) 행정청은 행정작용을 할 때 상대방에게 해당 행정작용과 실질적인 관련이 없는 의무를 부과해서는 아니 된다.

(1) 부당결부금지원칙의 개념 및 근거

부당결부금지원칙은 행정작용을 함에 있어 이와 실질적인 관련이 없는 상대방의 반대급부를 조건으로 하여서는 안 된다는 원칙을 말한다. 부당결부금지의 원칙은 현실적으로는 부관에 의해 행정행위에 반대급부를 결부시키는 경우와 행정상 새로운 의무이행확보수단과 관련하여 주로 논의된다. 행정기본법 제13조에 근거하고 있다.

(2) 부당결부금지원칙의 내용

실질적 관련성이란 원인적 관련성과 목적적 관련성이 있는지를 판단하는 것이다. 첫째, 원인적 관련성이란 수익적 내용이 주된 행정행위와 불이익한 의무를 부과하는 부관 사이에 직접적인 인과관계가 있을 것을 요하는 것이다. 둘째, 목적적 관련성이란 행정기관은 부관을 부과함에 있어서 근거법률 및 당해 행정 분야의 과업내용에 따라 허용되어지는 특정 목적만을 수행하여야 한다는 것을 의미한다. 부당결부금의원칙에 반한 행정처분은 위법하게 되어 취소판결을 받게 된다.

Ⅲ 보상법규 3법과 관련한 행정법 일반원칙 사례

1. 비례의 원칙이 적용되는 사례(기출 제31회 1번)

토지보상법 제19조와 관련하여 공물을 수용할 수 있는지가 문제 된다. 학설과 판례는 특별한 필요가 있는 경우 별도의 용도폐지 없이 공물을 수용할 수 있다고 보고 있다. 다만, 비례의 원칙을 통해 기존 공물의 공익과 공물을 수용하는 사업의 공익을 비례의 원칙을 통하여 비교·교량을 하여야 한다.

● 구 문화재보호법 제54조의2 제1항에 의하여 지방문화재로 지정된 토지가 수용대상이 되는지 여부(적극)

토지수용법은 제5조의 규정에 의한 제한 이외에는 수용의 대상이 되는 토지에 관하여 아무런 제한을 하지 아니하고 있을 뿐만 아니라, 토지수용법 제5조, 문화재보호법 제20조 제4호, 제58조 제1항, 부칙 제3조 제2항 등의 규정을 종합하면 구 문화재보호법(1982.12.31. 법률 제3644호로 전문 개정되기 전의 것) 제54조의2 제1항에 의하여 지방문화재로 지정된 토지가 수용의 대상이 될 수 없다고 볼 수는 없다.
(출처 : 대법원 1996.4.26. 선고 95누13241 판결 [토지수용이의재결처분취소등] 〉 종합법률정보 판례)

문화재보호법은 지방자치단체 또는 지방자치단체의 장에게 시·도지정문화재뿐 아니라 국가지정문화재에 대하여도 일정한 권한 또는 책무를 부여하고 있고, 문화재보호법에 해당 문화재의 지정권자만이 토지 등을 수용할 수 있다는 등의 제한을 두고 있지 않으므로, 국가지정문화재에 대하여 관리단체로 지정된 지방자치단체의 장은 문화재보호법 제83조 제1항 및 토지보상법에 따라 국가지정문화재나 그 보호구역에 있는 토지 등을 수용할 수 있다.
(출처 : 대법원 2019.2.28. 선고 2017두71031 판결 [사업인정고시취소] 〉 종합법률정보 판례)

2. 신뢰보호의 원칙이 적용되는 사례

토지보상법 제20조와 관련하여 국토교통부 장관이 사업시행자에게 사업인정을 해줄 것으로 일정한 견해표명을 하였고, 사업시행자는 이를 신뢰한 것에 대하여 별다른 귀책사유가 없는 경우에 국토교통부 장관이 이후에 사업인정을 해주지 않은 경우 이는 신뢰보호의 원칙 위반으로 위법하다. 다만, 제3자 또는 정당한 사유가 있어서 사업인정을 해주지 않은 경우에는 위법하지 않은 행정작용이 될 수 있다. 주로 계획재량에서 행정청의 공적견해 표명을 했을 때 신뢰보호의 원칙이 적용되는 것이 일반적이기도 하다.

3. 실권의 법리가 적용되는 사례

감정평가 및 감정평가사에 관한 법률 제13조 및 제39조 등과 관련하여 국토교통부 장관이 자격취소 등을 할 수 있었으나, 상당한 기간이 경과한 이후에 자격취소 등을 하였고, 국토교통부장관이 권리를 불행사할 것에 대한 상대방의 정당한 신뢰가 있는 경우, 이는 실권의 법리를 위반한 위법한 처분이 될 수 있다.

4. 부당결부금지원칙이 적용되는 사례

행정청은 행정작용을 할 때 상대방에게 해당 행정작용과 실질적인 관련이 없는 의무를 부과해서는 아니 된다. 국토교통부장관이 사업인정을 하면서 해당 공익사업의 목적과 관계없는 기부채납 붙이는 경우 원인적 관련성, 목적적 관련성이 없어 부당결부금지원칙에 위반한 사업인정이 된다.

> ⤵ **행정기본법**
> **제17조(부관)**
> ① 행정청은 처분에 재량이 있는 경우에는 부관(조건, 기한, 부담, 철회권의 유보 등을 말한다. 이하 이 조에서 같다)을 붙일 수 있다.
> ② 행정청은 처분에 재량이 없는 경우에는 법률에 근거가 있는 경우에 부관을 붙일 수 있다.
> ③ 행정청은 부관을 붙일 수 있는 처분이 다음 각 호의 어느 하나에 해당하는 경우에는 그 처분을 한 후에도 부관을 새로 붙이거나 종전의 부관을 변경할 수 있다.
>   1. 법률에 근거가 있는 경우
>   2. 당사자의 동의가 있는 경우
>   3. 사정이 변경되어 부관을 새로 붙이거나 종전의 부관을 변경하지 아니하면 해당 처분의 목적을 달성할 수 없다고 인정되는 경우
> ④ 부관은 다음 각 호의 요건에 적합하여야 한다.
>   1. 해당 처분의 목적에 위배되지 아니할 것
>   2. 해당 처분과 실질적인 관련이 있을 것
>   3. 해당 처분의 목적을 달성하기 위하여 필요한 최소한의 범위일 것

Ⅳ 사안의 해결

행정청은 행정작용과 관련하여 일정한 재량권을 가지게 된다. 하지만, 재량이 있다고 해서 무제한적으로 이를 행사할 수는 없으며, 그 범위를 초과한 경우 재량권의 일탈 남용에 해당하는 행정작용으로 위법한 처분이 될 수 있다. 이러한 처분은 재량행위임에도 불구하고 법원이 취소할 수 있다. 행정소송법 제27조에서는 행정청의 재량에 속하는 처분이라도 재량권의 한계를 넘거나 그 남용이 있는 때에는 법원이 이를 취소할 수 있다고 규정하고 있다.

> ⤵ **행정기본법 암기해야 할 주요 조문**
> **제8조(법치행정의 원칙)**
> 행정작용은 법률에 위반되어서는 아니 되며, 국민의 권리를 제한하거나 의무를 부과하는 경우와 그 밖에 국민생활에 중요한 영향을 미치는 경우에는 법률에 근거하여야 한다.
>
> **제9조(평등의 원칙)**
> 행정청은 합리적 이유 없이 국민을 차별하여서는 아니 된다.
>
> **제10조(비례의 원칙)**
> 행정작용은 다음 각 호의 원칙에 따라야 한다.
> 1. 행정목적을 달성하는 데 유효하고 적절할 것
> 2. 행정목적을 달성하는 데 필요한 최소한도에 그칠 것
> 3. 행정작용으로 인한 국민의 이익 침해가 그 행정작용이 의도하는 공익보다 크지 아니할 것

제11조(성실의무 및 권한남용금지의 원칙)

① 행정청은 법령 등에 따른 의무를 성실히 수행하여야 한다.

② 행정청은 행정권한을 남용하거나 그 권한의 범위를 넘어서는 아니 된다.

제12조(신뢰보호의 원칙)

① 행정청은 공익 또는 제3자의 이익을 현저히 해칠 우려가 있는 경우를 제외하고는 행정에 대한 국민의 정당하고 합리적인 신뢰를 보호하여야 한다.

② 행정청은 권한 행사의 기회가 있음에도 불구하고 장기간 권한을 행사하지 아니하여 국민이 그 권한이 행사되지 아니할 것으로 믿을 만한 정당한 사유가 있는 경우에는 그 권한을 행사해서는 아니 된다. 다만, 공익 또는 제3자의 이익을 현저히 해칠 우려가 있는 경우는 예외로 한다.

제13조(부당결부금지의 원칙)

행정청은 행정작용을 할 때 상대방에게 해당 행정작용과 실질적인 관련이 없는 의무를 부과해서는 아니 된다.

제17조(부관)

① 행정청은 처분에 재량이 있는 경우에는 부관(조건, 기한, 부담, 철회권의 유보 등을 말한다. 이하 이 조에서 같다)을 붙일 수 있다.

② 행정청은 처분에 재량이 없는 경우에는 법률에 근거가 있는 경우에 부관을 붙일 수 있다.

③ 행정청은 부관을 붙일 수 있는 처분이 다음 각 호의 어느 하나에 해당하는 경우에는 그 처분을 한 후에도 부관을 새로 붙이거나 종전의 부관을 변경할 수 있다.

   1. 법률에 근거가 있는 경우

   2. 당사자의 동의가 있는 경우

   3. 사정이 변경되어 부관을 새로 붙이거나 종전의 부관을 변경하지 아니하면 해당 처분의 목적을 달성할 수 없다고 인정되는 경우

④ 부관은 다음 각 호의 요건에 적합하여야 한다.

   1. 해당 처분의 목적에 위배되지 아니할 것

   2. 해당 처분과 실질적인 관련이 있을 것

   3. 해당 처분의 목적을 달성하기 위하여 필요한 최소한의 범위일 것

제19조(적법한 처분의 철회)

① 행정청은 적법한 처분이 다음 각 호의 어느 하나에 해당하는 경우에는 그 처분의 전부 또는 일부를 장래를 향하여 철회할 수 있다.

   1. 법률에서 정한 철회 사유에 해당하게 된 경우

   2. 법령 등의 변경이나 사정변경으로 처분을 더 이상 존속시킬 필요가 없게 된 경우

   3. 중대한 공익을 위하여 필요한 경우

② 행정청은 제1항에 따라 처분을 철회하려는 경우에는 철회로 인하여 당사자가 입게 될 불이익을 철회로 달성되는 공익과 비교·형량하여야 한다.

문제

토지보상법 제1조(목적)

우리 헌법 제23조 제3항은 손실보상의 일반적 기준에 관하여 정당보상의 원칙을 규정하고 있으며, 토지수용법과 공공용지의 취득 및 손실보상에 관한 특례법(이하 공특법)이 통합된 현행 「공익사업을 위한 토지 등의 취득 및 보상에 관한 법률」(이하 '토지보상법')에서는 그 구체적인 기준으로서 시가보상원칙, 공시지가기준, 개발이익 배제, 생활보상제 등을 규정하고 있다. 다음의 설문에 답하시오. 40점

(1) 헌법 제23조 제3항의 정당한 보상의 의미에 대하여 설명하시오.

(2) 토지보상법상 보상의 적정화를 위하여 어떠한 내용으로 구체화되고 있는지 설명하시오.

(3) 토지보상법상 개발이익 배제제도의 의의, 필요성, 문제점에 대하여 논하시오.

Ⅰ. 서

Ⅱ. 설문 (1)의 검토(헌법 제23조 제3항의 의미)
  1. 개요
  2. 학설의 태도
    (1) 완전보상설
    (2) 상당보상설
    (3) 절충설
  3. 판례의 태도
  4. 검토

Ⅲ. 설문 (2)의 검토(토지보상법상 보상의 적정화를 위한 내용)
  1. 손실보상의 기준
    (1) 개설
    (2) 시가에 의한 보상
    (3) 개발이익 배제 보상
    (4) 생활보상의 지향
  2. 손실보상의 원칙

  (1) 의의
  (2) 구체적인 내용
  3. 손실보상액 결정에 대한 불복
    (1) 이의신청
    (2) 보상금증감청구소송
  4. 기타 정당보상 실현을 위한 내용

Ⅳ. 설문 (3)의 검토(개발이익 배제 관련 사항)
  1. 개발이익의 의의
  2. 개발이익 배제의 필요성
    (1) 잠재적 손실
    (2) 형평의 원리의 실현
    (3) 주관적 가치에 대한 보상배제
  3. 개발이익 배제제도의 문제점
    (1) 공익사업시행지역 내외의 불균형
    (2) 토지보상법 제70조 제5항 등의 규정

Ⅴ. 결

> **Tip** 보상법규에서 50% 이상의 중요성을 지닌 것이 손실보상의 논제인 만큼 그 중요도에 대해서 깊이 있게 고찰해 보기로 한다. 현실의 사례를 통해서 본 논제의 중요성에 대해서 각인하여야 할 것이다.

> **Tip** 강박사의 TIP(최근 기출문제)
> 1. 개발이익이 배제된 보상금 결정의 위법성(제28회 문제4)
> 2. 개발이익 배제 및 포함 논의(제17회 문제3)

베타답안

문 40점

Ⅰ. 서(논점의 정리)

재산권에 대한 침해에 대하여 어느 정도까지 손실보상을 인정할 것인가의 문제는 각국의 입법정책 및 재산권에 대한 사회적 가치관에 따라 달라질 수 있다. 우리나라 헌법 제23조 제3항에서는 정당보상의 원칙을 취하며 구체적인 보상액의 산정기준을 「공익사업을 위한 토지 등의 취득 및 보상에 관한 법률」(이하 '토지보상법')에 유보하였다. ① 이러한 정당보상의 해석에 있어서 견해의 대립이 있는 바, 이를 먼저 검토하고, ② 토지보상법의 헌법상 정당보상을 구체화하기 위한 내용 등을 살펴본 후, ③ 마지막으로 개발이익배제와 관련하여 검토해 보도록 한다.

Ⅱ. 설문 (1)의 검토(헌법 제23조 제3항의 의미)

1. 개요

헌법 제23조 제3항의 정당한 보상의 범위에 대하여 불확정적인바 이에 대한 검토를 필요로 한다.

2. 학설의 태도

(1) 완전보상설

손실보상은 피침해재산이 가지는 완전한 가치를 보상해야 한다는 견해이다. 이는 다시 ① 손실보상의 목적을 재산권 보장의 실현에 두고 피침해재산 자체의 손실만을 보상하고 부대적 손실은 포함되지 않는다는 견해와, ② 손실보상의 목적을 평등원칙 실현에 두어 침해에 의해 발생되는 손실의 전부를 보상해야 한다는 견해로 구분된다.

(2) 상당보상설

손실보상은 재산권의 사회적 구속성과 침해행위의 공공성에 비추어 사회국가원리에 바탕을 둔 기준에 따른 정당한 보상이면 족하다는 견해이다. 이는 다시 ① 당시 사회통념에 비추어 객관적으로 타당하면 완전보상을 하회할 수 있다고 보는 견해, ② 완전보상을 원칙으로 하되 합리적 사유가 있을 시에는 완전보상을 상회하거나 하회할 수 있다고 보는 견해로 나누어진다.

(3) 절충설

완전한 보상을 요하는 경우와 상당한 보상으로써 충분한 경우로 나누고 있다. 즉, 작은 재산의 침해나 기존의 재산법질서의 범위 안에서의 개별적인 재산권 침해행위는 완전한 보상을 요하지만, 큰 재산의 침해나 기존의 재산법질서를 구성하는 어떤 재산권에 대한 사회적 평가가 변화되어 그 권리관계의 변혁을 목적으로 행하여지는 재산권 침해행위는 상당한 보상을 하면 된다는 것이다.

3. 판례의 태도

정당한 보상이란 완전보상을 뜻하는 것으로 보상금액뿐만 아니라 보상의 시기나 방법 등에 있어서도 어떠한 제한을 두어서는 아니 된다고 판시하였다.

4. 검토

정당한 보상이란 평등의 원칙 및 국민의 법감정을 고려할 때 완전보상을 의미한다고 보여지며, 헌법의 법률합치적 해석관점에서 정당한 보상의 범위는 재산권의 가치보상, 부대적 손실보상, 생활보상이라 할 것이다.

Ⅲ. 설문 (2)의 검토(토지보상법상 보상의 적정화를 위한 내용)

1. 손실보상의 기준

(1) 개설

헌법의 구체화 법으로 손실보상의 일반법적 지위에 있는 토지보상법은 정당보상의 실현을 위한 손실보상기준에 대하여 규정하고 있다.

(2) 시가에 의한 보상(토지보상법 제67조 제1항)

보상액 산정은 협의에 의한 경우는 협의 성립 당시의 가격을, 재결에 의한 경우에는 수용 또는 사용의 재결 당시의 가격을 기준으로 한다.

(3) 개발이익 배제 보상(동조 제2항)

보상액을 산정할 경우에 해당 공익사업으로 인하여 토지 등의 가격이 변동되었을 때에는 이를 고려하지 아니한다.

(4) 생활보상의 지향(동법 제78조, 제78조의2)

현대 복리국가의 요청으로 공공성 개념의 확대에 따른 대규모 공익사업의 시행과 재산권 관념의 변화에 따른 침해유형의 다양화로 재산권 보상만으로는 메워지지 않는 부분의 고려로 볼 수 있다.

2. 손실보상의 원칙

(1) 의의

손실보상의 원칙이란 공익사업을 시행하는 자가 공용침해에 따른 손실보상을 함에 있어서 지켜야 하는 원칙을 말한다. 이는 헌법 제23조 제3항의 정당보상을 구체화하기 위하여 법률로써 규정한 것이다.

(2) 구체적인 내용

사업시행자 보상원칙(토지보상법 제61조), 사전보상원칙(동법 제62조), 현금보상원칙(동법 제63조), 개인별 보상원칙(동법 제64조), 일괄보상원칙(동법 제65조), 사업시행 이익과의 상계금지원칙(동법 제66조), 시가보상원칙(동법 제67조) 등이 있다.

3. 손실보상액 결정에 대한 불복

(1) 이의신청(토지보상법 제83조)

재결서의 정본을 받은 날부터 30일 이내에 해당 지방토지수용위원회를 거쳐 또는 바로 중앙토지수용위원회에 이의를 신청할 수 있다.

(2) 보상금증감청구소송(동법 제85조 제1항)

재결서 정본을 받은 날부터 90일 이내에, 이의신청을 거친 경우 이의신청에 대한 재결서를 받은 날부터 60일 이내에 각각 제기할 수 있다.

4. 기타 정당보상 실현을 위한 내용

보상금의 공탁(토지보상법 제40조 제2항), 재결의 실효(동법 제42조) 및 확장수용 등이 이에 해당한다.

Ⅳ. 설문 (3)의 검토(개발이익 배제 관련 사항)

1. 개발이익의 의의

손실보상에 있어서 배제하는 개발이익이란 개발사업의 시행 또는 토지이용계획의 변경, 기타 사회·경제적 요인에 의하여 정상지가 상승분을 초과하여 개발사업의 시행자 또는 토지소유자에게 귀속되는 토지가액의 증가분을 말한다.

2. 개발이익 배제의 필요성

(1) 잠재적 손실

행정상 손실보상은 적법한 공권력의 행사에 의하여 발생한 특별한 희생에 대하여 아직 실현되지 아니한 잠재적 손실은 그 대상에 포함하지 않는다는 것이 원칙이다.

(2) 형평의 원리의 실현

개발이익은 토지소유자에게 당연히 귀속되어야 할 성질의 것이 아니고, 오히려 사업시행자 또는 사회에 귀속되도록 하는 것이 형평의 원리에 부합된다.

(3) 주관적 가치에 대한 보상 배제

개발이익은 공익사업의 시행에 의하여 비로소 발생하는 것으로, 수용 당시의 객관적 가치에 해당하지 않으며 주관적 가치 부여에 지나지 않는바 손실보상에 있어서 배제되어야 한다.

3. 개발이익 배제제도의 문제점

(1) 공익사업시행지역 내외의 불균형

공익사업시행지역 내에서는 개발이익 배제가 가능하나 시행지역 이외에는 거의 환수가 되지 않고 있다.

(2) 토지보상법 제70조 제5항 등의 규정

토지보상법 제70조 제5항에서 시행공고나 고시로 인하여 토지의 가격이 변동된 경우 개발이익을 배제하도록 규정하고, 동법 시행령 제37조 제3항 및 동법 시행령 제38조의2에서는 토지의 가격이 변동된 경우의 구체적인 내용에 대한 규정이 있다.

V. 결

적법한 공권력의 행사로 인하여 개인에게 가하여진 특별한 희생에 대하여는 보상이 이루어져야 함은 자명하다. ① 이에 헌법 제23조 제3항은 정당한 보상을 규정하고 있으며 그 의미에 대하여 견해의 대립은 있으나 완전보상설을 취하고 있다. ② 이를 구체화하기 위하여 토지보상법은 손실보상의 기준, 원칙, 불복 등에 있어서 규정하고 있다. ③ 손실보상에 있어서 개발이익 배제의 필요성이 있는 한편 문제점도 지니는바 과세적 방법, 비과세적 방법 등의 연구와 입법정책적 노력이 요구된다 할 것이다.

2절 토지보상법 제4조(공익사업)

> **문제**
>
> 공용수용행정에서 공적주체인 사업시행자가 행하는 강제적인 수용절차를 진행할 수 있는 핵심적인 명분은 공공필요이다. 그렇다면 공공필요와 수용목적물의 관계는 어떠한지 설명하시오. 20점
>
> I. 논의의 쟁점
> II. 공공필요와 수용목적물의 의의
>   1. 공공필요의 의의
>   2. 수용목적물의 의의
>
> III. 공공필요와 수용목적물의 관계
>   1. 공공필요 개념 확장에 따른 수용목적물 범위의 확대화 경향
>   2. 수용목적물의 범위제한
>   3. 공공필요의 상충
>   4. 공공필요가 결여된 수용목적물
> IV. 결론

> **Tip** 공익사업을 위하여 공용수용을 통해 강제로 국민의 재산권을 취득하는 법리학습이 공용수용 총론 파트에서는 매우 중요하다. 이 부분에 대한 집중학습이 요구된다. 다음은 이와 관련된 중요 대법원 판례이다.
>
> □ **공용수용에 대한 법리**
>
> 공용수용은 공익사업을 위하여 특정의 재산권을 법률에 의하여 강제적으로 취득하는 것을 내용으로 하므로 그 공익사업을 위한 필요가 있어야 하고, 그 필요가 있는지에 대하여는 수용에 따른 상대방의 재산권 침해를 정당화할 만한 공익의 존재가 쌍방의 이익의 비교·형량의 결과로 입증되어야 하며, 그 입증책임은 사업시행자에게 있다(대판 2005.11.10, 2003두7507[토지수용이의재결처분취소]).

I 논의의 쟁점

헌법 제23조 제3항은 공용수용의 요건으로 공공필요를 요구하고 있다. 공공필요는 공용수용을 시작할 수 있게 해주는 요건이면서 또한 소멸되지 않고 지속될 것이 요구된다. 공용수용의 목적물은 결국 공익사업을 위해 필요한 토지 등을 말하는 것으로 공공필요와 수용목적물은 밀접한 관련을 가지고 있다.

II 공공필요와 수용목적물의 의의

1. 공공필요의 의의

(1) 개념 및 확대화 경향

공공필요는 대표적 불확정 개념으로 시대와 사회에 따라 달라지는 개념이다. 종래에는 그

범위가 매우 제한적이었으나 현대복리국가이념의 등장으로 행정의 기능이 확대됨에 따라 공공필요의 개념 또한 확대되고 있는 추세이다.

(2) 공공필요의 판단기준

공공필요는 불확정 개념이기 때문에 이에 대한 자의적 해석을 방지하기 위하여 광의의 비례원칙을 기준으로 판정한다. 광의의 비례원칙의 세부 원칙으로 ① 목적물을 수용할 만한 사업인가를 판단하는 적합성 원칙, ② 그러한 사업이라고 하더라도 침해를 최소화할 수 있는 범위 내일 것을 요구하는 필요성 원칙, ③ 적합성, 필요성이 충족된다고 하여도 공익과 사익의 구체적 이익형량을 통해서 판단할 때 공익이 커야한다는 상당성 원칙이 충족되어야 한다.

(3) 공공필요의 소멸

공공필요가 있는 경우에 한하여 공익사업은 수용적격사업으로 인정되며, 해당 공익사업이 지속되는 동안 공공필요도 지속적으로 계속되어야 한다. 해당 공익사업이 지속되는 도중에 공공필요가 소멸한 경우에는 공익보다 사익 침해가 큰 상황이므로 사익을 위한 조치를 강구하여야만 한다. 공용수용의 일반법적 지위에 있는 「공익사업을 위한 토지 등의 취득 및 보상에 관한 법률」(이하 '토지보상법')에서는 공용수용절차 도중에 공공필요가 소멸된 경우에 사업인정의 효력이 소멸되도록 규정하고 있고, 공용수용절차 종료 후에 공공필요가 소멸된 경우에는 환매권을 인정하고 있다.

2. 수용목적물의 의의

수용목적물이란 공용수용의 객체로서 토지보상법 제3조에서는 ① 토지 및 토지에 관한 소유권 외의 권리, ② 입목(立木), 건물, 그 밖에 토지에 정착된 물건 및 이에 관한 소유권 외의 권리, ③ 광업권·어업권·양식업권 또는 물의 사용에 관한 권리, ④ 토지에 속한 흙·돌·모래 또는 자갈에 관한 권리 등을 목적물로 규정하고 있다. 또한 각 개별법에서는 무체재산권까지도 수용목적물로 인정하고 있다.

Ⅲ   공공필요와 수용목적물의 관계

1. 공공필요 개념확장에 따른 수용목적물 범위의 확대화 경향

종래에는 수용목적물로 비대체적인 토지소유권에 한정되었으나, 공공필요의 개념 확장에 따라 수용목적물도 확대되어 왔으며, 현재에는 일체의 재산적 가치있는 권리는 모두 수용목적물이 될 수 있다.

2. 수용목적물의 범위제한

수용목적물이 사유재산권인 경우에는 사업을 통한 공익과 침해되는 사익의 이익형량을 통해서 공공필요가 판단되고 공공필요가 인정되는 범위만큼 수용목적물인 사유재산권의 범위가 결정된

다. 수용목적물이 사유재산권인 경우에는 광의의 비례원칙 중 최소침해의 원칙이 중시되며, 수용
목적물은 국민의 재산권 침해를 최소화하기 위해서 가능한 비대체적인 것으로 한정되어야 한다.

3. 공공필요의 상충

수용목적물이 공물인 경우에는 기존 공익사업과 신규 공익사업 사이에서 공공필요가 상충하게
된다. 토지보상법 제19조 제2항에서는 공익사업에 수용 또는 사용되고 있는 토지 등은 특별히
필요한 경우가 아니면 이를 다른 공익사업을 위하여 수용 또는 사용할 수 없다. 수용목적물이
공물인 경우에는 광의의 비례원칙 중 상당성의 원칙이 중시되며, 신규 공익사업을 통해 달성되는
공익이 보다 큰 경우에만 수용목적물로 인정할 수 있다. 토지보상법 제19조 제2항의 특별히 필
요한 경우라 함은 이러한 상당성의 원칙을 반영한 것으로 해석할 수 있다.

4. 공공필요가 결여된 수용목적물

(1) 공용수용 개시단계에서부터 공공필요가 없었던 경우

공용수용은 사업인정을 시작으로 진행된다. 사업인정이란 해당 공익사업이 목적물을 수용·
사용할 만한 적격 사업인가를 판정하여 사업시행자에게 수용권을 설정하여 주는 행위이다. 따
라서 사업인정을 하면서 공공필요의 판단을 그르친 경우에는 사업인정의 실체적 하자를 구성
하게 된다. 수용목적물에 대한 권리를 가진 자는 하자 있는 사업인정에 대하여 불복하여 다툴
수 있다. 다만, 사업인정에 불가쟁력이 발생한 경우에는 사업인정의 하자를 이유로 재결단계
에서는 그 위법을 이유로 다툴 수 없다는 것이 판례의 태도이다.

(2) 공용수용절차 종료 후에 공공필요가 상실된 경우

공용수용절차가 종료된 이후에 해당 공익사업이 폐지되거나 변경되어 공공필요가 상실된 경
우에 수용목적물은 더 이상 공익사업에 제공될 필요가 없다. 따라서 원래의 소유자에게 되돌
려 주는 것이 공평의 원칙에 합당할 것이다. 토지보상법은 이러한 경우에 환매권을 행사할 수
있도록 규정하여 원래의 소유자에게 수용목적물을 되돌려 줄 수 있도록 하고 있다.

Ⅳ 결론

공용수용행정에 있어서 결국 공공필요와 목적물의 관계는 필수불가결한 연관성을 지니게 됨을
알 수 있다. 아무리 공공필요가 있다고 하더라도 목적물과의 관련성이 없는 공용수용은 허용되지
도 않고, 목적물이 아무리 사업목적에 필요한 것이라 하더라도 공공필요의 대전제하에 수용이
이루어져야 할 것이다. 이는 헌법이 천명한 정당한 보상과도 깊은 관련성이 있음을 감정평가사는
인식하고 공용수용행정에 참여해야 할 것이다.

3절 행정법 쟁점 : 행정입법(법규명령 형식의 행정규칙/법령보충적 행정규칙)

문제

행정입법을 운영함에 있어서 형식과 실질이 일치하지 않는 경우가 행정 현장에서 핵심적인 논제이다. 행정입법에서 법규명령형식의 행정규칙과 법령보충적 행정규칙에 대하여 설명하되, 우리 감정평가 및 보상법규 3법에 존재하는 구체적인 예를 가지고 검토하시오. 30점

Ⅰ. 논점의 정리

Ⅱ. 법규명령과 행정규칙
1. 법규명령
2. 행정규칙

Ⅲ. 법규명령 형식의 행정규칙
1. 의의
2. 법적 성질
3. 감정평가 및 보상법규 3법상의 예시
(감정평가법 시행령 별표3)

Ⅳ. 법령보충적 행정규칙
1. 의의
2. 법적 성질
3. 감정평가 및 보상법규 3법상의 예시
(1) 토지가격비준표
(2) 토지보상법 시행규칙 제22조
(3) 토지보상법 시행규칙 제26조
(4) 감정평가 실무기준
(5) 표준지조사평가기준

Ⅴ. 결

Tip 해당 논점은 빈출 논점으로 그 예시를 잘 알아둘 필요가 있다. 기출 제33회에도 법령보충적 행정규칙이 출제되었으며, 법적 성질 논의 시 판례를 풍부히 기술하고, 법규명령과 행정규칙인 경우의 위법성 판단 시 차이를 파악해야 한다. 배점이 크게 나오는 경우, 법규명령으로 볼 때, 행정규칙으로 볼 때의 경우를 함께 기재할 필요가 있다. 또한, 법령보충적 행정규칙의 경우 상위법령의 위임이 있고, 수권범위 내에서 상위법령을 보충 구체화할 것을 요건으로 하기 때문에, 상위법령이 무엇인지 기술해야 한다. (예 감정평가 실무기준, 감칙 제28조). 법규명령형식의 행정규칙의 경우 우리 법상 감정평가법 시행령 제29조 별표3 밖에 없으므로 그 외의 것은 법령보충적 행정규칙으로 알아두면 된다.

Tip 강박사의 TIP(최근 기출문제)
1. 가중처벌을 규정한 별표의 법적 성질과 협의의 소익(제16회)
2. 토지가격비준표(제19회)
3. 감정평가법인등의 인가취소등 시행령 별표3 재판규범성(제20회)
4. 국토교통부 K지침에 따라 보상평가(제21회)
5. 감정평가법 시행령 별표3와 협의의 소익(제24회)
6. 감정평가실무기준의 법적 성질(제26회)
7. 감정평가법 시행령 별표3의 법적 성질과 협의의 소익
8. 이주대책 이주민지원규정의 법적 성질(제28회)
9. 토지가격비준표 적용의 위법성(제29회)
10. 표준지조사평가기준(제33회).

I 논점의 정리

행정입법을 운영함에 있어서 형식과 실질이 일치하지 않은 경우가 있다. 행정입법에 있어 법규명령형식의 행정규칙과 법령보충적 행정규칙이 있는데, 이에 대하여 법적 성질이 법규명령인지 행정규칙인지, 대외적 구속력이 있는지, 재판규범이 되는지 살피고, 우리 감정평가 및 보상법규 3법상에 존재하는 예시를 통해 검토한다.

II 법규명령과 행정규칙

1. 법규명령

(1) 의의

법규명령이란 행정권이 제정하는 법규를 말한다. 실무에서는 통상 명령이라는 용어를 사용한다. 헌법 제75조는 대통령령(위임명령과 집행명령)의 근거를, 헌법 제95조는 총리령과 부령(위임명령과 집행명령)의 근거를 두고 있다.

(2) 법규명령의 종류

1) 위임명령과 집행명령

법률보다 하위의 효력을 가지는 명령인 종속명령에는 새로운 법규 사항(국민의 권리 의무에 관한 사항)을 정하는지 아닌지에 따라 위임명령과 집행명령으로 구분된다. 위임명령이란 법률 또는 상위명령의 위임에 의해 제정되는 명령으로서 새로운 법규 사항을 정할 수 있다. 집행명령이란 상위법령의 집행을 위하여 필요한 사항(에 신고서 양식 등)을 법령의 위임 없이 직권으로 발하는 명령이다. 집행명령에서는 새로운 법규 사항을 정할 수 없다.

2) 대통령령, 총리령, 부령(제정권자에 따른 분류)

대통령이 제정하는 명령을 대통령령, 총리가 발하는 명령을 총리령, 행정 각부의 장이 발하는 명령을 부령이라 한다. 입법 실제에 있어서 대통령령에는 시행령이라는 이름을 붙이고, 총리령과 부령에는 시행규칙이라는 이름을 붙인다.

(3) 위임입법의 한계

위임입법의 한계로 ① 법률상 수권 규정이 있어야 하고, ② 구체적 범위를 정하여 수권하여야 하며, ③ 모법을 부당하게 제한하여 모법의 취지에 어긋나지 않아야 한다.

2. 행정규칙

(1) 의의

행정규칙이란 행정조직 내부에서 행정의 사무처리기준으로 제정된 일반적, 추상적 규범을 말한다. 실무에서 훈령, 통첩, 고시, 예규 등이 행정규칙에 해당한다. 이 중 재량준칙이란 재량권 행사의 기준을 제시하는 행정규칙을 말한다.

(2) 행정규칙의 대내적 구속력

행정규칙은 상급행정기관의 감독권에 근거하여 하급행정기관에 대하여 발해지는 것이므로 원칙상 하급행정기관은 행정규칙을 준수할 법적 의무를 지닌다.

(3) 행정규칙의 대외적 구속력과 법적 성질

대외적 구속력이란, 국민이 행정행위가 행정규칙에 위반하였다는 것을 이유로 행정행위의 위법을 주장할 수 있는 것과 행정규칙이 법원에 대하여 재판규범이 되는가 하는 문제이다. 판례는 원칙상 행정규칙의 대외적 구속력을 부정하나, 특히 문제 되는 재량준칙에서 검토한다.

(4) 재량준칙의 대외적 구속력 여부

1) 의의

재량준칙이란 재량권 행사의 기준을 정한 행정규칙을 말한다. 재량준칙은 법규명령과 달리 행정권 행사의 일반적 기준이나 방침을 제시할 뿐이며, 그 자체로서 국민에게 직접적 법적 효과를 미치지 않는다. 법규명령은 규정 내용과 다른 결정을 할 수 없지만, 재량준칙은 구체적 사안의 특수성 또는 공익상 필요로 재량준칙에서 정해진 기준과 다른 결정을 할 수 있다.

2) 재량준칙의 대외적 구속력 여부

(가) 문제점

재량준칙이 그 자체로 국민의 권리 의무에 영향을 미치는 대외적 구속력이 있다면, 재량준칙을 위반한 행정권 행사는 위법하게 됨에 논의의 실익이 있다.

(나) 학설

① 〈부정설〉 전통적 견해는 재량준칙은 행정조직 내부에서의 재량권 행사의 기준을 정한 행정규칙이므로 대외적 구속력이 없다고 본다. ② 〈준법규성설〉 재량준칙은 자기 구속의 원칙을 매개로 하여 간접적으로 대외적 구속력을 갖는다고 보는 견해이며, 이것이 다수견해이다. 즉 그 자체로서 직접 대외적 구속력을 갖는 것은 아니나, 특별한 사유 없이 특정한 자에게 행정관행의 내용과 다른 처분을 하는 것은 자기 구속의 원칙에 반하여 위법한 처분이 된다고 한다. ③ 〈법규성설〉행정권에도 일정한 한도 내에서 고유한 법규제정권이 있다는 전제하에 재량준칙은 행정권이 독자적 입법권에 근거하여 제정된 법규라고 보는 견해이다.

(다) 판례

판례는 원칙상 행정규칙의 대외적 구속력을 인정하지 않지만, 재량준칙이 객관적으로 보아 합리적이 아니라든가 타당하지 아니하여 재량권을 남용한 것이라고 인정되지 않는 이상 행정청의 의사는 가능한 한 존중되어야 한다고 하여 평등원칙에 근거하여 재량준칙의 대외적 구속력을 인정하고 있다. 또한, 재량준칙이 되풀이되어 시행되어 행정관행이 성립한 경우, 당해 재량준칙에 자기 구속력을 인정하여 자기 구속원칙에 근거하여 재량준칙의 대외적 구속력을 인정하고 있다.

(5) 검토

재량준칙은 행정 내부 사무처리기준이므로 행정권에게 독자적 입법권이 있을 수는 없으므로 법규성설은 타당하지 않다. 평등원칙 또는 자기 구속의 원칙에 근거하여 간접적으로 대외적 구속력을 인정하는 준법규성설이 타당하다.

● 〈참고〉 *단순 행정규칙인 경우(이주대책 이주민 지원 규정)(기출 제28회)
〈이주대책 이주민 지원 규정의 법적 성질〉

대법원 1997.2.11. 선고 96누14067 판결 [이주자택지 지정]
[판시사항]
[2] 한국토지공사가 정한 '이주자택지의 공급에 관한 예규'의 법적 성질(사무처리 준칙)

[판결유지]
[2] 이주대책의 수립·시행에 따른 사항을 정한 한국토지공사의 <u>이주자택지의 공급에 관한</u> <u>예규</u>는 이주대책에 관한 한국토지공사 내부의 사무처리 준칙을 정한 것에 불과하고, 대외 적으로 국민이나 법원을 기속하는 효력이 없을 뿐 아니라, 법원으로서는 이주대책의 근거 법령인 공공용지의 취득 및 손실보상에 관한 특례법의 규정 취지를 감안하여 위 예규에 나타난 사업시행자의 의사를 합리적으로 해석할 수 있다.

Ⅲ 법규명령 형식의 행정규칙

1. 법규명령 형식의 행정규칙의 의의

법규명령의 형식을 취하고 있으나, 그 내용이 행정규칙의 실질을 가지는 것을 법규명령형식의 행정규칙이라 한다.

2. 법적 성질

(1) 문제점

그 법적 성질이 법규명령인지 행정규칙인지에 따라 대외적 구속력 즉 법규적 성질을 가져 재 판규범이 되는지, 위법성 판단의 기준으로 작용하는지 문제가 된다.

(2) 학설 (법/행/수)

① 〈법규명령설(형식설)〉 규범의 형식을 중시하고, 국민의 법적안정성과 예측 가능성 등을 고 려하여 그 실질이 법규라고 보아야 한다는 견해이다. ② 〈행정규칙설(실질설)〉 법규명령의 형 식을 취한다고 하더라도 그 실질이 변하는 것은 아니며, 행정규칙으로 보아야 구체적 타당성 을 기할 수 있으므로 행정규칙으로 보아야 한다는 견해이다. ③ 〈수권여부기준설〉 상위법에서 수권을 한 경우는 위임입법에 해당하므로 법규명령으로 보아야 하고, 수권 없이 제정된 처분 기준은 행정규칙으로 보아야 한다는 견해이다.

(3) 판례

1) 종래 입장

대법원은 제재 처분의 기준이 대통령령(시행령)의 형식으로 정해진 경우는 법규명령으로, 부령(시행규칙) 형식으로 정해진 경우에는 행정규칙의 성질을 가진다고 보았다.

2) 구 청소년 보호법 시행령상 과징금처분기준 관련 판례

판례는 대통령령의 형식으로 정해진 제재적 처분기준을 법규명령으로 보면서 재량권 행사의 여지를 인정하기 위하여 과징금처분기준을 최고한도(최고한도액)를 정한 것으로 보고 있다.

판례

● 대법원 2001.3.9. 선고 99두5207 판결 [과징금부과 처분취소]
〈구 청소년 보호법 시행령 제40조 별표6 과징금처분기준의 법적 성질〉

[판시사항]
구 청소년 보호법 제49조 제1항, 제2항의 위임에 따른 같은 법 시행령 제40조 [별표 6]의 위반행위의 종별에 따른 과징금처분기준의 법적 성격(=법규명령) 및 그 과징금 수액의 의미 (=최고한도액)

[판결요지]
구 청소년보호법(1999.2.5. 법률 제5817호로 개정되기 전의 것, 이하 '법'이라고 한다) 제49조 제1항, 제2항에 따른 법시행령(1999.6.30. 대통령령 제16461호로 개정되기 전의 것, 이하 '시행령'이라고 한다) 제40조 [별표 6]의 위반행위의 종별에 따른 과징금처분기준은 법규명령이기는 하나 모법의 위임규정의 내용과 취지 및 헌법상의 과잉금지의 원칙과 평등의 원칙 등에 비추어 같은 유형의 위반행위라 하더라도 그 규모나 기간·사회적 비난 정도·위반행위로 인하여 다른 법률에 의하여 처벌받은 다른 사정·행위자의 개인적 사정 및 위반행위로 얻은 불법이익의 규모 등 여러 요소를 종합적으로 고려하여 사안에 따라 적정한 과징금의 액수를 정하여야 할 것이므로 그 수액은 정액이 아니라 최고한도액이라고 할 것이다.

또한 제재적 행정처분이 사회통념상 재량권의 범위를 일탈하였거나 남용하였는지 여부는 처분사유로 된 위반행위의 내용과 당해 처분행위에 의하여 달성하려는 공익목적 및 이에 따르는 제반 사정 등을 객관적으로 심리하여 공익침해의 정도와 그 처분으로 인하여 개인이 입게 될 불이익을 비교 교량하여 판단하여야 한다(대판 2000.4.7, 98두11779 참조).

---

3) (구)환경영향평가법 시행규칙상 제재적 처분기준 관련 판례 별개의견(2003두1684 판결)

대법원 전원합의체 판결 별개 의견은 상위법령의 위임에 따라 제재적 처분기준을 정한 부령인 시행규칙은 헌법 제95조에서 규정하고 있는 위임명령에 해당하고, 대외적으로 국민이나 법원을 구속하는 법규명령에 해당한다고 보아야 한다는 대법원 2003두1684 판결 별개의견이 있다.

> **판례**
>
> ● 대법원 2006.6.22. 선고 2003두1684 전원합의체 판결 [영업정지 처분취소]〈제재적 처분기준을 정한 부령인 시행규칙의 법적 성질〉
>
> (해당 대법원 2003두1684 판결은 원래 협의의 소익(권리보호의 필요) 대법원 판결이나 별개의견에서 시행규칙의 별표의 경우에도 법규성을 인정하자는 취지의 의견이 있었음)
> [대법관 이강국의 별개의견] 다수의견은, 제재적 행정처분의 기준을 정한 부령인 시행규칙의 법적 성질에 대하여는 구체적인 논급을 하지 않은 채, 시행규칙에서 선행처분을 받은 것을 가중사유나 전제요건으로 하여 장래 후행처분을 하도록 규정하고 있는 경우, 선행처분의 상대방이 그 처분의 존재로 인하여 장래에 받을 불이익은 구체적이고 현실적이라는 이유로, 선행처분에서 정한 제재기간이 경과한 후에도 그 처분의 취소를 구할 법률상 이익이 있다고 보고 있는바, 다수의견이 위와 같은 경우 선행처분의 취소를 구할 법률상 이익을 긍정하는 결론에는 찬성하지만, 그 이유에 있어서는 부령인 제재적 처분기준의 법규성을 인정하는 이론적 기초 위에서 그 법률상 이익을 긍정하는 것이 법리적으로는 더욱 합당하다고 생각한다. 상위법령의 위임에 따라 제재적 처분기준을 정한 부령인 시행규칙은 헌법 제95조에서 규정하고 있는 위임명령에 해당하고, 그 내용도 실질적으로 국민의 권리의무에 직접 영향을 미치는 사항에 관한 것이므로, 단순히 행정기관 내부의 사무처리준칙에 지나지 않는 것이 아니라 대외적으로 국민이나 법원을 구속하는 법규명령에 해당한다고 보아야 한다.

(4) 검토

대통령령과 부령은 양자 사이에 질적 차이가 있는 것은 아니며, 법규명령형식의 행정규칙이 법률의 위임에 근거하여 제정되면 부령과 대통령령 모두 법률의 위임에 따라 제정된 것이므로 같은 것이므로 구분하는 것은 타당하지 않다. 부령도 대통령령과 동일하게 절차적 정당성이 부여되고, 국민이 예측 가능성과 법적안정성을 고려해야 하며, 구체적 타당성은 명문화의 방법으로 확보해야 한다는 점을 볼 때 법규명령 형식으로 제정된 이상 법규명령으로 봄이 타당하다.

3. 감정평가 및 보상법규 3법상의 예시(감정평가법 시행령 제29조 별표3)

감정평가법 제32조는 업무정지를 규정하면서 제5항에서는 업무정지 등의 기준은 대통령령으로 위임하여 같은 법 시행령 제29조 별표3의 일반기준에서는 처분의 기준과 가중감경 처분의 가능성을 규정하고 있다.

별표3은 형식은 법규명령이나 그 실질은 제재적 처분기준을 정하고 있어 행정 내부의 사무처리기준인바, 그 법규적 성질이 무엇인지 논의된다. 학설의 대립이 있으나, 판례의 의견에 따를 때, 법규명령형식의 행정규칙은 국무회의 심의, 법제처 심사 등의 과정을 거치는 점, 국민의 예측 가능성을 고려하여 대외적 구속력이 있다고 봄이 타당하다고 생각된다.

(2) 토지보상법 시행규칙 제22조

토지보상법 시행규칙 제22조는 건축물 등이 없는 상태로 평가할 것을 규정한다. 이는 토지보상법 제68조 제3항의 위임을 받아 상위법령을 보충, 구체화하는 것으로서 법령보충적 행정규칙이다. 대법원은 비록 행정규칙의 형식이나, 토지보상법 규정과 결합하여 대외적 구속력을 가진다고 판시한 바 있다. 따라서 법규명령으로 봄이 타당하며, 이에 반하는 감정평가는 그 자체로 위법을 구성한다.

> **판례**
>
> ● 〈토지보상법 시행규칙 제22조의 법적 성질〉
>
> 대법원 2012.3.29. 선고 2011다104253 판결 [손해배상(기)등]
> [판결요지]
> [1] 공익사업을 위한 토지 등의 취득 및 보상에 관한 법률 제68조 제3항의 위임에 따라 협의취득의 보상액 산정에 관한 구체적 기준을 정하고 있는 공익사업을 위한 토지 등의 취득 및 보상에 관한 법률 시행규칙 제22조가 대외적인 구속력을 가지는지 여부(적극)
>
> [판시사항]
> 「공익사업을 위한 토지 등의 취득 및 보상에 관한 법률」(이하 "토지보상법"이라 함) 제68조 제3항은 협의취득의 보상액 산정에 관한 구체적 기준을 시행규칙에 위임하고 있고, 위임 범위 내에서 토지보상법 시행규칙 제22조는 토지에 건축물 등이 있는 경우에는 건축물 등이 없는 상태를 상정하여 토지를 평가하도록 규정하고 있는데, 이는 비록 행정규칙의 형식이나 토지보상법의 내용이 될 사항을 구체적으로 정하여 내용을 보충하는 기능을 갖는 것이므로, 토지보상법 규정과 결합하여 대외적 구속력을 가진다(피고(한국토지주택공사)가 국민임대주택단지조성을 위해 협의취득 보상액을 산정하면서, 토지보상법 시행규칙 제22조에 따라 평가하지 않고, 구 토지보상평가지침에 따라 평가하였고, 원고가 평가에 문제 있음을 이유로 손해배상을 청구한 사건)(대판 2012.03.29, 2011다104253).

(3) 토지보상법 시행규칙 제26조

토지보상법 시행규칙 제26조는 사실상의 사도에 대해 규정하며, 제26조 제1항 제2호에서는 사실상의 사도의 부지는 인근토지에 대한 평가액의 3분의 1 이내로 평가하도록 규정한다. 이는 법규명령형식의 행정규칙인지 견해 대립이 있었으나, 판례에서 같은 반열에 있는 동법 시행규칙 제22조를 법령보충적 행정규칙으로 보아 법규성을 인정하고 있음을 고려할 때, 동법 시행규칙 제26조 제1항 제2호 또한 토지보상법 제68조 제3항의 위임에 따라 상위법령을 보충, 구체화하므로 법령보충적 행정규칙으로 봄이 타당하다고 생각된다.

(4) 감정평가 실무기준

감정평가에 관한 규칙에 따른 감정평가 실무기준에 대해서 대법원 판례(대법원 2014.6.12. 선고 2013두4620 판결)은 감정평가에 관한 규칙에 따른 '감정평가 실무기준(국토교통부 고시 제2013-

620호)는 감정평가의 구체적 기준을 정함으로써 감정평가업자가 감정평가를 수행할 때 이 기준을 준수하도록 권장하여 감정평가의 공정성과 신뢰성을 제고하는 것을 목적으로 하는 것이고, 감정평가평가사협회가 제정한 '토지보상평가지침'은 단지 한국감정평가사협회가 내부적으로 기준을 정한 것에 불과하여 어느 것도 일반 국민이나 법원을 기속하는 것이 아니다'라고 판시함으로써 법적 구속력을 인정하지 않고 있다. 토지보상평가지침은 감정평가사협회에서 제정한 것으로 법규성이 없는 것이 타당하지만, 감정평가실무기준은 국토교통부 고시로 상위법령의 위임이 있는 것으로서 상위법령을 보충, 구체화하고 있으므로, 일반적인 행정규칙으로 보기는 어렵다고 생각한다.

판례

〈감정평가실무기준, 토지보상평가지침의 법적 성질〉

● 대법원 2014.6.12. 선고 2013두4620 판결[보상금증액]

[판시사항]
감정평가에 관한 규칙에 따른 '감정평가 실무기준'이나 한국감정평가업협회가 제정한 '토지보상평가지침'이 일반 국민이나 법원을 기속하는지 여부(소극)

[판결요지]
감정평가에 관한 규칙에 따른 '감정평가 실무기준'(2013.10.22. 국토교통부 고시 제2013-620호)은 감정평가의 구체적 기준을 정함으로써 감정평가업자가 감정평가를 수행할 때 이 기준을 준수하도록 권장하여 감정평가의 공정성과 신뢰성을 제고하는 것을 목적으로 하는 것이고, 한국감정평가업협회가 제정한 '토지보상평가지침'은 단지 한국감정평가업협회가 내부적으로 기준을 정한 것에 불과하여 어느 것도 일반 국민이나 법원을 기속하는 것이 아니다(대판 2010.3.25, 2009다97062 등 참조).

Tip 감정평가 실무기준은 판례에서 단순 행정규칙을 보고 있다. 문제의 뉘앙스에 따라 판례의 취지에 따라도 되고, 상위법령의 위임을 받아, 수권범위 내에서 상위법령을 보충 구체화함을 강조하여 법령보충적 행정규칙으로 주장해도 된다. 다만, 토지보상 평가지침은 감정평가사협회에서 제정한 것이므로 판례의 내용에 따라 법규성과 무관하며 법규성이 없는 것으로 기재해야 한다.

---

*참조조문

↪ 〈감정평가 및 감정평가사에 관한 법률〉
제3조(기준)
① 감정평가법인등이 토지를 감정평가하는 경우에는 그 토지와 이용가치가 비슷하다고 인정되는 「부동산 가격공시에 관한 법률」에 따른 표준지공시지가를 기준으로 하여야 한다. 다만, 적정한 실거래가가 있는 경우에는 이를 기준으로 할 수 있다.

② 제1항에도 불구하고 감정평가법인등이 「주식회사 등의 외부감사에 관한 법률」에 따른 재무제표 작성 등 기업의 재무제표 작성에 필요한 감정평가와 담보권의 설정·경매 등 대통령령으로 정하는 감정평가를 할 때에는 해당 토지의 임대료, 조성비용 등을 고려하여 감정평가를 할 수 있다.

③ 감정평가의 공정성과 합리성을 보장하기 위하여 감정평가법인등(소속 감정평가사를 포함한다. 이하 이 조에서 같다)이 준수하여야 할 원칙과 기준은 국토교통부령으로 정한다.

－이하 생략－

🔁 〈감정평가에 관한 규칙〉

제1조(목적) 이 규칙은 「감정평가 및 감정평가사에 관한 법률」 제3조 제3항에 따라 감정평가법인등이 감정평가를 할 때 준수해야 할 원칙과 기준을 규정함을 목적으로 한다.

제28조(그 밖의 감정평가 기준) 이 규칙에서 규정하는 사항 외에 감정평가법인등이 감정평가를 할 때 지켜야 할 세부적인 기준은 국토교통부장관이 정하여 고시한다.

🔁 〈감정평가 실무기준〉
[시행 2023.9.13.] [국토교통부고시 제2023−522호, 2023.9.13, 일부개정]

1 목적
이 기준은 「감정평가 및 감정평가사에 관한 법률」 제3조 제3항 및 「감정평가에 관한 규칙」 제28조에 따라 감정평가의 구체적인 기준을 정함으로써 감정평가업자(소속 감정평가사를 포함한다. 이하 같다)가 감정평가를 수행할 때 이 기준을 준수하도록 권장하여 감정평가의 공정성과 신뢰성을 제고하는 것을 목적으로 한다.

(5) 표준지조사평가기준(기출 제33회)

표준지조사평가기준은 「부동산 가격공시에 관한 법률」 제3조에서 규정하고 있는 표준지 공시지가의 공시를 위하여 같은 법 제3조 제4항 및 같은 법 시행령 제6조 제3항에 따라 표준지의 적정가격 조사·평가에 필요한 세부 기준이다. 이 규정은 국토교통부 훈령으로 형식은 훈령이지만 실질적인 내용은 법을 보충, 구체화하는 법령보충적 행정규칙이다. 판례의 입장에 따를 때, 표준지조사평가기준은 상위법령과 결합하여 대외적 구속력이 인정된다.

*참조 조문

🔁 〈부동산 가격공시에 관한 법률〉
제3조(표준지공시지가의 조사·평가 및 공시 등)

① 국토교통부장관은 토지이용상황이나 주변 환경, 그 밖의 자연적·사회적 조건이 일반적으로 유사하다고 인정되는 일단의 토지 중에서 선정한 표준지에 대하여 매년 공시기준일 현

재의 단위면적당 적정가격(이하 "표준지공시지가"라 한다)을 조사·평가하고, 제24조에 따른 중앙부동산가격공시위원회의 심의를 거쳐 이를 공시하여야 한다.

② 국토교통부장관은 표준지공시지가를 공시하기 위하여 표준지의 가격을 조사·평가할 때에는 대통령령으로 정하는 바에 따라 해당 토지 소유자의 의견을 들어야 한다.

③ 제1항에 따른 표준지의 선정, 공시기준일, 공시의 시기, 조사·평가 기준 및 공시절차 등에 필요한 사항은 대통령령으로 정한다.

④ 국토교통부장관이 제1항에 따라 표준지공시지가를 조사·평가하는 경우에는 인근 유사토지의 거래가격·임대료 및 해당 토지와 유사한 이용가치를 지닌다고 인정되는 토지의 조성에 필요한 비용추정액, 인근지역 및 다른 지역과의 형평성·특수성, 표준지공시지가 변동의 예측 가능성 등 제반사항을 종합적으로 참작하여야 한다.

−이하 생략−

---

*참조 조문

〈부동산 가격공시에 관한 법률 시행령〉
제6조(표준지공시지가 조사·평가의 기준)
① 법 제3조 제4항에 따라 국토교통부장관이 표준지공시지가를 조사·평가하는 경우 참작하여야 하는 사항의 기준은 다음 각 호와 같다.

　1. 인근 유사토지의 거래가격 또는 임대료의 경우: 해당 거래 또는 임대차가 당사자의 특수한 사정에 의하여 이루어지거나 토지거래 또는 임대차에 대한 지식의 부족으로 인하여 이루어진 경우에는 그러한 사정이 없었을 때에 이루어졌을 거래가격 또는 임대료를 기준으로 할 것

　2. 해당 토지와 유사한 이용가치를 지닌다고 인정되는 토지의 조성에 필요한 비용추정액의 경우: 공시기준일 현재 해당 토지를 조성하기 위한 표준적인 조성비와 일반적인 부대비용으로 할 것

② 표준지에 건물 또는 그 밖의 정착물이 있거나 지상권 또는 그 밖의 토지의 사용·수익을 제한하는 권리가 설정되어 있을 때에는 그 정착물 또는 권리가 존재하지 아니하는 것으로 보고 표준지공시지가를 평가하여야 한다.

③ 제1항 및 제2항에서 규정한 사항 외에 표준지공시지가의 조사·평가에 필요한 세부기준은 국토교통부장관이 정한다.

표준지공시지가 조사·평가 기준
[시행 2023.1.30.] [국토교통부훈령 제1594호, 2023.1.30, 일부개정]
제1조(목적) 이 기준은 「부동산 가격공시에 관한 법률」 제3조에서 규정하고 있는 표준지 공시지가의 공시를 위하여 같은 법 제3조 제4항 및 같은 법 시행령 제6조 제3항에 따라 표준지의 적정가격 조사·평가에 필요한 세부기준과 절차 등을 정함을 목적으로 한다.

V 결

행정입법에 있어 형식과 실질이 다른 경우, 그 법적 성질을 어떻게 보는지에 따라 위법성 판단구조가 달라진다. 우리 법상 법규명령형식의 행정규칙에는 감정평가법 시행령 제29조 별표3이 있으며, 법령보충적 행정규칙으로는 토지보상법 시행규칙 제22조, 제26조, 표준지 조사평가 기준, 토지가격비준표가 그에 해당한다. 감정평가 실무기준에 대해서는 판례는 단순 행정규칙으로 보아 법규성이 없다고 보고 있으나, 상위법령의 위임을 받아 법령을 보충, 구체화한다는 점에서 법령보충적 행정규칙으로 볼 여지가 있다. 그러나 현실의 상황에서는 판례를 기준으로 하는바, 감정평가실무기준은 법규성이 없다고 보는 것이 타당하다고 생각된다.

4절 토지보상법 제4조(공익사업)

문제

공공적 사용수용의 법리를 설명하고 공익의 계속적 실현을 담보할 수 있는 보장책을 제시하시오. (실제 제19회 기출문제에서는 사적 공용수용으로 출제됨) 20점

Ⅰ. 서
Ⅱ. 공공적 사용수용의 법리
  1. 의의 및 성격
  2. 법적 근거
  3. 종류
  4. 필요성
  5. 부대사업에 대한 수용권 문제

Ⅲ. 계속적 공익실현을 위한 보장책
  1. 공공성 및 판단기준
  2. 보장책 마련의 필요성 및 법적 근거
  3. 보장책
    (1) 환매권
    (2) 기타 행정작용
    (3) 사법적 통제
  4. 보장내용 및 문제점
Ⅳ. 결

Ⅰ 서

공용수용은 원칙적으로 공적주체에게만 인정되는 것으로 이해되어 왔으나 공익사업의 증대 등 여러 사유로 사적주체에게도 사용수용이 인정되게 되었다. 이러한 사용수용의 법리에서는 해당 사업에 공공성이 인정될 수 있다면 공익의 계속적 실현이 가능한지가 가장 문제되므로 이하에서 구체적으로 논의하기로 한다.

Ⅱ 공공적 사용수용의 법리(제19회 기출, 사적 공용수용)

1. 의의 및 성격

공공적 사용수용이란 사인 또는 사기업이 사업시행자로서 국가로부터 수용권을 설정받아 공익실현과 동시에 사적 이윤추구를 위해 타인의 재산권을 법률의 힘에 의해 강제적으로 취득하는 것을 의미한다. 행위 측면에서는 공행정의 민간화라는 점에서 일종의 대리행위이며 수용권 측면에서는 사인 또는 사기업에게 수용권이 설정되므로 수용권의 주체는 사업시행자로 본다.

2. 법적 근거

공공적 사용수용은 헌법 제23조 제3항, 토지보상법 제4조 제5호, 택지개발촉진법, 주택법, 사회기반시설에 대한 민간투자법(이하 '민간투자법') 등에 근거한다.

3. 종류

공적기관에 의한 사인을 위한 수용, 즉 공기업 등에서 사인을 위해서 행하는 택지개발사업이나 아파트건설사업 등인 사용수용은 통상 사용수용의 논의의 대상이 아니며, 사인에 의한 사인을 위한 수용 중에서도 생존배려형 사기업에 의한 수용, 즉 전기, 가스, 상하수도 사업과 같이 국민의 생존을 배려하는 급부행정작용에 준하는 활동을 제외한 경제적 사기업에 의한 수용으로 간접적이고 부수적 결과로 공공복리를 실현할 뿐 전적으로 사적 이윤추구를 목적으로 하는 수용은 공공성 판단에 대한 문제가 중요하게 다루어지는 유형이다.

4. 필요성

사용수용은 도시화, 산업화 진전에 따른 사회기반시설의 부족으로 인한 공익사업의 증대, 공익실현을 위한 사기업의 역할의 중요성 부각 등 적극적인 공행정을 도모할 필요가 있는바, 이를 위해 민간활력 도입과 공행정의 민간화 차원에서 인정되어야 한다. 사업시행자의 채산성 보전을 위한 사업, 즉 부대사업이란 사업시행자가 민간투자사업과 연계하여 부수적으로 시행하는 주택건설사업, 택지개발사업 등을 말한다. 이러한 부대사업에 대한 수용권이 본 사업에 추가적으로 인정될 수 있는지가 문제된다.

5. 부대사업에 대한 수용권 문제

민간투자법에서 부대사업에 관한 사항을 포함하는 이유는 사업을 시행함에 있어서 투자비보전 또는 원활한 사업추진을 도모하기 위함일 뿐 실시계획의 승인 · 고시에 의해 사업인정이 의제된다고 하여 부대사업을 위한 수용까지 허용하는 것으로 보아서는 안 될 것이다. 이는 어디까지나 사적 이윤의 동기에 의한 행위에 불과하며 사적주체가 영업이윤을 목표로 하는 것은 우리 국민의 정서에서는 불가하다. 따라서 부대사업은 법적으로 수용권을 인정받은 본 사업과 명확히 구분할 필요가 있다.

Ⅲ 계속적 공익실현을 위한 보장책

1. 공공성 및 판단기준

사용수용의 요건은 공용수용의 요건인 공공필요, 재산권에 대한 침해, 침해의 법적 근거, 특별한 희생, 보상규정으로 동일하나, 다만 재산권의 침해주체가 사적주체라는 점이 상이하다. 또한 공익이 사적주체의 사익을 위한 사업시행의 부수적 결과로 실현되는 만큼 공공성 유무의 판단이 가장 중요하다. 사인을 위한 수용이라 할지라도 해당 사업의 결과로 공공복리가 실현되고 침해되는 사익에 비해 공익이 더 크다면 공공필요를 인정하지 않을 수 없다. 다만, 공공성은 이익형량을 통해 판단되어야 하며 그 판단기준은 비례의 원칙, 즉 적합성의 원칙, 필요성의 원칙, 상당성의 원칙이 될 것이다.

2. 보장책 마련의 필요성 및 법적 근거

영리추구를 목적으로 하는 사기업은 국가의 통제나 공적 기속을 받지 않는 한 공익실현은 언제든지 포기될 가능성이 있으므로 법적·제도적 장치가 필요한 것은 당연한 것이다. 보장책에 대해 헌법 제23조 제3항 외에 개별법의 근거를 요하는가에 대해 견해대립이 있으나 사용수용 역시 재산권 보장의 예외적 조치인 만큼 공공필요의 요건을 충족시키기 위해서는 보장책의 법률적 근거가 요구되는 것이 타당하다고 본다.

3. 보장책

(1) 환매권

환매권이란 일정요건이 충족되는 경우 수용된 토지의 소유권을 원소유권자가 되찾아 올 수 있는 권리로 침해된 재산권이 더 이상 공익사업에 공여되지 않는다면 이는 헌법 제23조 제3항의 공공필요를 충족하지 않는 것이며 침해된 재산권자는 헌법 제23조 제1항의 재산권의 존속보장 차원에서 원상회복을 당연히 요구할 수 있는 것이다. 따라서 환매권은 사업시행자에 대하여 제재적 기능과 예방적 기능을 수행하고 있다고 볼 수 있다.

(2) 기타 행정작용

민간투자법에서는 사업시행자에 대해 감독명령과 위반 시 벌칙을 규정하고 있으나 이는 민간자본유치 촉진에 역점을 둔 까닭에 공익사업의 계속성 담보에 대한 배려가 미흡하다. 일반적 개괄조항에 대한 구체적인 보장책 수단으로는 행정입법, 행정행위, 부관 등이 입법론적으로 요망된다.

(3) 사법적 통제

재산권을 침해하면서 공익사업의 계속성 보장을 실현하지 못해 헌법 제23조 제3항의 공공필요의 요건을 충족하지 못할 경우에는 위헌·위법한 재산권 침해라 할 것이며 행정쟁송의 제기나 위헌법률심사, 보충성 원칙 충족시 헌법소원 등의 방법으로 사법적 통제가 가능하다고 본다.

4. 보장내용 및 문제점

보장책은 공익사업의 종류, 내용 및 기타 구체적인 상황에 따라 결정되어야 하므로 일반화하기는 곤란하나 일정기간 동안 계속되는 기업운영, 기업의 가용능력을 최대한 발휘, 지역 내 주민의 일정 수 이상 고용 등의 방법이 가능할 것이다. 개별법에는 공익의 계속적 실현을 위한 여러 보장수단이 규정되어 있으나 매우 추상적이고 제한적이어서 실효성 확보수단으로서 미흡하므로 법규명령, 자치법규 등 개괄적인 규정의 마련이 검토되어야 할 것이다.

Ⅳ 결

공공적 사용수용은 사인 또는 사기업이 사업시행자로 국가로부터 수용권을 설정받아 공익실현과 동시에 사적 이윤추구를 위해 타인의 재산권을 법률의 힘에 의해 강제적으로 취득하는 것인 만큼 국민 재산권의 최소침해와 공익의 계속적 실현이 가장 중요하다 하겠다.

5절 ─ 토지보상법 제21조(공익성 검토)
─ 행정법 쟁점 : 헌법 제37조 제2항, 행정기본법 제10조(비례의 원칙에 대한 판단)

> 문제

국민의 재산권을 강제로 수용함에 있어서, 즉 공용수용의 요건으로 공공성(공공필요)을 설명하고, 최근 개정된 공익사업을 위한 토지 등의 취득 및 보상에 관한 법률 제21조(협의 및 의견 청취) 규정에서 중앙토지수용위원회의 공익성 협의(공익성 검토)로 형식적 심사와 실질적 심사에 대하여 설명하시오. 20점

Ⅰ. 논점의 정리

Ⅱ. 공공성
  1. 개념
  2. 헌법 제37조 제2항과의 관계
  3. 공공성 개념의 확대

Ⅲ. 공공성 판단을 위한 이익형량
  1. 개설
  2. 공익과 공익 간의 이익형량
  3. 공익과 사익 간의 이익형량
  4. 이익형량의 기준 - 비례의 원칙
    (1) 비례의 원칙의 의의 및 근거
    (2) 적합성의 원칙

  (3) 필요성의 원칙
  (4) 상당성의 원칙

Ⅳ. 중앙토지수용위원회의 공익성 검토
  1. 관련 규정의 검토(토지보상법 제21조)
  2. 공익성 검토 대상 사업
  3. 공익성 검토의 절차
  4. 공익성의 판단기준
    (1) 공익성 판단의 기준
    (2) 형식적 심사 기준
    (3) 실질적 심사 기준

Ⅴ. 결(문제점 및 개선방향)

> Tip 강박사의 TIP(최근 기출문제)

1. 사업인정을 해주어야 하는가 : 제17회 1번
2. 손실보상의 요건(공/재/적/특/보) : 제18회 1번
3. 환매권(공공성이 소멸되면 피수용자에게 재산권을 돌려주는 제도) : 제19회 1번
4. 사적 공용수용 : 제19회 3번
5. 이주대책(인간다운 생활보장을 통한 공익실현) : 제20회 1번
6. 임시창고건물철거에 따른 손실보상 : 제20회 2번
7. 토지보상법상 보상액 책정과 피수용자의 수용주장의 정당성 : 제21회 1번
8. 이주대책 수분양권 변경 거절에 따른 권리구제 : 제28회 2-2번

Ⅰ 논점의 정리

공익사업을 위한 토지 등의 취득 및 보상에 관한 법률(이하 '토지보상법')상 공용수용이란 손실보상을 전제로 공공필요를 위하여 타인의 재산권을 법의 힘을 빌어 강제적으로 탈·취득하는 재산권 보장의 예외적인 행정작용으로서 그 집행은 법률유보의 원칙상 법이 정한 엄격한 내용과 절차상 요건을 지켜야 한다. 공용수용의 요건으로서는 ① 사업내용의 공공성, ② 법률에 근거한 수용권의 발동, ③ 법률에 의한 수용절차, ④ 수용으로 인한 재산상 손실에 대한 보상 등이 있다. 헌법 제23조 제3항에서도 공공필요에 의한 공용침해 및 보상은 법률로써 하되 정당한 보상을 하도록 규정하고 있다. 이하에서는 공용수용의 요건으로 공공성(공공필요)에 대해 설명하고, 공익사업을 진행함에 있어서 지속적인 공공성 확보 방법에 관하여 논하기로 한다.

Ⅱ 공공성

1. 개념

공공성이란 추상적인 헌법상의 불확정개념으로서 명확한 개념의 정의는 사실상 불가능하며, 한 시대의 정치, 사회, 경제적 여건 등과 국가목적에 의하여 그 내용이 결정될 수밖에 없다.

2. 헌법 제37조 제2항과의 관계

재산권을 제한하는 사유로서 공공필요는 마땅히 헌법 제37조 제2항의 한계 내에서만 인정될 수 있다. 따라서 필요한 범위에 한하여 인정되며 재산권의 본질적인 내용을 침해하는 부분에서는 인정될 수 없다.

3. 공공성 개념의 확대

역사적으로 공용수용은 도로사업과 같은 공익사업을 위하여 개인의 재산권을 강제적으로 취득하는 개념이었다. 따라서 종래에는 그 범위가 매우 제한적이었으나 현대복리국가이념의 등장으로 행정의 기능이 확대됨에 따라서 공공필요의 개념 또한 확대됨으로써, 오늘날 공용수용의 목적이나 형태의 다양화로 인해 공공성의 범위가 확대되었다.

Ⅲ 공공성 판단을 위한 이익형량

1. 개설

공공필요는 불확정 개념이기 때문에 자의적 해석을 방지하기 위하여 광의의 비례원칙을 그 판단기준으로 한다. 광의의 비례원칙의 세부원칙으로 ① 목적물을 수용할 만한 사업인가를 판단하는 적합성의 원칙, ② 그러한 사업이라고 하더라도 침해를 최소화할 수 있는 범위 내일 것을 요구하는 필요성의 원칙, ③ 적합성, 필요성이 충족된다고 하여도 공익과 사익의 구체적 이익형량을 통해서 판단할 때 공익이 커야 한다는 상당성의 원칙이 충족되어야 한다.

2. 공익과 공익 간의 이익형량

어떤 수용이 공익에 적합한가 여부는 공익 상호 간에 이익형량이 있어야 한다. 또한 토지보상법 제19조 제2항에서는 수용할 수 있는 사업에 이용되고 있는 토지에 대한 수용에 있어서 공익 간의 이익형량을 필요로 한다고 규정하고 있다.

3. 공익과 사익 간의 이익형량

수용을 위한 공익과 피수용자인 재산권자의 사익은 상호 대립관계에 있으므로 공익과 사익은 정당하게 형량되어야 한다. 양자를 형량함에 있어 고려되어야 할 것은 헌법상 재산권 보장의 취지가 가치보장이 아니라 재산권 존속보장이라는 점이다.

4. 이익형량의 기준 – 비례의 원칙

(1) 비례의 원칙의 의의 및 근거(행정기본법 제10조)

비례의 원칙이란 행정목적과 그 행정목적의 실현을 위한 행정 수단 사이에 합리적 비례관계가 있어야 한다는 원칙으로, 헌법 제37조 제2항 및 행정기본법 제10조에 근거한다. 비례의 원칙이 적합하기 위해서는 적합성의 원칙, 필요성의 원칙, 상당성의 원칙이 충족되어야 하며, 이는 단계적 심사구조를 갖는다. 비례의 원칙을 위반한 행정권 행사는 재량권 일탈·남용으로서 위법하게 된다.

(2) 적합성의 원칙

적합성의 원칙이란 행정 목적 달성을 위해서 그에 적합한 수단을 사용해야 한다는 원칙으로, 수용을 통해 달성하고자 하는 공익을 위해 해당 사업이 공용수용을 할 만한 사업에 해당하는지와 어떤 수용목적물이 적합한 것인가를 판단해 보아야 한다.

(3) 필요성의 원칙(최소침해의 원칙)

필요성의 원칙이란 최소침해의 원칙이라고도 하는데, 행정목적 달성을 위한 적합한 수단이 여러 개 있는 경우 그 중에 최소한의 침해를 관철할 수 있는 수단을 선택하여야 한다는 원칙을 말한다.

(4) 상당성의 원칙

상당성의 원칙이란 협의의 비례의 원칙으로서, 행정목적 달성과 그를 위한 행정수단의 조화 속에 실현되는 공익과 침해되는 사익을 정당하게 이익형량하여야 한다는 원칙을 말한다.

Ⅳ 중앙토지수용위원회의 공익성 검토

1. 관련 규정의 검토(토지보상법 제21조)

사업시행자는 공익사업의 수행을 위해 필요한 경우 「토지보상법」에 따라 국토교통부장관의 사업인정을 받아야 하며(토지보상법 제20조), 이때 사업인정이란 공익사업을 토지 등을 수용하거나 사용할 사업으로 결정하는 것을 의미한다(토지보상법 제2조 제7호). 또한, 국토교통부장관이 사업인정을 하려거나 관계 행정청이 사업 인정이 의제되는 지구지정·사업계획승인 등을 하려는 경우 미리 중앙토지수용 위원회와 협의하여야 한다(토지보상법 제21조 제1항, 제2항).

2. 공익성 검토 대상사업

국토교통부장관에게 사업인정을 신청한 사업 및 개정 토지보상법 시행일('19.7.1.) 이후, 개별법에 따라 최초로 사업인정이 의제되는 인허가 등(지구지정·사업계획승인 등)신청사업이 공익성 검토 대상 사업에 해당한다.

3. 공익성 검토 절차

사업인정을 하려는 인허가권자의 요청에 따른 접수를 시작으로, 신청의 적법성을 검토하는 사전검토, 공익성을 평가하는 내용 검토, 공익성을 보완 등을 하는 협의를 거친 위원회의 의결을 통해 최종 결정이 나고, 위원회는 인허가권자에게 해당 사실을 통지하는 절차를 거치게 된다.

4. 공익성 검토의 기준

(1) 공익성 판단의 구분

공익성 판단기준은 형식적 심사와 실질적 심사로 구분하여 판단한다. 이때 형식적 심사는 토지보상법 제4조상 토지수용이 가능한 사업인지 여부, 의견 수렴 및 사업시행절차의 준수여부 등 형식적 요건을 판단하며·토지수용사업에 해당하지 않는 경우에는 사업인정 신청을 반려한다. 반면, 실질적 심사는 헌법상 공공필요의 요건에 따라 토지수용사업의 공공성과 토지수용의 필요성으로 구분하여 공익성에 대한 실질적 내용을 판단한다.

(2) 형식적인 기준

형식적인 기준은 외형상 해당 사업이 공익성이 있는 사업에 해당하는지를 위주로 판단한다. 형식적 심사기준으로는 해당 사업이 토지보상법 제4조의 사업에 해당하는 수용사업의 적격성이 있는지 여부와 사업시행 절차 준수 여부에 따른 사전절차의 적법성을 중심으로 검토한다.

(3) 실질적인 기준

실질적인 기준은 해당 사업이 내용적으로 공익성이 있는 사업인지 여부를 검토한다. 실질적인 심사기준으로는 사업의 공공성으로 ① 사업목적 공공성, ② 사업시행자 유형, ③ 목적 및 상위계획 부합여부, ④ 사업의 공공기여도, ⑤ 공익의 지속성, ⑥ 시설의 대중성을 중심으로 판단하며, 수용의 필요성으로는 ① 피해의 최소성, ② 방법의 적절성, ③ 사업의 시급성, ④ 사업수행능력으로 판단한다.

구분	평가항목		평가기준	
형식적 심사	수용사업의 적격성		토지보상법 제4조 해당 여부	
	사전절차의 적법성		사업시행 절차 준수 여부	
			의견수렴 절차 준수 여부	
실질적 심사	사업의 공공성	시행목적 공공성	주된 시설 종류(국방·군사·필수기반, 생활 등 지원, 주택·산단 등 복합, 기타)	
		사업시행자 유형	국가/지자체/공공기관/민간	
			국가·지자체 출자비율	
		목적 및 상위계획 부합여부	주된 시설과 입법목적 부합여부	
			상위계획 내 사업 추진 여부	
		사업의 공공기여도	기반시설(용지)비율	
			지역균형기여도	
		공익의 지속성	완공 후 소유권 귀속	
			완공 후 관리주체	
		시설의 대중성	시설의 개방성 : 이용자 제한 여부	
			접근의 용이성 : 유료 여부 등	
	수용의 필요성	피해의 최소성	사익의 침해최소화	이주자 발생 및 기준 초과여부
				이주대책 수립
			공익의 침해최소화	보전지역 편입비율, 사회·경제·환경 피해
				(감점)중요공익시설 포함
		방법의 적절성	사전 토지 확보(취득/동의)비율	
			사전협의 불가사유 (법적불능·보안규정 존재, 사실적 불능, 알박기 등)	
			분쟁제기 여부	
			대면협의 등 분쟁완화 노력	
		사업의 시급성	공익실현을 위한 현저한 긴급성	
			정부핵심과제	
		★사업수행능력	사업재원 확보 비율	
			보상업무 수행능력(민간, SPC)	

판례

● 대법원 2011.1.27. 선고 2009두1051 판결 [토지수용재결처분취소]

[판시사항]
[1] 사업인정기관이 공익사업을 위한 토지 등의 취득 및 보상에 관한 법률상의 사업인정을 하기 위한 요건
[2] 사업시행자가 사업인정을 받은 후 그 사업이 공용수용을 할 만한 공익성을 상실하거나 사업인정에 관련된 자들의 이익이 현저히 비례의 원칙에 어긋나게 된 경우 또는 사업시행자가 해당 공익사업을 수행할 의사나 능력을 상실한 경우, 그 사업인정에 터잡아 수용권을 행사할 수 있는지 여부(소극)

[판결요지]
[1] 사업인정이란 공익사업을 토지 등을 수용 또는 사용할 사업으로 결정하는 것으로서 공익사업의 시행자에게 그 후 일정한 절차를 거칠 것을 조건으로 일정한 내용의 수용권을 설정하여 주는 형성행위이므로, 해당 사업이 외형상 토지 등을 수용 또는 사용할 수 있는 사업에 해당한다고 하더라도 사업인정기관으로서는 그 사업이 공용수용을 할 만한 공익성이 있는지의 여부와 공익성이 있는 경우에도 그 사업의 내용과 방법에 관하여 사업인정에 관련된 자들의 이익을 공익과 사익 사이에서는 물론, 공익 상호 간 및 사익 상호 간에도 정당하게 비교·교량하여야 하고, 그 비교·교량은 비례의 원칙에 적합하도록 하여야 한다. 그뿐만 아니라 해당 공익사업을 수행하여 공익을 실현할 의사나 능력이 없는 자에게 타인의 재산권을 공권력적·강제적으로 박탈할 수 있는 수용권을 설정하여 줄 수는 없으므로, 사업시행자에게 해당 공익사업을 수행할 의사와 능력이 있어야 한다는 것도 사업인정의 한 요건이라고 보아야 한다.
[2] 공용수용은 헌법상의 재산권 보장의 요청상 불가피한 최소한에 그쳐야 한다는 헌법 제23조의 근본취지에 비추어 볼 때, 사업시행자가 사업인정을 받은 후 그 사업이 공용수용을 할 만한 공익성을 상실하거나 사업인정에 관련된 자들의 이익이 현저히 비례의 원칙에 어긋나게 된 경우 또는 사업시행자가 해당 공익사업을 수행할 의사나 능력을 상실하였음에도 여전히 그 사업인정에 기하여 수용권을 행사하는 것은 수용권의 공익 목적에 반하는 수용권의 남용에 해당하여 허용되지 않는다.
(출처 : 대법원 2011.1.27. 선고 2009두1051 판결 [토지수용재결처분취소])

판례

● 대법원 2019.2.28. 선고 2017두71031 판결
[사업인정고시취소] 〈풍납토성 보존을 위한 사업인정 사건〉

[판시사항]
[1] 사업인정의 법적 성격 및 사업인정기관이 공익사업을 위한 토지 등의 취득 및 보상에 관한 법률상의 사업인정을 하기 위한 요건

[2] 문화재의 보존을 위한 사업인정 등 처분에 대하여 재량권 일탈·남용 여부를 심사하는 방법 및 이때 구체적으로 고려할 사항

[3] 국가지정문화재에 대하여 관리단체로 지정된 지방자치단체의 장이 문화재보호법 제83조 제1항 및 공익사업을 위한 토지 등의 취득 및 보상에 관한 법률에 따라 국가지정문화재나 그 보호구역에 있는 토지 등을 수용할 수 있는지 여부(적극)

[4] 사업시행자에게 해당 공익사업을 수행할 의사와 능력이 있어야 한다는 것이 사업인정의 한 요건인지 여부(적극)

[판결요지]

[1] 사업인정이란 공익사업을 토지 등을 수용 또는 사용할 사업으로 결정하는 것으로서 공익사업의 시행자에게 그 후 일정한 절차를 거칠 것을 조건으로 일정한 내용의 수용권을 설정하여 주는 형성행위이다. 그러므로 해당 사업이 외형상 토지 등을 수용 또는 사용할 수 있는 사업에 해당하더라도 사업인정기관으로서는 그 사업이 공용수용을 할 만한 공익성이 있는지 여부와 공익성이 있는 경우에도 그 사업의 내용과 방법에 관하여 사업인정에 관련된 자들의 이익을 공익과 사익 사이에서는 물론, 공익 상호 간 및 사익 상호 간에도 정당하게 비교·교량하여야 하고, 비교·교량은 비례의 원칙에 적합하도록 하여야 한다.

[2] 문화재보호법은 관할 행정청에 문화재 보호를 위하여 일정한 행위의 금지나 제한, 시설의 설치나 장애물의 제거, 문화재 보존에 필요한 긴급한 조치 등 수용권보다 덜 침익적인 방법을 선택할 권한도 부여하고 있기는 하다. 그러나 문화재란 인위적이거나 자연적으로 형성된 국가적·민족적 또는 세계적 유산으로서 역사적·예술적·학술적 또는 경관적 가치가 큰 것을 말하는데(문화재보호법 제2조 제1항), 문화재의 보존·관리 및 활용은 원형 유지를 기본원칙으로 한다(문화재보호법 제3조). 그리고 문화재는 한번 훼손되면 회복이 곤란한 경우가 많을 뿐 아니라, 회복이 가능하더라도 막대한 비용과 시간이 소요되는 특성이 있다.

이러한 문화재의 보존을 위한 사업인정 등 처분에 대하여 재량권 일탈·남용 여부를 심사할 때에는, 위와 같은 문화재보호법의 내용 및 취지, 문화재의 특성, 사업인정 등 처분으로 인한 국민의 재산권 침해 정도 등을 종합하여 신중하게 판단하여야 한다.

구체적으로는 ① 우리 헌법이 "국가는 전통문화의 계승·발전과 민족문화의 창달에 노력하여야 한다."라고 규정하여(제9조), 국가에 전통문화 계승 등을 위하여 노력할 의무를 부여하고 있는 점, ② 문화재보호법은 이러한 헌법 이념에 근거하여 문화재의 보존·관리를 위한 국가와 지방자치단체의 책무를 구체적으로 정하는 한편, 국민에게도 문화재의 보존·관리를 위하여 국가와 지방자치단체의 시책에 적극 협조하도록 규정하고 있는 점(제4조), ③ 행정청이 문화재의 역사적·예술적·학술적 또는 경관적 가치와 원형의 보존이라는 목표를 추구하기 위하여 문화재보호법 등 관계 법령이 정하는 바에 따라 내린 전문적·기술적 판단은 특별히 다른 사정이 없는 한 이를 최대한 존중할 필요가 있는 점 등을 고려하여야 한다.

[3] 문화재보호법 제83조 제1항은 "문화재청장이나 지방자치단체의 장은 문화재의 보존·관리를 위하여 필요하면 지정문화재나 그 보호구역에 있는 토지, 건물, 입목(立木), 죽(竹), 그 밖의 공작물을 공익사업을 위한 토지 등의 취득 및 보상에 관한 법률(이하 '토지보상법'이라 한다)에 따라 수용(收用)하거나 사용할 수 있다."라고 규정하고 있다.
한편 국가는 문화재의 보존·관리 및 활용을 위한 종합적인 시책을 수립·추진하여야 하고, 지방자치단체는 국가의 시책과 지역적 특색을 고려하여 문화재의 보존·관리 및 활용을 위한 시책을 수립·추진하여야 하며(문화재보호법 제4조), 문화재청장은 국가지정문화재 관리를 위하여 지방자치단체 등을 관리단체로 지정할 수 있고(문화재보호법 제34조), 지방자치단체의 장은 국가지정문화재와 역사문화환경 보존지역의 관리·보호를 위하여 필요하다고 인정하면 일정한 행위의 금지나 제한, 시설의 설치나 장애물의 제거, 문화재 보존에 필요한 긴급한 조치 등을 명할 수 있다(문화재보호법 제42조 제1항).
이와 같이 문화재보호법은 지방자치단체 또는 지방자치단체의 장에게 시·도지정문화재뿐 아니라 국가지정문화재에 대하여도 일정한 권한 또는 책무를 부여하고 있고, 문화재보호법에 해당 문화재의 지정권자만이 토지 등을 수용할 수 있다는 등의 제한을 두고 있지 않으므로, 국가지정문화재에 대하여 관리단체로 지정된 지방자치단체의 장은 문화재보호법 제83조 제1항 및 토지보상법에 따라 국가지정문화재나 그 보호구역에 있는 토지 등을 수용할 수 있다.

[4] <u>공익사업을 수행하여 공익을 실현할 의사나 능력이 없는 자에게 타인의 재산권을 공권력적·강제적으로 박탈할 수 있는 수용권을 설정하여 줄 수는 없으므로, 사업시행자에게 해당 공익사업을 수행할 의사와 능력이 있어야 한다는 것도 사업인정의 한 요건이라고 보아야 한다.</u>

(출처 : 대법원 2019.2.28. 선고 2017두71031 판결 [사업인정고시취소])

V 결(문제점 및 개선방향)

토지보상법은 수용적격사업을 형식적으로는 제한적 열거주의(최근 토지보상법이 개정되어 동법 제4조 제8호 별표 추가, 제4조의2 신설, 제4조의3 신설)를 채택하면서도 그 실질에 있어서는 포괄적 예시주의를 채택하는 모습을 보이고 있는바, 사업인정권자가 사업인정을 할 때 공익성 판단에 보다 많은 자의가 개입될 소지가 있다. 또한 사업인정 의제제도에 따라 실무상 토지보상법상의 사업인정제도는 주요 공익사업에 있어서는 전혀 그 기능을 하지 못하는 문제점이 존재하였다. 그러나 최근 토지보상법 제21조를 전면개정하여 사업인정의제를 하는 경우에는 중앙토지수용위원회와 이해관계인의 의견청취를 하도록 개정한 것은 진일보한 측면이 있다. 따라서 토지보상법상 사업인정의 대상이 형식상 제한적 열거주의이나 사실상 포괄주의에 가까운바 주관개입 배제를 위해 사업인정 대상을 구체화하는 내용의 입법적 개선과 더불어 해당 사업의 계획과정에서 지역주민의 적극적인 참여가 이루어져 사전적 권리구제가 이루어질 수 있도록 적극적인 제도개선이 요청된다고 판단된다.

6절 | 토지보상법 제4조(공익사업)

> **문제**
>
> 「공익사업을 위한 토지 등의 취득 및 보상에 관한 법률」 제20조부터 제22조까지 사업인정의 절차 등을 명시하고 있다. 이는 공익사업을 수행함에 있어서 절차적 정당성이 매우 중요하기 때문이다. 그러나 각 개별법령에서는 이러한 절차를 거치지 아니하는 사업인정 의제제도를 두고 있는 실정이다. 사업인정 의제제도의 법적 문제를 검토하시오. 10점
>
> | | |
> |---|---|
> | Ⅰ. 사업인정의 의의 및 의제제도
　1. 사업인정의 의의 및 성질
　2. 사업인정 의제제도
Ⅱ. 사업인정 의제제도의 법적 문제점
　1. 공공성 판단의 문제
　2. 이해관계인 등의 절차참여 미흡
　3. 토지세목고시절차 부재로 인한 문제 | 　4. 재결신청기간 규정(법 제23조)의
　　배제로 인한 문제
　5. 기타
Ⅲ. 개선방안
　1. 단기적 개선방안
　2. 장기적 개선방안
Ⅳ. 결 |

Ⅰ 사업인정의 의의 및 의제제도

1. 사업인정의 의의 및 성질

사업인정은 사업시행자가 일정한 절차를 거칠 것을 조건으로 수용권을 설정하는 형성적 행정행위로서 피수용자의 보전의무 등 국민의 권리·의무에 직접적인 영향을 미친다는 점에서 처분성이 인정된다. 또한 사업시행자에게는 수익적인 반면, 피수용자에게는 부담적인 행정행위이므로 제3자효 행정행위라 할 것이다.

2. 사업인정 의제제도

개별공익사업의 특성을 반영하여 공익사업을 위한 토지 등의 취득 및 보상에 관한 법률(이하 '토지보상법')상 사업인정절차의 예외를 인정하는 것으로, 개별법상 공익사업은 주무부장관이나 시·도지사 등에 의한 실시계획인가를 사업인정에 갈음하도록 하여 절차를 간소화하고 있다. 이는 토지보상법이 사업인정권을 국토교통부장관에게만 부여하고 있어 사업인정권한의 배분이 이루어지고 있지 않은 문제로 인해 현실에서는 사업인정권자가 다원화되어 있다고 할 수 있다.

Ⅱ 사업인정 의제제도의 법적 문제점

1. 공공성 판단의 문제

사업인정은 토지를 수용 또는 사용하기 위한 전제절차이고, 이에 대한 결정을 하기 위해서는 해당 사업이 공공성 내지는 공익성을 지니고 있는가를 판단하지 않으면 안 된다. 그러나 개별법상 사업인정의제는 이러한 공공성 판단이 미흡하다는 문제가 있다.

2. 이해관계인 등의 절차참여 미흡

토지보상법 제21조(협의 및 의견청취 등)의 규정에서 동조 제1항에서 "국토교통부장관은 사업인정을 하려면 관계 중앙행정기관의 장 및 특별시장·광역시장·도지사·특별자치도지사(이하 "시·도지사"라 한다) 및 제49조에 따른 중앙토지수용위원회와 협의하여야 하며, 대통령령으로 정하는 바에 따라 미리 사업인정에 이해관계가 있는 자의 의견을 들어야 한다."라고 규정하고, 동조 제2항에서 "별표에 규정된 법률에 따라 사업인정이 있는 것으로 의제되는 공익사업의 허가·인가·승인권자 등은 사업인정이 의제되는 지구지정·사업계획승인 등을 하려는 경우 제1항에 따라 제49조에 따른 중앙토지수용위원회와 협의하여야 하며, 대통령령으로 정하는 바에 따라 사업인정에 이해관계가 있는 자의 의견을 들어야 한다."라고 규정함으로써 토지보상법뿐만 아니라 별표에 규정된 사업인정의제사업의 경우에도 중앙토지수용위원회와 협의하고 이해관계가 있는 자의 의견을 들도록 개선되었으나, 구체적인 방법론에서는 미흡한 점이 있다.

3. 토지세목고시절차 부재로 인한 문제

사업인정을 의제하는 개별법에서는 토지세목고시 등을 생략하여 절차를 간소화하고 있는 경우가 있으며, 이는 사업인정단계에서 토지소유자는 자신의 토지가 공익사업에 편입되는지조차도 알지 못하여 사업인정절차에 참여할 수 없고, 또한 사업인정에 대하여 행정쟁송을 제기할 기회마저 잃게 되는 문제를 야기하고 있다.

4. 재결신청기간 규정(법 제23조)의 배제로 인한 문제

토지보상법상의 사업인정 효력기간인 1년은 사문화되었고 사업시행자는 개별법의 규정에 의거 사업시행기간 내에는 언제나 재결신청을 할 수 있게 된다. 이에 따라 사업인정 후 재결신청이 지연되어 피수용자는 형질변경금지 등의 재산권 행사에 많은 불이익이 있게 된다.

5. 기타

사업인정의제는 사업인정권한이 없는 시·도지사 또는 다른 행정청이 승인하거나 승인권자가 직접 시행하는 사업에 대해서까지 사업인정을 받은 것으로 보도록 규정하여 수용권 주체의 정당성에 의문이 있을 수 있으며, 재결청을 대부분 중앙토지수용위원회로 하고 있기에 지역에 따른 수용절차의 번잡이나 비용의 증가를 피하기 어려운 문제점 등이 있을 수 있다.

Ⅲ 개선방안

1. 단기적 개선방안

사업의 홍보 등을 통해 사업의 계획과정에 지역주민의 참가가 적극적으로 이루어져 사전적 권리구제가 이루어질 수 있도록 하여야 할 것이다.

2. 장기적 개선방안

사업인정 의제제도는 공익사업 주체의 편의만을 도모하는 편법적인 제도로 토지보상법상의 사업 인정제도가 주요 공익사업에 있어서는 전혀 그 기능을 하지 못하게 되는 문제가 발생하므로 개별 법상 의제조항을 삭제하고 토지보상법에 의한 제 절차 및 내용에 의하여 사업인정을 할 수 있도록 입법적으로 개선하여야 한다.

Ⅳ 결

공용수용절차에 있어서 사업인정은 피수용자의 이해관계를 충분히 반영함으로써 절차적 정당성을 확보함과 아울러 국민들과 공익사업의 타당성을 공유하는 중요한 과정이기도 하다. 비록 강제적인 절차로 진행할 수밖에 없는 불가피한 조치이지만, 공사익형량의 과정은 반드시 행해져야 하고, 사업인정 의제제도는 원천적으로 이를 봉쇄하는 조치로서 매우 엄격하게 이루어져야 할 것이다. 공익사업과 관련 총괄청을 두어 사전 타당성 검토와 사후 재평가의 과정을 거치는 피드백과정을 통해 투명하고 공정한 공익사업이 실행되어야 할 것이다. 최근 토지보상법 제4조 제8호의 규정과 제4조의2 별표 규정을 통하여 ① 무분별한 공익사업의 확대 제한, ② 사업인정 의제절차의 개선, ③ 공익성 순위의 결정의 개선을 도모하였다.

7절 — 토지보상법 제19조 제2항(토지 등의 수용 또는 사용)
— 행정법 쟁점 : 행정기본법 제10조(비례의 원칙으로 수용가능성 검토)

문제

공익사업을 위한 토지 등의 취득 및 보상에 관한 법률(이하 '토지보상법')상 공익사업의 당사자인 사업시행자와 피수용자의 법률관계를 설명하고, 토지보상법상 주요 판례인 광평대군 묘역 판례(대법원 95누13241 판결)와 풍납토성보존을 위한 사업인정사건(대법원 2017두71031 판결)판례에서와 같이 공물의 용도폐지를 선행하지 않으면서 사업시행자가 공물을 수용할 수 있는지에 대하여 공익 간 충돌의 관점에서 설명하시오. 20점

Ⅰ. 논점의 정리

Ⅱ. 공용수용의 당사자
 1. 수용권자
  (1) 의의
  (2) 수용권 주체에 관한 견해대립
   1) 학설 및 판례
   2) 소결
  (3) 수용권자의 권리와 의무
 2. 피수용자
  (1) 의의
  (2) 피수용자의 범위
  (3) 피수용자의 제한
  (4) 피수용자의 권리와 의무
 3. 법률관계와 관련문제

Ⅲ. 공물인 경우에도 공용수용의 목적물이 될 수 있는지
 1. 공물의 의의 및 취지
 2. 공물의 수용가능성
  (1) 공물 수용가능성에 대한 관련 규정
  (2) 학설의 태도
  (3) 판례의 태도 – 광평대군 묘역, 풍납토성
  (4) 비례의 원칙으로 수용가능성 검토

Ⅳ. 결

Tip 강박사의 TIP(기출문제)
1. 사업인정과 권리구제(당사자 권리구제) : 제1회 1번
2. 피수용자 법적지위 : 제2회 1번
3. 재결의 불복(당사자의 권리구제) : 제3회 1번
4. 사업인정의 법적 성질과 권리구제(당사자 권리구제) : 제12회 3번
5. 사업인정과 부관 : 제13회 1번
6. 사업인정이후의 피수용자의 권리 : 제21회 1번
7. 사업시행자의 공익사업 수행능력과 의사 : 제28회 1-2번
8. 공물의 수용가능성 : 31-3번

I 논점의 정리

공익사업을 위한 토지 등의 취득 및 보상에 관한 법률(이하 '토지보상법')상 공용수용을 둘러싼 당사자는 공익사업을 위한 토지 등의 재산권 취득을 필요로 하는 자인 수용권자와 재산권을 지키고자 하는 자 등인 피수용자로 구분된다. 이들은 공용수용을 둘러싼 법적주체로서 일정한 권리와 의무의 주체가 되는바 이하 검토한다. 또한 토지보상법상 공용수용에 있어 공물인 경우에도 공용수용의 목적물이 될 수 있는지와 관련하여 관련 학설과 판례를 중심으로 검토하기로 한다.

II 공용수용의 당사자

1. 수용권자(사업시행자)

(1) 의의

수용권자는 공익사업의 주체로서 토지보상법상 수용권자인 사업시행자는 공익사업을 수행하는 자를 말한다. 수용권의 주체가 국가 이외의 공공단체 및 사인인 경우 수용권의 주체가 누구인가에 대해 견해가 대립한다.

(2) 수용권 주체에 관한 견해대립

1) 학설 및 판례

학설은 수용권의 주체는 국가라는 국가수용권설, 국가 이외의 자도 수용권자가 될 수 있다는 사업시행자수용권설, 수용권은 국가적 공권이나 국가가 수용권을 사업시행자에게 위탁한 것으로 보는 국가위탁권설이 대립한다. 대법원은 사업시행자수용권설의 입장에 있는 것으로 보여진다.

2) 소결

생각건대 비록 국가가 수용의 효과를 야기한다고 하더라도 수용권은 수용의 효과를 향유할 수 있는 능력이라고 볼 수 있으므로 사업시행자수용권설을 취하는 것이 타당하다고 판단되며, 통설 및 판례 또한 사업시행자수용권설을 따르고 있다.

(3) 수용권자의 권리와 의무

수용권자의 권리에는 타인토지출입조사권, 사업인정신청권, 재결신청권 등이 있으며, 의무에는 신분증 휴대 및 제시의무, 손실보상의무, 위험부담 등이 있다. 사업시행자가 변경되는 경우 권리·의무는 포괄적으로 승계되며 이는 공익사업의 원활한 수행과 피수용자를 보호하기 위함이다.

2. 피수용자

(1) 의의

피수용자는 수용목적물의 주체로서 토지보상법상 토지소유자와 관계인을 의미한다. 토지보상법에서는 피수용자를 수용의 절차에 참여시켜 최소 침해를 달성하고 행정참여에 의해 사업의 원활한 시행을 담보하고 있다.

(2) 피수용자의 범위

피수용자는 공익사업에 필요한 토지의 진정한 소유자로, 진정한 소유자를 알 수 없는 경우 등기부상의 소유자를 대상으로 할 수 있다. 또한 토지보상법에서는 토지소유권 이외의 지상권, 지역권 등의 권리자와 토지상의 물건에 대한 소유권 및 기타 권리자를 관계인으로 정의하고 있다.

(3) 피수용자의 제한

사업인정고시 이후 새로운 권리를 취득한 자는 기존의 권리를 승계취득한 자를 제외하고는 관계인에 포함되지 않는다. 즉 피수용자의 주체로서 자격이 제한된다.

(4) 피수용자의 권리와 의무

피수용자의 권리로는 의견제출권, 재결신청청구권, 손실보상청구권 등이 있으며, 의무로는 수인의무, 보전의무, 목적물의 인도·이전의무 등이 있다. 토지보상법에서 행한 절차, 그 밖의 행위는 사업시행자, 토지소유자 및 관계인의 승계인에게도 그 효력이 미친다고 규정하여 최소침해를 달성하고 사업의 원활한 시행을 도모하고 있다.

3. 법률관계와 관련문제

사업시행자의 권리는 피수용자의 의무가 되고, 사업시행자의 의무는 피수용자의 권리가 되는 법률관계를 가지고 있다. 즉 위에서 살펴본 수용권자의 권리와 의무는 피수용자의 의무와 권리에 대응하는 관계라고 할 것이다. 공용수용 시 사업시행자와의 협의를 통하여 피수용자는 비교적 최소침해 원칙의 관철이 가능하나, 공익 사업시행지역 밖의 주민 등 관계인의 범위에서 제외된 경우 원고적격 및 손실보상의 가능성이 문제시 된다. 아울러 피수용자의 권리보호를 위해 수용절차참여 기회를 확대하고, 충분하고 현실적인 보상이 요구된다고 판단된다.

Ⅲ 공물인 경우에도 공용수용의 목적물이 될 수 있는지

1. 공물의 의의 및 취지

공물이란 국가·지방자치단체 등의 행정주체에 의하여 직접 행정목적에 공용된 개개의 유체물을 말하는데, 이처럼 이미 공익을 위해 제공되고 있는 공물인 경우에도 공용수용의 대상이 될 수 있는지가 문제된다. 이에 따라 이하에서는 공물의 수용가능성에 대한 학설 및 판례의 태도를 검토하여 그 가능성에 대해 논하고자 한다.

2. 공물의 수용가능성

(1) 공물의 수용가능성에 대한 관련 규정(토지보상법 제19조 제2항)

토지보상법 제19조 제2항에서는 공익사업에 수용되거나 사용되고 있는 토지 등은 특별히 필요한 경우가 아니면 다른 공익사업을 위하여 수용하거나 사용할 수 없다고 규정하고 있다. 즉, 원칙적으로는 안되지만, 특별히 필요한 경우가 있다면 예외를 인정하고 있다.

(2) 학설의 태도

1) 긍정설

공물을 사용하고 있는 기존의 사업의 공익성보다 당해 공물을 수용하고자 하는 사업의 공익성이 큰 경우에 당해 공물에 대한 수용이 가능해지며, '공익사업에 수용되거나 사용되고 있는 토지 등'에는 공물도 포함된다고 한다. 따라서 용도폐지 선행 없이도 가능하다고 본다.

2) 부정설

공물은 이미 공적 목적에 제공되고 있기 때문에, 먼저 공용폐지가 되지 않는 한 수용의 대상이 될 수 없다고 한다. 또한 토지보상법 제19조 제2항에서 말하는 특별한 경우란 명문의 규정이 있는 경우라고 한다.

(3) 판례의 태도

(구) 토지보상법 제5조(현행 토지보상법 제19조 제2항)의 제한 이외의 토지에 관하여는 아무런 제한을 하지 않으므로 '지방문화재로 지정된 토지와 관련하여 수용의 대상이 된다.'고 판시한바 있다.(택지개발 시 광평대군 묘역인 지방문화재를 용도폐지 없이 수용이 가능하다고 판시한 판례)

> ➲ **(구) 토지수용법 제5조(수용의 제한)**
> 토지를 수용 또는 사용할 수 있는 사업에 이용되고 있는 토지는 특별한 필요가 있는 경우가 아니면 이를 수용 또는 사용할 수 없다.
>
> ➲ **현행 토지보상법 제19조(토지등의 수용 또는 사용)**
> ② 공익사업에 수용되거나 사용되고 있는 토지등은 특별히 필요한 경우가 아니면 다른 공익사업을 위하여 수용하거나 사용할 수 없다.

판례

● 광평대군 묘역 판례(95누13241 판결)

(대법원 1996.4.26. 선고 95누13241 판결)
토지수용법은 제5조의 규정에 의한 제한 이외에는 수용의 대상이 되는 토지에 관하여 아무런 제한을 하지 아니하고 있을 뿐만 아니라, 토지수용법 제5조, 문화재보호법 제20조 제4호, 제58조 제1항, 부칙 제3조 제2항 등의 규정을 종합하면 구 문화재보호법(1982.12.31. 법률 제3644호로 전문 개정되기 전의 것) 제54조의2 제1항에 의하여 지방문화재로 지정된 토지가 수용의 대상이 될 수 없다고 볼 수는 없다.

● 풍납토성보존을 위한 사업인정사건 판례(2017두71031 판결)

(대법원 2019.2.28. 선고 2017두71031 판결 [사업인정고시취소])
이와 같이 문화재보호법은 지방자치단체 또는 지방자치단체의 장에게 시·도지정문화재뿐아니라 국가지정문화재에 대하여도 일정한 권한 또는 책무를 부여하고 있고, 문화재보호법

> 에 해당 문화재의 지정권자만이 토지 등을 수용할 수 있다는 등의 제한을 두고 있지 않으므로, 국가지정문화재에 대하여 관리단체로 지정된 지방자치단체의 장은 문화재보호법 제83조 제1항 및 토지보상법에 따라 국가지정문화재나 그 보호구역에 있는 토지 등을 수용할 수 있다. 원심이, 풍납토성이 국가지정문화재라 하더라도 관리단체인 참가인 송파구청장이 이 사건 수용대상부지를 수용할 수 있다고 판단한 것은 위 법리에 따른 것으로서, 거기에 문화재보호법 제83조 제1항의 수용주체에 관한 법리를 오해한 잘못이 없다.

(4) 비례의 원칙으로 수용가능성 검토

공물의 수용가능성을 일률적으로 부정하는 것은 실정법인 토지보상법 제19조 제2항의 해석상 타당하지 않으므로 공물이라 하더라도 특별한 필요가 인정되는 경우에는 수용이 가능하다고 하여야 할 것이다. 즉 토지보상법 제19조 제2항의 문언, 규정 취지의 해석상 이미 다른 공익사업에 제공되고 있다고 하더라도 특별한 필요가 있는 경우에는 공용수용의 대상이 될 수 있다고 판단되며, 특별한 필요가 있는지의 여부는 비례의 원칙을 통해서 공익과 공익 사이의 비교 교량을 하여야 한다고 판단된다.

Ⅳ 결

토지보상법상 공용수용 당사자는 사업시행자인 수용권자와 토지소유자 및 관계인인 피수용자로 구분된다. 이들은 공용수용을 둘러싼 법률관계에서 일정한 권리와 의무의 귀속주체가 된다. 또한 공용수용에 있어 공물이 수용가능한지와 관련하여 학설과 판례를 검토한 결과 토지보상법 제19조 제2항 규정의 문언, 규정취지 등에 비추어 이미 다른 공익사업에 제공되고 있다고 하더라도 특별한 필요가 있는 경우에는 공용수용의 대상이 될 수 있다고 판단된다.

8절 | 토지보상법 제9조(공익사업의 준비)

문제

공익사업을 위한 토지 등의 취득 및 보상에 관한 법률(이하 '토지보상법')상 사업시행자 한석봉은 공익사업의 준비를 위해 해당 공익사업지역 시장·군수·구청장의 허가를 득한 후 타인 토지에 출입하여 측량·조사를 하고자 한다. 다음 물음에 답하시오. 20점

(1) 토지보상법상 공익사업의 준비를 설명하고, 이로 인한 피수용자의 권리구제 방안을 설명하시오. 10점

(2) 토지보상법상 만일 공익사업의 준비과정에서 토지소유자 甲의 측량 조사 방해로 실력을 행사하여 강제 조사를 하였다. 이 경우에 토지소유자 甲의 권리구제 방안에 대하여 논하시오. 10점

Ⅰ. 논점의 정리

Ⅱ. (설문1) 공익사업 준비 및 권리구제 방안
  1. 공익사업의 준비
    (1) 공익사업의 준비
    (2) 타인토지 출입
    (3) 장해물의 제거 등
    (4) 시장·군수·구청장이 행한 허가의 법적 성질
  2. 피수용자의 권리구제 방안
    (1) 사전적 권리구제
    (2) 사후적 권리구제

Ⅲ. (설문2) 강제조사로 인한 권리구제 방안
  1. 사업시행자의 측량 및 조사행위의 위법성
    (1) 문제의 제기
    (2) 실력행사의 여부에 관한 논의
    (3) 사안의 경우
  2. 토지소유자의 권리구제 방안
    (1) 시·군·구청장의 허가행위에 대한 불복
    (2) 타인토지 출입행위에 대한 불복
    (3) 손실보상
    (4) 손해배상

Ⅳ. 사례의 해결(관련문제)

Tip 강박사의 TIP

공익사업의 준비에 관련된 내용은 2003년 1월 1일 토지수용법과 공특법이 통합되면서 새로이 도입된 제도이다. 타인토지출입과 장해물제거와 관련된 권리구제는 잘 정리하여 두도록 한다. 시험출제가능성보다도 토지보상법제를 이해하는데 좋은 논제라 할 것이다.

(참조조문 : 공익사업을 위한 토지 등의 취득 및 보상에 관한 법률)

↪ 〈공익사업의 준비〉

제9조(사업 준비를 위한 출입의 허가 등)

① 사업시행자는 공익사업을 준비하기 위하여 타인이 점유하는 토지에 출입하여 측량하거나 조사할 수 있다.

② 사업시행자(특별자치도, 시·군 또는 자치구가 사업시행자인 경우는 제외한다)는 제1항에 따라 측량이나 조사를 하려면 사업의 종류와 출입할 토지의 구역 및 기간을 정하여 특별자치도지사, 시장·군수 또는 구청장(자치구의 구청장을 말한다. 이하 같다)의 허가를 받아야 한다. 다만, 사업시행자가 국가일 때에는 그 사업을 시행할 관계 중앙행정기관의 장이 특별자치도지사, 시장·군수 또는 구청장에게 통지하고, 사업시행자가 특별시·광역시 또는 도일 때에는 특별시장·광역시장 또는 도지사가 시장·군수 또는 구청장에게 통지하여야 한다.

③ 특별자치도지사, 시장·군수 또는 구청장은 다음 각 호의 어느 하나에 해당할 때에는 사업시행자, 사업의 종류와 출입할 토지의 구역 및 기간을 공고하고 이를 토지점유자에게 통지하여야 한다.

   1. 제2항 본문에 따라 허가를 한 경우
   2. 제2항 단서에 따라 통지를 받은 경우
   3. 특별자치도, 시·군 또는 구(자치구를 말한다. 이하 같다)가 사업시행자인 경우로서 제1항에 따라 타인이 점유하는 토지에 출입하여 측량이나 조사를 하려는 경우

④ 사업시행자는 제1항에 따라 타인이 점유하는 토지에 출입하여 측량·조사함으로써 발생하는 손실을 보상하여야 한다.

⑤ 제4항에 따른 손실의 보상은 손실이 있음을 안 날부터 1년이 지났거나 손실이 발생한 날부터 3년이 지난 후에는 청구할 수 없다.

⑥ 제4항에 따른 손실의 보상은 사업시행자와 손실을 입은 자가 협의하여 결정한다.

⑦ 제6항에 따른 협의가 성립되지 아니하면 사업시행자나 손실을 입은 자는 대통령령으로 정하는 바에 따라 제51조에 따른 관할 토지수용위원회(이하 "관할 토지수용위원회"라 한다)에 재결을 신청할 수 있다.

제11조(토지점유자의 인용의무)

토지점유자는 정당한 사유 없이 사업시행자가 제10조에 따라 통지하고 출입·측량 또는 조사하는 행위를 방해하지 못한다.

제12조(장해물 제거 등)

① 사업시행자는 제9조에 따라 타인이 점유하는 토지에 출입하여 측량 또는 조사를 할 때 장해물을 제거하거나 토지를 파는 행위(이하 "장해물 제거 등"이라 한다)를 하여야 할 부득이한 사유가 있는 경우에는 그 소유자 및 점유자의 동의를 받아야 한다. 다만, 그 소유자 및 점유자의 동의를 받지 못하였을 때에는 사업시행자(특별자치도, 시·군 또는 구가 사업시행자인 경우는 제외한다)는 특별자치도지사, 시장·군수 또는 구청장의 허가를 받아 장해물 제거 등을 할 수 있으며, 특별자치도, 시·군 또는 구가 사업시행자인 경우에 특별자치도지사, 시장·군수 또는 구청장은 허가 없이 장해물 제거 등을 할 수 있다.

② 특별자치도지사, 시장·군수 또는 구청장은 제1항 단서에 따라 허가를 하거나 장해물 제거 등을 하려면 미리 그 소유자 및 점유자의 의견을 들어야 한다.

③ 제1항에 따라 장해물 제거 등을 하려는 자는 장해물 제거 등을 하려는 날의 3일 전까지 그 소유자 및 점유자에게 통지하여야 한다.

④ 사업시행자는 제1항에 따라 장해물 제거 등을 함으로써 발생하는 손실을 보상하여야 한다.

⑤ 제4항에 따른 손실보상에 관하여는 제9조 제5항부터 제7항까지의 규정을 준용한다.

제97조(벌칙)

다음 각 호의 어느 하나에 해당하는 자는 <u>200만원 이하의 벌금</u>에 처한다.

1. 제9조 제2항 본문을 위반하여 특별자치도지사, 시장·군수 또는 구청장의 허가를 받지 아니하고 타인이 점유하는 토지에 출입하거나 출입하게 한 사업시행자

2. <u>제11조(제27조 제2항에 따라 준용되는 경우를 포함한다)를 위반하여 사업시행자 또는 감정평가법인등의 행위를 방해한 토지점유자</u>

I 논점의 정리

공익사업을 위한 토지 등의 취득 및 보상에 관한 법률(이하 '토지보상법')상 공익사업 준비란 공익사업을 위해 조사·측량 및 장해물의 제거 등을 하는 일련의 준비행위를 말한다. (물음1)에 대하여 공익사업의 준비를 설명하고, 공익사업 준비과정에서 타인토지출입 허가와 장해물제거허가에 대한 피수용자의 권리구제방안을 검토하기 위해 해당 행위의 법적 성질을 살핀다. (물음2)에 대하여 만일 공익사업의 준비과정에서 토지소유자 甲의 측량조사 방해행위가 있어 사업시행자가 조사시 실력을 행사한 경우, 사업시행자가 실력행사를 통해 행정 조사를 행할 수 있는지, 실력행사가 불가능한 경우 위법한 행정조사에 대한 토지소유자 甲의 권리구제 수단에 대하여 설명한다.

II (설문1) 공익사업 준비 및 권리구제 방안

1. 공익사업의 준비

(1) 공익사업의 준비

1) 의의 및 취지

토지보상법상 공익사업의 준비란 공익사업을 위해 행하는 준비행위로서 타인토지에 출입하여 조사·측량 및 장해물의 제거 등에 관한 일련의 행위를 말한다. 이는 공익사업의 원활한 준비를 기하고, 사업시행자 스스로 일정지역이 공익사업 목적에 적합한지 여부를 판단하도록 배려하려는 데에 그 취지가 있다.

2) 법적 근거

공익사업의 준비 내용인 타인토지의 출입(일시적 사용)과 장해물의 제거(사용제한) 등은 사인의 재산권에 대한 침익적인 작용인바 법률유보 원칙상 침해유보설에 입각하여 반드시 법적

근거를 요한다고 본다. 사업의 준비는 헌법 제23조 제3항, 제37조 제2항과 토지보상법 제9조 내지 제13조에서 법적 근거를 구할 수 있다.

(2) 타인토지 출입(토지보상법 제9조)

1) 의의
타인토지 출입이란 공익사업의 준비를 위하여 타인이 점유하는 토지에 대하여 측량 또는 조사를 위하여 출입하는 행위를 말한다.

2) 법적 성질
공용부담적 측면에서 특정한 재산권에 대하여 공법상의 사용권을 설정하고 그 사용기간 중에 그를 방해하는 권리행사를 금하여 일시적 사용을 전제하므로 공용사용 중 일시적 사용에 해당한다. 한편 행정작용 측면에서는 효율적인 행정을 수행하기 위하여 행정기관이 각종 자료나 정보를 수집하는 사실행위로써 행정조사로 볼 수 있다. 불복과 관련하여 강제적 행정조사는 사실행위지만 처분성이 인정된다.

3) 요건(절차)
사업시행자(특별자치도, 시·군 또는 자치구가 사업시행자인 경우는 제외한다)는 제1항에 따라 측량이나 조사를 하려면 사업의 종류와 출입할 토지의 구역 및 기간을 정하여 특별자치도지사, 시장·군수 또는 구청장(자치구의 구청장을 말한다. 이하 같다)의 허가를 받아야 한다. 다만, 사업시행자가 국가일 때에는 그 사업을 시행할 관계 중앙행정기관의 장이 특별자치도지사, 시장·군수 또는 구청장에게 통지하고, 사업시행자가 특별시·광역시 또는 도일 때에는 특별시장·광역시장 또는 도지사가 시장·군수 또는 구청장에게 통지하여야 한다(제9조 제2항). 사업시행자는 출입 시 증표 및 허가증을 휴대하여 토지소유자 및 점유자 그 밖의 이해관계인에게 제시하여야 하며(제13조 제3항), 해가 뜨기 전이나 해가 진 후에는 토지점유자의 승낙을 받아야한다(제10조 제3항). 허가받지 아니하고 출입한 사업시행자는 200만원 이하의 벌금에 처한다(제97조 제1호).

4) 효과
허가·통지로서 사업시행자는 타인토지출입의 공용사용권을 취득한 것으로 보아 토지점유자의 인용의무(제11조), 장해물 제거 등(제12조 제1항), 손실보상청구권(제9조 제4항, 제12조 제4항), 사용기간 만료 시 반환 및 원상회복의 의무(제48조), 기타 행정쟁송권이 발생한다. 실효성확보 수단으로 법 제9조 제2항에 위반하여 타인이 점유한 토지에 출입한 경우 200만 이하의 벌금에 처한다(제97조 제1호). 제11조의 인용의무에 위반한 토지점유자 또한 같다(제97조 제2호).

(3) 장해물의 제거 등(토지보상법 제13조)

1) 의의
장해물 제거란 타인의 토지에 출입하여 측량 조사를 시행함에 있어 장해물이 존재하여 이를 제거하여야 할 부득이한 사유가 존재하는 경우 이를 제거하는 행위를 말한다.

2) 법적 성질

측량·조사의 경우에는 토지의 사용이 주된 목적이 되나, 장해물을 제거하거나 토지를 시굴하는 행위는 제거나 시굴을 위해서 토지를 사용하는 개념이 아니고 그러한 행위의 수인의무를 부과하는 것이다. 따라서 장해물의 제거 등의 행위는 공용부담법상 물적 공용부담이며, 그중에서 공용제한 중 부담제한으로서 사업제한에 해당한다.

3) 요건(절차)

사업시행자는 제9조에 따라 타인이 점유하는 토지에 출입하여 측량 또는 조사를 할 때 장해물을 제거하거나 토지를 파는 행위(이하 "장해물 제거 등"이라 한다)를 하여야 할 부득이한 사유가 있는 경우에는 그 소유자 및 점유자의 동의를 받아야 한다. 다만, 그 소유자 및 점유자의 동의를 받지 못하였을 때에는 사업시행자(특별자치도, 시·군 또는 구가 사업시행자인 경우는 제외한다)는 특별자치도지사, 시장·군수 또는 구청장의 허가를 받아 장해물 제거 등을 할 수 있으며, 특별자치도, 시·군 또는 구가 사업시행자인 경우에 특별자치도지사, 시장·군수 또는 구청장은 허가 없이 장해물 제거 등을 할 수 있다(제12조 제1항). 특별자치도지사, 시장·군수 또는 구청장은 제1항 단서에 따라 허가를 하거나 장해물 제거 등을 하려면 미리 그 소유자 및 점유자의 의견을 들어야 한다(제12조 제2항). 사업시행자는 출입 시 증표 및 허가증을 휴대하여 토지소유자 및 점유자 그 밖의 이해관계인에게 제시하여야 한다(제13조 제3항).

4) 효과

타인토지출입 허가와 같이 토지점유자의 인용의무(제11조), 손실보상청구권(제12조 제4항, 제9조 제5항부터 제7항 준용), 사용기간 만료 시 반환 및 원상회복의무(제48조), 기타 행정쟁송권이 발생한다.

(4) 시장·군수·구청장이 행한 허가의 법적 성질

출입사용의 주체가 사인인 경우 시장 등의 허가에 의해 타인토지 출입권, 장해물 제거권이 발생한다. 이때의 허가를 ① 권리, 능력 및 포괄적 법률관계를 설정하는 '특허'로 보는 견해, ② 억제적 금지의 예외적 해제인 '예외적 승인'으로 보는 견해가 있으나 ③ 측량조사, 장해물제거 행위는 유해한 행위는 아니며, 허가로 인하여 사업인정을 받기 전이지만 권리를 형성하여 준다는 측면에서 특허로 봄이 타당하다. 어느 견해이든 행정행위에 해당하여 쟁송의 제기가 가능하다.

2. 피수용자의 권리구제 방안

(1) 사전적 권리구제

각종 통지나 의견청취 등의 행정절차는 사전적 권리구제수단으로 그 의미가 매우 크다. 사업의 준비와 관련하여 출입허가 시 통지, 장해물제거 시 통지, 장해물제거 허가 시 의견청취 등 절차가 마련되어 있다.

(2) 사후적 권리구제

1) 손실보상의 청구

공익사업의 준비과정에서 나타나는 손실은 토지보상법 제9조 제6항부터 제7항에 의거, 사업시행자와 손실을 입은 자가 협의하여 결정하고, 협의가 성립하지 않는 경우에는 관할 토지수용위원회에 재결을 신청할 수 있다.

2) 행정쟁송

① 출입허가, 조사행위 등에 대한 불복

타인토지출입 및 장해물제거 시 시·군·구청장의 위법·부당한 허가에 대하여 불복하는 자는 토지보상법에 명문의 규정이 없는바 행정심판법 제3조 제1항에 의거 행정심판을 제기할 수 있고, 또한 행정소송법 제8조 제1항 및 동법 제20조에 의거 처분이 있은 날로부터 1년, 안 날로부터 90일 이내에 당해 처분의 취소소송을 제기할 수 있다. 다만, 위법한 허가로 인하여 조사가 종료된 경우에는 취소소송은 소의 이익이 없는바 손해배상에 의해야 할 것이다.

② 손실보상금만의 재결에 대한 불복

토지보상법 제9조 제7항의 손실보상금만의 보상재결에 불복하는 경우에는 손실보상청구권의 법적 성질(공권인지 사권인지 여부에 따라)에 따라 행정소송 또는 민사소송에 의할 수 있으며, 행정소송에 의하는 경우에는 다시 당해 재결의 처분성 여부에 따라 처분성을 인정한다면 항고소송을, 처분성을 부정한다면 공법상 당사자소송을 제기할 수 있을 것이다. 생각건대 보상금 결정은 단순한 중재적 결정, 보상견적액의 제시로 처분성을 인정하기 어렵다는 견해도 일면 타당성이 인정되지만, 손실보상청구권이 공권이므로 토지수용결정과 관계없는 보상액 자체만의 재결은 곧바로 공법상 당사자소송으로 소송제기가 가능하다고 사료된다. 다만 본 불복조항이 정비된 입법취지 등을 고려할 때 토지보상법 제83조 내지 제85조에 의한 불복이 타당시 된다고 할 것이다.

3) 손해배상

공익사업의 준비는 공익목적으로 행정주체인 사업시행자가 행하는 공법상 사실행위인바 국가배상법 제2조상의 요건을 충족하는 경우 국가배상 청구가 가능하다. 다만, 사업시행자가 허가 없이 준비한 경우에는 사인인바, 민법상 불법행위책임(제750조)을 지게 될 것이다.

4) 반환 및 원상회복청구

사업시행자는 토지의 사용기간이 만료되었을 때 또는 사업의 폐지·변경 등으로 인하여 사용할 필요가 없게 된 때에는 토지를 토지소유자 등에게 반환해야 하고 토지소유자의 청구가 있을 때에는 미리 그 손실을 보상한 경우를 제외하고는 그 토지를 원상으로 회복시켜야 한다.

Ⅲ (설문2) 강제조사로 인한 권리구제 방안

1. 사업시행자의 측량 및 조사행위의 위법성

(1) 문제의 제기

토지보상법 제9조 및 제11조는 사업시행자가 적법하게 허가를 받아 타인토지에 출입하여 측량 및 조사를 할 수 있도록 하고 있으며 토지점유자에게는 정당한 사유 없이 방해하지 못하도록 규정하고 있다. 또한 토지점유자가 제11조의 수인의무를 위반하는 경우에 행정형벌, 즉 제97조에 근거한 200만원 이하의 벌금을 부과할 수 있다. 문제는 토지소유자가 측량 및 조사를 거부하는 경우 사업시행자가 직접 실력을 행사하여 강제조사를 할 수 있는지에 대해 토지보상법상 근거가 없으므로 실력행사가 가능한지가 문제된다.

(2) 실력행사의 여부에 관한 논의

1) 부정설

토지보상법은 타인토지에 출입하여 측량 및 조사할 수 있도록 규정하고 있고 수인의무 위반 시 제재규정만을 마련하여 간접적으로 확보하려는 것이지 강제적으로 실력행사를 인정하는 것이 아니며 의무자의 보호를 위하여서도 강제적 실력행사는 부정된다고 한다.

2) 긍정설

토지보상법에서 토지소유자가 수인의무를 위반한 경우에 위법의 효과로 제재규정을 두고 있다는 것은 토지소유자가 조사를 방해하는 위법행위를 하는 경우에 강제적 실력행사를 할 수 있게 한 취지가 있다고 보아 실력행사가 가능하다고 본다.

3) 개별적 판단설

원칙적으로는 실력에 의한 강제조사는 허용되지 않는다고 보나 행정조사의 필요성이 급박하고, 조사를 강행하지 않을 경우 공공의 이익을 해할 위험이 큰 경우, 다른 수단이 없는 경우에는 예외적으로 강제조사가 허용된다고 본다.

4) 검토

토지보상법에서 벌칙규정을 두고 있어도 이를 근거로 강제적 실력행사가 가능하다는 취지라고 볼 수는 없으며 토지소유자의 권리보호 차원에서도 인정되어서는 안된다고 판단된다.

(3) 사안의 경우

사업시행자의 실력행사는 가능하다고 보기 힘들고 이 경우 사안에서 사업시행자의 행위는 위법한 것으로 판단된다. 다만, 그 위법의 정도는 중대명백설에 의거 판단할 때 내용상 중대성은 있으나 외관은 명백한 것이 아니므로 취소정도의 하자로 볼 것이다.

2. 토지소유자의 권리구제 방안

(1) 시·군·구청장의 허가행위에 대한 불복

출입을 허용한 허가권자의 허가는 행정쟁송법상 처분에 해당하여 독립되게 다툴 수 있다. 그러나 이러한 허가의 위법성을 주장하여 허가를 취소한다고 하더라도 사업시행자의 타인토지 출입행위는 이미 이루어진 상태이므로 토지소유자에게는 실효적인 방법이 되지 못하고, 법원에 소송을 제기한다고 하더라도 협의의 소익이 없다 하여 각하될 것이므로 상기 방안은 해결책으로서 무의미하다고 보인다.

(2) 타인토지 출입행위에 대한 불복

타인토지 출입행위는 그 법적 성질이 권력적 사실행위로서 행정쟁송법상 처분에 해당하여 독립된 쟁송의 대상이 된다. 하지만 타인토지 출입행위 역시 이미 완성되었으므로 토지소유자가 행정쟁송을 제기한다 하더라도 해당 처분이 존재하지 않으므로 법원은 협의의 소익이 없다고 하여 각하판결을 하게 될 것이므로 큰 실익이 없다 할 것이다.

(3) 손실보상

토지보상법은 타인토지 출입으로 인한 손실에 대하여 손실보상을 할 수 있도록 규정하고 있다. 이때 토지소유자는 손실이 있음을 안 날로부터 1년과 손실이 발생한 날부터 3년 이내에 손실보상을 청구하여야 하며, 손실보상의 절차는 사업시행자와 협의하고 협의가 결렬되면 관할 토지수용위원회에 보상금 결정만의 재결을 신청하게 된다. 다만, 문제는 실력행사가 위법하다고 본다면 적법한 침해에 대한 손실보상은 불가하다고 볼 것이며 손실보상 규정이 있다하여 사업시행자의 실력행사를 통한 타인토지 출입행위가 손실을 발생했다고 볼 수 있는 것인지는 의문이 있다. 즉, 사업시행자의 조사행위에 대해 토지소유자는 수인해야 할 의무가 있음에도 불구하고 이를 거부하여 사업시행자가 실력행사를 통해 조사하였다 하여 실질적인 손실이 발생했다고 보기는 어려울 수 있다는 점이다.

(4) 손해배상

토지보상법의 손실보상규정과 별도로 사업시행자의 조사행위가 위법성이 인정되고, 고의성이 있으므로 국가배상의 요건을 충족한다고 볼 수 있다. 따라서 토지소유자는 항고소송을 제기함이 없이 곧바로 민사법원에 국가배상 청구소송을 제기할 수 있고, 민사법원에서 해당 행정작용의 위법성 확인을 선결문제로 다룰 수 있다.

Ⅳ 사례의 해결

상기의 과정을 통해 살펴보았을 때 타인토지 출입을 허용한 허가권자의 허가나 출입행위 자체에 대한 소제기는 당사자에게 권리구제의 수단으로서 실효성이 없으며 결국 손해배상을 생각해 보아야 한다고 판단된다. 다만, 소제기를 받은 민사법원에서 해당 행정작용에 대한 위법 여부에 대한 판단이 있어야 하며 이는 선결문제로 다루어져야 할 것이다.

9절 | 토지보상법 제15조(보상계획의 공고 후 보상액 산정을 위한 소유자 추천제도와 사업인정 전후의 협의 취득 및 협의성립확인)

문제

공익사업을 위한 토지 등의 취득 및 보상에 관한 법률(이하 '토지보상법')상 피수용자는 공익사업의 보상계획공고에 따라 보상평가를 받을 수 있다. 이때 토지보상법상 복수 평가의 원칙이 적용되는데 토지소유자추천으로 인한 감정평가법인등의 추천 절차를 설명하고, 손실보상액이 도출된 후에 피수용자와 사업시행자 간의 사업인정 전후의 협의와 사업인정 후의 협의성립확인에 대해 비교 설명하시오. 30점

Ⅰ. 서(논점의 정리)

Ⅱ. 복수평가를 위한 법인등의 추천
   1. 복수평가의 원칙(토지보상법 제68조)
   2. 감정평가법인등의 추천제도 개관
      (1) 감정평가법인등의 추천방법
      (2) 감정평가법인등 직업윤리와의 관련성
   3. 감정평가법인등의 추천 절차
      (1) 보상계획의 공고 및 통지
      (2) 토지소유자의 추천자료의 요청
      (3) 토지소유자들의 동의
      (4) 토지소유자의 감정평가법인등 추천
   4. 감정평가법인등의 추천 요건

Ⅲ. 사업인정 전·후 협의가 필수적 절차인지 여부
   1. 사업인정 전 협의 의의 및 법적 성질
   2. 사업인정 후 협의 의의 및 법적 성질
   3. 사업인정 전·후 협의가 필수적 절차인지 여부

Ⅳ. 협의성립확인(토지보상법 제29조)
   1. 협의성립확인의 의의 및 취지
   2. 협의성립확인의 법적 성질
   3. 협의성립확인의 절차
   4. 협의성립확인의 효과
   5. 협의성립확인의 권리구제

Ⅴ. 사업인정 전후 협의와 사업인정 후 협의성립확인의 비교
   1. 승계취득과 원시취득
   2. 권리구제
   3. 필수절차인지 여부

Ⅵ. 결

Tip 강박사의 TIP

보상현장에서 가장 많이 문제되는 되는 것이 복수평가의 원칙으로서 소유자추천 감정평가법인등 추천 문제이다. 감정평가법인등의 소유자 추천 쟁점에 대하여 잘 설명하고, 이를 토대로 한 협의와 협의성립확인에 대하여 잘 고찰해 보아야 한다. 이 쟁점은 제30회 4번 문제로 사업인정 전후의 협의가 필수적 절차인지와 협의성립확인에 대해 출제된 바 있다.

I 서(논점의 정리)

공익사업을 위한 토지 등의 취득 및 보상에 관한 법률(이하 '토지보상법')상에서는 강제취득 절차 이외에도 당사자 사이에 협의로 수용 목적물을 취득할 수 있는 절차를 규정하고 있다. 이때 협의 란 사업시행자와 피수용자가 수용목적물에 대한 권리취득 및 소멸 등을 위하여 행하는 교섭 행위 를 말한다. 이는 임의적 합의를 바탕으로 하는 협의절차를 통해 최소침해의 원칙을 구현하고 토 지소유자 및 관계인에게 해당 사업의 취지를 이해시켜 신속하게 사업을 수행하고자 함에 그 취지 가 있다. 또한, 토지보상법은 협의의 효과를 강화시키는 협의성립확인 제도와 적정한 보상액을 결정하도록 복수평가 및 감정평가법인등의 추천제도를 규정하고 있다. 이하에서는 이러한 제도 들의 내용을 설명하고자 한다.

II 복수 평가를 위한 감정평가법인등의 추천

1. 복수평가의 원칙(토지보상법 제68조)

> **토지보상법 제68조(보상액의 산정)**
> ① 사업시행자는 토지등에 대한 보상액을 산정하려는 경우에는 감정평가법인등 3인(제2항에 따라 시·도지사와 토지소유자가 모두 감정평가법인등을 추천하지 아니하거나 시·도지사 또는 토지소유자 어느 한쪽이 감정평가법인등을 추천하지 아니하는 경우에는 2인)을 선정하여 토지등의 평가를 의뢰하여야 한다. 다만, 사업시행자가 국토교통부령으로 정하는 기준에 따라 직접 보상액을 산정할 수 있을 때에는 그러하지 아니하다.
> ② 제1항 본문에 따라 사업시행자가 감정평가법인등을 선정할 때 해당 토지를 관할하는 시·도 지사와 토지소유자는 대통령령으로 정하는 바에 따라 감정평가법인등을 각 1인씩 추천할 수 있다. 이 경우 사업시행자는 추천된 감정평가법인등을 포함하여 선정하여야 한다.
> ③ 제1항 및 제2항에 따른 평가 의뢰의 절차 및 방법, 보상액의 산정기준 등에 관하여 필요한 사항은 국토교통부령으로 정한다.

2. 감정평가법인등의 추천제도 개관

(1) 감정평가법인등의 추천방법

사업시행자는 토지 등에 대한 보상액을 산정하려는 경우에는 감정평가법인등 3인(감정평가법 인등을 추천하지 아니하는 경우에는 2인)을 선정하여 토지 등의 평가를 의뢰하여야 한다고 규 정하고 있다. 또한 일정한 요건을 갖춘 경우 감정평가법인등을 선정함에 있어 토지소유자가 요청하는 경우에는 소유자 추천으로 감정평가법인등 1인을 더 선정할 수 있다.

(2) 감정평가법인등 직업윤리와의 관련성

감정평가법인등의 추천제도와 관련하여 다양한 직업윤리의 유형과 관련하여 치열한 경쟁으로 인해 감정평가사 조직 간 분열이 되지 않도록 조직윤리 및 감정평가법인등 간의 윤리를 준수해야 할 필요가 있다. 또한, 추천 후 보상액 평가 시 사업시행자 내지 피수용자 등의 의뢰인의 목적에 부합하는 보상액을 제시하여 서비스 윤리를 도모할 필요가 있도록 제도개선이 필요하다고 판단된다.

3. 감정평가법인등의 추천 절차(동법 시행령 제28조)

(1) 보상계획의 공고 및 통지

사업시행자는 보상계획공고(법 제15조)할 때 토지소유자각 추천할 수 있다는 내용을 포함하여 공고하고, 보상대상 토지가 소재하는 토지소유자에게 이를 통지한다.

(2) 토지소유자의 추천자료의 요청

토지소유자는 해당 시도지사와 한국감정평가사협회에 감정평가를 추천하는 데 필요한 자료를 요청할 수 있다.

(3) 토지소유자들의 동의

보상대상 토지면적의 2분의 1 이상에 해당하는 토지소유자와 보상대상토지의 토지소유자 총수의 과반수의 동의가 필요하다. 이 경우 토지소유자는 감정평가법인등을 1명에 대해서만 동의할 수 있다. 토지소유자 외의 건물소유자 등은 감정평가법인등을 추천할 수 없다.

(4) 토지소유자의 감정평가법인등 추천

동의 사실을 증명하는 서류를 첨부하여 사업시행자에게 감정평가법인등을 추천하여야 한다. 보상계획에 따른 열람기간 만료일로부터 30일 이내에 사업시행자에게 감정평가법인등을 추천할 수 있다.

4. 감정평가법인등의 추천 요건

> ❥ **토지보상법 시행령 제28조(시 · 도지사와 토지소유자의 감정평가법인등 추천)**
> ① 사업시행자는 법 제15조 제1항에 따른 보상계획을 공고할 때에는 시 · 도지사와 토지소유자가 감정평가법인등(「감정평가 및 감정평가사에 관한 법률」 제2조 제4호에 따른 감정평가법인등을 말하며, 이하 "감정평가법인등"이라 한다)을 추천할 수 있다는 내용을 포함하여 공고하고, 보상 대상 토지가 소재하는 시 · 도의 시 · 도지사와 토지소유자에게 이를 통지하여야 한다.
> ② 법 제68조 제2항에 따라 시 · 도지사와 토지소유자는 법 제15조 제2항에 따른 보상계획의 열람기간 만료일부터 30일 이내에 사업시행자에게 감정평가법인등을 추천할 수 있다.
> ③ 제2항에 따라 시 · 도지사가 감정평가법인등을 추천하는 경우에는 다음 각 호의 사항을 지켜야 한다.

1. 감정평가 수행능력, 소속 감정평가사의 수, 감정평가 실적, 징계 여부 등을 고려하여 추천대상 집단을 선정할 것
2. 추천대상 집단 중에서 추첨 등 객관적이고 투명한 절차에 따라 감정평가법인등을 선정할 것
3. 제1호의 추천대상 집단 및 추천 과정을 이해당사자에게 공개할 것
4. 보상 대상 토지가 둘 이상의 시·도에 걸쳐 있는 경우에는 관계 시·도지사가 협의하여 감정평가법인등을 추천할 것
④ 제2항에 따라 감정평가법인등을 추천하려는 토지소유자는 보상 대상 토지면적의 2분의 1 이상에 해당하는 토지소유자와 보상 대상 토지의 토지소유자 총수의 과반수의 동의를 받은 사실을 증명하는 서류를 첨부하여 사업시행자에게 감정평가법인등을 추천하여야 한다. 이 경우 토지소유자는 감정평가법인등 1명에 대해서만 동의할 수 있다.
⑤ 제2항에 따라 감정평가법인등을 추천하려는 토지소유자는 해당 시·도지사와 「감정평가 및 감정평가사에 관한 법률」 제33조에 따른 한국감정평가사협회에 감정평가법인등을 추천하는 데 필요한 자료를 요청할 수 있다.
⑥ 제4항 전단에 따라 보상 대상 토지면적과 토지소유자 총수를 계산할 때 제2항에 따라 감정평가법인등 추천 의사표시를 하지 않은 국유지 또는 공유지는 보상 대상 토지면적과 토지소유자 총수에서 제외한다.
⑦ 국토교통부장관은 제3항에 따른 시·도지사의 감정평가법인등 추천에 관한 사항에 관하여 표준지침을 작성하여 보급할 수 있다.

Ⅲ 사업인정 전·후 협의가 필수적 절차인지 여부

1. 사업인정 전 협의의 의의 및 법적 성질

(1) 사업인정 전 협의의 의의 및 취지

토지보상법 제20조에 따른 사업인정을 받기 이전에 사업시행자와 피수용자가 협의하는 것을 말하며, 이는 수용당사자 간의 의사를 존중하여 최소침해 원칙을 실현하고자 함에 제도적 취지가 인정된다.

> **토지보상법 제16조(협의)**
> 사업시행자는 토지등에 대한 보상에 관하여 토지소유자 및 관계인과 성실하게 협의하여야 하며, 협의의 절차 및 방법 등 협의에 필요한 사항은 대통령령으로 정한다.

(2) 사업인정 전 협의의 법적 성질

수용 등의 강제절차가 배경을 이루고, 취득재산권, 공익사업, 손실보상, 환매권 등에 있어 공용수용과 거의 동일하므로 공법관계로 보아 공법상 계약으로 보는 견해도 있으나, 사업인정 이전에는 사업시행자는 행정주체의 지위를 갖지 아니하고 사경제주체로서 취득하는 것이므로 양 당사자 간 사법상 계약으로 보는 견해가 다수견해 및 판례이며 타당하다.

2. 사업인정 후 협의의 의의 및 법적 성질

(1) 사업인정 후 협의의 의의 및 취지

사업인정 후 협의란 사업인정 이후 토지 등의 권리취득 등에 대한 사업시행자 및 토지소유자 등 양당사자의 의사의 합치로서 최소침해요청과 사업의 원활한 진행 및 피수용자의 의견존중에 취지가 있다.

> 🔄 **토지보상법 제26조(협의 등 절차의 준용)**
>
> ① 제20조에 따른 사업인정을 받은 사업시행자는 토지조서 및 물건조서의 작성, 보상계획의 공고·통지 및 열람, 보상액의 산정과 토지소유자 및 관계인과의 협의 절차를 거쳐야 한다. 이 경우 제14조부터 제16조까지 및 제68조를 준용한다.
> ② 사업인정 이전에 제14조부터 제16조까지 및 제68조에 따른 절차를 거쳤으나 협의가 성립되지 아니하고 제20조에 따른 사업인정을 받은 사업으로서 토지조서 및 물건조서의 내용에 변동이 없을 때에는 제1항에도 불구하고 제14조부터 제16조까지의 절차를 거치지 아니할 수 있다. 다만, 사업시행자나 토지소유자 및 관계인이 제16조에 따른 협의를 요구할 때에는 협의하여야 한다.

(2) 사업인정 후 협의의 법적 성질

① 사업시행자와 피수용자 사이에 대등한 지위에서 행하는 임의적 합의이고 토지보상법이 사업인정 전 협의를 거친 경우에는 사업인정 이후 협의를 생략할 수 있는 법적 근거를 마련하고 있는 바 양자의 협의를 달리 볼 이유가 없으므로 사업인정 후 협의도 사법상 계약으로 보는 견해와 ② 사업인정 후 협의는 사업시행자가 공용수용권의 주체로서 수용권을 실행하는 방법의 하나이며 협의가 성립되지 않으면 수용재결에 의하게 된다는 점에서 공법상 계약으로 보는 견해가 있다. 판례는 사법상 계약설을 취하고 있으나 학설의 다수견해는 공법상 계약설을 취한다. 생각건대 사업인정을 거친 이후의 협의는 공법영역의 계약으로 봄이 타당하므로 공법상 계약설이 타당하다.

3. 사업인정 전·후 협의가 필수적 절차인지 여부

사업인정 이전의 협의(법 제16조)는 〈임의적 절차〉이나 사업인정 후 협의(법 제26조)는 원칙적으로 〈필수적 절차〉로 규정하고 있다. 사업인정 이전에 토지보상법 제14조부터 제16조까지 및 동법 제68조에 따른 절차를 거쳤으나 협의가 성립되지 아니하고 동법 제20조에 따른 사업인정을 받은 사업으로서 토지조서 및 물건조서의 내용에 변동이 없을 때에는 토지보상법 제26조 제1항에도 불구하고 제14조부터 제16조까지의 절차를 거치지 아니할 수 있다. 다만, 사업시행자나 토지소유자 및 관계인이 토지보상법 제16조에 따른 협의를 요구할 때에는 협의하여야 한다. 토지보상법 규정을 검토해 볼 때 임의적 절차로 보이지만, 토지보상법 제16조 또는 제26조 협의를 한번은 반드시 거쳐야 하는 필수적 절차로 판단된다.

Ⅳ 협의성립확인

1. 협의성립확인의 의의 및 취지

협의성립확인이란 사업인정 후 협의성립 시 사업시행자가 피수용자의 동의를 받거나 또는 공증을 받아 관할 토지수용위원회에 협의성립확인을 받는 제도이다. 협의성립확인은 "신청할 수 있다"라고 되어 있어 신청은 필요적 사항이 아니며, 확인절차를 거치지 않았다고 하여 협의성립효력이 상실되는 것은 아니다. 이는 당사자 간의 합의에 의해 수용재결과 같은 효력을 부여함으로써 수용재결절차에 의하지 아니하고 수용의 목적을 달성하고, 계약 불이행에 따른 분쟁 예방, 공익사업의 원활한 진행을 기함에 취지가 있다.

> **토지보상법 제29조(협의 성립의 확인)**
> ① 사업시행자와 토지소유자 및 관계인 간에 제26조에 따른 절차를 거쳐 협의가 성립되었을 때에는 사업시행자는 제28조 제1항에 따른 재결 신청기간 이내에 해당 토지소유자 및 관계인의 동의를 받아 대통령령으로 정하는 바에 따라 관할 토지수용위원회에 협의 성립의 확인을 신청할 수 있다.
> ② 제1항에 따른 협의 성립의 확인에 관하여는 제28조 제2항, 제31조, 제32조, 제34조, 제35조, 제52조 제7항, 제53조 제4항, 제57조 및 제58조를 준용한다.
> ③ 사업시행자가 협의가 성립된 토지의 소재지·지번·지목 및 면적 등 대통령령으로 정하는 사항에 대하여 「공증인법」에 따른 공증을 받아 제1항에 따른 협의 성립의 확인을 신청하였을 때에는 관할 토지수용위원회가 이를 수리함으로써 협의 성립이 확인된 것으로 본다.
> ④ 제1항 및 제3항에 따른 확인은 이 법에 따른 재결로 보며, 사업시행자, 토지소유자 및 관계인은 그 확인된 협의의 성립이나 내용을 다툴 수 없다.

2. 협의성립확인의 법적 성질

협의성립확인을 받으면 재결로 간주되어 처분성이 인정된다는 점에서 형성적 행정행위로 보아야 한다는 견해와 법규정에 의해 특정한 사실 또는 법률관계의 존부 또는 정부에 관해 분쟁의 여지가 없도록 확인하는 준법률행위적 행정행위로서 확인행위라는 견해가 있다. 토지보상법 규정상 협의성립확인은 재결로 보며, 확인 시 협의의 성립이나 내용은 다툴 수 없다는 확정력이 부여되므로 재결과 같은 형성적 행정행위로 봄이 타당하다고 판단된다.

3. 협의성립확인의 절차

(1) 일반적인 절차(토지보상법 제29조 제1항)

사업시행자는 수용재결신청기간 내에 피수용자의 동의를 얻어 관할 토지수용위원회에 신청하여야 하며, 토지수용위원회는 재결신청서를 접수한 때에는 대통령령이 정하는 바에 따라 지체 없이 이를 공고하고 공고한 날부터 14일 이상 관계서류의 사본을 일반이 열람할 수 있도록 하여야 한다.

(2) 공증확인 절차(토지보상법 제29조 제3항)

사업시행자가 협의성립확인 신청서에 공증인의 공증을 받아 관할 토지수용위원회에 확인을 신청한 때에는 관할 토지수용위원회가 이를 수리함으로써 협의성립이 확인된 것으로 본다.

4. 협의성립확인의 효과

(1) 재결간주로 인한 원시취득의 성질

사업시행자는 보상금의 지급 또는 공탁을 조건으로 수용목적물을 원시취득하고 피수용자의 의무불이행 시 대행·대집행을 신청할 수 있으며 위험부담이 이전된다. 피수용자는 목적물의 인도·이전의무와 손실보상청구권, 환매권이 발생하게 된다. 또한 계약에 의한 승계취득을 재결에 의한 원시취득으로 전환시키게 된다.

(2) 차단효 발생

협의성립확인이 있으면 사업시행자와 토지소유자 및 관계인은 그 확인된 협의의 성립이나 내용에 대하여 다툴 수 없는 확정력이 발생한다. 협의성립확인을 받은 후에도 협의에서 정한 보상일까지 보상금을 지급하지 않으면 재결의 실효규정이 적용되어서 확인행위의 효력은 상실된다고 보아야 할 것이다.

5. 협의성립 확인의 권리구제

협의성립확인을 받을 시 불가변력에 따라 재결로 간주된다. 재결에 대한 불복으로는 토지보상법 제83조 및 제85조에서 규정하고 있으므로 이에 따라 권리구제를 받게 된다. 즉, 제83조에 따른 이의신청 또는 제85조에 따른 행정소송을 제기하여 확인의 효력을 소멸시킨 후 비로소 협의에 관한 불복이 가능할 것이다.

> **판례**
>
> ● 대법원 2018.12.13. 선고 2016두51719 판결
>
> **[판시사항]**
> 공익사업을 위한 토지 등의 취득 및 보상에 관한 법률 제29조 제3항에 따른 협의 성립의 확인 신청에 필요한 동의의 주체인 토지소유자는 협의 대상이 되는 '토지의 진정한 소유자'를 의미하는지 여부(적극) / 사업시행자가 진정한 토지소유자의 동의를 받지 못한 채 등기부상 소유명의자의 동의만을 얻은 후 관련 사항에 대한 공증을 받아 위 제29조 제3항에 따라 협의 성립의 확인을 신청하였으나 토지수용위원회가 신청을 수리한 경우, 수리 행위가 위법한지 여부(원칙적 적극) / 이와 같은 동의에 흠결이 있는 경우 진정한 토지소유자 확정에서 사업시행자의 과실 유무를 불문하고 수리 행위가 위법한지 여부(적극) 및 이때 진정한 토지소유자가 수리 행위의 위법함을 이유로 항고소송으로 취소를 구할 수 있는지 여부(적극)
>
> **[판결요지]**
> 공익사업을 위한 토지 등의 취득 및 보상에 관한 법률(이하 '토지보상법'이라 한다) 제29조에서

정한 협의 성립 확인제도는 수용과 손실보상을 신속하게 실현시키기 위하여 도입되었다. 토지보상법 제29조는 이를 위한 전제조건으로 협의 성립의 확인을 신청하기 위해서는 협의취득 내지 보상협의가 성립한 데에서 더 나아가 확인 신청에 대하여도 토지소유자 등이 동의할 것을 추가적 요건으로 정하고 있다. 특히 토지보상법 제29조 제3항은, 공증을 받아 협의 성립의 확인을 신청하는 경우에 공증에 의하여 협의 당사자의 자발적 합의를 전제로 한 협의의 진정 성립이 객관적으로 인정되었다고 보아, 토지보상법상 재결절차에 따르는 공고 및 열람, 토지소유자 등의 의견진술 등의 절차 없이 관할 토지수용위원회의 수리만으로 협의 성립이 확인된 것으로 간주함으로써, 사업시행자의 원활한 공익사업 수행, 토지수용위원회의 업무 간소화, 토지소유자 등의 간편하고 신속한 이익실현을 도모하고 있다.

한편 토지보상법상 수용은 일정한 요건하에 그 소유권을 사업시행자에게 귀속시키는 행정처분으로서 이로 인한 효과는 소유자가 누구인지와 무관하게 사업시행자가 그 소유권을 취득하게 하는 원시취득이다. 반면, 토지보상법상 '협의취득'의 성격은 사법상 매매계약이므로 그 이행으로 인한 사업시행자의 소유권 취득도 승계취득이다. 그런데 토지보상법 제29조 제3항에 따른 신청이 수리됨으로써 협의 성립의 확인이 있었던 것으로 간주되면, 토지보상법 제29조 제4항에 따라 그에 관한 재결이 있었던 것으로 재차 의제되고, 그에 따라 사업시행자는 사법상 매매의 효력만을 갖는 협의취득과는 달리 확인대상 토지를 수용재결의 경우와 동일하게 원시취득하는 효과를 누리게 된다.

이처럼 간이한 절차만을 거치는 협의 성립의 확인에, 원시취득의 강력한 효력을 부여함과 동시에 사법상 매매계약과 달리 협의 당사자들이 사후적으로 그 성립과 내용을 다툴 수 없게 한 법적 정당성의 원천은 사업시행자와 토지소유자 등이 진정한 합의를 하였다는 데에 있다. 여기에 공증에 의한 협의 성립 확인 제도의 체계와 입법 취지, 그 요건 및 효과까지 보태어 보면, 토지보상법 제29조 제3항에 따른 협의 성립의 확인 신청에 필요한 동의의 주체인 토지소유자는 협의 대상이 되는 '토지의 진정한 소유자'를 의미한다. 따라서 사업시행자가 진정한 토지소유자의 동의를 받지 못한 채 단순히 등기부상 소유명의자의 동의만을 얻은 후 관련 사항에 대한 공증을 받아 토지보상법 제29조 제3항에 따라 협의 성립의 확인을 신청하였음에도 토지수용위원회가 신청을 수리하였다면, 수리 행위는 다른 특별한 사정이 없는 한 토지보상법이 정한 소유자의 동의 요건을 갖추지 못한 것으로서 위법하다. 진정한 토지소유자의 동의가 없었던 이상, 진정한 토지소유자를 확정하는 데 사업시행자의 과실이 있었는지 여부와 무관하게 그 동의의 흠결은 위 수리 행위의 위법사유가 된다. 이에 따라 진정한 토지소유자는 수리 행위가 위법함을 주장하여 항고소송으로 취소를 구할 수 있다.

V 사업인정 전후 협의와 사업인정 후 협의성립 확인의 비교

1. 승계취득과 원시취득

협의는 사법상 계약 또는 공법상 계약의 성질을 가지며, 확인은 계약에 대한 확정력을 발생시키는 행정처분의 성질을 갖는다. 이러한 법적 성질을 어떻게 보느냐에 따라 목적물의 원시취득 여부가 달라지는바, 협의성립확인이 있게 되면 재결과 동일하게 보아 원시취득에 해당되나, 확인

전 협의취득은 사법상 계약설을 취하는 경우는 승계취득으로, 공법상 계약설을 취하는 경우는 승계취득 또는 원시취득 여부에 대한 다툼이 있다는 점에서 목적물이 권리취득의 형태가 달리 나타날 수 있다.

2. 권리구제

사업인정 전 협의는 사법상 매매로 보고 있으므로 민사소송에 의해 다투게 된다. 사업인정 후 협의의 법적 성질에 대해 견해대립이 있으나 다수설입장인 공법상의 계약으로 볼 때 공법상 당사자 소송으로 다툼이 타당할 것이다. 그러나 협의성립확인을 받는 경우 권리구제 수단에 대한 명문의 규정은 없으나, 재결로 간주되므로 토지보상법 제83조 이의신청, 제85조 행정소송으로 다툼이 타당할 것이다.

3. 필수절차인지 여부

사업인정 전 협의의 경우 '~할 수 있다'고 규정되어 임의적 사항이나, 사업인정 후 협의의 경우 원칙적으로 필수 절차이고, 토지 및 물건조서의 내용에 변동이 없을 때에 한하여 생략할 수 있도록 하고 있다. 협의성립확인의 경우 '~할 수 있다'고 규정되어 임의적 사항이다.

Ⅵ 결

토지보상법은 정당보상을 실현하기 위하여 복수평가 원칙을 적용하고 있으며, 감정평가법인등의 추천절차 및 요건을 법으로 규정하고 있다. 토지보상법상 협의제도는 최소 침해의 원칙을 관철하기 위하여 당사자 간의 자율적인 의사에 의하여 공익사업이 원활히 수행하기 위해 법령에 규정된 내용이다. 따라서 사업인정 전후의 협의는 한번은 반드시 거쳐야 하는 필수적 절차이기도 하다. 최근 대법원 판례에서는 "사업시행자가 진정한 토지소유자의 동의를 받지 못한 채 단순히 등기부상 소유명의자의 동의만을 얻은 후 관련 사항에 대한 공증을 받아 토지보상법 제29조 제3항에 따라 협의 성립의 확인을 신청하였음에도 토지수용위원회가 신청을 수리하였다면, 수리 행위는 다른 특별한 사정이 없는 한 토지보상법이 정한 소유자의 동의 요건을 갖추지 못한 것으로서 위법하다."라고 판시함으로써 진정한 소유자의 동의를 매우 중시하는 판결이 나온 바 있다. 토지보상법 개정을 통해 제도적으로 협의성립확인 시에 재결로 간주되는 점, 차단효가 발생된다는 점 등을 피수용자에게 잘 고지하도록 하는 입법과 아울러 협의성립확인 시 진정한 소유자에 의한 동의가 꼭 필요하다는 점, 그리고 재결로 간주되는 규정만 있고 불복규정이 적시되지 않은 바, 향후 불복은 토지보상법 제83조와 제85조를 통해 다툴 수 있도록 법령을 명확히 정비할 필요가 있다고 생각된다.

10절 토지보상법상 제14조(토지조서 및 물건조서의 작성)

┌─ **문제** ─

① 피수용자 甲은 성남시 판교동 373 – 7 토지는 1974.10.30. 이전부터 하천(운중천)으로 편입되어 같은 날 무신고 토지의 이동지 정리지침에 의거하여 모번지인 373 – 4에서 분할 되었고, 그 후 경기도가 하천정비공사를 한 사실, ② 성남시 판교동 373 – 9 토지는 주민 들의 의견을 종합하여 볼 때 운중천 개수공사 제방도로 포장 당시 시멘트 포장을 한 것으 로 추정되는 사실, ③ 1984년경에 성남시 분당구 하산운동 241 – 3 일대의 주택 및 점포 13동 약 40여 가구의 출입로가 호우로 패이고, 무너져 주민편익을 위하여 피수용자 乙은 성남시 하산운동 241 – 3 토지, 하산운동 241 – 4 토지, 하산운동 252 토지를 포함한 위 출입로를 운중동 동장의 포괄사업비로 시멘트 포장한 사실이 있다. 위 도로포장공사 등의 규모나 공사 당시의 상황 등에 비추어 볼 때 위 도로포장 등은 보상금이 지급될 필요가 있는 공익사업을 위한 토지 등의 취득 및 보상에 관한 법률(이하 '토지보상법') 시행규칙 제25조 제1항의 공익사업에 의한 것이라기보다는 토지들의 소유자를 포함한 주민들의 필 요에 따라 주민자조사업의 지원 등으로 행하여진 것으로 보일 뿐이라고 사업시행자 丙은 주장하고 있다(출처 : 대법원 2009.3.26, 2008두22129 판결[재결처분취소]).

토지보상법상 사업시행자 丙이 도로개설을 위한 공익사업을 위해 토지 등의 취득절차를 설명하고, 토지보상법상 미지급용지에 대하여 설명하시오. 20점

┌───

I. 논점의 정리

II. 공익사업을 위한 토지 등의 취득절차
  1. 사업인정 전 취득절차
    (1) 토지 및 물건 조서작성
    (2) 보상계획의 공고 및 열람 등
    (3) 사업인정 전 협의 및 계약의
       체결
  2. 사업인정 후 취득절차
    (1) 사업인정(토지보상법 제20조)
    (2) 토지 및 물건 조서작성(토지보
       상법 제27조)

  (3) 사업인정 후 협의(토지보상법
     제26조)
  (4) 재결(토지보상법 제34조)

III. 토지보상법상 미지급용지
  1. 미지급용지의 의의 및 근거
  2. 미지급용지의 제도적 취지
  3. 미지급용지의 평가방법
    (1) 원칙적인 방법
    (2) 예외적인 방법(적용대상 문제)
  4. 미지급용지와 관련문제

IV. 사안의 해결

I 논점의 정리

공용수용은 공익사업을 위하여 상대방의 의사에 반하여 강제적으로 취득하는 제도이므로 수용자와 피수용자의 이해를 조정할 필요가 있다. 이에 공익사업을 위한 토지 등의 취득 및 보상에 관한 법률(이하 '토지보상법')은 공용수용의 절차를 엄격히 법정화하여 공사익 간의 이해 조화를 통한 사전적 권리구제의 기능을 수행하고자 하였다. 이하에서는 현행법상 토지 등의 취득절차에 대하여 설명하고, 사안과 관련하여 미지급용지에 대해서 검토하고자 한다.

II 공익사업을 위한 토지 등의 취득절차

1. 사업인정 전 취득절차

(1) 토지 및 물건 조서작성

사업시행자는 공익사업의 수행을 위하여 사업인정 전에 협의에 의한 토지 등의 취득 또는 사용이 필요한 때에는 토지조서와 물건조서를 작성하여 서명 또는 날인을 하고 토지소유자와 관계인의 서명 또는 날인을 받아야 한다(토지보상법 제14조).

(2) 보상계획의 공고 및 열람 등

열람 후 토지조서 및 물건조서의 내용에 대하여 이의가 있는 토지소유자 또는 관계인은 사업시행자에게 서면으로 이의를 제기할 수 있다. 다만, 사업시행자가 고의 또는 과실로 토지소유자 또는 관계인에게 보상계획을 통지하지 아니한 경우 해당 토지소유자 또는 관계인은 제16조에 따른 협의가 완료되기 전까지 서면으로 이의를 제기할 수 있다(토지보상법 제15조 제3항). 사업시행자는 해당 토지조서 및 물건조서에 제기된 이의를 부기하고 그 이의가 이유 있다고 인정하는 때에는 적절한 조치를 하여야 한다(토지보상법 제15조 제4항).

(3) 사업인정 전 협의 및 계약의 체결

사업시행자는 토지 등에 대한 보상에 관하여 토지소유자 및 관계인과 성실하게 협의하여야 하며, 협의의 절차 및 방법 등 협의에 필요한 사항은 대통령령으로 정한다(제16조). 사업시행자는 제16조에 따른 협의가 성립되었을 때에는 토지소유자 및 관계인과 계약을 체결하여야 한다(토지보상법 제17조).

2. 사업인정 후 취득절차

(1) 사업인정(토지보상법 제20조)

사업인정이란 공익사업을 토지 등을 수용하거나 사용할 사업으로 결정하는 것을 말한다(토지보상법 제2조). 이는 공사익의 이익형량을 통한 공공성 판단과 사전적 권리구제의 역할을 통해 존속보장의 이념을 실현하는 제도적 장치이다. 사업인정이 고시되면 그 날부터 효력이 발생하며 토지수용권의 발생 및 수용목적물의 확정, 관계인의 범위세한 등의 효과가 발생한다.

> **판례**
>
> ● 대판 1994.11.11, 93누19375[토지수용재결처분취소]
>
> **[판결요지]**
>
> 토지수용법 제14조의 규정에 의한 사업인정은 그 후 일정한 절차를 거칠 것을 조건으로 하여 일정한 내용의 수용권을 설정해 주는 행정처분의 성격을 띠는 것으로서 그 사업인정을 받음으로써 수용할 목적물의 범위가 확정되고 수용권으로 하여금 목적물에 관한 현재 및 장래의 권리자에게 대항할 수 있는 일종의 공법상의 권리로서의 효력을 발생시킨다.

(2) 토지 및 물건 조서작성(토지보상법 제27조)

사업인정이 고시된 후 수용할 토지 및 물건의 내용을 확인하기 위해 토지조서와 물건조서를 작성하여야 한다. 이를 위해 사업시행자에게 토지 및 물건 조사권이 부여되며, 토지에 출입하여 측량조사를 할 수 있다. 사업시행자가 토지조서와 물건조서를 작성하면 이에 서명날인 하여야 한다. 토지물건조서는 토수위의 재결이나 당사자 사이의 분쟁시 증거방법이기 때문에 조서상의 내용은 별도 입증을 기다릴 것 없이 진실한 것으로 추정되는 효력을 지닌다.

(3) 사업인정 후 협의(토지보상법 제26조)

사업인정 후 협의는 사업시행자가 수용 또는 사용할 토지, 물건의 범위, 시기 등과 손실보상에 대하여 소유자와 하는 교섭행위로서 수용권 발동을 자제하고 최소침해의 원칙을 구현하는 제도적 취지가 인정된다. 토지보상법은 일정한 경우 사업인정 후 협의를 생략할 수 있도록 하여 신속한 공익사업의 수행을 도모하고자 하였다.

> **판례**
>
> ● 대판 2013.8.22, 2012다3517[부당이득반환]
>
> **[판결요지]**
>
> 공익사업을 위한 토지 등의 취득 및 보상에 관한 법률(이하 '공익사업법'이라고 한다)에 의한 보상합의는 공공기관이 사경제주체로서 행하는 사법상 계약의 실질을 가지는 것으로서, 당사자 간의 합의로 같은 법 소정의 손실보상의 기준에 의하지 아니한 손실보상금을 정할 수 있으며, 이와 같이 같은 법이 정하는 기준에 따르지 아니하고 손실보상액에 관한 합의를 하였다고 하더라도 그 합의가 착오 등을 이유로 적법하게 취소되지 않는 한 유효하다. 따라서 공익사업법에 의한 보상을 하면서 손실보상금에 관한 당사자 간의 합의가 성립하면 그 합의 내용대로 구속력이 있고, 손실보상금에 관한 합의 내용이 공익사업법에서 정하는 손실보상 기준에 맞지 않는다고 하더라도 합의가 적법하게 취소되는 등의 특별한 사정이 없는 한 추가로 공익사업법상 기준에 따른 손실보상금 청구를 할 수는 없다.

> 판례
>
> ● 대판 1994.6.28, 94누2732[토지수용재결처분취소 등]
>
> [판결요지]
> 토지수용법 제25조 제1항에 의한 협의단계에서 기업자와 토지소유자 사이에 협의가 성립되어 그를 원인으로 기업자 앞으로 소유권이전등기가 경료되었다 하더라도 그 협의에 대하여 같은 법 제25조의2 제1항에 의한 토지수용위원회의 확인을 받지 아니한 이상, 재결에 의한 수용의 경우와는 달리 그 토지를 원시취득한 것으로 볼 수 없고, 원래의 소유자로부터 승계취득한 것이라고 볼 수밖에 없다 할 것인바, 수용재결처분은 그 후의 토지승계인들에 대하여도 효력이 미치는 것이므로, 수용재결처분이 있은 뒤, 다른 개발사업을 위하여 토지수용위원회의 확인절차를 거치지 않은 수용협의와 그에 기한 소유권이전등기로 소유권을 승계취득한 자가 있다 하더라도 수용재결처분은 하등 영향을 받지 아니한다.

(4) 재결(토지보상법 제34조)

재결이란 공용수용의 종국적 절차로서 사업시행자에게 부여된 수용권의 구체적인 내용을 결정하고 그 실행을 완성시키는 형성처분이다. 이는 공공복리의 실현을 위해 강제적인 권력행사를 통해 수용목적을 달성하면서 침해되는 사익 간의 조화를 위해 엄격한 형식과 절차를 두고 있다.

Ⅲ 토지보상법상 미지급용지

1. 미지급용지의 의의 및 근거

미지급용지란 종전에 시행된 공익사업의 부지로서 보상금이 지급되지 않은 토지를 말하며 현황평가의 예외에 해당한다. 이는 토지보상법 시행규칙 제25조에 규정되어 있으며 피수용자의 불이익 방지에 취지가 인정된다.

2. 미지급용지의 제도적 취지

미지급용지는 그 용도가 공익사업의 부지로 제한됨으로 인하여 거래가격이 전혀 형성되지 못하거나 상당히 감가되는 것이 보통이다. 이 경우 사업시행자가 미지급용지를 뒤늦게 취득하면서 소정의 공익사업의 부지로만 평가하여 손실보상액을 산정한다면 정당한 보상이 될 수 없을 것이다. 따라서 종전의 이용상황을 기준으로 평가하도록 하여 적정한 보상이 이루어지도록 하는데 그 제도적 취지가 인정된다.

3. 미지급용지의 평가방법

(1) 원칙적인 방법

종전 공익사업에 편입될 당시의 이용상황을 상정하여 평가한다. 또한 용도지역 등 공법상 제한은 가격시점을 기준한다.

(2) 예외적인 방법(적용대상 문제)

1) 학설의 태도

① 공익사업의 시행결과가 토지소유자에게 유・불리한 경우에 모두 미지급용지 규정을 적용해야 한다고 보는 무제한 적용설 ② 상기 규정을 제한적으로 적용해야 한다고 보면서 종전보다 현황이 불리해진 경우에만 미지급용지 규정을 적용해야 한다고 보는 제한 적용설이 대립한다.

2) 판례의 태도

> **판례**
>
> ● 대판 1999.3.23, 98두13850[토지수용이의재결처분취소]
>
> **[판결요지]**
>
> 종전에 공공사업의 시행으로 인하여 정당한 보상금이 지급되지 아니한 채 공공사업의 부지로 편입되어 버린 이른바 미보상용지에 대하여는, 토지수용법 제57조의2, 공공용지의 취득 및 손실보상에 관한 특례법 제4조 제4항, 같은 법 시행령 제2조의10, 제10조 및 같은 법 시행규칙 제6조 제7항 본문의 규정에 의하여, 종전의 공공사업에 편입될 당시의 이용상황을 상정하여 평가하여야 하고, 다만 종전의 공공사업시행자와 수용에 있어서의 사업주체가 서로 다르거나 공공사업의 시행자가 적법한 절차를 취하지 아니하여 아직 공공사업의 부지를 취득하지 못한 단계에서 공공사업을 시행하여 토지의 현실적인 이용상황을 변경시킴으로써 토지의 거래가격이 상승된 경우에까지 위 시행규칙 제6조 제7항에 규정된 미보상용지의 법리가 적용되지는 않는다고 할 것이나, 처음부터 공공사업에 편입된 일부 토지가 국유재산이어서 이를 수용대상으로 삼지 아니하고 일반 매매의 방식으로 취득하여 당해 공공사업을 적법히 시행하였음에도 그 후 취득시효 완성을 원인으로 하여 그 토지의 소유권이 사인에게 이전된 경우에는, 설사 뒤늦게 그 토지에 대한 토지수용절차가 진행되었다고 하더라도 공공사업의 시행자와 수용에 있어서의 사업주체가 동일하고 그 시행자가 적법한 절차를 취하지 아니하여 당해 토지를 공공사업의 부지로 취득하지 못한 것이 아니므로, 그 토지는 여전히 위 시행규칙 제6조 제7항의 규정에 따라 종전의 공공사업에 편입될 당시의 이용상황을 상정하여 평가하여야 한다.

3) 소결

생각건대, 미지급용지는 그 취지가 토지소유자의 손해방지 차원에서 이루어진 것이므로 하락한 경우에만 해당 규정을 적용하여 평가하는 것이 헌법상 정당보상의 원칙에도 부합한다고 생각된다.

4. 미지급용지와 관련문제

(1) 보상의무자

논리적으로 종전 사업시행자가 의무자가 되는 것이 타당하나 종전 사업시행자가 없는 등의 경우에 토지소유자를 보호하기 위하여 새로운 사업시행자가 보상의무자가 된다.

(2) 국가 등의 점유시효취득

민법 제245조 제1항에서는 부동산을 20년간 소유의 의사로서 평온, 공연하게 점유한 자는 등기함으로서 그 소유권을 취득한다고 규정하고 있다. 이에 대해 종전에는 판례가 국가 등 점유를 자주점유로 보아 시효취득을 인정하였으나 전원합의체판결로 악의의 무단점유자에게는 시효취득이 인정되지 않는다고 판시하였다. 시효취득이 인정되면 소유자에게 너무 가혹하므로 판례의 태도가 타당하다.

> **판례**
>
> ● 대판 2010.8.19, 2010다33866[부당이득금]
>
> [판결요지]
> [1] 지방자치단체나 국가가 취득시효의 완성을 주장하는 토지의 취득절차에 관한 서류를 제출하지 못하고 있다 하더라도 그 점유의 경위와 용도 등을 감안할 때 국가나 지방자치단체가 점유개시 당시 공공용 재산의 취득절차를 거쳐서 소유권을 적법하게 취득하였을 가능성도 배제할 수 없다고 보이는 경우에는 국가나 지방자치단체가 소유권취득의 법률요건이 없이 그러한 사정을 잘 알면서 무단점유한 것이 입증되었다고 보기 어려우므로 자주점유의 추정은 깨어지지 않는다.
> [2] 지방자치단체가 도로개설사업을 시행하면서 소유자로부터 그 도로의 부지로 지정된 토지의 매도승낙서 등을 교부받는 등 매수절차를 진행하였음이 인정되나 매매계약서, 매매대금 영수증 등의 관련 자료를 보관하지 않고 있는 사안에서, 위 지방자치단체가 법령에서 정한 공공용 재산의 취득절차를 밟거나 소유자의 사용승낙을 받는 등 위 토지를 점유할 수 있는 일정한 권원에 의하여 위 토지를 도로부지에 편입시켰을 가능성을 배제할 수 없으므로 위 토지의 후속 취득절차에 관한 서류들을 제출하지 못하고 있다는 사정만으로 위 토지에 관한 자주점유의 추정이 번복될 수 없다고 본 사례

Ⅳ 사안의 해결

공용수용은 국민의 재산권을 강제적으로 취득하는 절차이기 때문에 토지보상법상 정해진 절차에 따라 시행되어야 한다. 또한, 공익사업의 수행 과정에서 미지급용지에 대한 보상문제가 발생하게 되는데, 해당 규정의 취지상 가격이 상승한 경우는 이러한 미지급용지에 해당하지 않는 것으로 보고, 헌법 제23조의 정당보상이 실현되도록 해야 할 것이다.

11절 | 토지보상법 제20조(사업인정과 수용재결의 하자의 승계)

> **문제**
>
> 공익사업을 위한 토지 등의 취득 및 보상에 관한 법률(이하 '토지보상법')상 사업인정 처분과 수용재결 처분은 일련의 행정작용으로 이루어지는 것으로 국민의 재산권을 취득하는 공용수용의 구체적인 방법론이다. 토지보상법상 사업인정 처분에 단순 취소 정도의 하자가 있고, 사업인정 처분에 대한 불가쟁력이 발생하였으며, 후행 행정작용인 수용재결 처분에는 고유한 하자가 없다. 취소소송을 통해 후행 행정작용인 수용재결 처분을 다투면서 선행 행정작용인 사업인정 처분의 위법을 주장할 수 있는지 여부를 논하시오. 20점

I. 논점의 정리

II. 관련 행정작용의 법적 성질
  1. 사업인정
  2. 수용재결

III. 하자의 승계 개관
  1. 하자의 승계 의의 및 취지
  2. 하자의 승계 전제요건 충족 여부
    (1) 전제요건
    (2) 사안의 경우

3. 하자의 승계 인정 여부
  (1) 문제점
  (2) 학설
  (3) 판례
  (4) 검토

IV. 사안의 경우

> **Tip** 강박사의 TIP
>
> 1. 사업인정과 수용재결의 하자의 승계(제17회)
> 2. 개별공시지가와 과세처분 하자의 승계(제21회)
> 3. 사업인정과 수용재결의 하자의 승계(제27회)
> 4. 사업인정의 절차의 하자와 수용재결 하자의 승계(제28회)
> 5. 개별공시지가와 수용재결 하자의 승계(제31회)
> 6. 개별공시지가와 재산세 과세처분 하자의 승계(제34회)

I 논점의 정리

공익사업을 위한 토지 등의 취득 및 보상에 관한 법률(이하 '토지보상법')에서는 사업인정, 조서작성, 협의, 수용재결 순으로 공용수용의 절차를 밟아 토지를 수용하게 된다. 사안에서는 수용재결이 하자 없이 적법함에도 불구하고 사업인정의 하자를 수용재결에서 다툴 수 있는지에 대한 문제이다. 이하에서는 사업인정과 수용재결, 일련의 행정작용에 대한 법적 성질에 대해 살피고, 하자 승계의 전제 요건 충족 여부와 하자 승계 인정 여부를 검토하고자 한다.

Ⅱ 관련 행정작용의 법적 성질

1. 사업인정(토지보상법 제20조)

사업인정이란, 공익사업을 토지 등을 수용, 사용하는 사업으로 결정하는 것을 말한다(제2조 제7호). 이는 엄격한 공익성 판단 취지에서 인정된다. 사업인정은 사업시행자가 일정한 절차를 거칠 것을 조건으로 수용권을 부여하는 형성적 행정행위이며, 피수용자에게는 침익적 효과를 사업시행자에게는 수익적 효과를 주는 제 3자효 행정행위로 처분성이 인정된다.

2. 수용재결(토지보상법 제34조)

수용재결이란, 수용권의 구체적 내용을 결정하는 공용수용의 종국적 절차이다. 공사익을 조화롭게 하여 원활하게 사업을 수행하려는 취지이다. 이는 사업시행자가 수용의 개시일까지 보상금을 지급, 공탁할 것을 조건으로 원시취득을 하도록 하는 형성적 행정행위이며, 제3자효 행정행위로 처분성을 가진다. 수용재결의 발령 자체는 기속행위이나 내용에 있어서는 재량을 가진다.

Ⅲ 하자의 승계 개관

1. 하자의 승계 의의 및 취지

하자 승계란 둘 이상의 행정행위가 연속적으로 행해지는 경우에 선행행위의 하자를 이유로 후행행위를 다툴 수 있는가의 문제를 말한다. 이는 법적안정성의 요청과 행정의 법률적합성에 의한 국민의 권리구제에 대한 조화의 문제이다.

2. 하자 승계 전제요건 충족 여부

(1) 전제요건

하자 승계에 관한 논의가 특별히 문제 되는 행위는 ① 선행·후행행위가 모두 행정처분이라야 하며, ② 선행행위는 당연무효가 아닌 취소사유인 하자가 존재하여야 하며, ③ 후행행위는 하자 없이 적법하여야 한다. ④ 선행행위의 제소기간이 지나는 등 불가쟁력이 발생하여야 한다.

(2) 사안의 경우

사안의 경우 사업인정과 수용재결은 처분성이 인정되며, 사업인정 처분에는 단순 취소사유의 하자가 있으며, 후행 행정작용인 수용재결에는 하자가 없다. 사업인정의 제소기간이 지나 불가쟁력이 발생했다고 보이는바, 하자 승계의 전제 요건을 충족한다.

3. 하자의 승계 인정 여부

(1) 문제점

하자 승계의 전제요건을 모두 충족하는바, 사업인정의 하자가 수용재결에 승계되는지 인정 여부가 문제 된다. 이에 대해서는 전통적 하자승계론과 구속력이론이 대립되고 있다.

(2) 학설

① 〈전통적 하자승계론〉 선행행위와 후행행위가 일련의 절차를 구성하면서 하나의 효과를 목적으로 할 때는 하자가 승계되고, 별개의 효과를 목적으로 할 때는 선행행위의 위법성이 후행행위에 승계되지 않는다고 한다. ② 〈구속력 이론〉 쟁송 기간이 도과한 선행행위에 실질적 존속력이 발생하여 그 효력이나 법적 상태는 일정 한계 내에서 후행행위를 구속하므로 후행행위 단계에서는 다른 주장을 할 수 없다고 한다. 그 한계로 ㉠ 대인적, ㉡ 대물적, ㉢ 시간적 한계 그리고 추가적으로 예측 가능성과 수인 가능성을 든다.

(3) 판례

원칙적으로 전통적 하자승계론의 입장에서 판단하되, 수인불가능, 예측불가능한 예외적인 경우에는 하자 승계를 인정하는 판시를 하였다. 대집행 각 절차의 하자 승계를 긍정하고 사업인정과 수용재결의 하자 승계는 부정하였다. 해당 사안과 관련하여 사업인정과 수용재결은 별개의 법률효과를 목적으로 하며, 사업인정의 하자가 무효가 아닌 단순 취소사유의 하자인 이상, 사업인정의 위법을 수용재결에서 주장할 수 없다고 일관되게 판시하고 있다.

> **판례**
>
> ● 관련 판례(대판 2000.10.13, 2000두5142) 사업인정의 절차하자가 수용재결에 승계되는지
>
> (구)토지수용법 제16조 제1항에서는 건설부장관이 사업인정을 하는 때에는 지체 없이 그 뜻을 기업자·토지소유자·관계인 및 관계도지사에게 통보하고 기업자의 성명 또는 명칭, 사업의 종류, 기업지 및 수용 또는 사용할 토지의 세목을 관보에 공시하여야 한다고 규정하고 있는바, 가령 건설부장관이 위와 같은 절차를 누락한 경우 이는 절차상의 위법으로서 수용재결단계 전의 사업인정단계에서 다툴 수 있는 취소사유에 해당하기는 하나, 더 나아가 그 사업인정 자체를 무효로 할 중대하고 명백한 하자라고 보기는 어렵고, 따라서 이러한 위법을 들어 수용재결처분의 취소를 구하거나 무효확인을 구할 수는 없다.
>
> ● 관련 판례(대판 1988.12.27, 87누1141) 사업인정의 절차하자가 수용재결에 승계되는지
>
> 도시계획사업허가의 공고 시에 토지세목의 고시를 누락한 것은 절차상의 위법으로서 취소사유에 불과하고 그 하자가 중대하고 명백하여 사업인정 자체가 무효라고는 할 수 없으므로 이러한 위법을 선행처분인 사업인정단계에서 다투지 아니하였다면 그 쟁송기간이 이미 도과한 후인 수용재결단계에 있어서는 그 처분의 불가쟁력에 의하여 위 도시계획사업허가의 위와 같은 위법 부당함을 들어 수용재결처분의 취소를 구할 수는 없다.
>
> ● 관련 판례(대판 2009.11.26, 2009두11607) 사업인정함에 있어 토지세목고시를 누락하는 경우 수용재결처분의 취소를 구하거나 무효확인을 구할 수 있는지(소극)
>
> 도시계획사업허가의 공고 시에 토지세목의 고시를 누락하거나 사업인정을 함에 있어 수용 또는 사용할 토지의 세목을 공시하는 절차를 누락한 경우, 이는 절차상의 위법으로서 수용재결단계 전의 사업인정 단계에서 다툴 수 있는 취소사유에 해당하기는 하나 더 나아가 그 사업인

> 정 자체를 무효로 할 중대하고 명백한 하자라고 보기는 어렵고, 따라서 이러한 위법을 들어 수용재결처분의 취소를 구하거나 무효확인을 구할 수는 없다(대판 1988.12.27, 87누1141, 대판 2000.10.13, 2000두5142 등 참조).

(4) 검토

전통적 하자승계론은 일정한 기준을 제시하여 긍정적이나, 지나치게 형식을 강조하여 구체적 타당성을 확보하지 못한다는 비판이 있다. 반면, 구속력이론은 구체적 타당성을 기할 수 있으나 판결의 기판력을 차용하고 대물적 한계를 너무 넓게 인정한다는 비판이 있다. 따라서 법적 안정성과 국민의 권리보호문제의 조화를 위하여 〈전통적 하자승계론〉을 기준으로 보충적으로 예측가능성 및 수인가능성을 고려함이 타당하다고 생각된다.

Ⅳ 사안의 경우

사안의 경우 하자승계의 전제 요건은 모두 충족하며 하자 승계의 인정 여부를 검토한다. 사업인정과 수용재결은 별개의 법률효과를 목적으로 하여 전통적 하자승계론에 의할 때 하자 승계가 인정되지 않으며, 피수용자가의 수인불가능, 예측불가능한 사실관계가 없는바 예외적으로 하자 승계를 인정할 수 있는 경우로 보이지 않는다. 따라서 판례의 입장에 따라 하자승계를 부정함이 타당하다고 생각한다.

> **Tip** 하자 승계가 논점인지 확인하기 위해서는 후행행위에 하자가 없는지, 선행행위의 사유가 취소사유의 하자인지 찾아야 한다. 선행행위의 취소사유는 사업인정의 경우 세목 고시 절차 누락, 의견청취절차 누락이 나올 수 있으며, 이는 절차 하자의 독자적 위법성, 위법성의 정도를 간략히 짚어주면서 해당 하자가 취소사유의 하자임을 밝히면 된다. 선행행위의 하자가 중대하고 명백하여 무효 사유인 경우 하자 승계의 문제가 아니며, 선행행위의 무효는 후행행위의 무효로 이어진다. 제주도 유원지 판례의 경우 사업인정에 무효 사유의 하자가 있어 사업인정 무효, 수용재결 무효가 되어 일체의 사업의 백지화되는 사건을 판시하고 있다.

12절 토지보상법 제20조(사업인정)와 동법 제34조(수용재결의 법적 성질과 불복 방법상의 차이점)(행정법 쟁점 : 하자의 승계)

문제

한국토지주택공사(LH)에 따르면 2022년 6월 13일부터 고양창릉 공공주택지구 조성사업과 관련한 손실보상협의가 시작되었다고 발표하였다. 토지보상금 대신 같은 사업지구 내 조성되는 다른 토지로 보상하는 대토보상 계획도 6월 17일 공고하였으며, 대토보상은 7월 13일부터 신청을 받고 있다. 공익사업을 하면서 원만한 협의가 진행되면 좋겠지만 피수용자들이 억울한 나머지 보상협의를 진행하지 않는 경우도 있다. 특히 공익사업을 위한 토지 등의 취득 및 보상에 관한 법률(이하 '토지보상법')상 보상협의가 이루어지지 않는 경우에 사업인정과 수용재결이 가장 중요한 행정행위이다. 토지보상법상 협의가 성립되지 않은 경우 강제취득 절차로서 사업인정과 수용재결의 법적 성질과 불복 방법상의 차이점에 대하여 설명하시오. 30점

Ⅰ. 서(논점의 정리)	Ⅲ. 사업인정과 수용재결의 불복방법상의 차이점
Ⅱ. 사업인정과 수용재결의 법적 성질	1. 적용법률의 차이
1. 사업인정	2. 불복사유의 차이
(1) 사업인정의 의의	3. 행정심판의 차이
(2) 사업인정의 법적 성질	(1) 처분청 경유주의
1) 형성적 행정행위(처분성)	(2) 심판청구기간의 차이
2) 재량행위성	(3) 심판기관의 차이
3) 제3자효 행정행위	(4) 이의재결의 효력
2. 수용재결	4. 행정소송의 차이
(1) 수용재결의 의의	5. 손실보상에서의 차이
(2) 수용재결의 법적 성질(처분성)	6. 사전적 구제의 차이
3. 사업인정과 수용재결의 관계	Ⅳ. 결(사업인정과 수용재결의 하자승계 여부)

Tip 강박사의 TIP

1. 사업인정 및 권리구제(제1회)
2. 재결의 불복(제3회)
3. 수용재결의 원처분주의(제11회)
4. 사업인정의 법적 성질과 권리구제(제12회)
5. 사업인정과 재결에 대한 불복(제17회)
6. 사업인정이후 피수용자 권리 및 권리구제수단(제21회)
7. 사업인정과 수용재결 하자의 승계(제27회)

I 서(논점의 정리)

공용수용이란, 특정한 공익사업을 위하여 보상을 전제로 타인의 재산권을 법률에 힘에 의해 강제적으로 취득하는 것을 말한다. 공용수용은 헌법상 사유재산권 보장의 예외적 조치인바, 허용에 있어 엄격한 요건이 요구된다. 수용에 따른 상대방의 재산권 침해를 정당화할 만한 공익이 존재하는지, 사익과 공익의 비교·형량과정을 거쳐야 한다. 공익사업을 위한 토지 등의 취득 및 보상에 관한 법률(이하 '토지보상법')상 공용수용절차는 사업인정을 거쳐 조서작성, 협의, 재결을 거치며 이러한 공용수용 절차에서 위법, 부당이 존재하는 경우 실질적 법치주의 관점에서 국민이 다툴 수 있어야 함은 당연하고, 사업인정과 재결을 분리하여 규정한 취지상 양자의 권리구제방법에는 상당한 차이가 있다. 이하 사업인정과 수용재결의 법적 성질에 대해 검토한 후, 권리구제방법을 비교·검토한다.

II 사업인정과 수용재결의 법적 성질

1. 사업인정(토지보상법 제20조)

(1) 사업인정의 의의

사업인정이란 공익사업을 토지등을 수용 또는 사용할 사업으로 결정하는 것을 말한다(토지보상법 제2조 제7호). 국토교통부장관이 사업시행자에게 일정 절차의 이행을 조건으로 수용권을 설정해주는 행위를 말한다.

(2) 사업인정의 법적 성질

1) 형성적 행정행위(처분성)

사업인정의 법적 성질과 관련하여 판례는 "사업인정은 단순한 확인행위가 아니라 사업시행자에게 일정 절차의 이행을 조건으로 수용권을 설정해 주는 설권적 형성행위에 해당한다."라고 판시하여 그 처분성이 인정된다.

2) 재량행위성

재량행위인지 여부는 법규정 취지, 행위의 성질, 기본권 관련성으로 판단하는바 사업인정은 그 행위의 성질상 공익성 판단과 관련하여 국토교통부장관의 이익형량이 요구된다는 점에서 재량행위성이 인정된다고 봄이 타당하다고 판단된다(판례동지).

3) 제3자효 행정행위

사업인정으로 사업시행자는 수용권의 수익적 효과를 받는 반면, 피수용자 또는 인근 주민의 권익침해가 가능한바 사업인정은 제3자효 행정행위라고 할 수 있다.

2. 수용재결(토지보상법 제34조, 제50조)

(1) 수용재결의 의의

수용재결이란 공용수용의 종국적 절차로서 사업시행자에게는 보상금의 지급 또는 공탁을 조건으로 수용목적물에 대한 권리취득을, 피수용자에게는 수용목적물에 대한 권리상실을 내용으로 하는 관할 토지수용위원회의 결정을 말한다.

(2) 수용재결의 법적 성질

1) 처분성

수용재결은 피수용자의 권리와 의무에 직접 영향을 미치는 것으로 그 처분성을 인정함이 타당하다고 판단된다.

2) 기속행위

수용재결의 발령자체는 기속행위이나, 그 내용을 정하는데 있어서는 재량을 가진다.

3) 제3자효 행정행위

수용재결으로 사업시행자는 목적물을 원시취득하는 반면, 피수용자 또는 인근 주민의 소유권을 박탈당하게 되므로 제3자효 행정행위라고 할 수 있다.

3. 사업인정과 수용재결의 관계

공용수용행정에서 사업인정은 수용재결을 전제하여 강제로 피수용자의 토지 등의 소유권을 박탈하는 것을 예정하는 것이다. 이때 피수용자 입장에서는 상당한 심리적 압박감을 갖게 되고, 상대적으로 사업시행자는 우월한 법적 및 심리적 상태를 가지게 된다. 이는 수용행정의 신중성을 기해야 할 근본적인 문제이기도 하다. 국민 모두의 공익을 위하여 개개의 국민들에게 불안한 법적 지위를 주는 것은 형평의 원칙에도 부합되지 않기 때문이다. 따라서 사업인정과 수용재결에 대해서 행정기관은 심도 있는 이해관계 조율을 사전에 해야 할 것이다. 미국의 규제적 수용행정에서는 〈수용영향평가〉 등을 통해 사전에 치밀한 문제분석을 하는 것은 시사하는 바가 매우 크다고 할 것이다.

Ⅲ 사업인정과 수용재결의 불복방법상의 차이점

1. 적용법률의 차이

토지보상법은 재결에 대해서만 제85조에 불복규정을 두고 사업인정에 대해서는 명문의 불복규정을 두고 있지 않다. 따라서 재결의 경우 '특별법 우선의 법칙'에 의해 행정심판법 및 행정소송법에 우선하여 토지보상법의 규정이 적용되며, 사업인정의 불복은 행정심판법 제3조 제1항 및 행정소송법 제8조 제1항에 따라 행정심판, 행정소송을 제기해야 한다.

> ♦ 행정심판법 제3조(행정심판의 대상)
> ① 행정청의 처분 또는 부작위에 대하여는 다른 법률에 특별한 규정이 있는 경우 외에는 이 법에 따라 행정심판을 청구할 수 있다.
>
> ♦ 행정소송법 제8조(법적용예)
> ① 행정소송에 대하여는 다른 법률에 특별한 규정이 있는 경우를 제외하고는 이 법이 정하는 바에 의한다.

2. 불복사유의 차이

사업인정은 실체적 하자 및 절차적 하자를 불복의 사유로 삼되, 사업인정에 대한 재량권 일탈·남용 여부가 사유로 인정된다. 반면 수용재결은 실체적·절차적 하자 이외에 보상금의 증감을 불복사유로 할 수 있어 그 범위가 사업인정보다 넓다고 할 수 있다.

3. 행정심판의 차이

(1) 처분청 경유주의

수용재결은 처분청 경유주의를 취하고 있으나 사업인정은 처분청 경유에 대하여 행정심판법의 일반원리에 의하는바 임의주의를 취하고 있다.

(2) 심판청구기간의 차이

수용재결은 재결서 정본을 받은 날부터 30일 이내에 청구하나 사업인정은 안 날로부터 90일, 있은 날로부터 180일 이내에 청구한다.

> ♦ 공익사업을 위한 토지등의 취득 및 보상에 관한 법률
> 제85조(행정소송의 제기)
> ① 사업시행자, 토지소유자 또는 관계인은 제34조에 따른 재결에 불복할 때에는 <u>재결서를 받은 날부터 90일 이내에, 이의신청을 거쳤을 때에는 이의신청에 대한 재결서를 받은 날부터 60일 이내에</u> 각각 행정소송을 제기할 수 있다. 이 경우 사업시행자는 행정소송을 제기하기 전에 제84조에 따라 늘어난 보상금을 공탁하여야 하며, 보상금을 받을 자는 공탁된 보상금을 소송이 종결될 때까지 수령할 수 없다.

② 제1항에 따라 제기하려는 행정소송이 보상금의 증감(增減)에 관한 소송인 경우 그 소송을 제기하는 자가 토지소유자 또는 관계인일 때에는 사업시행자를, 사업시행자일 때에는 토지소유자 또는 관계인을 각각 피고로 한다.

➲ 행정심판법 제27조(심판청구의 기간)
① 행정심판은 처분이 있음을 <u>알게 된 날부터 90일</u> 이내에 청구하여야 한다.
② 청구인이 천재지변, 전쟁, 사변(事變), 그 밖의 불가항력으로 인하여 제1항에서 정한 기간에 심판청구를 할 수 없었을 때에는 그 사유가 소멸한 날부터 14일 이내에 행정심판을 청구할 수 있다. 다만, 국외에서 행정심판을 청구하는 경우에는 그 기간을 30일로 한다.
③ 행정심판은 <u>처분이 있었던 날부터 180일</u>이 지나면 청구하지 못한다. 다만, 정당한 사유가 있는 경우에는 그러하지 아니하다.

(3) 심판기관의 차이

수용재결은 중앙토지수용위원회가 심리·의결기관이 되나, 사업인정은 중앙행정심판위원회가 심리·의결기관이 된다. 또한 개정 행정심판법에 따라 공표도 행정심판위원회가 하도록 한 것은 중립성을 보장하기 위한 취지로 해석된다.

(4) 이의재결의 효력

수용재결은 토지보상법 제86조에 의거 이의재결이 확정되는 경우 소송법적 확정력이 부여된다. 즉 수용재결에 대한 이의재결이 확정되는 경우 이의재결서 정본은 집행력 있는 판결의 정본과 동일한 효력을 지닌다.

4. 행정소송의 차이

(1) 행정심판 임의주의 및 원처분주의·재결주의

소송의 대상 등에 대해서는 사업인정은 행정심판 임의주의, 원처분주의를 취하고 있으나 재결에 대해서는 종전 이의신청 임의주의, 재결주의 논의가 있었으나 토지보상법의 제정으로 이러한 논란은 해소되었다. 즉 수용재결에 대해서도 이의신청은 임의주의를, 원처분주의·재결주의에 대한 최근 대법원 판례의 태도에 따라 현행 토지보상법은 원처분주의의 입장을 명확히 하고 있다(대판 2010.1.28, 2008두1504).

> 판례
>
> ● 토지소유자 등이 수용재결에 불복하여 이의신청을 거친 후 취소소송을 제기하는 경우 피고적격(=수용재결을 한 토지수용위원회) 및 소송대상(=수용재결)(2008두1504)(원처분주의 판례)
>
> 공익사업법 제85조 제1항 전문의 문언 내용과 공익사업법 제83조, 제85조가 중앙토지수용위원회에 대한 <u>이의신청을 임의적 절차로 규정하고 있는 점, 행정소송법 제19조 단서가 행정심판에 대한 재결은 재결 자체에 고유한 위법이 있음을 이유로 하는 경우에 한하여 취소소송의 대상으로 삼을 수 있도록 규정하고 있는 점</u> 등을 종합하여 보면, 수용재결에 불복하

> 여 취소소송을 제기하는 때에는 이의신청을 거친 경우에도 수용재결을 한 중앙토지수용위
> 원회 또는 지방토지수용위원회를 피고로 하여 수용재결의 취소를 구하여야 하고, 다만 이의
> 신청에 대한 재결 자체에 고유한 위법이 있음을 이유로 하는 경우에는 그 이의재결을 한
> 중앙토지수용위원회를 피고로 하여 이의재결의 취소를 구할 수 있다고 보아야 한다.

(2) 제소기간의 차이

수용재결은 재결서 정본을 받은 날로부터 90일 이내, 이의신청을 거친 경우에는 60일 이내에 제소하도록 규정하고 있고, 사업인정은 행정소송법에 의해 안 날로부터 90일, 있은 날로부터 1년 이내에 제소가 가능하다.

5. 손실보상에서의 차이

수용재결은 손실보상을 직접 결정하는 절차로서 그 자체가 손실보상을 인정해주는 구제수단으로서의 의미가 있으며, 사업인정은 실효 등과 같이 그로 인해 발생하는 손실에 한해 손실보상청구권이 인정된다.

6. 사전적 권리구제의 차이

사업인정은 협의, 의견청취 등의 절차를 거치는 반면 수용재결은 공고 및 문서의 열람, 토지소유자의 의견진술 등의 절차를 거치게 된다. 다만 행정절차법 시행령 제2조 제7호에 의하면 재결의 경우 행정절차법의 적용이 배제된다.

Ⅳ 결(사업인정과 수용재결의 하자승계 여부)

상기와 같이 사업인정과 수용재결은 공용수용절차의 시작과 종료이며, 그에 대한 권리구제는 양자의 효과 및 취지에 따라 상이하다고 판단된다. 또한 사업인정과 수용재결은 공용수용의 일련의 절차를 구성하는 것으로 하자승계 여부가 문제되는데, 다수설 및 판례는 사업인정과 수용재결의 하자승계를 부정하고 있다. 판례에 따르면 하자승계는 선행행위와 후행행위가 결합하여 하나의 법적효과를 목적으로 하는 경우에 인정되고, 별개의 법적효과를 목적으로 하는 경우에는 부정되나, 개별·구체적 사안에서 타당성을 기하기 위해 예외적으로 수인가능성과 예측가능성을 종합적으로 고려하여 하자승계 여부를 판단하고 있다.

■ 사업인정과 수용재결의 권리구제상 공통점	■ 사업인정과 수용재결의 권리구제상 차이점
1. 처분으로 항고소송의 대상	1. 적용법률
2. 원처분주의(2008두1504)	2. 제소기간
3. 항고쟁송 제기효과(집행부정지원칙)	3. 행정심판의 차이
4. 실효 시 손실보상(법 제23조, 제42조)	4. 행정소송의 차이
	5. 사전적 권리구제의 차이

13절
- 토지보상법 제20조(사업인정)
- 행정법 쟁점 : 행정소송법 제12조(원고적격), 행정소송법 제23조(집행정지), 행정소송법 제28조(사정판결)

문제

「공익사업을 위한 토지 등의 취득 및 보상에 관한 법률」에 따라 사업시행자인 SH공사 甲은 서울시 관악구 봉천동 일대에 사업인정을 받아 청년임대아파트 건설 공익사업을 진행하게 되었다. 그런데 인근 주민 乙은 청년임대아파트가 생기면 학군이 좋아지지 않을 뿐만 아니라 주차난이 심해져 이러한 공익사업은 인근 주민들에게 있어서 상당한 피해를 끼친다며 격렬히 반대하고 있다. 해당 지역은 역세권도 아니고 청년임대아파트가 들어설 만한 청년들의 유인책이 될 만한 오피스도 없으며, 무엇보다 좁은 골목길에 집을 지으면 교행이 어려워 큰 주차난에 시달린다는 이유로 인근 주민인 乙은 해당 청년임대아파트 건설 사업인정에 대하여 취소소송을 법원에 제기하였다. 다음 물음에 답하시오. 40점

(1) 사업인정의 법적 성질, 사업인정고시의 법적 성질에 대하여 설명하시오. 10점

(2) 인근 주민 乙은 행정소송법상 원고적격이 있는지 여부를 설명하시오. 10점

(3) 인근 주민 乙은 해당 사업인정이 위법하다고 주장하며 행정소송을 제기하면서 집행정지를 신청하였는데 집행정지를 받을 수 있는지 여부와 행정법 일반원칙에 따라 그 위법성을 판단하고, 위법성의 정도에 대하여 설명하시오. 10점

(4) 해당 공익사업이 위법한 경우를 가정하더라도 공공복리로 인하여 사정판결을 받을 수 있는지 여부에 대하여 설명하시오. 10점

Ⅰ. 논점의 정리

Ⅱ. (물음1) 사업인정의 의의 및 법적 성질
　1. 사업인정의 의의/취지 및 법적 성질
　　(1) 사업인정의 의의 및 취지
　　(2) 사업인정의 법적 성질
　2. 사업인정고시의 의의 및 법적 성질, 법적 효과
　　(1) 사업인정고시의 의의 및 취지
　　(2) 사업인정고시의 법적 성질
　　(3) 사업인정고시의 법적 효과

Ⅲ. (물음2)
　1. 행정소송법 제12조
　2. 법률상 이익의 의미
　　(1) 학설
　　(2) 판례
　　(3) 검토

　3. 법률의 범위문제
　4. 사안의 경우

Ⅳ. (물음3) 집행정지의 인용가능성 및 사업인정의 위법성
　1. 집행정지의 인용가능성
　　(1) 집행부정지 원칙
　　(2) 집행정지의 개관
　　(3) 내용 및 효력
　　(4) 사안의 경우
　2. 사업인정의 위법성 및 정도
　　(1) 사업인정의 위법성 판단
　　(2) 비례의 원칙 위반 여부
　　(3) 위법성의 정도

Ⅴ. (물음4) 사정판결의 가능성
　1. 의의
　2. 요건

| 3. 효과 | Ⅵ. 사안의 해결 |
| 4. 사안의 경우 | |

> **Tip 강박사의 TIP**
>
> 취소소송의 요건인 대/소/원/전/기/관/피 중에서 원고적격은 매우 중요한 내용이다. 대법원 2006두330 판결을 중심으로 잘 정리해 두기 바란다. 집행정지와 사정판결로 수시로 출제되는 논점인바 기본 개념들을 정리해 두면 실제 시험에서 당황하지 않고 문제를 잘 풀 수 있을 것이다.
> 1. 사업인정과 사업인정고시의 법적 성질(제34회)
> 2. 징계처분의 집행정지(제34회)

Ⅰ 논점의 정리

사안의 해결을 위하여 공익사업을 위한 토지 등의 취득 및 보상에 관한 법률(이하 '토지보상법')상 사업인정의 의의 및 법적 성질에 대하여 검토하고, 소송요건으로서 인근 주민乙의 원고적격이 인정되는지를 살펴본 뒤, 행정소송법 제23조에서 규정하고 있는 집행정지의 요건을 충족하고 있는지와 사안의 사업인정의 위법성 및 그 정도에 대하여 검토한다. 또한 사업인정이 위법하더라고 공익성을 이유로 행정소송법 제28조에 따른 사정판결의 가능성에 대해서도 살펴보고자 한다.

Ⅱ (물음1) 사업인정의 의의 및 법적 성질

1. 사업인정의 의의/취지(토지보상법 제20조) 및 법적 성질

(1) 사업인정의 의의 및 취지

사업인정이란 공익사업을 토지 등을 수용하거나 사용할 사업으로 결정하는 것을 말한다(토지 보상법 제2조 제7호). 이는 사업시행자에게 수용권을 부여하고 이를 통해 공익사업의 원활한 진행을 도모하여 공공복리를 증진하는 취지에서 인정된다.

(2) 사업인정의 법적 성질

1) 형성행위로서 처분성

사업시행자에게 수용권을 부여하고 토지 소유자 및 이해관계인에게 보전 의무를 설정하는 바, 국민권익에 직접적인 영향을 주는 형성행위로 처분성이 인정된다.

2) 재량행위

토지보상법 제20조에서는 "사업인정을 받아야 한다."고 규정하고 있어 법 문언의 표현이 불분명하다. 따라서 행위의 성질 및 기본권과의 관련성을 고려하여 판단해야 한다. 사업인정은 자연적 자유를 회복하여 기본권을 실현하는 의미의 학문상 허가가 아닌 새로운 권리의 설정 측면인 특허의 성질을 가지므로 재량행위에 해당한다.

3) 제3자효 행정행위

사업인정은 해당 사업이 수용할 수 있는 사업임을 결정하는 행위로 차후에 수용재결을 통해서 피수용자의 토지 등의 권리를 사업시행자에게 넘겨주는 효과를 발생시키기 위한 첫 단계 행위이다. 따라서 사업인정의 상대방인 사업시행자에게 수익적 효과의 발생과 더불어 공용수용 법률관계의 타방인 피수용자에게 침익적 효과가 동시에 발생하므로 제3자효 행정행위에 해당한다.

2. 사업인정고시의 의의 및 법적 성질, 법적 효과(토지보상법 제22조)

(1) 사업인정고시의 의의 및 취지

국토교통부장관은 토지보상법 제20조에 따른 사업인정을 하였을 때에는 지체 없이 그 뜻을 사업시행자, 토지소유자 및 관계인, 관계 시·도지사에게 통지하고 사업시행자의 성명이나 명칭, 사업의 종류, 사업지역 및 수용하거나 사용할 토지의 세목을 관보에 고시하여야 한다. 토지보상법 제25조 토지보전의무를 통한 보상투기를 방지하기 위해 고시한 날로부터 효력이 발생한다.

(2) 사업인정고시의 법적 성질

사업인정고시는 특정한 사실을 알리는 행위로서 사업인정과는 분리하여 준법률행위적 행정행위 중 통지로 보는 견해, 사업인정과 사업인정고시를 통일적으로 파악하여 특허로 보는 견해가 있다. 해당 논의는 불복과 관련하여 실익이 있으므로 사업인정과 사업인정고시를 분리하여 검토하지 말고 통일적으로 〈특허〉로 파악함이 타당하다.

(3) 사업인정고시의 법적 효과

사업인정이 고시되면 수용권 설정, 수용목적물 범위확정, 관계인의 범위확정, 토지 등 보전의무, 토지·물건 조사권, 보상액 산정시기의 고정 등의 효과가 발생한다.

Ⅲ (물음2) 인근 주민의 원고적격 인정 여부

1. 행정소송법 제12조

행정소송법 제12조는 "취소소송은 처분 등의 취소를 구할 법률상 이익이 있는 자가 제기할 수 있다"고 규정하고 있다. 즉, 법률상 이익이 있는 자에게 원고적격이 인정되게 되는 바, 그 '법률상 이익'의 의미가 문제된다.

2. 법률상 이익의 의미

(1) 학설

법률상 이익을 권리보호로 보는 '권리구제설', 처분의 근거 법률 등에 의해 보호되는 이익으로 보는 '법률상 보호이익구제설', 소송에서 재판상 보호할 가치가 있는 이익으로 보는 '보호가치 있는 이익구제설', 행정통제 측면에서 접근하는 '적법성 보장설'이 있다.

(2) 판례

행정처분의 직접 상대방이 아닌 제3자라 하더라도 당해 행정처분으로 인하여 법률상 보호되는 이익을 침해당한 경우에는 취소소송을 제기하여 그 당부의 판단을 받을 자격이 있다 할 것이니, 여기에서 말하는 법률상 보호되는 이익이란 당해 행정처분의 근거 법률에 의하여 보호되는 직접적이고 구체적인 이익을 말하고 제3자가 당해 행정처분과 관련하여 간접적이거나 사실적·경제적인 이해관계를 가지는 데 불과한 경우는 여기에 포함되지 아니한다(대판 2002.10.25, 2001두4450).

(3) 검토

생각건대 현행 행정소송제도에서 항고소송을 권리구제수단으로 보는 한 법률상 보호이익구제설이 타당하고 판단되며, 그렇다면 이때 '법률'의 범위를 어떻게 보아야 하는지가 문제 된다.

3. 법률의 범위문제

(1) 판례와 다수설의 확대화 경향

판례는 처분의 근거 법률 외에 관계 법률, 나아가 환경영향평가법까지 '법률'에 포함시키며, 다수설은 더 나아가 헌법상 기본권, 일반사회법질서까지 확대하려는 경향이 있다. 최근 행정소송법 개정안에는 법률상 이익의 개념을 '법적으로 정당한 이익'으로 개정하여 그 범위를 넓히고 있는바 시사점이 크다 하겠다.

(2) 인근 주민 법률상 이익 인정

판례는 연탄공장허가취소소송에서 근거 법률 외에 관계 법률도 법률의 범위에 포함시켰고, 국립공원개발사업승인 취소소송, 원전사업 승인취소소송 등에서는 환경영향평가법을 직접적인 근거 법률 내지 관계 법률로 보아 법률상 이익을 인정하였다.

4. 사안의 경우

사안의 인근 주민은 청년임대아파트 공익사업의 사업인정으로 주차난 등 불이익이 예상되는바 헌법 기본권상 보호해야 할 법률상 이익을 지닌다 할 것이므로, 이를 근거 법률 내지 관계 법률로 보아 원고적격 인정이 가능하다. 따라서 乙의 원고적격이 인정된다 할 것이다.

> **판례**
>
> ● 대법원 2006.3.16. 선고 2006두330 전원합의체 판결[정부조치계획취소등] '법률상 보호되는 이익'의 의미와 환경영향평가 대상지역 안의 주민과 밖의 주민에 대하여 원고적격이 인정되기 위한 요건
>
> [판시사항]
>
> [1] 행정처분의 직접 상대방이 아닌 제3자가 행정처분의 무효확인을 구할 수 있는 요건으로서 '법률상 보호되는 이익'의 의미

[2] 환경영향평가 대상지역 안의 주민에게 공유수면매립면허처분과 농지개량사업 시행인가처
분의 무효확인을 구할 원고적격이 인정되는지 여부(적극) 및 환경영향평가 대상지역 밖의
주민에게 그 원고적격이 인정되기 위한 요건

[판결요지]

[1] 행정처분의 직접 상대방이 아닌 제3자라 하더라도 당해 행정처분으로 인하여 법률상 보호
되는 이익을 침해당한 경우에는 그 처분의 무효확인을 구하는 행정소송을 제기하여 그 당
부의 판단을 받을 자격이 있다 할 것이며, 여기에서 말하는 법률상 보호되는 이익이라 함은
당해 처분의 근거 법규 및 관련 법규에 의하여 보호되는 개별적·직접적·구체적 이익이
있는 경우를 말하고, 공익보호의 결과로 국민 일반이 공통적으로 가지는 일반적·간접적·
추상적 이익이 생기는 경우에는 법률상 보호되는 이익이 있다고 할 수 없다.

[2] 공유수면매립면허처분과 농지개량사업 시행인가처분의 근거 법규 또는 관련 법규가 되는
구 공유수면매립법(1997.4.10. 법률 제5337호로 개정되기 전의 것), 구 농촌근대화촉진법
(1994.12.22. 법률 제4823호로 개정되기 전의 것), 구 환경보전법(1990.8.1. 법률 제
4257호로 폐지), 구 환경보전법 시행령(1991.2.2. 대통령령 제13303호로 폐지), 구 환경
정책기본법(1993.6.11. 법률 제4567호로 개정되기 전의 것), 구 환경정책기본법 시행령
(1992.8.22. 대통령령 제13715호로 개정되기 전의 것)의 각 관련 규정의 취지는, 공유수
면매립과 농지개량사업시행으로 인하여 직접적이고 중대한 환경피해를 입으리라고 예상되
는 환경영향평가 대상지역 안의 주민들이 전과 비교하여 수인한도를 넘는 환경침해를 받지
아니하고 쾌적한 환경에서 생활할 수 있는 개별적 이익까지도 이를 보호하려는 데에 있다
고 할 것이므로, 위 주민들이 공유수면매립면허처분 등과 관련하여 갖고 있는 위와 같은
환경상의 이익은 주민 개개인에 대하여 개별적으로 보호되는 직접적·구체적 이익으로서
그들에 대하여는 특단의 사정이 없는 한 환경상의 이익에 대한 침해 또는 침해우려가 있는
것으로 사실상 추정되어 공유수면매립면허처분 등의 무효확인을 구할 원고적격이 인정된
다. 한편, 환경영향평가 대상지역 밖의 주민이라 할지라도 공유수면매립면허처분 등으로
인하여 그 처분 전과 비교하여 수인한도를 넘는 환경피해를 받거나 받을 우려가 있는 경우
에는, 공유수면매립면허처분 등으로 인하여 환경상 이익에 대한 침해 또는 침해우려가 있
다는 것을 입증함으로써 그 처분 등의 무효확인을 구할 원고적격을 인정받을 수 있다.

Ⅳ (물음3) 집행정지의 인용가능성 및 사업인정의 위법성

1. 집행정지의 인용가능성

(1) 집행부정지 원칙

행정소송법 제23조 제1항에서는 취소소송의 제기는 처분 등의 효력이나 그 집행 또는 절차의
속행에 영향을 주지 아니한다고 규정하여 법적 안정성을 추구하고 있다. 또한, 토지보상법 제
88조에서도 이의신청이나 행정소송의 제기는 사업의 진행 및 토지의 수용 또는 사용을 정지
시키지 않는다고 하여 집행부정지원칙을 규정한다.

(2) 집행정지의 개관

1) 의의 및 취지

취소소송이 제기된 경우 처분 등이나 그 집행 또는 절차의 속행으로 인해 회복하기 어려운 손해 등의 사유가 있는 경우 그 처분 등의 효력이나 절차의 속행의 전부 또는 일부의 정지를 결정할 수 있으며 이는 본안판결의 실효성을 확보하기 위하여 당사자의 권익을 임시적으로 보호하기 위함이며 행정소송법 제23조 제2항 단서에 근거한다.

2) 적극적 요건

적극적 요건은 당사자가 직접 주장, 증명해야 할 요건이다. 집행정지는 취소소송과 무효등확인소송이 제기된 경우에만 허용되며, 처분이 이미 종료된 때에는 집행정지가 불가능하므로 집행정지의 대상으로서 처분이 존재하여야 하고, 집행정지 결정을 위해서는 본안소송이 적법하게 계속 중이어야 하고, 회복하기 어려운 손해를 예방하기 위한 긴급한 필요가 있어야 한다.

3) 소극적 요건

소극적 요건은 행정청이 주장, 증명해야 할 요건이다. 공공복리에 중대한 영향을 미칠 우려가 없을 때 가능하고, 판례와 다수의 견해가 요구하는 본안청구의 이유 없음이 명백하지 않을 것이다. 이는 집행정지의 남용 방지를 위한 취지이다.

(3) 내용 및 효력

집행정지는 처분 등의 효력이나 그 집행의 정지, 절차의 속행의 전부 또는 일부의 정지를 내용으로 한다. 효력 정지란 처분의 효력이 존속하지 않는 상태로 되는 것이며 집행정지란 처분의 집행력을 박탈하여 그 내용을 실현하는 행위를 금지하는 것을 말한다. 한편, 집행의 정지나 절차의 속행정지로써 목적을 달성할 수 있는 경우는 집행정지는 허용되지 않는다. 집행정지의 효력으로 형성력은 집행정지로 인해 처분의 효력에는 영향을 미치지 않으나 처분이 없었던 원래 상태와 같은 상태가 되며 위반하는 행위는 무효가 된다. 기속력은 당사자인 행정청과 그밖의 관계 행정청을 구속하며, 시간적 효력은 처분의 발령시점으로 소급하는 것이 아니라 집행정지 결정 시점부터 발생한다.

(4) 사안의 경우

소송이 계속 중이며, 정지의 대상이 되는 사업인정이라는 처분이 존재하며, 사업이 진행된다면, 인근 주민의 침해되는 권리는 회복하기 어려운 손해에 해당한다고 판단되어 집행정지를 해야 할 긴급한 필요가 있다고 인정된다. 또한, 본안판단에 이유 없음이 명백하다고 볼 만한 사실관계도 없으므로 집행정지의 요건을 충족하여 집행정지가 가능하다고 판단된다.

> 판례
>
> **[판시사항]**
>
> [1] 행정소송법 제23조 제2항 소정의 '회복하기 어려운 손해'의 의미
>
> [2] 당사자의 경제적 손실이나 기업 이미지 및 신용의 훼손으로 인한 손해가 '회복하기 어려운 손해'에 해당하기 위한 요건
>
> **[결정요지]**
>
> [1] 행정소송법 제23조 제2항에 정하고 있는 행정처분 등의 집행정지 요건인 '회복하기 어려운 손해'라 함은 특별한 사정이 없는 한 금전으로 보상할 수 없는 손해로서 이는 금전보상이 불능인 경우 내지는 금전보상으로는 사회관념상 행정처분을 받은 당사자가 참고 견딜 수 없거나 또는 참고 견디기가 곤란한 경우의 유형, 무형의 손해를 일컫는다.
>
> [2] 당사자가 행정처분 등이나 그 집행 또는 절차의 속행으로 인하여 재산상의 손해를 입거나 기업 이미지 및 신용이 훼손당하였다고 주장하는 경우에 그 손해가 금전으로 보상할 수 없어 '회복하기 어려운 손해'에 해당한다고 하기 위해서는, 그 경제적 손실이나 기업 이미지 및 신용의 훼손으로 인하여 사업자의 자금사정이나 경영 전반에 미치는 파급효과가 매우 중대하여 사업 자체를 계속할 수 없거나 중대한 경영상의 위기를 맞게 될 것으로 보이는 등의 사정이 존재하여야 한다.
>
> (출처 : 대법원 2003.4.25. 자 2003무2 결정 [집행정지] 〉 종합법률정보 판례)

2. 사업인정의 위법성 및 정도

(1) 사업인정의 위법성 판단

사업인정은 토지 등을 수용 또는 사용할 수 있는 공익사업으로 결정하는 것을 의미하며, 공익 및 사익 간의 개별적인 이익형량이 요구되는 재량행위에 해당한다. 따라서 사업인정이 적법하게 성립하기 위해서는 주체, 내용, 절차, 형식면에서 하자가 없어야 하며 요건상에 흠이 있으면 하자 있는 사업인정이 된다.

(2) 비례의 원칙 위반 여부

1) 비례의 원칙(행정기본법 제10조)

비례의 원칙이란 행정목적을 달성하는 데 있어 그 목적과 수단 사이에 일정한 비례관계가 유지되어야 한다는 것으로 과잉금지의 원칙이라고도 한다. 그 내용에는 행정작용이 그 목적달성에 적합한 수단이어야 한다는 적합성 원칙, 목적달성을 위한 행정작용은 필요 최소한의 범위 내에서만 허용된다는 필요성 원칙, 두 가지 요건이 모두 충족된 경우에도 다시 행정작용에 의한 침해되는 사익과 달성되는 공익 사이에 합리적인 비례관계가 있어야 한다는 상당성의 원칙이 있다.

> ↩ **행정기본법 제10조(비례의 원칙)**
>
> 행정작용은 다음 각 호의 원칙에 따라야 한다.
> 1. 행정목적을 달성하는 데 유효하고 적절할 것
> 2. 행정목적을 달성하는 데 필요한 최소한도에 그칠 것
> 3. 행정작용으로 인한 국민의 이익 침해가 그 행정작용이 의도하는 공익보다 크지 아니할 것

2) 사안의 경우

청년임대아파트 건설사업은 토지보상법 제4조 제5호의 공익사업이며, 청년임대아파트 건설사업을 진행하기 위해서는 토지의 사용으로는 불가능하고 수용이 필수적이다. 그러나 해당 지역은 역세권도 아니고 청년임대아파트가 들어설 만한 청년들의 유인책이 될 만한 오피스도 없어 해당 지역에 사업을 진행하는 것이 적합하지 않아 적합성의 원칙에 위반된다. 필요한 최소한도를 넘어서 공익사업을 수행하는 것으로 보이진 않는바 필요성의 원칙에는 반하지 않는다. 다만, 해당 사업으로 인한 실현될 수 있는 공익과 인근 주민의 주차난의 극심 등의 사익 침해를 비교·교량할 때, 해당 사업으로 인한 공익보다 인근주민 乙의 사익침해가 더 크다고 판단된다. 이에 비례의 원칙에 위배되어 위법한 사업인정이라고 생각한다.

(3) 위법성의 정도

설문에서 乙이 주장하는 바와 같이 사업인정의 위법성이 인정된다면 그 위법성의 정도가 무효인지 취소인지에 대해 통설 및 판례의 입장인 중대명백설에 의하면 비례의 원칙에 위반한 사업인정의 위법은 중대하나 일반인의 견지에 있어 명백한 하자로 볼 수 없어 취소사유라 할 것이다.

V (물음4) 사정판결의 가능성

1. 의의(행정소송법 제28조)

사정판결이란 원고의 청구가 이유 있다고 인정되는 경우에도 처분 등을 취소하는 것이 현저히 공공복리에 적합하지 않다고 인정하는 때에 법원이 청구를 기각하는 판결을 말한다. 원고의 청구가 이유 있다고 인정되는 경우에는 청구를 인용하여야 할 것이지만 공익보호를 위해 기각판결을 하는 것이므로 법치주의에 대한 중대한 예외이다. 따라서 그 요건은 엄격히 해석되어야 한다.

2. 요건

사정판결을 하기 위해서는 본안심리 결과 우선 원고의 청구가 이유 있을 것, 즉 처분이 위법하여야 한다. 처분의 위법 여부는 처분시를 기준으로 판단한다. 또한 처분 등을 취소함이 현저히 공공복리에 적합하지 않아야 한다. 공공복리요건은 사익과 공공복리를 비교·형량하여 극히 불가

피한 경우에 한하여 인정되어야 하며 이 공익성 요건은 변론종결 시를 기준으로 판단한다. 또한 입증책임은 피고인 행정청이 부담하여야 함이 원칙이나 직권으로도 가능하다.

3. 효과

사정판결은 청구기각판결이므로 원고의 청구가 이유 있다 하더라도 원고의 청구는 기각되며 판결의 주문에 해당 처분 등이 위법임을 명시하여야 하고 원고의 청구가 사정판결로 기각되더라도 처분의 위법성 자체가 치유되는 것은 아니므로 그로 인한 손해를 전보하고 기타 손해발생을 예방하기 위해 재해시설의 설치 및 기타 구제방법이 강구되어야 할 것이다.

4. 사안의 경우

인근 주민 乙의 주장이 타당하여 사업인정이 위법하다 하더라도 청년임대아파트 건설사업의 공익성을 생각한다면 사정판결 가능성을 배제할 수 없으며 요건 충족 시 사정판결이 가능할 것이라고 판단된다. 이때 乙은 사정판결로 인한 손해에 대하여 국가배상청구권 행사를 통해 권리구제를 받을 수 있을 것이다.

Ⅵ 사안의 해결

① 설문(1)의 경우 사업인정은 처분이며, 특히 사업인정에 관련된 자들의 이익을 비례의 원칙에 따라 비교·교량하여야 하는 재량행위에 해당할 뿐만 아니라, 제3자에게도 영향을 미치는 제3자효 행정행위에 해당한다.
② 설문(2)의 경우 인근 주민에게는 헌법상 기본권에 따른 법률상 이익이 인정된다고 판단되어 행정소송법 제12조에 따른 원고적격이 인정된다고 판단된다.
③ 설문(3)의 경우 집행정지의 요건을 충족하여 집행정지의 인용이 가능할 것으로 보이고, 사안의 사업인정은 비례의 원칙에 위반하여 위법하여 그 위법성의 정도는 취소사유라고 판단된다.
④ 설문(4)의 경우 해당 사업인정이 위법하더라도 청년임대아파트 건설사업의 공공성을 생각한다면 사정판결의 가능성도 있다고 판단된다. 이때 사정판결로 인한 손해는 국가배상청구권 행사를 통해 권리구제를 받을 수 있을 것이라고 판단된다.

■ 여기서 용어의 차이를 살펴보자!

공공필요 : 개인의 권익보다 더 큰 공적인 필요 - 특정 공익사업을 위하여 특정 개인의 토지를 수용하기 위한 법리로 사용함.
공공복리 : 벤담의 최대 다수의 최대 행복을 기반으로 한 법리 - 공리주의 관점으로 이해함. (사정판결이나 집행정지에서 그 법리로 활용됨)

14절 토지보상법 제20조(사업인정)와 토지보상법 제34조(수용재결)의 위법성 및 권리구제방법(행정법 쟁점 : 절차의 하자, 하자의 승계)

> **문제**
>
> 서울특별시 영등포구청은 ○○동 일대에 공원조성을 위하여 2025년 11월 5일에 국토교통부장관에게 사업인정을 신청하였다. 그런데 국토교통부장관은 해당 사업구역의 소유자인 甲 이하 3인의 의견을 들어보지 않고 사업인정을 결정한 후 甲 등에게 사업인정의 뜻을 통지하지도 않고 2025년 12월 5일에 사업인정을 고시하였다. 그 후 2027년 1월 26일 수용재결이 있었다. 이때 甲 등 당사자들의 행정소송법상 권리구제방법을 논의하시오. 40점

Ⅰ. 논점의 정리
Ⅱ. 관련 행정작용의 법적 성질
   1. 사업인정
   2. 수용재결
Ⅲ. 행정작용의 위법성 판단
   1. 사업인정의 위법성
      (1) 사업인정 절차상 하자의 존재
      (2) 절차상 하자의 독자적 위법성 인정 여부
   2. 수용재결의 위법성

Ⅳ. 甲 등 당사자의 권리구제 논의
   1. 사업인정에 대한 취소소송
      (1) 제소기간의 제한과 불가쟁력
      (2) 소결
   2. 수용재결에 대한 취소소송에서의 하자승계 주장
      (1) 하자승계 논의의 전제요건 충족 여부
      (2) 하자승계 논의
      (3) 사업인정과 수용재결 사이의 경우
Ⅴ. 사례의 해결

Ⅰ 논점의 정리

본건은 국토교통부장관이 토지소유자 등의 의견청취와 통지절차를 거치지 않은 사업인정과 그에 기초한 수용재결에 대한 행정소송법상 권리구제 방안이 문제된다. 이의 해결을 위해서는 먼저 사업인정과 수용재결의 법적 성질, 즉 행정행위성에 대해 검토한 후, 의견청취절차 및 통지절차를 생략한 사업인정이 위법하다고 할 수 있는지, 즉 행정행위에 내용상의 하자는 없고 절차하자만 존재할 경우 그 독자적 위법성을 인정할 것인지의 논의가 이루어져야 한다. 다음으로 甲 등 당사자들의 행정소송법상 권리구제방법으로서, 먼저 사업인정에 대한 행정소송과 관련하여 제소기간의 기산점과 불가쟁력의 발생 여부를 검토해야 한다. 마지막으로 수용재결에 대한 취소소송에서 하자승계와 관련하여 그 전제요건 충족 여부와 하자승계 인정 여부에 대한 검토가 이루어져야 할 것이다.

Ⅱ 관련 행정작용의 법적 성질

1. 사업인정

사업인정은 해당 사업이 토지 등을 수용 또는 사용할 수 있는 사업으로 인정하는 것으로 제반 관계이익의 비교·형량을 통하여 사업시행자에게 일정한 절차를 거칠 것을 조건으로 수용권을 설정해 주는 행위라 볼 수 있으므로 설권적 형성행위라 볼 것이다.

2. 수용재결

재결은 공용수용의 종국적 절차로 그 성질과 관련하여 수용권의 개념을 수용의 효과를 향유하는 능력으로 볼 때 사업시행자수용권설이 타당하다고 본다. 따라서 재결은 사업시행자에게 부여된 수용권의 구체적 내용을 확정하고 그 실행을 완성시키는 형성적 행정처분이라고 볼 수 있다.

Ⅲ 행정작용의 위법성 판단

1. 사업인정의 위법성

(1) 사업인정 절차상 하자의 존재

토지보상법 제21조 제1항에 의거 국토교통부장관은 사업인정을 하려면 관계 중앙행정기관의 장 및 특별시장·광역시장·도지사·특별자치도지사(이하 "시·도지사"라 한다) 및 제49조에 따른 중앙토지수용위원회와 협의하여야 하며, 대통령령으로 정하는 바에 따라 미리 사업인정에 이해관계가 있는 자의 의견을 들어야 한다. 또한 동법 제21조 제2항에서 "별표에 규정된 법률에 따라 사업인정이 있는 것으로 의제되는 공익사업의 허가·인가·승인권자 등은 사업인정이 의제되는 지구지정·사업계획승인 등을 하려는 경우 동조 제1항에 따라 제49조에 따른 중앙토지수용위원회와 협의하여야 하며, 대통령령으로 정하는 바에 따라 사업인정에 이해관계가 있는 자의 의견을 들어야 한다.", 동조 제5항에서 "제49조에 따른 중앙토지수용위원회는 제1항 또는 제2항에 따라 협의를 요청받은 날부터 30일 이내에 의견을 제시하여야 한다. 다만, 그 기간 내에 의견을 제시하기 어려운 경우에는 한 차례만 30일의 범위에서 그 기간을 연장할 수 있다.", 동조 제7항에서 "제49조에 따른 중앙토지수용위원회가 제5항에서 정한 기간 내에 의견을 제시하지 아니하는 경우에는 협의가 완료된 것으로 본다."라는 규정이 있다. 따라서 해당 토지의 소유자인 甲 이하 3인의 의견을 들어보지 않고 사업인정을 하기로 결정한 후 그 뜻을 통지하지 않고서 사업인정을 고시하였는바, 이러한 사업인정은 의견청취 및 통지 절차 면에서 하자가 존재한다.

(2) 절차상 하자의 독자적 위법성 인정 여부

행정행위의 절차하자에 있어 그 법적 성질이 재량행위의 경우 독자적 위법성을 인정하는 데는 큰 이견이 없고 대법원 역시 청문절차 위반 및 이유제시를 결한 행정처분의 위법성을 인정하고 있으므로 절차중시의 행정을 유도한다는 점에서 절차하자의 독자적 위법성은 인정된다. 또한 그 위법성의 정도 역시 중대명백설을 기준할 때 취소사유에 해당한다 할 것이다.

> **판례**
>
> ① 관할관청이 침해적 행정처분인 시정명령을 하면서 피고인 을에게 행정절차법 제21조, 제22조에 따른 적법한 사전통지를 하거나 의견제출 기회를 부여하지 않았고 이를 정당화할 사유도 없으므로 시정명령은 절차적 하자가 있어 위법하다(대판 2017.9.21, 2017도7321).
> ② 이러한 청문제도는 행정처분의 사유에 대하여 당사자에게 변명과 유리한 자료를 제출할 기회를 부여함으로써 위법사유의 시정가능성을 고려하고, 처분의 신중과 적정을 기하려는 데 그 취지가 있다. 그러므로 행정청이 특히 침해적 행정처분을 할 때 그 처분의 근거 법령 등에서 청문을 실시하도록 규정하고 있다면, 행정절차법 등 관련 법령상 청문을 실시하지 않아도 되는 예외적인 경우에 해당하지 않는 한, 반드시 청문을 실시하여야 하며, 그러한 절차를 결여한 처분은 위법한 처분으로서 취소사유에 해당한다(대판 2007.11.16, 2005두15700).

2. 수용재결의 위법성

수용재결도 일정한 절차를 거쳐서 행해져야 한다. 그러나 사례에서 수용재결에 주체, 형식, 절차, 또는 내용상의 하자가 존재하는 사정은 언급된 바 없으므로 적법한 것으로 본다.

Ⅳ 甲 등 당사자의 권리구제

1. 사업인정에 대한 취소소송

(1) 제소기간의 제한과 불가쟁력

취소소송은 사업인정이 있음을 안 날부터 90일 이내에 제기하여야 한다. 따라서 사례에서 2025년 12월 5일에 사업인정을 고시하였는바, 甲 등은 이때부터 사업인정이 있음을 알았다고 보아 90일의 제소기간이 기산되고, 수용재결단계인 2027년 1월 26일 이후에는 이미 제소기간이 도과하여 불가쟁력이 발생하였다고 본다.

(2) 소결

결국 현재 甲 등이 사업인정을 대상으로 취소소송을 제기하더라도 법원은 제소기간의 도과를 이유로 동 소를 각하하게 되므로 실효성이 없다 할 것이다.

> **판례**
>
> ● '처분이 있음을 안 날'이라 함은 현실적으로 안 날을 의미
>
> ① 행정심판법 제18조 제1항(현 제27조 제1항) 소정의 심판청구기간 기산점인 '처분이 있음을 안 날'이라 함은 당사자가 통지·공고 기타의 방법에 의하여 해당 처분이 있었다는 사실을 현실적으로 안 날을 의미하고 추상적으로 알 수 있었던 날을 의미하는 것은 아니라 할 것이며, 다만 처분을 기재한 서류가 당사자가 주소에 송달되는 등으로 사회통념상 처분이 있음을 당사자가 알 수 있는 상태에 놓여진 때에는 반증이 없는 한 그 처분이 있음을 알았다고 추정할 수는 있다(대판 2002.8.27, 2002두3850).
>
> ② 통상 고시 또는 공고에 의하여 행정처분을 하는 경우에는 그 처분의 상대방이 불특정 다수인이고 그 처분의 효력이 불특정 다수인에게 일률적으로 적용되는 것이므로, 행정처분에 이해관계를 갖는 자가 고시 또는 공고가 있었다는 사실을 현실적으로 알았는지 여부에 관계없이 고시가 효력을 발생하는 날에 행정처분이 있음을 알았다고 보아야 한다(대판 2001.7.27, 99두9490).

2. 수용재결에 대한 취소소송에서의 하자승계 주장

(1) 하자승계 논의의 전제요건 충족 여부

선행 행정행위에만 위법성이 존재하고 후행 행정행위에는 위법성이 존재하지 않는 경우이어야 하고, 선행 행정행위의 위법성 사유는 무효가 아닌 취소사유이어야 하며, 선행 행정행위에 대해 불가쟁력이 발생한 경우일 것을 필요로 한다. 사안에서 사업인정에만 취소사유의 하자가 존재하고, 행정소송 제기기간의 경과로 불가쟁력이 발생하고 있으므로 하자승계 논의의 전제요건이 충족되고 있다.

(2) 하자승계 논의

하자승계 인정 여부에 관한 해결방법으로서 다수견해와 판례는 법률효과의 동일성 여부를 기준으로 한다. 그러나 선행 행정행위와 후행 행정행위가 서로 독립하여 별개의 효과를 목적으로 하는 경우에도 선행 행정행위의 구속력이 그로 인하여 불이익을 입게 되는 자에게 수인한 도를 넘는 가혹함을 가져오며, 그 결과가 당사자에게 예측가능한 것이 아닌 경우에는 법적 안정성보다 국민의 재산권과 재판을 받을 권리를 보장하는 것이 합당할 수 있다. 따라서 하자승계 인정 여부에 대한 판단은 결국 법적안정성과 당사자의 재판받을 권리보장을 형량하여 사안마다 개별적이고 구체적으로 결정되어야 할 것이다.

(3) 사업인정과 수용재결 사이의 경우

사업인정 후 사업시행자는 수용재결신청 전에 토지소유자 및 관계인과 협의취득절차를 거치므로 선행 사업인정의 구속력이 甲 이하 3인에게 수인한도를 넘는 가혹함을 가져오며 그 결과가 당사자에게 예측가능한 것이 아니라 볼 수 없다는 점에서 사업인정과 수용재결 사이에 하

자승계를 부정한 판례의 태도가 타당하다고 판단되며 사업인정단계에서 거쳐야 하는 협의 내지는 의견청취, 통지 등의 규정으로 충분한 예측가능성을 부여하고 있다고 보인다.

Ⅴ 사례의 해결

甲 이하 3인에 대한 의견청취절차 및 통지절차를 결한 국토교통부장관의 사업인정은 절차상 하자가 존재하나, 그 위법성의 정도는 취소사유에 불과하므로 취소소송 제기가 가능하다 할 것이다. 다만, 사업인정에 대한 취소소송의 제기기간에 있어 처분이 있음을 안 날부터 90일이 경과하여 동 소를 각하하게 되면 실효성은 없다 하겠다. 따라서 甲 등 당사자들이 가장 현실적으로 주장할 수 있는 권리구제방법은 수용재결에 대한 취소소송에서 사업인정의 절차상 하자를 다투는 것이다. 그러나 사업인정과 수용재결 사이에 하자승계를 부정하는 것이 타당하다고 볼 때 수용재결에 대한 취소소송에서 승소할 수 없다 할 것이다. 결국 甲 등의 당사자들의 실효성 있는 권리구제수단은 없다 본다면 사업인정단계에서의 절차규정이 사전적 권리구제로 얼마나 중요한 기능을 수행하는지 알 수 있을 것이다.

| 15절 | – 토지보상법 제20조(사업인정)
– 행정법 쟁점 : 비례의 원칙, 집행정지, 사정판결 |

문제

경기도 양평군은 주택수요가 급증할 것을 전망하고 주택건설사업을 위해 국토교통부장관에게 공흥리 일대를 사업지로 하는 사업인정을 신청하여 사업인정을 득하였다. 이에 토지소유자 甲은 자신 소유의 토지는 해당 주택건설사업을 위해 필요하지 않으며 사업예정지의 경계부분에 있는 토지로 이를 제외하더라도 해당 사업에 아무런 지장이 없다는 점을 이유로 해당 사업인정은 위법하다고 주장하고 있다. 30점

(1) 甲주장의 타당성을 검토하시오. 10점

(2) 甲이 사업인정의 위법을 이유로 취소소송을 제기한 경우 해당 사업인정의 효력과 관련한 가구제를 검토하시오. 10점

(3) 만약, 수소법원이 해당 사업인정을 취소하는 것이 현저히 공공복리에 적합하지 아니하다고 인정하는 때에는 어떠한 판결을 내릴 수 있는지 검토하시오. 10점

Ⅰ. 논점의 정리
Ⅱ. 甲주장의 타당성 검토
  1. 사업인정의 법적 성질
  2. 비례의 원칙 위반 여부
    (1) 비례의 원칙
    (2) 사안의 경우
  3. 위법성의 정도
Ⅲ. 집행정지
  1. 집행부정지 원칙

  2. 집행정지
    (1) 의의 및 취지
    (2) 요건
    (3) 내용 및 효력
Ⅳ. 사정판결
  1. 의의
  2. 요건
  3. 효과
Ⅴ. 사례의 해결

Ⅰ 논점의 정리

설문 (1)에서 甲은 국토교통부장관의 사업인정에 대하여 자신의 토지는 해당 사업에 아무런 지장이 없는 부분까지 수용대상에 포함하고 있어 위법하다고 주장하고 있다. 甲주장의 타당성 여부를 판단하기 위하여 사업인정의 재량행위성을 인정할 수 있는가의 검토와 재량행위성이 인정된다면 재량권의 일탈·남용이 있는지와 관련하여 비례의 원칙을 기준으로 검토되어야 한다.

설문 (2)는 행정소송법 규정에 의한 집행부정지 원칙과 그에 대한 예외로서 집행정지 사유에 대한 검토가 필요하다.

설문 (3)은 甲의 청구가 이유 있는 경우 사업인정을 취소함이 현저히 공공복리에 적합하지 아니할 때 법원은 사정판결을 내릴 수 있는지가 문제된다.

Ⅱ 甲주장의 타당성 검토

1. 사업인정의 법적 성질

사업인정은 토지 등을 수용 또는 사용할 수 있는 공익사업으로 결정하는 것을 의미하며, 공·사익간의 개별·구체적인 이익형량이 요구된다는 점에서 재량행위로 봄이 타당하다. 따라서 사업인정이 적법·유효하게 성립하기 위해서는 그 성립·발효요건인 주체·내용·절차·형식면에서 하자가 없어야 하며 요건상에 흠이 있으면 하자 있는 사업인정이 된다.

2. 비례의 원칙 위반 여부

(1) 비례의 원칙(행정기본법 제10조)

비례의 원칙이란 행정목적을 달성하는 데 있어 그 목적과 수단 사이에 일정한 비례관계가 유지되어야 한다는 것으로 과잉금지의 원칙이라고도 한다. 그 내용에는 ① 행정작용이 그 목적달성에 적합한 수단이어야 한다는 적합성 원칙, ② 목적달성을 위한 행정작용은 필요 최소한의 범위 내에서만 허용된다는 필요성 원칙, ③ 두 가지 요건이 모두 충족된 경우에도 다시 행정작용에 의한 침해되는 사익과 달성되는 공익 사이에 합리적인 비례관계가 있어야 한다는 상당성의 원칙이 있다.

(2) 사안의 경우

주택건설사업은 토지보상법 제4조 제5호의 공익사업이며 해당 사업의 목적달성을 위한 수단으로 甲소유의 토지는 적합한 수용목적물로 볼 수 있는바, 적합성의 원칙에는 반하지 않는다. 그러나 공익사업을 위하여 수용할 목적물의 범위는 원칙적으로 필요한 최소한도에 그쳐야 하는데 해당 사업에 아무런 영향을 미치지 않는 토지까지 포함하는 것은 필요 최소한도를 넘는 것으로 필요성의 원칙을 충족하지 못한다. 따라서 해당 사업인정은 비례의 원칙에 위반되어 위법하다 할 것이므로 甲주장은 타당하다.

3. 위법성의 정도

설문에서 甲이 주장하는 바와 같이 사업인정의 위법성이 인정된다면 그 위법성의 정도가 무효인지 취소인지에 대해 통설·판례의 입장인 중대명백설에 의하면 비례의 원칙에 위반한 사업인정의 위법은 중대하나 명백한 하자로 볼 수 없으므로 취소사유라 할 것이다.

Ⅲ 집행정지(행정소송법 제23조)

1. 집행부정지 원칙

행정소송법 제23조 제1항에서는 취소소송의 제기는 처분 등의 효력이나 그 집행 또는 절차의 속행에 영향을 주지 아니한다고 규정하여 법적안정성을 추구하고 있다.

2. 집행정지

(1) 의의 및 취지

취소소송이 제기된 경우 처분 등이나 그 집행 또는 절차의 속행으로 인해 회복하기 어려운 손해 등의 사유가 있는 경우 그 처분 등의 효력이나 절차의 속행의 전부 또는 일부의 정지를 결정할 수 있으며 이는 본안판결의 실효성을 확보하기 위하여 당사자의 권익을 임시적으로 보호하기 위함이며 행정소송법 제23조 제2항 단서에 근거한다.

(2) 요건(적극적 요건 + 소극적 요건)

집행정지는 적극적 요건으로 ① 취소소송과 무효등확인소송이 제기된 경우에만 허용되며, ② 처분이 이미 종료 된 때에는 집행정지가 불가능하므로 집행정지의 대상으로서 처분이 존재하여야 하고, ③ 집행정지 결정을 위해서는 본안소송이 적법하게 계속 중이어야 하고, ④ 회복하기 어려운 손해를 예방하기 위한 긴급한 필요가 있어야 하며, 소극적 요건으로 ⑤ 공공복리에 중대한 영향을 미칠 우려가 없을 때, 그리고 ⑥ 판례와 다수의 견해가 요구하는 본안청구의 이유 없음이 명백하지 않을 것이다.

(3) 내용 및 효력

집행정지는 처분 등의 효력이나 그 집행의 정지, 절차의 속행의 전부 또는 일부의 정지를 내용으로 한다. 효력정지란 처분의 효력이 존속하지 않는 상태로 되는 것이며 집행정지란 처분의 집행력을 박탈하여 그 내용을 실현하는 행위를 금지하는 것을 의미한다. 한편, 집행의 정지나 절차의 속행정지로써 목적을 달성할 수 있는 경우는 집행정지는 허용되지 않는다 할 것이다. 집행정지의 효력으로 ① 형성력은 집행정지로 인해 처분의 효력에는 영향을 미치지 않으나 처분이 없었던 원래상태와 같은 상태가 되며 위반하는 행위는 무효가 된다. ② 기속력은 당사자인 행정청과 그 밖의 관계 행정청을 구속하며, ③ 시간적 효력은 처분의 발령시점으로 소급하는 것이 아니라 집행정지 결정 시점부터 발생한다.

Ⅳ 사정판결(행정소송법 제28조)

1. 의의

사정판결이란 원고의 청구가 이유 있다고 인정되는 경우에도 처분 등을 취소하는 것이 현저히 공공복리에 적합하지 않다고 인정하는 때에 법원이 청구를 기각하는 판결을 말한다. 원고의 청구가 이유 있다고 인정되는 경우에는 청구를 인용하여야 할 것이지만 공익보호를 위해 기각판결을 하는 것이므로 법치주의에 대한 중대한 예외이다. 따라서 그 요건은 엄격히 해석되어야 한다.

2. 요건

사정판결을 하기 위해서는 ① 본안심리 결과 우선 원고의 청구가 이유 있을 것, 즉 처분이 위법하여야 한다. 처분의 위법 여부는 처분시를 기준으로 판단한다. ② 처분 등을 취소함이 현저히 공공복리에 적합하지 않아야 한다. 공공복리요건은 사익과 공공복리를 비교·형량하여 극히 불가피한 경우에 한하여 인정되어야 하며 이 공익성 요건은 변론종결시를 기준으로 판단한다. 또한 입증책임은 피고인 행정청이 부담하여야 함이 원칙이나 직권으로도 가능하다.

3. 효과

사정판결은 청구기각판결이므로 원고의 청구가 이유 있다 하더라도 원고의 청구는 기각되며 판결의 주문에 해당 처분 등이 위법임을 명시하여야 하고 원고의 청구가 사정판결로 기각되더라도 처분의 위법성 자체가 치유되는 것은 아니므로 그로 인한 손해를 전보하고 기타 손해발생을 예방하기 위해 재해시설의 설치 및 기타 구제방법이 강구되어야 할 것이다.

Ⅴ 사례의 해결

설문 (1)의 경우 행정기본법 제10조에 따라 비례의 원칙을 기준으로 공익사업을 위하여 수용할 목적물의 범위는 원칙적으로 필요한 최소한도에 그쳐야 하는데 해당 사업에 아무런 영향을 미치지 않는 토지까지 포함하는 것은 필요 최소한도를 넘는 것으로 필요성의 원칙을 충족하지 못한다. 따라서 해당 사업인정은 비례의 원칙에 위반되어 위법하다 할 것이므로 甲주장은 타당하다.

설문 (2)의 경우 행정소송법 제23조에 따라 상기 제시한 요건이 충족된다고 판단되므로 집행정지 신청이 가능할 것이다.

설문 (3)의 경우 행정소송법 제28조에 따라 甲의 주장이 타당하여 이유 있다 하더라도 사정판결 가능성을 배제할 수 없으며 요건 충족 시 사정판결이 가능할 것이다. 이때 甲은 사정판결로 인한 국가배상청구권 행사를 통해 권리구제를 받을 수 있을 것이다.

16절
- 토지보상법 제20조(사업인정)
- 행정법 쟁점 : 행정기본법 제10조(비례의 원칙으로 공공성 판단)

문제

대법원 2011.1.27, 2009두1051(토지수용재결처분취소) 판례에서는 "사업시행자는 사업인정을 받은 이후 재정상황이 더욱 악화되어 수용재결 당시 이미 공익사업을 수행할 능력을 상실한 상태에 있었다고 볼 여지가 있고, 그렇다면 사업시행자가 해당 공익사업지역 내 각 토지에 관한 수용재결을 신청하여 그 재결을 받은 것은 수용권의 남용에 해당한다고 볼 여지가 있다."라고 판시하고 있는바, 이 판례에 기초하여 다음 물음에 답하시오. 30점

(1) 사업인정의 법적 성질과 요건에 대해 설명하고, 공익사업을 진행함에 있어서 사업시행자의 공익사업 수행능력과 의사가 없어도 사업인정을 해줄 수 있는지에 대해 논하시오.

(2) 위 설문에서 수용권 남용에 해당되는 이유가 무엇인지 검토하시오.

판례

● 대판 2011.1.27, 2009두1051[토지수용재결처분취소]

[판시사항]

[1] 사업인정기관이 공익사업을 위한 토지 등의 취득 및 보상에 관한 법률상의 사업인정을 하기 위한 요건

[2] 사업시행자가 사업인정을 받은 후 그 사업이 공용수용을 할 만한 공익성을 상실하거나 사업인정에 관련된 자들의 이익이 현저히 비례의 원칙에 어긋나게 된 경우 또는 사업시행자가 해당 공익사업을 수행할 의사나 능력을 상실한 경우, 그 사업인정에 터잡아 수용권을 행사할 수 있는지 여부(소극)

[판결요지]

[1] 사업인정이란 공익사업을 토지 등을 수용 또는 사용할 사업으로 결정하는 것으로서 공익사업의 시행자에게 그 후 일정한 절차를 거칠 것을 조건으로 일정한 내용의 수용권을 설정하여 주는 형성행위이므로, 해당 사업이 외형상 토지 등을 수용 또는 사용할 수 있는 사업에 해당한다고 하더라도 사업인정기관으로서는 그 사업이 공용수용을 할 만한 공익성이 있는지의 여부와 공익성이 있는 경우에도 그 사업의 내용과 방법에 관하여 사업인정에 관련된 자들의 이익을 공익과 사익 사이에서는 물론, 공익 상호 간 및 사익 상호 간에도 정당하게 비교·교량하여야 하고, 그 비교·교량은 비례의 원칙에 적합하도록 하여야 한다. 그뿐만 아니라 해당 공익사업을 수행하여 공익을 실현할 의사나 능력이 없는 자에게 타인의 재산권을 공권력적·강제적으로 박탈할 수 있는 수용권을 설정하여 줄 수

는 없으므로, 사업시행자에게 해당 공익사업을 수행할 의사와 능력이 있어야 한다는 것
도 사업인정의 한 요건이라고 보아야 한다.

[2] 공용수용은 헌법상의 재산권 보장의 요청상 불가피한 최소한에 그쳐야 한다는 헌법 제23
조의 근본취지에 비추어 볼 때, 사업시행자가 사업인정을 받은 후 그 사업이 공용수용을
할 만한 공익성을 상실하거나 사업인정에 관련된 자들의 이익이 현저히 비례의 원칙에
어긋나게 된 경우 또는 사업시행자가 해당 공익사업을 수행할 의사나 능력을 상실하였음
에도 여전히 그 사업인정에 기하여 수용권을 행사하는 것은 수용권의 공익 목적에 반하
는 수용권의 남용에 해당하여 허용되지 않는다.

[참조조문]

[1] 공익사업을 위한 토지 등의 취득 및 보상에 관한 법률 제2조 제7호, 제20조
[2] 공익사업을 위한 토지 등의 취득 및 보상에 관한 법률 제2조 제7호, 제20조

Ⅰ 사업인정을 하기 위한 요건 판례평석(대판 2011.1.27, 2009두1051)

1. 설문 (1) 사업인정의 요건으로써 사업시행자의 공익사업의 수행능력과 의사

토지보상법에서 해당 사업이 외형상 토지 등을 수용 또는 사용할 수 있는 사업에 해당한다고 하
더라도 사업인정기관으로서는 그 사업이 공용수용을 할 만한 공익성이 있는지의 여부와 공익성
이 있는 경우에도 그 사업의 내용과 방법에 관하여 사업인정에 관련된 자들의 이익을 공익과 사
익 사이에서는 물론, 공익 및 사익 상호 간에도 정당하게 비교·교량하여야 하고, 그 비교·교량
은 비례의 원칙에 적합하도록 하여야 한다고 하는 것은 그동안의 판례의 주류적인 태도였다. 그
리고 사업인정이라는 행정작용이 국민에게 미치는 영향이 막대하기 때문에 공·사익 간의 이익
형량은 매우 중요한 법익이기도 하다. 최근에 사업시행자가 공익사업을 포기하는 사태가 많은
상황에서 사업시행자의 공익사업의 수행능력과 그 의지는 매우 현실성이 있는 논지라 할 것이다.
해당 공익사업을 수행하여 공익을 실현할 의사나 능력이 없는 자에게 타인의 재산권을 공권력적
·강제적으로 박탈할 수 있는 수용권을 설정하여 줄 수는 없으므로, 사업시행자에게 해당 공익사
업을 수행할 의사와 능력이 있어야 한다는 것도 사업인정의 한 요건이라고 보아야 한다고 적시한
것은 오히려 당연한 귀결이라 할 것이다. 지금까지 공적 본위의 행정재판에서 국민 전체적인 시
각에서 해당 문제를 접근한 것은 그동안 국민들의 권리의식이 많이 고양되었다는 점을 보여주는
역설이라고 할 것이다.

2. 설문 (2) 수용권 남용에 대하여

판례에서 주지한 바와 같이 공용수용은 헌법상의 재산권 보장의 요청상 불가피한 최소한에 그쳐야 하고, 헌법 제23조의 근본취지에 비추어 볼 때도 사업시행자가 사업인정을 받은 후 그 사업이 공용수용을 할 만한 공익성을 상실하거나 사업인정에 관련된 자들의 이익이 현저히 비례의 원칙에 어긋나게 된 경우 또는 사업시행자가 해당 공익사업을 수행할 의사나 능력을 상실하였음에도 여전히 그 사업인정에 기하여 수용권을 행사하는 것은 수용권의 공익 목적에 반하는 수용권의 남용에 해당하여 허용되지 않는다고 본 것은 수용권 자체가 국민의 재산권에 미치는 영향을 고려해 볼 때 더 이상의 공익성이 소멸된다면 수용권을 유지할 필요도 없을 뿐만 아니라 그 수용권 자체가 수용지역 토지소유자 등에게는 심리적인 압박요인이라고 보았다. 이러한 측면을 고려할 때 법익의 균형성 관점에서도 이에서 벗어날 수 있도록 한 재판부의 결단은 매우 시사하는 바가 크다고 할 것이다. 수용권은 국민 모두의 공익이라는 관점에서 유지되어야 하고, 그 수용권의 행사로 말미암아 다수 국민의 공공복리가 증대되는 관점으로 생각하여 보아도 공익성이 상실된 사업에까지 수용권을 유지하는 것은 공적주체에게 지나친 행정력의 배려로밖에는 생각할 수 없는바, 이에 대한 수용권 남용을 적시한 것은 높이 평가되는 부분이라고 할 것이다.

17절 | 토지보상법 제20조(사업인정)

> **문제**
>
> 「공익사업을 위한 토지 등의 취득 및 보상에 관한 법률」 제20조에 따른 사업인정의 개념과 법적 성질에 대해 설명하고, 사업인정고시에 따라 발생하는 법적 효과에 대해 검토하시오. **20점**
>
> | I. 서 | III. 사업인정고시의 법적 효과 |
> |---|---|
> | II. 사업인정의 개념 및 법적 성질 | 1. 사업인정고시의 의의 및 법적 성질 |
> | 1. 사업인정의 의의 및 취지(제20조) | 2. 사업인정고시의 법적 효과 |
> | 2. 사업인정의 법적 성질 | IV. 결론 |
> | (1) 형성행위 | |
> | (2) 재량행위 | |
> | (3) 제3자효 행정행위 | |

> **Tip 강박사의 TIP**
> 1. 사업인정 및 권리구제(제1회)
> 2. 사업인정 법적 성질 및 권리구제(제12회)
> 3. 사업인정과 부관(제13회)
> 4. 사업인정고시의 효과(제23회)
> 5. 토지보상법 제21조 사업인정 절차의 하자(제28회)
> 6. 사업인정과 사업인정고시의 법적 성질(제34회)

I 서

공익사업의 원활한 수행과 이로 인하여 발생하는 이해관계자의 권리보호를 위하여 「공익사업을 위한 토지 등의 취득 및 보상에 관한 법률」에서는 공익사업의 절차 및 보상 규정을 두고 있다. 이하에서는 공익사업의 원활한 진행을 위하여 사업시행자에게 필요한 절차인 사업인정의 개념과 효력에 대해 논의하도록 한다.

Ⅱ 사업인정의 개념 및 법적 성질

1. 사업인정의 의의 및 취지(법 제20조)

사업인정이란 공익사업을 토지 등을 수용・사용할 수 있는 사업으로 결정하는 것을 의미한다. 이는 사업시행자에게 수용권을 부여하고 이를 통해 공익사업의 원활한 진행을 도모하여 공공복리를 증진하는 취지에서 인정된다.

2. 사업인정의 법적 성질

(1) 형성행위

사업시행자에게 수용권을 부여하고 토지소유자 및 이해관계인에게 보전의무를 설정하는바, 국민권익에 직접적인 영향을 주는 형성행위로 처분성을 갖는다.

(2) 재량행위

사업시행자의 사업인정 신청에 대해 국토교통부장관은 사업으로 인해 달성되는 공익과 국민의 재산권 침해 등 사익과 비교・형량하여 사업인정의 타당성을 재량적으로 판단하는바 재량행위에 해당한다.

(3) 제3자효 행정행위

사업인정은 사업시행자에게 수용권을 설정하는 동시에 토지소유자 및 이해관계인에게 의무를 발생시키는 등 권리와 의무를 동시에 발생시키는 복효적행위에 해당한다.

Ⅲ 사업인정고시의 법적 효과

1. 사업인정고시의 의의 및 법적 성질

국토교통부장관은 토지보상법 제20조에 따른 사업인정을 하였을 때에는 지체 없이 그 뜻을 사업시행자, 토지소유자 및 관계인, 관계 시・도지사에게 통지하고 사업시행자의 성명이나 명칭, 사업의 종류, 사업지역 및 수용하거나 사용할 토지의 세목을 관보에 고시하여야 한다. 토지보상법 제25조 토지보전의무를 통한 보상투기를 방지하기 위해 고시한 날로부터 효력이 발생한다. 사업인정고시는 특정한 사실을 알리는 행위로서 사업인정과는 분리하여 준법률행위적 행정행위 중 통지로 보는 견해, 사업인정과 사업인정고시를 통일적으로 파악하여 특허로 보는 견해가 있다. 해당 논의는 불복과 관련하여 실익이 있으므로 사업인정과 사업인정고시를 분리하여 검토하지 말고 통일적으로 〈특허〉로 파악함이 타당하다.

2. 사업인정고시의 법적 효과

사업인정이 고시되면 수용권 설정, 수용목적물 범위확정, 관계인의 범위확정, 토지등 보전의무, 토지・물건 조사권, 보상액 산정시기의 고정 등의 효과가 발생한다.

(1) 수용권 설정(수용권, 목적물 및 관계인의 확정)

사업인정이 있는 경우 사업시행자에게 수용권이 설정되어 '협의 – 재결 – 불복' 절차를 통해 토지의 수용·사용이 가능하다. 이때 사업인정 후 '토지 및 물건에 관한 조사권 등'(법 제27조)에 따른 토지 등 수용·사용의 목적물 및 관계인이 확정된다.

(2) 토지 보전의무 부과

① 사업인정고시가 된 후에는 누구든지 고시된 토지에 대하여 사업에 지장을 줄 우려가 있는 형질의 변경이나 제3조 제2호 또는 제4호에 규정된 물건을 손괴하거나 수거하는 행위를 하지 못한다.

② 사업인정고시가 된 후에 고시된 토지에 건축물의 건축·대수선, 공작물(工作物)의 설치 또는 물건의 부가(附加)·증치(增置)를 하려는 자는 특별자치도지사, 시장·군수 또는 구청장의 허가를 받아야 한다. 이 경우 특별자치도지사, 시장·군수 또는 구청장은 미리 사업시행자의 의견을 들어야 한다.

③ 제2항을 위반하여 건축물의 건축·대수선, 공작물의 설치 또는 물건의 부가·증치를 한 토지소유자 또는 관계인은 해당 건축물·공작물 또는 물건을 원상으로 회복하여야 하며 이에 관한 손실의 보상을 청구할 수 없다.

Ⅳ 결론

국토교통부장관은 사업인정으로 발생하는 다양한 권리와 의무를 종합적으로 고려하여 사업인정 여부를 판단해야 할 것이다. 이때 국토교통부장관은 국민의 권리구제를 위해 사업인정을 하기 전 중앙행정기관의 장 및 특별시장·광역시장·도지사·특별자치도지사(이하 "시·도지사"라 한다) 및 제49조에 따른 중앙토지수용위원회와 협의하여야 하며, 대통령령으로 정하는 바에 따라 미리 사업인정에 이해관계가 있는 자의 의견을 들어야 한다(법 제21조). 토지보상법 제22조는 사업인정 고시가 된 때로부터 효과가 발생함으로 사업인정과 함께 통일적으로 특허로서 처분성을 긍정하는 것이 타당하고, 사업인정고시가 되면 사업시행자는 수용권을 설정하게 되며, 피수용자에게는 토지보상법 제25조 토지보전의무가 생긴다.

18절 — 토지보상법 제21조(협의 및 의견청취 등)
— 행정법 쟁점 : 절차의 하자

문제

「국방·군사시설 사업에 관한 법률」에 따른 국방·군사시설을 설치하기 위하여 방산전문 사업시행자 甲은 공익사업을 수행함에 있어서 공익사업의 공공성을 인정받기 위한 사업인 정을 받으려면 시간이 많이 소요되고 절차도 복잡하다는 것을 알고, 국토교통부장관으로부 터 사업인정의제를 받으려고 한다. 공익사업을 위한 토지 등의 취득 및 보상에 관한 법률 제21조(이하 '토지보상법')가 개정되었다. 다음 물음에 대하여 답하시오. 30점

(1) 일반적인 다른 공익사업시행자 丙이 토지보상법 제21조 제1항에 사업인정을 받기 위 한 절차를 설명하고 이러한 절차를 제대로 이행하지 않은 경우에 피수용자 乙은 어떤 방법으로 권리구제를 받을 수 있는지 여부를 검토하시오. 15점

(2) 위 방산전문 사업시행자 甲이 토지보상법 제21조 제2항에 사업인정의제를 받으려면 중앙토지수용위원회와 협의하고, 이해관계인의 의견을 들어야 한다. 중앙토지수용위원 회는 방산전문 사업시행자 甲에 대해 공익성 판단기준으로 형식적 심사와 실질적 심사 로 구분하여 판단하려고 한다. 구체적인 형식적 심사와 실질적 심사과정에 대하여 설 명하고, 방산전문 사업시행자 甲이 사업을 수행할 의사와 능력도 없으며, 해당 국방시 설을 위해 이제는 4차산업이 발달되어 전투드론과 초주파 공중레이더가 있으면 되므 로 토지 등을 수용할 필요성이 없음에도 불구하고 사업시행자 甲이 토지 등을 수용하 려고 한다면 중앙토지수용위원회는 어떤 판단을 해야 하는지를 설명하시오. 15점

I. 논점의 정리
 	
II. (물음 1) 사업인정 및 乙의 권리구제
  1. 토지보상법상 사업인정 절차
    (1) 토지보상법상 사업인정제도
    (2) 토지보상법상 사업인정 절차
  2. 사업인정 절차의 하자 시 위법성
    검토
    (1) 사업인정 시 절차의 하자
    (2) 절차의 하자 시 위법성 검토
      1) 절차의 하자의 독자적 위법
        성 인정 여부
      2) 절차의 하자 위법성의 정도
	3. 피수용자 乙의 권리구제
	    (1) 사전적 구제방법
	    (2) 사후적 구제방법
	      1) 사업인정에 대한 행정쟁송
	      2) 재결에 대한 행정소송
	      3) 손해배상의 청구
	
	III. (물음 2) 공익성 판단기준 및 중앙토지
	    수용위원회의 판단
	  1. 사업인정의 의제 제도 및 중앙토지
	    수용위원회 협의와 이해관계인 의견
	    청취 규정 신설
	  2. 공익성 판단기준
	    (1) 형식적 심사과정
	    (2) 실질적 심사과정

---

3. 중앙토지수용위원회의 판단
   (1) 관련 판례의 태도
   (2) 형식적 기준 측면

(3) 실질적 기준 측면
(4) 사안의 경우

Ⅳ. 결

Ⅰ 논점의 정리

공익사업을 위한 토지 등의 취득 및 보상에 관한 법률(이하 '토지보상법') 제4조에서는 공익사업의 범위에 대하여 규정하고 있고, 별표를 통해 사업인정의제를 받을 수 있는 사업에 대해서 별도로 규정하고 있다. 사안과 관련하여 토지보상법상 사업인정제도와 사업인정절차의 하자에 대해 설명하고 절차의 하자로 위법한 경우 권리구제를 살펴보기로 한다. 그리고 토지보상법 제21조상 중앙토지수용위원회의 사업인정요건에 대한 공익성 검토 판단기준에 대해 설명한다. 이후에는 해당 사안과 관련하여 중앙토지수용위원회가 수용재결을 함에 있어서 각하, 기각 및 인용재결 중 어떤 재결을 해야 할지에 대해 검토해보고자 한다.

Ⅱ (물음 1) 사업인정 절차 및 乙의 권리구제

1. 토지보상법상 사업인정 절차

(1) 토지보상법상 사업인정제도

사업인정제도는 국민의 재산권을 강제 수용하기 위한 첫 번째 공사익 형량제도로 토지보상법 제20조부터 제22조에서 규정하고 있다. 사업인정은 '공익사업을 토지 등을 수용하거나 사용할 사업으로 결정하는 것'(토지보상법 제2조 제7호)이라고 규정하고 있고, 사업인정은 국토교통부장관이 해당 사업이 토지보상법 제4조에서 열거하고 있는 공익사업에 해당함을 인정하면서 일정한 절차를 거칠 것을 조건으로 수용권을 설정하는 행위(토지보상법 제20조)로 명시하고 있다. 즉, 사업인정 과정을 통하여 공공필요성을 확인하고, 이 공공필요를 수용권의 형태로 전환하는 모습을 가진 것이 사업인정이다.

(2) 토지보상법상 사업인정 절차

토지보상법 제21조 제1항에서 국토교통부장관은 사업인정을 하려면 관계 중앙행정기관의 장 및 특별시장·광역시장·도지사·특별자치도지사(이하 '시·도지사'라 한다) 및 제49조에 따른 중앙토지수용위원회와 협의하여야 하며, 대통령령으로 정하는 바에 따라 미리 사업인정에 이해관계가 있는 자의 의견을 들어야 한다. 토지보상법 시행령 제11조(의견청취 등) 제1항에서는 국토교통부장관으로부터 사업인정에 관한 협의를 요청받은 관계 중앙행정기관의 장 또는 시·도지사는 특별한 사유가 없으면 협의를 요청받은 날부터 7일 이내에 국토교통부장관에게 의견을 제시하여야 한다.

피수용자의 경우에도 사업인정에 관하여 14일의 열람기간 내에 해당 시장, 군수, 구청장에게 의견서를 제출할 수 있다(토지보상법 시행령 제11조 제5항).

2. 사업인정 절차의 하자 시 위법성 검토

(1) 사업인정 시 절차의 하자

국토교통부장관은 사업인정을 하려면 관계 중앙행정기관의 장 및 특별시장 등과 중앙토지수용위원회와 협의를 하고 이해관계인의 의견을 들어야 하는데, 이를 이행하지 않은 경우에 절차의 하자가 될 수 있겠다.

(2) 절차의 하자 시 위법성 검토

사업인정 시에 중앙행정기관의 장 등이나 중앙토지수용위원회와 협의를 하고, 이해관계인의 의견청취를 하여야 하는데, 이를 제대로 이행하지 않은 경우에 절차의 하자를 구성하며, 절차의 하자만으로도 독자적인 위법성이 인정되는지가 문제된다.

1) 절차의 하자의 독자적 위법성 인정 여부

절차의 하자만으로도 독자적 위법성이 인정 여부와 관련하여 ① 적법절차의 보장관점에서 절차 하자의 독자적 위법성을 인정하여 취소나 무효소송으로 다툴 수 있도록 하는 긍정설과 ② 절차는 수단에 불과하고, 절차 하자의 치유 후 동일 처분이 가능하다는 점에서 행정경제상 독자적 위법성 인정은 불필요하다는 부정설이 대립하고 있다. 판례는 일반적으로 절차의 하자의 독자적 위법성을 긍정하는 견해를 보이고 있다. 생각건대, 절차 규정의 취지와 국민의 권익 구제 측면에서 절차적 하자의 독자적 위법성을 인정하는 것이 타당하고, 행정소송법 제30조 제3항에서도 절차하자의 취소를 긍정하는 바, 판례의 태도가 타당하다고 판단된다.

2) 절차의 하자 위법성의 정도

행정행위의 위법정도의 판단은 판례는 중대명백설에 의해 판단하도록 하고 있다. 즉 대법원은 "행정처분이 당연무효라고 하기 위하여는 그 처분에 위법사유가 있다는 것만으로는 부족하고 그 하자가 법규의 중요한 부분을 위반한 중대한 것으로서 객관적으로 명백한 것이어야 하며, 하자가 중대하고 명백한지를 판별할 때에는 과세처분의 근거가 되는 법규의 목적·의미·기능 등을 목적론적으로 고찰함과 동시에 구체적 사안 자체의 특수성에 관하여도 합리적으로 고찰하여야 한다(대판 2018.7.19, 2017다242409)"라고 판시하고 있다. 학설은 중대설, 중대명백설, 명백설보충요건설, 조사의무설, 구체적가치형량설 등이 있는데 통설은 중대명백설을 취하고 있어 내용상 중대한 하자이지만 외관상 명백한 하자로 보기 어려운 경우에는 취소사유로 보고 있다. 대체로 사업인정 시에 절차의 하자의 경우에는 내용상 중대한 하자이지만 외관상 명백한 하자로 보기 어려워 취소사유로 보는 것이 타당하다고 생각된다.

> ■ 참고자료
>
> **행정행위의 무효사유 판단기준**
>
> 행정행위의 무효사유를 판단하는 기준으로서의 명백성은 행정처분의 법적 안정성 확보를 통하여 행정의 원활한 수행을 도모하는 한편 그 행정처분을 유효한 것으로 믿은 제3자나 공공의 신뢰를 보호하여야 할 필요가 있는 경우에 보충적으로 요구되는 것으로서, 그와 같은 필요가 없거나 하자가 워낙 중대하여 그와 같은 필요에 비하여 처분 상대방의 권익을 구제하고 위법한 결과를 시정할 필요가 훨씬 더 큰 경우라면 그 하자가 명백하지 않더라도 그와 같이 중대한 하자를 가진 행정처분은 당연무효라고 보아야 한다(대판 1995.7.11, 94누4615 전원합의체).

3. 피수용자 乙의 권리구제

(1) 사전적 구제방법

사전적 구제란 위법 및 부당한 행정작용 등으로 인하여 권익침해가 발생하기 전에 이를 예방하는 제도적 장치를 말한다. 토지보상법에는 사업인정에 일정절차를 거치게 하고 있는바, 이해관계자의 의견청취 및 관계기관의 장과의 협의, 사업인정고시 시 통지 등의 사전구제 절차를 두고 있으며 이는 사업인정의 위법성을 사전에 방지하는 역할을 한다.

(2) 사후적 구제방법

1) 사업인정에 대한 행정쟁송

토지보상법상 사업인정에 대한 불복규정을 두고 있지 않은바, 일반법인 행정심판법 및 행정소송법에 의하여 행정심판 및 행정소송을 제기할 수 있다. 사업인정이 절차의 하자로 취소사유라면 취소심판 및 취소소송 제기가 가능하며, 무효 사유를 가정하면 무효등확인심판 및 무효등확인소송의 제기가 가능하다. 이때, 무효사유인 경우는 제소기간의 제한을 받지 않는다.

2) 재결에 대한 행정소송

사업인정의 위법(절차상 하자)이 있는 경우 재결에 대한 하자의 승계가 인정된다면 재결에 대한 항고소송도 가능할 것이다. 다만, 판례는 사업인정 후 사업시행자는 수용재결신청 전에 토지소유자 및 관계인과 협의취득절차를 거치므로 선행 사업인정의 구속력이 수인한도를 넘는 가혹함을 가져오며 그 결과가 당사자에게 예측가능한 것이 아니라 볼 수 없다는 점에서 사업인정과 수용재결 사이에 하자승계를 부정하였다. 생각건대, 사업인정단계에서 거쳐야 하는 협의 내지는 의견청취, 통지 등의 규정으로 충분한 예측가능성을 부여하고 있기 때문에 하자의 승계를 부정한 판례의 태도가 타당하다.

3) 손해배상의 청구

국가배상법 제2조 제1항에 의해 국가나 지방자치단체는 공무원 또는 공무를 위탁받은 사인이 직무를 집행하면서 고의 또는 과실로 법령을 위반하여 타인에게 손해를 입히거나, 자동차손해배상보장법에 따라 손해배상의 책임이 있을 때에는 그 손해를 배상하여야 한다. 사안의 경우 위법한 사업인정으로 인하여 피수용자의 재산권이 침해를 받았다면 이에 대한 손해배상을 청구할 수 있을 것이다.

Ⅲ (물음 2) 공익성 판단기준 및 중앙토지수용위원회의 판단

1. 사업인정의 의제 제도 및 중앙토지수용위원회 협의와 이해관계인 의견청취 규정 신설

사업인정의제 제도는 '개별법상 인허가 등(지구 또는 구역지절, 개발계획승인 등)이 있는 경우 토지보상법상 사업인정이 있는 것으로 의제하는 것'이다. 개별법에 의해 사업인정이 의제되면 토지보상법상 사업인정과 동일한 효력이 발생된다. 현재 대부분 공익사업은 토지보상법상 사업인정이 아니라 개별법령상 인허가에 따른 사업인정의제를 통하여 토지수용권한이 부여되는 실정이다. 토지보상법 제21조 제2항에서 사업인정의제 시에도 중앙토지수용위원회와 이해관계인 의견청취를 하도록 규정을 신설하여 피수용자 권리보호를 한층 강화하고 있다. 또한 사업인정의제 시에도 공익성 판단을 하도록 하고 있는데, 이하에서 형식적 심사기준과 실질적 심사기준 등을 구체적으로 살펴보기로 한다.

2. 공익성 판단기준

(1) 형식적 심사기준

형식적 심사는 토지보상법 제4조상 토지수용이 가능한 사업인지 여부, 의견 수렴 및 사업시행절차의 준수여부 등 형식적 요건을 판단하는 과정이다. 이때 토지수용사업에 해당하지 않는 경우에는 사업인정 신청을 반려하며 의견수렴절차와 사업시행절차를 이행하지 않은 경우에는 보완요구 또는 각하하게 된다.

(2) 실질적 심사기준

실질적 심사는 헌법상 공공필요의 요건에 따라 토지수용사업의 공공성과 토지수용의 필요성으로 구분하여 공익성에 대한 실질적 내용을 판단하게 된다. 이때, 판단기준으로 사업의 공공성 심사는 ① 시행목적 공공성, ② 사업시행자 유형, ③ 목적 및 상위계획부합여부, ④ 사업의 공공기여도, ⑤ 공익의 지속성, ⑥ 공익의 지속성으로 심사하며, 사업의 필요성 심사는 ① 피해의 최소성, ② 방법의 적절성, ③ 사업의 시급성, ④ 사업수행능력으로 평가하게 된다.

3. 중앙토지수용위원회의 판단

(1) 관련 판례의 태도(대판 2011.1.27, 2009두1051)

> **판례**
>
> ● 대판 2011.1.27, 2009두1051[토지수용재결처분취소]
>
> **[판시사항]**
>
> [1] 사업인정기관이 공익사업을 위한 토지 등의 취득 및 보상에 관한 법률상의 사업인정을 하기 위한 요건
>
> [2] 사업시행자가 사업인정을 받은 후 그 사업이 공용수용을 할 만한 공익성을 상실하거나 사업인정에 관련된 자들의 이익이 현저히 비례의 원칙에 어긋나게 된 경우 또는 사업시행자가 해당 공익사업을 수행할 의사나 능력을 상실한 경우, 그 사업인정에 터잡아 수용권을 행사할 수 있는지 여부(소극)
>
> **[판결요지]**
>
> [1] 사업인정이란 공익사업을 토지 등을 수용 또는 사용할 사업으로 결정하는 것으로서 공익사업의 시행자에게 그 후 일정한 절차를 거칠 것을 조건으로 일정한 내용의 수용권을 설정하여 주는 형성행위이므로, 해당 사업이 외형상 토지 등을 수용 또는 사용할 수 있는 사업에 해당한다고 하더라도 사업인정기관으로서는 그 사업이 공용수용을 할 만한 공익성이 있는지의 여부와 공익성이 있는 경우에도 그 사업의 내용과 방법에 관하여 사업인정에 관련된 자들의 이익을 공익과 사익 사이에서는 물론, 공익 상호간 및 사익 상호간에도 정당하게 비교·교량하여야 하고, 그 비교·교량은 비례의 원칙에 적합하도록 하여야 한다. 그뿐만 아니라 해당 공익사업을 수행하여 공익을 실현할 의사나 능력이 없는 자에게 타인의 재산권을 공권력적·강제적으로 박탈할 수 있는 수용권을 설정하여 줄 수는 없으므로, 사업시행자에게 해당 공익사업을 수행할 의사와 능력이 있어야 한다는 것도 사업인정의 한 요건이라고 보아야 한다.
>
> [2] <u>공용수용은 헌법상의 재산권 보장의 요청상 불가피한 최소한에 그쳐야 한다는 헌법 제23조의 근본취지에 비추어 볼 때, 사업시행자가 사업인정을 받은 후 그 사업이 공용수용을 할 만한 공익성을 상실하거나 사업인정에 관련된 자들의 이익이 현저히 비례의 원칙에 어긋나게 된 경우 또는 사업시행자가 해당 공익사업을 수행할 의사나 능력을 상실하였음에도 여전히 그 사업인정에 기하여 수용권을 행사하는 것은 수용권의 공익 목적에 반하는 수용권의 남용에 해당하여 허용되지 않는다.</u>

(2) 형식적 기준 측면

사안의 경우는 토지보상법 제4조 제1호의 국방 및 군사에 관한 사업에 해당한다. 따라서 형식상으로 토지보상법 제4조의 사업에 해당한다. 또한, 토지보상법 제21조 및 제22조에 따른 의견청취 절차 및 고시 등에 있어서 별다른 하자가 없는 것으로 판단되므로, 형식적 기준 측면에서는 요건을 충족했다고 판단된다.

(3) 실질적 기준 측면

방산전문 사업시행자 甲이 사업을 수행할 의사와 능력도 없으며, 해당 국방시설을 위해 이제는 4차산업이 발달되어 전투드론과 초주파 공중레이더가 있으면 되므로 토지 등을 수용할 필요성이 없다면 이는 사업의 공공성 측면에서 요건을 충족하지 못한 것으로 판단된다. 따라서 실질적인 기준 측면에서 요건을 만족하지 못한다고 판단된다.

(4) 사안의 경우

사안의 사업은 형식상으로는 토지보상 법령상 관련된 절차와 제4조에 해당하는 공익사업이므로 형식적인 요건은 충족한다. 하지만, 실질적인 수용의 필요성이 없으며 사업시행자의 공익사업 수행 능력과 의사가 없기 때문에 사업의 공공성 및 수용의 필요성에 관한 실직적인 요건을 충족하지 못한다고 판단된다. 따라서 중앙토지수용위원회는 해당 공익사업에 관하여 사업시행자에게 협의취득 강화 등의 재협의 보완 요청을 하거나, 4차산업의 발달로 해당 토지가 필요하지 않다고 판단한다면 부적정 의견을 제시할 수 있을 것으로 생각된다.

Ⅳ 결

1. 공용수용절차에 있어서 사업인정은 피수용자의 이해관계를 충분히 반영함으로써 절차적 정당성을 확보함과 아울러 국민들과 공익사업의 타당성을 공유하는 중요한 과정이기도 하다. 비록 강제적인 절차로 진행할 수밖에 없는 불가피한 조치이지만, 공·사익형량의 과정은 반드시 행해져야 하고 사업인정의제제도는 원천적으로 이를 봉쇄하는 조치로써 매우 엄격하게 이루어져야 할 것이다.

2. 공익사업과 관련 총괄청을 두어 사전 타당성 검토와 사후 재평가의 과정을 거치는 피드백과정을 통해 투명하고 공정한 공익사업이 실행되어야 할 것이다. 최근 토지보상법 제4조의3의 신설과 제21조 제2항부터 제8항까지의 신설을 통해 ① 무분별한 공익사업의 확대 제한, ② 사업인정 의제절차의 개선을 도모하였다.

■ 토지보상법 제21조 중앙토지수용위원회의 공익성 협의(공익성 검토)

구분	평가항목		평가기준
형식적 심사	수용사업의 적격성		토지보상법 제4조 해당 여부
	사전절차의 적법성		사업시행 절차 준수 여부 의견수렴 절차 준수 여부
실질적 심사	사업의 공공성	시행목적 공공성	주된 시설 종류(국방·군사·필수기반, 생활 등 지원, 주택· 산단 등 복합, 기타)
		사업시행자 유형	국가/지자체/공공기관/민간
			국가·지자체 출자비율
		목적 및 상위계획 부합여부	주된 시설과 입법목적 부합여부
			상위계획 내 사업 추진 여부
		사업의 공공기여도	기반시설(용지)비율
			지역균형기여도
		공익의 지속성	완공 후 소유권 귀속
			완공 후 관리주체
		시설의 대중성	시설의 개방성 : 이용자 제한 여부
			접근의 용이성 : 유료 여부 등
	수용의 필요성	피해의 최소성	사익의 침해최소화 : 이주자 발생 및 기준 초과여부
			이주대책 수립
			공익의 침해최소화 : 보전지역 편입비율, 사회·경제·환경 피해
			(감점)중요공익시설 포함
		방법의 적절성	사전 토지 확보(취득/동의)비율
			사전협의 불가사유 (법적불능·보안규정 존재, 사실적 불능, 알박기 등)
			분쟁제기 여부
			대면협의 등 분쟁완화 노력
		사업의 시급성	공익실현을 위한 현저한 긴급성
			정부핵심과제
		★사업수행능력	사업재원 확보 비율
			보상업무 수행능력(민간, SPC)

19절 | 토지보상법 제23조(사업인정의 실효)

> **문제**
>
> 「공익사업을 위한 토지 등의 취득 및 보상에 관한 법률」(이하 '토지보상법')상 실효제도를 서술하시오. 20점

Ⅰ. 서(논점의 정리)	Ⅳ. 실효의 효과
Ⅱ. 사업인정의 실효	1. 사업인정과 재결의 효력 상실
1. 사업인정의 의의 및 효과(법 제20조)	2. 사업인정 실효로 인한 손실보상
2. 재결신청 해태로 인한 실효(법 제23조)	(법 제23조 제2항·법 제24조 제6항)
3. 사업의 폐지·변경으로 인한 실효	3. 재결 실효로 인한 손실보상
(법 제24조)	(법 제42조 제2항)
Ⅲ. 재결의 실효	Ⅴ. 결
1. 재결(법 제34조)	
2. 재결의 실효사유(법 제42조)	

Ⅰ 서(논점의 정리)

토지보상법은 공공의 이익을 위한 공익사업의 원활한 시행과 사인의 재산권 조화를 위한 법으로서 기능을 수행한다. 따라서 이 법에 의한 절차에는 공익뿐만 아니라 사익을 보호하기 위한 제도가 마련되어 있다. 이러한 취지로 사인의 재산권에 대한 침해를 규정하면서도 불안정한 법률관계의 조속한 확정과 피수용자의 보호측면에서 실효제도, 즉 하자 없이 성립·발효한 행정행위가 일정한 사정의 발생으로 그 효력이 소멸되는 제도, 즉 사업인정과 수용재결의 실효를 각각 규정하고 있다.

Ⅱ 사업인정의 실효

1. 사업인정의 의의 및 효과(법 제20조)

사업인정은 해당 사업이 공익사업에 해당함을 확인하여 수용권을 설정하여 주는 형성적 행정행위로 수용권의 설정, 목적물 및 관계인의 범위 확정. 보전의무 부과 등의 효과가 있다.

2. 재결신청 해태로 인한 실효(법 제23조)

사업시행자가 사업인정의 고시가 있은 날부터 1년 이내에 재결신청을 하지 아니한 경우에는 사업인정고시가 된 날부터 1년이 되는 날의 다음 날에 사업인정은 그 효력을 상실한다. 그러나 개

별법에서 사업인정 후 재결신청기간에 대한 특례규정을 규정하고 있어 문제점이 지적된다. 토지보상법 제23조의 손실보상은 손해배상의 성질을 갖고 있으나 국가배상요건의 충족을 입증해야 하는 문제가 있으므로 이러한 현실적인 문제를 입법적으로 해결한 것이라 하겠다.

3. 사업의 폐지·변경으로 인한 실효(법 제24조)

사업시행자는 사업인정고시 후 사업의 전부 또는 일부의 폐지·변경으로 인하여 수용·사용의 필요가 없게 된 때에는 지체 없이 시·도지사에 신고하고 토지소유자 및 관계인에게 통지하여야 한다. 시·도지사의 고시가 있는 날부터 사업인정의 전부 또는 일부는 그 효력을 상실한다.

Ⅲ 재결의 실효

1. 재결(법 제34조)

재결은 공용수용의 최종적인 절차로서 사업시행자의 신청에 의하여 보상금을 지급하는 조건으로 목적물을 사업시행자가 취득하는 반면 토지소유자 및 관계인에게는 그 권리를 상실시키게 하는 형성행위이다.

2. 재결의 실효사유(법 제42조)

재결은 사업시행자가 수용 또는 사용의 개시일까지 보상금을 지급 또는 공탁하지 아니하면 그 효력을 상실한다. 다만 수용재결이 실효되더라도 이를 기초로 한 이의재결은 당연히 실효되는 것은 아니라는 것이 판례의 태도이다.

명시적인 규정은 없으나 재결이 있은 후 수용 또는 사용의 개시일 이전에 사업인정이 취소되거나 변경되는 경우 재결의 효력은 상실된다. 그러나 보상금의 지급·공탁이 있은 후에는 사업인정의 취소 또는 변경고시가 있다고 하더라도 재결의 효력에는 영향이 없다.

Ⅳ 실효의 효과

1. 사업인정과 재결의 효력 상실

실효는 행정청의 별도의 행위 없이도 일정한 사유발생시 장래를 향하여 효력을 상실하는바, 사업인정과 재결도 당연히 효력을 상실하게 된다.

2. 사업인정 실효로 인한 손실보상(법 제23조 제2항·법 제24조 제6항)

사업인정이 실효된 경우 이로 인한 손실은 사업시행자가 보상하여야 하며 손실이 있은 것을 안 날부터 1년 이내에, 발생한 날부터 3년 이내에 청구하여야 한다. 보상액은 협의에 의하여 정하되 협의가 성립되지 아니한 때에는 사업시행자 또는 손실을 입은 자는 재결을 신청할 수 있다(법 제9조 제5항에서 제7항 준용).

3. 재결 실효로 인한 손실보상(법 제42조 제2항)

사업시행자가 수용 또는 사용의 개시일까지 관할 토지수용위원회가 재결한 보상금을 지급 또는 공탁하지 아니한 때에는 해당 재결은 실효되고, 그로 인하여 토지소유자 또는 관계인이 입은 손실은 사업시행자가 보상하여야 한다. 다만, 손실이 있은 것을 안 날부터 1년이 지나거나 손실이 발생한 날부터 3년이 지난 후에는 이를 청구할 수 없다(법 제9조 제5항에서 제7항 준용).

Ⅴ 결

행정상 실효제도는 법적안정성 확보측면에서 도입된 제도로서 법에서는 피수용자의 보호측면에서 사업인정의 실효와 재결의 실효를 규정하고 있다. 실효로 인해 토지소유자 및 관계인에게 손실이 발생한 경우 보상을 청구할 수 있도록 명문의 규정을 두고 있으나 수용의 절차상 엄격한 공공성 판단과 사전적 절차참여를 통한 토지소유자 및 관계인의 권리보호가 더 중시되어야 할 것이다.

20절 | 토지보상법 제25조(토지 등의 보전)

> **문제**
>
> 「공익사업을 위한 토지 등의 취득 및 보상에 관한 법률」 제20조에 따른 사업인정이 있는 경우 동법 제25조에서는 토지 등의 보전의무를 부과하고 있다. 이하 동 규정에 대해 검토하시오. **20점**

I 서론

「공익사업을 위한 토지 등의 취득 및 보상에 관한 법률」에서는 공익사업의 원활한 진행을 위하여 토지 등의 수용·사용 절차 및 그로 인해 발생하는 권리와 의무에 관하여 규정하고 있다. 이하에서는 사업인정 이후 소유자 및 관계인에게 부여되는 '토지 등의 보전의무'에 관하여 살펴보도록 한다.

II 토지 등의 보전의무

1. 토지보상법 제25조 규정 및 취지

토지보상법 제25조에서는 "① 사업인정고시가 된 후에는 누구든지 고시된 토지에 대하여 사업에 지장을 줄 우려가 있는 형질의 변경이나 제3조 제2호 또는 제4호에 규정된 물건을 손괴하거나 수거하는 행위를 하지 못한다. ② 사업인정고시가 된 후에 고시된 토지에 건축물의 건축·대수선, 공작물(工作物)의 설치 또는 물건의 부가(附加)·증치(增置)를 하려는 자는 특별자치도지사, 시장·군수 또는 구청장의 허가를 받아야 한다. 이 경우 특별자치도지사, 시장·군수 또는 구청장은 미리 사업시행자의 의견을 들어야 한다. ③ 제2항을 위반하여 건축물의 건축·대수선, 공작물의 설치 또는 물건의 부가·증치를 한 토지소유자 또는 관계인은 해당 건축물·공작물 또는 물건을 원상으로 회복하여야 하며 이에 관한 손실의 보상을 청구할 수 없다."고 규정하고 있다. 이는 보상투기를 미연에 방지하기 위하여 사업인정고시가 있게 되면 토지보전의무를 부과한 것이다.

2. 관련 논의

(1) 보상범위 결정(보상계획공고 후 목적물 범위)

[대판 2013.2.15, 2012두22096]

공익사업법상 손실보상 및 사업인정고시 후 토지 등의 보전에 관한 위 각 규정(법 제25조)의 내용에 비추어 보면, 사업인정고시 전에 공익사업시행지구 내 토지에 설치한 공작물 등 지장물은 원칙적으로 손실보상의 대상이 된다고 보아야 한다. 그러나 손실보상은 공공필요에 의한 행정작용에 의하여 사인에게 발생한 특별한 희생에 대한 전보라는 점을 고려할 때, (구)공익사업법 제15조 제1항에 따른 사업시행자의 보상계획공고 등으로 공익사업의 시행과 보상 대상 토지의 범위 등이 객관적으로 확정된 후 해당 토지에 지장물을 설치하는 경우에 그 공익사업의 내용, 해당 토지의 성질, 규모 및 보상계획공고 등 이전의 이용실태, 설치되는 지장물의 종류, 용도, 규모 및 그 설치시기 등에 비추어 그 지장물이 해당 토지의 통상의 이용과 관계없거나 이용 범위를 벗어나는 것으로 손실보상만을 목적으로 설치되었음이 명백하다면, 그 지장물은 예외적으로 손실보상의 대상에 해당하지 아니한다고 보아야 한다.

비닐하우스 등은 이 사건 공익사업의 시행 및 보상계획이 구체화된 상태에서 손실보상만을 목적으로 설치되었음이 명백하다고 할 것이고, 앞서 본 법리에 비추어 이 사건 비닐하우스 등은 손실보상의 대상이 되지 아니한다고 보아야 할 것이다.

(2) 건축허가 재취득 필요성 여부

[대판 2014.11.13, 2013두19738,19745]

(구)「공익사업을 위한 토지 등의 취득 및 보상에 관한 법률」 제25조 제2항은 "사업인정고시가 있은 후에는 고시된 토지에 건축물의 건축·대수선, 공작물의 설치 또는 물건의 부가·증치를 하고자 하는 자는 특별자치도지사, 시장·군수 또는 구청장의 허가를 받아야 한다. 이 경우 특별자치도지사, 시장·군수 또는 구청장은 미리 사업시행자의 의견을 들어야 한다."고 규정하고, 같은 조 제3항은 "제2항의 규정에 위반하여 건축물의 건축·대수선, 공작물의 설치 또는 물건의 부가·증치를 한 토지소유자 또는 관계인은 해당 건축물·공작물 또는 물건을 원상으로 회복하여야 하며 이에 관한 손실의 보상을 청구할 수 없다."고 규정하고 있다. 이러한 규정의 취지에 비추어 보면, 건축법상 건축허가를 받았더라도 허가받은 건축행위에 착수하지 아니하고 있는 사이에 토지보상법상 사업인정고시가 된 경우 고시된 토지에 건축물을 건축하려는 자는 토지보상법 제25조에 정한 허가를 따로 받아야 하고, 그 허가 없이 건축된 건축물에 관하여는 토지보상법상 손실보상을 청구할 수 없다고 할 것이다.

Ⅲ 결론

공익사업의 시행으로 불가피하게 재산권을 침해당하는 피수용자의 경우 사업인정 등으로 발생하는 권리·의무관계에 구체적으로 알기 어렵기 때문에, 국가, 지방자치단체 및 사업시행자는 이에 대하여 피수용자에게 사전에 교육 및 홍보를 철저히 하고, 토지보상법 제21조 협의 및 의견청취 규정이 있는 바, 이해관계인의 의견청취 과정을 충실히 이행해야 할 것이다.

21절 │ 토지보상법 제25조(토지 등의 보전)

문제

최근에 공익사업현장에서 불법 건축물에 대한 보상 대상 여부가 관건이 되고 있다. 아래 물음에 답하시오. 20점

(1) 「공익사업을 위한 토지 등의 취득 및 보상에 관한 법률」에서 규정하는 물건평가의 일반적인 기준을 설명하고, 무허가건축물(가설건축물 포함)이 보상대상이 될 수 있는지에 대하여 논하시오. 10점

(2) 건축법상 건축허가를 받았으나 허가받은 건축행위에 착수하지 않고 있는 사이 공익사업을 위한 토지 등의 취득 및 보상에 관한 법률상 사업인정고시가 된 경우, 고시된 토지에 건축물을 건축하려는 자는 공익사업을 위한 토지 등의 취득 및 보상에 관한 법률 제25조에 정한 허가를 따로 받아야 하는지 여부를 논하시오. 5점

(3) 공익사업을 위한 토지 등의 취득 및 보상에 관한 법률 제15조 제1항에 따른 사업시행자의 보상계획공고 등으로 공익사업의 시행과 보상 대상 토지의 범위 등이 객관적으로 확정된 후 해당 토지에 지장물을 설치하는 경우, 손실보상의 대상에 해당하는지 여부를 논하시오. 5점

Ⅰ. (설문 1)에 대하여
  1. 개설
  2. 물건보상평가의 일반적 기준(토지보상법 제75조)
    (1) 지장물로서 보상하는 경우
    (2) 취득하는 경우로서 원가법의 예외(시행규칙 제33조 제2항 단서)
  3. 무허가건축물과 가설건축물의 보상 여부
    (1) 개설
    (2) 무허가건축물의 보상 여부
    (3) 가설건축물의 보상 여부

Ⅱ. (설문 2)에 대하여
  1. 관련 판례의 태도
  2. 검토

Ⅲ. (설문 3)에 대하여
  1. 관련 판례의 태도
  2. 검토

Tip 강박사의 TIP(최근 기출문제)
무허가건축물의 손실보상 대상 여부(제26회 2번)

Ⅰ (설문 1)에 대하여

1. 개설

보상에서의 불법 건축여부는 보상투기를 방지하기 위한 입법조치이지, 사업시행자의 공용침해에 의한 개인의 재산권에 가하여진 특별한 희생은 정당한 보상이 주어져야 한다. 이에 공익사업을 위한 토지 등의 취득 및 보상에 관한 법률은 손실보상의 일반법적 지위에서 토지 등의 손실보상에 대한 기준과 방법을 마련하고 있는바, 이하에서 ① 토지 외 물건의 보상평가 시 일반적 기준과 ② 무허가건축물과 가설건축물의 보상 여부에 대하여 손실보상의 대상으로서 재산권에 해당여부를 살펴 그 보상가능성을 설명하고자 한다.

2. 물건보상평가의 일반적 기준(토지보상법 제75조)

(1) 지장물로서 보상하는 경우

지장물이란 공익사업시행지구 내의 토지에 정착한 건축물·공작물·시설·입목·죽목 및 농작물 그 밖의 물건 중에서 당해 공익사업의 수행을 위하여 직접 필요하지 아니한 것을 말한다(시행규칙 제2조 제3호). 토지보상법 제75조 제1항 단서와 같이 물건의 가격으로 평가하는 경우에는 동법 시행규칙 제33조에 따라 원가법으로 평가한다.

지장물은 이전비로 보상하여야 한다. 다만, ① 건축물 등의 이전이 어렵거나 그 이전으로 인하여 건축물 등을 종래의 목적대로 사용할 수 없게 된 경우 ② 건축물 등의 이전비가 그 물건의 가격을 넘는 경우 물건의 가격으로 보상하되 원가법으로 평가한다.

(2) 취득하는 경우로서 원가법의 예외(시행규칙 제33조 제2항 단서)

① 주거용 건축물에 있어서는 거래사례비교법에 의하여 평가한 금액(이주대책, 주택입주권, 개발제한구역 안에서의 이축권에 따른 가격상승분은 제외)이 원가법에 의하여 평가한 금액보다 큰 경우와 ② 집합건물의 소유 및 관리에 관한 법률에 의한 구분소유권의 대상이 되는 건물의 가격은 거래사례비교법으로 평가한다.

3. 무허가건축물과 가설건축물의 보상 여부

(1) 개설

무허가건축물이란 건축법 등 관계법령에 의하여 허가를 받거나 신고를 하고 건축 또는 용도변경을 하여야 하는 건축물을 허가를 받지 아니하거나 신고를 하지 아니하고 건축 또는 용도변경한 건축물(이하 "무허가건축물 등"이라 한다)을 말한다. 무허가건축물(가설건축물)이 재산권의 대상이 되어 보상이 되는지가 문제시되므로 관련 제 규정을 우선 검토하고 불명확한 부분이 있는 경우 손실보상의 요건을 검토하여 해결하도록 한다.

(2) 무허가건축물의 보상 여부

1) 문제점

토지보상법 제25조에서는 토지 등의 보전의무를 규정하면서 사업인정 후 건축물의 건축 등에 대하여 허가를 받아야 한다고 하고 사업인정이후 무허가건축물에 대하여 손실보상을 청구할 수 없다고 규정하고 있다. 따라서 보상의 대상이라 할 수 없다. 다만, 무허가건축물 중 특히 사업인정 이전 무허가건축물의 보상대상여부가 법률의 규정이 없어 해석의 문제가 발생한다. 손실보상의 요건과 관련하여 공공필요, 적법한 침해, 특별한 희생은 문제되지 않으나 재산권 충족여부가 문제된다.

2) 허가의 성질과 재산권의 관계

허가란 법령에 의하여 일반적·상대적 금지를 특정한 경우에 해제하여 적법하게 일정행위를 할 수 있게 하는 행위이다. 허가를 요하는 행위를 허가 없이 행한 경우 행정상 강제집행이나 처벌의 대상이 될 수 있는 것은 별론으로 하고 행위 자체의 효력이 부인되는 것은 아니다. 따라서 허가유무에 다라 재산권의 범위가 달라질 수는 없다고 보아야 할 것이다.

3) 판례의 태도 및 검토

판례는 사업인정고시 전에 건축한 건축물은 그 건축물이 적법하게 허가를 받아 건축한 것인지, 허가를 받지 아니하고 건축한 무허가건축물인지 여부와 관계없이 손실보상의 대상이 된다고 판시하고 있다. 생각건대, 허가는 그 성질에 비추어 행위의 적법성 여부에만 관여하고 유효성 여부와는 무관하므로 재산권 요건을 충족하여 사업인정 이전 건축물에 대하여 허가여부와 무관하게 보상의 대상이 된다고 판단된다.

(3) 가설건축물의 보상 여부

무허가건축물과 달리 가설건축물의 경우 그 설치 시 원상회복의무 등이 부과되어 한시적 이용권을 갖는 것에 불과하므로 공익사업의 시행으로 해당 가설건축물의 철거를 명하는 것이 특별한 희생을 발생시킨다고 볼 수 없으므로 보상대상이 될 수 없다고 본다. 다만, 허가 시 수익기간이 보장된 경우로서 그 기간이익의 손실이 있는 경우 그 손실에 대한 보상은 주어져야 할 것이다.

Ⅱ (설문 2)에 대하여

1. 관련 판례의 태도

> **판례**
>
> ● 대판 2014.11.13, 2013두19738 · 19745[토지수용재결처분취소등 · 수용재결처분취소]
>
> [판시사항]
>
> 구 「공익사업을 위한 토지 등의 취득 및 보상에 관한 법률」(2011.8.4.법률 제11017호로 개정되기 전의 것. 이하 '토지보상법'이라 한다) 제25조 제2항은 "사업인정고시가 있은 후에는 고시된 토지에 건축물의 건축 · 대수선, 공작물의 설치 또는 물건의 부가 · 증치를 하고자 하는 자는 특별자치도지사, 시장 · 군수 또는 구청장의 허가를 받아야 한다. 이 경우 특별자치도지사, 시장 · 군수 또는 구청장은 미리 사업시행자의 의견을 들어야 한다."고 규정하고, 같은 조 제3항은 "제2항의 규정에 위반하여 건축물의 건축 · 대수선, 공작물의 설치 또는 물건의 부가 · 증치를 한 토지소유자 또는 관계인은 당해 건축물 · 공작물 또는 물건을 원상으로 회복하여야 하며 이에 관한 손실의 보상을 청구할 수 없다."고 규정하고 있다. 이러한 규정의 취지에 비추어 보면, 건축법상 건축허가를 받았더라도 허가받은 건축행위에 착수하지 아니하고 있는 사이에 토지보상법상 사업인정고시가 된 경우 고시된 토지에 건축물을 건축하려는 자는 토지보상법 제25조에 정한 허가를 따로 받아야 하고, 그 허가 없이 건축된 건축물에 관하여는 토지보상법상 손실보상을 청구할 수 없다고 할 것이다.

2. 검토

생각건대, 토지보상법 제25조에서 사업인정고시가 된 이후에 건축행위를 하는 자는 허가를 받도록 규정하고 있는바, 고시된 토지에 건축물을 건축하려는 자는 허가를 따로 받아야 한다고 판시한 판례의 태도는 타당하다고 판단된다.

Ⅲ (설문 3)에 대하여

1. 관련 판례의 태도

> **판례**
>
> ● 대판 2013.2.15, 2012두22096[보상금증액]
>
> [이유]
>
> 구 공익사업을 위한 토지 등의 취득 및 보상에 관한 법률(2011.8.4.법률 제11017호로 개정되기 전의 것, 이하 '구 공익사업법'이라 한다) 제61조는 "공익사업에 필요한 토지 등의 취득 또는 사용으로 인하여 토지소유자 또는 관계인이 입은 손실은 사업시행자가 이를 보상하여야 한다."고 규정하고 있고, 제25조 제2항은 "사업인정고시가 있은 후에는 고시된 토지에 건

축물의 건축·대수선, 공작물의 설치 또는 물건의 부가·증치를 하고자 하는 자는 특별자치도지사, 시장·군수 또는 구청장의 허가를 받아야 한다. 이 경우 특별자치도지사, 시장·군수 또는 구청장은 미리 사업시행자의 의견을 들어야 한다.", 같은 조 제3항은 "제2항의 규정에 위반하여 건축물의 건축·대수선, 공작물의 설치 또는 물건의 부가·증치를 한 토지소유자 또는 관계인은 당해 건축물·공작물 또는 물건을 원상으로 회복하여야 하며 이에 관한 손실의 보상을 청구할 수 없다."고 규정하고 있으며, 제2조 제5호는 "관계인이라 함은 사업시행자가 취득 또는 사용할 토지에 관하여 지상권·지역권·전세권·저당권·사용대차 또는 임대차에 의한 권리 기타 토지에 관한 소유권 외의 권리를 가진 자 또는 그 토지에 있는 물건에 관하여 소유권 그 밖의 권리를 가진 자를 말한다. 다만, 제22조의 규정에 의한 사업인정의 고시가 있은 후에 권리를 취득한 자는 기존의 권리를 승계한 자를 제외하고는 관계인에 포함되지 아니한다."고 규정하고 있다. <u>(구)공익사업법상 손실보상 및 사업인정고시 후 토지 등의 보전에 관한 위 각 규정의 내용에 비추어 보면, 사업인정고시 전에 공익사업시행지구 내 토지에 설치한 공작물 등 지장물은 원칙적으로 손실보상의 대상이 된다고 보아야 한다. 그러나 손실보상은 공공필요에 의한 행정작용에 의하여 사인에게 발생한 특별한 희생에 대한 전보라는 점을 고려할 때, 구 공익사업법 제15조 제1항에 따른 사업시행자의 보상계획공고 등으로 공익사업의 시행과 보상 대상 토지의 범위 등이 객관적으로 확정된 후 해당 토지에 지장물을 설치하는 경우에 그 공익사업의 내용, 해당 토지의 성질, 규모 및 보상계획공고 등 이전의 이용실태, 설치되는 지장물의 종류, 용도, 규모 및 그 설치시기 등에 비추어 그 지장물이 해당 토지의 통상의 이용과 관계없거나 이용 범위를 벗어나는 것으로 손실보상만을 목적으로 설치되었음이 명백하다면, 그 지장물은 예외적으로 손실보상의 대상에 해당하지 아니한다고 보아야 한다.</u>

2. 검토

생각건대, 손실보상은 공권력 행사로 개인이 입은 특별한 희생에 대한 전보역할을 한다는 점을 고려하면, 손실보상만을 목적으로 지장물을 설치한 경우는 특별한 희생에 해당한다고 보기 어렵다. 따라서 토지의 통상의 이용과 관계없거나 이용 범위를 벗어나게 설치된 지장물은 손실보상의 대상이 되지 않는다고 보는 판례의 태도가 타당하다고 판단된다.

22절 토지보상법 제27조(토지 및 물건에 관한 조사권 등)

> **문제**
>
> 「공익사업을 위한 토지 등의 취득 및 보상에 관한 법률」 제27조의 토지조서 및 물건조서의 작성에 있어서 조사행위에는 하자가 없으나 조서작성에 하자가 존재하는 경우 어떠한 불복수단이 가능한가? 20점

Ⅰ. 서 **Ⅱ. 조서의 효력 및 하자 있는 조서의 효력** 　1. 진실의 추정력(제27조 제3항) 　2. 하자 있는 조서의 효력 　　(1) 내용상 하자 있는 조서의 효력 　　(2) 절차상 하자 있는 조서의 효력	**Ⅲ. 하자 있는 조서에 대한 행정쟁송** 　1. 토지물건 조서작성의 법적 성질 　　(1) 비권력적 사실행위 　　(2) 형식적 행정행위 인정 여부 　2. 행정쟁송의 가능성 **Ⅳ. 재결에 대한 행정쟁송** **Ⅴ. 결**

Ⅰ 서

공용수용은 재산권 보장제도의 예외적 조치로 엄격한 법정절차가 요구된다. 토지물건조서작성은 공익사업을 위한 수용(또는 사용)을 위해 필요로 하는 토지와 그 토지 위에 있는 물건의 내용을 조사하여 문서화하는 절차이다. 이는 당사자 사이의 차후 분쟁을 예방하고 수용절차를 신속·원활하게 하려는 것이다. 작성단계에서 하자가 존재 시 작성행위 자체에 대해 쟁송이 가능한지, 재결단계에서 취소쟁송을 제기할 수 있는지 문제된다.

Ⅱ 조서의 효력 및 하자 있는 조서의 효력

1. 진실의 추정력(제27조 제3항)

토지·물건조서는 조서작성 당시의 토지·물건의 현상을 증명하고, 토지수용위원회의 재결이나 분쟁에서의 증거방법이기 때문에 조서의 내용은 별도의 입증이 없어도 일응 진정한 것으로 추정된다. 따라서 피수용자가 열람기간 내 이의제기한 경우를 제외하고는 그 조서내용에 관해 증거력을 다투지 못한다. 단, 기재사항이 진실에 반함을 입증하는 경우에는 예외로 한다.

2. 하자 있는 조서의 효력

(1) 내용상 하자 있는 조서의 효력

내용상 하자란 물적 상태 및 권리관계에 대한 오기, 틀린 계산 등 사실과 다른 기재로 인한 하자로서, 이 경우 조서 자체의 효력에 영향을 미치지 않으므로 일응 진실한 것으로 추정된다. 따라서 피수용자가 열람기간 내 이의를 제기하거나, 열람기간에 관계없이 조서내용이 진실에 반함을 입증할 경우 조서의 진실의 추정력을 차단시킬 수 있다. 특히 열람기간 내 조서에 이의 부기한 경우 토지수용위원회의 재결심리단계에서 그 효력 부인이 가능하다. 단, 입증책임은 하자를 주장하는 자(피수용자)에게 있다.

(2) 절차상 하자 있는 조서의 효력

절차상 하자는 피수용자의 서명, 날인이 누락된 조서, 피수용자에게 서명날인 요구 없이 작성된 조서 등에 의한 하자로서 토지조서 및 물건조서의 효력은 당연히 인정되지 않는다. 즉, 절차상 하자 있는 조서는 조서의 기재에 대한 증명력에 관하여 추정력이 인정되지 아니한다. 따라서 이의를 제기하거나 입증하지 않더라도 이를 다툴 수 있다. 다만, 토지소유자 등의 추인이 있는 경우에는 그 효력을 인정할 수 있게 된다.

Ⅲ 하자 있는 조서에 대한 행정쟁송

1. 토지물건 조서작성의 법적 성질

(1) 비권력적 사실행위

사실행위란 법률적 효과의 발생을 직접적으로 목적하지 않는 행위로서, 공권력 행사로서의 성질을 갖지 않는 사실행위는 비권력적 사실행위이다. 조서작성행위는 토지소유자 등의 재산권에 대한 사실관계를 문서화하는 행위로서 비권력적 사실행위이다.

(2) 형식적 행정행위 인정 여부

강학상 행정행위에 해당하지 않는 행정작용 중 항고소송의 대상이 되는 것으로 보아 국민의 권리구제의 길을 넓게 보장할 필요가 있지 않느냐의 문제가 제기된다.

① 학설

㉠ 형식적 행정행위를 인정하여 취소소송의 대상인 처분의 개념을 확대하자는 긍정설과 ㉡ 처분의 개념에 이질적인 행정작용을 포함시키는 것은 바람직하지 않다고 보는 부정설의 대립이 있다.

② 판례 및 소결

판례는 이에 대해 정면으로 언급한 적은 없으나 행정지도 등에 대한 법적 성질과 관련하여 이를 인정하고 있지 않다. 생각건대 비권력적 사실행위에 대한 권리구제방법이 항고소송이 유일한 길이 아니라 국가배상청구, 결과제거청구, 공법상 당사자소송을 통해 권리구제가 가능한바, 처분의 개념에 이질적인 형식적 행정행위를 인위적으로 포함시킬 이유가 없다고 본다.

2. 행정쟁송의 가능성

현행 행정쟁송법은 항고쟁송의 대상을 『처분』으로 보는바, 형식적 행정행위를 부정하는 판례의 태도에 따르면 항고쟁송은 불가능하다.

Ⅳ 재결에 대한 행정쟁송

판례는 "토지조서의 작성에 하자가 있다 하여 그것이 곧 수용재결이나 그에 대한 이의재결의 효력에 영향을 미치는 것은 아니라 할 것이므로 토지조서에 실제 현황에 관한 기재가 되어 있지 아니하다거나 토지소유자의 입회나 서명날인이 없었다든지 하는 사유만으로는 이의재결이 위법하다 하여 그 취소를 구할 사유로 삼을 수 없다."고 판시하였다. 다만, 내용상 하자의 심사를 생략하고 재결을 하였다면 그 재결은 위법하고 이는 재결 자체의 하자로 볼 수 있는바, 재결에 대해 이의신청 및 행정소송이 가능할 것이다.

Ⅴ 결

토지보상법에서는 공용수용의 제2단계 절차로서 분쟁의 원활한 해결과 사업의 신속한 진행을 위해 토지물건조서작성에 대해 규정하고 있다. 행정쟁송법은 처분에 대해서 항고쟁송의 가능성을 열어두고 있다. 조서작성은 비권력적 사실행위로서 처분에 해당되지 않고 판례는 형식적 행정행위를 인정하지 않는바, 항고쟁송은 불가능하다고 본다. 다만, 조서의 내용상 하자가 있음에도 토지수용위원회가 심사를 하지 아니하였다면 위법한 재결이 되어 토지보상법상 이의신청 및 행정소송이 가능하다고 보인다.

23절 토지보상법 제28조(재결의 신청)

문제

사업인정 후 당사자 간 협의가 불성립한 경우 공익사업의 복잡한 법률관계를 조속히 해결하기 위하여 「공익사업을 위한 토지 등의 취득 및 보상에 관한 법률」(이하 '토지보상법')상 절차를 설명하시오. 20점

Ⅰ. 개설	Ⅲ. 피수용자의 재결신청청구권(법 제30조)
Ⅱ. 사업시행자의 재결신청권(법 제28조)	1. 의의 및 취지
1. 의의	2. 요건
2. 요건	3. 효과
3. 절차	Ⅳ. 결

Ⅰ. 개설

공용수용은 특정 공익사업에 대한 법률에 의하여 특정 개인의 재산권을 강제적으로 취득하는 제도로서 최소침해의 원칙이 특별히 강조된다. 이에 토지보상법은 제26조에서 재결 이전에 협의절차를 규정함으로써 개인의 재산권을 보호하고자 하며 협의불성립 또는 불능의 경우 사업시행자에게 재결신청권을 부여하고 있다. 한편, 사업시행자는 언제든지 재결을 신청할 수 있으나 피수용자는 재결신청이 불가한바, 수용 법률관계를 둘러싼 수용당사자의 공평을 위하여 법 제30조에서는 재결신청청구권을 부여하고 있다. 이하 협의불성립 시 사업시행자의 재결신청권과 피수용자의 재결신청청구권을 살펴보기로 한다.

Ⅱ. 사업시행자의 재결신청권(법 제28조)

1. 의의

사업시행자의 재결신청은 토지보상법 제26조에 의한 협의가 성립되지 않거나 협의를 할 수 없는 때에 사업시행자가 사업인정의 고시가 있은 날부터 1년 이내에 관할 토지수용위원회에 재결을 신청하는 것으로 사업시행자의 목적물 취득과 피수용자의 권리상실의 효과를 얻고자 함이다.

2. 요건

실질적 요건으로 사업인정이 있어야 하며 성실한 협의가 있어야 하고 협의불성립과 불능에 관한 사업시행자의 과실이 없어야 한다. 형식적 요건으로 사업인정고시일부터 1년 이내에 적법한 관할을 통하여 사업시행자의 신청이 있어야 한다. 동법 제80조에서는 손실보상금만의 결정에 대하여는 사업시행자뿐만 아니라 토지소유자와 관계인에게도 재결신청권을 부여하고 있다.

3. 절차

재결을 신청하고자 하는 사업시행자는 재결신청서에 토지조서 및 물건조서, 협의경위서, 사업계획서, 사업예정지 및 사업계획을 표시한 도면을 첨부하여 관할 토지수용위원회에 제출하여야 한다. 토지수용위원회는 열람기간이 경과한 때에는 지체 없이 해당 신청에 대한 조사·심리하여야 한다.

Ⅲ 피수용자의 재결신청청구권(법 제30조)

1. 의의 및 취지

재결신청청구권이란 사업인정 후 협의가 성립되지 않은 경우 피수용자가 사업시행자에게 재결신청을 조속히 할 것을 청구할 수 있는 권리로서 피수용자의 권리보호를 위해 인정된 것이다. 제도적 취지는 협의가 성립되지 아니한 경우 사업시행자는 사업인정고시 후 1년 이내에는 언제든지 재결을 신청할 수 있는 반면 토지소유자는 재결신청권이 없으므로 수용을 둘러싼 수용당사자 간의 공평을 기하기 위한 것이다.

2. 요건

청구권자는 토지소유자와 관계인이며 피청구인은 사업시행자이다. 청구기간은 시행령 제14조에 의한 협의기간이 경과하였음에도 협의가 성립하지 않은 경우 재결신청청구권을 행사할 수 있으며 사업인정고시가 있은 날부터 1년 이내에 재결신청을 하지 않으면 사업인정이 실효되므로 해당 기간 내에 재결신청의 청구를 하여야 할 것이다. 즉, 협의기간 만료일 후 사업인정고시일부터 1년 이내에 청구하여야 한다(단, 토지보상법 시행령 제14조의 규정에 의한 협의기간을 상당한 기간이 경과하도록 알리지 아니하였다면 토지소유자는 재결신청의 청구를 할 수 있다). 청구의 형식은 서면의 형식을 취해야 하나 엄격한 형식을 요하는 것은 아니다.

3. 효과

사업시행자는 재결신청의 청구를 받은 때에는 그 청구가 있은 날부터 60일 이내에 관할 토지수용위원회에 재결을 신청하여야 한다. 사업시행자가 재결신청의 청구를 최초로 받은 날부터 60일을 경과하여 재결을 신청한 때에는 그 경과한 기간에 대하여 소송촉진 등에 관한 특례법 제3조의 규정에 의한 법정이율을 적용하여 산정한 금액을 관할 토지수용위원회에서 재결한 보상금에 가산하여 지급하여야 한다.

Ⅳ 결

법은 사업시행자에게 재결신청권을 부여하고 있으나 피수용자에게는 재결신청청구권만 부여하고 있어 형평의 원칙상 문제가 제기되고 있다. 그러나 이러한 문제에 대하여 사업시행자에게만 재결신청권을 부여함은 공익사업의 계획적인 추진과 사업시행시기 선택의 재량이 필요하다는 점에서 토지소유자에게 재결신청권을 부여하는 것을 부정하는 견해가 있다. 생각건대 이는 사업시행자의 재결신청 해태·지연의 경우 토지소유자가 직접 재결신청을 할 수 있게 하는 것이 토지소유자의 권리보호 측면에서 타당하다고 볼 것이다.

Check Point!

재결신청 및 재결

Ⅰ. 재결신청 및 재결의 의의

토지수용절차에서 재결신청이라 함은 사업시행자와 토지소유자 및 관계인 사이에 수용 및 보상에 관한 협의불성립 시 관할 토지수용위원회에 재결을 청구하는 공법행위를 말한다. 재결신청은 토지수용위원회에 공익사업에 필요한 토지 등의 재산권 수용과 그에 따른 보상을 판단해 줄 것을 청구하는 것인 만큼 사업시행자 또는 피수용자가 할 수 있으며 사업시행자의 재결신청은 수용청구이며 토지소유자 및 관계인의 재결신청은 손실보상청구라고 할 수 있다. 이러한 재결신청에 실질적·형식적 하자가 있는 경우 재결이 무효 또는 취소가 될 수 있는 만큼 이하에서는 재결신청의 요건을 중심으로 구체적으로 검토하기로 한다.

Ⅱ. 재결신청의 요건

1. 실질적 요건

(1) 사업인정이 있을 것

사업인정은 토지 등을 수용·사용하고자 하는 사업이 공익사업에 해당하는 것임을 국토교통부장관이 행하는 행정처분이므로 이러한 공익성 판단절차를 거치지 않고서는 재결을 할 수 없으므로 사업인정 없이 행한 재결은 무효이며 이는 곧 필요적 요건이 된다.

(2) 재결신청 전 성실히 협의하였을 것

사업시행자는 사업인정고시가 있은 후에 피수용자와 협의를 해야 할 의무가 있으며 협의가 성립될 수 있는 사항까지 국가의 공권력 행사에 의존하는 것은 불가하므로 협의를 거치지 않고 재결신청을 하는 것은 불가능하다고 본다. 따라서 재결신청에 앞서 사업시행자는 토지소유자 및 관계인과 성실히 협의하여야 할 것이다.

(3) 협의를 할 수 없는 사유가 있을 것

협의를 할 수 없는 사유, 즉 ① 주소·거소가 불명한 때, ② 피수용자의 행방불명 등에 해당하는 경우 협의를 하지 아니하고 재결신청이 가능하며 그에 대한 재결 또한 유효성이 인정될 수 있다.

2. 형식적 요건

(1) 사업시행자와 직접 협의

① 협의는 수용절차의 일종이고, 그 수용절차는 위탁대상이 될 수 없기 때문에, ② 사업시행자가 직접 자기명의로 협의를 하였어야 하고, ③ 보상업무위탁기관 명의로 하는 협의는 수용절차상 흠이 된다.

(2) 재결신청 능력자가 신청

재결신청능력자라 함은 자기의 명의로 재결신청을 할 수 있는 법적지위·자격을 가지는 자를 말하므로 수용재결신청은 수용의 효과를 향수하는 국가·공공단체 또는 그 대리인, 손실보상재결신청은 사업시행자, 손실을 입은 자 및 그 대리인이 될 수 있다.

(3) 재결신청기간 내일 것

재결신청기간은 원칙적으로 사업인정고시가 있은 날부터 1년 이내이나 개별법률에서 특정 사업의 실시계획을 인가·승인함에 있어 사업시행기간이 정하여진 경우에는 그 기간 내에 하여야 한다.

(4) 토지수용위원회 관할이 적법할 것

재결신청은 관할 토지수용위원회에 하여야 하며 관할 위반이 된 토지수용위원회의 재결은 무효가 될 수 있다.

Ⅲ. 결

재결은 토지수용 절차의 마지막 단계로서 사업시행자는 이 재결에 의하여 법률이 정하는 정당한 보상을 지급하는 조건으로 공익사업에 필요한 토지 등을 취득하게 되므로 신청요건 및 절차 등을 엄격히 지켜야 할 것이다.

베타답안

 20점

Ⅰ. 서

사업인정 전 협의불성립 또는 불능인 경우 사업시행자는 토지보상법 제20조의 사업인정을 신청할 수 있으나 사업인정 후 협의의 불성립과 불능인 경우 수용절차의 종결인 재결을 위해 토지보상법 제28조에서 사업시행자에게 재결신청권을 부여하고 있다. 한편, 사업시행자는 언제든지 재결을 신청할 수 있으나 피수용자는 재결신청이 불가한바, 수용법률관계를 둘러싼 수용당사자의 공평을 위하여 법 제30조에서는 재결신청청구권을 부여하고 있다.

Ⅱ. 사업시행자의 재결신청권

1. 의의 및 근거

사업시행자의 재결신청은 토지보상법 제26조의 협의가 성립되지 않거나 불능시 사업시행자가 사업인정의 고시가 있은 날부터 1년 이내에 관할 토지수용위원회에 재결을 신청하는 것으로 사업시행자의 목적물 취득과 피수용자의 권리상실의 효과를 얻기 위한 것으로 판단된다.

2. 요건

(1) 실질적 요건

사업인정이 있어야 하며 성실한 협의가 있어야 하고 협의불성립과 불능에 사업시행자의 과실이 있어서는 안 된다.

(2) 형식적 요건

형식적으로 사업인정고시일부터 1년 이내에 적법한 관할을 통하여 사업시행자의 신청이 있어야 한다. 토지보상법 제80조에서는 손실보상금만의 결정에 대하여는 사업시행자뿐만 아니라 토지소유자와 관계인에게도 재결신청권을 부여하고 있다.

3. 절차

재결을 신청하고자 하는 사업시행자는 재결신청서에 토지조서 및 물건조서, 협의경위서 등을 첨부하여 관할 토지수용위원회에 제출하여야 한다. 토지수용위원회는 열람기간이 경과한 때에는 지체 없이 해당 신청에 조사·심리하여야 한다.

Ⅲ. 피수용자의 재결신청청구권

1. 의의 및 취지

재결신청청구권이란 사업인정 후 협의가 성립하지 않은 경우 피수용자가 사업시행자에 재결신청을 조속히 할 것을 청구할 수 있는 권리로서 피수용자의 권리보호를 위해 인정된 것이다. 사업시행자는 일정기간 내 언제든지 재결을 신청할 수 있는 반면 토지소유자 등은 재결신청권이 없으므로 수용당사자 간의 공평을 위한 것으로 생각된다.

2. 재결신청청구권의 행사

〈청구권자〉는 토지소유자 등이며 피청구권자는 재결을 신청할 수 있는 사업시행자가 원칙이며, 〈청구기간〉은 협의기간 만료일부터 재결신청할 수 있는 기간만료일까지이다. 청구권의 〈내용〉은 사업시행자에게 재결신청을 할 것을 청구하는 것이다.

3. 재결신청청구권의 효과

사업시행자는 재결신청의무를 부담하며 청구가 있는 날부터 60일 이내에 재결을 신청하여야 한다. 청구일부터 60일이 경과하여 재결신청을 하거나 해당 의무를 해태한 경우 법정이율을 적용한 지연가산금을 지급하여야 한다.

4. 관련문제

(1) 협의기간의 통지가 없는 경우

사업인정고시 후 상당한 기간이 경과하도록 협의대상 토지소유자에 협의기간을 통지하지 아니하면 토지소유자는 재결신청의 청구를 할 수 있다고 판시한 바 있다.

(2) 협의가 성립할 가능성이 없음이 명백한 경우

수용에 관한 협의기간이 정해져 있는 경우라도 협의의 성립가능성이 없음이 명백해졌을 때 협의기간 종료전이라도 재결신청의 청구가 가능한 것으로 보며 사업시행자가 가산금 지급의무를 부담하게 되는 60일의 기간은 협의기간 만료일부터 기산하여야 한다고 판시하였다.

Ⅳ. 결

협의의 불성립시 사업시행자는 재결신청을 할 수 있으며 형평의 원리상 피수용자는 재결신청청구가 가능토록 규정한 것으로 판단된다.

판례

사업시행자가 재결신청 청구를 거부한 경우의 대법원 판례

● 대판 1997.11.14, 97다13016[손해배상(기)]

[판시사항]

[1] 기업자가 토지소유자 등의 재결신청의 청구를 거부하는 경우, 민사소송의 방법으로 그 절차 이행을 구할 수 있는지 여부(소극)

[2] 공유수면매립사업의 시행으로 인하여 손실을 입은 자의 경우 관할 토지수용위원회에 직접 재정신청을 할 수 있는지 여부(적극)

[판결요지]

[1] (구)토지수용법이 토지소유자 등에게 재결신청의 청구권을 부여한 이유는 협의가 성립되지 아니하는 경우 기업자는 사업인정의 고시가 있은 날부터 1년 이내(전원개발사업은 그 사업의 시행기간 내)에는 언제든지 재결신청을 할 수 있는 반면에, 토지소유자는 재결신청권이 없으므로, 수용을 둘러싼 법률관계의 조속한 확정을 바라는 토지소유자 등의 이익을 보호함과 동시에 수용당사자 사이의 공평을 기하기 위한 것이라고 해석되는 점, 위 청구권의 실효를 확보하기 위하여 가산금제도를 두어 간접적으로 이를 강제하고 있는 점 ((구)토지수용법 제25조의3 제3항), 기업자가 위 신청기간 내에 재결신청을 하지 아니한 때에는 사업인정은 그 기간만료일의 익일부터 당연히 효력을 상실하고, 그로 인하여 토지소유자 등이 입은 손실을 보상하여야 하는 점(동법 제17조, 제55조 제1항) 등을 종합해 보면, 기업자가 토지소유자 등의 재결신청의 청구를 거부한다고 하여 이를 이유로 민사소송의 방법으로 그 절차 이행을 구할 수는 없다.

[2] 공유수면매립사업의 시행으로 인한 손실보상의 경우에는 사업시행자나 손실을 입은 자 쌍방이 공유수면매립법 및 그 시행령이 규정하고 있는 절차에 따라 관할 토지수용위원회에 직접 재정신청을 할 수 있으므로 사업시행자를 상대로 재정신청을 하도록 청구하는 소를 제기할 이익이 없을 뿐만 아니라, 손실을 입은 자가 사업시행자를 상대로 재정신청을 하도록 청구할 수 있는 법률상의 근거가 없으므로 이를 소로서 구할 자격도 없다.

● 대판 2011.7.14, 2011두2309[보상제외처분취소등]

[판시사항]

[1] 공익사업을 위한 토지 등의 취득 및 보상에 관한 법률 제30조 제1항에서 정한 '협의가 성립되지 아니한 때'에, 토지소유자 등이 손실보상대상에 해당한다고 주장하며 보상을 요구하는데도 사업시행자가 손실보상대상에 해당하지 않는다며 보상대상에서 이를 제외한 채 협의를 하지 않아 결국 협의가 성립하지 않은 경우도 포함되는지 여부(적극)

[2] 도로건설 사업구역에 포함된 토지의 소유자가 토지상의 지장물에 대하여 재결신청을 청구하였으나, 그중 일부에 대해서는 사업시행자가 손실보상대상에 해당하지 않아 재결신청대상이 아니라는 이유로 수용재결 신청을 거부하면서 보상협의를 하지 않은 사안에서, 위 처분이 위법하다고 본 원심판단을 수긍한 사례

[판결요지]

[1] 공익사업을 위한 토지 등의 취득 및 보상에 관한 법률(이하 '공익사업법'이라 한다) 제30조 제1항은 재결신청을 청구할 수 있는 경우를 사업시행자와 토지소유자 및 관계인 사이에 '협의가 성립하지 아니한 때'로 정하고 있을 뿐 손실보상대상에 관한 이견으로 협의가 성립하지 아니한 경우를 제외하는 등 그 사유를 제한하고 있지 않은 점, 위 조항이 토지소유자 등에게 재결신청청구권을 부여한 취지는 공익사업에 필요한 토지 등을 수용에 의하여 취득하거나 사용할 때 손실보상에 관한 법률관계를 조속히 확정함으로써 공익사업을 효율적으로 수행하고 토지소유자 등의 재산권을 적정하게 보호하기 위한 것인데, 손실보상대상에 관한 이견으로 손실보상협의가 성립하지 아니한 경우에도 재결을 통해 손실보상에 관한 법률관계를 조속히 확정할 필요가 있는 점 등에 비추어 볼 때, '협의가 성립되지 아니한 때'에는 사업시행자가 토지소유자 등과 공익사업법 제26조에서 정한 협의절차를 거쳤으나 보상액 등에 관하여 협의가 성립하지 아니한 경우는 물론 토지소유자 등이 손실보상대상에 해당한다고 주장하며 보상을 요구하는데도 사업시행자가 손실보상대상에 해당하지 아니한다며 보상대상에서 이를 제외한 채 협의를 하지 않아 결국 협의가 성립하지 않은 경우도 포함된다고 보아야 한다.

[2] 아산 ~ 천안 간 도로건설사업구역에 포함된 토지의 소유자가 토지상의 지장물에 대하여 재결신청을 청구하였으나, 그중 일부에 대해서는 사업시행자가 손실보상대상에 해당하지 않아 재결신청대상이 아니라는 이유로 수용재결신청을 거부하면서 보상협의를 하지 않은 사안에서, 사업시행자가 수용재결신청을 거부하거나 보상협의를 하지 않으면서도 아무런 조치를 취하지 않은 것은 공익사업을 위한 토지 등의 취득 및 보상에 관한 법률에서 정한 재결신청청구제도의 취지에 반하여 위법하다고 본 원심판단을 수긍한 사례이다.

판례

● 수용절차를 개시한바 없는 경우 재결신청청구 거부 회신은 거부처분이 아니다.
 (대법원 2014.7.10. 선고 2012두22966 판결[재결신청거부처분취소])

문화재구역 내 토지 소유자 갑이 문화재청장에게 구 공익사업을 위한 토지 등의 취득 및 보상에 관한 법률(2011.8.4. 법률 제11017호로 개정되기 전의 것, 이하 '구 공익사업법'이라 한다) 제30조 제1항에 의한 재결신청 청구를 하였으나, 문화재청장은 구 공익사업법 제30조 제2항에 따른 관할 토지수용위원회에 대한 재결신청 의무를 부담하지 않는다는 이유로 거부 회신을 받은 사안에서, 문화재보호법 제83조 제2항 및 구 공익사업법 제30조 제1항은 문화재청장이 문화재의 보존·관리를 위하여 필요하다고 인정하여 지정문화재나 보호구역에 있는 토지 등을 구 공익사업법에 따라 수용하거나 사용하는 경우에 비로소 적용되는데, 문화재청장이 토지조서 및 물건조서를 작성하는 등 위 토지에 대하여 구 공익사업법에 따른 수용절차를 개시한 바 없으므로, 갑에게 문화재청장으로 하여금 관할 토지수용위원회에 재결을 신청할 것을 청구할 법규상의 신청권이 인정된다고 할 수 없어, 위 회신은 항고소송의 대상이 되는 거부처분에 해당하지 않는다고 한 사례

● 수용재결신청청구 거부처분은 이를 취소소송으로 다툴수 있다.
  (대법원 2019.8.29. 선고 2018두57865 판결[수용재결신청청구거부처분취소])

[판시사항]

[1] 공익사업으로 농업의 손실을 입게 된 자가 공익사업을 위한 토지 등의 취득 및 보상에 관한 법률 제34조, 제50조 등에 규정된 재결절차를 거치지 않은 채 곧바로 사업시행자를 상대로 손실보상을 청구할 수 있는지 여부(소극)

[2] 편입토지 보상, 지장물 보상, 영업·농업 보상에 관하여 토지소유자나 관계인이 사업시행자에게 재결신청을 청구했음에도 사업시행자가 재결신청을 하지 않을 경우, 토지소유자나 관계인의 불복 방법 및 이때 사업시행자에게 재결신청을 할 의무가 있는지가 소송요건 심사단계에서 고려할 요소인지 여부(소극)

[판결요지]

[1] 공익사업을 위한 토지 등의 취득 및 보상에 관한 법률(이하 '토지보상법'이라 한다) 제26조, 제28조, 제30조, 제34조, 제50조, 제61조, 제83조 내지 제85조의 규정 내용 및 입법 취지 등을 종합하면, 공익사업으로 농업의 손실을 입게 된 자가 사업시행자로부터 토지보상법 제77조 제2항에 따라 농업손실에 대한 보상을 받기 위해서는 토지보상법 제34조, 제50조 등에 규정된 재결절차를 거친 다음 그 재결에 대하여 불복이 있는 때에 비로소 토지보상법 제83조 내지 제85조에 따라 권리구제를 받을 수 있을 뿐, 이러한 재결절차를 거치지 않은 채 곧바로 사업시행자를 상대로 손실보상을 청구하는 것은 허용되지 않는다.

[2] 공익사업을 위한 토지 등의 취득 및 보상에 관한 법률 제28조, 제30조에 따르면, 편입토지 보상, 지장물 보상, 영업·농업 보상에 관해서는 사업시행자만이 재결을 신청할 수 있고 토지소유자와 관계인은 사업시행자에게 재결신청을 청구하도록 규정하고 있으므로, 토지소유자나 관계인의 재결신청 청구에도 사업시행자가 재결신청을 하지 않을 때 토지소유자나 관계인은 사업시행자를 상대로 거부처분 취소소송 또는 부작위 위법확인소송의 방법으로 다투어야 한다. 구체적인 사안에서 토지소유자나 관계인의 재결신청 청구가 적법하여 사업시행자가 재결신청을 할 의무가 있는지는 본안에서 사업시행자의 거부처분이나 부작위가 적법한가를 판단하는 단계에서 고려할 요소이지, 소송요건 심사단계에서 고려할 요소가 아니다.

24절 토지보상법 제29조(협의 성립의 확인)

문제

「공익사업을 위한 토지 등의 취득 및 보상에 관한 법률」(이하 '토지보상법')은 사업인정 후 당사자의 협의가 성립된 경우 장차 사업진행에 있어서 분쟁을 예방하고 사업의 원활한 진행을 위해 이 절차를 규정해 놓고 있다. 상기 절차의 내용과 개선사항을 언급하시오. **25점**

Ⅰ. 서(논점의 정리)

Ⅱ. 협의성립의 확인
 1. 의의 및 근거
 2. 취지
 3. 법적 성질
 4. 성립
  (1) 요건
  (2) 절차
   ① 일반적 절차(법 제29조 제1항 및 제2항)

② 공증에 의한 절차(법 제29조 제3항)
 5. 효과
Ⅲ. 문제점 및 개선사항
 1. 절차 측면
 2. 불복 측면
Ⅳ. 결

Tip 직접적인 논제로 묻지 않고 문제에서 토지보상법 제29조 제4항에 대해 유추할 수 있는 아주 좋은 문제이다.

[양평군 공고 제2025 – 0000 호(출처 : 양평군)]

협의성립확인신청서 열람공고

중앙토지수용위원회로부터 사업시행자 서울지방국토관리청에서 시행하는 하천사업(한강살리기 1공구 사업)에 편입되는 물건 등에 대한 협의성립확인신청서 열람공고 의뢰가 있어 「공익사업을 위한 토지 등의 취득 및 보상에 관한 법률」제29조 제2항, 제31조 및 동법 시행령 제15조 제2항 규정에 따라 다음과 같이 열람공고 하오며, 토지소유자 및 관계인은 동법 시행령 제15조 제4항의 규정에 따라 열람기간 내 의견서를 우리군으로 제출할 수 있음을 알려드립니다.

2025.12.1.
양 평 군 수

1. 사업의 종류 및 명칭 : 한강살리기 1공구 하천환경정비사업
2. 사업시행자 주소 : 서울특별시 중구 정동 28번지
   성명 : 국토교통부 서울지방국토관리청

소재지	물건의 종류	면적(수량)	건수	보상액 지급일자	소유자
양평군 양서면 양수리 000 - 0	비닐하우스 등	468㎡ 외	36	2025.6.9	○○○

3. 협의가 성립된 물건의 내역
4. 열람 및 공고기간 : 2025.12.1.~2025.12.15.
5. 열람장소 및 의견서 제출처 : 양평군청 재난안전과 하천시설팀
6. 협의성립확인신청서 관계서류는 양평군청 재난안전과에 비치하오며, 기타 상세한 사항은 양평군 재난안전과 하천시설팀 (☎000 - 000 - 0000)로 문의하시기 바랍니다.

I 서(논점의 정리)

공용수용이란 공익사업을 위해 타인의 특정한 재산권을 법률의 힘에 의해 강제적으로 취득하는 것을 말하며 이는 헌법이 보장하는 재산권 보장의 예외적 조치인바, 엄격한 절차가 요구되며 법은 그 절차를 법정하고 있다. 이하에서는 사업인정 후 협의가 성립한 경우의 내용을 규정한 협의성립확인(토지보상법 제29조)에 대하여 알아보고, 이에 대한 문제점과 해결책에 대하여 살펴보도록 하겠다.

II 협의성립의 확인

1. 의의 및 근거

사업인정 후 협의가 성립된 경우 사업시행자가 일정한 절차를 거쳐 관할 토지수용위원회의 확인을 받는 것으로 이는 법 제29조에 근거하여 일반적 확인방법과 공증에 의한 방법이 있다.

2. 취지

토지보상법에서 협의성립확인을 규정하고 있는 취지는 이를 재결(법 제29조 제4항)로 간주하여 당사자 간에 협의성립의 내용을 다툴 수 없도록 함으로써 장차 분쟁의 예방 및 사업의 원활한 수행을 도모할 수 있고 당사자 간의 합의에 의하여 번잡한 절차를 피할 수 있다는 점에 있다.

3. 법적 성질

확인은 특정한 사실 또는 법률관계에 대해 의문이 있는 경우 공권적으로 그 존부 또는 정부를 판단하는 행위로서 기존의 사실 또는 법률관계를 유권적으로 확정하는 행위인 확인행위로 보는 입장과 의문 또는 다툼이 없는 특정한 사실 또는 법률관계의 존부를 공적 권위로서 이를 증명하는 행위로서 공증으로 보는 입장 등 견해가 대립되나, 협의성립의 확인을 재결로 간주하는 입장에서 공법상 계약이 처분으로 전환되어 당사자에게 구체적 권리·의무가 발생하므로 형성적 행정행위의 성격을 가진다고 하겠다.

4. 성립

(1) 요건

① 당사자 간의 협의가 성립된 후, ② 사업시행자는 피수용자의 동의를 얻어, ③ 수용재결 신청 기간 내에, ④ 법령이 요구하는 제반자료를 일정한 서식에 따라 작성하여 신청한다.

(2) 절차

① **일반적 절차**(법 제29조 제1항 및 제2항)

재결절차를 준용하는 것으로 사업시행자는 수용재결 신청기간 내에 피수용자의 동의를 얻어 관할 토지수용위원회에 확인을 신청하여야 하며(제29조 제1항), 토지수용위원회는 지체 없이 이를 공고하고 14일 이상 열람하여 열람기간 중에 의견진술 기회를 주어야 한다(제31조). 열람기간이 경과한 때에는 지체 없이 심리하고(제32조), 14일 이내에 확인하여야 한다. 이는 협의성립확인의 행위는 기속행위인바, 토지수용위원회가 이를 거부하는 경우 토지수용위원회의 거부에 대해 쟁송제기가 가능하다.

② **공증에 의한 절차**(법 제29조 제3항)

사업시행자가 협의성립확인신청서에 공증인의 공증을 받아 관할 토지수용위원회에 확인을 신청한 때에는 관할 토지수용위원회가 이를 수리함으로써 협의성립이 확인된 것으로 본다. 여기서 관할 토지수용위원회의 '수리행위'는 타인의 행위를 유효한 것으로 수령하는 인식표시인 점에서 사실행위와 다르며 수리가 있으면 협의성립확인의 효과가 발생한다.

5. 효과

적법한 협의성립의 확인이 이루어지면 ① 수용의 개시일에 목적물의 원시취득, ② 손실보상, ③ 환매권, ④ 목적물에 대한 인도·이전의무 및 대행·대집행청구권, ⑤ 위험부담의 이전, ⑥ 담보물권자의 물상대위, ⑦ 사용기간 만료 시 반환 및 원상회복의무, ⑧ 확인 자체에 대한 행정쟁송권 등 재결과 동일한 효과가 발생한다.

Ⅲ 문제점 및 개선사항

1. 절차 측면

협의성립 확인은 사업시행자가 협의성립확인신청서에 공증인의 공증을 받아 관할 토지수용위원회에 확인을 신청한 때에는 관할 토지수용위원회가 이를 수리함으로써 협의성립이 확인된 것으로 보도록 하고 있다. 여기서 관할 토지수용위원회의 '수리행위'는 타인의 행위를 유효한 것으로 수령하는 인식표시인 점에서 사실행위와 다르며 수리가 있으면 협의성립확인의 효과가 발생한다. 그러나 확인 역시 재결절차와 동일한 방법으로 신청하도록 규정하고 있음에도 불구하고 굳이 이와 같이 공증을 받아 신청할 수 있도록 하는 것은 사업시행자의 편의성만 중시한 방안이라 판단되므로 재결절차와 동일하게 공고 및 열람 등의 절차를 거치도록 수정되어야 할 것이다.

2. 불복 측면

적법한 협의성립확인이 이루어지면 ① 수용의 개시일에 목적물의 원시취득, ② 손실보상, ③ 환매권, ④ 목적물에 대한 인도·이전의무 및 대행·대집행청구권, ⑤ 위험부담의 이전, ⑥ 담보물권자의 물상대위, ⑦ 사용기간 만료 시 반환 및 원상회복의무, ⑧ 확인 자체에 대한 행정쟁송권 등 재결과 동일한 효과가 발생한다. 즉, 협의성립의 확인은 재결로 간주되며 공법상 계약이 처분으로 전환되어 당사자에게 구체적 권리·의무가 발생하므로 형성적 행정행위의 성격을 가진다고 하겠다.

이러한 협의성립확인의 성질에도 불구하고 토지보상법은 이에 대한 불복방법의 언급이 없다. 적어도 그 효력이 재결과 동일하므로 동법 제83조 내지 제85조를 적용하도록 명시하여야 할 것이다.

Ⅳ 결

협의성립 확인은 당사자들의 합의에 의해 공익사업을 위한 용지를 취득하였음에도 불구하고 사업의 원활한 진행과 장차의 분쟁을 방지하기 위해 재결과 동일한 절차를 거치도록 하는 것이다. 따라서 사업시행의 편의와 원활을 기여하는 만큼 피수용자 보호를 위한 규정이 명확하게 제시되어야 할 것이다.

베타답안

 30점

Ⅰ. 서

공익사업을 수행함에 있어서 강제취득절차로 사업인정 후 협의가 성립하였더라도 승계취득되므로 공신력이 인정되지 않는 등기의 불완전성과 계약의 내용인 소유권이전등기를 해주지 않을 위험이 있어 토지보상법 제29조에서는 협의성립확인제도를 두어 재결효과를 가지도록 규정하고 있다. 이는 수용재결절차에 의하지 않고 수용목적을 달성할 수 있도록 하는 것으로 사업시행자의 편의성에 치우친 문제점도 있는 것으로 생각된다.

Ⅱ. 협의성립확인 의의

1. 의의 및 근거(토지보상법 제29조)

사업인정 후 협의가 성립된 경우 사업시행자가 일정한 절차를 거쳐 관할 토지수용위원회의 확인을 받는 것으로 일반적 확인방법과 공증에 의한 방법이 있다.

2. 취지

재결로 간주(토지보상법 제29조 제4항)하여 당사자 간에 협의성립의 내용을 다툴 수 없게 함으로써 장차 분쟁의 예방 및 사업의 원활한 수행을 도모할 수 있고 번잡한 절차를 피하도록 규정한 것으로 생각된다.

3. 법적 성질

특정사실 또는 법률관계에 대하여 공권적으로 존부 또는 정부를 판단하는 확인행위로 보는 견해와 특정한 사실 또는 법률관계의 존부를 증명하는 공증으로 보는 견해 등이 있으나 생각건대 협의성립의 확인을 재결로 간주하는 입장에서 당사자 간에 구체적 권리・의무가 발생하므로 형성적 행정행위의 성격을 갖는 것으로 판단된다.

Ⅲ. 협의성립확인의 성립요건 및 절차

1. 성립요건

당사자 사이에 협의가 성립한 후에 수용재결의 신청기간 내에 토지소유자 및 관계인의 동의를 얻어 관할 토지수용위원회에 협의성립확인을 신청하여야 한다(토지보상법 제29조 제1항).

2. 일반적 절차(동법 제29조 제1항 및 제2항)

재결절차를 준용하는 것으로 사업시행자는 수용재결 신청기간 내에 피수용자의 동의를 얻어 관할 토지수용위원회에 확인을 신청하여야 하며, 관할 토지수용위원회는 확인 신청 내용을 공고하고 14일 이상 열람하여 열람기간 중에 의견진술 기회를 부여하고(동법 제31조) 기간경과 시에는 심리(동법 제32조)하고 14일 이내에 확인하여야 한다(동법 제35조).

3. 공증에 의한 절차(동법 제29조 제3항)

사업시행자가 협의성립확인신청서에 공증인의 공증을 받아 관할 토지수용위원회에 확인을 신청한 때에는 관할 토지수용위원회가 이를 수리함으로써 협의성립이 확인된 것으로 본다.

4. 효과

적법한 협의성립의 확인이 이뤄지면 수용의 개시일에 목적물의 원시취득(동법 제45조 제1항), 보상금의 지급 또는 공탁(제40조), 환매권(제91조), 인도・이전의 대행(제44조), 대집행(제89조), 위험부담(제46조), 담보물권과 보상금(제47조), 반환 및 원상회복의 의무(제48조), 확인 자체에 대한 쟁송권(제83조 내지 제85조) 등의 재결의 효과가 발생한다.

Ⅳ. 문제점 및 개선방안

1. 논의의 실익

협의성립 확인은 분쟁을 예방하고 사업진행의 원활화를 기하고자 하는 취지가 있는바, 이는 지나치게 사업의 원활화를 추구한다는 점에서 제도적 미비점에 대한 개선의 여지가 있는 것으로 판단된다.

2. 문제점

(1) 절차 측면

협의성립 확인의 경우 일반적인 절차에 의한 방법과 공증에 의한 방법이 나뉜다. 이때 공증에 의한 방법의 경우 사업시행자가 공증인의 공증을 받아 관할 토지수용위원회가 이를 수리함으로서 협의성립이 확인된 것으로 본다. 이는 일반적 절차에 비해 간소화되어 사업시행자의 편의성만을 중시한 점이 문제된다.

(2) 불복 측면

적법한 협의성립의 확인이 이뤄지면 목적물의 원시취득, 손실보상, 환매권의 발생, 인도·이전의무 및 대행·대집행청구권, 위험부담의 이전 등의 효과가 발생한다. 즉, 협의성립의 확인은 재결과 동등한 효과를 발생시킨다. 이에 당사자에게 구체적인 권리와 의무를 발생시키는 형성적 행정행위의 성격을 갖는다고 생각된다. 이러한 경우에 불복방법의 명시적인 규정이 없는 점이 개선의 여지가 보인다.

3. 개선방안

(1) 절차 측면

확인 역시 재결절차와 동일한 방법으로 신청하도록 규정함에도 불구하고 공증을 통한 방법을 규정함은 사업시행자의 편의성만 중시한 것으로 생각된다. 따라서 재결절차와 동일한 공고 및 열람 등의 절차를 거치도록 하는 것이 〈실체적 법치주의〉 및 〈사전적 권리구제〉에 부합하는 것이라고 판단된다. 또 사업시행자가 협의성립확인에 대한 동의를 요구할 때 확인의 효과를 고지하는 사전고지 제도를 도입하는 방법도 피수용자의 절차적 참여를 보장하는 방법이라고 생각된다.

(2) 불복 측면

이때 협의성립확인의 법적 성질이 형성적 행정행위임에도 불구하고 토지보상법은 이에 대한 불복방법의 규정이 없다. 따라서 명시적인 규정을 통해 재결의 불복절차(토지보상법 제83조 내지 제85조)를 적용하도록 하는 것이 요구된다고 판단된다.

V. 결

협의성립 확인은 당사자들의 합의에 의해 공익사업을 위한 용지를 취득하였음에도 불구하고 사업의 원활한 진행과 장차의 분쟁을 방지하기 위해 재결과 동일한 절차를 거치도록 하는 것으로 판단된다. 이는 주로 공증의 방법에 따라 협의성립확인이 이뤄지는 과정에서 절차가 간소하다는 점에서 사업시행자의 편의만을 고려한 측면이 있다고 생각된다. 따라서 사업시행자의 편의를 고려한 만큼 피수용자 보호를 위한 규정이 명확하게 제시되어야 할 것이라고 생각된다.

25절 | 토지보상법 제29조(협의성립확인) – 진정한 소유자(대법원 2016두51719 판결)

문제

한국토지주택공사는 국방·군사시설사업에 관한 법률에 따른 국방·군사시설사업인 특전사 부지 이전사업의 사업시행자이다. 이천시 마장면 양촌리 전 1,319㎡에 관하여 1956.6.30. 수원지방법원 이천등기소 접수 제750호로 대한민국 명의의 소유권보존등기가 마쳐져 있었고 향후 홍길동에게 이전등기 되어 있었다. 한국토지주택공사는 2009.8.6. 이 사건 사업의 부지에 포함된 이 사건 토지를 취득하기 위하여 그 등기명의자였던 홍길동과 사이에 협의를 성립시키고, 2009.8.26. 이를 원인으로 한 소유권이전등기를 마쳤다. 원고(이원수)는 2014.10.10. 서울중앙지방법원 2014가단209928호로 원고(이원수)의 부인(신사임당)으로부터 이 사건 토지를 상속한 자신이 이 사건 토지의 진정한 소유자라고 주장하며 등기부상 명의인인 홍길동과 한국토지주택공사를 상대로 이 사건 보존등기 및 이 사건 이전등기의 말소를 구하는 소를 제기하였다. 이후 한국토지주택공사는 「공익사업을 위한 토지 등의 취득 및 보상에 관한 법률」(이하 '토지보상법'이라 한다) 제29조에 따라 이 사건 토지의 소유자로서 등기부상 명의인 홍길동의 동의를 받고 한국주택공사와 홍길동 사이의 매매계약서, 협의성립 확인신청 동의서, 토지조서 및 보상금 지급서류에 공증을 받아 중앙토지수용위원회(피고)에게 이 사건 토지에 관한 협의 성립의 확인을 신청하였고, 중앙토지수용위원회(피고)는 2015.3.26. 협의성립확인 신청을 수리하였다(해당 사실관계는 대법원 2018.12.13. 선고 2016두51719 판결의 내용임). 다음 물음에 답하시오. 30점

(1) 토지보상법상 협의성립확인에 대하여 설명하시오. 10점

(2) 토지보상법상 협의성립확인을 받은 경우 소유권 취득의 효과는 일반적인 사업인정 전 협의 취득의 소유권 취득 효과와 어떤 차이가 있는지 설명하시오. 10점

(3) 토지보상법상 위의 사건에서 진정한 소유자는 상속자인 원고 이원수이고, 진정한 소유 자가 동의한 것이 아니라 등기부상 명의인 홍길동이 동의한 것이기 때문에 이는 진정한 소유자 동의라고 볼 수 없다고 주장하며 행정소송을 제기하였다. 협의성립확인신청 수리처분이 적법한 것이지 아니면 위법한 것인지 여부를 검토하시오. 10점

I. 논점의 정리

II. (물음1) 협의성립확인(토지보상법 제29조)
  1. 협의성립확인의 의의 및 취지
  2. 협의성립확인의 법적 성질
  3. 협의성립확인의 절차
  4. 협의성립확인의 효과
  5. 협의성립확인의 권리구제

III. (물음2) 소유권 취득의 효과
  1. 법적 성질
  2. 취득효과
  3. 성립효과
  4. 권리구제

Ⅳ. (물음3) 협의성립확인신청수리처분의
적법여부
1. 토지보상법상 공증방법에 의한 협의
성립확인
2. 협의성립확인은 원시취득의 성질

3. 협의성립확인신청수리처분의 위법성
(1) 관련 규정의 검토
(2) 판례를 통한 사안의 해결
Ⅴ. 사안의 해결

> Tip 강박사의 TIP
> ① 제30회 기출【문제4】「공익사업을 위한 토지 등의 취득 및 보상에 관한 법률」제26조는 수용재결 신청 전에 사업시행자로 하여금 수용대상 토지에 관하여 권리를 취득하거나 소멸시키기 위하여 토지 소유자 및 관계인과 교섭하도록 하는 협의제도를 규정하고 있다. 이에 따른 협의가 수용재결 신청 전의 필요적 전치절차인지 여부와 관할 토지수용위원회에 의한 협의성립의 확인의 법적 효과를 설명 하시오. 10점
> ② 제25회 기출【문제4】「공익사업을 위한 토지 등의 취득 및 보상에 관한 법률」상 사업인정 전 협의 와 사업인정 후 협의의 차이점에 대하여 설명하시오. 15점
> ③ 최근의 협의성립확인에 대한 대법원 2018.12.13. 선고 2016두51719 판결 [협의성립확인신청수리 처분취소] 판결로 매우 주목받는 쟁점이 협의성립확인 사건이다. 향후 1번이나 2번 문제로 출제될 가능성이 높은 바 잘 정리해 두어야 할 것이다.

Ⅰ 논점의 정리

공익사업을 위한 토지 등의 취득 및 보상에 관한 법률(이하 '토지보상법')상 협의성립확인은 사업 시행자와 피수용자 사이에 협의가 성립한 이후 피수용자의 동의를 얻어 관할 토지수용위원회의 확인을 받아 재결로 간주하는 제도를 말한다. 이는 공익사업의 원활한 수행을 도모하기 위한 취 지인바, 이때 동의의 주체인 소유자가 단순히 등기부상 소유자를 의미하는지가 문제된다. 이하에 서는 협의성립확인의 의의, 취지 및 법적 성질과 이에 따른 취득의 효과를 설명하고, 최근 대법 원 판례를 통해, 협의성립확인에 있어서 동의의 주체인 소유자가 단순히 등기부상 소유자가 아닌 진정한 소유자에 해당함을 밝히고자 한다.

Ⅱ (물음1) 협의성립확인

1. 협의성립확인의 의의 및 취지(토지보상법 제29조)

협의성립확인이란 사업인정 후 협의성립 시 사업시행자가 피수용자의 동의를 받거나 또는 공증 을 받아 관할 토지수용위원회에 협의성립확인을 받는 제도이다. 협의성립확인은 '신청할 수 있다' 라고 되어 있어 신청은 필요적 사항이 아니며, 확인절차를 거치지 않았다고 하여 협의성립효력이 상실되는 것은 아니다. 이는 당사자 간의 합의에 의해 수용재결과 같은 효력을 부여함으로써 수

용재결절차에 의하지 아니하고 수용의 목적을 달성하고, 계약 불이행에 따른 분쟁 예방, 공익사업의 원활한 진행을 기함에 취지가 있다.

2. 협의성립확인의 법적 성질

협의성립확인을 받으면 재결로 간주되어 처분성이 인정된다는 점에서 형성적 행정행위로 보아야 한다는 견해와 법규정에 의해 특정한 사실 또는 법률관계의 존부 또는 정부에 관해 분쟁의 여지가 없도록 확인하는 준법률행위적 행정행위로서 확인행위라는 견해가 있다. 토지보상법 규정상 협의성립확인은 재결로 보며, 확인 시 협의의 성립이나 내용은 다툴 수 없다는 확정력이 부여되므로 재결과 같은 형성적 행정행위로 봄이 타당하다고 판단된다.

3. 협의성립확인의 절차

(1) 일반적인 절차(토지보상법 제29조 제1항)

사업시행자는 수용재결신청기간 내에 피수용자의 동의를 얻어 관할 토지수용위원회에 신청하여야 하며, 토지수용위원회는 재결신청서를 접수한 때에는 대통령령이 정하는 바에 따라 지체 없이 이를 공고하고 공고한 날부터 14일 이상 관계 서류의 사본을 일반이 열람할 수 있도록 하여야 한다.

(2) 공증확인 절차(토지보상법 제29조 제3항)

사업시행자가 협의성립확인 신청서에 공증인의 공증을 받아 관할 토지수용위원회에 확인을 신청한 때에는 관할 토지수용위원회가 이를 수리함으로써 협의성립이 확인된 것으로 본다.

4. 협의성립확인의 효과

(1) 재결간주로 인한 원시취득의 성질

사업시행자는 보상금의 지급 또는 공탁을 조건으로 수용목적물을 원시취득하고 피수용자의 의무불이행 시 대행·대집행을 신청할 수 있으며 위험부담이 이전된다. 피수용자는 목적물의 인도·이전의무와 손실보상청구권, 환매권이 발생하게 된다. 또한 계약에 의한 승계취득을 재결에 의한 원시취득으로 전환시키게 된다.

(2) 차단효 발생

협의성립확인이 있으면 사업시행자와 토지소유자 및 관계인은 그 확인된 협의의 성립이나 내용에 대하여 다툴 수 없는 확정력이 발생한다. 협의성립확인을 받은 후에도 협의에서 정한 보상일까지 보상금을 지급하지 않으면 재결의 실효규정이 적용되어서 확인행위의 효력은 상실된다고 보아야 할 것이다.

5. 협의성립 확인의 권리구제

협의성립확인을 받을 시 불가변력에 따라 재결로 간주된다. 재결에 대한 불복으로는 토지보상법 제83조 및 제85조에서 규정하고 있으므로 이에 따라 권리구제를 받게 된다. 즉, 제83조에 따른 이의신청 또는 제85조에 따른 행정소송을 제기하여 확인의 효력을 소멸시킨 후 비로소 협의에 관한 불복이 가능할 것이다.

Ⅲ (물음2) 소유권 취득의 효과

1. 법적 성질

협의의 법적 성질에 대한 논의 대상은 "확인받지 아니한 협의"에 한하여 논의되며, 그 논의의 실익은 적용법규와 쟁송형태의 차이에 있다. 판례의 태도에 따를 때, 사업인정 전 협의는 사법상 계약에 해당한다. 반면, 협의성립확인은 토지보상법 제29조 제4항에 의거 재결로 간주되어 공법적 관계로 처분성이 인정된다.

> **판례**
>
> ● **사업인정 전 협의의 법적 성질**
>
> **[판시사항]**
> 공익사업을 위한 토지 등의 취득 및 보상에 관한 법률에 의한 보상을 하면서 손실보상금에 관한 당사자 간의 합의가 성립한 경우, 그 합의 내용이 같은 법에서 정하는 손실보상 기준에 맞지 않는다는 이유로 그 기준에 따른 손실보상금 청구를 추가로 할 수 있는지 여부(원칙적 소극)
>
> **[판시요지]**
> 공익사업을 위한 토지 등의 취득 및 보상에 관한 법률(이하 '공익사업법'이라고 한다)에 의한 보상합의는 공공기관이 사경제주체로서 행하는 사법상 계약의 실질을 가지는 것으로서, 당사자 간의 합의로 같은 법 소정의 손실보상의 기준에 의하지 아니한 손실보상금을 정할 수 있으며, 이와 같이 같은 법이 정하는 기준에 따르지 아니하고 손실보상액에 관한 합의를 하였다고 하더라도 그 합의가 착오 등을 이유로 적법하게 취소되지 않는 한 유효하다. 따라서 공익사업법에 의한 보상을 하면서 손실보상금에 관한 당사자 간의 합의가 성립하면 그 합의 내용대로 구속력이 있고, 손실보상금에 관한 합의 내용이 공익사업법에서 정하는 손실보상 기준에 맞지 않는다고 하더라도 합의가 적법하게 취소되는 등의 특별한 사정이 없는 한 추가로 공익사업법상 기준에 따른 손실보상금 청구를 할 수는 없다.
> (출처 : 대법원 2013.8.22. 선고 판결 [부당이득반환] 〉 종합법률정보 판례)

2. 취득효과

사업인정 전 협의취득은 사법상 계약의 성질을 가지며, 확인은 계약에 대한 확정력을 발생시키는 행정처분의 성질을 갖는다. 이러한 법적 성질을 어떻게 보느냐에 따라 목적물의 원시취득 여부가 달라지는바, 협의성립확인이 있게 되면 법률규정에 의한 물권변동으로 재결과 동일하게 보아 원시취득에 해당하나, 사업인정 전 협의취득의 경우는 법률행위에 의한 물권변동으로 승계취득에 해당한다.

3. 성립효과

협의가 성립하면 사업시행자는 목적물의 권리를 취득한다. 즉, 사업시행자는 협의에서 정한 시기까지 보상금을 지급 및 공탁하고 피수용자는 그 시기까지 토지 및 물건을 사업시행자에게 인도, 이전함으로써 목적물에 대한 권리를 취득하고 피수용자는 그 권리를 상실한다. 반면, 협의성립확인은 재결로 간주되므로 재결과 동일한 효과가 발생한다. 즉, 사업시행자는 보상금의 지급 또는 공탁을 조건으로 토지에 관한 소유권 및 기타의 권리를 원시취득하고 피수용자의 의무불이행 시 대집행을 신청할 수 있다. 피수용자는 목적물 인도, 이전 의무와 손실보상 청구권, 환매권 등을 갖는다.

4. 권리구제

착오를 이유로 다툴 수 있는지에 대하여, 협의취득의 경우 확인이 있기 전까지는 당사자는 계약에 관한 착오를 이유로 민법규정을 유추적용하여 또는 판례의 입장에 따라 민사소송으로 다툴 수 있으나, 확인을 받게 되면 협의의 성립이나 내용을 다툴 수 없는 확정력이 발생하여 더 이상 다툴 수 없게 된다. 다만, 협의성립확인에 대하여 처분성이 인정되므로 협의성립이나 내용이 아닌 다른 사유를 들어 행정쟁송을 통해 권리구제를 받을 수 있다.

Ⅳ (물음3) 협의성립확인신청수리처분이 적법여부

1. 토지보상법상 공증방법에 의한 협의성립확인

협의성립확인제도는 수용과 손실보상을 신속하게 실현시키기 위하여 도입되었다. 토지보상법 제29조는 이를 위한 전제조건으로 협의성립의 확인을 신청하기 위해서는 협의취득 내지 보상협의가 성립한 데에서 더 나아가 확인신청에 대하여도 토지소유자 등이 동의할 것을 추가적 요건으로 정하고 있다. 특히 토지보상법 제29조 제3항은 공증을 받아 협의성립의 확인을 신청하는 경우에 공증에 의하여 협의당사자의 자발적 합의를 전제로 한 협의의 진정 성립이 객관적으로 인정되었다고 보아, 토지보상법상 재결절차에 따르는 공고 및 열람, 토지소유자 등의 의견진술 등의 절차 없이 관할 토지수용위원회의 수리만으로 협의성립이 확인된 것으로 간주함으로써, 사업시행자의 원활한 공익사업 수행, 토지수용위원회의 업무간소화, 토지소유자 등의 간편하고 신속한 이익실현을 도모하고 있다.

2. 협의성립확인은 원시취득의 성질

한편 토지보상법상 수용은 일정한 요건하에 그 소유권을 사업시행자에게 귀속시키는 행정처분으로서 이로 인한 효과는 소유자가 누구인지와 무관하게 사업시행자가 그 소유권을 취득하게 히는 원시취득이다. 반면, 토지보상법상 '협의취득'의 성격은 사법상 매매계약이므로 그 이행으로 인한 사업시행자의 소유권 취득도 승계취득이다. 그런데 토지보상법 제29조 제3항에 따른 신청이 수리됨으로써 협의성립의 확인이 있었던 것으로 간주되면, 토지보상법 제29조 제4항에 따라 그에 관한 재결이 있었던 것으로 재차 의제되고, 그에 따라 사업시행자는 사법상 매매의 효력만을 갖는 협의취득과는 달리 그 확인대상 토지를 수용재결의 경우와 동일하게 원시취득하는 효과를 누리게 된다.

3. 협의성립확인신청수리처분의 위법성

(1) 관련 규정의 검토

> ➋ 토지보상법 제29조(협의 성립의 확인)
> ① 사업시행자와 토지소유자 및 관계인 간에 제26조에 따른 절차를 거쳐 협의가 성립되었을 때에는 사업시행자는 제28조 제1항에 따른 재결 신청기간 이내에 해당 토지소유자 및 관계인의 동의를 받아 대통령령으로 정하는 바에 따라 관할 토지수용위원회에 협의 성립의 확인을 신청할 수 있다.
> ② 제1항에 따른 협의 성립의 확인에 관하여는 제28조 제2항, 제31조, 제32조, 제34조, 제35조, 제52조 제7항, 제53조 제4항, 제57조 및 제58조를 준용한다.
> ③ 사업시행자가 협의가 성립된 토지의 소재지·지번·지목 및 면적 등 대통령령으로 정하는 사항에 대하여 「공증인법」에 따른 공증을 받아 제1항에 따른 협의 성립의 확인을 신청하였을 때에는 관할 토지수용위원회가 이를 수리함으로써 협의 성립이 확인된 것으로 본다.
> ④ 제1항 및 제3항에 따른 확인은 이 법에 따른 재결로 보며, 사업시행자, 토지소유자 및 관계인은 그 확인된 협의의 성립이나 내용을 다툴 수 없다.
>
> ➋ 토지보상법 시행령 제13조(협의 성립 확인의 신청)
> ① 사업시행자는 법 제29조 제1항에 따라 협의 성립의 확인을 신청하려는 경우에는 국토교통부령으로 정하는 협의성립확인신청서에 다음 각 호의 사항을 적어 관할 토지수용위원회에 제출하여야 한다.
>   1. 협의가 성립된 토지의 소재지·지번·지목 및 면적
>   2. 협의가 성립된 물건의 소재지·지번·종류·구조 및 수량
>   3. 토지 또는 물건을 사용하는 경우에는 그 방법 및 기간
>   4. 토지 또는 물건의 소유자 및 관계인의 성명 또는 명칭 및 주소
>   5. 협의에 의하여 취득하거나 소멸되는 권리의 내용과 그 권리의 취득 또는 소멸의 시기
>   6. 보상액 및 그 지급일
> ② 제1항의 협의성립확인신청서에는 다음 각 호의 서류를 첨부하여야 한다.
>   1. 토지소유자 및 관계인의 동의서
>   2. 계약서
>   3. 토지조서 및 물건조서
>   4. 사업계획서
> ③ 법 제29조 제3항에서 "대통령령으로 정하는 사항"이란 제1항 각 호의 사항을 말한다.

(2) 판례를 통한 사안의 해결

> 판례
>
> ● 대법원 2018.12.13. 선고 2016두51719 판결 [협의성립확인신청수리처분취소])
>
> **[판시사항]**
>
> 공익사업을 위한 토지 등의 취득 및 보상에 관한 법률 제29조 제3항에 따른 협의 성립의 확인 신청에 필요한 동의의 주체인 토지소유자는 협의 대상이 되는 '토지의 진정한 소유자'를 의미하는지 여부(적극) / 사업시행자가 진정한 토지소유자의 동의를 받지 못한 채 등기부상 소유명의자의 동의만을 얻은 후 관련 사항에 대한 공증을 받아 위 제29조 제3항에 따라 협의 성립의 확인을 신청하였으나 토지수용위원회가 신청을 수리한 경우, 수리 행위가 위법한지 여부(원칙적 적극) / 이와 같은 동의에 흠결이 있는 경우 진정한 토지소유자 확정에서 사업시행자의 과실 유무를 불문하고 수리 행위가 위법한지 여부(적극) 및 이때 진정한 토지소유자가 수리 행위의 위법함을 이유로 항고소송으로 취소를 구할 수 있는지 여부(적극)
>
> **[판결요지]**
>
> 공익사업을 위한 토지 등의 취득 및 보상에 관한 법률(이하 '토지보상법'이라 한다) 제29조에서 정한 협의 성립 확인제도는 수용과 손실보상을 신속하게 실현시키기 위하여 도입되었다. 토지보상법 제29조는 이를 위한 전제조건으로 협의 성립의 확인을 신청하기 위해서는 협의취득 내지 보상협의가 성립한 데에서 더 나아가 확인 신청에 대하여도 토지소유자 등이 동의할 것을 추가적 요건으로 정하고 있다. 특히 토지보상법 제29조 제3항은, 공증을 받아 협의 성립의 확인을 신청하는 경우에 공증에 의하여 협의 당사자의 자발적 합의를 전제로 한 협의의 진정 성립이 객관적으로 인정되었다고 보아, 토지보상법상 재결절차에 따르는 공고 및 열람, 토지소유자 등의 의견진술 등의 절차 없이 관할 토지수용위원회의 수리만으로 협의 성립이 확인된 것으로 간주함으로써, 사업시행자의 원활한 공익사업 수행, 토지수용위원회의 업무 간소화, 토지소유자 등의 간편하고 신속한 이익실현을 도모하고 있다.
>
> 한편 토지보상법상 수용은 일정한 요건하에 그 소유권을 사업시행자에게 귀속시키는 행정처분으로서 이로 인한 효과는 소유자가 누구인지와 무관하게 사업시행자가 그 소유권을 취득하게 하는 원시취득이다. 반면, 토지보상법상 '협의취득'의 성격은 사법상 매매계약이므로 그 이행으로 인한 사업시행자의 소유권 취득도 승계취득이다. 그런데 토지보상법 제29조 제3항에 따른 신청이 수리됨으로써 협의 성립의 확인이 있었던 것으로 간주되면, 토지보상법 제29조 제4항에 따라 그에 관한 재결이 있었던 것으로 재차 의제되고, 그에 따라 사업시행자는 사법상 매매의 효력만을 갖는 협의취득과는 달리 확인대상 토지를 수용재결의 경우와 동일하게 원시취득하는 효과를 누리게 된다.
>
> 이처럼 간이한 절차만을 거치는 협의 성립의 확인에, 원시취득의 강력한 효력을 부여함과 동시에 사법상 매매계약과 달리 협의 당사자들이 사후적으로 그 성립과 내용을 다툴 수 없게 한 법적 정당성의 원천은 사업시행자와 토지소유자 등이 진정한 합의를 하였다는 데에 있다. 여기에 공증에 의한 협의 성립 확인 제도의 체계와 입법 취지, 그 요건 및 효과까지

보태어 보면, 토지보상법 제29조 제3항에 따른 협의 성립의 확인 신청에 필요한 동의의 주체인 토지소유자는 협의 대상이 되는 '토지의 진정한 소유자'를 의미한다. 따라서 사업시행자가 진정한 토지소유자의 동의를 받지 못한 채 단순히 등기부상 소유명의자의 동의만을 얻은 후 관련 사항에 대한 공증을 받아 토지보상법 제29조 제3항에 따라 협의 성립의 확인을 신청하였음에도 토지수용위원회가 신청을 수리하였다면, 수리 행위는 다른 특별한 사정이 없는 한 토지보상법이 정한 소유자의 동의 요건을 갖추지 못한 것으로서 위법하다. 진정한 토지소유자의 동의가 없었던 이상, 진정한 토지소유자를 확정하는 데 사업시행자의 과실이 있었는지 여부와 무관하게 그 동의의 흠결은 위 수리 행위의 위법사유가 된다. 이에 따라 진정한 토지소유자는 수리 행위가 위법함을 주장하여 항고소송으로 취소를 구할 수 있다.
(출처 : 대법원 2018.12.13. 선고 2016두51719 판결 [협의성립확인신청수리처분취소])

V 사안의 해결

대법원 판례를 통해 협의성립확인에 있어서 동의의 주체인 소유자는 등기부상 소유자가 아닌 진정한 소유자에 해당함을 검토하였다. 이러한 협의성립확인이 있으면 확정력이 발생하는데도 불구하고 공증에 의한 확인절차의 경우에는 피수용자가 의견을 제출할 기회도 부여받지 못하게 되는 문제점이 있다. 따라서 공증에 의한 확인절차에도 피수용자의 절차적 참여를 보장할 수 있는 방안이 모색되어야 하며, 사업시행자가 피수용자에게 협의성립확인에 대한 동의를 요구할 때 확인의 효과를 고지하는 사전고지제도를 도입할 필요성이 있다.

26절 토지보상법 제29조(협의 성립의 확인)

문제

사업인정 후 손실보상에 관한 협의를 하였으나 토지소유자가 그 내용에 대해 착오를 이유로 다투려는 경우에 (1) 아직 협의성립의 확인 이전단계인 경우와 (2) 협의성립의 확인 이후인 경우에는 각각 어떻게 다툴 수 있는지를 설명하시오. 20점

Ⅰ. 논점의 정리	Ⅲ. 협의성립확인 이후 경우
Ⅱ. 사업인정 후 협의의 경우	1. 협의성립확인의 의의 및 취지
(확인 이전단계)	2. 협의성립확인의 법적 성질
1. 협의의 의의 및 취지	(1) 학설
2. 협의의 법적 성질	(2) 판례 및 소결
(1) 학설	3. 협의내용에 착오가 있는 경우 권리
(2) 판례 및 소결	구제방법
3. 협의내용에 착오가 있는 경우 권리	Ⅳ. 사례의 해결
구제방법	

Ⅰ 논점의 정리

공용수용은 사유재산권 보장의 예외적인 제도로서 엄격한 절차를 거쳐야 한다. 공익사업을 위한 토지 등의 취득 및 보상에 관한 법률(이하 '토지보상법')에서는 수용의 보통절차로 사업인정, 토지물건조서작성, 협의, 재결을 규정하고 있다. 사업인정 후 협의성립 시 토지보상법 제29조에 의해 협의성립확인을 받을 수 있다. 협의나 협의성립확인에서 협의 내용에 착오가 있는 경우 이를 다툴 수 있도록 하는 것이 헌법이 추구하는 재산권 보장과 법치주의원칙에 의해 당연하다 할 수 있다. 그러나 양자의 성격에 차이가 있는바, 다툼의 방법에 차이가 있다. 이하에서는 사업인정 후 협의와 협의성립확인의 법적 성질 및 착오가 있는 경우의 권리구제방법에 대하여 살펴보고자 한다.

Ⅱ 사업인정 후 협의의 경우(확인 이전단계)

1. 협의의 의의 및 취지

협의란 사업인정의 고시가 있은 후에 사업시행자가 수용할 토지 등에 관한 권리를 취득하거나 소멸시키기 위하여 토지소유자 및 관계인과 의논하여 이루어진 합의를 말한다. 토지보상법은 재결신청 전에 반드시 협의를 거쳐야 하며 협의절차를 거치지 않고 재결을 신청하는 것은 위법이 된다. 이는 토지소유자 등에게 해당 공익사업의 취지를 이해시켜 임의의 협력을 구하게 하여 토지 등을 간편하게 취득할 수 있고 해당 공익사업을 원활하게 수행할 수 있게 된다.

2. 협의의 법적 성질

사업인정 후 협의의 성질에 대하여 사법상 계약설과 공법상 계약설의 견해가 있다. 견해에 따라 적용법원칙, 권리구제방법 등에 차이가 있다. 여기서의 협의는 협의성립확인을 받기 전을 의미한다.

(1) 학설

① 사업시행자가 토지소유자 및 관계인과 법적으로 대등한 지위에서 토지 등에 관한 권리를 취득하기 위하여 행하는 임의적인 합의이고, 수용권의 행사는 아니므로 사법상의 매매계약과 성질상 동일한 것으로 보는 사법상 계약설, ② 사업시행자가 국가적 공권의 주체로서 토지 등의 권리를 취득하기 위하여 토지소유자 및 관계인에 대하여 기득의 수용권을 실행하는 방법에 불과하고, 협의가 성립되지 않으면 재결에 의하게 된다는 점에서 수용계약이라고 보는 공법상 계약설이 있다.

(2) 판례 및 소결

대법원은 "(구)토지수용법 제25조의2에 규정에 의한 협의성립의 확인이 없는 이상, 그 취득행위는 어디까지나 사경제 주체로서 행하는 사법상의 취득으로서 승계취득한 것으로 보아야 할 것이고, 재결에 의한 취득과 같이 원시취득과 같이 볼 수는 없다."라고 판시하여 사법상 계약설을 취하고 있는 듯하다. 생각건대, 협의는 행정주체인 사업시행자가 사실상의 공권력의 담당자로서 우월적인 지위에서 공익을 실현하는 공용수용의 절차의 하나이므로 공법상 계약으로 볼 수 있다. 따라서 사업인정 이후의 협의에 대하여는 공법이 적용된다.

3. 협의내용에 착오가 있는 경우 권리구제방법

협의성립 후 협의성립확인 전에 계약체결상의 하자로서 착오를 이유로 협의의 법률관계의 효력을 부인할 수 있다 할 것이다. 협의의 법적 성질은 공법상 계약으로 보는 경우 공법상 당사자소송으로 다투게 될 것이다. 토지소유자는 협의내용을 다툴 권리보호의 이익이 있는 자로, 피고소재지 행정법원(피고가 국가 또는 공공단체인 경우에는 관계 행정청 소재지), 부동산소재지 관할법원으로 하여 사업시행자를 피고로 다툴 수 있다. 공법상 당사자소송은 개별법에 제소기간이 정하여 있지 아니한 경우에는 제소기간의 적용을 받지 아니한다.

Ⅲ 협의성립확인 이후 경우

1. 협의성립확인의 의의 및 취지

협의성립 확인이란 사업시행자와 피수용자 사이에 협의가 성립한 이후에 관할 토지수용위원회에 확인을 받는 것을 말하며, 수용과정에서 반드시 거쳐야 하는 절차는 아니다. 확인을 받게 되면 토지보상법 제29조 제4항에 의해 재결로 간주된다. 이는 당사자의 합의에 수용재결의 효력을 부여하여 수용재결절차에 의하지 않고 수용목적을 달성할 수 있도록 함으로써, 계약의 불이행에 따른 분쟁을 예방하고 공익사업의 원활한 진행을 도모하기 위함이다.

2. 협의성립확인의 법적 성질

(1) 학설

① 협의성립의 확인을 받으면 재결로 간주되어 처분성이 인정된다는 점에서 형성적 행정행위로 보는 견해와, ② 효과가 행위자의 의사에 의한 것이 아니라 법률의 규정에 의하여 발생되는 것으로 법률관계의 존부 또는 정부에 관하여 분쟁의 여지가 없도록 확인하는 것으로 준법률행위적 행정행위로 보는 견해가 있다.

(2) 판례 및 소결

대법원은 "토지수용위원회의 협의성립의 확인이 있게 되면, 이 확인행위는 준사법적 행위로써 이해관계인의 참여 등의 엄격한 행정절차에 따라서 행하여지며 재판행위와 실질적으로 유사하므로 불가변력이 발생한다."라고 하였다(대판 1965.4.22, 63누141). 생각건대, 협의성립확인 행위는 수용당사자의 불안정한 지위를 확고히 하여 원활한 사업수행을 목적으로 하는 점 등에 미루어 볼 때 강학상 확인행위로 보는 것이 타당하다 여겨진다. 이에 따라 협의성립의 확인 재결로 간주(토지보상법 제29조 제4항)될 수 있다.

3. 협의내용에 착오가 있는 경우 권리구제방법

토지보상법 제29조 제4항에서는 "사업시행자, 토지소유자 및 관계인은 그 확인된 협의의 성립이나 내용을 다툴 수 없다."라고 규정함으로써 더 이상 불복방법이 없는지가 문제된다. 협의성립확인에는 확정판결의 효력이 발생하지 아니하므로 협의성립확인의 모든 하자는 불복사유로 삼을 수 있을 것이다. 또한 이의 불복은 재결로 간주되므로 토지보상법상 이의신청(제83조), 행정소송(제85조)으로 다툴 수 있다. 따라서 협의내용의 착오에 대하여 다투고자 하는 경우에는 법규정에 의해 곧바로 협의내용을 다툴 수는 없고, 협의성립확인에 대하여 불복하여 확인을 소멸시킨 후 협의내용을 다툴 수 있을 것이다. 이때도 역시 협의를 공법상 계약으로 보는 것이 타당하므로 공법상 당사자소송에 의한다.

Ⅳ 사례의 해결

토지소유자는 협의내용에 착오가 있는 경우 협의의 경우 공법상 당사자소송으로, 확인을 받은 협의인 경우에는 확인에 대한 불복으로 확인의 효력을 소멸시키고, 협의내용을 다투어야 한다. 확인을 받은 협의는 법규정에 의해 재결로 간주되므로 토지소유자가 협의내용을 다투고자 할 때 상대적으로 어려움을 겪게 된다. 그럼에도 불구하고 피수용자들은 협의성립확인효과를 잘 이해하지 못하는 경우가 많을 것인바, 재결로서의 효과가 발생한다는 사실을 명확히 인식하지 않고 동의하게 될 수가 있다. 따라서 공증에 의한 확인절차에도 피수용자의 절차적 참여를 보장할 수 있는 방안이 모색되어야 하며, 사업시행자가 피수용자에게 협의성립확인에 대한 동의요구 시에 확인의 효과를 고지하는 사전고지제도를 도입할 필요성이 있다.

27절 　토지보상법 제34조(재결)

문제

'지역밀착형 생활SOC사업'에 따른 도서관 건립사업의 사업시행자인 甲은 국토교통부장관에게 사업인정을 득한 후 2025년 7월 1일 수용재결을 신청하였다. 사업시행자 甲이 신청한 수용재결이 적법하기 위해서는 어떠한 요건을 충족해야 하는지 설명하시오. 25점

Ⅰ. 서(논점의 정리)

Ⅱ. 수용재결의 의의
1. 의의 및 근거
2. 법적 성질

Ⅲ. 수용재결이 적법하기 위한 요건
1. 성립요건
(1) 주체
(2) 내용

(3) 절차
① 재결신청(법 제28조 제1항)
② 공고 및 열람(법 제31조)
③ 심리 및 의견진술(법 제32조)
④ 재결기간(법 제35조)
(4) 형식(법 제34조)
2. 효력발생요건

Ⅳ. 결어

Ⅰ　서(논점의 정리)

공익사업을 행함에 있어 협의취득이 불가능하여 사업인정을 통해 수용권을 설정받았으나 당사자와의 협의가 불성립할 경우 사업시행자는 관할 토지수용위원회에 수용권의 내용을 결정하고 그 실행을 신청할 수 있다. 이러한 강제취득절차로서 수용재결은 공용수용의 종국적 절차로서 중요한 의미를 가진다. 따라서 원활한 사업진행과 침해되는 사익의 중대성을 감안하여 엄격한 형식과 절차규정을 둠으로써 공용수용의 최종단계에서 공·사익의 조화를 실현하여야 할 것이다.

Ⅱ　수용재결의 의의

1. 의의 및 근거

수용재결이란 공용수용의 종국적 절차로서, 사업인정을 통하여 사업시행자에게 부여된 수용권의 구체적인 내용을 결정하고 그 실행을 완성시켜 주는 행위로 토지보상법 제34조에 근거한다. 이는 공익사업을 위해 개인의 재산권을 강제적으로 취득하기 위한 절차이나 침해되는 사익의 중대성을 감안하여 엄격한 형식과 절차규정을 둠으로써 공용수용의 최종단계에서 공·사익의 조화를 실현하고 있다.

2. 법적 성질

수용재결의 법적 성질과 관련하여 수용권의 개념을 수용의 효과를 향유하는 능력으로 보는 사업시행자수용권설의 입장에서 볼 때 사업시행자에게 부여된 수용권의 구체적 내용을 확정하고 그 실행을 완성시키는 형성적 행정처분이라고 볼 수 있으며, 대법원 역시 토지수용에 관한 중앙 또는 지방 토지수용위원회의 수용재결이 그 성질에 있어서 구체적으로 일정한 법률효과의 발생을 목적으로 하는 점에서 일반의 행정처분과 전혀 다른 바 없다고 판시하고 있다.

Ⅲ 수용재결이 적법하기 위한 요건

1. 성립요건

(1) 주체

토지의 수용·사용에 관한 재결은 원칙상 지방 토지수용위원회가 담당하나 예외적으로 ① 사업시행자가 국가 또는 특별시·광역시·도인 사업, ② 수용·사용할 토지가 둘 이상의 특별시·광역시·도에 걸친 사업, ③ 기타 다른 법률의 규정이 있는 경우에는 중앙 토지수용위원회가 재결기관이 된다.

(2) 내용

관할 토지수용위원회의 재결사항은 ① 수용 또는 사용할 토지의 구역 및 사용방법, ② 손실보상, ③ 수용 또는 사용의 개시일과 기간, ④ 그 밖에 이 법 및 다른 법률에서 규정한 사항이다(토지보상법 제50조 제1항). 재결의 범위는 '불고불리의 원칙'이 적용되어 사업시행자, 토지소유자 또는 관계인이 신청한 범위 내에서 이루어져야 하나, 손실보상에 있어서는 증액재결을 할 수 있다(동법 제50조 제2항). 또한 관할 토지수용위원회는 수용재결을 행함에 있어 사업인정 자체를 무의미하게 하는 재결을 할 수는 없다.

(3) 절차

① 재결신청(토지보상법 제28조 제1항)

사업인정고시 후 협의가 성립되지 아니하거나 협의를 할 수 없을 때 사업시행자는 사업인정고시가 된 날부터 1년 이내에 대통령령으로 정하는 바에 따라 관할 토지수용위원회에 재결을 신청할 수 있다. 단, 재결 신청 시에는 재결신청서에 토지물건조서, 협의경위서, 사업계획 등을 첨부해야 한다. 또한 재결신청이 이루어지면 재결신청자가 사업인정시의 사업시행자인지, 재결신청이 사업인정 후 1년 이내에 되었는지, 토지조서에 기재된 토지면적이 사업인정고시 시 토지세목에 고시된 면적범위 내인지 여부, 토지소유자 등의 서명·날인이 없는 경우 그 사유가 무엇인지, 사업인정 및 고시 여부 등을 검토하여야 한다.

② **공고 및 열람**(동법 제31조)

관할 토지수용위원회가 재결신청서를 접수한 때에는 지체 없이 이를 공고하고 공고한 날부터 14일 이상 관계서류의 사본을 일반인이 열람할 수 있도록 하여야 하고(법 제31조 제1항), 토지소유자 또는 관계인은 관계서류의 열람기간 중에 의견을 제시할 수 있다(법 제31조 제2항).

③ **심리 및 의견진술**(동법 제32조)

토지수용위원회는 열람기간이 지났을 때에는 지체 없이 해당 신청에 대한 조사 및 심리를 하여야 하며 심리를 함에 있어서 필요하다고 인정하는 때에는 사업시행자, 토지소유자 및 관계인을 출석시켜 그 의견을 진술하게 할 수 있다. 이들을 출석하게 하는 경우에는 미리 그 심리의 일시 및 장소를 통지하여야 한다.

④ **재결 기간**(동법 제35조)

토지수용위원회는 심리를 시작한 날부터 14일 이내에 재결을 하여야 하며, 다만 특별한 사유가 있을 때에는 14일의 범위에서 한 차례만 연장할 수 있다.

(4) 형식(동법 제34조)

재결은 서면(문서)에 의하여야 하며, 재결서에는 주문 및 그 이유와 재결일을 적고, 위원장 및 회의에 참석한 위원이 기명날인한 후 그 정본(正本)을 사업시행자, 토지소유자 및 관계인에게 송달하여야 한다.

2. 효력발생요건

수용재결서에 주문과 그 이유와 재결의 일자를 기재하고 위원장 및 회의에 참석한 위원이 이에 기명날인한 후 그 정본을 사업시행자, 토지소유자 및 피수용자에게 송달해야 한다.

IV 결

적법한 절차를 거쳐 수용재결이 이루어질 경우 재결서에 기재된 재결일에 사업시행자와 피수용자는 재결의 효력에 구속된다. 구체적으로 사업시행자는 보상금의 지급 및 공탁, 대행 및 대집행청구권 등이, 피수용자에게는 토지 및 물건의 인도, 손실보상청구권, 쟁송제기권 등의 효과가 발생한다.

28절	– 토지보상법 제34조(재결) – 행정법 쟁점 : 행정소송법 제4조 제3호(부작위위법확인소송), 행정소송법 제12조(원고적격)

문제

서울특별시 용산구청은 용산역 일대의 녹지조성사업에 대해 국토교통부장관으로부터 사업인정을 득한 후 피수용자와 협의하였으나 협의가 불성립되어 서울지방토지수용위원회에 협의경위서 등을 작성하여 수용재결을 신청하였다. 그러나 서울지방토지수용위원회는 이를 공고한 후 6개월이 지나도록 재결을 발령하지 않고 있다. 용산구청은 서울지방토지수용위원회의 부작위에 대해 부작위위법확인소송을 제기할 수 있는지 설명하시오. 30점

I. 논점의 정리
 	
II. 관련 행정작용의 검토
  1. 수용재결의 의의 및 근거
  2. 법적 성질
  3. 절차
 	
III. 용산구청의 부작위위법확인소송 제기
  가능성
  1. 부작위위법확인소송의 의의 및 성질
  2. 서울토지수용위원회가 수용재결을
    발령하지 않는 것이 부작위에 해당
    하는지 여부
	(1) 부작위의 요건
	  ① 당사자의 신청이 있을 것
	  ② 처분을 하여야 할 법률상
	    의무가 있을 것
	  ③ 상당한 기간 내에 처분을
	    하지 아니하였을 것
	  (2) 사안의 경우
	  3. 원고적격 문제
	  (1) 부작위위법확인소송에서의
	    원고적격 문제
	  (2) 사안의 경우
	IV. 사례의 해결

Tip 강박사의 TIP(최근 기출문제)

사업시행자인 甲은 사업인정을 받은 후에 토지소유자 乙과 협의절차를 거쳤으나 협의가 성립되지 아니하여 중앙토지수용위원회에 재결을 신청하였다. 그러나 丙이 乙 명의의 토지에 대한 명의신탁을 이유로 재결신청에 대해 이의를 제기하자, 중앙토지수용위원회는 상당한 기간이 경과한 후에도 재결처분을 하지 않고 있다. 甲이 취할 수 있는 행정쟁송수단에 대해 설명하시오(제16회 1번).

I 논점의 정리

사안에서 용산구청이 부작위위법확인소송을 제기한 이유는 6개월이 경과하도록 재결을 내리지 않고 있는 서울지방토지수용위원회의 부작위에 있으며 결국 이는 부작위위법확인의 소가 청구요건을 모두 갖춘 적법한 것인지가 문제된다. 먼저 서울지방토지수용위원회의 재결 불이행이 부작위에 해당하는지, 해당된다면 서울지방토지수용위원회의 재결에 대한 부작위가 부작위위법확인

소송의 대상이 될 수 있는지의 검토가 요구된다. 마지막으로 용산구청이 재결의 부작위에 대한 소송을 제기할 원고적격이 있는지에 대한 검토가 필요하다.

Ⅱ 관련 행정작용의 검토

1. 수용재결의 의의 및 근거

수용재결이란 공용수용의 종국적 절차로서, 사업인정을 통하여 사업시행자에게 부여된 수용권의 구체적인 내용을 결정하고 그 실행을 완성시켜 주는 행위로 토지보상법 제34조에 근거한다. 이는 공익사업을 위해 개인의 재산권을 강제적으로 취득하기 위한 절차이나 침해되는 사익의 중대성을 감안하여 엄격한 형식과 절차규정을 둠으로써 공용수용의 최종단계에서 공·사익의 조화를 실현하고 있다.

2. 법적 성질

수용재결의 법적 성질과 관련하여 수용권의 개념을 수용의 효과를 향유하는 능력으로 보는 사업시행자수용권설의 입장에서 볼 때 사업시행자에게 부여된 수용권의 구체적 내용을 확정하고 그 실행을 완성시키는 형성적 행정처분이라고 볼 수 있으며, 대법원 역시 토지수용에 관한 중앙 또는 지방 토지수용위원회의 수용재결이 그 성질에 있어서 구체적으로 일정한 법률효과의 발생을 목적으로 하는 점에서 일반의 행정처분과 전혀 다른 바 없다고 판시하고 있다.

3. 절차

사업인정고시 후 협의가 불성립된 경우 사업시행자는 사업인정고시가 있은 날부터 1년 이내에 관할 토지수용위원회를 상대로 재결신청서에 토지물건조서, 협의경위서, 사업계획 등을 첨부하여 재결을 신청할 수 있다(토지보상법 제28조 제1항). 관할 토지수용위원회가 재결신청서를 접수한 때에는 지체 없이 이를 공고하고 공고한 날부터 14일 이상 관계서류의 사본을 일반인이 열람할 수 있도록 하여야 하고(동법 제31조 제1항), 토지소유자 또는 관계인은 관계서류의 열람기간 중에 의견을 제시할 수 있다(동법 제31조 제2항). 토지수용위원회는 열람기간이 경과한 때에는 지체 없이 해당 신청에 대한 조사 및 심리를 하여야 하며 심리를 함에 있어서 필요하다고 인정하는 때에는 사업시행자, 토지소유자 및 관계인을 출석시켜 그 의견을 진술하게 할 수 있다. 이들을 출석하게 하는 경우에는 미리 그 심리의 일시 및 장소를 통지하여야 한다(동법 제32조). 마지막으로 토지수용위원회는 심리를 개시한 날부터 14일 이내에 재결을 하여야 하며, 특별한 사유가 있는 때에는 1차에 한하여 14일의 범위 안에서 이를 연장할 수 있다(동법 제35조). 재결은 서면(문서)에 의하여야 하며 주문과 이유를 제시하고 재결서 정본을 사업시행자 및 피수용자에게 송달해야 한다.

Ⅲ 용산구청의 부작위위법확인소송 제기 가능성

1. 부작위위법확인소송의 의의 및 성질(행정소송법 제4조 제3호)

부작위위법확인소송은 행정청의 부작위가 위법하다는 것을 확인하는 소송을 말한다. 즉, 행정청이 상대방의 신청에 대하여 어떠한 처분도 하지 않고 이를 방치하고 있는 경우, 이러한 행정청의 부작위가 위법한 것임을 확인하는 소송이다. 이는 공권력의 행사로서의 행정청의 처분의 부작위를 그 대상으로 하는 것이므로 취소소송이나 무효등확인소송과 마찬가지로 항고소송에 해당하며 행정소송법 역시 부작위위법확인소송을 항고소송의 하나로 규정하고 있다. 한편, 부작위위법확인소송은 법률관계를 변동시키는 것이 아니라 부작위에 의해 현실화된 법상태가 위법임을 확인하는 것이므로 확인소송의 성질을 갖는다.

2. 서울지방토지수용위원회가 수용재결을 발령하지 않는 것이 부작위에 해당하는지 여부

(1) 부작위의 요건

① 당사자의 신청이 있을 것

신청의 내용은 질서행정상의 것이나 복리행정상의 것이거나를 가리지 않으며 신청의 내용은 행정소송법 제2조 제1호에서 의미하는 처분을 의미한다. 또한 신청권이 있어야 하는가에 대해서는 대법원은 처분을 구할 신청권이 있어야 한다는 입장이나 일부는 신청권의 존부의 문제를 대상적격의 문제나 원고적격 및 본안문제로 보는 견해가 있다. 당사자의 신청에 대하여 행정청은 일정한 처분을 하여야 할 의무가 발생해야 한다는 점에서 대상적격문제로 논의되어야 한다고 판단된다.

② 처분을 하여야 할 법률상 의무가 있을 것

상대방의 적법한 신청이 있는 경우 행정청에는 그 신청의 내용에 상응하는 일정한 처분을 하여야 할 법률상 의무가 발생하므로 이러한 법률상의 처분의무에도 불구하고 행정청이 어떠한 처분도 하지 않는 것이 위법한 부작위가 된다.

③ 상당한 기간 내에 처분을 하지 아니하였을 것

상당기간의 의미는 일률적으로 판단할 수 없으며 해당 처분의 성질 및 내용 등과 동종 사안에 대한 처리사례 등을 고려하여야 한다. 그리고 이때의 법령에 그 처리기간을 정하고 있는 경우도 있으나 이러한 처리기간에 관한 규정이 강행규정인지 여부에 따라 상당한 기간이 경과하였는지의 해석은 달라질 수 있다.

(2) 사안의 경우

먼저 당사자의 신청에 대하여는 용산구청이 토지보상법 제28조(재결의 신청)에 근거하여 협의 불성립 후 서울토지수용위원회에 해당 사업에 대한 수용재결을 신청하였으므로 문제없다. 처분을 하여야 할 법률상 의무가 있을 것 역시 수용재결은 기속행위로 사업시행자의 신청이 있는 경우 제31조에 의한 열람(14일간) 후 제32조에 의한 심리가 이루어지며 그 기간은 제35

조에서 심리를 개시한 날부터 14일 이내에 재결을 하여야 한다고 규정하고 있어 수용재결을
하여야 할 법률상 의무가 있다.

마지막으로 상당한 기간의 경과에 대해서는 공고 후 6개월이 지나도록 심리하지 않고 있으므
로 열람 및 심리기간을 고려할 때 상당한 기간이 경과되었다고 판단할 수 있다. 따라서 이 경
우에는 충분한 요건을 충족한 것으로 보인다.

3. 원고적격 문제

(1) 부작위위법확인소송에서의 원고적격 문제

부작위위법확인소송은 부작위의 위법의 확인을 구할 법률상 이익이 있는 자만이 제기할 수
있다. 그런데 이 법률상 이익이 있는 자에 대해서는 학설의 대립이 있다. 이에 대한 제1설은
부작위위법확인소송의 법률상 이익은 취소소송의 그것과 같으므로 원고적격을 갖기 위해 처
분의 신청을 한 사실만으로 충분하다는 견해이다. 제2설은 처분의 신청을 한 사실만으로는 부
족하고 신청권을 갖는 자일 것을 요한다는 견해이다. 즉, 관계법의 명시적 규정에 의해 또는
그 해석에 의하여 해당 처분의 발급을 구할 수 있는 자만이 부작위위법확인소송을 제기할 수
있다는 견해이다. 제1설은 원고의 범위를 제한하지 않는 것과 같아 남소의 문제가 있고 처분
을 신청한 사실만으로는 부작위의 위법을 구할 법률상 이익이 있다고 보기는 어려운 점이 있
다. 또한 행정청의 부작위가 부작위위법확인소송의 대상이 되기 위해서는 당사자에게 신청권
을 요구하고 있다는 점에서 제2설이 타당하다고 판단된다.

(2) 사안의 경우

본건의 경우 사업시행자인 용산구청은 토지보상법 제28조에 근거하여 수용재결을 신청할 수
있는 권리가 주어지므로 신청권 유무에 대한 판단의 실익은 없다고 보인다. 따라서 용산구청
은 부작위위법확인소송을 제기할 법률상 이익이 인정된다.

Ⅳ 사례의 해결

살펴본 바와 같이 용산구청은 토지보상법 제28조에 근거하여 서울토지수용위원회에 수용재결을
신청하였고 재결신청을 받은 서울토지수용위원회는 14일간의 열람기간을 거쳐 최대 28일까지
재결이 이루어져야 함에도 불구하고 부작위하고 있으므로 부작위위법확인소송의 제기요건을 충
족하는 이상 소제기는 가능하다 할 것이다.

29절 │ 토지보상법 제38조(천재지변 시의 토지의 사용)

> **문제**
>
> 「공익사업을 위한 토지 등의 취득 및 보상에 관한 법률」(이하 '토지보상법')상 천재지변시의 토지의 사용(법 제38조)과 시급한 토지 사용에 대한 허가(법 제39조)를 비교하시오. <u>20점</u>
>
> | | |
> |---|---|
> | Ⅰ. 서 | Ⅲ. 차이점 |
> | Ⅱ. 공통점 | 1. 요건 및 절차 |
> | 1. 규정 취지 | 2. 보상금 지급절차 |
> | 2. 요건 | 3. 손실보상액에 대한 불복 |
> | 3. 효과 | Ⅳ. 결 |
> | 4. 보상액 산정 | |
> | 5. 허가에 대한 불복 | |

Ⅰ 서

공용수용이란 공익사업을 위해 타인의 특정한 재산권을 법률의 힘에 의해 강제적으로 취득하는 것을 말하며 이는 헌법이 보장하는 재산권 보장의 예외적 조치인바, 엄격한 절차가 요구되며 법은 그 절차를 법정하고 있다. 그러나 공익상 불가피한 경우 절차의 일부를 생략할 수 있도록 할 필요가 있는데 이에 대해 토지보상법은 제38조·제39조의 천재·지변 시와 시급을 요하는 토지 사용으로 구분하여 규정해 놓고 있다. 이하에서는 양자의 구체적 내용을 비교·설명하기로 한다.

Ⅱ 공통점

1. 규정 취지

토지를 사용함에 있어서 천재·지변이나 시급을 요하는 경우에는 일반적인 공익사업과는 달리 모든 절차를 거칠 여유가 없어 원활한 사업진행을 위해 약식절차를 규정하고 있다.

2. 요건

양자 모두 관련 행정청으로부터 허가를 받고 토지소유자 및 점유자에게 통지를 하여야 한다. 또한 보통절차를 거치는 경우보다 재산권 침해의 정도가 커 그 기간을 6개월 미만으로 한정하여 재산권 침해를 최소화하고 있다.

3. 효과

사업시행자의 ① 공용사용권의 취득, ② 반환 및 원상회복의무, ③ 대행·대집행청구권 및, ④ 토지소유자의 권리행사의 제한, ⑤ 목적물의 인도·이전의무, ⑥ 손실보상청구권 등의 효과가 발생한다.

4. 보상액 산정

보상액을 산정함에 있어서는 그 토지와 인근 유사토지의 지료, 임대료, 사용방법, 사용기간 및 그 토지의 가격 등을 참작하여 평가한 적정가격으로 보상하여야 한다.

5. 허가에 대한 불복

양자의 허가권자는 상이하나 허가의 처분성이 인정되므로 위법한 허가에 대하여 쟁송제기가 가능하다. 다만, 쟁송제기의 실익에 대하여는 집행부정지 원칙으로 의문이 있으므로 집행정지제도의 활용이 요구된다.

Ⅲ 차이점

1. 요건 및 절차

전자의 경우 허가권자는 특별자치도지사 및 시·군·구청장이나 후자는 사업인정 후 재결신청이 있었으므로 토지수용위원회의 허가를 받고 담보를 제공하여야 한다.

2. 보상금 지급절차

전자는 사업시행자와 손실을 입은 자가 협의하여 결정하며 협의불성립 시 관할 토지수용위원회에 재결을 신청할 수 있다(법 제9조 제5항~제7항 준용). 그러나 후자의 경우는 토지소유자의 보상청구가 있을 때 사업시행자가 산정한 보상액을 지급하며 보상시기까지 지급하지 않는 경우 토지소유자 및 관계인은 담보물을 취득할 수 있다.

3. 손실보상액에 대한 불복

전자의 경우에는 손실보상액에 대한 재결의 처분성 여부에 대해 견해가 나뉘나 그 성격이 단순한 중재적 결정이며 보상액의 제시에 불과하다고 볼 때 처분성을 인정하기가 어려워 이에 대해 공법상 당사자소송을 제기할 수 있다고 하겠다. 그러나 후자는 재결이 있은 경우에는 재결불복규정을 적용하며 재결 전인 경우에는 사업시행자를 상대로 보상금의 증액지급을 구하는 공법상 당사자소송만을 제기할 수 있다고 본다.

Ⅳ 결

약식절차에 의한 재산권 취득은 보통절차에 의한 재산권 취득에 비해 재산권 침해가 크다고 볼 수 있으며, 보상의 성격 역시 사전보상이 아닌 사후보상인 점을 볼 때 반드시 그 요건이 충족되어야 적용될 수 있으며 제도의 남용이 있어서는 안 될 것이다. 또한 피침해자의 권리보호를 위한 손실보상과 기타 불복에 관한 규정이 더욱 구체적으로 정비되어야 할 것이다.

30절 | 토지보상법 제38조(천재지변 시의 토지의 사용)

문제

공익사업을 위한 토지 증의 취득 및 보상에 관한 법률상 공용사용에 대한 유형과 그에 따른 손실보상에 대하여 설명하시오. 20점

Ⅰ. 서

Ⅱ. 계속적 사용과 손실보상
　1. 타인토지의 계속적 사용
　2. 계속적 사용의 절차
　3. 계속적 사용에 대한 손실보상

Ⅲ. 일시적 사용과 손실보상
　1. 타인토지 등의 일시적 사용
　2. 타인토지 출입과 손실보상
　　(1) 타인토지에의 출입
　　(2) 타인토지에의 출입으로 인한 손실보상

3. 약식사용과 손실보상
　(1) 약식사용
　(2) 약식사용으로 인한 손실보상

Ⅳ. 지하사용 또는 공중사용과 손실보상
　1. 토지의 지하 또는 공중공간의 사용
　2. 지하공간 사용에 대한 손실보상

Ⅴ. 결(손실보상에 대한 불복)
　1. 공용수용의 일반절차에 따른 경우
　2. 타인토지 출입 및 약식사용에 의한 경우

Ⅰ 서

공용사용이란 공익사업의 주체가 타인의 재산권 위에 공법상의 사용권을 취득하고 상대방은 그 사용을 수인할 의무를 지는 내용의 공용제한을 의미하며, 공용사용의 일반법으로서 공익사업을 위한 토지 등의 취득 및 보상에 관한 법률(이하 '토지보상법')이 있는바, 토지보상법상의 공용사용에는 계속적 사용, 타인토지에의 출입, 일시적 사용, 지하사용 또는 공중사용 등으로 그 유형이 나뉜다.

손실보상이란 공공필요에 의한 적법한 공권력 행사에 의해 개인의 재산권에 가해진 특별희생에 대해 사유재산권 보장과 공평부담의 견지에서 행하여지는 조절적 보상으로 이와 관련하여 공용사용과 손실보상에 대해 살펴보기로 한다.

Ⅱ 계속적 사용과 손실보상

1. 타인토지의 계속적 사용

계속적 사용은 특정한 공익사업을 시행하는 사업자가 그 사업을 위하여 타인의 재산 또는 권리를 비교적 장기간에 걸쳐 사용하는 것을 말한다.

2. 계속적 사용의 절차

계속적 사용은 공익목적을 위한 개인의 재산권에 대한 중대한 제한이기 때문에 권리자의 보호를 위하여 공용수용의 경우와 같이 반드시 법률의 근거가 있어야 함은 물론이고 일정한 절차를 거쳐 그 사용권이 설정되어야 하며 손실보상을 하여야 하는 것이 그 원칙이다. 즉, 토지보상법은 공익사업을 위한 토지 등의 공용사용에 대해 공용수용과 함께 그 절차를 규정하고 있는바, 공익사업을 위한 타인토지 등의 계속적 사용을 위해서는 협의취득과 강제취득절차가 있으며, 강제취득절차에는 사업인정, 토지조서 및 물건조서의 작성, 협의, 재결 및 화해 등의 절차를 거쳐 이루어진다.

3. 계속적 사용에 대한 손실보상

계속적 사용은 공익사업을 행하는 자가 토지 등을 사용할 권리를 취득하고 토지소유자 등에 대해서는 그 사용기간 중 토지사용에 방해가 되는 권리행사를 제한하는 것이므로 손실보상은 그 같은 권리행사의 제한에 따른 그 토지의 객관적 이용가치의 감소분이 '상당한 사용료'로 지급되게 된다. 구체적으로 협의 또는 재결에 의하여 사용하는 토지에 대해서는 그 토지 및 인근 유사토지의 지료 및 임대료 등을 참작하여 평가한 적정가격으로 보상하도록 하고 있다(토지보상법 제71조 제1항).

III 일시적 사용과 손실보상

1. 타인토지 등의 일시적 사용

일시적 사용이란 공익사업의 주체가 그 사업을 위하여 일시적으로 타인의 토지, 건물 기타 재산을 사용하는 경우를 말하는바, 이에는 타인토지 등에의 출입(법 제9조~제13조)과 응급부담인 일시적 사용(법 제38조, 제39조)이 있다.

2. 타인토지 출입과 손실보상

(1) 타인토지에의 출입

공익사업의 준비를 위하여 타인이 점유하는 토지에 출입하여 측량 또는 조사할 필요가 있을 때에는 사업시행자는 사업의 종류와 출입할 토지의 구역 및 시간을 정하여 시장 등의 허가를 얻어 행할 수 있으며, 시장, 군수 또는 구청장 등의 허가를 받아 타인토지에 출입하여 측량 또는 조사를 행하는 사업시행자가 측량조사를 함에 있어 장해물의 제거 또는 토지의 시굴 등을 하여야 할 부득이한 사유가 있는 때에는, 그 소유자 및 점유자의 동의를 얻어 이를 행할 수 있다.

(2) 타인토지에의 출입으로 인한 손실보상

사업시행자는 타인이 점유하는 토지에 출입하여 측량·조사함으로써 발생하는 손실을 보상하여야 한다. 다만, 손실의 보상은 손실이 있은 것을 안 날부터 1년이 지나거나 손실이 발생한 날부터 3년이 지난 후에는 이를 청구할 수 없다. 이 경우 손실 또는 비용의 보상은 사업시행자와 손실을 입은 자가 협의하여 결정하되, 협의가 성립되지 아니한 경우에는 사업시행자와 손실을 입은 자는 관할 토지수용위원회에 재결을 신청할 수 있다.

3. 약식사용과 손실보상

(1) 약식사용

토지보상법상의 약식사용은 천재지변시의 토지사용(제38조)과 시급을 요하는 토지사용(제39조)이 있는 바, 법 제38조는 천재지변 기타 사변 등으로 인하여 공공의 안전을 유지하기 위한 공익사업을 긴급히 시행할 필요가 있을 경우 시장, 군수 또는 구청장 등의 허가를 받아 즉시 타인의 토지를 사용할 수 있도록 하고 있으며, 법 제39조는 재결의 신청을 받은 토지수용위원회는 그 재결을 기다려서는 재해를 방지하기 곤란하거나 그 밖에 공공의 이익에 현저한 지장을 줄 우려가 있다고 인정하는 때에는 사업시행자의 신청에 의하여 담보를 제공하게 한 후 즉시 해당 토지의 사용을 허가할 수 있도록 하고 있다. 양자 모두 사용기간은 6개월을 초과할 수 없으며, 이 기간은 약식절차에 의해 연장할 수 없다.

(2) 약식사용으로 인한 손실보상

법 제38조의 경우 사업시행자가 타인의 토지를 사용함으로써 발생하는 손실은 보상하여야 한다. 다만, 손실의 보상은 손실이 있은 것을 안 날부터 1년이 지났거나 손실이 발생한 날부터 3년이 지난 후에는 이를 청구할 수 없다. 이 경우 손실 또는 비용의 보상은 사업시행자와 손실을 입은 자가 협의하여 결정하되, 협의가 성립되지 아니한 경우에는 사업시행자와 손실을 입은 자는 관할 토지수용위원회에 재결을 신청할 수 있다. 법 제39조의 경우에는 토지수용위원회의 재결이 있기 전에 토지소유자 또는 관계인의 청구가 있는 때에는 사업시행자는 자기가 산정한 보상금을 토지소유자 또는 관계인에게 지급하여야 한다. 토지소유자 또는 관계인은 사업시행자가 토지수용위원회의 재결에 의한 보상금의 지급시기까지 이를 지급하지 아니하는 때에는 제공된 담보의 전부 또는 일부를 취득한다.

Ⅳ 지하사용 또는 공중사용과 손실보상

1. 토지의 지하 또는 공중공간의 사용

토지소유자와 사업시행자 간 지하사용을 위한 권리설정의 협의를 통해서 또는 협의를 할 수 없거나 협의가 불성립한 경우, 공용수용의 보통절차에 따라 사용권을 설정하게 된다. 즉, 사업시행자는 사업인정을 받아 고시일부터 1년 이내에 관할 토지수용위원의 사용재결을 신청할 수 있다(법 제28조 제1항).

2. 지하공간 사용에 대한 손실보상

토지보상법 제71조 제2항은 사용하는 토지와 그 지하 및 지상의 공간의 사용에 대한 구체적인 보상액 산정 및 평가방법은 투자비용·예상수익 및 거래가격 등을 고려하여 국토교통부령으로 정하도록 하고 있고, 이에 위임을 받아 시행규칙 제31조는 사실상 영구적으로 지하공간을 사용하는 경우 토지가격에 입체이용저해율을 곱하여 산정한 금액을 보상액으로 평가하도록 하고 있고, 일정 기간 동안 사용하는 경우 토지사용료에 입체이용저해율을 곱하여 산정한 금액으로 평가하도록 하고 있다.

V 결(손실보상에 대한 불복)

1. 공용수용의 일반절차에 따른 경우

협의에 의한 경우에는 손실보상청구권의 성질에 따라 민사소송/당사자소송으로 불복이 가능하며, 재결에 의한 경우 재결의 성격은 재산권 침해와 그에 대한 효과로서의 보상액을 함께 결정하는 재결로서의 성질을 가져 재결의 처분성이 인정되므로 이의신청과 행정소송을 통해 불복이 가능하다.

2. 타인토지 출입 및 약식사용에 의한 경우

협의와 재결로서 보상액을 결정하는바, 문제가 되는 것은 재결에 대해 불복에 의한 경우인데, 이 경우의 재결은 보상액 결정만인 경우로서 재결의 처분성 여부가 논란인 바, 재결의 처분성 여부에 따라 처분성을 긍정하면 이의신청, 행정소송을 통해, 처분성을 부정하면 민사소송이나 당사자소송을 통해 불복이 가능하다.

31절 토지보상법 제40조(보상금의 지급 또는 공탁)

문제

사업시행자가 사업인정, 협의, 수용재결을 거쳤으나 수용의 개시일에 보상금을 지급·공탁하지 않은 경우, ① 수용의 개시일이 사업인정일부터 1년 이내인 경우와 ② 1년 이후인 경우, 토지보상법상 수용당사자의 법률관계를 각각 설명하시오. 20점

Ⅰ. 문제제기

Ⅱ. 행정행위의 실효 및 재결실효
  1. 행정행위의 실효
    (1) 실효의 의의
    (2) 실효의 일반적 사유 및 주장
  2. 재결의 실효
    (1) 재결 및 재결실효의 의의
    (2) 내용(실효사유 및 취지)
    (3) 효과
    (4) 재결의 실효와 사업인정 효력
        과의 관계
Ⅲ. 수용의 개시일이 1년 이내인 경우의
    법률관계
  1. 보상금 미지급, 미공탁의 효과
  2. 사업시행자의 경우

  3. 피수용자의 경우
    (1) 재결신청청구권
    (2) 손실보상청구권(토지보상법
        제42조), 반환 및 원상회복
        청구권
Ⅳ. 수용의 개시일이 1년 이후인 경우의
    법률관계
  1. 보상금 미지급, 미공탁의 효과
  2. 사업시행자의 경우
  3. 피수용자의 경우
    (1) 손실보상청구권(토지보상법
        제23조), 반환 및 원상회복청
        구권
    (2) 사업시행자가 소유권을 취득
        한 경우에는 환매권 행사 가능
Ⅴ. 문제해결

Ⅰ 문제제기

토지보상법은 제62조에서 사전보상의 원칙을 규정하고 있다. 또한 이 원칙을 담보하기 위해서 동법 제42조에서 재결의 실효를 규정하고 있다. 따라서 이러한 실효는 피수용자의 보호차원에서 규정된 것이며, 사안의 경우는 재결실효와 사업인정실효에 따른 법률관계를 묻고 있는 것이다. 이와 관련하여 행정행위의 실효 및 재결의 실효에 대해 살펴보고 토지보상법상 당사자의 법률관계에 대해 검토해 보고자 한다.

Ⅱ 행정행위의 실효 및 재결실효

1. 행정행위의 실효

(1) 실효의 의의

실효라 함은 하자 없이 성립한 행정행위가 그 이후 일정한 사정의 발생으로 인하여 장래를 향하여 그 효력이 소멸하는 것으로 무효는 처음부터 효력이 없고, 취소·철회는 개별 행정행위에 의하여 원행정행위의 효력을 소멸시키는 점에서 차이가 있다.

(2) 실효의 일반적 사유 및 주장

실효의 사유로는 목적물의 소멸, 상대방의 사망, 행정의 목적달성, 부관으로서 해제조건의 성취 등이 있고, 실효되었음은 누구나 주장할 수 있으나 실제 논란이 있을 수 있으므로 실효확인소송의 제기가 가능하다.

2. 재결의 실효

(1) 재결 및 재결실효의 의의(토지보상법 제34조 및 제42조)

재결이란 사업시행자에게 부여된 수용권의 내용을 구체적으로 확정하는 것이다. 재결의 실효란 유효하게 성립한 재결에 대하여 행정청의 의사에 의하지 아니하고, 객관적 사실의 발생에 의해 당연히 재결의 효력이 상실되는 것을 말한다.

(2) 내용(실효사유 및 취지)

사업시행자가 수용 또는 사용의 개시일까지 관할 토지수용위원회가 재결한 보상금을 지급하거나 공탁하지 아니하였을 때에는 해당 토지수용위원회의 재결은 효력을 상실한다(법 제42조 제1항). 다만, 중앙토지수용위원회의 이의재결에서 정한 보상금을 지급·공탁하지 아니한다 하여 재결이 실효되는 것은 아니다. 이는 사전보상의 원칙을 담보하기 위한 수단으로 이해할 수 있고, 피수용자의 보호를 위한 취지가 있는 것이다.

(3) 효과

재결이 실효됨으로써 피수용자가 입은 손해에 대해 사업시행자는 보상해야 하며 피수용자는 손실이 있음을 안 날부터 1년, 있은 날부터 3년 이내에 청구해야 한다. 재결이 실효되면 재결신청의 효력도 상실된다.

(4) 재결의 실효와 사업인정 효력과의 관계

재결이 실효되면 재결신청 자체도 실효되지만 재결의 무효와는 달리 장래를 향한 효력상실이므로 사업인정에는 영향이 없다. 따라서 재결신청기간 내이면 다시 재결신청이 가능하다. 만약 사업인정고시일부터 1년 이내에 재결신청을 하지 않은 것으로 되었다면 사업인정도 역시 효력을 상실하여 수용절차 일체가 백지상태로 환원된다. 판례의 태도도 이와 같다.

Ⅲ 수용의 개시일이 1년 이내인 경우의 법률관계

1. 보상금 미지급, 미공탁의 효과

수용의 개시일까지 보상금을 지급 또는 공탁하지 못하여 재결이 실효되었으며 재결신청까지 실효되었다. 그러나 사업인정고시일부터 1년 이내이므로 사업인정은 여전히 유효한 상태이다. 이 경우의 수용당사자의 법률관계가 문제시된다.

2. 사업시행자의 경우

사업인정의 효력이 유지되고 있고, 사업시행자는 이미 최초의 재결신청 이전에 협의를 거쳤으나 협의가 성립되지 아니하였으므로 다시 재결을 신청할 권리를 지니고 있다. 따라서 토지 및 물건조서, 협의경위서 등 관계서류를 첨부하여 관할 토지수용위원회에 재결을 신청할 수 있는 권리를 가진다.

3. 피수용자의 경우

(1) 재결신청청구권(토지보상법 제30조)

재결신청청구권이란 협의불성립의 경우 토지소유자 및 관계인이 사업시행자에게 재결신청을 조속히 할 것을 청구하는 권리이다. 재결이 실효되고 사업인정의 효력이 유지되는 경우에 피수용자는 재결신청을 조속히 할 것을 사업시행자에게 청구할 수 있고, 사업시행자는 청구를 받은 때부터 60일 이내에 재결신청할 의무를 지며, 이 의무를 해태할 경우 일정한 가산금을 부담하여야 한다.

(2) 손실보상청구권(토지보상법 제42조), 반환 및 원상회복청구권

사업시행자는 재결의 실효로 인하여 피수용자가 입은 손실을 보상하여야 한다. 이로 인한 손실은 당사자 간의 협의에 의하고 협의가 성립되지 아니하면 양 당사자는 재결을 신청할 수 있다. 수용재결이 실효가 되었는데 사업시행자가 계속적인 점유를 하고 있으면 권원 없는 점유의 위법행위를 반환 및 원상회복청구권에 근거하여 제기할 수 있다.

Ⅳ 수용의 개시일이 1년 이후인 경우의 법률관계

1. 보상금 미지급, 미공탁의 효과

수용의 개시일에 재결이 실효되므로 판례에 의하면 이는 사업인정고시일부터 1년 이내에 재결신청을 하지 않은 것으로 되는바, 사업인정까지 실효된 상태로서 이때의 수용당사자의 법률관계가 문제시된다.

2. 사업시행자의 경우

공익사업이 완전히 폐지된 경우로서 사업시행자는 동일한 사업을 이유로 국토교통부장관의 사업인정을 다시 받아서 수용절차를 진행하여야 한다.

3. 피수용자의 경우

(1) 손실보상청구권(토지보상법 제23조), 반환 및 원상회복청구권

사업시행자는 사업인정의 실효로 인하여 피수용자가 입은 손실을 보상하여야 한다. 이로 인한 손실은 당사자 간의 협의에 의하고 협의가 성립되지 아니하면 양 당사자는 재결을 신청할 수 있다. 사업인정이 실효되었는데 사업시행자가 계속적인 점유를 하고 있으면 권원 없는 점유의 위법행위를 반환 및 원상회복청구권에 근거하여 제기할 수 있다.

(2) 사업시행자가 소유권을 취득한 경우에는 환매권 행사 가능

사업시행자가 소유권을 취득한 경우를 전제로 환매권도 검토해 볼 수 있다. 환매권이란 수용의 전제가 되는 공익사업의 폐지·변경 기타 사유로 수용목적물의 전부 또는 일부가 필요 없게 되었거나 토지의 전부를 공익사업에 이용하지 아니하였을 때 원래의 토지소유자가 일정한 대가를 지급하고 수용 토지를 되찾을 수 있는 권리이다. 사업인정까지 실효가 되었다면 공익사업이 폐지된 경우에 해당하므로 수용의 절차 중에서 먼저 협의를 통해서 토지를 인도한 피수용자의 경우에는 환매권을 행사하여 토지를 다시 반환받을 수 있다.

Ⅴ 문제해결

1. 재결의 실효는 사전보상의 원칙을 담보함으로써 피수용자를 보호하기 위한 것으로서 실효는 장래를 향하여 효력을 상실하게 됨을 의미하고, 다만 재결의 실효로 인하여 재결신청의 효력도 상실하게 되어 사업인정의 효력도 실효될 수 있다.
2. 재결만 실효된 경우 사업시행자는 재결신청, 피수용자는 재결신청청구, 손실보상청구권 등을 갖게 된다.
3. 사업인정까지 실효된 경우에는 사업시행자는 다시 사업인정을 받아야 하고, 피수용자는 손실보상청구권, 사업시행자가 소유권을 취득한 경우에는 환매권 등을 갖게 된다. 이러한 실효의 주장에 논란이 있으면 실효확인소송 등을 통해 다툴 수 있다.

32절 | 토지보상법 제40조(보상금의 지급 또는 공탁)

문제

「공익사업을 위한 토지 등의 취득 및 보상에 관한 법률」상 공탁제도를 기술하고 그 문제점을 검토하시오. **20점**

Ⅰ. 서

Ⅱ. 공탁제도
  1. 의의 및 취지
  2. 법적 성질
  3. 요건
  4. 관할, 공탁물 및 수령권자
  5. 공탁금의 회수

Ⅲ. 공탁의 효과
  1. 적법한 공탁

2. 미공탁
3. 하자 있는 공탁
4. 하자 있는 공탁 수령의 효과

Ⅳ. 공탁제도의 문제점 및 개선방안
  1. 공탁요건에 대한 이해부족
  2. 이의유보 없는 공탁금 수령
  3. 이의재결에서 증액된 보상금의 미공탁
  4. 쟁송제기를 (묵시적) 이의유보로 볼 수 있는지 여부

Tip 공탁제도는 아직까지 한번도 출제된 바는 없지만 공용수용의 효과를 유발시키는 부분에 있어서 매우 효과적인 제도이다. 토지보상법 제40조 제2항의 요건, 즉 거/알/불/압을 중심으로 잘 숙지해 두기 바라며 최근 행정소송이 묵시적 이의유보라는 대법원 판례를 잘 정리해 두도록 한다.

❑ 대판 2007.3.30, 2005다11312[공탁금출급청구권확인등]

[판결요지]

[1] 채권의 소멸시효가 완성된 경우 이를 원용할 수 있는 자는 시효로 인하여 채무가 소멸되는 결과 직접적인 이익을 받는 자에 한정되고, 그 채무자에 대한 채권자는 자기의 채권을 보전하기 위하여 필요한 한도 내에서 채무자를 대위하여 이를 원용할 수 있을 뿐이므로 채무자에 대하여 무슨 채권이 있는 것도 아닌 자는 소멸시효 주장을 대위 원용할 수 없다.

[2] 공탁금출급청구권은 피공탁자가 공탁소에 대하여 공탁금의 지급, 인도를 구하는 청구권으로서 위 청구권이 시효로 소멸한 경우 공탁자에게 공탁금회수청구권이 인정되지 않는 한 그 공탁금은 국고에 귀속하게 되는 것이어서(공탁사무처리규칙 제55조 참조) 공탁금출급청구권의 종국적인 채무자로서 소멸시효를 원용할 수 있는 자는 국가이다.

[3] (구)토지수용법(2002.2.4.법률 제6656호 공익사업을 위한 토지 등의 취득 및 보상에 관한 법률 부칙 제2조로 폐지) 제61조 제2항에 의하여 기업자가 하는 손실보상금의 공탁은 같은 법 제65조에 의해 간접적으로 강제되는 것이고, 이와 같이 그 공탁이 자발적이 아닌 경우에는 민법 제489조의 적용은 배제되어 피공탁자가 공탁자에게 공탁금을 수령하지 아니한다는 의사를 표시하거나 피공탁자의 공탁금출급청구권의 소멸시효가 완성되었다 할지라도 기업자는 그 공탁금을 회수할 수 없는 것이어서, 그러한 공탁자는 진정한 보상금수령권자에 대하여 그가 정당한 공탁금출급청구권자임을 확인하여 줄 의무를 부담한다고 하여도 공탁금출급청구권의 시효소멸로 인하여 직접

적인 이익을 받지 아니할 뿐만 아니라 채무자인 국가에 대하여 아무런 채권도 가지지 아니하므로 독자적인 지위에서나 국가를 대위하여 공탁금출급청구권에 대한 소멸시효를 원용할 수 없다.

□ **대판 2008.4.10, 2006다60557[배당이의]**

[판시사항]

[1] 국세징수법상의 체납처분에 의한 압류만을 이유로 공익사업을 위한 토지 등의 취득 및 보상에 관한 법률 제40조 제2항 제4호 또는 민사집행법 제248조 제1항에 의한 집행공탁을 할 수 있는지 여부(소극)

[2] 공익사업을 위한 토지 등의 취득 및 보상에 관한 법률상의 보상금채권에 관하여 부적법한 집행공탁이 이루어지고 이에 기한 배당절차가 진행되는 경우, 수용되는 부동산의 근저당권자가 위 배당절차에서 배당요구를 하였다면 적법하게 물상대위권을 행사한 것으로 볼 수 있는지 여부(적극)

[3] 공익사업을 위한 토지 등의 취득 및 보상에 관한 법률상의 보상금채권에 관하여 이루어진 집행공탁이 요건을 갖추지 못한 경우, 집행공탁의 하자가 치유되고 보상금채무 변제의 효력이 발생하기 위한 요건

[4] 부적법한 집행공탁에 기한 공탁사유 신고 이후 배당금의 지급 전에 물상대위권을 행사한 근저당권자를 제외하는 것으로 배당표가 작성된 경우, 위 근저당권자는 배당이의 소를 제기할 수 있는지 여부(적극)

[이유]

상고이유를 판단한다.

1. 국세징수법상의 체납처분에 의한 압류만을 이유로 하여 사업시행자가 공익사업을 위한 토지 등의 취득 및 보상에 관한 법률(이하 '공익사업보상법'이라 한다) 제40조 제2항 제4호 또는 민사집행법 제248조 제1항에 의한 집행공탁을 할 수는 없으므로, 체납처분에 의한 압류만을 이유로 집행공탁이 이루어지고 사업시행자가 민사집행법 제248조 제4항에 따라 법원에 공탁사유를 신고하였다고 하더라도, 이러한 공탁사유의 신고로 인하여 민사집행법 제247조 제1항에 따른 배당요구 종기가 도래하고 그 후의 배당요구를 차단하는 효력이 발생한다고 할 수는 없다(대판 2007.4.12, 2004다20326 참조).

민법 제370조, 제342조에 의하여 저당권자는 저당물의 멸실, 훼손 또는 공용징수로 인하여 저당권설정자가 받을 금전에 대하여 그 지급 또는 인도 전에 압류하여 물상대위권을 행사할 수 있으므로, 공익사업보상법상의 보상금채권에 관하여 위와 같이 요건을 흠결한 집행공탁이 이루어지고 이에 기하여 배당절차가 진행되는 경우, 수용되는 부동산의 근저당권자가 사업시행자의 공탁사유 신고 이후 배당금이 지급되기 전에 공탁금출급청구권에 관한 압류 및 추심명령을 받아 위 배당절차에서 배당요구를 하였다면, 이는 적법하게 물상대위권을 행사한 것으로 볼 수 있다.

또한, 공익사업보상법상의 보상금채권에 관하여 이루어진 집행공탁이 요건을 갖추지 못한 경우라 하더라도, 수용부동산의 소유자 또는 공익사업보상법 제2조 제5호 소정의 관계인 등 보상금채권에 관한 채권자가 집행공탁의 하자를 추인하며 그 집행공탁에 기초하여 진행된 배당절차에 참여하여 배당요구를 함에 따라 보상금채권에 관계된 채권자들에게 우선순위에 따라 배당이 이루어졌다면, 집행공탁의 하자는 치유되고 보상금채무 변제의 효력이 발생한다.

따라서 위와 같이 요건을 흠결한 집행공탁에 기한 공탁사유 신고 이후 배당금의 지급 전에 물상대위권을 행사한 근저당권자를 제외하는 것으로 배당표가 작성된 경우, 위 근저당권자는 그가 배당받을 수 있었던 금액 상당의 금원을 배당받은 후순위의 채권자를 상대로 배당이의 소를 제기할 수 있다.

2. 위와 같은 법리를 기록에 비추어 살펴보면, 이 사건 사업시행자는 이 사건 토지의 손실보상금 채권에 대하여 여러 건의 체납처분에 의한 압류가 있다는 이유로 공익사업보상법 제40조 제2항, 민사집행법 제248조 제1항에 의하여 집행공탁을 한 것이므로 위 집행공탁은 요건을 갖추지 못하여 그 효력이 없고, 따라서 위 집행공탁에 기하여 이 사건 사업시행자가 2003.4.15. 민사집행법 제248조 제4항에 따라 법원에 그 사유신고를 하였다고 하더라도 이는 민사집행법 제247조 제1항 소정의 배당요구 종기로서의 효력을 갖는 것은 아니라고 할 것이므로, 근저당권자인 원고가 사유신고 이후인 2003.4.24. 이 사건 공탁금출급청구권에 대한 압류, 추심명령을 받고 이 사건 배당절차에서 배당요구를 하였다면 이는 적법하게 물상대위권을 행사한 것이어서 배당절차에서 물상대위권자로서 배당금을 지급받을 수 있다.

그렇다면 원심이 다소 취지는 다르지만, 이 사건 사유신고는 배당요구 종기로서의 효력이 없고 원고의 권리는 배당이의 절차에서 구제함이 상당하다는 이유로 원고의 청구를 일부 인용한 것은 결론에 있어서 정당한 것으로 수긍이 가고, 거기에 상고이유에서 지적하는 바와 같은 물상대위권 행사 시기에 관한 법리오해의 위법이 있다고 할 수 없다.

3. 따라서 피고의 상고를 기각하고, 상고비용은 패소자가 부담하기로 하여 관여 대법관의 일치된 의견으로 주문과 같이 판결한다.

□ 행정소송이 묵시적 이의유보로 본 대법원 판례 – 대법원 2009.11.12. 선고 2006두15462 판결 — 5가지 논거(대법원 2009.11.12. 선고 2006두15462 판결[손실보상금])

공탁과 관련하여 최근 새로운 대법원 판례는 "원고는 소송 진행 과정과 시가감정의 비용지출 등을 통하여 이의재결의 증액 보상금에 대하여는 이 사건 소송을 통하여 확정될 정당한 수용보상금의 일부로 수령한다는 묵시적인 의사표시의 유보가 있었다고 볼 수 있다."라고 판시한바 있다.

해당 판례의 논거는 다음과 같으므로 이를 잘 숙지하기 바란다.

① 원고가 이의재결에 따라 증액된 보상금을 수령할 당시 수용보상금의 액수를 다투어 행정소송을 제기하고 상당한 감정비용(그 이후 결정된 이의재결의 증액된 보상금을 초과하는 금액이다)을 예납하여 시가감정을 신청한 점,

② 원고가 수령한 이의재결의 증액 보상금은 원고가 이 사건 소장에 시가감정을 전제로 잠정적으로 기재한 최초 청구금액의 1/4에도 미치지 못하는 금액인 점,

③ 수용보상금의 증감만을 다투는 행정소송에서 통상 시가감정 외에는 특별히 추가적인 절차비용의 지출이 요구되지는 않으므로 원고로서는 이의재결의 증액 보상금 수령 당시 이 사건 소송결과를 확인하기 위하여 더 이상의 부담되는 지출을 추가로 감수할 필요는 없는 상황이었던 점,

④ 피고 소송대리인도 위와 같은 증액 보상금의 수령에 따른 법률적 쟁점을 제1심에서 즉시 제기하지 아니하고 그로부터 약 6개월이 경과하여 원심에서 비로소 주장하기 시작한 점,

⑤ 이미 상당한 금액의 소송비용을 지출한 원고가 이 사건 소장에 기재한 최초 청구금액에도 훨씬 못 미치는 이의재결의 증액분을 수령한 것이 이로써 이 사건 수용보상금에 관한 다툼을 일체 종결하려는 의사는 아니라는 점은 피고도 충분히 인식하였거나 인식할 수 있었다고 봄이 상당함.

I 서

공용수용이라는 재산권 침해제도를 실행함에 있어 개인의 재산권 침해가 최소한에 그칠 수 있도록 토지보상법은 정당보상의 일환으로 사전보상의 원칙을 규정하고 있으며 이의 실효성을 확보하기 위해 보상금의 공탁제도를 실행하고 있다. 그러나 이러한 공탁제도의 의미를 제대로 파악하지 못할 때 사소한 공탁의 하자 및 이의유보 없이 공탁금을 회수함으로 인한 불이익을 입게 되는데 이하에서 구체적으로 공탁제도와 함께 그 문제점을 검토하기로 한다.

II 공탁제도

1. 의의 및 취지(토지보상법 제40조)

사업시행자는 원칙적으로 수용 또는 사용의 개시일까지 관할 토지수용위원회가 재결한 보상금을 지급하여야 하나 특별한 사유에 해당하는 경우 수용 또는 사용의 개시일까지 수용 또는 사용하고자 하는 토지 등의 소재지의 공탁소에 보상금을 공탁할 수 있으며 이는 제40조에 근거한다.

사업시행자가 수용의 개시일까지 보상금을 공탁하지 않으면 수용재결의 효력이 상실되는 것을 막기 위해 공탁제도를 마련하고 있으며 손실보상의 사전보상원칙을 실현하고 사업시행자의 손실보상의무 이행을 통해 채무소멸과 함께 사업의 원활한 시행과 담보물권자의 권익보호 차원에서도 유용한 제도라고 할 수 있다.

2. 법적 성질

채무자인 사업시행자가 보상금을 공탁소에 공탁함으로써 토지소유자 등에 대하여 채무를 면하게 되므로 변제공탁으로 본다. 따라서 민법 제487조의 변제공탁과 그 목적 및 요건이 같다고 본다. 민법상의 변제공탁은 전부공탁이어야 하고 특별한 사정이 없는 한 일부공탁은 그 효력이 없음에 반하여 토지보상법상 공탁은 보상금 전부가 아니라 토지수용위원회가 정한 보상금만 공탁하면 되고 그 후 쟁송절차를 거쳐 보상금이 증액되어 공탁금이 일부가 되더라도 공탁의 효력이 사라지지 않는다는 점에서 민법상 변제공탁과는 다르다고 한다.

보상금을 공탁하는 것은 변제공탁으로 볼 수 있다. 그 이유는 공탁의 근본 목적이 채무 이행에 있고 불복으로 인한 보상금의 증액으로 어쩔 수 없이 일부공탁이 되어버리는 것이기 때문이다. 단, 사업시행자가 재결에 불복하여 보상금의 차액을 공탁하는 경우는 일종의 담보공탁으로 볼 수 있고 압류 또는 가압류에 의하여 보상금의 지급이 금지된 경우 보상금 공탁은 집행공탁으로 볼 수 있다.

사업시행자가 (구)토지수용법 제61조 제2항 제1호에 따라서 토지수용위원회가 재결한 토지수용보상금을 공탁하는 경우 그 공탁은 사업시행자가 토지의 수용에 따라 토지소유자에 대하여 부담하게 되는 보상금의 지급의무를 이행하기 위한 것으로서 민법 제487조에 의한 변제공탁과 다를 바 없다(대판 1990.1.25, 89누4109).

> **⊃ 민법 제487조(변제공탁의 요건, 효과)**
> 채권자가 변제를 받지 아니하거나 받을 수 없는 때에는 변제자는 채권자를 위하여 변제의 목적물을 공탁하여 그 채무를 면할 수 있다. 변제자가 과실 없이 채권자를 알 수 없는 경우에도 같다.

┌ 판례 ┐

● 대판 1990.1.25, 89누4109[토지수용재결처분취소]

[판시사항]
토지소유자가 중앙토지수용위원회의 이의재결에 대한 행정소송 도중 이의를 보류하지 않고 한 토지수용보상금 공탁금의 수령의 효과

[판결요지]
기업자가 (구)토지수용법 제61조 제2항 제1호에 따라서 토지수용위원회가 재결한 토지수용보상금을 공탁하는 경우, 그 공탁금은 기업자가 토지의 수용에 따라 토지소유자에 대하여 부담하게 되는 보상금의 지급의무를 이행하기 위한 것으로서 민법 제487조에 의한 변제신탁과 다를 바 없으므로, 토지소유자가 아무런 이의도 보류하지 아니한 채 공탁금을 수령하였다면, 공탁의 효력을 인정하고 토지수용위원회의 재결에 승복하여 공탁의 취지에 따라 보상금을 수령한 것으로 보는 것이 상당하고, 따라서 공탁사유에 따른 법률효과가 발생되어 기업자의 보상금 지급의무는 확정적으로 소멸하는 것인 바, 이 경우 이의보류의 의사표시는 반드시 명시적으로 하여야 하는 것은 아니지만 토지소유자가 공탁물을 수령할 당시 원재결에서 정한 보상금을 증액하기로 한 이의신청의 재결에 대하여 토지소유자가 제기한 행정소송이 계속 중이었다는 사실만으로는, 묵시적인 이의보류의 의사표시가 있었다고 볼 수 없다.

3. 요건

① 보상금을 받을 자가 그 수령을 거부하거나 보상금을 수령할 수 없는 때, ② 사업시행자의 과실 없이 보상금을 받을 자를 알 수 없는 때, ③ 관할 토지수용위원회가 재결한 보상금에 대하여 사업시행자의 불복이 있는 때, ④ 압류 또는 가압류에 의하여 보상금의 지급이 금지된 때에는 보상금을 공탁할 수 있다. 다만, ③의 경우 사업시행자는 보상금을 받을 자에게 자기가 산정한 보상금을 지급하고 그 금액과 재결한 보상금과의 차액을 공탁하여야 한다.

4. 관할, 공탁물 및 수령권자

관할 공탁소는 원칙이 보상금을 수령할 피수용자가 거주하는 현주소지의 공탁소에 공탁하는 것이나 피수용자가 산발적으로 거주하고 현주소지를 찾는 것이 용이하지 않아 공익사업의 진행에 지장을 초래하는 경우가 많아 수용 또는 사용하고자 하는 토지 등의 소재지 공탁소에 공탁하는 것을 인정한다. 공탁물은 현금이 원칙이나 채권보상이 이루어지는 경우 채권도 가능하며 수령권자는 수용목적물의 소유자, 관계인 및 사업인정고시 후에 소유권을 승계한 자가 된다.

5. 공탁금의 회수

민법의 경우 채권자가 공탁을 승인하거나 공탁소에 공탁물을 받기로 통고하거나 공탁유효의 판결이 확정되기까지는 변제자가 공탁물을 회수할 수 있으나 토지보상법의 비자발적인 경우에는 피수용자가 공탁금 수령을 거절한다는 사유 등으로 공탁금을 회수하는 것은 인정되지 않는다. 다만, 사업시행자가 쟁송을 통해 감액재결을 확정받은 경우에 초과분에 한해서 회수가 가능하다.

Ⅲ 공탁의 효과

1. 적법한 공탁

사업시행자가 보상금을 지급한 것과 동일하므로 의무이행 효과가 발생하므로 수용의 개시일에 목적물의 권리를 취득한다.

2. 미공탁

원재결에서 정한 보상금을 수용 또는 사용의 개시일까지 공탁하지 아니한 경우 해당 재결은 그 효력을 상실하며 재결신청도 효력을 상실한다(대판 2017.4.7, 2016두63361). 다만, 사업인정은 고시일부터 1년이 경과된 경우에만 실효된다. 이의재결에서 정한 보상금의 경우 대법원은 토지보상법상 이의재결절차는 수용재결에 대한 불복절차이면서 수용재결과는 확정의 효력을 달리하는 별개의 절차이므로 사업시행자가 이의재결에서 증액된 보상금을 일정한 기한 내에 지급 또는 공탁하지 아니하였다 하더라도 그 때문에 이의재결 자체가 당연히 실효된다고 할 수 없다(대판 1992.3.10, 91누8081)는 입장을 취하고 있다.

> **판례**
>
> ● 대판 1992.3.10, 91누8081[토지수용재결처분취소]
>
> [판시사항]
> 이의재결에서 증액된 보상금을 지급 또는 공탁하지 아니한 경우 그 이의재결의 실효 여부(소극)
>
> [판결요지]
> (구)토지수용법상의 이의재결절차는 수용재결에 대한 불복절차이면서 수용재결과는 확정의 효력 등을 달리하는 별개의 절차이므로 기업자가 이의재결에서 증액된 보상금을 일정한 기한 내에 지급 또는 공탁하지 아니하였다 하더라도 그 때문에 이의재결 자체가 당연히 실효된다고는 할 수 없다.

3. 하자 있는 공탁

토지보상법 제40조에서 규정하고 있는 공탁요건에 해당되지 않음에도 불구하고 보상금을 지급하지 않고 공탁하는 경우, 보상금의 전부가 아닌 일부분만을 공탁소에 공탁하는 경우는 무효이며,

채권에 부착하고 있지 아니한 조건을 붙여서 행하는 조건부 공탁 역시 「토지수용보상금의 공탁에 관한 사무처리지침」에서도 "반대급부 이행조건부 공탁의 불인정"이라 하여 토지수용보상금의 지급과 수용으로 인한 소유권이전등기는 동시이행관계에 있는 것이 아니므로 토지수용보상금의 공탁서에 소유권이전등기 서류의 교부를 반대급부로 기재한 공탁은 이를 수리할 수 없고 수용대상토지에 대하여 제한물권이나 처분제한의 등기가 있는 경우 그러한 등기의 말소를 반대급부로 기재한 공탁도 이를 수리할 수 없다 하여 이를 인정하고 있지 않다.

4. 하자 있는 공탁 수령의 효과

피수용자가 보상금에 대하여 불복한다는 의사를 유보하고 공탁금을 수령한 경우에는 재결에 승복하지 않은 것이 되어 쟁송제기가 가능하다. 이때 이의유보의 방법은 공탁금 수령 전에 사업시행자 또는 공탁공무원에게 명시적 또는 묵시적 의사표시를 함으로써 가능하다. 그러나 보상금을 수령하면서 아무런 이의를 제기하지 않은 경우에는 재결에 대하여 승복한 것으로 보아 하자가 치유되며 공탁일에 소급하여 보상금 지급의 효과가 발행한다. 쟁송제기 중에 이의유보 없이 공탁금을 수령한 경우에 이를 이의유보로 보는가에 대해서는 견해가 나뉘나 판례는 행정쟁송을 제기한 경우라 하더라도 이의유보를 하지 않으면 재결에 대한 승복으로 본다.

Ⅳ 공탁제도의 문제점 및 개선방안

1. 공탁요건에 대한 이해부족

토지보상법에서 공탁의 요건을 규정하고 있기는 하나 사업시행자의 이해 부족으로 인해 공탁요건에 해당하지 않음에도 불구하고 공탁하는 사례가 많으며 이로 인해 보상금의 지급의무 불이행으로 재결이 실효되는 사태가 발생하여 사업진행을 곤란하게 하는 경우가 있다.

2. 이의유보 없는 공탁금 수령

공탁금을 수령함에 있어 보상금에 불복이 있거나 공탁에 하자가 있는 경우 이의를 유보한 후 공탁금을 수령해야 함에도 불구하고 이의유보 없이 보상금을 수령하여 이의제기를 더 이상 할 수 없는 불이익이 발생하고 있다. 따라서 공탁금 수령 시 불복 여부에 관한 사항을 반드시 확인하는 절차가 필요하다 할 것이다.

3. 이의재결에서 증액된 보상금의 미공탁

수용재결에서 결정된 보상금을 미공탁할 경우 재결이 실효되는 것은 명확하나 이의재결에서 증액된 보상금을 사업시행자가 공탁하지 않아도 이의재결이 실효된다는 것은 규정되어 있지 않으며 이에 대해 대법원은 수용재결과 이의재결의 성격이 다르므로 당연히 실효되는 것은 아니라고 보고 있어 피수용자는 증액된 보상금을 지급받기 어렵다고 할 것이다. 따라서 사업시행자의 증액된 보상금 미지급시 피수용자의 대응방안이 좀더 구체적으로 강구되어야 한다.

PART · 01

4. 쟁송제기를 (묵시적) 이의유보로 볼 수 있는지 여부

보상금증감청구소송을 제기하고 이의재결 된 공탁금을 받아간 사안에서 명시적인 이의유보가 없는 경우 보상금증감청구소송 자체를 묵시적 이의유보로 볼 수 있는지에 대해 논의가 존재한다. 이와 관련한 학설에는 ① 이의신청 또는 행정쟁송 자체가 '이의유보'에 해당한다는 견해와 ② 이의유보 없이 공탁금을 수령한 경우 '재결에 대한 승복'이라는 견해가 대립한다. 종전 판례는 단순히 소송·이의유보가 있었다는 사실만으로는 이의유보로 볼 수 없다고 판시하였다(대판 1982.11.9, 82누197 전원합의체). 그러나 최근 판례의 태도는 '소송 후 상당한 비용을 감정평가 비용으로 지출한 점', '청구금액에 상당히 미달하는 금액을 수령한 점', '사업시행자도 수령자의 보상금 수령행위가 수용법률관계의 종결의사가 아니라고 인식한 점'을 종합적으로 고려할 때 이는 묵시적 이의유보 의사 표시로 볼 수 있다고 판시하였다(대판 2009.11.12, 2006두15462).

33절 │ 토지보상법 제42조(재결의 실효)

문제

헌법 제23조의 취지에 따라 「공익사업을 위한 토지 등의 취득 및 보상에 관한 법률」에서는 국민의 재산권 보호를 위해 사전보상의 원칙을 규정하고 있다. 사전보상원칙을 담보할 수 있는 제도로서 재결의 실효에 대해 설명하고 그에 따른 법률관계를 설명하시오. 20점

Ⅰ. 서
Ⅱ. 재결의 실효
  1. 행정행위의 실효
    (1) 의의
    (2) 실효의 일반적 사유 및 주장
  2. 재결의 실효
    (1) 재결의 의의
    (2) 재결의 실효
    (3) 재결신청 및 사업인정의 효력
      과의 관계

Ⅲ. 재결실효 후의 법률관계
  1. 법률관계 당사자
  2. 재결만 실효되고 사업인정의 효력이
    유지되는 경우의 법률관계
    (1) 사업시행자
    (2) 피수용자
  3. 사업인정까지 실효된 경우
    (1) 사업시행자
    (2) 피수용자
Ⅳ. 결

Ⅰ 서

공익사업을 위한 토지 등의 취득 및 보상에 관한 법률(이하 '토지보상법')은 제62조에서 사전보상원칙을 규정하고 있다. 또한 이 원칙을 담보하기 위해서 동법 제42조에서 재결실효를 규정하고 있다. 따라서 이러한 실효는 피수용자의 보호차원에서 규정된 것이며, 본 문제는 재결실효와 실효에 따른 법률관계를 묻고 있는 것이다. 또 판례에 따르면 재결실효로 재결신청의 효력까지 상실하므로, 사업인정고시일부터 1년이 경과한 경우에는 사업인정실효에 따른 법률관계도 함께 검토할 필요가 있다.

Ⅱ 재결의 실효

1. 행정행위의 실효

(1) 의의

실효라 함은 하자 없이 성립한 행정행위가 그 이후 일정한 사정의 발생으로 인하여 장래를 향하여 그 효력이 소멸하는 것으로 무효는 처음부터 효력이 없고, 취소·철회는 개별 행정행위에 의하여 원행정행위의 효력을 소멸시키는 점에서 차이가 있다.

(2) 실효의 일반적 사유 및 주장

실효의 사유로는 목적물의 소멸, 상대방의 사망, 행정의 목적달성, 부관으로서 해제조건의 성취 등이 있고, 실효되었음은 누구나 주장할 수 있으나 실제 논란이 있을 수 있으므로 실효확인 소송의 제기가 가능하다.

2. 재결의 실효

(1) 재결의 의의(토지보상법 제34조)

재결은 사업시행자에게 부여된 수용권의 내용을 구체적으로 확정하는 것으로 형성적 행정행위이다. 이는 공익사업의 시행을 전제로 토지의 확보 및 보상의 취지 아래 시심적 쟁송의 성질을 가진다.

(2) 재결의 실효(토지보상법 제42조)

수용의 개시일까지 보상금을 지급·공탁하지 아니하면 재결의 효력이 상실하게 되고, 이는 사전보상의 원칙을 담보하기 위한 수단으로 이해할 수 있고, 피수용자의 보호를 위한 취지가 있는 것이다.

(3) 재결신청 및 사업인정의 효력과의 관계

재결의 효력 상실로 인하여 재결의 전제가 되는 재결의 신청도 효력을 상실하며(판례), 따라서 사업인정고시일부터 1년이 경과하였다면 사업인정도 그 효력을 상실하게 된다.

Ⅲ 재결실효 후의 법률관계

1. 법률관계 당사자

법률관계 당사자는 수용법률관계에서 권리·의무 귀속 주체로서 수용권의 주체인 사업시행자와 수용목적물의 권리자인 피수용자가 법률관계 당사자가 된다.

2. 재결만 실효되고 사업인정의 효력이 유지되는 경우의 법률관계(= 협의불성립의 법률관계 + 손실보상청구권)

(1) 사업시행자

사업인정의 효력이 유지되고 있고, 사업시행자는 이미 최초의 재결신청 이전에 협의를 거쳤으나 협의가 성립되지 아니하였으므로 다시 재결을 신청할 권리를 지니고 있다. 따라서 토지 및 물건조서, 협의경위서 등 관계서류를 첨부하여 관할 토지수용위원회에 재결을 신청할 수 있는 권리를 가진다.

(2) 피수용자

① 재결신청청구권(토지보상법 제30조)

재결신청청구권이란 협의불성립의 경우 토지소유자 및 관계인이 사업시행자에게 재결신청을 조속히 할 것을 청구하는 권리이다. 재결이 실효되고 사업인정의 효력 유지의 경우에 피수용자는 재결신청을 조속히 할 것을 사업시행자에게 청구할 수 있고, 사업시행자는 청구를 받은 때부터 60일 이내에 재결신청할 의무를 지며, 이 의무를 해태할 경우 일정한 가산금을 부담하여야 한다.

② 손실보상청구권(토지보상법 제42조)

사업시행자는 재결의 실효로 인하여 피수용자가 입은 손실을 보상하여야 한다. 이로 인한 손실은 당사자 간의 협의에 의하고 협의가 성립되지 아니하면 양 당사자는 재결을 신청할 수 있다.

3. 사업인정까지 실효된 경우

(1) 사업시행자

공익사업이 완전히 폐지된 경우로서 사업시행자는 동일한 사업을 이유로 국토교통부장관의 사업인정을 다시 받아서 수용절차를 진행하여야 한다.

(2) 피수용자

① 손실보상청구권(토지보상법 제23조)

사업시행자는 사업인정의 실효로 인하여 피수용자가 입은 손실을 보상하여야 한다. 이로 인한 손실은 당사자 간의 협의에 의하고 협의가 성립하지 아니하면 양 당사자는 재결을 신청할 수 있다.

② 환매권(토지보상법 제91조)

환매권이란 수용의 전제가 된 공익사업의 폐지·변경 기타 사유로 수용목적물의 전부 또는 일부가 필요 없게 되었거나 토지의 전부를 공익사업에 이용하지 아니하였을 때 원래의 토지소유자가 일정한 대가를 지급하고 수용토지를 되찾을 수 있는 권리이다.

사업인정까지 실효가 되었다면 공익사업이 폐지된 경우에 해당하므로 수용의 절차 중에서 먼저 협의를 통해서 토지를 인도한 피수용자의 경우에는 환매권을 행사하여 토지를 다시 반환받을 수 있다.

Ⅳ 결

수용재결은 피수용자의 의사와 관계없이 강제적인 수단으로 토지 등을 취득하는 절차인 바, 이는 사전보상의 원칙이 전제되어야 하며, 우리 토지보상법은 이를 확보하기 위해 재결의 실효제도를 두고 있다. 그러므로 수용의 절차상의 취지 및 관련 당사자 간의 법률관계의 검토를 통한 피수용자의 권익에 대한 침해를 최소화시켜야 할 것이다.

34절 토지보상법 제44조(인도 또는 이전의 대행)

문제

피수용자 한석봉은 울산광역시 남구 상개동 154-46번지 357㎡ 토지와 위 토지에 주택 4개동을 보유하고 있었다. 사업시행자 울산광역시는 철도부지로 위 토지를 편입하기로 하고 피수용자 한석봉과 공익사업을 위한 토지 등의 취득 및 보상에 관한 법률(이하 '토지보상법')상 협의하여 계약을 체결하고 보상금 일체를 피수용자에게 지급하였다. 피수용자 한석봉은 울산광역시에 대하여 보상금을 청구할 당시 울산광역시가 지장물 등에 대한 철거를 요구하는 때에는 아무런 이의 없이 요구하는 일시 등에 조건 없이 응하겠다는 서약서(건물에 대한 철거의무를 부담하겠다는 취지의 약정)를 제출하였다. 사업시행자 울산광역시는 피수용자 한석봉을 이주대책 대상자로 선정하여 피수용자 한석봉에게 울산광역시 남구 무거동 1187-11 대 197.3㎡를 택지로 분양하여 주었다. 그런데 피수용자 한석봉은 변심하여 보상금 협의 시 철거약정을 하고도 해당 건축물을 명도하지 않고 신체로써 점유를 수반하고 있는 상황이다(대법원 2006.10.13, 2006두7096 판결 [건물철거대집행계고처분취소]). 다음 물음에 답하시오. 30점

(1) 토지보상법상 실효성 확보수단으로 대행과 대집행을 설명하시오. 10점

(2) 토지보상법에 의한 협의취득 시 건물소유자(피수용자 한석봉)가 매매대상 건물에 대한 철거의무를 부담하겠다는 취지의 약정을 한 경우, 그 철거의무가 행정대집행법에 의한 대집행의 대상이 되는지 여부를 검토하시오. 10점

(3) 토지보상법상 협의취득 시 건물소유자(피수용자 한석봉)가 협의취득대상 건물에 대하여 약정한 철거의무의 강제적 이행을 행정대집행법상 대집행의 방법으로 실현할 수 있는지 여부를 검토하시오. 10점

Ⅰ. 논점의 정리

Ⅱ. (물음 1) 대행과 대집행
  1. 대행(토지보상법 제44조)
    (1) 의의 및 취지
    (2) 법적 성질
    (3) 요건
    (4) 대행청구의 대상이 되는 토지
      ·물건의 범위
  2. 대집행
    (1) 행정대집행법상 대집행
      (행정대집행법 제2조)
      1) 의의 및 취지
      2) 요건

    (2) 토지보상법상 대집행
      (토지보상법 제89조)
      1) 의의 및 취지
      2) 요건
    (3) 대집행의 절차

Ⅲ. (물음 2) 철거의무 부담 약정이 대집행의 대상인지 여부
  1. 토지보상법 제16조 협의의 법적 성질
    (1) 제16조 협의의 의의 및 취지
    (2) 학설 및 판례
    (3) 검토

> 2. 주택철거약정이 공법상 의무인지
> 여부
>   (1) 관련 판례의 태도
>   (2) 검토
>
> Ⅳ. (물음 3) 철거의무의 강제적 이행을 대집
> 행의 방법으로 실현할 수 있는지
>   1. 공용수용의 효과로서 인도·이전
>   의무
>   2. 관련 규정의 검토(토지보상법 제43조)
>   3. 관련 판례의 태도
>   4. 검토
> Ⅴ. 사안의 해결(입법론)

> **Tip** **강박사의 TIP(최근 기출문제)**
> 자진철거 약정을 하고 자진 철거를 하지 않을 경우의 대집행 가능 여부(제22회 문제3)

I 논점의 정리

공익사업을 위한 토지 등의 취득 및 보상에 관한 법률(이하 '토지보상법')상 실효상 확보수단으로서 대행과 대집행 규정에 대해 살피고, 토지보상법상 협의취득 시 철거약정의무가 대집행의 대상이 되는지 여부 및 약정한 철거의무의 강제적 이행을 행정대집행법상 대집행의 방법으로 실현할 수 있는지 여부에 대하여 관련 판례의 태도를 통해 검토한다.

II (물음 1) 대행과 대집행

1. 대행(토지보상법 제44조)

(1) 의의 및 취지

토지보상법상 대행이란, 토지·물건을 인도·이전해야 할 자가 고의나 과실 없이 의무를 이행할 수 없거나, 사업시행자가 과실 없이 토지나 물건을 인도·이전할 자를 알 수 없을 때, 사업시행자의 청구에 의하여 특별자치도지사·시장·군수 또는 구청장이 인도·이전 의무를 대행하는 것으로 사업의 원활한 시행을 위해 인정된다.

(2) 법적 성질

토지보상법 규정상 행정대집행의 일종으로 봄이 타당하고, 직접강제를 인정한 것으로 볼 수는 없다.

(3) 요건

특별자치도지사, 시장·군수 또는 구청장은 ① 토지나 물건을 인도하거나 이전하여야 할 자가 고의나 과실 없이 그 의무를 이행할 수 없을 때 또는 ② 사업시행자가 과실 없이 토지나 물건을 인도하거나 이전하여야 할 의무가 있는 자를 알 수 없을 때 사업시행자의 청구에 의하여 토지나 물건의 인도 또는 이전을 대행하여야 한다. 특별자치도지사, 시장·군수 또는 구청장이 대행하는 경우 그로 인한 비용은 그 의무자가 부담한다. 의무자가 그 비용을 내지 아니할 때에는 지방세 체납처분의 예에 따라 징수할 수 있다.

(4) 대행청구의 대상이 되는 토지·물건의 범위

인도·이전의무는 사업시행자의 소유권에 기한 의무는 아니므로, 대행청구의 대상범위도 수용목적물뿐만 아니라 사업시행에 방해가 되는 것이면 대행청구의 대상이 된다고 볼 것이다.

2. 대집행

> ❖ 행정기본법 제30조 제1항 제1호. 행정대집행 : 의무자가 행정상 의무(법령등에서 직접 부과하거나 행정청이 법령등에 따라 부과한 의무를 말한다. 이하 이 절에서 같다)로서 타인이 대신하여 행할 수 있는 의무를 이행하지 아니하는 경우 법률로 정하는 다른 수단으로는 그 이행을 확보하기 곤란하고 그 불이행을 방치하면 공익을 크게 해칠 것으로 인정될 때에 행정청이 의무자가 하여야 할 행위를 스스로 하거나 제3자에게 하게 하고 그 비용을 의무자로부터 징수하는 것(답안지 기술 시에는 대집행 정의는 행정기본법 제30조 제1항 제1호로 쓸 것)

(1) 행정대집행법상 대집행(행정대집행법 제2조)

1) 의의 및 취지

행정대집행법상의 대집행이란 대체적 작위의무(타인이 대시하여 이행할 수 있는 작위의무)의 불이행이 있는 경우에 당해 행정청이 스스로 의무자가 행할 행위를 하거나 제3자로 하여금 이를 행하게 하고 그 비용을 의무자로부터 징수하는 것을 말한다.

2) 요건

① 공법상 대체적 작위의무의 불이행이 있을 것, ② 다른 수단으로 이행의 확보가 곤란할 것, ③ 불이행을 방치함이 심히 공익을 해할 것의 요건을 모두 충족해야 한다.

(2) 토지보상법상 대집행(토지보상법 제89조)

1) 의의 및 취지

공법상 대체적 작위의무의 불이행 시 행정청이 그 의무를 스스로 행하거나 제3자로 하여금 행하게 하고 의무자로부터 비용을 징수하는 것으로 토지보상법 제89조에서 규정하고 있다. 이는 공익사업의 원활한 수행을 위한 제도적 취지가 인정된다.

2) 요건

① 이 법 또는 이 법에 의한 처분으로 인한 의무를 이행하여야 할 자가 의무를 이행하지 않거나, ② 기간 내 의무를 완료하기 어려운 경우, ③ 의무자로 하여금 그 의무를 이행하게 하는 것이 현저히 공익을 해한다고 인정되는 사유가 있는 경우 사업시행자가 시·도지사나 시장·군수 또는 구청장에게 대집행을 신청할 수 있다고 규정하고 있다.

(3) 대집행의 절차

대집행의 절차는 행정대집행법을 준용하여 계고, 통지, 실행, 비용징수의 절차를 따르게 되고 각 단계는 국민의 권리, 의무와 직접적 관련을 지니는바, 처분성이 인정된다.

Ⅲ (물음 2) 철거의무 부담 약정이 대집행의 대상인지 여부

1. 토지보상법 제16조 협의의 법적 성질

(1) 토지보상법 제16조 협의의 의의 및 취지

사업인정 전 협의란 공익사업의 목적물인 토지 등의 사용 또는 수용에 대한 사업시행자 및 토지소유자 간의 의사의 합치를 말한다. 이는 토지소유자 등에게 해당 공익사업의 취지를 이해시켜 임의의 협력을 구하게 하여 토지를 간편하게 취득하여 공익사업을 원활히 수행하고, 최소침해원칙을 관철함에 그 취지가 인정된다.

(2) 학설 및 판례

일부 견해는 사업인정 전 협의취득도 실질적으로는 공익목적의 토지취득절차이므로 사법상의 토지매매계약으로는 볼 수는 없고 공법적 성질을 가지는 것으로 보아야 한다고 한다. 그러나 법률관계의 공법성 주장은 사법적인 법률관계와 비교하여 그 특수성이 인정될 때에만 주장되는 매우 제한적인 것이다. 협의취득은 공용수용과 달리 사업시행자가 그 사업에 필요한 토지 등을 사경제 주체로서 취득하는 행위이므로 그것은 사법상의 매매행위의 성질을 갖는다고 보는 것이 일반적이다. 판례는 토지 등의 협의취득은 공공사업에 필요한 토지 등을 그 소유자와의 협의에 의하여 취득하는 것으로서 공공기관이 사경제주체로서 행하는 사법상 매매 내지 사법상 계약의 실질을 가지는 것으로 보고 있다(대판 2006.10.13, 2006두7096).

(3) 검토

사업인정 전 협의취득은 공익사업에 필요한 토지 등을 공용수용의 절차에 의하지 아니하고 사업시행자와 토지소유자의 자유로운 계약형식을 통하여 매매금액 및 소유권 이전시기 등을 결정할 수 있으므로, 이는 사법상 매매행위의 성질을 갖는다고 판단된다.

2. 주택철거약정이 공법상 의무인지 여부

(1) 관련 판례의 태도

> **판례**
>
> ● 대판 2006.10.13, 2006두7096[건물철거대집행계고처분취소]
>
> [판시사항]
>
> 구 공공용지의 취득 및 손실보상에 관한 특례법에 의한 협의취득 시 <u>건물소유자가 매매대상 건물에 대한 철거의무를 부담하겠다는 취지의 약정을 한 경우, 그 철거의무가 행정대집행법에 의한 대집행의 대상이 되는지 여부(소극)</u>
>
> [판결요지]
>
> <u>행정대집행법상 대집행의 대상이 되는 대체적 작위의무는 공법상 의무이어야 할 것인데, 구 공공용지의 취득 및 손실보상에 관한 특례법(2002.2.4. 법률 제6656호 공익사업을 위한 토지 등의 취득 및 보상에 관한 법률 부칙 제2조로 폐지)에 따른 토지 등의 협의취득은 공공사업에 필요한 토지 등을 그 소유자와의 협의에 의하여 취득하는 것으로서 공공기관이 사경제 주체로서 행하는 사법상 매매 내지 사법상 계약의 실질을 가지는 것이므로, 그 협의취득 시 건물소유자가 매매대상 건물에 대한 철거의무를 부담하겠다는 취지의 약정을 하였다고 하더라도 이러한 철거의무는 공법상의 의무가 될 수 없고, 이 경우에도 행정대집행법을 준용하여 대집행을 허용하는 별도의 규정이 없는 한 위와 같은 철거의무는 행정대집행법에 의한 대집행의 대상이 되지 않는다.</u>

(2) 검토

생각건대, 사업인정 전 협의는 사법상 매매의 성질을 가지므로, 당사자 간의 철거약정은 공법상의 의무로 볼 수 없을 것이다. 따라서 이러한 철거 의무를 부담하겠다는 취지의 약정은 대집행의 대상이 되지 않는다는 판례의 태도는 합당하다.

IV (물음 3) 철거의무의 강제적 이행을 대집행의 방법으로 실현할 수 있는지

1. 공용수용의 효과로서 인도·이전 의무

사업시행자는 수용의 개시일에 목적물을 원시취득하거나 사용의 개시일로부터 목적물을 사용할 수 있다. 토지소유자가 목적물의 인도·이전의무를 다하지 않는 경우에 토지보상법상 대행·대집행을 신청할 수 있다.

2. 관련 규정의 검토(토지보상법 제43조)

토지소유자 및 관계인과 그 밖에 토지소유자나 관계인에 포함되지 아니하는 자로서 수용하거나 사용할 토지나 그 토지에 있는 물건에 관한 권리를 가진 자는 수용 또는 사용의 개시일까지 그 토지나 물건을 사업시행자에게 인도하거나 이전하여야 한다.

3. 관련 판례의 태도

> **판례**
>
> ● 대판 2006.10.13, 2006두7096[건물철거대집행계고처분취소]
>
> [판시사항]
> 구 공공용지의 취득 및 손실보상에 관한 특례법에 의한 협의취득 시 건물소유자가 협의취득 대상 건물에 대하여 약정한 철거의무의 강제적 이행을 행정대집행법상 대집행의 방법으로 실현할 수 있는지 여부(소극)
>
> [판결요지]
> 구 공공용지의 취득 및 손실보상에 관한 특례법(2002.2.4. 법률 제6656호 공익사업을 위한 토지 등의 취득 및 보상에 관한 법률 부칙 제2조로 폐지)에 의한 협의취득 시 건물소유자가 협의취득대상 건물에 대하여 약정한 철거의무는 공법상 의무가 아닐 뿐만 아니라, <u>공익사업을 위한 토지 등의 취득 및 보상에 관한 법률 제89조에서 정한 행정대집행법의 대상이 되는 '이 법 또는 이 법에 의한 처분으로 인한 의무'에도 해당하지 아니하므로 위 철거의무에 대한 강제적 이행은 행정대집행법상 대집행의 방법으로 실현할 수 없다.</u>

4. 검토

생각건대, 토지보상법 제89조의 대집행은 토지보상법 또는 토지보상법에 의한 처분으로 인한 의무불이행만이 그 적용대상이므로 사업인정 이전의 협의에 의한 취득의 경우 철거의무 불이행은 토지보상법 제89조의 대집행규정의 적용대상이 아니다. 판례 또한 협의에 의해 약정한 철거의무는 공법상 의무가 아닐 뿐 아니라, 이 법 또는 이 법에 따른 처분에 의한 의무도 아니므로 위 철거의무에 대한 강제적 이행은 대집행의 방법으로 실현할 수 없다. 더욱이 헌법 제37조의 법률유보원칙상 명확한 법적인 근거 없이 철거의무를 강제적으로 이행할 수 없으며, 국민의 재산권 보호라는 토지보상법상의 입법 취지, 법상 체계, 내용 등을 보았을 때 국민의 권리보호를 두텁게 하는 측면에서 대집행 할 수 없음이 타당하다고 판단된다.

Ⅴ 사안의 해결(입법론)

토지보상법 제95조의2(벌칙) 규정에서 동법 제43조를 위반하여 토지 또는 물건을 인도하거나 이전하지 아니한 자는 과거에는 벌금 200만원에서 "1년 이하의 징역 또는 1천만원 이하의 벌금"에 처하도록 강화되었다. 궁극적으로는 공익사업의 홍보 및 피수용자와의 관계개선을 통하여 자발적 참여를 도모하는 것이 중요하고, 입법적으로 직접강제 및 새로운 실효성 확보수단의 법적근거를 마련해야 할 것이다. 또한 의무자의 권익 보호를 위하여 토지보상법 제89조 제3항에서 인권침해방지 노력규정을 신설하였으나, 구체적 방법이 제시되어 있지 않고, 위반 시 제재 방법도 없어 이에 대한 구체적인 입법논의가 필요할 것으로 생각한다.

35절 | 토지보상법 제46조(위험부담)

문제

사업시행자 甲은 재결에 의해 수력발전 시설 건설 예정지역 내의 토지 및 지상 입목에 대하여 적절한 보상을 하기로 예정되어 있었다. 그러나 보상금이 지급되기 전 홍수로 인하여 지상 입목이 멸실되었다. 이때 멸실 전 토지 및 지상 입목에 대해 보상하기로 한 甲은 토지보상법에 의해 어떤 의무를 지는지 설명하시오. 10점

Ⅰ. 서

Ⅱ. 민법상의 위험부담 법리
   1. 위험부담의 법리
   2. 민법상 위험부담 법리를 사업시행자
      에게 적용하는 경우

Ⅲ. 토지보상법상의 위험부담의 이전
   1. 의의
   2. 요건
      (1) 위험부담의 이전기간
      (2) 피수용자의 귀책사유가 없을
           것
      (3) 위험부담의 범위
   3. 효과
   4. 사안의 경우

Ⅳ. 결

⯈ 위험부담의 이전
민법 제537조 (채무자위험부담주의)
쌍무계약의 당사자 일방의 채무가 당사자 쌍방의 책임 없는 사유로 이행할 수 없게 된 때에는 채무자는 상대방의 이행을 청구하지 못한다.

Ⅰ 서

사업시행자의 댐 건설로 인한 목적물의 보상은 수용의 개시일에 보상금을 지급·공탁하고 피용수자는 목적물을 인도·이전하면 수용행정은 종결된다. 문제는 사안에서 귀책사유 없이 홍수로 목적물이 멸실되는 경우이다. 토지보상법 제46조에서는 목적물의 인도·이전과 사전보상의 원칙 구현을 통한 정당보상의 실현을 위해 위험부담의 이전을 규정하고 있다. 보상금이 지급·공탁되기 전에는 수용목적물의 권리가 그 소유자 또는 관계인에 유보되어 있다고 볼 수 있고, 사업시행자에게 귀책사유가 없는 한 그 손실이 소유자 또는 관계인의 부담인 것이 타당하나, 피수용자의 권리보호 차원에서 사업시행자의 부담으로 한다고 볼 수 있다.

Ⅱ 민법상의 위험부담 법리

1. 위험부담의 법리

민법 제537조는 계약에 있어서의 목적물의 위험을 채무자에게 부담시키고 있다. 즉, 법적인 소유권이 이전되기 전까지는 계약 목적물에 대한 권리·의무는 채무자에게 있으며 목적물의 멸실·훼손에 의한 손해는 채무자가 부담하게 되는 것이며 계약불이행 사유를 구성하게 되는 것이다.

2. 민법상 위험부담 법리를 사업시행자에게 적용하는 경우

채무자주의를 취한 결과 목적물이 멸실되는 경우 사업시행자(채권자)는 채권을 상실하는 동시에 반대급부채무를 면하게 된다. 그러므로 만일 반대급부를 이미 이행한 경우에는 부당이득을 이유로 반환청구를 할 수 있고, 사정을 모르고 그 후에 반대급부를 한 경우에는 비채변제(非債辨濟)에 의한 부당이득으로 반환청구를 할 수 있다. 사안에서는 민법상 위험부담 법리를 적용할 경우 사업시행자는 보상금 지급 전인 바, 보상의무가 없다고 보인다.

Ⅲ 토지보상법상의 위험부담의 이전

1. 의의

토지수용위원회의 재결이 있은 후 수용할 토지나 물건이 토지소유자 또는 관계인의 고의나 과실 없이 멸실 또는 훼손된 경우 그로 인한 손실을 사업시행자의 부담으로 한다.

2. 요건

(1) 위험부담의 이전기간

위험부담 이전의 효력은 재결에 따른 것이며, 수용의 개시일에 해당 목적물의 소유권이 사업시행자에게 원시취득되기 때문에 위험부담이 이전되는 기간은 수용재결이 있은 후부터 수용의 개시일까지이다.

(2) 피수용자의 귀책사유가 없을 것

목적물의 멸실에 피수용자의 귀책사유가 있는 경우에는 당연히 피수용자가 그 위험부담을 지게 되며, 피수용자의 귀책사유가 없는 경우에 한하여 목적물의 멸실에 따른 위험부담을 면하게 된다.

(3) 위험부담의 범위

위험부담은 목적물의 멸실·훼손 등에 한하고 목적물의 가격하락의 경우에는 적용되지 않는다. 왜냐하면, 토지보상법 제67조 제1항에 의하면 손실에 대한 보상액의 산정은 재결에 의한 경우에는 수용 또는 사용의 재결 당시의 가격을 기준으로 하여 정해지는 것이기 때문이다.

3. 효과

수용목적물의 멸실·훼손에 대한 손실은 사업시행자가 부담하게 되며 보상금의 감액이나 면제를 주장할 수 없다. 판례는 "댐 건설로 인한 수몰지역 내의 토지를 매수하고 지상 입목에 대하여 적절한 보상을 하기로 특약하였다면 보상금이 지급되기 전에 그 입목이 홍수로 멸실되었다고 하더라도 매수 또는 보상하기로 한 자는 이행불능을 이유로 위 보상약정을 해제할 수 없다."고 한다.

> **판례**
>
> ● 관련 판례(대판 1977.12.27, 76다1472)
>
> 댐 건설로 인한 수몰지역 내의 토지를 매수하고 지상입목에 대하여 적절한 보상을 하기로 특약하였다면 보상금이 지급되기 전에 그 입목이 홍수로 멸실되었다고 하더라도 매수 또는 보상하기로 한 자는 이행불능을 이유로 보상약정을 해제할 수 없다.

4. 사안의 경우

토지수용위원회의 재결이 있은 후에 보상목적물인 입목에 대하여 홍수라는 자연재해를 통해 고의·과실 없이 목적물이 멸실된 경우로 사업시행자 甲은 수용의 개시일까지 보상의무를 진다고 판단된다.

IV 결

민법상 위험은 채무자가 부담함이 원칙이나 토지보상법은 그 예외로서 재결시에 위험부담의무가 사업시행자에게로 이전되도록 규정하고 있다. 따라서 사업시행자 甲은 입목이 홍수에 의하여 피수용자의 귀책사유 없이 멸실·훼손된 경우 이를 이유로 손실보상의 감액이나 면제를 주장할 수 없다. 즉, 사업시행자 甲은 수용의 개시일에 입목에 대한 보상금을 피수용자에게 지급하여야 하는 의무가 있다고 보인다.

36절 토지보상법 제47조(담보물권과 보상금)

> **문제**
>
> 「공익사업을 위한 토지 등의 취득 및 보상에 관한 법률」상 제47조의 담보물권자의 물상대위에 대하여 설명하시오. **10점**
>
> | | |
> |---|---|
> | Ⅰ. 개설 | 2. 물상대위의 효력이 미치는 보상의 범위 |
> | Ⅱ. 토지보상법 제47조의 적용범위 | Ⅳ. 관련문제(사업인정 후 담보물권을 취득한 자의 권리구제) |
> | Ⅲ. 물상대위권의 내용 | |
> | 　1. 내용 | |

Ⅰ 개설

수용목적물에 유치권·질권·저당권 등의 담보물권이 설정되어 있는 경우에 그 목적물이 수용됨으로 인해 그 담보물권도 소멸하는데, 그 소멸되는 담보물권을 어떻게 보호하여야 할 것인가와 관련하여 물상대위의 문제가 제기되고 있다(공익사업을 위한 토지 등의 취득 및 보상에 관한 법률, 이하 '토지보상법').

Ⅱ 토지보상법 제47조의 적용범위

토지보상법은 손실보상에 관한 개인별 보상원칙을 채택하고 있어 담보물권도 그에 따라 보상을 받게 되는 것이므로 개인별 보상원칙이 적용되는 한에 있어서는 그 보호에 문제가 없다. 또한 해당 담보물권이 사업인정 전에 설정된 것이라면 사업인정 이후에 담보물권을 승계취득한 경우에도 해당 권리자는 관계인에 해당되어 피수용자가 되어 권리구제가 가능하다. 따라서 토지보상법 제47조는 결국 개인별 보상원칙에 대한 예외규정으로서, 보상금을 개별적으로 산정·지급하지 못하는 경우 또는 사업인정고시 이후에 설정된 담보물권에 관해 적용되는 것이다.

Ⅲ 물상대위권의 내용

1. 내용

토지보상법 제47조는 "담보물권의 목적물이 수용되거나 사용된 경우 그 담보물권은 그 목적물의 수용 또는 사용으로 인하여 채무자가 받을 보상금에 대하여 행사할 수 있다. 다만, 그 보상금이 채무자에게 지급되기 전에 압류하여야 한다."라고 규정하고 있어, 사업인정 후 권리를 설정한 담보물권자는 토지보상법 제47조에 기한 권리구제를 도모할 수 있을 것이다. 즉, 법 제47조에 의한 압류가 행해져도 담보물권이 소멸되거나 제한되나, 압류가 유효한 한 보상금청구권자와의 관계에 있어서 담보물권은 상대적으로 존재하는 것이며, 담보물권자의 압류가 있으면 사업시행자는 공탁이 가능하게 된다.

2. 물상대위의 효력이 미치는 보상의 범위

채무자가 받을 보상금에 대해서는 어떤 범위까지를 가리키는 것인지가 문제된다. 수용사용되는 토지의 가격 및 잔여지에 대한 보상금이 포함되는 것은 당연하다. 한편, 기타 다른 보상금도 이에 포함되는지 의문이 있을 수 있으나, 담보물권의 목적물과 직접적 관련성이 없다는 점에서 소극적으로 해석하는 것이 타당할 것이다.

Ⅳ 관련문제(사업인정 후 담보물권을 취득한 자의 권리구제)

사업인정 후 담보물권을 취득한 자는 법 제47조에 의한 권리보호 외에 다른 구제책이 존재하는지가 문제될 수 있다. 해당 채권에 관한 다툼은 민사소송에 의함은 별론으로 하고, 사업인정 후 담보물권을 취득한 자는 원칙적으로 관계인에 포함되지 않으므로 사업인정이나 재결에 대한 불복은 원칙적으로 불가능하며, 수용재결에서 결정한 보상금증감청구소를 제기할 수 있는지에 대해서도 역시 같은 이유로 피수용자가 아닌 담보물권자는 해당 행정소송의 제기가 불가능할 것이다.

> 판례
>
> ● 관련 판례(2014.12.11, 2014다200237)[손해배상(기)]
>
> [판시사항]
> 중앙토지수용위원회가 수용대상토지의 관계인인 甲의 주소로 송달한 재결서 정본이 반송되자 甲의 실제 주소를 파악하기 위한 기본적인 조치도 없이 곧바로 공시송달의 방법으로 재결서 정본을 송달한 사안에서, 甲이 수용대상토지의 수용보상금 중 일부에 대하여 물상대위권을 행사할 수 있는 기회를 잃게 됨으로써 피담보채권을 우선변제받지 못하는 손해를 입었다고 보아 국가배상책임을 인정한 원심판단을 수긍한 사례
>
> [이유]
> 상고이유를 판단한다.
> 1. 원심판결 이유에 의하면, 원심은 그 판시와 같은 사실을 인정한 다음, 중앙토지수용위원회(이하 '중토위'라 한다)가 주식회사 한솔테크(이하 '한솔테크'라 한다)가 제출한 원심판시 이사건 주소를 원고의 주소로 만연히 믿은 채 재결서 정본을 송달하였고, 재결서 정본이 반송되자 주민등록표를 확인하거나 한솔테크에 원고 주소의 보정을 명하는 등 원고의 실제 주소를 파악하기 위한 아무런 기본적인 조치도 취하지 아니하고 곧바로 공시송달의 방법으로 재결서 정본을 송달한 잘못이 있고, 이러한 중토위의 잘못으로 인하여 원고가 수용대상 토지인 원심판시 이 사건 각 임야의 수용보상금 중 일부에 대하여 물상대위권을 행사할 수 있는 기

회를 잃게 됨으로써 피담보채권을 우선변제받지 못하는 손해를 입었다고 판단하면서, 다만 원고에게도 주소지를 옮긴 후 등기부상 주소를 그에 맞게 변경하지 아니하여 재결서 정본을 수령하지 못한 잘못이 있고, 위와 같은 원고의 잘못도 이 사건 손해 발생에 기여하였으므로 피고의 책임을 60%로 제한함이 상당하다고 판단하였다.

원심은 나아가, 그 판시와 같은 사정을 종합할 때 원고로서는 2010.3.30.경에 이르러서야 비로소 피고의 불법행위 요건사실을 현실적이고도 구체적으로 인식하게 되었으므로 소멸시효는 그때부터 진행한다고 봄이 상당하다고 판단하고, 비록 재결서 정본 송달에 기간의 제한이 없다고 하더라도 피고가 위와 같은 부적법한 공시송달 후 적법한 송달을 하였음을 인정할 증거가 없고, 설사 송달을 하였다 하더라도 수용개시일이 지나 수용보상금이 공탁된 후에 관계인에게 재결서 정본을 송달하는 것은 관계인의 권리보장에 아무런 도움이 되지 못한다고 판단하였다.

2. 관련 법리 및 기록에 비추어 살펴보면, 원심의 위와 같은 판단은 정당한 것으로 수긍이 가고, 거기에 논리와 경험의 법칙에 반하여 자유심증주의의 한계를 벗어나거나, 공익사업을 위한 토지 등의 취득 및 보상에 관한 법률(이하 '토지보상법'이라 한다) 제34조 제2항의 수용재결서 송달, 불법행위 손해배상청구권의 소멸시효 기산점, 토지보상법상 보상의무에 관한 법리를 오해하거나, 토지보상법 제50조나 과실상계와 관련한 판단을 누락한 잘못이 없다.

3. 그러므로 상고를 기각하고, 상고비용은 패소자가 부담하기로 하여, 관여 대법관의 일치된 의견으로 주문과 같이 판결한다.

37절 토지보상법 제62조(사전보상)

> **문제**
>
> 「공익사업을 위한 토지 등의 취득 및 보상에 관한 법률」에서는 공익상의 목적으로 인하여 불가피하게 재산권에 침해를 받은 토지 등 소유자 및 관계인의 보호를 위해 '사전보상의 원칙'을 규정하고 있다. 이하 사전보상의 원칙과 그 예외적 규정에 대해 설명하시오. 20점
>
> Ⅰ. 서
> Ⅱ. 사전보상의 원칙(법 제62조)
> 1. 의의
> 2. 사전보상의 원칙을 보장하기 위한 제도
>
> Ⅲ. 사전보상에 대한 예외적 규정
> 1. 측량·조사로 인한 손실보상
> 2. 천재·지변 시 시급을 요하는 토지 사용
> 3. 실효로 인한 손실보상
> 4. 기타 토지에 관한 비용보상
> Ⅳ. 결

Ⅰ 서

행정상 손실보상의 공공필요에 의한 적법한 공권력 행사로 개인의 재산권에 가하여진 특별한 희생에 대하여 공평부담의 견지에서 행하는 조절적인 전보제도로서 헌법 제23조 제3항은 정당보상을 천명하고 있으며 헌법상 정당보상을 실현하기 위하여 이를 합목적·기술적으로 구체화한 법에는 보상의 기준 및 원칙을 규정하여 정당보상을 구체화하고 있다. 사전보상의 원칙은 이러한 원칙과 기준의 하나로서 일반적인 경우에 적용되나 예외적으로 사후보상이 되는 경우도 있는바, 이를 검토하겠다.

Ⅱ 사전보상의 원칙(법 제62조)

1. 의의

사업시행자는 목적물을 취득하거나 사용하기 이전에 보상하는 것이 원칙이다. 사전보상의 원칙은 피수용자가 권리를 상실하기 전에 보상받을 수 있도록 하여 보상받지 않은 상태에서 권리를 상실하는 일이 없도록 배려한 것이다. 이는 헌법상 정당보상의 내용으로 당연히 요구되는 원칙이 아니라 최대한 피수용자를 유리하게 하기 위한 입법정책의 배려라 할 수 있다.

2. 사전보상의 원칙을 보장하기 위한 제도

현행법은 사업시행자가 수용 또는 사용의 개시일까지 관할 토지수용위원회가 재결한 보상금을 지급하도록 하고, 수용 또는 사용의 개시일까지 재결한 보상금을 지급 또는 공탁하지 않았을 경우 재결의 효력이 상실되도록 함으로써 사전보상의 원칙을 보장하고 있다.

Ⅲ 사전보상에 대한 예외적 규정

1. 측량·조사로 인한 손실보상

사업의 준비를 위한 타인토지 출입과 장해물 제거 그리고 토지·물건 조서작성을 위한 타인토지의 출입으로 인한 손실이 발생한 경우 이를 보상하여야 하며 손실보상청구는 손실이 있는 것을 안 날부터 1년, 있은 날부터 3년 이내에 하여야 한다.

2. 천재·지변 시 시급을 요하는 토지사용

천재·지변 기타 사변시 공공의 안전을 보호·유지하기 위하여 특별자치도지사, 시장·군수·구청장의 허가를 받아 즉시 사용하는 경우와 재결이 지연됨으로 인하여 공공이익에 지장을 초래할 우려로 관할 토지수용위원회의 허가로 사용하는 경우에는 사후보상이 되며 사용에 따른 수인에 대한 보상이다.

3. 실효로 인한 손실보상

실효란 적법하게 성립·발효한 행정행위가 일정한 사유의 발생으로 장래를 향하여 효력을 상실하는 것으로 사업인정의 실효, 사업의 폐지·변경, 재결의 실효로 인한 손실은 보상하여야 하며 손실보상의 청구는 손실이 있는 것을 안 날부터 1년, 있은 날부터 3년 이내에 하여야 한다.

4. 기타 토지에 관한 비용보상

토지의 취득·사용으로 취득·사용할 토지 및 잔여지 이외의 통로·도랑·담장 등의 신설이나 기타 공사가 필요한 경우, 사업시행자는 그 비용의 전부 또는 일부를 보상하여야 하며 보상의 청구는 해당 사업의 사업완료일부터 1년 이내에 하여야 한다.

Ⅳ 결

시급을 요하는 경우 협의를 거쳐 재결이 지연되는 경우 토지소유자 등의 청구가 있으면 사업시행자는 자기가 산정한 보상액을 지급하고 사업시행자가 보상의 시기까지 그 이행이 없는 경우 토지소유자 등은 담보물을 취득하게 된다. 그 외의 경우에는 협의하되 협의불성립 시 재결에 의한다. 이때 재결불복에 대해 처분성을 인정하는 경우에는 이의신청이나 보상금증감청구소송으로, 처분성을 부정하는 경우에는 민사소송 내지는 공법상 당사자소송에 의해 해결하게 될 것이다. 생각건대 이는 단순한 보상 견적액의 제시가 아닌 국민의 재산권에 영향을 미치므로 처분성을 인정함이 타당하다고 본다.

38절 토지보상법 제63조(현금보상 등)

> **문제**
>
> 공익사업을 위한 토지 등의 취득 및 보상에 관한 법률 제63조의 〈현금보상의 원칙〉을 기술하고, 그 예외적 수단을 설명하시오. 30점

I 서

손실보상의 원칙이란 공익사업을 시행하는 주체가 공용침해에 따른 손실을 보상함에 있어 지켜야 하는 기준으로 이는 헌법 제23조 제3항의 정당보상을 실현하기 위해 법에서 규정하고 있다. 이하에서는 그 원칙 중의 하나인 현금보상과 일정요건이 충족되는 경우 실현되는 채권보상을 중심으로 살펴보기로 한다.

Ⅱ 현금보상의 원칙

현금보상의 원칙은 손실을 보상함에 있어 현금으로 보상하여야 한다는 것으로 토지보상법 제63조에 근거하며 그 취지는 현금이 가장 유동성이 높고, 객관적 가치의 변동이 적어 손실의 완전한 보상을 해줄 수 있기 때문이다. 다만, 다른 법률에 특별한 규정이 있는 경우나 법상 요건이 충족되는 경우에는 채권보상이나 매수보상, 현물보상 등 예외적인 수단으로 손실보상을 행할 수 있다.

Ⅲ 대토보상

1. 의의

대토보상은 현금보상의 예외로 토지소유자가 원하는 경우로서 사업시행자가 해당 공익사업의 합리적인 토지이용계획과 사업계획 등을 고려하여 토지로 보상이 가능한 경우에는 토지소유자가 받을 보상금 중 현금 또는 채권으로 보상받는 금액을 제외한 부분에 대하여 그 공익사업의 시행으로 조성한 토지로 보상할 수 있으며 국가의 예산부족 및 보상금의 부동산 투기 등을 방지하기 위해 마련되었다.

2. 요건(토지보상법 제63조 제1항)

(1) 토지로 보상받을 수 있는 자

토지의 보유기간 등 대통령령으로 정하는 요건을 갖춘 자로서 「건축법」 제57조 제1항에 따른 대지의 분할제한면적 이상의 토지를 사업시행자에게 양도한 자(공익사업을 위한 관계 법령에 따른 고시 등이 있은 날 당시 다음의 어느 하나에 해당하는 기관에 종사하는 자 및 종사하였던 날부터 10년이 경과하지 아니한 자는 제외한다)가 된다. 이 경우 대상자가 경합(競合)할 때에는 제7항 제2호에 따른 부재부동산(不在不動産) 소유자가 아닌 자 중 해당 공익사업지구 내 거주하는 자로서 토지보유기간이 오래된 자 순으로 토지로 보상하며, 그 밖의 우선순위 및 대상자 결정방법 등은 사업시행자가 정하여 공고한다.

① 국토교통부
② 사업시행자
③ 제21조 제2항에 따라 협의하거나 의견을 들어야 하는 공익사업의 허가·인가·승인 등을 하는 기관
④ 공익사업을 위한 관계 법령에 따른 고시 등이 있기 전에 관계 법령에 따라 실시한 협의, 의견청취 등의 대상인 중앙행정기관, 지방자치단체, 「공공기관의 운영에 관한 법률」 제4조에 따른 공공기관 및 「지방공기업법」에 따른 지방공기업

(2) 보상하는 토지가격의 산정 기준금액

다른 법률에 특별한 규정이 있는 경우를 제외하고는 일반분양가격으로 한다.

(3) 보상기준 등의 공고

제15조에 따라 보상계획을 공고할 때에 토지로 보상하는 기준을 포함하여 공고하거나 토지로 보상하는 기준을 따로 일간신문에 공고할 것이라는 내용을 포함하여 공고한다.

3. 내용

(1) 토지로 보상하는 면적(토지보상법 제63조 제2항)

토지소유자에게 토지로 보상하는 면적은 사업시행자가 그 공익사업의 토지이용계획과 사업계획 등을 고려하여 정한다. 이 경우 그 보상면적은 주택용지는 990제곱미터, 상업용지는 1천 100제곱미터를 초과할 수 없다.

(2) 대토보상 결정권리의 전매제한 등(토지보상법 제63조 제3항)

토지보상법 제63조 제1항 단서에 따라 토지로 보상받기로 결정된 권리(제4항에 따라 현금으로 보상받을 권리를 포함한다)는 그 보상계약의 체결일부터 소유권이전등기를 마칠 때까지 전매(매매, 증여, 그 밖에 권리의 변동을 수반하는 모든 행위를 포함하되, 상속 및 「부동산투자회사법」에 따른 개발전문 부동산투자회사에 현물출자를 하는 경우는 제외한다)할 수 없으며, 이를 위반하거나 해당 공익사업과 관련하여 다음의 어느 하나에 해당하는 경우에 사업시행자는 토지로 보상하기로 한 보상금을 현금으로 보상하여야 한다. 이 경우 현금보상액에 대한 이자율은 제9항 제1호 가목에 따른 이자율의 2분의 1로 한다.

① 제93조, 제96조 및 제97조 제2호의 어느 하나에 해당하는 위반행위를 한 경우
② 「농지법」 제57조부터 제61조까지의 어느 하나에 해당하는 위반행위를 한 경우
③ 「산지관리법」 제53조, 제54조 제1호·제2호·제3호의2·제4호부터 제8호까지 및 제55조 제1호·제2호·제4호부터 제10호까지의 어느 하나에 해당하는 위반행위를 한 경우
④ 「공공주택특별법」 제57조 제1항 및 제58조 제1항 제1호의 어느 하나에 해당하는 위반행위를 한 경우
⑤ 「한국토지주택공사법」 제28조의 위반행위를 한 경우

(3) 현금보상으로의 전환

① 현금보상으로의 전환 요청(토지보상법 제63조 제4항)
토지소유자가 토지로 보상받기로 한 경우 그 보상계약 체결일부터 1년이 지나면 이를 현금으로 전환하여 보상하여 줄 것을 요청할 수 있다.

② 현금보상(토지보상법 제63조 제5항)
사업시행자는 해당 사업계획의 변경 등 국토교통부령으로 정하는 사유로 보상하기로 한 토지의 전부 또는 일부를 토지로 보상할 수 없는 경우에는 현금으로 보상할 수 있다.

③ 현금보상액에 대한 이자율(토지보상법 제63조 제6항)
사업시행자는 토지소유자가 다음의 어느 하나에 해당하여 토지로 보상받기로 한 보상금에

대하여 현금보상을 요청한 경우에는 현금으로 보상하여야 한다. 이 경우 현금보상액에 대한 이자율은 제9항 제2호 가목(상환기한이 3년 이하인 채권 : 3년 만기 국고채 금리(채권 발행일 전달의 국고채 평균 유통금리로 한다)로 하되, 3년 만기 정기예금 이자율이 3년 만기 국고채 금리보다 높은 경우에는 3년 만기 정기예금 이자율을 적용한다)에 따른 이자율로 한다.

ⓐ 국세 및 지방세의 체납처분 또는 강제집행을 받는 경우

ⓑ 세대원 전원이 해외로 이주하거나 2년 이상 해외에 체류하려는 경우

ⓒ 그 밖에 ⓐ·ⓑ과 유사한 경우로서 국토교통부령으로 정하는 경우

Ⅳ 채권보상

1. 의의 및 취지

채권보상이란 손실보상을 행함에 있어 채권으로 보상금을 지급하는 것을 말하며 채권보상을 인정하고 있는 이유는 사업시행자의 재정부담을 줄여 공공사업의 원활을 기하고 보상금의 일시적 투기자금화를 방지하기 위함인데 헌법 제23조 제3항과 관련하여 위헌성이 제기되고 있다.

2. 요건

(1) 사업시행자가 발행하는 채권으로 지급할 수 있는 경우

토지소유자나 관계인이 원하는 경우, 사업인정을 받은 사업의 경우에는 대통령령으로 정하는 부재부동산 소유자의 토지에 대한 보상금이 1억원을 초과하는 경우로서 그 초과하는 금액에 대하여 보상하는 경우에는 사업시행자가 발행하는 채권으로 지급할 수 있다(법 제63조 제7항).

(2) 사업시행자가 발행하는 채권으로 지급하여야 하는 경우

토지투기가 우려되는 지역 및 인접지역 안에서 공익사업을 시행하는 자 중 공공기관 및 공공단체는 부재부동산 소유자의 토지에 대한 보상금 중 1억원을 초과하는 부분에 대하여는 해당 사업시행자가 발행하는 채권으로 지급하여야 한다(법 제63조 제8항).

3. 내용

(1) 발행기관 및 절차

보상채권은 기획재정부장관이 관계 중앙행정기관의 장의 요청에 의해 발행하며 무기명증권으로 발행하며 액면금액으로 하되 최소액면금액은 10만원으로 하며, 보상금 중 10만원 미만인 끝수의 금액은 사업시행자가 보상금을 지급하는 때에 이를 현금으로 지급한다. 보상채권의 발행일은 보상채권지급결정통지서를 발급한 날이 속하는 달의 말일로 한다.

(2) 상환기간 및 이율(토지보상법 제63조 제9항)

채권의 상환기한은 5년을 넘지 아니하는 범위에서 정하여야 하며, 그 이율은 ① 부재부동산 소유자에게 지급하는 경우에는 3년 만기 정기예금 이자율(상환기간이 3년 이하인 채권) 또는 5년 만기 국고채 금리(상환기간이 3년 초과 5년 이하인 채권)로 하며, ② 부재부동산 소유자가 아닌 자가 원하여 지급하는 경우에는 3년 만기 국고채 금리와 3년 만기 정기예금 이자율 중 높은 이율(상환기간이 3년 이하인 채권) 또는 5년 만기 국고채 금리(상환기간이 3년 초과 5년 이하인 채권)를 적용한다.

V 관련문제

1. 평등원칙의 위반 여부(행정기본법 제9조)

채권보상은 현금보상의 원칙의 예외로 그 대상이 되는 부재지주자의 입장에서는 일정금액 이상이라 하더라도 다른 보상대상자와 비교하여 받아들이기 힘들 수 있으나 상환기간을 5년으로 하고 있고 자본가치를 보장할 수 있는 이율을 적용하고 있기 때문에 평등의 원칙에 위반되었다고 보기는 힘들 것이다.

2. 정당보상에 합치하는지 여부(헌법 제23조 제3항)

헌법상 정당보상은 완전보상을 의미하며 그 보상의 시기와 방법에 있어서도 제한을 가해서는 안 된다는 입장에서 채권보상은 방법의 제약으로 위헌의 소지가 있는 것은 사실이다. 그러나 채권보상 제도의 취지·목적 등이 재산권 제약의 범위 내로 보이며 그 상환기간, 이율 등이 정당보상에 합치하려는 노력으로 보이므로 재산권 제약의 한계를 넘는 것은 아니라고 볼 것이다. 다만, 위헌성 논의가 있는 이상 이를 해결하기 위해 채권보상 대상의 범위를 줄이고 상환기간을 낮추거나 한도액 1억원의 범위를 높이는 등의 방법을 강구하여야 할 것이다.

3. 토지투기 우려지역에 대한 해석

종전 채권보상요건에서 추가로 토지투기 우려가 있는 지역 및 그 인접지역에 대한 보상금이 1억원을 초과하는 경우 그 초과하는 금액에 대해 채권으로 보상하도록 하고 있다. 토지투기가 우려되는 지역은 토지거래계약에 관한 허가구역이 속한 시·군 또는 구와 그 연접한 시·군 또는 구로 규정하고 있으나 모든 연접지역을 모두 토지투기가 우려되는 지역으로 볼 것인지, 어디까지 연접지역으로 볼 것인지가 명확하지 않아 문제가 될 수 있다.

VI 결

손실보상은 현금보상이 원칙임에도 불구하고 채권으로 보상하는 것은 재정문제 및 보상자금의 투기화 등을 막기 위해서이다. 이러한 취지에도 불구하고 채권보상은 위헌성 논의가 끊이지 않고 있으므로 피수용자의 권익침해를 막기 위한 노력이 앞으로도 꾸준히 있어야 할 것이다.

39절 │ 토지보상법 제67조(보상액의 가격시점 등)

문제

토지보상법상 보상액의 가격시점 등 손실보상액의 산정시기에 대해 설명하시오. `10점`

Ⅰ. 개설

Ⅱ. 보상액 산정 내용
  1. 토지보상법 제67조 시가보상
  2. 시가보상에 대한 판례의 태도

Ⅲ. 협의 당시 및 재결 당시를 기준으로 하는 이유

Ⅳ. 공익사업의 공고·고시일 이전 또는 사업인정 이전의 공시지가를 기준으로 하는 이유

Ⅴ. 결

Ⅰ 개설

종전 (구)공특법과 (구)토지수용법은 보상액 산정시기에 대해 이원화되어 있었으나 현행법은 양 법률을 통합함에 따라 보상액 산정시기를 일괄하여 규정하고 있다. 보상액 산정시기란 대상물건에 대한 보상액 산정의 기준이 되는 시점, 즉 가격시점을 의미하는 바, 보상액 산정시기를 어느 때로 하게 되는지에 따라 보상액 결정에 지대한 영향을 미치게 된다.

Ⅱ 보상액 산정 내용

1. 「공익사업을 위한 토지 등의 취득 및 보상에 관한 법률」 제67조 시가보상

보상액의 산정은 협의에 의한 경우에는 협의 성립 당시의 가격을, 재결에 의한 경우에는 수용 또는 사용의 재결 당시의 가격을 기준으로 한다. 협의 또는 재결에 의하여 취득하는 토지에 대하여는 공시지가를 기준으로 하여 보상하되, 이때의 공시지가는 개발이익 배제 차원에서 협의에 의한 취득에 있어서는 공시지가는 공익사업의 계획 또는 시행이 공고 또는 고시됨으로 인하여 취득하여야 할 토지의 가격이 변동되었다고 인정되는 경우에는 해당 공고일 또는 고시일 전의 시점을 공시기준일로 하는 공시지가로 하도록 하고 사업인정 후의 취득에 있어서 공시지가는 사업인정고시일 전의 시점을 공시기준일로 하는 공시지가로 하도록 하고 있다.

2. 시가보상에 대한 판례의 태도(대판 1991.10.11, 90누5443)

토지수용 보상액을 산정함에 있어서는 (구)토지수용법 제46조 제1항(현 제67조 규정)에 따라 해당 공공사업의 시행을 직접 목적으로 하는 계획의 승인 고시로 인한 가격변동은 고려함이 없이 수용 재결당시의 가격을 기준으로 하여 정하여야 할 것이므로 해당 택지개발사업을 위한 택지개발예

정지구의 지정이라는 사정은 고려하여서는 아니 되고 또한 수용재결시가 아닌 이의재결 당시의 가격도 조사 반영할 수 없다.

Ⅲ 협의 당시 및 재결 당시를 기준으로 하는 이유

수용목적물의 권리변동은 협의나 재결에서 따로 정한 수용사용의 개시일에 이뤄지므로 보상액 산정시기는 수용사용의 개시일이 되어야 할 것이나, 재결 이후의 장래가치의 변화를 예측하는 것은 현실적으로 어렵다는 점, 재결로 인해 사업시행자에게 위험부담이 이전되므로 피수용자의 지위를 보호할 필요성이 있다는 점에서 협의 및 재결 시로 한 것으로 보인다.

Ⅳ 공익사업의 공고·고시일 이전 또는 사업인정 이전의 공시지가를 기준으로 하는 이유

개발이익은 그 개념상 토지소유자의 소유라고 볼 수 없어 손실보상금에 공익사업 시행에 대한 공고·고시 및 사업인정으로 인한 개발이익을 포함시키지 않는 것이 타당하므로 해당 사업으로 인해 현저한 가격변동이 이루어졌다면 해당 사업의 공고·고시일 이전 또는 사업인정 이전의 공시지가를 기준으로 손실보상액을 산정하게 된다.

Ⅴ 결

사업인정 후 취득에 있어 사업인정 이전의 공시지가를 기준으로 하도록 하고 있는 규정은 개발이익 배제가 목적이라고 하나 보상의 기준시점이 재결 당시인데 반해 보상액의 산정기준이 되는 공시지가 기준일을 앞당긴 것에 불과하여 개발이익이 완전히 배제되지 못하는 문제점이 있는 바, 차라리 개발이익의 배제를 위해 보상의 기준시점을 재결 시에서 사업인정고시일로 변경하고 사정보정을 물가변동률만으로 하는 것이 바람직하다고 볼 수도 있다.

40절 │ 토지보상법 제70조(취득하는 토지의 보상)

문제

1962년 토지수용법을 제정하고, 1975년 공공용지취득 및 손실보상에 관한 특례법이 제정되었으며, 2003년 공익사업을 위한 토지 등의 취득 및 보상에 관한 법률로 통합 제정되면서 보상 갈등에 대한 이해관계를 법률적으로 정비해 왔다. 최근에도 공익사업을 진행함에 있어 보상을 둘러싼 이해관계가 첨예하게 대립되고 있는 실정이다. 아래 물음에 대하여 답하시오. **50점**

1. 설문 (1) 공익사업을 위한 손실보상제도에 대하여 설명하시오. **10점**
2. 설문 (2) 공익사업을 위한 손실보상제도의 문제점에 대하여 논하시오. **20점**
3. 설문 (3) 공익사업을 위한 손실보상제도의 개선방안에 대하여 논하시오. **20점**

Ⅰ. 논점의 정리

Ⅱ. 설문 (1) 공익사업을 위한 손실보상제도
   1. 헌법 제23조 제3항의 정당보상의 의미
   2. 토지보상법상 손실보상기준
   3. 토지보상법상 손실보상원칙
   4. 토지보상법상 손실보상의 내용
   5. 보상액에 대한 불복

Ⅲ. 설문 (2) 공익사업을 위한 손실보상제도의 문제점
   1. 피수용자와 주변지역 토지소유자 간 형평성 문제
   2. 시가에 미달하는 공시지가기준 보상의 완전보상 미실현

   3. 감정평가법인등 선정의 문제
      (1) 사업시행자의 감정평가법인등 선정에 따른 중립성 침해
      (2) 토지소유자 추천제의 부작용 발생
   4. 보상평가 검증시스템 취약

Ⅳ. 설문 (3) 공익사업을 위한 손실보상제도의 개선방안
   1. 공익사업 주변지역 개발이익 환수 장치개선
   2. 공시지가의 현실화를 위한 기타요인 보정의 명문화
   3. 감정평가법인등 선정의 중립성 제고
   4. 보상평가의 검증시스템 체계적 운영

Ⅴ. 결

판례

● 헌법재판소

   헌법재판소에서는 헌법 제23조 제3항의 규정에 의한 정당한 보상의 의미가 '완전보상'을 의미한다는 취지의 다음과 같이 판시한 바 있다.[1]

---

[1] 헌재 1990.6.25, 89헌마107 결정

헌법 제23조 제3항의 규정에 의한 정당한 보상이란 … 손실보상의 원인이 되는 재산권의 침해가 기존의 법질서 안에서 개인의 재산권에 대한 개별적인 침해인 경우에는 그 손실보상은 원칙적으로 피수용재산의 객관적인 재산가치를 완전하게 보상하는 것이어야 한다는 완전보상을 뜻하는 것으로서 보상금액뿐만 아니라 보상의 시기나 방법 등에 있어서도 어떠한 제한을 두어서는 아니 된다는 것을 의미한다고 할 것이다.

● 대법원

대법원 역시 헌법재판소와 비슷한 취지에서 원칙적으로 완전보상을 의미하나 투기적 거래에 의한 가격은 완전보상의 내용에서 배제되어야 함을 판시하였으며 그 내용은 다음과 같다.[2]

헌법 제23조 제3항…의 규정은 보상청구권의 근거에 관하여서도 뿐만 아니라 보상의 기준과 방법에 관하여서도 법률의 규정에 유보하고 있는 것으로 보아야 하고,…"정당한 보상"이라 함은 원칙적으로 피수용재산의 객관적인 재산가치를 완전하게 보상하여야 한다는 완전보상을 뜻하는 것이라 할 것이나, 투기적인 거래에 의하여 형성되는 가격은 정상적인 객관적 재산가치로 볼 수 없으므로 이를 배제한다고 하여 완전보상의 원칙에 어긋나는 것은 아니다.

베타답안

 50점

Ⅰ. 논점의 정리

헌법 제23조 제3항에서는 정당보상과 보상법률유보를 천명하고 헌법 제23조 제3항의 구체화법으로서 손실보상의 일반법적 지위를 가지는 토지보상법은 정당보상을 실현하기 위하여 손실보상의 기준과 원칙, 손실보상의 내용을 규정하고 있다. 토지보상법상 손실보상제도에서 나타나는 주변지역 토지소유자와의 형평성 문제, 감정평가법인등의 선정의 문제 등은 공익사업의 효율적 수행과 재산권의 적정한 보호를 저해하므로 손실보상제도의 개선방향을 모색하여볼 필요가 있다.

Ⅱ. 설문 (1) 공익사업을 위한 손실보상제도

1. 헌법 제23조 제3항의 정당보상의 의미

헌법상 정당보상은 일률적으로 판단할 수 없고, 각 국가의 재산권에 대한 인식과 사회적 관념에 따라 결정된다. 학설은 완전보상설과 상당보상설, 절충설로 구분된다. 판례는 정당보상을 재산권의 객관적 가치를 완전히 보상해야 한다는 완전보상설을 원칙으로 보상의 기준과 방법에 있어서 제한이 없어야 한다고 본다. 개인의 재산권 침해에

---

2) 대판 1993.7.13, 93누2131

대한 정당보상은 침해 전후의 재산적 가치를 동일하도록 보상해 주어야 한다는 점, 공평부담의 견지에서 그 객관적 기준이 명확하여야 한다는 점 등에서 볼 때 판례 및 통설에 따라 완전보상설이 타당하다고 판단된다.

2. 토지보상법상 손실보상기준

헌법상 완전보상을 실현하기 위하여 시가보상(제67조 제1항), 공시지가기준 보상(제70조 제1항), 현황평가원칙, 개발이익배제원칙(제67조 제2항), 생활보상이 그 기준이 된다.

3. 토지보상법상 손실보상원칙(사전현개일상시개복)

헌법상 완전보상을 실현하기 위해 **사**업시행자보상의 원칙(제61조), 사**전**보상원칙(제62조), **현**금보상원칙(제63조 제1항), **개**인별 보상원칙(제64조), **일**괄보상원칙(제65조), 사업시행이익**상**계의 원칙(제66조), **시**가보상원칙(제67조 제1항), **개**발이익배제원칙(제67조 제2항), **복**수평가원칙(제68조 제1항)이 있다.

4. 토지보상법상 손실보상의 내용

헌법상 완전보상을 실현하기 위하여 재산권의 객관적 가치, 부대적 손실도 포함되며, 완전보상원칙을 보상의 최저기준으로 이해하여 이를 상회하는 보상이 가능하다고 할 때, 현대복리주의 국가이념에 따른 생활보상도 포함된다고 판단된다.

5. 보상액에 대한 불복

피수용자는 보상금이 정당보상액에 미달되는 경우 토지보상법 제34조의 수용재결에 대해 이의신청과 보상금증감청구소송을 통해 완전보상실현이 가능하다.

III. 설문 (2) 공익사업을 위한 손실보상제도의 문제점

1. 피수용자와 주변지역 토지소유자 간 형평성 문제

상기 살펴본 바와 같이 완전보상을 실현하기 위해 토지보상법 제67조 제2항에서는 사업지역 내의 개발이익은 배제하여 보상하도록 하고 있다. 그러나 인근 주민에 대한 사업시행이익은 환수하기 위한 손실보상제도가 마련되어 있지 못하고 이는 사업지역 내의 주민에게 상대적 박탈감, 대토의 취득을 불가능하게 하여 평등원칙 위배의 논의가 있다.

2. 시가에 미달하는 공시지가기준 보상의 완전보상 미실현

완전보상을 실현하기 위하여 토지보상법은 수용 당시의 시가로 보상하도록 하면서 시가에 미달되는 공시지가로 보상하도록 하고 있다. 헌법재판소는 일관된 판례를 통하여 공시지가기준보상이 합헌이라는 입장인데 이는 현실적인 시가를 반영하는 공시지가제도의 이상적 모습을 전제로 한 결론으로 공시지가제도 그 자체가 위헌성을 갖는 것으로 볼 수 없을 것이다. 그러나 이러한 공시지가가 현실적인 시가를 반영하지 못하여 완전보상을 퇴색시킬 수 있다.

3. 감정평가법인등 선정의 문제

(1) 사업시행자의 감정평가법인등 선정에 따른 중립성 침해

토지보상법 제68조 제1항에서 사업시행자는 시·도지사 추천으로 감정평가법인등을 선정할 수 있도록 하고 있다. 감정평가업은 감정평가 의뢰에 의해 일정한 보수를 받고 토지 등의 감정평가를 업으로 행하기 때문에 감정평가법인등은 업무수주를 위하여 경쟁하는 과정에서 사업시행자의 이해를 반영하여야 하는 문제점이 있다. 이 때문에 사업시행자는 이러한 감정평가업계사정을 잘 알고 업자선정제도를 자칫 악용할 우려가 있다.

(2) 토지소유자 추천제의 부작용 발생

토지보상법 제68조 제2항에서 토지소유자는 감정평가법인등 1인을 추천할 수 있도록 규정하여 토지소유자의 이해관계를 반영하고 사업시행자와 토지소유자 모두에게 공정한 보상평가를 실시하여 민원을 사전에 차단함으로써 공익사업을 원활하게 수행하고자 한 취지로 해석된다. 그러나 토지소유자 추천 또한 감정평가법인등들의 과다 경쟁을 야기하고 결국 사업시행자 선정 감정평가법인등의 평가액보다 한결같이 높게 산정되는 경향이 있다. 보상액이 완전보상에 합치되어 중립성과 신뢰성을 담보하여야 함에도 왜곡되는 현상이 발생한다.

4. 보상평가 검증시스템 취약

보상평가업무는 국가예산과 국민의 재산권에 미치는 영향이 지대하므로 허위부실평가에 대한 사후조치보다는 사전에 예방할 수 있는 사전심사제도가 중요하다. 한국감정평가사협회는 협의를 위한 감정평가로서 평가금액이 150억 이상인 사업의 경우 협회 감정평가심사위원회 사전심사를 거치도록 하고 있다. 그러나 자율적 규제형식으로 운영되고 법적 구속력이 없고 심사 불이행 및 심사 이의신청에 적절하게 대응하기 곤란한 한계가 노출되고 있다.

Ⅳ. 설문 (3) 공익사업을 위한 손실보상제도의 개선방안

1. 공익사업 주변지역 개발이익 환수 장치개선

형평성 차원에서 사업지역 밖의 개발이익 환수가 필요함에도 토지초과이득세 폐지 이후에 제도적 보완이 이루어지고 있지 않은 상태이다. 토지초과이득세의 폐지가 과거 헌법불합치결정 후 헌법합치적으로 개정되고 IMF로 인해 부동산 경기침체를 극복하기 위한 정책적 목적 때문이었음을 유의하여야 한다. 즉, 헌법재판소는 토지공개념 "남용"에 대한 경고로서 헌법불합치결정을 하였고 이후 개정된 토지초과이득세법은 합헌으로 결정하였다는 점에서 토지초과이득세 목적은 정당함을 의미한다. 따라서 국민적 합의를 이끌어 내어 다시 한 번 토지초과이득세의 재도입이 검토되어야 할 것이다.

2. 공시지가의 현실화를 위한 기타요인보정의 명문화

부동산 가격공시에 관한 법률(이하 부동산공시법) 제8조 제1항에서는 사업시행자의 보상액 산정시 가감조정이 가능하도록 규정하나 토지보상법에서는 이러한 규정이 없는바,

평가단계에서 기타사항보정이 필요하다. 판례도 인근 유사토지의 정상적 거래가격, 보상선례, 호가 및 자연적 지가상승분을 참작할 수 있다고 인정하고 있다. 그러나 명문의 규정이 없는 한 한계가 있으므로 토지보상법에 근거규정을 두어야 할 것이며 기타사항의 보정의 주체에 대한 명확한 규정을 두어야 할 것이다.

3. 감정평가법인등 선정의 중립성 제고

중립성과 공정성, 합리성이 생명인 감정평가에서 가격담합, 부실감정은 감정평가업의 신뢰도와 공신력을 저해한다. 이에 여러 가지 방안이 제시되는데 ① 중앙토지수용위원회가 감정평가법인등을 추천하는 대안, ② 협회로부터 추천받아 선정하는 대안, ③ 공동위원회를 구성하여 선정하는 방법이 있다. 생각건대 제도운영과정에서 나타나는 문제의 상당부분을 해소할 수 있고 제도 도입의 취지도 살릴 수 있는 한국감정평가사협회로부터 추천받는 대안이 합리적이라고 판단된다.

4. 보상평가의 검증시스템 체계적 운영

보상평가검증시스템이 제대로 작동하기 위해서는 법적 장치가 마련되어야 더욱 공정성이 확보될 수 있다. 토지보상법이든 부동산공시법이 명문규정을 두고 의무적으로 거치도록 하며 불이행자에 대한 징계권한 혹은 징계청구권 등에 대한 법적 근거도 마련한다면 심사효과를 극대화할 수 있다. 또한 심사대상규모도 현행 150억 이상이지만 향후 특별한 사유로 심사가 필요한 경우에는 이에 맞도록 탄력적으로 심사대상을 운영할 수 있도록 하며 사업시행자 선정 감정평가법인등의 평가액뿐만 아니라 토지소유자 추천 감정평가법인등의 평가액도 적정성을 심의할 수 있도록 하여야 한다.

V. 결

손실보상제도의 이해관계인으로서 사업시행자는 사업계획범위 내에서 신속하게 추진하고자 하고 토지소유자는 항상 완전보상 이상으로 보상받고자 하여 보상과정에서 갈등구조가 형성됨은 어찌 보면 당연한 결과라 할 수 있다. 감정평가에 의한 손실보상액 산정은 이러한 대립구조를 합리적으로 해결하기 위한 수단으로써 보상평가를 함에 있어 헌법상의 정당보상의미와 토지보상법 제1조의 제정취지를 제고하여 사업의 원활한 추진과 완전보상이 이루어지도록 보상제도가 개선되어야 할 것이다.

41절 토지보상법 제70조(취득하는 토지의 보상)

문제

최근 공익사업이 많이 진행되면서 공시지가기준 보상이 공익사업지역 내 피수용자들에게 중요한 화두가 되고 있다. 공익사업을 위한 토지 등의 취득 및 보상에 관한 법률(이하 '토지보상법') 제70조 제1항은 보상액을 산정할 때 공시지가를 기준으로 가격시점까지 시점수정하도록 하고 있다. 이 규정과 관련하여 다음의 물음에 답하시오. 40점

(1) 토지보상법 제70조 제1항에서 규정하고 있는 시점수정의 방법을 설명하시오. 10점

(2) 보상액의 산정에서 시점수정의 방법을 채용하고 있는 이유와 정당보상과의 관계에 대해 논하시오. 20점

(3) 보상액의 산정 시 기타요인를 참작할 수 있는 것인지에 대해 판례의 예를 들어 설명하시오. 10점

Ⅰ. 논점의 정리
Ⅱ. 설문 (1)의 검토
　1. 시점수정의 법적 근거
　　(토지보상법 제70조 제1항)
　2. 시점수정의 방법
　　(1) 의의
　　(2) 시점수정의 방법
Ⅲ. 설문 (2)의 검토
　1. 문제점
　2. 헌법상 정당보상원칙
　　(1) 의미
　　(2) 토지보상법상 정당보상 실현
　　　　수단
　3. 시점수정방법의 채용이유
　　(1) 개발이익의 배제
　　(2) 시가보상원칙의 실현
　4. 소결

Ⅳ. 설문 (3)의 검토
　1. 기타요인의 참작 가능성
　　(1) 기타요인 보정의 의의
　　(2) 학설의 대립
　　(3) 판례의 태도
　　(4) 소결
　2. 판례를 통하여 인정된 기타요인
　　참작
　　(1) 인근 유사토지의 정상거래사례
　　(2) 호가
　　(3) 보상선례
　　(4) 자연적 지가상승률
Ⅴ. 결

판례

● 대판 2001.3.27, 99두7968[토지수용이의재결처분취소등]

[판시사항]

[1] (구)산업입지 및 개발에 관한 법률에 의한 토지수용에 있어 (구)토지수용법 제46조 제3
항 소정의 '사업인정고시일'로 보는 시점

[2] 비교표준지와 수용대상토지의 지역요인 및 개별요인 등 품등비교를 함에 있어서 현실적
인 이용상황에 따른 비교수치 외에 다시 공부상의 지목에 따른 비교수치를 중복적용할
수 있는지 여부(소극) 및 지적법상 대가 아닌 잡종지를 현실적인 이용상황이 비슷하거나
동일한 지적법상 대인 토지와 달리 평가할 수 있는지 여부(소극)

[3] 수용대상토지의 손실보상액 산정방법 및 건설부장관 작성의 지가산정대상토지의 지가형
성요인에 관한 표준적인 비준표를 참작하여 비교수치를 산정하는 경우, 그 비교수치 산
정요소의 기술 방법

[4] 수용대상토지의 보상가격을 정함에 있어 표준지공시지가를 기준으로 비교한 금액이 수
용대상토지의 수용사업인정 전의 개별공시지가보다 적은 경우, (구)지가공시 및 토지 등
의 평가에 관한 법률 제9조, (구)토지수용법 제46조가 정당한 보상원리를 규정한 헌법
제23조 제3항에 위배되어 위헌인지 여부(소극)

[5] 비교표준지의 선정방법

[6] 토지수용보상액 산정에 있어 인근 유사토지의 정상거래가격 또는 보상선례를 참작할 수
있는지 여부(한정 적극)

[7] 한국감정평가업협회에서 제정한 '보상평가지침'의 법적 성질(=감정평가업협회의 내부기
준) 및 위 지침 제17조의 '최근 1년 이내의 보상선례'의 기준시점(=보상가격 산정시)

[판결요지]

[1] (구)산업입지 및 개발에 관한 법률(1993.8.5.법률 제4574호로 개정되기 전의 것) 및 개
정 후의 같은 법 각 제22조 제2항, 개정 후의 동법 부칙(1993.8.5.) 제3조 제1항, 제2항
에 의하면, 1993.11.6.이후에 지방산업단지지정승인을 받은 경우는 개정 법률이 적용되
어 지방산업단지지정승인과 고시일, 그 이전에 승인받은 경우에는 개발실시계획승인고
시나 수용·사용할 토지의 세목 고시일에 (구)토지수용법 제46조 제3항의 사업인정고시
가 있는 것으로 본다.

[2] 토지의 수용·사용에 따른 보상액을 평가함에 있어서는 관계법령에서 들고 있는 모든
산정요인을 구체적·종합적으로 참작하여 그 각 요인들을 모두 반영하되 지적공부상의
지목에 불구하고 가격시점에 있어서의 현실적인 이용상황에 따라 평가되어야 하므로 비
교표준지와 수용대상토지의 지역요인 및 개별요인 등 품등비교를 함에 있어서도 현실적
인 이용상황에 따른 비교수치 외에 다시 공부상의 지목에 따른 비교수치를 중복적용하는
것은 허용되지 아니한다고 할 것이고, 한편 (구)지적법 시행령 제6조 제8호는 영구적 건
축물 중 그 호에서 열거하는 건축물과 그 부속시설물의 부지 및 정원과 관계법령에 의한
택지조성사업을 목적으로 하는 공사가 준공된 토지만을 '대'로 규정하고 있을 뿐이므로

건축법상 소정의 건축허가를 받아 건축한 영구건축물의 부지라 하더라도 위 호에 규정되지 아니한 건축물의 부지는 그 지목이 공장용지(동시행령 제6조 제9호), 학교용지(동조 제10호) 또는 잡종지(동조 제24호 소정 영구건축물의 부지 등)로 될 수밖에 없는 것이지만, 지적법상 대가 아닌 잡종지인 경우에도 지적법상 대인 토지와 현실적 이용상황이 비슷하거나 동일한 경우에는 이를 달리 평가할 것은 아니다.

[3] 수용대상토지의 손실보상액을 산정함에 있어 관계법령에서 들고 있는 모든 가격산정요인들을 구체적·종합적으로 참작하여 그 각 요인들이 빠짐 없이 반영된 적정가격을 산출하여야 하고, 이 경우 행정기관이 개별공시지가를 산정함에 있어 일률적으로 사용하는 건설부장관 작성의 지가산정대상토지의 지가형성요인에 관한 표준적인 비준표를 그대로 적용하여서는 아니 되나 이를 참작하여 비교수치를 산정할 수는 있고, 다만 이 경우 비준표상의 수치와 비교하여 어떠한 산정요소가 어떻게 참작되어 그러한 비교수치가 나왔는지 알 수 있도록 비교수치 산정요소를 구체적으로 특정·명시하여 기술하여야 한다.

[4] 수용대상토지의 보상가격을 정함에 있어 표준지공시지가를 기준으로 비교한 금액이 수용대상토지의 수용사업인정 전의 개별공시지가보다 적은 경우가 있다고 하더라도, 이것만으로 (구)지가공시 및 토지 등의 평가에 관한 법률 제9조, (구)토지수용법 제46조가 정당한 보상원리를 규정한 헌법 제23조 제3항에 위배되어 위헌이라고 할 수는 없다.

[5] 비교표준지는 특별한 사정이 없는 한 도시계획구역 내에서는 용도지역을 우선으로 하고, 도시계획구역 외에서는 현실적 이용상황에 따른 실제 지목을 우선으로 하여 선정하여야 할 것이나, 이러한 토지가 없다면 지목, 용도, 주위환경, 위치 등의 제반 특성을 참작하여 그 자연적, 사회적 조건이 수용대상토지와 동일 또는 가장 유사한 토지를 선정하여야 한다.

[6] (구)토지수용법 제46조 제2항이나 (구)지가공시 및 토지 등의 평가에 관한 법률 제9조, 제10조 등의 관계규정이 인근 유사토지의 정상거래가격 또는 보상선례 등을 특정하여 보상액산정의 참작요인으로 들고 있지는 아니하므로 이를 반드시 조사하여 참작하여야 하는 것은 아니지만, 인근 유사토지가 거래된 사례나 보상이 된 사례가 있고 그 가격이 정상적인 것으로서 적정한 보상액평가에 영향을 미칠 수 있는 것임이 입증된 경우에는 인근 유사토지의 정상거래가격을 참작할 수 있고, 보상선례가 인근 유사토지에 관한 것으로서 해당 수용대상토지의 적정가격을 평가하는 데 있어 중요한 자료가 되는 경우에는 이를 참작하는 것이 상당하다.

[7] 한국감정평가업협회에서 제정한 '보상평가지침'은 단지 감정평가업협회 내부의 일응의 기준을 설정한 것에 불과하여 일반국민이나 법원을 기속하는 것은 아닐 뿐만 아니라, 위 지침 제17조의 '최근 1년 이내의 보상선례'는 사업시행인가일을 기준으로 하는 것이 아니라 보상가격 산정시점을 기준으로 하여야 한다.

I 논점의 정리

헌법 제23조 제3항은 공공필요에 따른 수용·사용·제한에 대한 법률유보와 손실보상에 대하여 규정하고 있다. 또한 손실보상은 정당한 보상이어야 함을 천명하여 정당보상 원칙을 헌법상 원칙으로 제시하고 있다. 따라서 헌법상 정당보상을 구체화하기 위한 공익사업을 위한 토지 등의 취득 및 보상에 관한 법률(이하 '토지보상법')의 규정과 정당보상과의 관계가 문제된다. 이하에서는 공시지가기준보상과 시점수정의 방법을 규정한 토지보상법 제70조 제1항을 검토하고, 이러한 시점수정의 방법을 채용하고 있는 이유와 정당보상과의 관계를 검토하며, 보상액 산정 시 보상선례를 참작할 수 있는지에 대하여 판례를 통해 검토한다.

II 설문 (1)의 검토

1. 시점수정의 법적 근거(토지보상법 제70조 제1항)

동조는 "협의나 재결에 의하여 취득하는 토지에 대하여 「부동산 가격공시에 관한 법률」에 따른 공시지가를 기준으로 하여 보상하되, 그 공시기준일부터 가격시점까지의 관계 법령에 따른 그 토지의 이용계획, 해당 공익사업으로 인한 지가의 영향을 받지 아니하는 지역의 대통령령으로 정하는 지가변동률, 생산자물가상승률(「한국은행법」 제86조에 따라 한국은행이 조사·발표하는 생산자물가지수에 따라 산정된 비율을 말한다)과 그 밖에 그 토지의 위치·형상·환경·이용상황 등을 고려하여 평가한 적정가격으로 보상하여야 한다."고 규정하여 보상액 산정에 있어 시점수정의 법적 근거를 규정하고 있다.

2. 시점수정의 방법

(1) 의의

시점수정이라 함은 평가에 있어서 거래사례자료의 거래시점과 가격시점이 시간적으로 불일치하여 가격수준의 변동이 있는 경우 거래사례가격을 가격시점의 수준으로 정상화하는 작업을 말한다. 보상평가에 있어서는 토지의 평가 시 공시기준일과 평가대상토지의 가격시점 간의 시간적 불일치로 인한 가격수준의 변동을 정상화하는 작업을 의미한다.

(2) 시점수정의 방법(토지보상법 제70조 제1항 및 동법 시행령 제37조)

토지보상법상 시점수정은 해당 사업으로 인한 지가의 영향을 받지 아니하는 지역의 대통령령이 정하는 지가변동률, 생산자물가상승률을 기준으로 하여 공시기준일부터 가격시점까지의 정상적인 지가상승분을 반영하는 방법을 통하여 시점수정을 하도록 규정하고 있다.

적용 지가변동률 선정에 있어 토지보상법 제70조 제1항의 위임에 따라 동법 시행령 제37조는 비교표준지가 소재하는 시·군 또는 구의 용도지역별 지가변동률을 원칙으로 하되, 해당 공익사업으로 인하여 평가대상토지가 소재하는 시·군 또는 구의 지가가 변동된 경우에는 해당 공익사업과 관계없는 인근 시·군 또는 구의 지가변동률을 선정·적용하도록 규정하고 있다.

Ⅲ 설문 (2)의 검토

1. 문제점

시점수정은 헌법 제23조 제3항에서 규정하고 있는 정당보상의 구체적 실현을 위한 수단이 되는 바, 헌법상 정당보상의 의미를 검토하고 토지보상법상 시점수정이 헌법상 정당보상을 구체화시 키는 수단이 됨을 토지보상법상 시점수정 채용이유로 검토한다.

2. 헌법상 정당보상원칙(헌법 제23조 제3항)

(1) 의미

헌법상 정당보상은 일률적으로 판단할 수 없고, 각 국가의 재산권에 대한 인식과 사회적 관념 에 따라 결정된다. 학설은 ① 재산권에 대한 객관적 가치와 부대손실까지 보상해야 한다는 완전 보상설, ② 사회적 관념에 따라 그 타당성이 인정되는 보상이면 된다는 상당보상설, ③ 구체적 기준에 따라 개별적으로 판단해야 한다는 절충설로 구분된다. 판례는 정당보상을 재산권의 객 관적 가치를 완전히 보상해야 한다는 완전보상설을 원칙으로 보상의 기준과 방법에 있어서도 제한이 없어야 한다고 본다. 개인의 재산권 침해에 대한 정당한 보상은 침해 전후의 재산적 가치를 동일하도록 보상해 주어야 한다는 점, 공평부담의 견지에서 그 객관적 기준이 명확하 여야 한다는 점 등에서 볼 때, 판례 및 통설에 따라 완전보상설로 봄이 타당하다 판단된다.

(2) 토지보상법상 정당보상 실현수단

① 문제점

헌법에서 천명하고 있는 정당보상을, 토지보상법은 크게 시가보상, 개발이익 배제, 생활보상 의 측면에서 구체화하고 있으며 특히 시가보상 및 개발이익 배제 실현을 위한 중요한 수단으로 시점수정이 채택되고 있다. 이에 대해 구체적으로 검토하기에 앞서 개발이익 배제와 시가보상 을 위한 기준인 공시지가기준 보상의 정당보상과의 관계를 먼저 검토하는 것이 필요하다.

② 개발이익 배제와 정당보상과의 관계

개발이익의 배제에 관하여 정당보상에 위배된다는 견해와 합치된다는 견해가 있으나, 판례는 개발이익은 토지소유자의 주관적 가치에 불과한 것으로 보아 개발이익 배제의 정당성을 인정 한다.

③ 공시지가기준 보상과 관련

토지보상법은 취득하는 토지는 공시지가를 기준으로 산정한다. 따라서 공시지가를 실질적인 보상기준으로 정한 토지보상법 제70조 제1항이 보상에 있어 어떠한 제한도 없어야 한다는 완전보상설을 취하고 있는 판례의 태도에 비추어 정당보상에 위배되는 것이라는 비판이 있 다. 그러나 토지보상법은 공시지가를 기준으로 하되, 가격시점까지 지가변동률을 고려하여 시점수정하도록 하고, 개별토지의 위치, 환경 등을 고려하여 적정가격을 산정토록 하는바, 정당보상에 위배되는 것이라고 볼 수는 없다. 따라서 이하 토지보상법상 정당보상을 위한 시가보상 및 개발이익의 배제규정이 헌법상 정당보상의 실현을 위한 적정한 규정임을 전제로 시점수정방법의 채용이유를 검토하기로 한다.

3. 시점수정방법의 채용이유

(1) 개발이익의 배제

① 의의

개발이익이란 공익사업의 계획 또는 시행이 공고 또는 고시되거나 공익사업의 시행 기타 공익사업의 시행에 따른 절차로서 행하여진 토지이용계획의 설정, 변경, 해제 등으로 인하여 토지소유자가 자기의 노력에 관계없이 지가가 상승되어 현저하게 받은 이익으로서 정상지가 상승분을 초과하여 증가된 부분을 의미한다. 판례는 헌법 제23조에서 보장하는 재산권의 범위에 개발이익은 포함될 수 없다고 보고 있으며, 토지보상법 제67조 제2항에서 해당 사업으로 인한 지가의 변동을 보상액에서 제외하도록 규정하여 개발이익의 배제를 규정하고 있다. 관련하여 동법 제70조 제3항 내지 제5항에서 개발이익의 배제를 위한 적용공시지가를 규정하고 있다.

② 시점수정을 통한 개발이익의 배제

시점수정은 토지보상법상 적용공시지가 선정 규정(법 제70조 제3항 내지 제5항)과 결합하여 개발이익의 배제를 실현한다. 동법 제70조 제3항에서는 사업인정 전의 협의취득에 있어 적용공시지가, 제4항에서는 사업인정 후의 취득에 있어 적용공시지가 선정방법을 규정하고 있다. 또한 동조 제5항은 동조 "제3항 및 제4항에도 불구하고 공익사업의 계획 또는 시행이 공고되거나 고시됨으로 인하여 취득하여야 할 토지의 가격이 변동되었다고 인정되는 경우에는 제1항에 따른 공시지가는 해당 공고일 또는 고시일 전의 시점을 공시기준일로 하는 공시지가로서 그 토지의 가격시점 당시 공시된 공시지가 중 그 공익사업의 공고일 또는 고시일과 가장 가까운 시점에 공시된 공시지가로 한다."라고 규정하여, 사업인정 전후의 보상액 산정에 있어 형평성 있는 개발이익의 배제가 가능하도록 규정하였으며 사업인정 전후에 관계없이 연도별 공시지가를 소급하도록 일원화하여 규정하고 있다. 이렇게 선정된 공시지가의 공시기준일부터 가격시점까지의 동법 제70조 제1항 및 시행령 제37조에 의한 지가변동률을 공시지가에 적용함으로써 개발이익이 배제된다. 또한 토지보상법 시행령 제38조의2의 규정에 의하면 토지보상법 제70조 제5항에 따른 취득하여야 할 토지의 가격이 변동되었다고 인정되는 경우 개발이익의 배제방법을 구체적으로 규정하고 있다.

(2) 시가보상원칙의 실현

동법 제67조 제1항에서 "협의에 의한 경우에는 협의 성립 당시의 가격을, 재결에 의한 경우에는 수용 또는 사용의 재결 당시의 가격을 기준으로 한다."고 가격시점을 규정함으로써 시가보상원칙을 규정하고 있다. 이는 가격시점까지의 적정한 시점수정을 통해 실현된다.

4. 소결

상술한 바와 같이 시점수정은 정당보상을 위한 토지보상법상 구체적인 실현과정에서 필수불가결한 수단이다. 이러한 시점수정은 독립적으로 적용되는 것이라기보다는 토지보상법이 규정하고 있는 정당보상을 위한 규정과 결합하여 최종적으로 정당보상을 완결하는 기능을 갖는다고 판단된다.

Ⅳ 설문 (3)의 검토

1. 기타요인보정의 참작 가능성

(1) 기타요인 보정의 의의

기타요인 보정이란 토지를 평가함에 있어서 지가변동률, 생산자물가상승률, 지역요인 및 개별요인 이외에 토지가격에 영향을 미치는 요소가 있는 경우 그 요소를 기타요인 (또는 기타사항)으로 보정하는 것을 말한다.

(2) 학설의 대립

① 부정하는 견해는 i) 현행 토지보상법에 보상액 산정에 있어서 기타요인을 참작할 수 있는 근거규정을 삭제한 것은 참작하지 못하도록 해석해야 하고, ii) 공시지가 자체에 인근 유사토지의 정상적인 거래가격 등 기타요인이 반영되어 있으며, iii) 토지보상법은 개별요인의 비교항목을 열거하고 있으며, iv) 감정평가법인등의 자의성이나 재량으로부터 멀리하기 위해서는 법정의 참작항목 이외에는 어떠한 요인도 참작할 수 없다고 본다. 반면에 ② 긍정하는 견해는 i) 판례가 정당보상에 이르는 방법에는 어떠한 제한이 없다고 판시하고 있고, ii) 감정평가규칙 제14조 제2항 제5호에 그 밖의 보정 근거규정이 있으며, iii) 토지보상법의 개별요인의 비교항목은 예시한 것에 지나지 않는다고 보아 보상액 산정 시 기타요인을 참작할 수 있다고 본다.

(3) 판례의 태도

대법원은 수용대상토지의 정당한 보상액을 산정함에 있어서 인근 유사토지의 정상거래사례가 있고, 그 거래를 참작하는 것으로써 적정한 보상평가에 영향을 미칠 수 있는 것이 입증된 경우에는 이를 기타요인으로 참작할 수 있다고 판시하고 있다.

(4) 소결

헌법 제23조 제3항의 완전보상의 원칙을 '시가보상'으로 볼 때 정책가격의 성격이 강한 공시지가만을 기준으로 보상액 산정 시 완전보상에 미달될 우려가 있어, 헌법상 정당보상의 실현방안으로 기타요인을 참작할 수 있다고 보는 것이 타당한 바, 토지보상법에 명문규정을 마련하여 입법적인 보완이 필요하다고 판단된다.

2. 판례를 통하여 인정된 기타요인 참작

(1) 인근 유사토지의 정상거래사례

인근 유사토지의 정상거래가격이라고 하기 위해서는 대상토지의 인근에 있는 지목·등급·지적·형태·이용상황·용도지역·법령상의 제한 등 자연적, 사회적 조건이 수용대상토지와 동일하거나 유사한 토지에 관하여 통상의 거래에서 성립된 가격으로서 개발이익이 포함되지 아니하고 투기적인 거래에서 형성된 것이 아닌 가격이어야 하고, 그와 같은 인근 유사토지의 정상거래사례에 해당한다고 볼 수 있는 거래사례가 있고 그것을 참작함으로써 보상액 산정에 영향을 미친다고 하는 점은 이를 주장하는 자에게 입증책임이 있다(대판 1994.1.25, 93누11524).

(2) 호가

구체적 거래사례 가격이 아닌 호가라 하여 수용대상토지의 보상가액 산정 시 참작할 수 없는 것은 아니지만(대판 1993.2.23, 92누11619 참조), 보상액 산정 시 참작될 수 있는 호가는 인근 유사토지에 대한 것으로, 투기적 가격이나 해당 공공사업으로 인한 개발이익 등이 포함되지 않은 정상적인 거래가격수준을 나타내는 것임이 입증되는 경우라야 할 것이다(대판 1993.10.22, 93누11500).

(3) 보상선례

(구)국토이용관리법 제29조 제5항은 인근 유사토지의 정상거래가격을 보상액 산정요인의 하나로 명시하고 있었던 만큼 수용대상토지에 대한 보상액을 산정함에 있어서는 반드시 인근 유사토지의 거래사례 유무와 거래가격의 정상 여부를 밝혀 이를 보상액 산정에 참작하여야 한다고 해석되었던 것이나, (구)토지수용법 제46조 제2항이나 지가공시법 제9조, 제10조 등의 관계규정에서는 인근 유사토지의 정상거래가격을 특정하여 보상액 산정의 참작요인으로 들고 있지 않으므로 위 구법 당시와 같이 해석할 수는 없고, 다만 인근 유사토지의 정상거래사례가 있고 그 거래가격이 정상적인 것으로서 적정한 보상액 평가에 영향을 미칠 수 있는 것임이 입증된 경우에 한하여 이를 참작할 수 있다고 보아야 할 것이다(대판 1992.10.27, 91누8562).

(4) 자연적 지가상승률

수용대상토지에 적용될 표준지의 공시지가가 택지개발사업시행으로 지가가 동결된 관계로 개발이익을 배제한 자연적인 지가상승분도 반영하지 못한 경우 자연적인 지가상승률을 산출하여 이를 기타사항으로 참작한 감정평가는 적정한 것으로 수긍된다(대판 1993.3.9, 92누9531).

V 결

설문 (1)에서 토지보상법 제70조 제1항의 시점수정의 방법은 지가변동률에 의하되, 생산자물가상승률 등을 참작하여 정당보상에 부합되는 취득하는 토지의 보상액을 산정하도록 규정하고 있다.

설문 (2)에서 시점수정방법 등의 채용이유는 토지보상법 제67조 제2항 및 제70조 제3항 내지 제5항의 개발이익의 배제를 위한 것이며, 이는 정당보상이라고 대법원 판례는 설시하고 있다. 설문 (3)에서 보상액 산정 시에 기타요인을 참작할 수 있는 경우는 인근 유사토지의 정상거래사례가 있고 그 거래가격이 정상적인 것으로서 적정한 보상액평가에 영향을 미칠 수 있는 것임이 입증된 경우에 한하여 이를 참작할 수 있다고 보아야 할 것이다.

베타답안

 문 **40점**

I. 논점의 정리

헌법 제23조 제3항은 공공필요에 따른 수용·사용·제한에 대한 법률유보와 손실보상을 규정하면서 정당보상원칙을 헌법상 원칙으로 제시하고 있다. 「공익사업을 위한 토지 등의 취득 및 보상에 관한 법률」(이하 '토지보상법')에서는 상기의 헌법상 정당보상을 구체화한 기준으로서 공시지가기준 보상, 시가기준보상, 개발이익 배제기준 보상 등을 마련하고 있다. 이하에서는 토지보상법상 보상기준, 궁극적으로 헌법상 정당보상을 위한 시점수정 등을 규정하고 있는 토지보상법 제70조 제1항을 통하여 주어진 설문에 대해 검토하도록 한다.

II. 설문 (1) 시점수정의 방법

1. 토지보상법 제70조 제1항

"협의나 재결에 의하여 취득하는 토지에 대하여는 「부동산 가격공시에 관한 법률」에 따른 공시지가를 기준으로 하여 보상하되, 그 공시기준일부터 가격시점까지의 관계 법령에 따른 그 토지의 이용계획, 해당 공익사업으로 인한 지가의 영향을 받지 아니하는 지역의 대통령령으로 정하는 지가변동률, 생산자물가상승률(「한국은행법」 제86조에 따라 한국은행이 조사·발표하는 생산자물가지수에 따라 산정된 비율을 말한다)과 그 밖에 그 토지의 위치·형상·환경·이용상황 등을 고려하여 평가한 적정가격으로 보상하여야 한다."고 규정하여 보상액 산정에 있어서 시점수정의 법적 근거 등을 규정하고 있다.

2. 시점수정의 방법

(1) 의의

① 시점수정이란 평가에 있어서 거래사례자료의 거래시점과 가격시점이 시간적으로 불일치하여 가격수준의 변동이 있는 경우 거래사례가격을 가격시점의 수준으로 정상화하는 작업을 말한다.

② 토지보상평가에서는 공시기준일과 평가대상토지의 가격시점 간의 시간적 불일치로 인한 가격수준의 변동을 정상화하는 작업을 말한다.

(2) 방법

법 제70조 제1항에서는 지가변동률과 생산자물가상승률을 규정하고 있다. 이에 위임받아 동법 시행령 제37조 제1항에서는 표준지가 소재하는 시·군 또는 구의 용도지역별 지가변동률 적용을 원칙으로 규정하고 있으며, 제2항에서는 상기의 지가변동률이 변동된 경우, 공익사업과 관계없는 인근 시·군·구의 지가변동률을 적용할 것을 규정하였다.

Ⅲ. 설문 (2) 시점수정방법 채용이유와 정당보상과의 관계

1. 헌법상 정당보상원칙 및 토지보상법상의 기준

(1) 의미

① 학설은 재산권의 객관적 가치와 부대손실까지 보상하여야 한다는 '완전보상설', 사회적 관념에 따라 그 타당성이 인정되는 보상이면 된다고 하는 '상당보상설', 구체적 기준에 따라 개별적으로 판단하여야 한다는 '절충설'이 있다.

② 판례는 보상의 기준과 방법에 있어서도 어떠한 제한이 없어야 한다고 판시하고 있으며, 완전보상설의 입장이다.

③ 개인의 재산권 침해에 대한 정당한 보상은 침해 전후의 재산적 가치를 동일하게 보상해주어야 한다는 점 등을 볼 때 완전보상설의 입장이 타당하겠다.

(2) 토지보상법상 구체적 기준

헌법상 정당보상원칙을 토지보상법은 크게 공시지가기준 보상, 시가기준 보상, 개발이익 배제기준보상, 생활보상 측면에서 구체화하고 있다. 공시지가기준 보상과 개발이익 배제기준보상에 관하여 헌법상 정당보상에 합치 여부의 논의가 있으나, 판례의 태도와 헌법상 기준의 구체화 측면의 기준이라는 점 등에서 합치한다고 보아 이하 설문을 검토한다.

2. 시점수정방법의 채용이유

(1) 개발이익의 배제(토지보상법 제67조 제2항 등)

① 의의 : 개발이익이란 공익사업의 계획 또는 시행이 공고 또는 고시되거나 공익사업의 시행 기타 공익사업의 시행에 따른 절차로서 행하여진 토지이용계획의 설정·변경·해제 등으로 인하여 토지소유자가 자기의 노력에 관계없이 지가가 상승되어 현저하게 받은 이익으로서 정상지가 상승분을 초과하여 증가된 부분을 의미한다.

② 시점수정을 통한 개발이익의 배제

㉠ 시점수정은 토지보상법상 적용공시지가 선정규정(법 제70조 제3항 내지 제5항)과 결합하여 개발이익의 배제를 실현하고 있다. 법 제70조 제3항에서는 사업인정 전의 취득의 경우를, 제4항에서는 사업인정 후의 취득에 있어 적용공시지가 선택을 규정하고 있다. 또한 동조 제5항은 해당 공익사업의 계획 또는 시행이 공고 또는 고시됨으로 인하여 토지가격이 변동되었다고 인정되는 경우에 있어서의 적용공시지가 선택을 규정하고 있다.

ⓒ 상기의 선택되어진 적용공시지가의 공시기준일부터 가격시점까지를 법 제70조 제1항 및 동법 시행령 제37조의 지가변동률에 의한 시점수정을 통하여 개발이 익이 배제된다.

(2) 시가기준보상의 실현

법 제67조 제1항에서 협의에 의한 경우 협의 성립 당시의 가격을, 재결에 의한 경우 수용 또는 사용의 재결 당시의 가격을 기준으로 한다고 규정하고 있으며, 이는 곧 시가 기준보상의 근거라 할 것이다. 가격시점까지의 적정한 시점수정을 통하여 시가기준보 상이 실현되고 있다.

3. 정당보상과의 관계

이상 검토한 바와 같이 시점수정은 정당보상을 위한 토지보상법상 구체적 실현과정에 있어서 필수불가결한 수단으로 독립적으로 기능한다기보다 토지보상법상의 구체적 보 상기준과 결합하여 최종적으로 헌법상 정당보상을 실현하는 기능을 하고 있다.

Ⅳ. 설문 (3) 기타요인 참작 가능성 여부

1. 문제점

공시지가를 기준으로 한 보상액이 적정한 시가에 미달하는 경우에 보상선례 등을 통한 기타요인을 반영하여 보상액을 산정할 수 있는지에 대한 논의가 있는 바, 이하에서는 기타요인에 관한 판례를 중심으로 살펴본다.

2. 기타요인 보정의 의의

기타요인 보정이란 토지를 평가함에 있어서 지가변동률, 생산자물가상승률, 지역요인 및 개별요인 이외에 토지가격에 영향을 미치는 요소가 있는 경우 그 요소를 기타요인 (또는 기타사항)으로 보정하는 것을 말한다.

3. 학설의 대립

(1) 〈부정하는 견해〉 토지보상법에서 기타요인 반영을 하라는 근거규정을 찾을 수 없 으며, 단지 개별요인의 비교항목을 열거하고 있을 뿐이라고 한다. 공시지가 자체 에 정상적인 거래가격 등이 이미 반영되어 있어 이의 고려 시 이중적용이 됨을 논 거로 한다.

(2) 〈긍정하는 견해〉 감정평가에 관한 규칙 제14조 제2항 제5호를 근거규정으로 보며, 법상 개별요인비교항목은 예시한 것에 지나지 않는다고 본다. 또한 공시지가는 매년 1월 1일을 공시기준일로 하고 있으므로 현행시가에 미달할 수도 있으므로 정당보상 을 위하여 그 필요성을 인정한다.

4. 판례의 태도

(1) 대법원은 경우에 따라 보상선례가 인근 유사토지에 관한 것으로서 수용대상토지의 적정가격을 평가하는 데에 있어 중요한 자료가 될 수 있을 것이므로 이러한 경우 기타요인을 참작하는 것이 상당하다고 판시하였다.

(2) 상기의 보상선례와 더불어 기타요인으로서 정상거래가격, 호가수준, 자연적 지가상승률 등을 인정하는 판례가 있다.

5. 소결

토지보상법에 의한 공시지가기준 보상은 공시지가 자체만의 보상이 아닌 기타요인을 적정하게 참작하여 보상함을 의미하는 것이라고 볼 때 보상선례 등의 참작을 통해 헌법의 정당한 보상에 합치할 수 있게 된다고 볼 것이다.

V. 사안의 해결

1. 설문 (1)에서 토지보상법 제70조 제1항의 시점수정의 방법으로 지가변동률, 생산자물가상승률을 규정하고 있으며, 토지의 보상에 있어서 지가변동률을 중심으로 관련 내용을 마련하고 있다.

2. 설문 (2)에서 시점수정방법의 채용이유는 개발이익 배제, 시가보상 등을 실현하기 위함이며, 궁극적으로 헌법상 정당보상을 실현하기 위하여 기능하고 있음을 검토하였다.

3. 설문 (3)에서 판례는 보상액 산정 시에 보상선례 등의 기타요인 참작을 인정하고 있음을 검토하였으며, 이 기타요인 등의 참작은 설문 (1), (2)에서의 시점수정방법과 더불어 정당보상원칙을 실현하기 위한 수단으로 기능하고 있다 할 것이다.

42절 토지보상법 제70조(취득하는 토지의 보상)

> **문제**
>
> 경기도는 개발제한구역인 경기도 수원시 일대에 대하여 행정도시건설을 위한 도시관리계획시설결정고시를 하였고 국토교통부는 이 지역에 대하여 개발제한구역을 해제하였다. 이러한 개발제한구역의 해제는 정부 및 경기도에서 계획하고 있는 행정도시건설이라는 정책사업을 위한 것이며, 이에 따라 경기도는 도시관리계획사업실시계획고시를 하였다. 사업시행자 甲은 행정도시건설을 위해 개발제한구역이 해제된 토지에 대하여 보상을 하고자 한다. 이 경우 손실보상과 관련하여 생기는 관련 논점들을 정당보상의 원칙에 입각하여 설명하시오. 30점

Ⅰ. 논점의 정리	2. 공법상 제한을 받는 토지의 평가
Ⅱ. 헌법 제23조 제3항의 정당보상의 의미	(1) 관련규정의 검토
1. 개설	(2) 판례의 태도
2. 학설	(3) 사안의 적용
(1) 완전보상설	3. 개발이익의 배제
(2) 상당보상설	(1) 관련법령의 검토
(3) 절충설	(2) 개발이익 배제의 정당성
3. 판례의 태도	(3) 개발이익 배제 및 환수의
4. 검토	문제점과 개선방안
Ⅲ. 공법상 제한 및 개발이익과 보상액 산정	(4) 사안의 적용
기준	Ⅳ. 사례의 해결
1. 문제점	

Ⅰ 논점의 정리

헌법 제23조 제3항에서는 손실보상에 대하여 정당보상의 원칙을 천명하고 있고 토지보상법은 정당보상을 구현하기 위해 보상기준을 마련하고 있다. 사안에서 개발제한구역이라는 공법상 제한과 행정도시건설이라는 공익사업의 시행에 따른 개발이익을 보상액을 산정함에 있어 고려해야할지가 문제된다. 즉, ① 개발제한구역으로 지정된 상태로 평가하여야 하는지, 아니면 해제된 상태로 평가하여야 하는지 문제되고, ② 행정도시건설에 따른 개발이익의 반영 여부가 문제되는데, 이는 해당 토지에 대한 개발제한구역지정의 해제 및 개발이익이 해당 사업과 관련성이 있는지 검토를 요한다. 따라서 이하에서는 헌법상 정당보상의 의미에 대해 검토한 후, 보상액 산정기준으로 공법상 제한과 개발이익을 해당 보상액에 반영할지 여부에 대해 논의하고자 한다.

Ⅱ 헌법 제23조 제3항의 정당보상의 의미

1. 개설

헌법 제23조 제3항의 정당보상기준은 추상적 법 개념으로서 각국의 입법정책 및 재산권의 사회적 가치관에 따라 다르므로 일의적으로 정의하기 어렵기 때문에 학설 및 판례를 통해 검토한다.

2. 학설

(1) 완전보상설

미국 헌법 수정 제5조의 해석을 중심으로 발전한 이론으로서 인권보장과 평등의 원칙을 근거로 피침해재산이 가지는 완전한 가치를 보상해야 한다는 견해로서 재산권의 객관적 가치를 기준으로 하는 견해와 부대적 손실까지 포함한다는 견해가 있다.

(2) 상당보상설

독일 바이마르 헌법 제153조의 재산권의 사회적 기속성을 중심으로 발전한 견해로서 재산권의 공공복리 적합의무와 정당보상 표현을 근거로 사회통념에 비추어 공정 타당한 보상이면 된다는 견해와 완전보상을 원칙으로 하되 합리적 사유가 있으면 하회할 수 있다는 견해가 있다.

(3) 절충설

손실보상의 원인이 되는 재산권 침해를 완전보상을 필요로 하는 경우와 상당보상을 필요로 하는 경우로 나누어 생각하는 견해로 학자에 따라 상당보상의 일부로 보며 그 경우의 해석은 다양하게 나타난다.

3. 판례의 태도

대법원은 정당보상이라는 취지는 객관적 가치를 완전하게 보상하여야 한다는 취지일 뿐만 아니라 보상의 시기, 방법 등에 어떠한 제한도 없는 완전한 보상을 의미한다고 판시하고, 헌법재판소도 정당한 보상이란 원칙적으로 피수용자의 재산의 객관적 가치를 완전하게 보상하여야 한다고 판시하고 있다.

4. 검토

헌법상 정당보상기준에 대한 견해 차이는 사유재산권 보장과 공익상의 합리적 사유라는 공·사익 간의 조정의 문제로 볼 수 있다. 공용침해에 의해 발생한 손실은 개인의 의사에 반하여 발생한 손실이고 평등의 원칙, 국민의 법감정을 고려할 때 완전보상이 합리적이라 생각된다.

Ⅲ 공법상 제한 및 개발이익과 보상액 산정기준

1. 문제점

보상액 산정기준으로 공법상 제한과 개발이익을 해당 보상액에 반영할지 여부는 토지보상법의 관련규정의 검토에 의하되, 헌법상 보상기준인 정당보상과의 관계에 유의한다.

2. 공법상 제한을 받는 토지의 평가

(1) 관련규정의 검토

토지보상법 시행규칙 제23조 제1항에서는 "공법상 제한을 받는 토지에 대하여는 제한받는 상태대로 평가한다. 다만, 그 공법상 제한이 해당 공익사업의 시행을 직접 목적으로 하여 가하여진 경우에는 제한이 없는 상태를 상정하여 평가한다."고 규정하고 있다. 용도지역 등의 지정에 의한 공법상 제한은 내재적·사회적 제약에 해당하는 바, 공법상 제한을 받는 토지는 특별한 희생에 해당되지 않으므로 제한받는 상태대로 평가하여 보상하는 것이 타당하다고 사료된다.

(2) 판례의 태도

공법상 제한을 받는 토지의 수용보상액을 산정함에 있어서는 그 공법상의 제한이 해당 공공사업의 시행을 직접목적으로 하여 가하여진 경우에는 그 제한을 받지 아니하는 상태대로 평가하여야 하고, 해당 공공사업의 시행 이전에 이미 해당 공공사업과 관계없이 도시관리계획법에 의한 고시 등으로 일반적 계획제한이 가하여진 경우에는 그러한 제한을 받는 상태로 평가하여야 한다.

> **판례**
>
> ● 대판 2005.2.18, 2003두14222
>
> 공법상의 제한을 받는 토지의 수용보상액을 산정함에 있어서는 그 공법상의 제한이 당해 공공사업의 시행을 직접 목적으로 하여 가하여진 경우에는 그 제한을 받지 아니하는 상태대로 평가하여야 할 것이지만, 공법상 제한이 당해 공공사업의 시행을 직접 목적으로 하여 가하여진 경우가 아니라면 그러한 제한을 받는 상태 그대로 평가하여야 하고, 그와 같은 제한이 당해 공공사업의 시행 이후에 가하여진 경우라고 하여 달리 볼 것은 아니다.
> 문화재보호구역의 확대 지정이 당해 공공사업인 택지개발사업의 시행을 직접 목적으로 하여 가하여진 것이 아님이 명백하므로 토지의 수용보상액은 그러한 공법상 제한을 받는 상태대로 평가하여야 한다고 한 사례
>
> ● 대판 2018.1.25, 2017두61799
>
> 공익사업을 위한 토지 등의 취득 및 보상에 관한 법률과 그 시행규칙의 관련 규정에 의하면, 공법상 제한을 받는 토지에 대한 보상액을 산정할 때에 해당 공법상 제한이 (구)도시계획법 등에 따른 용도지역·지구·구역(이하 '용도지역 등'이라고 한다)의 지정 또는 변경과 같이 그 자체로 제한목적이 달성되는 일반적 계획제한으로서 구체적 도시계획사업과 직접 관련되지 아니한 경우에는 그러한 제한을 받는 상태 그대로 평가하여야 한다. 반면 도로·공원 등 특정 도시계획시설의 설치를 위한 계획결정과 같이 구체적 사업이 따르는 개별적 계획제한이거나, 일반적 계획제한에 해당하는 용도지역 등의 지정 또는 변경에 따른 제한이더라도 그 용도지역 등의 지정 또는 변경이 특정 공익사업의 시행을 위한 것일 때에는, 그 공익사업의 시행을 직접 목적으로 하는 제한으로 보아 그 제한을 받지 아니하는 상태를 상정하여 평가하여야 한다.

(3) 사안의 적용

사안에서는 개발제한구역의 지정이나 해제는 일반적 제한에 해당되고 해당 공익사업인 행정도시건설사업과 관계없이 이미 개발제한구역으로 지정된 상태에서 해당 사업으로 인해 개발제한구역이 해제된 바, 개발제한구역이 해제되지 않고 지정된 상태를 기준으로 손실보상액을 평가하여야 한다.

3. 개발이익의 배제

(1) 관련법령의 검토

개발이익이라 함은 피수용자의 노력과는 무관한 공공사업의 계획이나 시행이 공고 또는 고시되어 해당 토지의 이용가치가 장차 증가될 것으로 기대되어 그 기대가치만큼 토지의 가격이 미리 상승한 것이라 한다. 토지보상법은 제67조 제2항에서 "보상액을 산정할 경우에 해당 공익사업으로 인하여 토지 등의 가격이 변동되었을 때에는 이를 고려하지 아니한다."고 명시하여 개발이익 배제를 명문화하고 있다. 또한 토지보상법 제70조 제5항에서는 "동법 제70조 제3항 및 제4항에도 불구하고 공익사업의 계획 또는 시행이 공고되거나 고시됨으로 인하여 취득하여야 할 토지의 가격이 변동되었다고 인정되는 경우에는 제1항에 따른 공시지가는 해당 공고일 또는 고시일 전의 시점을 공시기준일로 하는 공시지가로서 그 토지의 가격시점 당시 공시된 공시지가 중 그 공익사업의 공고일 또는 고시일과 가장 가까운 시점에 공시된 공시지가로 한다."라고 규정함으로써 사업인정 전후의 개발이익 배제의 불균형 문제를 해소하는 입법을 통해 다시 한번 개발이익 배제를 천명하였다.

(2) 개발이익 배제의 정당성

① 견해의 대립

부정하는 견해는 인근 토지소유자와의 형평성을 고려하여 해당 토지의 개발이익만 배제하는 것은 정당보상에 반한다고 보고 있다.

긍정하는 견해는 ㉠ 손실보상은 적법행위로 인한 특별한 희생을 공평부담하는 데 목적이 있으므로 아직 실현되지 아니한 잠재적 손실(미실현이익)은 그 대상에 포함되지 않는 것이 원칙이라는 점과, ㉡ 공공사업의 시행에 의하여 비로소 발생하는 개발이익은 공익사업의 시행을 볼모로 한 주관적 가치부여에 지나지 않으며 해당 토지의 현재의 객관적 가치라 할 수 없다는 것을 논거로 한다.

② 판례의 입장

수용사업의 시행으로 인한 개발이익은 해당 사업의 시행에 의하여 비로소 발생하는 것이어서 수용대상토지가 수용 당시 갖는 객관적 가치에 포함될 수는 없는 것이며, 따라서 이를 배제하고 손실보상을 한다 해도 정당보상의 원리에 위반되지 않는다고 판시하였다.

③ 소결

생각건대, 개발이익은 공익사업의 시행으로 비로소 발생하므로 그 성질상 해당 토지의 객관적 가치에 해당되지 않고 토지소유자의 노력과 무관한바, 형평의 관념에 비추어 보더라도 토지소유자의 귀속분에 해당된다고 볼 수 없는바, 개발이익의 배제는 정당보상에 합치된다고 사료된다. 다만, 현행 보상기준에 의할 경우 개발이익의 완전한 배제가 어렵고, 인근 토지소유자와의 형평성 문제가 발생하는바, 이에 대한 입법적인 개선이 필요하다고 판단된다.

(3) 개발이익 배제 및 환수의 문제점과 개선방안

이러한 개발이익 사유화의 문제점을 개선하기 위해 보상액 산정의 기준시점을 수용재결일에서 사업인정고시일로 앞당기거나, 시점수정시 공시기준일부터 사업인정고시일까지는 지가변동률을 적용하되 사업인정고시일부터 수용재결일까지는 생산자물가상승률을 적용하도록 하여 개발이익을 완전히 배제할 수 있도록 해야 할 것이다(일본의 토지수용법제에서는 보상액 산정기준시점을 사업인정고시시점으로 하고 있는 것은 개발이익 배제에서 시사하는 바가 크다고 보인다(류해웅)). 또한 개발이익 환수제도의 개선을 위해 과세표준의 현실화를 통한 종합토지세의 부과와 실거래가 양도소득세를 부과할 수 있도록 조세제도의 개편이 필요하다고 판단된다. 피수용자의 상대적 상실감을 완화하기 위해 이주대책 등의 생활보상의 확대를 통해 피수용자에 대한 재산적 보상만으로 메워지지 않는 손실을 보전해 주고, 주변 토지의 지가상승으로 대토가 곤란해지는 바, 현금보상원칙의 예외로 현물보상을 확대하는 방안을 검토할 필요가 있다. 실제로 일정한 경우에 대토보상이 가능하도록 입법조치한 것은 높이 평가된다.

(4) 사안의 적용

개발이익의 경우 이러한 개발이익이 해당 공공사업의 시행으로 인해 발생한 경우라면 이를 배제한 상태에서 보상액을 산정해야 하고, 해당 사업과 무관하게 발생한 경우라면 이러한 개발이익은 보상액에 반영하여야 할 것이다. 사안의 경우 행정도시건설사업으로 인한 개발이익은 해당 공익사업의 시행으로 직접 발생한 개발이익으로 볼 수 있으므로 대상토지의 수용 당시 객관적 가치에 포함되지 않는다고 보여 이를 배제하고 손실보상액을 평가하여야 한다.

Ⅳ 사례의 해결

헌법상 정당보상은 재산권의 객관적 가치는 물론 부대적 손실과 생활보상까지 포함하는 의미로 이해하는 것이 국민의 재산권 보장 측면에서 타당하다고 판단된다. 사안의 경우 개발제한구역 해제라는 공법상 제한은 해당 공공사업으로 인한 것이므로 이러한 해제가 없이 개발제한구역으로 지정된 상태를 기준으로 보상액을 산정해야 할 것이며, 행정도시건설이라는 공익사업의 시행에 따른 개발이익은 이를 배제한 상태에서 보상액을 산정해야 할 것이다.

43절 | 토지보상법 제70조(취득하는 토지의 보상) – 미지급용지

문제

파주시는 1975년 도로개설사업을 실시하면서 甲과 乙이 소유하고 있던 토지 800㎡를 보상하지 않은 상태에서 도로를 개설하여 사용해오다가 2025년 7월에 해당 도로를 확장하기 위한 도시관리계획사업을 결정하자, 甲과 乙은 1975년 사업 당시 보상받지 못한 보상금을 받기 위해 파주시에게 보상을 요구하였다. 해당 요구에 대해 파주시가 보상하여야 하는 것인지 여부를 검토하고, 보상해야 한다면 그 보상의 의미와 기준에 대해 설명하라. 20점

Ⅰ. 논점의 정리

Ⅱ. 미지급용지의 보상청구권 행사가능 여부
  1. 일반적 미지급용지의 보상청구 가능성
  2. 시효취득 인정 여부

Ⅲ. 미지급용지 보상의 의미와 기준
  1. 미지급용지 보상의 개념

2. 미지급용지에 대한 보상기준
  (1) 헌법상 정당보상의 원칙
  (2) 미지급용지 판단
  (3) 현황평가기준 예외(편입 당시 이용상황기준)
  (4) 가격시점, 용도지역, 기타
  (5) 미불용지에서 미지급용지로 용어 정비와 미보상용지의 구별

Ⅳ. 사례의 해결

Ⅰ. 논점의 정리

공공사업은 일반적으로 사인 소유토지를 협의나 수용에 의해 취득하는 것을 전제하며, 이를 위해 사업시행자는 보상하지 않으면 안 된다. 그러나 어떠한 방법으로든지 과거에 보상이 수반되지 않은 상태에서 도로가 개설되거나 공공용지로 전환되었으나 보상이 이루어지지 않은 경우도 있다. 이와 같이 보상금이 지급되지 않은 토지를 미지급용지라 한다. 사안에서는 파주시가 도로를 개설하면서 사인 소유토지에 대해 보상하지 않았으므로 甲과 乙이 소유하고 있던 토지는 미지급용지에 해당한다.

Ⅱ. 미지급용지의 보상청구권 행사가능 여부

1. 일반적 미지급용지의 보상청구 가능성

미지급용지란 종전 시행된 공익사업의 부지로서 보상금이 지급되지 아니한 토지로서 도로인 경우가 일반적인데 이는 사권의 행사가 제한되는 것이지 사권이 소멸된 것은 아니므로 새로운 공공사업에 편입되는 경우 당연히 보상하여야 한다.

2. 시효취득 인정 여부

사안과 같이 종전의 공익사업이 시행된 후 20년이 경과한 경우 관리주체에 의한 해당 토지의 시효취득 여부가 문제될 수 있다. 종래 대법원은 무단으로 점유해왔다 해도 특별한 사정이 없는한 자주점유로 보아 시효취득을 인정하였다. 그러나 최근 판례를 변경하여 점유자가 점유개시당시 취득원인이 될 수 있는 법률행위 기타 법률요건이 없다는 사실을 알면서 무단으로 점유한것이 입증된 경우 점유의사를 인정하지 않아 시효취득을 부정하였다. 생각건대 미지급용지의 경우 점유원인자체가 불법행위(무단점유)에 기인한 것으로 외형상 점유자가 타인의 소유권을 배척할 점유의사를 갖고 있다 보기 어려운바, 자주점유의 추정은 깨어진다고 본다. 따라서 도로관리청의 시효취득은 인정될 수 없고 소유자는 보상청구권을 가지며 파주시는 보상의무가 있다.

Ⅲ 미지급용지 보상의 의미와 기준

1. 미지급용지 보상의 개념

이러한 미지급용지는 일반적으로 용도가 공익사업의 부지로 제한이 됨으로써 거래가격이 낮거나아예 가격이 형성되지 않는 경우가 있으므로 사업시행자가 이와 같은 용지를 뒤늦게 취득하면서토지보상법 제70조 소정의 가격시점에 있어서의 이용상황인 공익사업의 부지로만 평가하여 손실보상액을 산정한다면, 정당한 보상의 취지에 어긋나기 때문에, 이와 같은 부당한 결과를 구제하기 위하여 특별히 종전의 공공사업에 편입될 당시의 이용상황을 상정하여 평가함으로써 그 적정가격으로 손실보상을 하여 주려는 것이 "토지보상법 시행규칙 제25조"의 규정취지이다.

2. 미지급용지에 대한 보상기준

(1) 헌법상 정당보상의 원칙

헌법 제23조 제3항은 정당보상의 원칙을 규정하고 있는 바, 공용수용에 의한 용지 취득뿐만아니라 사업인정 전 협의취득의 경우에도 공익실현이라는 공법적 성격이 강조되므로 정당보상의 원리가 전제된다.

(2) 미지급용지 판단

미지급용지는 원칙적으로 사업시행자가 객관적인 판단기준에 따라 판단하여, 대법원은 "공공사업의 시행자가 적법한 절차에 의하여 취득하지도 못한 상태에서 공공사업을 시행하여 토지의 현실적인 이용상황을 변경시킴으로써 오히려 토지가격을 상승시킨 경우에는 미지급용지라고 볼 수 없다"고 한다고 판시하고 있다. 따라서 종전에 시행된 공공사업의 부지로서 보상금이지급되지 아니한 경우에 현황평가하는 것이 보상금 산정에 있어 그 소유자에게 유리한 경우에는 현황평가하고, 불리한 경우에는 미지급용지의 평가방법인 편입될 당시의 이용상황을 상정하여 평가하여야 한다. 미지급용지에 대한 현황평가의 예외를 규정하여 놓은 것은 부당하게이루어진 공공용지에 대하여 현황평가를 한다면 상당히 감가되어 그 소유자에게 너무 불이익하게 되므로 이를 막아 적정하게 보상이 이루어지도록 함에 그 제도의 의의가 있는 것이므로, 반대로 택지개발이나 공업단지조성사업에 있어서와 같이 원칙적인 평가방법인 현황평가를 함으로써 오히려 보상액 산정에 유리하게 되는 경우에는 이와 같은 미지급용지로 평가하여서는 안 되고, 현황평가하여야 한다는 취지이다(대판 1992.11.10, 92누4833).

(3) 현황평가기준 예외(편입 당시 이용상황기준)

현황평가의 예외로 종전 공공사업에 편입될 당시의 이용상황을 기준으로 평가하는데, 이는 미지급용지는 공익사업 부지로 제한됨으로 인해 거래가 불가능하거나, 상당히 감가되는 것이 보통이므로 토지소유자의 권익구제를 위해서이다. 편입 당시의 이용상황은 편입시의 지목, 실제용도, 지세, 면적, 도로와의 접근의 정도 등의 개별요인을 고려하여야 한다. 그러나 편입 당시의 이용상황을 상정하기가 곤란한 경우에는 당시의 지목과 유사한 인근 토지의 이용상황을 참작하여 평가한다.

(4) 가격시점, 용도지역, 기타

미지급용지라 하더라도 이용상황만 편입할 당시를 기준으로 하며, 그 외에 가격시점은 일반보상과 같이 계약체결 당시를 기준으로 한다. 즉, 편입 당시를 평가하여 시점수정을 하는 것이 아니다. 용도지역 등 공법상의 제한은 가격시점을 기준으로 하되 해당 공공사업의 시행에 의하여 용도지역이 변경된 경우는 변경전의 용도지역을 기준으로 한다. 그리고 인근 지역에 유사한 표준지가 없어서 표준적인 사용에 해당하는 경우를 기준으로 평가하는 경우에는 형질의 변경, 기부채납 등을 고려하여 감보율을 적용하여야 한다.

(5) 미불용지에서 미지급용지로 용어 정비와 미보상용지의 구별

종전에 미불용지를 일본식 표현이라고 하여 미지급용지로 용어를 개정하고, 미보상토지와 구별 개념으로 사용하고 있다. 미지급용지와 미보상토지는 새로운 공익사업이 없다는 것이 차이점이다. 미지급용지는 새로운 공익사업에 의하여 편입됨으로써 보상예정토지로 '보상금은 책정했는데 지급만 못했다.'는 의미로 쓰인 듯하고, 미보상토지는 공익사업에 편입되었지만 공공의 무책임으로 보상되지 않았다는 의미로 추정된다.

Ⅳ 사례의 해결

파주시가 종전에 도로사업을 실시하면서 甲과 乙의 토지에 대하여 보상하지 않았는바, 미지급용지가 된다. 파주시가 도로를 확장하기 위한 도시관리계획사업을 실시하기 위해서는 미지급용지의 보상을 하여야 하는바, 甲과 乙이 미지급용지의 보상을 파주시에게 요구하는 것은 정당하다. 이때 미지급용지의 보상은 종전 사업에 편입될 당시의 이용상황을 상정하여 평가한 것으로 하여야 한다.

44절 | 토지보상법 제70조(취득하는 토지의 보상) – 미지급용지 등

문제

「공익사업을 위한 토지 등의 취득 및 보상에 관한 법률」상 토지보상평가의 일반적인 기준을 적시하고, 다음 물음에 답하시오. 30점

(1) 미지급용지의 보상에 대하여 법령과 판례를 토대로 설명하시오.

(2) 불법형질변경토지의 보상에 대하여 법령과 판례를 토대로 설명하시오.

(3) 무허가건축물 등의 부지의 보상에 대하여 법령과 판례를 토대로 설명하시오.

Ⅰ. 토지평가의 일반적인 기준
　1. 평가기준
　2. 관련규정

Ⅱ. 미지급용지의 보상
　1. 미지급용지의 개념
　2. 관련규정
　3. 미지급용지 보상 시 평가 기준
　　(1) 가격시점 및 공법상 제한사항 등의 적용
　　(2) 편입될 당시의 이용상황, 지목과 유사한 표준지가 없는 경우
　　(3) 개발이익의 배제
　　(4) 현황평가의 방법으로 보상하여야 하는 경우
　　(5) 미지급용지의 보상주체
　　(6) 시효취득의 성립 여부

Ⅲ. 불법형질변경토지의 보상
　1. 불법형질변경토지의 개념
　2. 관련규정
　3. 재결기준
　　(1) 개요
　　(2) 제3자가 불법형질변경한 경우
　　(3) 사업인정 이후 형질변경허가를 득하지 아니한 지목변경토지의 적법성 인정 여부

Ⅳ. 무허가건축물 등의 부지 보상
　1. 무허가건축물 등의 부지 개념
　2. 관련규정
　3. 재결기준
　　(1) 무허가건축물 건축시점 확인 방법
　　(2) 1989.1.24. 이전 건축된 무허가건물 부지면적 산정방법
　　(3) 1989.1.24. 이후 건축된 무허가건축물 등의 부지

Ⅰ 토지평가의 일반적인 기준[3]

1. 평가기준

토지에 대한 일반적인 평가기준으로는 현실적인 이용상황과 일반적인 이용방법에 의한 객관적 상황을 기준하여 평가하고, 토지 위에 건축물 등이 있는 경우 분리평가하되 나지(裸地)를 상정하여 평가하며, 개발이익은 배제하여야 하고, 표준지공시지가를 기준으로 평가하는 것이 원칙이다.

---

[3] 국토교통부, 중앙토지수용위원회 토지수용업무편람 인용

※ 해당 토지의 이용상황이 일시적 이용상황인 경우, 무허가건축물의 부지로 사용되고 있는 경우, 불법형질변경된 토지인 경우, 미지급용지인 경우, 다른 법령에 현황평가에 대한 예외를 규정한 경우에는 현실이용상황을 기준으로 평가하여서는 아니 됨.

2. 관련규정

토지보상법 제70조(취득하는 토지의 보상), 토지보상법 시행령 제37조(지가변동률), 제38조(일시적인 이용상황), 토지보상법 시행규칙 제22조(취득하는 토지의 평가)

> **판례**
>
> ● 대판 1993.7.13, 93누227
>
> [판시사항]
> 공시지가에 개발이익이 포함되어 있을 때 이를 배제하고 손실보상액을 산정할 수 있는 경우
>
> [판결요지]
> 수용사업 시행으로 인한 개발이익은 해당 사업 시행에 의하여 비로소 발생하는 것이어서 수용대상토지가 수용 당시 갖는 객관적 가치에 포함될 수는 없는 것이므로, (구)토지수용법(1991.12.31. 법률 제4483호로 개정되기 전의 것) 제46조 제2항에 의하여 손실보상액 산정의 기준으로 되는 표준지의 공시지가 자체에 해당 수용사업 시행으로 인한 개발이익이 포함되어 있을 경우에는 이를 배제하고 손실보상액을 평가하는 것이 정당보상의 원리에 합당하지만, 공시지가에 개발이익이 포함되어 있다 하여 이를 배제하기 위해서는 표준지의 전년도 공시지가에 대비한 공시지가 변동률이 공공사업이 없는 인근 지역의 지가변동률에 비교하여 다소 높다는 사유만으로는 부족하고, 그 지가변동률의 차이가 현저하여 해당 사업시행으로 인한 개발이익이 개재되어 수용대상토지의 지가가 자연적 지가상승분 이상으로 상승되었다고 인정될 수 있는 경우이어야 한다.
> ※ 토지수용법 제46조 제2항 → 「토지보상법」 제70조 제1항

Ⅱ 미지급용지의 보상

1. 미지급용지의 개념

미지급용지라 함은 종전에 시행된 공익사업의 부지로서 보상금이 지급되지 아니한 토지를 말하며 공익사업에 편입된 토지는 사업시행 이전에 보상을 하거나 토지수용 등의 절차를 취하여 종결하여야 하나 일제하의 강제시공, 6·25 전쟁 중 강제동원된 토지, 기타 보상절차가 완료되지 아니한 토지 등 아직도 미지급용지가 많이 있는 실정이다. 대상토지가 미지급용지에 해당되는지의 여부는 사업시행자가 관계기관에 조회하는 등의 방법으로 확인하여야 할 사항이다.

2. 관련규정

> 🔖 **토지보상법 시행규칙 제25조(미지급용지의 평가)**
> ① 종전에 시행된 공익사업의 부지로서 보상금이 지급되지 아니한 토지(이하 이 조에서 "미지급용지"라 한다)에 대하여는 종전의 공익사업에 편입될 당시의 이용상황을 상정하여 평가한다. 다만, 종전의 공익사업에 편입될 당시의 이용상황을 알 수 없는 경우에는 편입될 당시의 지목과 인근토지의 이용상황 등을 참작하여 평가한다.
> ② 사업시행자는 제1항의 규정에 의한 미지급용지의 평가를 의뢰하는 때에는 제16조 제1항의 규정에 의한 보상평가의뢰서에 미지급용지임을 표시하여야 한다.

3. 미지급용지 보상 시 평가 기준

종전의 공익사업에 편입될 당시의 이용상황을 상정하여 평가한다.

(1) 가격시점 및 공법상 제한사항 등의 적용

미지급용지의 평가를 위한 가격시점은 일반보상과 마찬가지로 계약체결 당시(수용의 경우에는 재결 당시)를 기준으로 하고, 공법상 제한사항이나 주위환경 기타 공공시설 등과의 접근성 등은 해당 공익사업의 시행에 따른 절차로서 변경된 경우를 제외하고는 가격시점을 기준으로 한다.

(2) 편입될 당시의 이용상황, 지목과 유사한 표준지가 없는 경우

편입될 당시의 이용상황을 상정함에 있어서는 편입 당시의 지목·실제용도·지세·면적 등을 고려하여야 하며, 주위환경의 변동이나 형질변경 등으로 인하여 평가대상토지가 종전의 공익사업에 편입될 당시의 이용상황과 유사한 이용상황의 공시지가 표준지가 인근 지역에 없어서 인근 지역의 일반적인 이용상황의 공시지가 표준지를 비교표준지로 선정한 경우에는 그 형질변경 등에 소요되는 비용 등을 고려하여야 한다.

(3) 개발이익의 배제

미지급용지를 평가함에 있어서 비교표준지로 선정된 표준지의 공시지가에 해당 공익사업의 시행으로 인한 개발이익이 포함되어 있는 경우에는 그 개발이익을 배제한 가격으로 평가한다.
① 편입될 당시의 이용상황이 전·답이고 해당 미지급용지의 인근에 같은 전·답이 있는 경우, 인근 전·답의 공시지가를 기준한 적정가격으로 평가하되, 다만, 해당 사업으로 인한 개발이익이 있는 때에는 개발이익이 없는 후면토지에 대한 공시지가를 기준으로 하거나, 개발이익을 배제한 가격으로 평가하여야 한다.
② 편입 당시의 이용상황이 전·답이고 인근에 전·답 등 상정할 토지가 없거나 유사한 인근토지도 없는 경우, 개발이익이 없는 후면의 대지가격에서 전·답(잡종지, 임야를 포함)을 대지로 형질변경허가를 받았을 때의 공공용지 등 기부채납의 비율, 정지비 등에 해당하는 비율을 공제하고 산정한 금액으로 평가하고, 인근이 도시개발구역일 때에는 감보율을 공제한 면적에 해당하는 금액으로 평가한다.

③ 편입 당시의 이용상황이 대지일 경우, 해당 사업으로 인한 개발이익이 없는 때에는 인근 대지의 공시지가를 기준으로 적정가격으로 평가(도로·위치·상황·면적 등 개별요인 비교)하고, 해당 사업으로 인한 개발이익이 있는 때에는 개발이익을 배제한 가격 또는 개발이익이 없는 후면 공시지가를 기준으로 한 가격으로 평가한다.

> **판례**
>
> ● 대법원 판례(2000.7.28, 98두6081)
>
> [판시사항]
>
> [1] 일제시대에 국도로 편입되어 그 지목이 도로로 변경된 토지가 개인의 소유로 남아 있다가 1994년경 수용이 이루어진 경우, 위 토지는 미보상용지로서 이에 대한 보상액은 종전에 도로로 편입될 당시의 이용상황을 상정하여 평가하여야 하는지 여부(적극)
>
> [2] 수용재결에 의하여 수용의 효력이 발생하기 전에 사업시행자가 수용대상토지를 권원 없이 사용한 경우, 재결절차에서 그 손실보상을 구할 수 있는지 여부(소극)
>
> [판결요지]
>
> [1] 원래 지목이 답으로서 일제시대에 국도로 편입되어 그 지목도 도로로 변경된 토지가 그동안 여전히 개인의 소유로 남아있으면서 전전 양도되어 1994년경 피수용자 명의로 소유권 이전등기가 경료되고 이어 수용에 이르렀다면 위 토지는 종전에 정당한 보상금이 지급되지 아니한 채 공공사업의 부지로 편입되어 버린 이른바 미보상용지에 해당하므로, 이에 대한 보상액은 (구)공공용지의 취득 및 손실보상에 관한 특례법 시행규칙 제6조 제7항의 규정에 의하여 종전에 도로로 편입될 당시의 이용상황을 상정하여 평가하여야 한다.
>
> [2] 사업시행자가 수용재결에 의하여 수용의 효력이 발생하기도 전에 토지를 권원 없이 사용한 사실이 있다고 하더라도, 이를 원인으로 하여 사업시행자에게 민사상 손해배상이나 부당이득의 반환을 구함은 별론으로 하고, 재결절차에서 그 손실보상을 구할 수는 없다.
> ※ 공특법 시행규칙 제6조 제7항 → 「토지보상법 시행규칙」 제25조

> **판례**
>
> ● 대법원 판례(1999.3.23, 98두13850)
>
> [판시사항]
> 공공사업에 편입된 국유토지를 일반매매의 방식으로 취득하여 적법하게 공공사업을 시행한 후 그 토지에 대한 소유권이 취득시효 완성을 원인으로 사인에게 이전된 경우, (구)공특법 시행규칙 제6조 제7항에 따라 공공사업에 편입될 당시의 이용상황을 상정하여 평가하여야 하는지 여부(적극)
>
> [판결요지]
> 종전에 공공사업의 시행으로 인하여 정당한 보상금이 지급되지 아니한 채 공공사업의 부지로 편입되어 버린 이른바 미보상용지에 대하여는, (구)토지수용법 제57조의2, (구)공특법 제

4조 제4항, 동법 시행령 제2조의10, 제10조 및 동법 시행규칙 제6조 제7항 본문의 규정에 의하여 종전의 공공사업에 편입될 당시의 이용상황을 상정하여 평가하여야 하고, 다만 종전의 공공사업시행자와 수용에 있어서의 사업주체가 서로 다르거나 공공사업의 시행자가 적법한 절차를 취하지 아니하여 아직 공공사업의 부지를 취득하지 못한 단계에서 공공사업을 시행하여 토지의 현실적인 이용상황을 변경시킴으로써 토지의 거래가격이 상승된 경우에까지 위 시행규칙 제6조 제7항에 규정된 미보상용지의 법리가 적용되지는 않는다고 할 것이나, 처음부터 공공사업에 편입된 일부 토지가 국유재산이어서 이를 수용대상으로 삼지 아니하고 일반 매매의 방식으로 취득하여 해당 공공사업을 적법히 시행하였음에도 그 후 취득시효 완성을 원인으로 하여 그 토지의 소유권이 사인에게 이전된 경우에는, 설사 뒤늦게 그 토지에 대한 토지수용절차가 진행되었다고 하더라도 공공사업의 시행자와 수용에 있어서의 사업주체가 동일하고 그 시행자가 적법한 절차를 취하지 아니하여 해당 토지를 공공사업의 부지로 취득하지 못한 것이 아니므로, 그 토지는 여전히 위 시행규칙 제6조 제7항의 규정에 따라 종전의 공공사업에 편입될 당시의 이용상황을 상정하여 평가하여야 한다.

※ 공특법 시행규칙 제6조 제7항 → 「토지보상법 시행규칙」 제25조 제1항
공특법 시행령 제2조의10 → 「토지보상법」 제70조, 「토지보상법 시행령」 제38조

(4) 현황평가의 방법으로 보상하여야 하는 경우

도로나 하천 등 해당 용도가 폐지됨으로 인하여 현황평가를 하는 것이 개설 당시의 이용상황을 상정하여 평가하는 것보다 토지소유자에게 유리하면 현황평가를 하는 것이 원칙이다.

┌─ 판례 ─

● 대법원 판례(1993.3.23, 92누2653)

[판시사항]
종전의 공공사업시행자와 수용에 있어서의 사업주체가 상이하고 수용용도가 변경된 경우 손실보상액을 산정함에 있어서 이용상황 평가의 기준시기(=수용재결시)

[판결요지]
종전의 공공사업시행자와 수용에 있어서의 사업주체가 서로 상이하고 종전의 용도와 다른 목적에 제공하고자 수용하는 경우 수용으로 인한 보상액은 수용재결 당시의 해당 토지의 이용상황을 기준으로 하여 산정하여야 하는 것이지 종전의 공공사업에 편입될 당시의 이용상황을 상정하여 평가할 것은 아니다.

(5) 미지급용지의 보상주체

새로운 사업의 사업시행자가 평가·보상하여야 한다.

> ● 질의회신(1992.1.9. 토정 01254 – 38)
>
> [질의요지]
>
> 기존 도로의 사유지(미불용지)에 대한 보상은 도로공사의 시행자가 하여야 하는지 아니면 기존 도로사업의 시행자 또는 그 관리청이 하여야 하는지
>
> [회신내용]
>
> (구)공특법 제3조 제1항에서 공공사업 시행에 따를 손실은 사업시행자가 보상하도록 되어 있고, 동법 시행규칙 제5조 제7항에서는 미불용지에 대한 평가기준을 별도로 정하고 있는 취지로 보아 <u>새로운 사업의 시행 당시 보상되지 아니한 미불용지에 대하여는 새로운 사업의 시행자가 상기 규정에 의하여 평가·보상함이 타당한 것으로 판단됨.</u>
>
> ※ 공특법 제3조 제1항 → 「토지보상법」 제61조
> 공특법 시행규칙 제6조 제7항 → 「토지보상법 시행규칙」 제25조 제1항

(6) 시효취득의 성립 여부(미지급용지에 대하여는 시효취득이 성립되지 아니함)(대판 1997.8.21, 95다28625 참조)

> ● 질의회신(2003.1.15. 토관 58342 – 54)
>
> [질의요지]
>
> 20년 이상 도로에 편입된 토지의 경우 보상대상에 해당되는지 여부
>
> [회신내용]
>
> "점유자가 소유권취득의 원인이 될 수 있는 법률적인 근거 없이 또는 그 근거가 없다는 사실을 알면서도 타인소유부동산을 점유하였다면 20년 이상 점유했다는 이유만으로 소유권을 인정하는 것은 사회통념에 어긋난다."라는 대법원 전원합의체 판결(1997.8.21, 95다28625)이 있었습니다. 따라서 20년 이상 미보상된 도로용지의 경우에는 위 판결을 참조하여 그 도로의 개설경위, 개설목적, 도로개설에 따른 이익의 귀속대상 등을 종합적으로 조사하여 보상대상 여부를 판단하여야 한다고 봅니다.

┌─ 판례

> ● 대법원 판례(1997.8.21, 95다28625 전원합의체 판결)
>
> [판시사항]
>
> [1] 취득시효에 있어서 '소유의 의사'의 입증책임
>
> [2] 점유자의 '소유의 의사'의 추정이 깨어지는 경우

[3] 점유자가 점유 개시 당시 소유권 취득의 원인이 될 수 있는 법률행위 기타 법률요건 없이 그와 같은 법률요건이 없다는 사실을 알면서 타인 소유의 부동산을 무단점유한 경우, 자주점유의 추정이 깨어지는지 여부(적극)

[판결요지]

[1] 민법 제197조 제1항에 의하면 물건의 점유자는 소유의 의사로 점유한 것으로 추정되므로 점유자가 취득시효를 주장하는 경우에 있어서 스스로 소유의 의사를 입증할 책임은 없고, 오히려 그 점유자의 점유가 소유의 의사가 없는 점유임을 주장하여 점유자의 취득시효의 성립을 부정하는 자에게 그 입증책임이 있다.

[2] 점유자의 점유가 소유의 의사 있는 자주점유인지 아니면 소유의 의사 없는 타주점유인지의 여부는 점유자의 내심의 의사에 의하여 결정되는 것이 아니라 점유 취득의 원인이 된 권원의 성질이나 점유와 관계가 있는 모든 사정에 의하여 외형적·객관적으로 결정되어야 하는 것이기 때문에 점유자가 성질상 소유의 의사가 없는 것으로 보이는 권원에 바탕을 두고 점유를 취득한 사실이 증명되었거나, 점유자가 타인의 소유권을 배제하여 자기의 소유물처럼 배타적 지배를 행사하는 의사를 가지고 점유하는 것으로 볼 수 없는 객관적 사정, 즉 점유자가 진정한 소유자라면 통상 취하지 아니할 태도를 나타내거나 소유자라면 당연히 취했을 것으로 보이는 행동을 취하지 아니한 경우 등 외형적·객관적으로 보아 점유자가 타인의 소유권을 배척하고 점유할 의사를 갖고 있지 아니하였던 것이라고 볼 만한 사정이 증명된 경우에도 그 추정은 깨어진다.

[3] [다수의견] 점유자가 점유개시 당시에 소유권 취득의 원인이 될 수 있는 법률행위 기타 법률요건이 없이 그와 같은 법률요건이 없다는 사실을 잘 알면서 타인 소유의 부동산을 무단점유한 것임이 입증된 경우, 특별한 사정이 없는 한 점유자는 타인의 소유권을 배척하고 점유할 의사를 갖고 있지 않다고 보아야 할 것이므로 이로써 소유의 의사가 있는 점유라는 추정은 깨어졌다고 할 것이다. 따라서 종래 이와 달리 지방자치단체가 도로로 편입시킨 토지에 관하여 공공용 재산으로서 취득절차를 밟지 않은 채 이를 알면서 점유하였다고 인정된 사안에서 지방자치단체의 위 토지 점유가 자주점유의 추정이 번복되어 타주점유가 된다고 볼 수 없다는 취지의 판례의 견해는 변경하기로 한다.

Ⅲ 불법형질변경토지의 보상

1. 불법형질변경토지의 개념

불법형질변경토지라 함은 「국토의 계획 및 이용에 관한 법률」 등 관계법령에 의하여 허가를 받거나 신고를 하고 형질변경을 하여야 하는 토지를 허가를 받지 아니하거나 신고를 하지 아니하고 형질변경한 토지를 말한다.

2. 관련규정

토지보상법 시행규칙 제24조(무허가건축물 등의 부지 또는 불법형질변경된 토지의 평가)

> ↪ **제24조(무허가건축물 등의 부지 또는 불법형질변경된 토지의 평가)**
> 「건축법」 등 관계법령에 의하여 허가를 받거나 신고를 하고 건축 또는 용도변경을 하여야 하는
> 건축물을 허가를 받지 아니하거나 신고를 하지 아니하고 건축 또는 용도변경한 건축물(이하 '무
> 허가건축물등'이라 한다)의 부지 또는 「국토의 계획 및 이용에 관한 법률」 등 관계법령에 의하여
> 허가를 받거나 신고를 하고 형질변경을 하여야 하는 토지를 허가를 받지 아니하거나 신고를 하
> 지 아니하고 형질변경한 토지(이하 '불법형질변경토지'라 한다)에 대하여는 무허가건축물등이 건
> 축 또는 용도변경될 당시 또는 토지가 형질변경될 당시의 이용상황을 상정하여 평가한다.

3. 재결기준

(1) 개요

적법한 절차를 거치지 아니하고 형질변경을 한 토지는 형질변경될 당시의 이용상황을 상정하여
평가하는 것이 원칙이므로 현실이용상황이 대지, 전, 답 및 과수원 등일지라도 공부상 지목이
다르다면 적법한 절차를 거쳐 형질변경되었는지의 여부를 확인한 후 평가·보상하여야 한다.

> ┌─ 판례
> ● **대법원 판례(2002.2.8, 2001두7121)**
>
> **[판시사항]**
> 공공용지의 취득 및 손실보상에 관한 특례법 시행규칙 제6조 제6항이 모법의 위임 범위를
> 벗어나거나 위 부칙 제4항이 법률불소급의 원칙에 반하는지 여부(소극)
>
> **[판결요지]**
> 공공용지의 취득 및 손실보상에 관한 특례법 시행령에는 비록 토지의 구체적 상황에 따른
> 평가방법에 관하여 건설교통부령에 위임한다는 명문의 규정을 두고 있지는 아니하나, 공공
> 용지의 취득 및 손실보상에 관한 특례법(이하 '특례법'이라 한다) 제4조 제2항 제1호, 동법
> 시행령 제2조의10 제1항, 제2항은 토지의 일반적 이용방법에 의한 객관적 상황을 기준으로
> 하되 일시적 이용 상황을 고려하지 아니하고 산정함으로써 적정가격으로 보상액을 산정하여
> 야 한다는 원칙을 정하고 있는 바, 불법으로 형질변경된 토지에 대하여는 관계법령에서 원상
> 회복을 명할 수 있고, 허가 등을 받음이 없이 형질변경 행위를 한 자에 대하여는 형사처벌을
> 할 수 있음에도, 그러한 토지에 대하여 형질변경된 상태에 따라 상승된 가치로 평가한다면,
> 위법행위로 조성된 부가가치 등을 인정하는 결과를 초래하여 '적정보상'의 원칙이 훼손될 우
> 려가 있으므로, 이와 같은 부당한 결과를 방지하기 위하여 불법으로 형질변경된 토지에 대하
> 여는 특별히 형질변경될 당시의 이용상황을 상정하여 평가함으로써 그 '적정가격'을 초과하
> 는 부분을 배제하려는 것이 특례법 시행규칙(1995.1.7.건설교통부령 제3호로 개정된 것) 제
> 6조 제6항의 규정취지라고 이해되고, 따라서 위 규정은 모법인 특례법 제4조 제2항 제1호,
> 특례법 시행령 제2조의10 제1항, 제2항에 근거를 두고, 그 규정이 예정하고 있는 범위 내에
> 서 토지의 적정한 산정방법을 구체화·명확화한 것이지, 모법의 위임 없이 특례법 및 동법
> 시행령이 예정하고 있지 아니한 토지의 산정방법을 국민에게 불리하게 변경하는 규정은 아

니라고 할 것이므로 모법에 위반된다고 할 수 없으며, 또한 특수한 토지에 대한 평가기준을 정하고 있는 특례법 시행규칙 제6조 제6항의 적용 여부는 평가의 기준시점에 따라 결정되므로, 비록 개정된 특례법 시행규칙 제6조 제6항이 시행되기 전에 이미 불법으로 형질변경된 토지라 하더라도, 위 개정 조항이 시행된 후에 공공사업시행지구에 편입되었다면 개정 조항을 적용하여야 하고, 부칙(1995.1.7.) 제4항에서 위 개정 조항 시행 당시 공공사업시행지구에 편입된 불법형질변경토지만 종전의 규정을 적용하도록 하였다 하여, 이를 들어 소급입법이라거나 헌법 제13조 제2항이 정하고 있는 법률불소급의 원칙에 반한다고 할 수 없다.

※ 특례법 시행규칙 제6조 제6항 → 「토지보상법 시행규칙」 제24조
특례법 제4조 제2항 제1호 → 「토지보상법」 제70조 제1항
특례법 시행령 제2조의10 제1항, 제2항 → 「토지보상법」 제70조 제2항, 「토지보상법 시행령」 제38조

(2) 제3자가 불법형질변경한 경우

토지소유자가 아닌 제3자가 형질변경한 경우에도 적법한 허가나 승인 없이 한 경우에는 불법형질변경 토지이므로 형질변경 전의 이용상황대로 평가·보상한다.

※ 1990.10.22, 98두7770 판결은 해당 사업으로 본 것 같고, 사업시행자의 불법형질변경행위를 포함한다면 아래의 판례입장과 모순되게 됨.

> **판례**
>
> ● 서울고등법원 판례(2002.3.22, 2001누9150)
>
> [판시사항]
>
> 국가·지방자치단체가 불법형질변경한 토지는 현황평가하여야 한다.
>
> [판결요지]
>
> 특례법 시행규칙 제6조 제6항은 현황평가원칙의 예외로서 "무허가건물 등의 부지나 불법으로 형질변경된 토지는 무허가건물 등이 건축될 당시 또는 토지의 형질변경이 이루어질 당시의 이용상황을 상정하여 평가한다."라고 규정하고 있는 바, 위 규정의 취지는 토지의 소유자 또는 제3자가 불법형질변경 등을 통하여 현실적인 이용현황을 왜곡시켜 부당하게 손실보상금의 평가가 이루어지게 함으로 인하여 토지소유자가 부당한 이익을 얻게 되는 것을 방지함으로써 특례법 제4조 제2항이 규정하고 있는 '적정가격보상의 원칙'을 관철시키기 위한 것이라 할 것이므로, 국가 또는 지방공공단체가 적법한 절차를 거치지 아니하고 개인의 토지를 형질변경하여 그 토지를 장기간 공익에 제공함으로써 그 토지의 가격이 상승된 이후에 스스로 공익사업의 시행자로서 그 토지를 취득하는 경우와 같이 위 규정을 적용한다면 오히려 '적정가격보상의 원칙'에 어긋나는 평가가 이루어질 수 있는 특별한 사정이 있는 때에는 위 규정이 적용되지 아니하고, 수용에 의하여 취득할 토지에 대한 평가의 일반원칙에 의하여 수용재결 당시의 현실적인 이용상황에 따라 평가하는 것이 합당하다.
>
> ※ 특례법 시행규칙 제6조 제6항 → 「토시보상법 시행규칙」 제24조

> 판례
>
> ● **대법원 판례(1999.10.22, 98두7770)**
>
> **[판시사항]**
>
> 기업자가 토지가 포락되었다고 판단하여 수용절차나 보상 없이 공사를 시행하는 도중에 토지가 포락된 것이 아니라는 판결이 확정되자 비로소 이를 수용하게 되어 <u>수용재결 당시에는 해당 공공사업으로 토지현황 및 용도지역이 변경된 경우, 손실보상액은 수용재결일이 아니라 사업승인고시일을 기준으로 산정하여야 한다.</u>
>
> **[판결내용]**
>
> 원심이 적법하게 확정한 사실에 따르니, 피고 공사가 1990.5.16. 이 사건 토지 일대에 공업단지조성공사를 위한 산업기지 개발사업실시계획을 승인받아 위 사업을 시행함에 있어 <u>이 사건 토지에 대한 수용절차나 보상 없이 공사를 시행하였고,</u> 이에 원고가 피고 공사를 상대로 이 사건 토지에 관한 소유권확인소송을 제기하여 공사가 거의 완공될 무렵인 1995.11.24. 원고승소판결이 확정되자 비로소 피고 중앙토지수용위원회가 1996.7.15. 이 사건 토지를 수용재결하였는데 원래 1/4은 갯벌, 3/4은 방치된 잡종지 상태였던 이 사건 토지가 <u>피고 공사의 위 사업시행으로 수용재결 당시에는 대지조성이 거의 마무리되어 가는 잡종지로 토지현상이 변경되고 용도지역도 공업지역으로 변경되었음을 알 수 있는 바,</u> 이 사건 토지의 이용상황이 위와 같은 경위로 변경되었으니 이는 <u>이 사건 해당 사업의 시행으로 인한 것이므로 이 사건 토지의 수용으로 인한 손실보상액을 산정함에 있어서는 해당 사업시행으로 인한 개발이익 배제의 법리에 따라 이 사건 토지의 이용상황을 수용재결일이 아니라 당초의 사업승인고시일을 기준으로 하여야 할 것이다.</u>

(3) 사업인정 이후 형질변경허가를 득하지 아니한 지목변경토지의 적법성 인정 여부

「토지보상법」 제25조 제1항의 규정에 의거 사업인정 고시가 있은 후에는 누구든지 고시된 토지에 대하여 사업에 지장을 초래할 우려가 있는 형질의 변경을 하지 못하도록 규정되어 있으므로 적법한 형질변경허가 절차 없이 토지소유자 임의로 토지의 형질을 변경하여 이용 중에 있다 하더라도 그 토지에 대한 평가는 형질변경 전의 이용상황대로 평가·보상한다. 사업인정의 고시가 있었음에도 허가관청의 착오 등(관계관청과 협의 불이행 등)으로 적법하게 허가를 득한 경우에는 이를 인정하여 현황평가하여 보상(대판 2002.3.29, 2001두10233, 대판 2006.9.28, 2006두7218 참조)한다.

● 사업인정고시 후 건축허가된 주유소 손실보상 판례(대판 2002.3.29, 2001두10233)

[사건경위]

- 1994.09.01. 석유판매업(주유소) 허가신청(원고 유○○ → 김포군수)
  경기도 김포군 고촌면 전효리 386 - 3(답 660㎡)
- 1994.12.31. 석유판매업(주유소) 허가(김포군수 → 원고)
- 1995.04.26. 도로구역 결정고시(건교부고시 제1995 - 140호)
  경기 김포군 고촌면, 인천 운서동 일대 수도권신공항(인천국제공항)
  고속국도 건설공사를 시행하기 위함(전효리 386 - 3 포함고시)
- 1995.07.01. 토지형질변경행위허가 승인(경기도지사 → 김포군수)
  분할전의 고촌면 전효리 386 - 3 답 중 주유소부지 660㎡
- 1995.07.05. 건축허가(김포군수 → 원고)
  분할전의 386 - 3 답 지상에 영업장 60.15㎡, 캐노피 118.06㎡를 건축
- 1995.12.27. 영업장 및 캐노피 사용검사(김포군수 → 원고)
- 1996.01.11. 토지세목고시 (건교부고시 제1996 - 12호)
  경기도 김포군 고촌면 전효리 386 - 3 답 580㎡ 포함 고시
- 1996.02.29. 토지분할 및 지목변경(원고)
  주유소영업장이 있는 386 - 3 답285㎡와 캐노피 등 지장물이 있는 386 - 8
  답 375㎡의 지목이 잡종지(660㎡)로 변경
- 1998.09.22. 수용재결(중토위) : 주유소부지 답으로 평가, 휴업보상은 아니함
- 1999.02.23. 이의재결 : 토지는 기각, 지장물은 증액재결
- 2002.02.16. 서울행정법원 판결(99구10505)
- 2001.10.24. 서울고등법원 판결(2000누3193)
- 2002.03.29. 대법원 판결(2001두10223)

[판결내용]
경기도지사 및 김포군수는 토지수용법에 의한 사업인정고시일로 보게 되는 도로구역결정고시일 이후에 이 사건 토지들 [김포시 고촌면 전효리 386 - 3 토지에서 1996.2.29. 분할된 토지 중 같은 리 386 - 8 잡종지 375㎡(같은 날 답에서 잡종지로 지목변경) 및 같은 리 386 - 12 답 205㎡] 중 위 386 - 8 토지가 건설교통부장관의 위 도로구역결정고시에 의하여 이 사건 사업지구에 그 용지로 편입된 사정을 잘 모르고 위 토지에 대하여 토지형질변경행위의 허가에 대한 승인을 하고 이에 따라 건축허가까지 하였으며, 나아가 원고로서도 이 사건 토지들을 제외한 원고 소유의 나머지 토지들 지상에 주유소 시설을 설치할 수 있었음에도 이 사건 토지들이 위 사업지구에 편입된 사정을 잘 몰랐기 때문에 분할 후의 위 386 - 3 토지와 이 사건 토지들 중 386 - 8 토지 지상에 주유소시설을 설치하였다는 사실을 인정한 다음 원고가 위 386 - 8 토지의 형질이나 지목을 변경함에 있어 어떠한 귀책사유가 있다고 할 수 없는 이 사건에 있어 이 사건 토지들에 관하여 <u>도로구역결정고시가 있었다는 사정만으로</u>

는 관할관청의 허가를 받아 이루어진 위 형질변경이나 공작물의 신축이 불법으로 이루어진 것이라고 할 수 없으므로 피고 중앙토지수용위원회가 그 형질변경이나 공작물의 신축이 불법으로 이루어진 것임을 전제로 위 386 − 8 토지에 관하여 수용재결 당시의 현황인 잡종지가 아닌 도로구역고시일 현재의 현황인 답으로 보고 그에 따라 보상액을 산정하는 한편, 주유소 영업권 손실에 대한 보상을 기각한 이의재결은 위법하다고 판단하고 나서 피고 한국도로공사에 대하여 위 386 − 8 토지에 관한 현황을 잡종지로 보아 이에 대한 비교표준지를 선정하고 그에 따라 산정한 보상가액과 그 지상의 지장물들에 대한 보상가액 및 주유소 영업권 손실에 대한 보상액에서 미리 공탁한 보상금을 공제한 차액의 지급을 명하였는바, 기록에 비추어 살펴보니 원심의 사실인정과 판단은 정당한 것으로 수긍이 간다.

> **판례**
>
> ● **대법원 판례(2006.9.28, 2006두7218)**
>
> [판결내용]
>
> 수도권 신공항 건설촉진법(이하 '수촉법'이라 한다)과 건축법은 입법목적이 서로 다르고, 수촉법은 신공항건설사업의 효율적인 추진이라는 그 입법목적을 달성하기 위하여 가급적 예정지역 내에서는 건축, 토지형질변경 등의 행위를 제한하면서 예외적인 경우에만 시·도지사가 그러한 행위를 허가 하도록 규정하고 있으며, 수촉법상 행위제한을 위반한 자에 대하여 원상회복을 명할 수 있고, 원상회복명령에 불응한 경우에는 행정대집행을 할 수 있도록 규정하고 있다는 점 등을 종합하여 보면, 어떤 건축주가 신공항 건설예정지역 내에서 건축 및 토지형질변경을 하기 위하여는 수촉법상 행위허가와 건축법상 건축허가를 함께 받아야 하며, 이 경우 어느 한쪽의 허가 없이 건축주가 한 건축행위 등은 불법건축이라 할 것이고, 수촉법상의 원고(피수용자)들이 수촉법상의 행위허가를 받아야 하는 점을 알고도 이러한 절차를 생략하거나 무시한 채 중구청의 건축 허가만으로 건축행위를 감행하였다는 사실을 인정할 만한 아무런 증거가 없고, 행정관청인 중구청장조차 수촉법상의 허가절차를 간파하고 그 외 허가만으로 이 사건 건축이 가능하다고 착각하여 건축허가를 내어준 이 사건에서는 공사중지명령이 있기까지의 토지형질변경 및 건축 등 개발행위에 대하여는, 그것이 비록 수촉법상의 허가가 없어 위법한 것이라고 하더라도, 이에 대하여는 보상을 하는 것이 상당하다고 할 것이다.

Ⅳ 무허가건축물 등의 부지 보상

1. 무허가건축물 등의 부지 개념

무허가건축물 등의 부지라 함은 「건축법」 등 관계법령에 의하여 허가를 받거나 신고를 하고 건축 또는 용도변경을 하여야 하는 건축물을 허가를 받지 아니하거나 신고를 하지 아니하고 건축 또는 용도변경한 건축물(이하 "무허가건축물 등"이라 한다)의 부지를 말한다.

2. 관련규정

토지보상법 시행규칙 제24조(무허가건축물 등의 부지 또는 불법형질변경된 토지의 평가)

> ❯ 제24조(무허가건축물 등의 부지 또는 불법형질변경된 토지의 평가)
> 「건축법」 등 관계법령에 의하여 허가를 받거나 신고를 하고 건축 또는 용도변경을 하여야 하는 건축물을 허가를 받지 아니하거나 신고를 하지 아니하고 건축 또는 용도변경한 건축물(이하 '무허가건축물등'이라 한다)의 부지 또는 「국토의 계획 및 이용에 관한 법률」 등 관계법령에 의하여 허가를 받거나 신고를 하고 형질변경을 하여야 하는 토지를 허가를 받지 아니하거나 신고를 하지 아니하고 형질변경한 토지(이하 '불법형질변경토지'라 한다)에 대하여는 무허가건축물등이 건축 또는 용도변경될 당시 또는 토지가 형질변경될 당시의 이용상황을 상정하여 평가한다.

3. 재결기준

(1) 무허가건축물 건축시점 확인방법

1989.1.24. 이전 건축된 무허가건축물 등에 대하여는 이를 적법한 건축물로 보도록 규정되어 있으므로 무허가건물의 건축시점 확인은 보상에 있어 필수적 조사사항이다. 무허가건물 건축시점의 확인은 무허가건물대장의 건축일자를 기준으로 하되, 무허가건물대장이 없는 경우에는 지방자치단체에 공문으로 조회하여 항공사진 촬영일자 등을 확인해야 한다.

> 판례
>
> ● 대법원 판례(2002.9.6, 2001두11236)
>
> [판시사항]
> 무허가건축물관리대장에 건축물로 등재되어 있다고 하여 그 건축물이 적법한 절차를 밟아서 건축된 것이라거나 그 건축물의 부지가 적법하게 형질변경된 것으로 추정되는지 여부(소극)
>
> [판결요지]
> 무허가건축물관리대장은 관할관청이 개발제한구역 안의 무허가건축물에 대한 관리차원에서 작성하는 것이므로, 위 대장의 작성목적, 작성형식, 관리상태 등에 비추어 거기에 건축물로 등재되어 있다고 하여 그 건축물이 적법한 절차를 밟아서 건축된 것이라거나 그 건축물의 부지가 적법하게 형질변경된 것으로 추정된다고 할 수 없다.

(2) 1989.1.24. 이전 건축된 무허가건물 부지면적 산정방법

1989.1.24. 이전 건축된 무허가건축물 등은 그 적법성은 인정되나 그 건축물 부지에 대하여는 명확한 보상기준이 없어 중앙토지수용위원회에서는 무허가건축물의 바닥면적만을 대지로 인정하는 것을 원칙으로 하고(단, 부칙에 따라 적법한 건축물로 보는 무허가건축물 등에 대한 보상을 하는 경우 해당 무허가건축물 등의 부지 면적은 「국토의 계획 및 이용에 관한 법률」 제77조에 따른 건폐율을 적용하여 산정한 면적을 초과할 수 없다), 예외적으로 건축물 부지로 이용되고 있는 것이 객관적으로 인정되고 지적공사의 현황측량결과에 의거 사업시행자가 대지로서 인정한 해당 면적이 확인되는 경우 이를 대지로 평가·보상하고 있다.

※ 1989.1.24. 이전에 건축된 무허가건축물의 부지를 현실이용상황에 따라 건축물의 부지로 평가하는 경우에도 공부상 지목이 '대'가 아닌 토지를 적법한 절차에 따라 '대'인 토지로 변경하는데 소요되는 비용 상당액인 농지전용부담금(대체산림자원조성비), 지목변경에 소요되는 비용상당액을 고려하여 이를 개별요인 비교시에 반영하여 그 비교치를 조정하는 방법으로 평가하여야 함.

판례

● **대법원 판례(2002.9.4, 2000두8325)**

[판시사항]

[1] (구)공공용지의 취득 및 손실보상에 관한 특례법 시행규칙 제6조 제6항 소정의 '무허가건물 등의 부지'의 의미 및 1995.1.7.개정된 동법 시행규칙의 시행에 따른 불법형질변경토지에 대한 평가 방법

[2] 무허가건물에 이르는 통로, 야적장, 주차장 등은 그 무허가건물의 부지라고 볼 수 없고, 불법형질변경된 토지가 택지개발사업시행지구에 편입된 때로 보는 택지개발계획의 승인·고시가 1995.1.7.개정된 공공용지의 취득 및 손실보상에 관한 특례법 시행규칙 제6조 제6항의 시행 이후에 있은 경우, 그 형질변경 당시의 이용상황으로 상정하여 평가하여야 한다.

[판결요지]

[1] (구)공공용지의 취득 및 손실보상에 관한 특례법 시행규칙(1995.1.7.건설교통부령 제3호로 개정되기 전의 것) 제6조 제6항 소정의 '무허가건물 등의 부지'라 함은 해당 무허가건물 등의 용도·규모 등 제반여건과 현실적인 이용상황을 감안하여 무허가건물 등의 사용·수익에 필요한 범위 내의 토지와 무허가건물 등의 용도에 따라 불가분적으로 사용되는 범위의 토지를 의미하는 것이라고 해석되고, 한편, 불법형질변경된 토지를 평가함에 있어서는, 1995.1.7.건설교통부령 제3호로 개정된 동법 시행규칙 제6조 제6항의 시행 이후에는 가격시점에 있어서의 현실적인 이용상황에 따른 평가원칙에 대한 예외로서, 그 형질변경시기가 위 동법 시행규칙 제6조 제6항의 시행 전후를 불문하고 해당 토지가 형질변경이 될 당시의 이용상황을 상정하여 평가하여야 하며, 다만, 개정된 동법 시행규칙 부칙 제4항에 의하여 그 시행 당시 이미 공공사업시행지구에 편입된 불법형질변경 토지

등에 한하여 동법시행령 제2조의10 제2항에 따라 가격시점에서의 현실적인 이용상황 (즉, 형질변경 이후의 이용상황)에 따라 평가하여야 하는 것으로 해석된다.

[2] 무허가건물에 이르는 통로, 야적장, 마당, 비닐하우스·천막 부지, 컨테이너·자재적치장소, 주차장 등은 무허가건물의 부지가 아니라 불법으로 형질변경된 토지이고, 위 토지가 택지개발사업시행지구에 편입된 때로 보는 택지개발계획의 승인·고시가 1995.1.7.자 개정된 (구)공공용지의 취득 및 손실보상에 관한 특례법 시행규칙 제6조 제6항의 시행 이후에 있은 경우, 그 형질변경 당시의 이용상황인 전 또는 임야로 상정하여 평가하여야 한다.

※ 공특법 시행규칙 제6조 제6항 → 「토지보상법 시행규칙」 제24조
　공특법 시행령 제2조의10 제2항 → 「토지보상법 시행규칙」 제25조 제1항

◎ 1989.1.24. 이전에 건축된 무허가건축물 부지의 면적산정

• 1989.1.24. 이전에 건축된 무허가건축물의 부지면적 산정에 대해서는 법령에 별도로 규정된 바 없어 해당 무허가건축물 부지의 용도·규모 등 현지 여건을 종합적으로 고려하고 현황측량 등을 통하여 사업시행자가 사실판단할 사항임

(3) 1989.1.24. 이후 건축된 무허가건축물 등의 부지

1989.1.24. 이후에 건축된 무허가건축물 등은 그 적법성이 인정되지 아니하므로 그 부지에 대해서도 무허가건축물 등이 건축될 당시의 이용상황을 상정(원래 지목인 임야, 전, 답 등)하여 평가하여야 한다.

45절
- 토지보상법 제70조(취득하는 토지의 보상)(사실상의 사도)
- 행정법 쟁점 : 법령보충적 행정규칙, 헌법 제23조 제3항(정당보상)

문제

「공익사업을 위한 토지 등의 취득 및 보상에 관한 법률」(이하 '토지보상법') 시행규칙 제26조에 규정된 사실상의 사도에 대한 보상에 대하여 설명하시오. 20점

Ⅰ. 서(논점의 정리)

Ⅱ. 도로의 보상평가방법

1. 토지보상법상 평가방법(시행규칙 제26조)

    (1) 사실상의 사도

    (2) 취지

2. 판례의 태도

Ⅲ. 인근 토지평가액의 1/3 이내 사실상 사도 보상평가 규정에 대한 규범성 논의

1. 문제의 소재

2. 토지보상법 시행규칙 제26조의 1/3 이내 평가규정 법령보충적 행정규칙 인지 여부

    (1) 학설

    (2) 대법원 판례

    (3) 검토

3. 위법성 판단기준(정당보상에의 위배 여부)

    (1) 정당보상의 의미

    (2) 판례의 태도로 볼 경우(법령 보충적 행정규칙으로 법규성이 인정될 경우)

Ⅳ. 사실상의 사도부지 평가와 정당보상

1. 인근 토지에 비하여 낮은 가격으로 보상하여도 될 만한 사정

2. 사실상의 사도부지이면서 정상평가 하는 경우

3. 사실상의 사도가 아니지만 낮게 평가 하는 경우

Ⅴ. 결

Tip 강박사의 TIP(최근 기출문제)

1. 사실상의 사도의 요건 및 사실상 사도 인정 여부에 따른 보상기준(제33회 문제1)

2. 토지보상법 시행규칙 제26조 제1항 제2호의 규정에 의한 것으로서 낮게 평가된 것이 적법한지 여부 (제22회 문제1)

> 판례

● 대판 2014.11.27, 2013두20219[토지수용재결처분취소]

[판시사항]

공익사업을 위한 토지 등의 취득 및 보상에 관한 법률 시행규칙 제26조 제1항 제2호에 의하여 '사실상의 사도'의 부지로 보고 인근 토지평가액의 3분의 1 이내로 보상액을 평가하기 위한 요건 / 동조 제2항 제2호가 규정한 '토지소유자가 그 의사에 의하여 타인의 통행을 제한할 수 없는 도로'의 의미 및 그에 해당하는지 판단하는 기준

[이유]

1. 피고 중앙토지수용위원회에 대한 상고이유에 관하여
   (원처분주의 재결주의 판례)

2. 피고 용인시에 대한 상고이유에 관하여

   어느 토지를 공익사업을 위한 토지 등의 취득 및 보상에 관한 법률(이하 '공익사업법'이라 한다) 시행규칙 제26조 제1항 제2호에 의하여 '사실상의 사도'의 부지로 보고 인근 토지평가액의 3분의 1 이내로 보상액을 평가하려면, 도로법에 의한 일반도로 등에 연결되어 일반의 통행에 제공되는 등으로 사도법에 의한 사도에 준하는 실질을 갖추고 있어야 하고, 나아가 위 시행규칙 제26조 제2항 제1호 내지 제4호 중 어느 하나에 해당하여야 한다. 그리고 위 시행규칙 제26조 제2항 제2호가 규정. 이때 어느 토지가 불특정 다수인의 통행에 장기간 제공되어 왔고 이를 소유자가 용인하여 왔다는 사정이 있다는 것만으로 언제나 해야 한다(대판 2013.6.13, 2011두7007 참조).

   원심은 그 채택 증거들을 종합하여, 이 사건 토지가 용인시 처인구(지번 생략) 도로와 연결되어 있고, 늦어도 1972년경부터는 불특정 다수가 이용하는 도로로 이용되었던 것으로 보이는 사실, 피고 용인시가 1998.10.경 이 사건 토지를 포장한 사실 등을 인정한 다음, 이를 기초로 이 사건 토지가 도로로서의 이용상황이 고착되어 표준적 이용상태로 원상회복하는 것이 쉽지 않으므로 공익사업법 시행규칙 제26조에서 정한 사실상의 사도에 해당한다고 판단하였다.

   앞에서 본 법리에 따라 기록을 살펴보면, 원심의 위 인정과 판단은 정당하다. 거기에 논리와 경험의 법칙을 위반하여 자유심증주의의 한계를 벗어나거나, 공익사업법 시행규칙 제25조, 제26조가 정한 미불용지 또는 사실상 사도의 개념에 관한 법리를 오해한 위법이 없다.

● 대판 2013.6.13, 2011두7007[토지수용보상금증액]

[판시사항]

[1] 공익사업을 위한 토지 등의 취득 및 보상에 관한 법률 시행규칙 제26조 제1항 제2호에 의하여 '사실상의 사도'의 부지로 보고 인근 토지평가액의 3분의 1 이내로 보상액을 평가하기 위한 요건

[2] 공익사업을 위한 토지 등의 취득 및 보상에 관한 법률 시행규칙 제26조 제2항 제1호에서 규정한 '도로개설 당시의 토지소유자가 자기 토지의 편익을 위하여 스스로 설치한 도로'에 해당하는지 판단하는 기준

[3] 공익사업을 위한 토지 등의 취득 및 보상에 관한 법률 시행규칙 제26조 제2항 제2호가
규정한 '토지소유자가 그 의사에 의하여 타인의 통행을 제한할 수 없는 도로'의 의미 및
그에 해당하는지 판단하는 기준

[판결요지]

[1] 공익사업을 위한 토지 등의 취득 및 보상에 관한 법률 시행규칙 제26조 제1항 제2호에
의하여 '사실상의 사도'의 부지로 보고 인근 토지평가액의 3분의 1 이내로 보상액을 평가
하려면, 도로법에 의한 일반도로 등에 연결되어 일반의 통행에 제공되는 등으로 사도법
에 의한 사도에 준하는 실질을 갖추고 있어야 하고, 나아가 위 규칙 제26조 제2항 제1호
내지 제4호 중 어느 하나에 해당하여야 할 것이다.

[2] 공익사업을 위한 토지 등의 취득 및 보상에 관한 법률 시행규칙 제26조 제2항 제1호에
서 규정한 '도로개설 당시의 토지소유자가 자기 토지의 편익을 위하여 스스로 설치한 도
로'에 해당한다고 하려면, 토지 소유자가 자기 소유 토지 중 일부에 도로를 설치한 결과
도로 부지로 제공된 부분으로 인하여 나머지 부분 토지의 편익이 증진되는 등으로 그
부분의 가치가 상승됨으로써 도로부지로 제공된 부분의 가치를 낮게 평가하여 보상하더
라도 전체적으로 정당보상의 원칙에 어긋나지 않는다고 볼 만한 객관적인 사유가 있다고
인정되어야 하고, 이는 도로개설 경위와 목적, 주위환경, 인접토지의 획지 면적, 소유관
계 및 이용상태 등 제반 사정을 종합적으로 고려하여 판단할 것이다.

[3] 공익사업을 위한 토지 등의 취득 및 보상에 관한 법률 시행규칙 제26조 제2항 제2호가
규정한 '토지소유자가 그 의사에 의하여 타인의 통행을 제한할 수 없는 도로'는 사유지가
종전부터 자연발생적으로 또는 도로예정지로 편입되어 있는 등으로 일반 공중의 교통에
공용되고 있고 그 이용상황이 고착되어 있어, 도로부지로 이용되지 아니하였을 경우에
예상되는 표준적인 이용상태로 원상회복하는 것이 법률상 허용되지 아니하거나 사실상
현저히 곤란한 정도에 이른 경우를 의미한다고 할 것이다. 이때 어느 토지가 불특정 다
수인의 통행에 장기간 제공되어 왔고 이를 소유자가 용인하여 왔다는 사정이 있다는 것
만으로 언제나 도로로서의 이용상황이 고착되었다고 볼 것은 아니고, 이는 해당 토지가
도로로 이용되게 된 경위, 일반의 통행에 제공된 기간, 도로로 이용되고 있는 토지의 면
적 등과 더불어 그 도로가 주위 토지로 통하는 유일한 통로인지 여부 등 주변 상황과
해당 토지의 도로로서의 역할과 기능 등을 종합하여 원래의 지목 등에 따른 표준적인
이용상태로 회복하는 것이 용이한지 여부 등을 가려서 판단해야 할 것이다.

● 대판 1999.5.14, 99두2215[토지수용이의재결처분취소]

[판시사항]

[1] (구)공공용지의 취득 및 손실보상에 관한 특례법 시행규칙 제6조의2 제2항 소정의 '사실
상의 사도'의 판단기준

[2] (구)공공용지의 취득 및 손실보상에 관한 특례법 시행규칙 제6조의2 제1항 제2호 소정의
'사도법에 의한 사도 외의 도로의 부지'에 해당하지 않는다고 한 사례

[판결요지]

[1] (구)공공용지의 취득 및 손실보상에 관한 특례법 시행규칙(1997.10.15. 건설교통부령 제121호로 개정되기 전의 것) 제6조의2 제1항 제2호는 사도법에 의한 사도 외의 도로의 부지를 인근 토지에 대한 평가금액의 3분의 1 이내로 평가하도록 규정함으로써 그 규정의 문언상으로는 그것이 도로법·도시계획법 등에 의하여 설치된 도로이든 사실상 불특정 다수인의 통행에 제공되고 있는 도로(이하 '사실상 도로'라 한다)이든 가리지 않고 모두 위 규정 소정의 사도법에 의한 사도 이외의 도로에 해당하는 것으로 보아야 할 것이지만, 그중 사실상 도로에 관한 위 규정의 취지는 사실상 불특정 다수인의 통행에 제공되고 있는 토지이기만 하면 그 모두를 인근 토지의 3분의 1 이내로 평가한다는 것이 아니라 그 도로의 개설경위, 목적, 주위환경, 인접 토지의 획지면적, 소유관계, 이용상태 등의 제반 사정에 비추어 해당 토지소유자가 자기 토지의 편익을 위하여 스스로 공중의 통행에 제공하는 등 인근 토지에 비하여 낮은 가격으로 보상하여 주어도 될 만한 객관적인 사유가 인정되는 경우에만 인근 토지의 3분의 1 이내에서 평가하고 그러한 사유가 인정되지 아니하는 경우에는 위 규정의 적용에서 제외한다는 것으로 봄이 상당하다.

[2] (구)공공용지의 취득 및 손실보상에 관한 특례법 시행규칙 제6조의2 제1항 제2호 소정의 '사도법에 의한 사도 외의 도로의 부지'에 해당하지 않는다고 한 사례

I 서(논점의 정리)

손실보상은 공용수용에 대한 재산권의 조절적 전보제도로 헌법 제23조 제3항에 근거한다. 이에 공익사업을 위한 토지 등의 취득 및 보상에 관한 법률(이하 '토지보상법')은 헌법 제23조 제3항의 정당보상 구현을 위하여 보상의 기준 및 원칙을 규정하고 있다. 특히, 도로의 경우 그 종류가 다양하고 공·사법 제한의 정도가 각각 다르므로 평가방법의 적정성이 문제되는 바, 이하에서는 도로의 보상평가와 그 정당성에 대하여 설명하고자 한다.

II 도로의 보상평가방법

1. 토지보상법상 평가방법(시행규칙 제26조)

(1) 사실상의 사도

사실상의 사도란 사도법상의 사도 외에 관할 시장 또는 군수의 허가를 받지 않고 개설하거나 형성된 사도로 토지보상법 시행규칙 제26조 제2항은 그 대상을 보다 구체화시키고 있다. 사실상의 사도는 인근 토지평가액의 3분의 1 이내로 평가한다.

(2) 취지

인근 토지에 비해 낮게 평가하도록 하는 취지는 토지소유자가 자기 소유의 다른 토지의 효용 증진을 위하여 스스로 설치한 도로이고(자의성), 화체이론에 의한 것이다.

2. 판례의 태도

사실상의 사도는 도로 개설경위, 목적, 주위환경 기타 제반 사항을 비추어 해당 토지가 인근 토지에 비하여 낮은 가격으로 보상하여 주어도 될 만한 객관적 사유가 인정되는 경우에만 인근 토지의 1/3 이내로 평가한다고 본다.

Ⅲ 인근 토지평가액의 1/3 이내 사실상 사도 보상평가 규정에 대한 규범성 논의

1. 문제의 소재

최근 토지보상법 시행규칙 제22조가 법령보충적 행정규칙이라는 판례(대판 2012.3.29, 2011다104253)에서 보듯이 국토교통부령으로 규정되어 있는 토지보상법 시행규칙 제22조가 상위법령과 결합하여 대외적 구속력을 갖는다고 판시하고 있어, 같은 조문에 규정된 토지보상법 시행규칙 제26조의 사실상 사도 1/3 이내 평가기준도 법규성에 대한 의문이 제기 되고 있다. 아래에서 구체적으로 살펴보기로 한다.

2. 토지보상법 시행규칙 제26조의 1/3 이내 평가규정 법령보충적 행정규칙인지 여부

(1) 학설

① 형식설(행정규칙설)은 행정규칙의 형식으로 이는 행정청 내부만을 구속하는 것이지 외부의 구속력이 있는 것이 아니며, 본 규정은 법규성이 없고 행정규칙으로 보아야 한다는 견해이다.

② 실질설(법규명령설)은 실질적으로 법의 내용을 보충함으로써 개인에게 직접적인 영향을 미치는 법규명령으로 보아야 한다는 견해이다.

③ 규범구체화설은 행정규칙과는 달리 상위규범을 구체화하는 내용의 행정규칙이므로 법규성을 긍정해야 한다는 견해이다.

④ 위헌무효설은 헌법에 명시된 법규명령은 대통령령, 총리령, 부령만을 인정하고 있으므로 행정규칙 형식의 법규명령은 헌법에 위반되어 무효라고 보는 견해이다.

⑤ 법규명령의 효력을 갖는 행정규칙설은 법규와 같은 효력을 인정하더라도 행정규칙의 형식으로 제정되어 있으므로 법적 성질은 행정규칙이라고 보는 견해이다.

(2) 대법원 판례

종전 (구)공공용지취득 및 손실보상에 관한 특례법 제6조의2의 규정은 '감정평가법인등이 가격평가를 함에 있어 준수하여야 할 원칙과 기준을 정한 행정규칙에 해당한다 할 것이므로 상위법령의 위임이 있어야 하는 것은 아니다'라고 하여 그 형식이 부령인 때에는 행정규칙으로 보았다. 그러나 최근의 대법원 2012.3.29, 2011다104253 판결은 "공익사업을 위한 토지 등의 취득 및 보상에 관한 법률(이하 '토지보상법'이라 한다) 제68조 제3항은 협의취득의 보상액 산정에 관한 구체적 기준을 시행규칙에 위임하고 있고, 위임범위 내에서 공익사업을 위한 토지 등의 취득 및 보상에 관한 법률 시행규칙 제22조는 토지에 건축물 등이 있는 경우에는 건축물 등이 없는 상태를 상정하여 토지를 평가하도록 규정하고 있는데, 이는 비록 행정규칙의 형식이나 토지보상법의 내용이 될 사항을 구체적으로 정하여 내용을 보충하는 기능을 갖는 것이므로, 토지보상법 규정과 결합하여 대외적인 구속력을 가진다."라고 판시함으로써 토지보상법 시행규칙 제22조를 법령보충적 행정규칙이라고 판시하고 있다.

(3) 검토

최근의 대법원 2012.3.29, 2011다104253 판결은 토지보상법 시행규칙 제22조는 토지에 건축물 등이 있는 경우에는 건축물 등이 없는 상태를 상정하여 토지를 평가하도록 규정하고 있는데, 이는 비록 행정규칙의 형식이나 토지보상법의 내용이 될 사항을 구체적으로 정하여 내용을 보충하는 기능을 갖는 것이므로, 토지보상법 규정과 결합하여 대외적인 구속력이 있다고 판시함으로써 토지보상법 시행규칙 제26조의 1/3 이내의 보상평가 규정도 대법원 판례와 같이 법령보충적 행정규칙으로 법규성이 있는 것으로 보는 것이 타당하다고 판단된다.

3. 위법성 판단기준(정당보상에의 위배 여부)

(1) 정당보상의 의미

대법원 판례는 "정당보상은 정당한 보상이라는 취지는 그 손실보상액의 결정에 있어서 객관적인 가치를 충분하게 보상하여야 된다는 취지이고 나아가 그 보상의 시기, 방법 등에 있어서 어떠한 제한을 받아서는 아니 된다는 것을 의미한다고 풀이할 것이므로 징발물보상에 관하여 그 보상의 시기와 방법에 관하여 여러모로 제한을 두고 있는 징발법 부칙 제3항에 의한 징발재산의 보상에 관한 규정(대통령령 제1914호) 제2조는 위 헌법 제20조 제3항에 저촉되는 규정이다(대판 1967.11.2, 67다1334 전원합의체)."라고 판시함으로써 보상의 시기, 방법 등에 있어서 어떠한 제한도 있어서는 안 된다고 보며 개발이익을 배제한 완전보상이어야 한다고 판시하고 있다.

(2) 판례의 태도로 볼 경우(법령보충적 행정규칙으로 법규성이 인정될 경우)

대법원 2012.3.29, 2011다104253 판결은 토지보상법 시행규칙 제22조는 토지에 건축물 등이 있는 경우에는 건축물 등이 없는 상태를 상정하여 토지를 평가하도록 규정하고 있는데, 이는 비록 행정규칙의 형식이나 공익사업법의 내용이 될 사항을 구체적으로 정하여 내용을 보충하는 기능을 갖는 것이므로, 공익사업법 규정과 결합하여 대외적인 구속력이 있다고 판시함으로써 법규성을 긍정하고 있다. 따라서 토지보상법 시행규칙 제26조의 1/3을 법규명령으로 볼 경우 규정상 열거된 도로는 예외 없이 전부를 인근토지에 대한 평가금액의 3분의 1로 평가하여 보상하여야 하는바 인근토지에 비하여 낮은 가격으로 평가하여도 될 만한 사정이 없음에도 3분의 1 이내로 보상하였다면 정당보상에 부합하지 않고 위법을 면하지 못할 것이다. 다만 대법원 1999.5.14, 99두2215 판결은 "공공용지의 취득 및 손실보상에 관한 특례법 시행규칙(1995.1.7.건설교통부령 제3호로 개정된 규칙) 제6조의2 제1항 제2호는 사도법에 의한 사도 외의 도로의 부지를 인근 토지에 대한 평가금액의 3분의 1 이내로 평가하도록 규정함으로써 그 규정의 문언상으로는 그것이 도로법・도시계획법 등에 의하여 설치된 도로이든 사실상 불특정 다수인의 통행에 제공되고 있는 도로(이하 '사실상 도로'라 한다)이든 가리지 않고 모두 위 규정 소정의 사도법에 의한 사도 이외의 도로에 해당하는 것으로 보아야 할 것이지만, 그중 사실상 도로에 관한 위 규정의 취지는 사실상 불특정 다수인의 통행에 제공되고 있는 토지이기만 하면 그 모두를 인근토지의 3분의 1 이내로 평가한다는 것이 아니라 그 도로의 개설경위, 목적, 주위환경, 인접토지의 획지면적, 소유관계, 이용상태 등의 제반 사정에 비추어 해당 토지소유자가 자기 토지의 편익을 위하여 스스로 공중의 통행에 제공하는 등 인근토지에 비하여 낮은 가격으로 보상하여 주어도 될 만한 객관적인 사유가 인정되는 경우에만 인근토지의 3분의 1 이내에서 평가하고 그러한 사유가 인정되지 아니하는 경우에는 위 규정의 적용에서 제외한다는 것으로 봄이 상당하다고 할 것이다(대판 1997.4.25, 96누13651, 대판 1997.7.22, 96누13675 참조)."라고 판시함으로써 사실상 사도 모두를 인근토지의 3분의 1 이내로 평가한다는 것이 아니라 그 도로의 개설 경위, 목적, 주위환경, 인접토지의 획지면적, 소유관계, 이용상태 등의 제반 사정에 비추어 해당 토지소유자가 자기 토지의 편익을 위하여 스스로 공중의 통행에 제공하는 등 인근토지에 비하여 낮은 가격으로 보상하여 주어도 될 만한 객관적인 사유가 인정되는 경우에만 인근토지의 3분의 1 이내에서 평가하고 그러한 사유가 인정되지 아니하는 경우에는 위 규정의 적용에서 제외해야 한다고 보고 있음에 유의해야 할 것이다.

Ⅳ 사실상의 사도부지 평가와 정당보상

1. 인근토지에 비하여 낮은 가격으로 보상하여도 될 만한 사정

도로개설의 자의성과 도로개설 후 동일 소유토지로의 가치이전이 되는 경우에는 인근토지에 비하여 낮은 가격으로 보상하여도 정당보상이 될 것이다.

2. 사실상의 사도부지이면서 정상평가하는 경우

정상임료 또는 그 이상의 임료를 받고 도로로 제공되는 토지의 경우에는 정상평가하여야 정당한 보상이 될 것이다.

3. 사실상의 사도가 아니지만 낮게 평가하는 경우

예정공도부지로서 해당 대지 또는 공장용지 등으로부터 공도에 이르는 통행로에 이용되는 도로인 경우에는 인근토지에 비하여 낮은 가격으로 보상하여도 정당보상이 될 것이다.

Ⅴ 결

헌법 제23조 제3항은 정당보상을 천명하고 있는바, 정당보상은 어떠한 경우에 있어서도 완전보상이어야 한다. 완전한 보상의 보상의 시기, 방법 등에서 어떠한 제한을 두어서는 아니 된다고 대법원 판례는 보고 있다. 사실상의 사도 역시 정당보상을 하여야 하며, 어떠한 경우에도 완전보상을 하회하는 경우는 없어야 한다. 해당 규정의 입법취지 및 최근 토지보상법 시행규칙 제22조를 법령보충적 행정규칙으로 판시한 대법원 2012.3.29, 2011다104253 판결의 태도에 비추어 토지보상법 시행규칙 제26조의 1/3 이내 보상평가 규정은 법령보충적 행정규칙으로 법규성이 인정된다고 할 것이다. 다만 대법원 판례는 사실상 사도 모두를 인근 토지의 3분의 1 이내로 평가한다는 것이 아니라 그 도로의 개설경위, 목적, 주위환경, 인접토지의 획지면적, 소유관계, 이용상태 등의 제반 사정에 비추어 해당 토지소유자가 자기 토지의 편익을 위하여 스스로 공중의 통행에 제공하는 등 인근 토지에 비하여 낮은 가격으로 보상하여 주어도 될 만한 객관적인 사유가 인정되는 경우에만 인근 토지의 3분의 1 이내에서 평가하고 그러한 사유가 인정되지 아니하는 경우에는 위 규정의 적용에서 제외해야 한다고 보고 있음에 유의해야 할 것이며, 이는 완전보상 평가를 위한 취지로 이해함이 타당하고, 사실상의 사도에 이르게 된 경위 등을 종합적으로 고려하여 완전보상을 하여야 하는 것이 헌법 제23조 제3항의 정당보상 취지에 부합된다고 판단된다.

46절 토지보상법 제70조(취득하는 토지의 보상) - 도로부지

> **문제**
>
> 대학생, 신혼부부, 사회초년생 등 젊은층의 주거안정 취지의 '행복주택건립사업'을 위해 사업시행자인 LH는 국토교통부장관에게 사업인정을 받아 재결절차를 이행중에 있다. 사업시행범위의 광범위성으로 인해 해당지역 내에 다양한 종류의 도로가 편입되었다. 이때 도로부지 보상에 대하여 관련법령 및 판례를 통해 구체적으로 설명하시오. [15점]

Ⅰ 도로의 개념[4]

1. 「도로법」에서는 도로를 일반의 교통에 공용되는 도로로서 고속국도·일반국도·특별시도·광역시도·지방도·시도·군도·구도를 말하며 터널·교량·도선장·도로용 엘리베이터 및 도로와 일체가 되어 그 효용을 다하는 시설 또는 공작물 등을 포함하는 개념으로 정의하고 있고(도로법 제2조),

2. 「토지보상법」에서는 손실보상의 쟁점이 되는 '「사도법」에 의한 사도', '사실상의 사도' 및 '그 외의 도로'로 분류하고 있다.

Ⅱ 도로의 분류

1. 「사도법」에 의한 사도

「도로법」의 규정에 의한 도로나 「도로법」의 준용을 받는 도로가 아닌 것으로서 미리 관할 시장·군수의 사도개설허가를 받아 그 공도에 연결되는 길을 말하며, 사도개설허가 여부, 사도관리대장 등재 여부 등 사실관계 등을 확인하여 개별적으로 판단하여야 한다.

2. 사실상의 사도

사실상의 사도(「국토의 계획 및 이용에 관한 법률」에 의한 도시관리계획에 의하여 도로로 결정된 후부터 도로로 사용되고 있는 것을 제외함)는 「사도법」에 의한 사도와 같이 도로개설 당시 토지소유자가 자기 토지의 편익을 위하여 스스로 설치한 도로인 면에서는 동일하나, 「사도법」상 사도개설허가가 없이 토지형질변경허가 등으로 개설한 도로로서 사실상 사도의 경우도 개설경위, 개설목적, 동일인의 인접토지에 대한 기여 여부 등을 종합적으로 감안하여 개별적으로 판단하여야 한다.

① 도로개설 당시의 토지소유자가 자기 토지의 편익을 위하여 스스로 설치한 도로

② 토지소유자가 그 의사에 의하여 타인의 통행을 제한할 수 없는 도로

---

4) 도로부지에 대한 보상(국토교통부, 중앙토지수용위원회 업무편람 인용)

③ 「건축법」 제45조(도로의 지정·폐지 또는 변경)에 따라 건축허가권자가 그 위치를 지정·공고한 도로

④ 도로개설 당시의 토지소유자가 대지 또는 공장용지 등을 조성하기 위하여 설치한 도로

3. 그 외의 도로

「사도법」에 의한 사도와 사실상의 사도를 제외한 모든 도로를 말하며 공도와 공도가 아닌 기타 도로로 구분할 수 있다.

Ⅲ 관련규정

토지보상법 시행규칙 제22조(취득하는 토지의 평가)
토지보상법 시행규칙 제26조(도로 및 구거부지의 평가)

↪ 사도법 제2조(정의)

이 법에서 "사도"란 다음 각 호의 도로가 아닌 것으로서 그 도로에 연결되는 길을 말한다. 다만, 제3호 및 제4호의 도로는 「도로법」 제50조에 따라 시도(市道) 또는 군도(郡道) 이상에 적용되는 도로 구조를 갖춘 도로에 한정한다.

1. 「도로법」 제2조 제1호에 따른 도로
2. 「도로법」의 준용을 받는 도로
3. 「농어촌도로 정비법」 제2조 제1항에 따른 농어촌도로
4. 「농어촌정비법」에 따라 설치된 도로

↪ 사도법 제4조(개설허가 등)

① 사도를 개설·개축(改築)·증축(增築) 또는 변경하려는 자는 특별자치시장, 특별자치도지사 또는 시장·군수·구청장(구청장은 자치구의 구청장을 말하며, 이하 "시장·군수·구청장" 이라 한다)의 허가를 받아야 한다.

② 제1항에 따른 허가를 받으려는 자는 허가신청서에 국토교통부령으로 정하는 서류를 첨부하여 시장·군수·구청장에게 제출하여야 한다.

③ 시장·군수·구청장은 다음 각 호의 어느 하나에 해당하는 경우를 제외하고는 제1항에 따른 허가를 하여야 한다.

1. 개설하려는 사도가 제5조에 따른 기준에 맞지 아니한 경우
2. 허가를 신청한 자에게 해당 토지의 소유 또는 사용에 관한 권리가 없는 경우
3. 이 법 또는 다른 법령에 따른 제한에 위배되는 경우
4. 해당 사도의 개설·개축·증축 또는 변경으로 인하여 주변에 거주하는 주민의 사생활 등 주거환경을 심각하게 침해하거나 사람의 통행에 위험을 가져올 것으로 인정되는 경우

④ 시장·군수·구청장은 제1항에 따른 허가를 하였을 때에는 지체 없이 그 내용을 공보에 고시하고, 국토교통부령으로 정하는 바에 따라 사도 관리대장에 그 내용을 기록하고 보관하여야 한다.

⑤ 제1항부터 제4항까지에서 규정한 사항 외에 허가에 필요한 사항은 대통령령으로 정한다.

Ⅳ 용어의 의미

표준적인 이용상황에 있어서 해당 토지의 표준적인 이용상황은 해당 토지를 포함한 인접된 토지의 현실적인 이용상황 등을 종합적으로 고려한 후 결정하여야 할 것이다.

● **질의회신(1995.6.28. 토정 58342 - 925)**

[질의요지]
개발제한구역 안의 한 필지의 토지가 지적공부상 지목은 대지이며 해당 필지 중 일부는 나대지로, 일부는 도로로 이용되고 있을 경우 토지 중 공공사업에 편입된 도로부분을 평가하는 때 해당 토지의 표준적인 이용상황을 결정할 경우 나대지를 기준으로 할 것인지, 일반적인 이용상황인 건부지를 기준으로 할 것인지의 여부

[회신내용]
해당 토지와 인접한 나대지를 기준으로 평가하는 것이 타당하다고 사료됨

Ⅴ 재결기준

1. 「사도법」 제4조의 규정에 의거 관할 시장·군수로부터 사도개설허가를 받은 토지는 인근 토지에 대한 평가액의 1/5 이내로 평가한다.

2. 사실상 사도의 부지는 인근 토지에 대한 평가액의 1/3 이내로 평가한다.
   ※ '「사도법」에 의한 사도'인지 아니면 '사실상 사도'인지의 여부를 검토한 후 평가의뢰서에 이를 기재하여 평가 의뢰하여야 함.

3. 그 외의 도로부지
   ① **공도부지**
      도로로 이용되지 아니하였을 경우에 예상되는 인근 지역에 있는 표준적인 이용상황의 표준지 공시지가에 해당 도로개설로 인한 개발이익을 배제한 가격으로 평가하며, 다만 미지급용지인 경우에는 도로가 되기 전의 이용상황을 상정하여 평가한다.
   ② **기타 도로부지**
      일반토지의 평가방법에 준하여 표준지공시지가를 기준으로 개별요인 등을 비교하여 평가한다.

4. **토지보상법 시행규칙 제26조의 규정을 적용하지 않는 경우**
   ① **지목은 도로이나 미개설된 토지**
      현실적인 이용상황에 따라 평가한다.
   ② **미지급용지의 경우**
      토지보상법 시행규칙 제25조 제1항에 의거 종전의 공익사업에 편입될 당시의 이용상황을 상정하여 평가한다.

③ 예정공도인 경우

공익계획사업이나 도시관리계획의 결정·고시 때문에 이에 저촉된 토지가 현황도로로 이용되고 있지만 공익사업이 실제로 시행되지 않은 상태에서 일반공중의 통행로로 제공되고 있는 상태로서 계획제한과 도시관리계획시설의 장기미집행 상태로 방치되고 있는 도로를 말하며, 최근 대법원 2018두55753 판결에서는 예정공도는 사실상 사도가 아니라고 판시하고 있다. 즉 예정공도부지의 경우 보상액을 사실상의 사도를 기준으로 평가한다면 토지가 도시·군 관리계획에 의하여 도로로 결정된 후 곧바로 도로사업이 시행되는 경우의 보상액을 수용 전의 사용현황을 기준으로 산정하는 것과 비교하여 토지소유자에게 지나치게 불리한 결과를 가져온다는 점 등을 고려하면, 예정공도부지는 토지보상법 시행규칙 제26조 제2항에서 정한 사실상의 사도에서 제외된다.

> **판례**
>
> ● 대법원 판례(2002.12.24, 2001두3822)
>
> [판시사항]
> (구)공특법 시행규칙 제6조의2 제1항 제2호 소정의 '사도법에 의한 사도 외의 도로'에 해당하는지 여부의 판단기준
>
> [판결요지]
> (구)공특법 시행규칙 제6조의2 제1항 제2호가 사도법에 의한 사도 외의 도로의 부지는 인근 토지에 대한 평가금액의 1/3 이내로 평가하도록 규정하고 있으나, 재산권의 보장에 관한 헌법 제23조의 규정과 공공사업을 위한 토지 등의 취득과 관련한 손실보상의 방법과 기준 등에 관한 공특법 제4조의 규정 등에 비추어 볼 때, 도로의 개설경위와 목적, 주위환경, 인접 토지의 필지별 면적과 소유관계 및 이용상태 등 여러 사정에 비추어 해당 토지소유자가 자기 토지의 편익을 위하여 스스로 공중의 통행에 제공하는 등 인근 토지에 비하여 낮은 가격으로 보상하여도 될 만한 객관적인 사정이 인정되지 아니하는 사도법에 의한 사도 외의 도로의 부지는 위 시행규칙 제6조의2 제1항의 규정에도 불구하고 인근 토지에 대한 평가금액의 1/3 이내로 평가하여서는 아니된다.
>
> ※ 공특법 시행규칙 제6조의2 제1항 제2호 → 「토지보상법 시행규칙」 제26조 제1항 제2호
> 　공특법 제4조 → 「토지보상법」 제70조

┌─ 판례

● 토지보상법 시행규칙 제26조 제1항 사실상 사도의 판단기준

대법원 2013.6.13. 선고 2011두7007 판결 [토지수용보상금증액]
[판시사항]
[1] 공익사업을 위한 토지 등의 취득 및 보상에 관한 법률 시행규칙 제26조 제1항 제2호에
    의하여 '사실상의 사도'의 부지로 보고 인근토지 평가액의 3분의 1 이내로 보상액을 평가
    하기 위한 요건
[2] 공익사업을 위한 토지 등의 취득 및 보상에 관한 법률 시행규칙 제26조 제2항 제1호에
    서 규정한 '도로개설 당시의 토지소유자가 자기 토지의 편익을 위하여 스스로 설치한 도
    로'에 해당하는지 판단하는 기준
[3] 공익사업을 위한 토지 등의 취득 및 보상에 관한 법률 시행규칙 제26조 제2항 제2호가
    규정한 '토지소유자가 그 의사에 의하여 타인의 통행을 제한할 수 없는 도로'의 의미 및
    그에 해당하는지 판단하는 기준

[판결요지]
[1] 공익사업을 위한 토지 등의 취득 및 보상에 관한 법률 시행규칙 제26조 제1항 제2호에
    의하여 '사실상의 사도'의 부지로 보고 인근토지 평가액의 3분의 1 이내로 보상액을 평가
    하려면, 도로법에 의한 일반 도로 등에 연결되어 일반의 통행에 제공되는 등으로 사도법
    에 의한 사도에 준하는 실질을 갖추고 있어야 하고, 나아가 위 규칙 제26조 제2항 제1호
    내지 제4호 중 어느 하나에 해당하여야 할 것이다.
[2] 공익사업을 위한 토지 등의 취득 및 보상에 관한 법률 시행규칙 제26조 제2항 제1호에
    서 규정한 '도로개설 당시의 토지소유자가 자기 토지의 편익을 위하여 스스로 설치한 도
    로'에 해당한다고 하려면, 토지 소유자가 자기 소유 토지 중 일부에 도로를 설치한 결과
    도로 부지로 제공된 부분으로 인하여 나머지 부분 토지의 편익이 증진되는 등으로 그
    부분의 가치가 상승됨으로써 도로부지로 제공된 부분의 가치를 낮게 평가하여 보상하더
    라도 전체적으로 정당보상의 원칙에 어긋나지 않는다고 볼 만한 객관적인 사유가 있다고
    인정되어야 하고, 이는 도로개설 경위와 목적, 주위환경, 인접토지의 획지 면적, 소유관
    계 및 이용상태 등 제반 사정을 종합적으로 고려하여 판단할 것이다.
[3] 공익사업을 위한 토지 등의 취득 및 보상에 관한 법률 시행규칙 제26조 제2항 제2호가
    규정한 '토지소유자가 그 의사에 의하여 타인의 통행을 제한할 수 없는 도로'는 사유지가
    종전부터 자연발생적으로 또는 도로예정지로 편입되어 있는 등으로 일반 공중의 교통에
    공용되고 있고 그 이용상황이 고착되어 있어, 도로부지로 이용되지 아니하였을 경우에
    예상되는 표준적인 이용상태로 원상회복하는 것이 법률상 허용되지 아니하거나 사실상
    현저히 곤란한 정도에 이른 경우를 의미한다고 할 것이다. 이때 어느 토지가 불특정 다
    수인의 통행에 장기간 제공되어 왔고 이를 소유자가 용인하여 왔다는 사정이 있다는 것
    만으로 언제나 도로로서의 이용상황이 고착되었다고 볼 것은 아니고, 이는 당해 토지가
    도로로 이용되게 된 경위, 일반의 통행에 제공된 기간, 도로로 이용되고 있는 토지의 면

적 등과 더불어 그 도로가 주위 토지로 통하는 유일한 통로인지 여부 등 주변 상황과 당해 토지의 도로로서의 역할과 기능 등을 종합하여 원래의 지목 등에 따른 표준적인 이용상태로 회복하는 것이 용이한지 여부 등을 가려서 판단해야 할 것이다.

판례

● 예정공도는 사실상 사도가 아니다.

대법원 2019.1.17. 선고 2018두55753 판결 [관리처분계획무효확인의 소]
[판시사항]
'공익계획사업이나 도시계획의 결정·고시 때문에 이에 저촉된 토지가 현황도로로 이용되고 있지만 공익사업이 실제로 시행되지 않은 상태에서 일반공중의 통행로로 제공되고 있는 상태로서 계획제한과 도시계획시설의 장기미집행상태로 방치되고 있는 도로' 곧 예정공도부지가 공익사업을 위한 토지 등의 취득 및 보상에 관한 법률 시행규칙 제26조 제2항에서 정한 사실상의 사도에 해당하는지 여부(소극)

[판결요지]
공익사업을 위한 토지 등의 취득 및 보상에 관한 법률 시행규칙(이하 '공익사업법 시행규칙'이라 한다) 제26조 제2항은 사실상의 사도는 '사도법에 의한 사도 외의 도로로서, 도로개설 당시의 토지소유자가 자기 토지의 편익을 위하여 스스로 설치한 도로와 토지소유자가 그 의사에 의하여 타인의 통행을 제한할 수 없는 도로'를 의미한다고 규정하면서 국토의 계획 및 이용에 관한 법률에 의한 도시·군 관리계획에 의하여 도로로 결정된 후부터 도로로 사용되고 있는 것은 사실상의 사도에서 제외하고 있는바, '공익계획사업이나 도시계획의 결정·고시 때문에 이에 저촉된 토지가 현황도로로 이용되고 있지만 공익사업이 실제로 시행되지 않은 상태에서 일반공중의 통행로로 제공되고 있는 상태로서 계획제한과 도시계획시설의 장기미집행상태로 방치되고 있는 도로', 즉 예정공도부지의 경우 보상액을 사실상의 사도를 기준으로 평가한다면 토지가 도시·군 관리계획에 의하여 도로로 결정된 후 곧바로 도로사업이 시행되는 경우의 보상액을 수용 전의 사용현황을 기준으로 산정하는 것과 비교하여 토지소유자에게 지나치게 불리한 결과를 가져온다는 점 등을 고려하면, 예정공도부지는 공익사업법 시행규칙 제26조 제2항에서 정한 사실상의 사도에서 제외된다.

47절 | 토지보상법 제71조(사용하는 토지의 보상 등)

문제

공익사업의 시행에 있어 지하공간의 사용 보상에 대하여 설명하고, 이와 관련한 현행 보상 법제의 문제와 이에 대한 개선방안을 설명하시오.[5] 20점

Ⅰ. 개설

Ⅱ. 지하공간의 개념 및 이용
  1. 지하공간의 개념
  2. 토지소유권이 미치는 범위

Ⅲ. 지하공간 사용을 위한 법적 수단
  1. 사법에 의한 이용
  2. 공법에 의한 사용
    (1) 사용권의 설정
    (2) 사용권의 성질
    (3) 재결의 효과

Ⅳ. 지하공간 사용에 대한 보상
  1. 보상의 대상
  2. 지하사용에 대한 보상규정

Ⅴ. 현행 보상법제의 개선방안
  1. 입체이용저해율의 개선문제
  2. 종합적 보상기준 정립 필요성
  3. 한계심도 이하 지하공간의 공물화 및 사용권 승인제도 도입

Ⅰ 개설

지하공간의 사용은 현대사회에 접어들면서 인구 증가와 산업의 발전에 따라 도시화가 급격히 진행되면서 토지의 평면적 이용만으로 공간적 수요를 충족할 수 없게 됨에 따라, 적극적으로 지표와 함께 지하공간 이용의 고도화 내지는 효율화의 요청에 부응한 것이다. 그러나 지하공간의 이용이 사유토지의 지하를 이용한 경우에는 토지소유권과의 충돌이 불가피하기 때문에 새로운 법률문제가 제기된다. 이하 「공익사업을 위한 토지 등의 취득 및 보상에 관한 법률」(이하 '토지보상법') 등 관련 법률을 중심으로 지하공간의 개념, 토지소유권이 미치는 범위, 지하사용권 설정문제, 지하사용에 대한 보상문제를 검토하고, 현행 법제에 대한 개선방안을 논하고자 한다.

Ⅱ 지하공간의 개념 및 이용

1. 지하공간의 개념

지하공간이란 지표면을 경계로 지표면 아래의 지중을 말하고, 그 깊이에 따라 천심도, 중심도, 대심도로 구분이 가능(일본의 구분기준)하며, 통상 지하공간에 대한 논의의 초점은 한계심도 이하 (대심도)에 주어져 있어 지하공간의 개념도 대심도를 의미하는 것으로 이해한다. 한계심도 이하의

---

5) 2013년 토지공법학회 김해룡 교수 논문 '한계심도 지하공간 이용을 위한 법제 개선' 참조

지하공간이란 토지소유자의 통상적인 이용행위가 예상되지 아니하고 지하시설물을 따로 설치하더라도 일반적인 토지이용에 지장이 없을 것으로 판단되는 지하공간을 의미한다.

2. 토지소유권이 미치는 범위

민법 제212조는 토지의 소유권은 정당한 이익이 있는 범위 내에서 토지의 상하에 미친다고 규정하고 있다. 이때 정당한 이익이 있는 범위에 대한 문제로 무제한설, 이익한도설, 필요범위설, 적당범위설 등으로 견해가 대립되나, 정당한 이익이 있는 범위는 추상적, 주관적이므로 획일적으로 결정할 수 없고, 해당 토지의 위치, 지하이용의 정도, 거래관념 등을 고려하여 개별, 구체적으로 결정되어져야 할 것이다.

Ⅲ 지하공간 사용을 위한 법적 수단

1. 사법에 의한 이용

지하공간을 이용할 수 있는 민법상의 권원으로는 지상권, 지역권, 임차권 등의 방법이 있을 수 있으나, 이러한 방법은 충분히 제 기능을 발휘할 수 없어 이 같은 약점을 보완하기 위해 구분지상권 제도가 마련되었다(민법 제289조의2). 따라서 구분지상권은 지하공간의 이용을 위한 전형적인 방법이라 할 수 있다.

2. 공법에 의한 사용

(1) 사용권의 설정

토지소유자와 사업시행자 간에 지하사용을 위한 권리설정의 협의를 할 수 없거나, 협의불성립의 경우 사업시행자는 사용재결을 신청할 수 있다. 다만, 토지보상법에서는 일시적인 사용을 규정하고 있는 바, 영구시설물의 설치를 위한 사용에는 문제가 있다.

(2) 사용권의 성질

토지수용위원회의 사용재결에 관하여 ① 민법상 구분지상권과 동일하다는 견해, ② 공용제한으로 보는 견해가 있다. 공익사업을 전제로 하고 재결에 의해 지하사용권이 설정된다는 점에서 공법상 제한으로 공용제한이 타당하다.

(3) 재결의 효과

사업시행자는 사용의 개시일에 토지나 물건의 사용권을 취득하게 되고 그 토지나 물건에 관한 다른 권리는 사용기간 중 이를 행사할 수 없다(토지보상법 제45조 제2항). 이 규정의 해석에 대하여 지상권적 지하사용설과 구분지상권적 지하사용설로 견해가 나뉘고 있는바, 민법에 구분지상권제도가 도입된 점을 고려할 때 후자가 타당하다고 사료된다.

Ⅳ 지하공간 사용에 대한 보상

1. 보상의 대상

헌법 제23조 제3항에 따라 공공필요에 의한 토지의 사용 시에 보상이 이루어져야 함은 물론이다. 대심도 지하공간의 보상 여부와 관련해서 소유권이 미치기는 하나 토지소유자의 현실적인 이용이익이나 장래의 이용예측이 없는 지하공간이라는 점에서 무보상이 제기되고 있다. 그러나 대심도라 하더라도 기대 불가능한 장래이익으로 단정하기는 곤란한 바, 보상 여부의 판단은 토지이용에 대한 저해율이 높은 지표부분에서부터 토지이용률이 '0'에 달하는 심도까지 연속적으로 보상의 대상을 파악하는 것이 타당하다 본다.

2. 지하사용에 대한 보상규정

헌법 제23조 제3항은 손실보상의 법률유보를 명시하고 있고, 토지보상법 제71조 제2항은 사용하는 토지와 그 지하 및 지상의 공간 사용에 대한 구체적인 보상액 산정 및 평가방법은 투자비용, 예상수익 및 거래가격 등을 고려하여 국토교통부령으로 정한다고 규정하고 있다. 동법 시행규칙 제31조는 영구적 또는 일정기간 동안 사용하는 경우에 입체이용저해율을 고려하여 산정하도록 규정하고 있다.

Ⅴ 현행 보상법제의 개선방안

1. 입체이용저해율의 개선

토지보상법 등 현행 보상법제는 지하사용에 대한 보상액을 토지가격에 입체이용저해율을 곱하는 방식으로 산정하도록 하고 있다. 입체이용저해율 방식은 지하사용에 따른 직접적인 이용저해를 산정하여 보상하는 방식이나, 실제로 직접적인 이용저해 이외에도 지하사용에 따른 심리적, 정서적 불안감, 소음·진동 등으로 인한 간접적인 이용저해를 고려하지 못하는 한계가 있다. 따라서 한국감정평가사협회의 '선하지의 공중부분 사용에 따른 손실보상평가지침' 등과 같이 추가보정률을 신설하여 간접적인 피해에 대한 보상책 마련이 필요하다.

2. 종합적 보상기준 정립 필요성

현행 법제는 단순히 입체이용저해율 방식만을 취하여 보상기준이 단순한 문제가 있는바, 해외사례의 경우 토지이용상황, 인구밀집도, 토지의 입체적 이용정도(용적률, 건폐율) 등 다양한 요소를 고려하고 있는 점에 비추어 지하사용에 대한 보상법제를 보다 합리적으로 세분화하여 마련할 필요가 있으며, 더 나아가서는 이에 대한 통합 법률 제정도 고려할 만하다.

3. 한계심도 이하 지하공간의 공물화 및 사용권 승인제도 도입

한계심도 이하의 지하공간에 대하여 ① 지하공간의 공적 이용과 사회적 제약성을 강조하거나, ② 일정한 한계심도 이하의 지하공간을 재산권 범위에서 제외하는 법제를 강조함으로써 보상을 배제하자는 견해가 제기되어 왔다. 대도시지역에서 지하공간의 적절한 개발은 매우 중요한 과제 이다. 한계심도 이하의 지하공간에서는 통상적으로 사적 이용이 이루어지지 않아 그만큼 공적 개발의 여지가 많다. 한계심도 이하의 지하공간에 대한 공적 이용의 원활화 및 지하공간의 난개 발을 방지하기 위하여 그와 같은 지하공간에 대해서는 개인의 재산권으로부터 제외하는 법제(사 실상 국유화된 공물)를 검토할 필요가 있으며, 공물로 설정한 후 개별적 필요에 따라 개인에게 사 용권을 승인해주는 방식의 도입이 필요할 것으로 판단된다.

48절 | 토지보상법 제73조(잔여지의 손실과 공사비 보상)

문제

사업시행자 乙은 변전소 건설공사를 위한 도시계획사업의 시행자로서 그 사업시행자로서 그 사업시행의 허가를 받고 서울시특별시 고시 제2025-001호로 그 사업인정 고시를 거쳤다. 이에 따라 사업시행자 乙은 위 사업에 필요한 甲 소유의 토지 10,000㎡ 중 일부를 수용취득하였다. 甲의 잔여지는 폭 2미터 내지 4미터, 길이 90미터 내지 100미터의 길쭉한 부정형의 토지로서 맹지가 되었다. 토지소유자 甲은 잔여지 수용청구는 해당 없다는 감정평가사 丙의 조언을 듣고 위 잔여지의 토지가격의 감소만을 이유로 손실보상을 청구하려고 한다. 이 경우 잔여지의 가격감소에 대한 甲의 권리구제방법을 설명하시오. **10점**

Ⅰ. 논점의 정리

Ⅱ. 잔여지 가격감소에 대한 손실보상 청구
  1. 잔여지 가격감소에 대한 손실보상 청구의 의의(토지보상법 제73조)
  2. 잔여지 가격감소에 대한 손실보상 청구의 요건
  3. 잔여지 가격감소에 대한 손실보상 청구의 절차

Ⅲ. 잔여지 가격감소에 대한 불복방법
  1. 이의신청(토지보상법 제83조)
  2. 보상금증감청구소송(토지보상법 제85조)

Ⅳ. 결

Tip 강박사의 TIP(최근 기출문제) – 잔여지 관련 쟁점(유형 구별에 유의)

1. 잔여지 수용청구권의 법적 성질과 인정 여부(제32회 문제1)
2. 잔여지공사비보상 대상에 해당 여부, 잔여지 감가보상 및 건축물 손실보상 청구 시 제기할 수 있는 소송(제30회 문제2)
3. 잔여지 손실보상 청구권의 법적 근거 및 재결전치주의(제26회 문제3)
4. 잔여지 손실 보상의 권리구제 방법, 잔여지수용청구의 요건 및 불복(제23회 문제2)

I 논점의 정리

甲은 잔여지의 토지가격 감소를 이유로 토지보상법 제73조에서 규정하고 있는 손실보상을 청구하려고 한다. 토지보상법 제73조에서는 손실보상청구와 관련하여 토지보상법 제9조 제6항 및 제7항을 준용하고 있으므로 이를 검토하여 갑의 권리구제방법을 설명한다.

Ⅱ 잔여지 가격감소에 대한 손실보상 청구

1. 잔여지 가격감소에 대한 손실보상청구의 의의(토지보상법 제73조)

잔여지란 동일소유자의 일단의 토지 중, 공익사업을 위하여 취득되고 남은 잔여토지를 말하는데 잔여지는 형상, 도로접면 등의 조건 등이 일단의 토지보다 열악한 경우가 많다. 잔여지 가격감소에 대한 손실보상이란 상기 제 원인으로 인한 가격감소분을 보상하는 것을 말하며 재산권에 대한 정당보상을 실현함에 제도적 취지가 인정된다.

> **판례**
>
> ● 대판 2017.3.22, 2016두940[재결처분취소및수용보상금증액]
>
> [판결요지]
>
> 2개 이상의 토지 등에 대한 감정평가는 개별평가를 원칙으로 하되, 예외적으로 2개 이상의 토지 등에 거래상 일체성 또는 용도상 불가분의 관계가 인정되는 경우에 일괄평가가 인정된다. 여기에서 '용도상 불가분의 관계'에 있다는 것은 일단의 토지로 이용되고 있는 상황이 사회적·경제적·행정적 측면에서 합리적이고 토지의 가치 형성적 측면에서도 타당하다고 인정되는 관계에 있는 경우를 뜻한다.
>
> ● 대판 2020.4.9. 선고 2017두275 판결 [손실보상금등청구]
>
> 사업시행자가 동일한 토지소유자에 속하는 일단의 토지 일부를 취득함으로써 잔여지의 가격이 감소하거나 그 밖의 손실이 있을 때에는 잔여지를 종래의 목적으로 사용할 수 있는 경우라도 잔여지 손실보상의 대상이 되고, 잔여지를 종래의 목적에 사용하는 것이 불가능하거나 현저히 곤란한 경우에만 잔여지 손실보상청구를 할 수 있는 것이 아니다(대판 1999.5.14, 97누4623 등 참조). 마찬가지로 잔여 영업시설 손실보상의 요건인 "공익사업에 영업시설의 일부가 편입됨으로 인하여 잔여시설에 그 시설을 새로이 설치하거나 잔여시설을 보수하지 아니하고는 그 영업을 계속할 수 없는 경우"란 잔여 영업시설에 시설을 새로이 설치하거나 잔여 영업시설을 보수하지 않고는 그 영업이 전부 불가능하거나 곤란하게 되는 경우만을 뜻하는 것이 아니라, 공익사업에 영업시설 일부가 편입됨으로써 잔여 영업시설의 운영에 일정한 지장이 초래되고, 이에 따라 종전처럼 정상적인 영업을 계속하기 위해서는 잔여 영업시설에 시설을 새로 설치하거나 잔여 영업시설을 보수할 필요가 있는 경우도 포함된다고 보아야 한다(대판 2018.7.20, 2015두4044 참조).

2. 잔여지 가격감소에 대한 손실보상청구의 요건

토지보상법 제73조 제1항에서는 사업시행자는 동일한 소유자에게 속하는 일단의 토지의 일부가 취득되거나 사용됨으로 인하여 잔여지의 가격이 감소하거나 그 밖의 손실이 있을 때에는 그 손실을 보상하되, 동법 제2항에서는 손실의 보상은 해당 사업의 사업완료일부터 1년이 지난 후에는 청구할 수 없다고 규정하고 있다. 따라서 이에 근거하여 잔여지 가격감소에 대한 손실보상을 청구할 수 있을 것이다.

판례

● 대판 2011.2.24, 2010두23149[토지보상금증액]

[판결요지]

구 공익사업을 위한 토지 등의 취득 및 보상에 관한 법률(2007.10.17. 법률 제8665호로 개정되기 전의 것, 이하 '공익사업법'이라 한다) 제73조에 의하면, 동일한 토지소유자에 속하는 일단의 토지의 일부가 취득 또는 사용됨으로 인하여 잔여지의 가격이 감소하거나 그 밖의 손실이 있는 때 등에는 토지소유자는 그로 인한 잔여지 손실보상청구를 할 수 있고, 이 경우 보상하여야 할 손실에는 토지 일부의 취득 또는 사용으로 인하여 그 획지조건이나 접근조건 등의 가격형성요인이 변동됨에 따라 발생하는 손실뿐만 아니라 그 취득 또는 사용 목적 사업의 시행으로 설치되는 시설의 형태·구조·사용 등에 기인하여 발생하는 손실과 수용재결 당시의 현실적 이용상황의 변경 외 장래의 이용가능성이나 거래의 용이성 등에 의한 사용가치 및 교환가치상의 하락 모두가 포함된다(대판 1998.9.8, 97누10680; 대판 2000.12.22, 99두10315 참조).

판례

● 대판 2017.7.11, 2017두40860[잔여지가치하락손실보상금청구]

[판결요지]

공익사업을 위한 토지 등의 취득 및 보상에 관한 법률(이하 '토지보상법'이라고 한다) 제73조 제1항 본문은 "사업시행자는 동일한 소유자에게 속하는 일단의 토지의 일부가 취득되거나 사용됨으로 인하여 잔여지의 가격이 감소하거나 그 밖의 손실이 있을 때 또는 잔여지에 통로·도랑·담장 등의 신설이나 그 밖의 공사가 필요할 때에는 국토교통부령으로 정하는 바에 따라 그 손실이나 공사의 비용을 보상하여야 한다."라고 규정하고 있다. 여기서 특정한 공익사업의 사업시행자가 보상하여야 하는 손실은, 동일한 소유자에게 속하는 일단의 토지 중 일부를 사업시행자가 그 공익사업을 위하여 취득하거나 사용함으로 인하여 잔여지에 발생하는 것임을 전제로 한다. 따라서 이러한 잔여지에 대하여 현실적 이용상황 변경 또는 사용가치 및 교환가치의 하락 등이 발생하였더라도, 그 손실이 토지의 일부가 공익사업에 취득되거나 사용됨으로 인하여 발생하는 것이 아니라면 특별한 사정이 없는 한 토지보상법 제73조 제1항 본문에 따른 잔여지 손실보상 대상에 해당한다고 볼 수 없다.

3. 잔여지 가격감소에 대한 손실보상청구의 절차

토지보상법 제73조 제4항에서는 손실의 보상은 사업시행자와 손실을 입은 자가 협의하여 결정하되(토지보상법 제9조 제6항), 협의가 성립되지 아니하면 사업시행자나 손실을 입은 자는 대통령령으로 정하는 바에 따라 제51조에 따른 관할 토지수용위원회에 재결을 신청할 수 있다(제9조 제7항)고 규정하고 있다. 따라서 당사자 간 협의 및 재결을 통하여 보상액이 결정될 것이다.

> **판례**
>
> ● 대판 2008.7.10, 2006두19495[잔여지손실보상등]
>
> **[판결요지]**
>
> 공익사업을 위한 토지 등의 취득 및 보상에 관한 법률 제73조에서는 "사업시행자는 동일한 토지소유자에 속하는 일단의 토지의 일부가 취득 또는 사용됨으로 인하여 잔여지의 가격이 감소하거나 그 밖의 손실이 있는 때 또는 잔여지에 통로·도랑·담장 등의 신설 그 밖의 공사가 필요한 때에는 건설교통부령이 정하는 바에 따라 그 손실이나 공사의 비용을 보상하여야 한다"고 규정하고 있는바, 공익사업법 제34조, 제50조, 제61조, 제73조, 제83조 내지 제85조의 규정 내용 및 입법 취지 등을 종합하여 보면, 토지소유자가 사업시행자로부터 공익사업법 제73조에 따른 잔여지 가격감소 등으로 인한 손실보상을 받기 위해서는 공익사업법 제34조, 제50조 등에 규정된 재결절차를 거친 다음 그 재결에 대하여 불복이 있는 때에 비로소 공익사업법 제83조 내지 제85조에 따라 권리구제를 받을 수 있을 뿐, 이러한 재결절차를 거치지 않은 채 곧바로 사업시행자를 상대로 손실보상을 청구하는 것은 허용되지 않는다.

Ⅲ 잔여지 가격감소에 대한 불복방법

1. 이의신청(토지보상법 제83조)

이의신청이란 관할 토지수용위원회의 위법 또는 부당한 재결에 불복이 있는 토지소유자 및 사업시행자가 중앙토지수용위원회에 이의를 신청하는 것으로 수용 또는 보상재결에 이의시 사업시행자 및 토지소유자는 재결서 정본을 받은 날로부터 30일 이내에 처분청을 경유하여 중앙토지수용위원회에 이의를 신청할 수 있다. 이 경우 판례는 30일의 기간은 전문성과 특수성을 고려하여 수용의 신속을 기하기 위한 것으로 합당하다고 판시한 바 있다.

2. 보상금증감청구소송(토지보상법 제85조 제2항)

보상재결에 대한 보상금의 증감에 대한 소송으로서 보상금에 대한 법률관계를 대상으로 재결서 정본 송달일로부터 90일 또는 이의재결을 거친 경우는 60일 이내에 토지소유자, 관계인 및 사업시행자를 각각 피고로 하여 관할법원에 제기할 수 있다.

Ⅳ 결

최근 대법원 2017.7.11, 2017두40860 판결[잔여지가치하락손실보상금청구]에서 접도구역 지정으로 인한 가격하락은 접도구역 지정권자가 보상하고, 순수 잔여지 가치하락분에 대해서만 사업시행자가 보상하도록 판시하고 있어, 보상에 대한 새로운 패러다임이 형성된 것이라고 볼 수 있다. 결국 보상금이 문제가 되는데 잔여지에 대한 명확한 법령정비를 통해서 피수용자의 권리보호가 잘될 수 있도록 제도개선을 하는 것이 타당하다고 판단된다.

49절 토지보상법 제73조(잔여지의 손실과 공사비 보상)

문제

사업시행자는 토지 및 건축물의 일부가 취득 또는 사용됨으로 인하여 가격이 감소하거나 그 밖의 손실이 있는 때 또는 통로·도랑·담장 등의 신설 그 밖의 공사가 필요한 때에는 그 손실이나 공사의 비용을 보상하여야 한다. 「공익사업을 위한 토지 등의 취득 및 보상에 관한 법률」상 이에 대한 구체적인 기준을 설명하시오. 30점

Ⅰ. 논점의 정리
Ⅱ. 잔여지 손실보상 및 수용
   1. 잔여지 손실과 공사비 보상
      (법 제73조)
   2. 잔여지 등의 매수 청구 및 수용 청구
      (법 제74조)

Ⅲ. 잔여건축물 감가보상 및 매수(토지보상법 제75조의2)
   1. 잔여건축물 감가보상
   2. 잔여건축물 매수(토지보상법 제75조의2 제2항)
Ⅳ. 결

Ⅰ 논점의 정리

공익사업을 위한 토지 등의 취득 및 보상에 관한 법률(이하 '토지보상법')은 공공필요에 의해 공익사업을 이행함에 있어 용지취득 및 사업시행절차가 중요한 만큼 엄격한 절차를 규정하고 있다. 그러나 그에 상응하는 재산권 침해에 대한 손실보상도 중요하다 할 것이다. 우리 토지보상법은 금번 개정을 통해 잔여 토지 및 잔여건축물의 취득 및 손실보상에 관하여 여러 문제점을 개선하려고 노력하였는바, 이하 구체적인 기준을 살펴보고자 한다.

Ⅱ 잔여지 손실보상 및 수용

1. 잔여지 손실과 공사비 보상(법 제73조)

(1) 의의

사업시행자는 동일한 소유자에게 속하는 일단의 토지의 일부가 취득되거나 사용됨으로 인하여 잔여지의 가격이 감소하거나 그 밖의 손실이 있을 때 또는 잔여지에 통로·도랑·담장 등의 신설이나 그 밖의 공사가 필요할 때에는 국토교통부령으로 정하는 바에 따라 그 손실이나 공사의 비용을 보상하여야 한다. 다만, 잔여지의 가격 감소분과 잔여지에 대한 공사의 비용을 합한 금액이 잔여지의 가격보다 큰 경우에는 사업시행자는 그 잔여지를 매수할 수 있다.

(2) 보상기준(시행규칙 제32조)

① 동일한 토지소유자에 속하는 일단의 토지의 일부가 취득됨으로 인하여 잔여지의 가격이 하락된 경우의 잔여지의 손실은 공익사업시행지구에 편입되기 전의 잔여지의 가격(해당 토지가 공익사업시행지구에 편입됨으로 인하여 잔여지의 가격이 변동된 경우에는 변동되기 전의 가격을 말한다)에서 공익사업시행지구에 편입된 후의 잔여지의 가격을 뺀 금액으로 평가한다.

② 동일한 토지소유자에 속하는 일단의 토지의 일부가 취득 또는 사용됨으로 인하여 잔여지에 통로·구거·담장 등의 신설 그 밖의 공사가 필요하게 된 경우의 손실은 그 시설의 설치나 공사에 필요한 비용으로 평가한다.

③ 동일한 토지소유자에 속하는 일단의 토지의 일부가 취득됨으로 인하여 종래의 목적에 사용하는 것이 현저히 곤란하게 된 잔여지에 대하여는 그 일단의 토지의 전체가격에서 공익사업시행지구에 편입되는 토지의 가격을 뺀 금액으로 평가한다.

(3) 손실보상 청구기한 등

잔여지 가치하락에 따른 손실 또는 비용의 보상은 해당 사업의 사업완료일부터 1년이 지난 후에는 청구할 수 없다. 사업인정고시가 있은 후 사업시행자가 잔여지를 매수하는 경우 그 잔여지에 대하여는 제20조에 따른 사업인정 및 제22조에 따른 사업인정고시가 있는 것으로 본다.

2. 잔여지 등의 매수 청구 및 수용 청구(법 제74조)

(1) 잔여지 매수 청구

동일한 토지소유자에 속하는 일단의 토지의 일부가 협의에 의하여 매수되거나 수용됨으로 인하여 잔여지를 종래의 목적에 사용하는 것이 현저히 곤란할 때에는 해당 토지소유자는 사업시행자에게 잔여지를 매수하여 줄 것을 청구할 수 있다.

(2) 잔여지 수용 청구

사업인정 이후에는 관할 토지수용위원회에 수용을 청구할 수 있으며 이 수용의 청구는 매수에 관한 협의가 성립되지 아니한 경우에 한하되, 그 사업의 사업완료일까지 하여야 한다. 또한 매수 또는 수용의 청구가 있는 잔여지 및 잔여지에 있는 물건에 관하여 권리를 가진 자는 사업시행자 또는 관할 토지수용위원회에 그 권리의 존속을 청구할 수 있다. 법 개정 전의 경우 편입토지에 대한 협의가 있는 경우 잔여지 수용청구를 할 수 없도록 하고 청구시한을 수용재결 시까지만으로 한정하여 토지소유자의 권익보호에 불리하였으나 개정 후 잔여지는 편입토지의 협의 여부에 관계없이 독립적으로 사업의 사업완료일까지 수용청구를 할 수 있도록 하여 토지소유자의 편의를 도모하고 있다.

Ⅲ 잔여건축물 감가보상 및 매수(토지보상법 제75조의2)

1. 잔여건축물 감가보상

(1) 의의

사업시행자는 동일한 건축물소유자에 속하는 일단의 건축물의 일부가 취득 또는 사용됨으로 인하여 잔여건축물의 가격이 감소되거나 그 밖의 손실이 있는 때에는 그 손실을 보상하여야 한다. 다만, 잔여건축물의 가격 감소분과 보수비(건축물의 나머지 부분을 종래의 목적대로 사용할 수 있도록 그 유용성을 동일하게 유지하는 데에 일반적으로 필요하다고 볼 수 있는 공사에 사용되는 비용을 말한다. 다만, 「건축법」 등 관계법령에 따라 요구되는 시설개선에 필요한 비용은 포함하지 아니한다)를 합한 금액이 잔여건축물의 가격보다 큰 경우에는 사업시행자는 그 잔여건축물을 매수할 수 있다.

(2) 손실보상 기준(토지보상법 시행규칙 제33조, 제35조)

① 사업시행자는 건축물의 일부가 공익사업시행지구에 편입되어 그 건축물의 잔여부분을 종래의 목적대로 사용할 수 없거나 종래의 목적대로 사용하는 것이 현저히 곤란한 경우 그 잔여부분에 대하여는 건축물(담장 및 우물 등의 부대시설을 포함한다)에 대하여는 그 구조·이용상태·면적·내구연한·유용성 및 이전가능성 그 밖에 가격형성에 관련되는 제요인을 종합적으로 고려하여 평가한다. 건축물의 가격은 원가법으로 평가한다. 다만, 주거용 건축물에 있어서는 거래사례비교법에 의하여 평가한 금액(공익사업의 시행에 따라 이주대책을 수립·실시하거나 주택입주권 등을 해당 건축물의 소유자에게 주는 경우 또는 개발제한구역 안에서 이전이 허용되는 경우에 있어서의 해당 사유로 인한 가격상승분은 제외하고 평가한 금액을 말한다)이 원가법에 의하여 평가한 금액보다 큰 경우와 「집합건물의 소유 및 관리에 관한 법률」에 의한 구분소유권의 대상이 되는 건물의 가격은 거래사례비교법으로 평가한다. 또한 물건의 가격으로 보상한 건축물의 철거비용은 사업시행자가 부담한다. 다만, 건축물의 소유자가 해당 건축물의 구성부분을 사용 또는 처분할 목적으로 철거하는 경우에는 건축물의 소유자가 부담한다.

② ⓐ 동일한 건축물소유자에 속하는 일단의 건축물의 일부가 취득 또는 사용됨으로 인하여 잔여 건축물의 가격이 감소된 경우의 잔여 건축물의 손실은 공익사업시행지구에 편입되기 전의 잔여 건축물의 가격(해당 건축물이 공익사업시행지구에 편입됨으로 인하여 잔여 건축물의 가격이 변동된 경우에는 변동되기 전의 가격을 말한다)에서 공익사업시행지구에 편입된 후의 잔여 건축물의 가격을 뺀 금액으로 평가한다.

ⓑ 동일한 건축물소유자에 속하는 일단의 건축물의 일부가 취득 또는 사용됨으로 인하여 잔여 건축물에 보수가 필요한 경우의 보수비는 건축물의 잔여부분을 종래의 목적대로 사용할 수 있도록 그 유용성을 동일하게 유지하는데 통상 필요하다고 볼 수 있는 공사에 사용되는 비용(「건축법」 등 관계법령에 의하여 요구되는 시설의 개선에 필요한 비용은 포함하지 아니한다)으로 평가한다.

2. 잔여건축물 매수(토지보상법 제75조의2 제2항)

동일한 건축물소유자에 속하는 일단의 건축물의 일부가 협의에 의하여 매수되거나 수용됨으로 인하여 잔여건축물을 종래의 목적에 사용하는 것이 현저히 곤란할 때에는 그 건축물소유자는 사업시행자에게 잔여건축물을 매수하여 줄 것을 청구할 수 있으며, 사업인정 이후에는 관할 토지수용위원회에 수용을 청구할 수 있다. 이 경우 수용의 청구는 매수에 관한 협의가 성립되지 아니한 경우에만 하되, 사업완료일까지 하여야 한다.

Ⅳ 결

잔여토지 및 잔여건축물에 대한 손실보상은 취득하는 재산권에 대한 손실보상만큼 그 중요도가 크다고 할 것이다. 토지보상법 개정에서 이에 대해 상당부분 개선하였으며, 특히 잔여건축물의 경우 건축물의 일부가 사업에 편입되어 잔여건축물의 가격이 감소되거나 그 밖의 손실이 있는 때에는 보상하도록 하였으며 사업완료일까지 사업시행자에게 매수청구하거나 토지수용위원회에 수용청구할 수 있도록 규정을 마련하였다.

50절 토지보상법 제74조(잔여지 등의 매수 및 수용 청구)

문제

「공익사업을 위한 토지 등의 취득 및 보상에 관한 법률」에 의거하여 동일한 토지소유자에게 속하는 일단의 토지의 일부가 협의매수되거나 수용됨으로 인하여 잔여지를 종래의 목적에 사용하는 것이 현저히 곤란한 경우, 그 토지소유자가 자기의 재산권 보호를 위하여 취할 수 있는 방법은 무엇이며, 어떠한 쟁송절차에 의해 권리구제를 받을 수 있는 것인지에 대하여 설명하시오. 30점

I. 서	III. 잔여지수용에 대한 불복
II. 잔여지 수용	1. 이의신청
1. 의의 및 근거	2. 보상금증감청구소송
2. 법적 성질	(1) 학설
(1) 확장수용	(2) 판례
(2) 확장수용청구권	(3) 검토
3. 내용	3. 민사소송 제기 가능성
(1) 매수청구	IV. 결
(2) 수용청구	

Tip 문제에서 이미 힌트를 많이 주고 있다. 특히 토지보상법에서 규정하고 법령의 태도, 대법원 판례를 중심으로 현실감이 있는 답안 구성이 필수라 할 것이다. 구체적인 쟁송방법이라 적시하고 있는 만큼 소송적 관점에서 우리 토지보상법제에서 규정하고 있는 내용에 대해 상세한 규정을 적시하는 것이 득점 포인트이다.

□ 잔여지에 대한 중요 대법원 판례
　대판 2010.8.19, 2008두822[토지수용이의재결처분취소등]

[판시사항]
[1] (구)공익사업을 위한 토지 등의 취득 및 보상에 관한 법률 제74조 제1항에 의한 잔여지 수용청구를 받아들이지 않은 토지수용위원회의 재결에 대하여 토지소유자가 불복하여 제기하는 소송의 성질 및 그 상대방
[2] (구)공익사업을 위한 토지 등의 취득 및 보상에 관한 법률 제74조 제1항의 잔여지 수용청구권 행사기간의 법적 성질(=제척기간) 및 잔여지 수용청구 의사표시의 상대방(=관할 토지수용위원회)
[3] 토지소유자가 자신의 토지에 숙박시설을 신축하기 위해 부지를 조성하던 중 그 토지의 일부가 익산 – 장수 간 고속도로 건설공사에 편입되자 사업시행자에게 부지조성비용 등의 보상을 청구한 사안에서, 부지조성비용이 별도의 보상대상으로 인정되지 않는다면 토지소유자에게 잔여지의 가격 감소로 인한 손실보상을 구하는 취지인지 여부에 관하여 의견을 진술할 기회를 부여하고

그 당부를 심리·판단하였어야 함에도, 이러한 조치를 취하지 않은 원심판결에 석명의무를 다하지 않아 심리를 제대로 하지 않은 위법이 있다고 한 사례

[판결요지]

[1] (구)공익사업을 위한 토지 등의 취득 및 보상에 관한 법률(2007.10.17. 법률 제8665호로 개정되기 전의 것) 제74조 제1항에 규정되어 있는 잔여지 수용청구권은 손실보상의 일환으로 토지소유자에게 부여되는 권리로서 그 요건을 구비한 때에는 잔여지를 수용하는 토지수용위원회의 재결이 없더라도 그 청구에 의하여 수용의 효과가 발생하는 형성권적 성질을 가지므로, 잔여지 수용청구를 받아들이지 않은 토지수용위원회의 재결에 대하여 토지소유자가 불복하여 제기하는 소송은 위 법 제85조 제2항에 규정되어 있는 '보상금의 증감에 관한 소송'에 해당하여 사업시행자를 피고로 하여야 한다.

[2] (구)공익사업을 위한 토지 등의 취득 및 보상에 관한 법률(2007.10.17. 법률 제8665호로 개정되기 전의 것) 제74조 제1항에 의하면, 잔여지 수용청구는 사업시행자와 사이에 매수에 관한 협의가 성립되지 아니한 경우 일단의 토지의 일부에 대한 관할 토지수용위원회의 수용재결이 있기 전까지 관할 토지수용위원회에 하여야 하고, 잔여지 수용청구권의 행사기간은 제척기간으로서, 토지소유자가 그 행사기간 내에 잔여지 수용청구권을 행사하지 아니하면 그 권리가 소멸한다. 또한 위 조항의 문언 내용 등에 비추어 볼 때, 잔여지 수용청구의 의사표시는 관할 토지수용위원회에 하여야 하는 것으로서, 관할 토지수용위원회가 사업시행자에게 잔여지 수용청구의 의사표시를 수령할 권한을 부여하였다고 인정할 만한 사정이 없는 한, 사업시행자에게 한 잔여지 매수청구의 의사표시를 관할 토지수용위원회에 한 잔여지 수용청구의 의사표시로 볼 수는 없다.

[3] 토지소유자가 자신의 토지에 숙박시설을 신축하기 위해 부지를 조성하던 중 그 토지의 일부가 익산 – 장수 간 고속도로 건설공사에 편입되자 사업시행자에게 부지조성비용 등의 보상을 청구한 사안에서, 잔여지에 지출된 부지조성비용은 그 토지의 가치를 증대시킨 한도 내에서 잔여지의 감소로 인한 손실보상액을 산정할 때 반영되는 것일 뿐, 별도의 보상대상이 아니므로, 잔여지에 지출된 부지조성비용이 별도의 보상대상으로 인정되지 않는다면 토지소유자에게 잔여지의 가격 감소로 인한 손실보상을 구하는 취지인지 여부에 관하여 의견을 진술할 기회를 부여하고 그 당부를 심리·판단하였어야 함에도, 이러한 조치를 취하지 않은 원심판결에 석명의무를 다하지 않아 심리를 제대로 하지 않은 위법이 있다고 한 사례

Ⅰ 서

공용수용에 있어 수용목적물의 범위를 정하는 것은 필요한 최소한도에 그쳐야 함이 원칙이다. 다만, 예외적으로 수용당사자 간의 이해관계를 조정하고 사업의 원활한 진행을 위해 수용목적물의 범위를 확장하는 것도 필요하다. 한편, 잔여지 수용은 목적물의 필요한 범위를 초과하는 수용으로 그 효과도 수용과 같다고 할 수 있다. 그러나 이는 피수용자에 대한 권리구제의 보충적 필요에 의한 것이며 피수용자에 대한 이익을 보장하기 위한 것이므로 본래의 수용개념과는 사실상 구분되며 손실보상의 성격이 강하다. 따라서 잔여지 수용은 보상액과 관련이 있으므로 불복수단으로 보상금증감청구소송을 제기할 수 있는지가 문제된다.

Ⅱ   잔여지 수용

1. 의의 및 근거

잔여지 수용은 동일한 토지소유자에 속하는 일단의 토지의 일부가 협의매수되거나 수용됨으로 인하여 잔여지를 종래의 목적에 사용하는 것이 현저히 곤란한 때 토지소유자의 청구에 의해 사업시행자가 해당 토지의 전부를 매수하거나 수용하는 것을 말하며 법 제74조에 근거한다.

2. 법적 성질

(1) 확장수용

당사자의 협의에 의한 확대취득에 대해서는 사업인정 전의 경우 사법상 계약, 사업인정 후의 경우에는 공법상 계약으로 보나 수용재결에 의한 확장수용에 대해서는 사업시행자의 청구에 의한다는 점에서 사법상 매매로 보는 견해와 공익사업의 필요한 범위를 초과한다는 점에서 수용이라기보다는 특별한 공법행위로 보는 견해도 있으나 수용과정에서 파생된 법률관계의 합리적 조정수단으로서의 기능과 사업인정의제 등을 고려할 때 공용수용의 본질과 다를 바 없다는 견해가 타당하다.

(2) 확장수용청구권

협의매수청구권의 경우에는 협의행위를 사법상 계약으로 본다면 사권으로, 공법상 계약으로 본다면 공권으로 볼 수 있으며, 확장수용청구권은 확장수용을 공용수용의 성질을 가진다고 봄이 타당하므로 수용재결을 통해 목적물을 확장해 달라는 청구권은 공권으로 볼 수 있을 것이다. 한편, 대법원은 잔여지수용청구권이 그 요건을 구비한 때에는 토지수용위원회의 특별한 조치를 기다릴 것 없이 청구에 의하여 수용의 효과가 발생하므로 이는 형성권적 성질을 갖는다고 본다.

3. 내용

(1) 매수청구

동일한 토지소유자에 속하는 일단의 토지의 일부가 협의에 의하여 매수되거나 수용됨으로 인하여 잔여지를 종래의 목적에 사용하는 것이 현저히 곤란한 때에는 해당 토지소유자는 사업시행자에게 일단의 토지의 전부를 매수하여 줄 것을 청구할 수 있다.

(2) 수용청구

토지소유자는 사업인정 이후에는 매수에 관한 협의가 성립되지 아니한 경우 그 일단의 토지의 일부에 대한 관할 토지수용위원회에게 수용을 청구할 수 있다. 이 경우 수용의 청구는 매수에 관한 협의가 성립되지 아니한 경우에 한하되, 그 사업의 사업완료일까지 하여야 한다.

Ⅲ 잔여지수용에 대한 불복

1. 이의신청(토지보상법 제83조)(특별법상 행정심판)

법 제34조 재결에 대하여 이의가 있는 경우 이의를 제기할 수 있으며 이는 특별행정심판의 성격을 갖는다. 이때 재결청은 이의가 있는 경우 그 재결의 전부 또는 일부를 취소하거나 보상액을 변경할 수 있다.

2. 보상금증감청구소송(토지보상법 제85조 제2항)

토지보상법은 잔여지 관련 재결에 대하여 다투고자 하는 경우 명확한 소송의 형태를 규정하고 있지 않아 보상금증감청구소송을 제기할 수 있는지에 대해 논의가 있다. 보상금증감청구소송을 제기할 수 있느냐에 대한 것은 결국 보상금증감청구소송의 심리범위의 문제로 이해되므로 이에 대한 견해대립의 내용과 판례의 태도를 살펴보기로 한다.

(1) 학설

잔여지수용청구에 대한 불복방법으로 보상금증감청구소송을 부정하는 견해는 보상금증감청구소송은 보상금액을 다투는 것이기 때문에 보상대상의 평가만을 심리한다는 것이다. 그런데 확장수용은 보상범위의 문제이므로 보상금증감청구소송은 제기할 수 없다고 본다. 반면, 이를 긍정하는 견해는 보상액은 결국 보상의 범위에 따라 달라지므로 보상범위와는 밀접한 관계에 있다는 점, 잔여지수용청구는 손실보상액의 증액을 위한 수단의 하나라는 점, 확장수용은 피수용자에 대한 손실보상의 일환으로 인정되는 제도라는 점에서 보상금증감청구소송에는 손실보상의 범위에 관한 다툼까지 포함된다고 본다.

(2) 판례

① 토지수용에 따른 보상은 수용대상 토지별로 하는 것이 아니라 피보상자 개인별로 행하여지는 것이고 잔여지수용청구권은 토지소유자에게 손실보상책의 일환으로 부여한 권리이어서 이는 수용할 토지의 범위와 그 보상액을 결정할 수 있는 토지수용위원회에 대하여 토지수용의 보상가액을 다투는 방법에 의하여도 행사할 수 있다고 판시하고 있다(대판 1995.9.15, 93누20267).

② 동일한 토지소유자에 속하는 일단의 토지의 일부가 수용됨으로 인하여 잔여지의 가격이 감소된 경우에, 토지소유자가 잔여지를 포함시키지 않은 수용재결처분이 위법하다고 주장하면서 그 취소를 구하는 이의신청을 하여 이의신청을 기각하는 이의재결을 받은 뒤, 중앙토지수용위원회를 상대로 이의재결의 취소를 청구하는 소송을 제기, 그 소가 진행되던 도중에 기업자를 피고로 추가하여 이의재결 취소청구의 소를 잔여지의 가격감소로 인한 손실보상청구의 소로 변경하였다면, 이의재결 취소청구의 소가 당초에 제소기간을 준수하여 적법하게 제기된 이상, 뒤의 소변경은 제소기간이 경과된 후에 이루어졌어도 부적법하지 아니하다(대판 1999.10.12, 99두7517).

③ (구)공익사업을 위한 토지 등의 취득 및 보상에 관한 법률(2007.10.17. 법률 제8665호로 개정되기 전의 것) 제74조 제1항에 규정되어 있는 잔여지수용청구권은 손실보상의 일환으로 토지소유자에게 부여되는 권리로서 그 요건을 구비한 때에는 잔여지를 수용하는 토지수용위원회의 재결이 없더라도 그 청구에 의하여 수용의 효과가 발생하는 형성권적 성질을 가지므로, 잔여지 수용청구를 받아들이지 않은 토지수용위원회의 재결에 대하여 토지소유자가 불복하여 제기하는 소송은 위 법 제85조 제2항에 규정되어 있는 '보상금의 증감에 관한 소송'에 해당하여 사업시행자를 피고로 하여야 한다(대판 2010.8.19, 2008두822).

(3) 검토

보상금증감청구소송을 단순히 보상금액만을 대상으로 하는 것이 아닌 손실보상의 전체적인 범위를 포함한다고 보아야 하는 것과 법이 잔여지수용청구권의 행사시기를 사업완료일 전까지로 하여 토지수용에 대한 재결과 함께 하나의 재결사항으로 취급하고 있다는 점을 고려해볼 때 보상금증감청구소송이 적용가능하다고 본다. 대법원 2010.8.19, 2008두822 판결에서 잔여지에 대한 불복은 보상금증감청구소송을 하도록 판시하고 있는바, 보상금증감청구소송이 타당하다고 보인다.

3. 민사소송 제기 가능성

잔여지수용청구에 대한 불복방법으로 민사소송을 제기할 수 있는가에 대하여는 그 법적 성질을 공권으로 볼 때 민사소송의 가능성은 부정됨이 타당하고 대법원 역시 수용재결 및 이의재결에 불복이 있으면 재결청과 기업자를 공동피고로 하여 그 이의재결의 취소 및 보상금의 증액을 구하는 행정소송을 제기하여야 하며 곧바로 기업자를 상대로 하여 민사소송으로 잔여지에 대한 보상금의 지급을 구할 수 없다(대판 2001.6.1, 2001다16333)고 하여 이를 부정하고 있다.

Ⅳ 결

잔여지 수용은 그 취지가 공익사업의 원활한 수행과 피수용자의 권리구제, 즉 손실보상의 일환으로 인정한 제도인 만큼 그 불복방법에 대한 결정은 단순한 논리에 의할 것이 아니라 어떠한 방법이 피수용자의 권리구제를 도모하는 것인가를 가장 중점적으로 검토하여야 할 것이다. 대법원 2010.8.19, 2008두822 판결에서 잔여지수용청구의 거부에 대해서는 보상금증감청구소송으로 다투도록 판시한 것은 권리구제의 효율성을 보여준 판례로 높이 평가된다.

51절 토지보상법 제74조(잔여지 등의 매수 및 수용 청구)

문제

잔여지란 동일한 토지소유자에게 속하는 일단의 토지의 일부가 협의매수되거나 수용됨으로 인하여 남게 되는 부분의 토지를 말한다.「공익사업을 위한 토지 등의 취득 및 보상에 관한 법률」에 따른 잔여지의 손실보상에 관하여 설명하시오. 20점

Ⅰ. 서론

Ⅱ. 잔여지의 손실보상 및 공사비 보상(법 제73조)
  1. 의의 및 취지(법 제73조)
  2. 요건
  3. 청구절차
  4. 산정방법 및 원칙(시행규칙 제32조 및 법 제66조)
  5. 불복

Ⅲ. 잔여지의 매수 및 수용청구(법 제74조)
  1. 의의 및 취지(법 제74조)
  2. 법적 성질
  3. 요건
  4. 절차
  5. 불복

Ⅰ 서론

잔여지란 동일한 토지소유자에게 속하는 일단의 토지의 일부가 협의매수되거나 수용됨으로 인하여 남게 되는 부분의 토지를 뜻한다. 이하에서는 토지보상법상 잔여지 가격 감소에 대한 보상과 잔여지 수용·매수 청구에 대해 종합적으로 검토하도록 한다.

Ⅱ 잔여지의 손실보상 및 공사비 보상(법 제73조)

1. 의의 및 취지(법 제73조)

일단의 토지의 일부가 취득되거나 사용됨으로 인하여 잔여지의 가격이 감소하거나 그 밖의 손실, 공사가 필요할 때에는 그 손실이나 공사의 비용을 보상하여야 한다. 다만, 잔여지의 가격 감소분과 잔여지에 대한 공사의 비용을 합한 금액이 잔여지의 가격보다 큰 경우에는 사업시행자는 그 잔여지를 매수할 수 있다. 이는 사업의 시행으로 재산권의 완전한 행사에 침해를 받은 국민의 권리구제 취지에서 인정된다.

2. 요건

일부편입으로 인해 발생한 잔여지의 가격감소 보상을 위한 요건으로는 ① 일단의 토지 중 일부 편입으로 잔여지의 가격감소가 발생할 것 ② 사업완료일부터 1년 이내에 청구할 것이 있다.

3. 청구절차

법 제73조 제4항에 따라 일부 편입으로 인해 발생한 잔여지의 손실 또는 비용의 보상이나 토지의 취득에 관하여는 제9조 제6항 및 제7항을 준용한다. 이에 따라 손실의 보상은 사업시행자와 손실을 입은 자가 협의하여 결정하고 협의가 성립되지 아니하면 사업시행자나 손실을 입은 자는 토지수용위원회 재결을 신청할 수 있다

4. 산정방법 및 원칙(시행규칙 제32조 및 법 제66조)

일단의 토지의 일부가 취득됨으로 인하여 잔여지의 가격이 하락된 경우의 잔여지의 손실은 공익 사업시행지구에 편입되기 전의 잔여지의 가격(해당 토지가 공익사업시행지구에 편입됨으로 인하여 잔 여지의 가격이 변동된 경우에는 변동되기 전의 가격을 말한다)에서 공익사업시행지구에 편입된 후의 잔 여지의 가격을 뺀 금액으로 평가한다. 이때 사업시행자는 동일한 소유자에게 속하는 일단(一團)의 토지의 일부를 취득하거나 사용하는 경우 해당 공익사업의 시행으로 인하여 잔여지(殘餘地)의 가 격이 증가하거나 그 밖의 이익이 발생한 경우에도 그 이익을 그 취득 또는 사용으로 인한 손실과 상계(相計)할 수 없다.

5. 불복

잔여지 가격감소는 동법 제4항에 따라 토지보상법 제9조 제6항, 제7항을 준용하는바 협의 - 재 결의 절차를 거치게 된다. 이때 재결에서 결정된 잔여지 가격감소 보상에 불복하기 위해서는 토 지보상법 제83조의 이의신청 및 제85조에 따른 보상금증감청구소송으로 해결이 가능할 것이다.

ⅠⅠⅠ 잔여지의 매수 및 수용청구(법 제74조)

1. 의의 및 취지(법 제74조)

일단의 토지의 일부가 협의에 의하여 매수되거나 수용됨으로 인하여 잔여지를 종래의 목적에 사 용하는 것이 현저히 곤란할 때에는 해당 토지소유자는 사업시행자에게 잔여지를 매수하여 줄 것 을 청구할 수 있으며, 사업인정 이후에는 관할 토지수용위원회에 수용을 청구할 수 있다. 이는 사업의 시행으로 재산권 행사에 침해를 받은 국민의 권리구제 취지에서 인정된다.

2. 법적 성질

잔여지 매수청구 등은 청구에 의해 수용효과를 발생시키는바 '형성권'의 성질을 갖는다. 또한 매매행위로 '사법적 매매'의 성질을 지닌다는 견해와 본질적으로 수용이므로 '공용수용'에 해당한다는 견해가 대립하나, 권리의 발생원인이 공익사업의 수행이라는 공권적 침해에 기인한바 '공용수용'으로 보는 것이 타당하다고 생각된다.

3. 요건

토지보상법 제74조에서는 일단의 토지 중 일부가 수용된 경우 사업완료일까지 청구가 가능하다고 규정하고 있다. 동법 시행령 제39조에서는 ① 건축 불가 등 대지로써의 활용이 어려운 경우, ② 농기계진입 제한 등 농지로써의 활용이 어려운 경우, ③ 교통이 단절된 경우, ④ 종래목적으로의 활용이 어려운 경우 잔여지 매수·수용 청구가 가능하다고 규정하고 있다.

4. 절차

잔여지를 종래의 목적에 사용하는 것이 현저히 곤란할 때에는 해당 토지소유자는 사업시행자에게 잔여지를 매수하여 줄 것을 청구할 수 있으며, 사업인정 이후에는 관할 토지수용위원회에 수용을 청구할 수 있다.

5. 불복

잔여지 수용 및 매수에 관한 사안은 토지수용위원회의 재결에서 판단되는 바, 이에 대한 불복을 위해서 토지소유자 등은 토지보상법 제83조에 따른 이의신청 또는 일회적 권리구제를 위해 보상범위 및 보상금 증감을 결정하는 보상금증감청구소송을 통해 권리구제가 가능할 것이다.

52절 토지보상법 제74조(잔여지 등의 매수 및 수용 청구)

문제

잔여지 수용재결 거부에 대하여 대법원 2008두822 판결에 기초하여 다음 물음에 답하시오. 20점

(1) 잔여지 수용재결 거부에 대한 권리구제 형태(소송의 형태)는 무엇인지 판례를 토대로 검토하시오.

(2) 잔여지 수용청구권 행사기간과 수용청구 의사표시 상대방은 누구인지 검토하시오.

□ 대판 2010.8.19, 2008두822[토지수용이의재결처분취소등]

[판시사항]

[1] (구)'공익사업을 위한 토지 등의 취득 및 보상에 관한 법률' 제74조 제1항에 의한 잔여지 수용청구를 받아들이지 않은 토지수용위원회의 재결에 대하여 토지소유자가 불복하여 제기하는 소송의 성질 및 그 상대방

[2] (구)'공익사업을 위한 토지 등의 취득 및 보상에 관한 법률' 제74조 제1항의 잔여지 수용청구권 행사기간의 법적 성질(= 제척기간) 및 잔여지 수용청구 의사표시의 상대방(= 관할 토지수용위원회)

[3] 토지소유자가 자신의 토지에 숙박시설을 신축하기 위해 부지를 조성하던 중 그 토지의 일부가 익산 – 장수 간 고속도로 건설공사에 편입되자 사업시행자에게 부지조성비용 등의 보상을 청구한 사안에서, 부지조성비용이 별도의 보상대상으로 인정되지 않는다면 토지소유자에게 잔여지의 가격 감소로 인한 손실보상을 구하는 취지인지 여부에 관하여 의견을 진술할 기회를 부여하고 그 당부를 심리·판단하였어야 함에도, 이러한 조치를 취하지 않은 원심판결에 석명의무를 다하지 않아 심리를 제대로 하지 않은 위법이 있다고 한 사례

[판결요지]

[1] (구)'공익사업을 위한 토지 등의 취득 및 보상에 관한 법률'(2007.10.17. 법률 제8665호로 개정되기 전의 것) 제74조 제1항에 규정되어 있는 잔여지 수용청구권은 손실보상의 일환으로 토지소유자에게 부여되는 권리로서 그 요건을 구비한 때에는 잔여지를 수용하는 토지수용위원회의 재결이 없더라도 그 청구에 의하여 수용의 효과가 발생하는 형성권적 성질을 가지므로, 잔여지 수용청구를 받아들이지 않은 토지수용위원회의 재결에 대하여 토지소유자가 불복하여 제기하는 소송은 위 법 제85조 제2항에 규정되어 있는 '보상금의 증감에 관한 소송'에 해당하여 사업시행자를 피고로 하여야 한다.

[2] (구)'공익사업을 위한 토지 등의 취득 및 보상에 관한 법률'(2007.10.17. 법률 제8665호로 개정되기 전의 것) 제74조 제1항에 의하면, 잔여지 수용청구는 사업시행자와 사이에 매수에 관한 협의가 성립되지 아니한 경우 일단의 토지의 일부에 대한 관할 토지수용위원회의 수용

재결이 있기 전까지 관할 토지수용위원회에 하여야 하고, 잔여지 수용청구권의 행사기간은 제척기간으로서, 토지소유자가 그 행사기간 내에 잔여지 수용청구권을 행사하지 아니하면 그 권리가 소멸한다. 또한 위 조항의 문언 내용 등에 비추어 볼 때, 잔여지 수용청구의 의사표시는 관할 토지수용위원회에 하여야 하는 것으로서, 관할 토지수용위원회가 사업시행자에게 잔여지 수용청구의 의사표시를 수령할 권한을 부여하였다고 인정할 만한 사정이 없는 한, 사업시행자에게 한 잔여지 매수청구의 의사표시를 관할 토지수용위원회에 한 잔여지 수용청구의 의사표시로 볼 수는 없다.

[3] 토지소유자가 자신의 토지에 숙박시설을 신축하기 위해 부지를 조성하던 중 그 토지의 일부가 익산 – 장수 간 고속도로 건설공사에 편입되자 사업시행자에게 부지조성비용 등의 보상을 청구한 사안에서, 잔여지에 지출된 부지조성비용은 그 토지의 가치를 증대시킨 한도 내에서 잔여지의 감소로 인한 손실보상액을 산정할 때 반영되는 것일 뿐, 별도의 보상대상이 아니므로, 잔여지에 지출된 부지조성비용이 별도의 보상대상으로 인정되지 않는다면 토지소유자에게 잔여지의 가격 감소로 인한 손실보상을 구하는 취지인지 여부에 관하여 의견을 진술할 기회를 부여하고 그 당부를 심리·판단하였어야 함에도, 이러한 조치를 취하지 않은 원심판결에 석명의무를 다하지 않아 심리를 제대로 하지 않은 위법이 있다고 한 사례

[참조조문]

[1] (구)공익사업을 위한 토지 등의 취득 및 보상에 관한 법률(2007.10.17. 법률 제8665호로 개정되기 전의 것) 제74조 제1항

[2] (구)공익사업을 위한 토지 등의 취득 및 보상에 관한 법률(2007.10.17. 법률 제8665호로 개정되기 전의 것) 제74조 제1항

[3] (구)공익사업을 위한 토지 등의 취득 및 보상에 관한 법률(2007.10.17. 법률 제8665호로 개정되기 전의 것) 제74조 제1항

I 잔여지 거부에 대한 소송 판례평석(대판 2010.8.19, 2008두822)

1. 설문 (1) 잔여지에 대한 명확한 소송 형태의 제시

그동안 잔여지에 대한 불복은 보상금증감청구소송(이하 보증소)에서 심리 범위에 포함될 수 있다는 간접적인 형태의 소송방식을 보여주다가 잔여지를 통해 보증소로 권리구제가 가능하다고 판시한 것은 주목되는 부분이다. 지난 제21회 시험에서 지하철도 지상의 토지의 수용가능성이 언급되면서 수직적 의미의 잔여지가 등장하였지만 사실 잔여지는 수평적 의미의 잔여지가 중심적인 논제이다. 잔여지는 실무적으로 직권 분필절차를 밟게 되어 사실상 일단의 토지소유자가 동일하기는 하지만 필지가 구분된다는 점에서 특징을 가지고 있다. 잔여지 수용청구를 받아들이지 않은 토지수용위원회의 재결에 대하여 보증소로 정리한 것은 권리구제의 명확성을 도모한 측면이 있다고 하겠다. 특히 비교표준지 결정의 위법을 수용재결에서 다툴 수 있다는 대법원

2008.8.21, 2007두13845 판례를 비추어 보았을 때 보증소에 대한 개념과 형식적 당사자소송으로서의 면모 등을 세밀하게 정리해 나가야 할 것이다.

소송의 당사자를 사업시행자로 명확히 함으로써 일회적인 권리구제를 도모하는 토지보상법 제85조 제2항의 입법취지를 잘 보여주고 있다고 할 것이다.

2. 설문 (2) 잔여지 수용청구권 행사기간과 수용청구 의사표시 상대방

(구)토지보상법에서는 "잔여지 수용청구는 사업시행자와 사이에 매수에 관한 협의가 성립되지 아니한 경우 일단의 토지의 일부에 대한 관할 토지수용위원회의 수용재결이 있기 전까지 관할 토지수용위원회에 하여야 하고, 잔여지 수용청구권의 행사기간은 제척기간으로서, 토지소유자가 그 행사기간 내에 잔여지 수용청구권을 행사하지 아니하면 그 권리가 소멸한다."고 보고 있는데, 개정 토지보상법에서는 "~~수용의 청구는 매수에 관한 협의가 성립되지 아니한 경우에 한하되, 그 사업의 사업완료일까지 하여야 한다."라고 규정함으로써 시간적으로 권리구제의 기간을 연장하여 준 것은, 대법원에서 완전보상에 대하여 보상의 시기나 방법에 있어서 어떠한 제한을 두지 말아야 한다는 측면에서 판시한 내용과 일맥상통하는 부분이라 할 것이다. 수용청구의 의사표시에 대해서는 관할 토지수용위원회에 한다고 적시함으로써 법령에 충실한 해석을 하고, 사업시행자의 권리 남용을 방지한 측면이 매우 크다고 할 것이다.

53절 토지보상법 제75조(건축물 등 물건에 대한 보상)

문제

최근 건물의 노후화 및 도시 재생사업의 일환으로 재건축·재개발사업이 늘어나고 있다. 「공익사업을 위한 토지 등의 취득 및 보상에 관한 법률」을 준용하는 재건축·재개발사업에서 물건 및 무허가건물이 재개발조합과 이해당사자 간의 첨예한 분쟁의 단초를 제공하고 있다. 물건평가의 일반적인 기준과 무허가건물(가설건축물 포함) 보상에 대하여 설명하시오. 20점

I. 물건평가의 일반적인 기준	II. 무허가건물 보상
1. 물건평가기준	1. 무허가건물의 개념
2. 관련규정	2. 관련규정
	3. 재결기준

I 물건평가의 일반적인 기준[6]

1. 물건평가기준

물건에 대한 일반적인 평가기준으로는 이전에 필요한 비용, 즉 이전비[7]로 평가·보상함이 원칙이고, 예외적으로 물건의 가격으로 평가·보상한다(토지보상법 제75조 제1항). 이전이 가능한지의 여부는 물리적·기술적인 면에서 판단하는 것이 아니라 경제적인 관점에서 이전이 타당한지 여부를 판단하여야 하며, 이전비로 평가하기 위해서는 이전가능 여부, 이전비용이 그 물건의 가격을 초과하는지 여부 등을 검토하여야 한다(대판 1991.10.22, 90누10117 참조).

2. 관련규정

토지보상법 제75조(건축물 등 물건에 대한 보상), 토지보상법 시행규칙 제2조(정의)

판례

● 대법원 판례(1991.10.22, 90누10117)

[판시사항]

수용할 토지에 정착한 비닐하우스와 균상이 경제적으로 분리·이전하여 재사용함이 불가능하거

---

6) 국토교통부, 중앙토지수용위원회. 토지수용업무편람. 2009.1. pp.119~127
7) 이전비란 대상물건의 유용성을 동일하게 유지하면서 이를 해당 공익사업시행지구 밖의 지역으로 이전·이설 또는 이식하는데 소요되는 비용(물건의 해체비, 건축허가에 일반적으로 소요되는 경비를 포함한 건축비와 적정거리까지의 운반비를 포함하며, 「건축법」 등 관계법령에 의하여 요구되는 시설의 개선에 필요한 비용을 제외한다)을 말한다(토지보상법 시행규칙 제2조 제4호).

나 현저히 곤란하므로 이에 대하여 취득가격을 기준으로 하여 평가한 감정평가는 정당하다고 본 사례

[판결요지]

수용할 토지에 정착한 물건이 이전가능한 것인지 여부는 기술적인 문제가 아니라 경제적인 관점에서 판단하여야 할 문제인데, 비닐하우스와 균상은 그 구성재료에 비추어 볼 때 기술적으로는 이를 분리이전하여 재사용할 수 있을는지 모르나 경제적으로는 이것이 불가능하거나 현저히 곤란한 것으로 보이므로, 이에 대하여 취득가격을 기준으로 하여 평가한 감정평가는 정당하다.

Ⅱ 무허가건물 보상

1. 무허가건물의 개념

무허가건물이라 함은 「건축법」 등 관계법령에 의하여 허가를 받거나 신고를 하고 건축하여야 하는 건축물을 허가를 받지 아니하거나 신고를 하지 아니하고 건축한 건축물을 말하며, 무허가건축물의 보상에 대하여 명문의 규정이 없어 보상대상이 되는지, 그 평가방법, 이주대책 등에 있어 문제점이 발생한다.

2. 관련규정

토지보상법 제75조(건축물 등 물건에 대한 보상), 토지보상법 시행규칙 제24조(무허가건축물 등의 부지 또는 불법형질변경된 토지의 평가), 제33조(건축물의 평가), 부칙 제5조(무허가건축물 등에 관한 경과조치)

3. 재결기준

(1) 1989.1.24. 이전에 건축된 무허가건축물은 「토지보상법 시행규칙」 부칙 제5조의 규정에 의거 이를 적법한 건축물로 보아 이전비 등을 평가보상하고, 또한 이주대책, 주거이전비 및 주거용 건축물에 대한 최저보상과 가산보상의 특례 등도 적용한다.

(2) 1989.1.24. 이후에 건축된 무허가건축물 중 사업인정고시 이전에 건축된 건축물은 그 이전비 등을 평가 후 보상한다.

> 판례
>
> ● 대법원 판례(2000.3.10, 99두10896)
>
> [판시사항]
> 지장물인 건물이 (구)토지수용법상 손실보상의 대상이 되기 위해서는 적법한 건축허가를 받아 건축된 것이어야 하는지 여부(소극)

[판결요지]

도시계획법에 의한 토지 및 지장물의 수용에 관하여 준용되는 (구)토지수용법 제49조 제1항, 제57조의2, (구)공공용지의 취득 및 손실보상에 관한 특례법 제4조 제2항 제3호, 동법 시행령 제2조의10 제4항, 제5항, 제8항, 동법 시행규칙 제10조 제1항, 제2항, 제4항에 의하면, 지장물인 건물의 경우 그 이전비를 보상함이 원칙이나, 이전으로 인하여 종래의 목적대로 이용 또는 사용할 수 없거나 이전이 현저히 곤란한 경우 또는 이전비용이 취득가격을 초과할 때에는 이를 취득가격으로 평가하여야 하는데, 그와 같은 건물의 평가는 그 구조, 이용상태, 면적, 내구연한, 유용성, 이전가능성 및 그 난이도 기타 가격형성상의 제 요인을 종합적으로 고려하여 특별히 거래사례비교법으로 평가하도록 규정한 경우를 제외하고는 원칙적으로 원가법으로 평가하여야 한다고만 규정함으로써 지장물인 건물을 보상대상으로 함에 있어 건축허가의 유무에 따른 구분을 두고 있지 않을 뿐만 아니라, 오히려 동법 시행규칙 제5조의9는 주거용 건물에 관한 보상특례를 규정하면서 그 단서에 주거용인 무허가건물은 그 규정의 특례를 적용하지 아니한 채 동법 시행규칙 제10조에 따른 평가액을 보상액으로 한다고 규정하고, 동법 시행규칙 제10조 제5항은 지장물인 건물이 주거용인 경우에 가족 수에 따른 주거비를 추가로 지급하되 무허가건물의 경우에는 그러하지 아니하다고 규정함으로써 무허가건물도 보상의 대상에 포함됨을 전제로 하고 있는 바, 이와 같은 관계법령을 종합해 보면, 지장물인 건물은 그 건물이 적법한 건축허가를 받아 건축된 것인지 여부에 관계없이 토지수용법상의 사업인정의 고시 이전에 건축된 건물이기만 하면 손실보상의 대상이 됨이 명백하다.

※ 공특법 시행규칙 제5조의9 → 「토지보상법 시행규칙」 제58조 제1항
공특법 시행규칙 제10조 → 「토지보상법 시행규칙」 제33조
공특법 시행규칙 제10조 제5항 → 「토지보상법 시행규칙」 제54조 제1항

(3) 위법건축물은 수용보상대상이 아니다(대판 2001.4.13, 2000두6411 참조).

판례

● 대법원 판례(2001.4.13, 2000두6411)

[판시사항]

주거용 건물이 아닌 위법 건축물의 경우, 관계법령의 입법취지와 그 법령에 위반된 행위에 대한 비난가능성과 위법성의 정도, 합법화될 가능성, 사회통념상 거래 객체가 되는지 여부 등을 종합하여 구체적·개별적으로 판단한 결과 그 위법의 정도가 관계법령의 규정이나 사회통념상 용인할 수 없을 정도로 크고 객관적으로도 합법화될 가능성이 거의 없어 거래의 객체도 되지 아니하는 경우에는 예외적으로 토지수용법상의 수용보상 대상이 되지 아니한다고 본 사례

[판결요지]

(구)토지수용법상의 사업인정고시 이전에 건축되고 공공사업용지 내의 토지에 정착한 지장물인 건물은 통상 적법한 건축허가를 받았는지 여부에 관계없이 손실 보상의 대상이 되나,

> 주거용 건물이 아닌 위법 건축물의 경우에는 관계법령의 입법취지와 그 법령에 위반된 행위에 대한 비난가능성과 위법성의 정도, 합법화될 가능성, 사회통념상 거래 객체가 되는지 여부 등을 종합하여 구체적·개별적으로 판단한 결과 그 위법의 정도가 관계법령의 규정이나 사회통념상 용인할 수 없을 정도로 크고 객관적으로도 합법화될 가능성이 거의 없어 거래의 객체도 되지 아니하는 경우에는 예외적으로 수용보상 대상이 되지 아니한다.
>
> ※ 토지수용법 → 「토지보상법」

(4) 가설건축물은 비록 특별시장·광역시장이나 시장·군수의 허가를 받아 건축한 것이라고 하더라도 건축물을 건축하고자 하는 자는 장차 도시관리계획사업이 시행될 때에는 건축한 건축물을 철거하는 등 원상회복의무가 있다는 점을 이미 알고 있으므로 건축물의 한시적 이용 및 원상회복을 한다는 사실을 알면서도 건축물을 건축하였다면 무상으로 해당 건축물의 원상회복을 명하는 것이 과도한 침해라거나 특별한 희생이라고 볼 수 없으므로 보상대상이 아님.

판례

● 대법원 판례(2001.8.24, 2001다7209)

[판시사항]
(구)도시계획법 제14조의2 제4항 소정의 '가설건축물' 수용시 임차인의 영업손실을 보상하여야 하는지 여부(소극)

[판결요지]
(구)도시계획법(2000.1.28. 법률 제6243호로 전문 개정되기 전의 것) 제14조의2 제4항의 규정은 도시계획시설사업의 집행계획이 공고된 토지에 대하여 건축물을 건축하고자 하는 자는 장차 도시계획사업이 시행될 때에는 건축한 건축물을 철거하는 등 원상회복의무가 있다는 점을 이미 알고 있으므로 건축물의 한시적 이용 및 원상회복에 따른 경제성 기타 이해득실을 형량하여 건축 여부를 결정할 수 있도록 한 것으로서, 이러한 사실을 알면서도 건축물을 건축하였다면 스스로 원상회복의무의 부담을 감수한 것이므로 도시계획사업을 시행함에 있어 무상으로 해당 건축물의 원상회복을 명하는 것이 과도한 침해라거나 특별한 희생이라고 볼 수 없다. 그러므로 토지소유자는 도시계획사업이 시행될 때까지 가설건축물을 건축하여 한시적으로 사용할 수 있는 대신 도시계획사업이 시행될 경우에는 자신의 비용으로 그 가설건축물을 철거하여야 할 의무를 부담할 뿐 아니라 가설건축물의 철거에 따른 손실보상을 청구할 수 없고, 보상을 청구할 수 없는 손실에는 가설건축물 자체의 철거에 다른 손실뿐만 아니라 가설건축물의 철거에 따른 영업손실도 포함된다고 할 것이며, 소유자가 그 손실보상을 청구할 수 없는 이상 그의 가설건축물의 이용권능에 터잡은 임차인 역시 그 가설건축물의 철거에 따른 영업손실의 보상을 청구할 수는 없다.

※ (구)도시계획법 제14조의2 제4항 → 「국토의 계획 및 이용에 관한 법률」 제64조 제3항

🔷문 20점

I. 개설

공용침해에 의한 개인의 재산권에 가하여진 "특별한 희생"은 정당한 보상이 주어져야한다. 이에 토지보상법은 손실보상의 일반법적 지위에서 토지 등의 손실보상에 대한 기준과 방법을 마련하고 있는바, 이하에서 ① 토지 외 물건의 보상평가 시 일반적 기준과② 무허가건물 및 가설건축물의 보상 여부에 대하여 손실보상의 대상으로서 "재산권"에해당 여부를 살펴 그 보상가능성을 설명하고자 한다.

II. 물건보상평가의 일반적 기준(토지보상법 제75조)

1. 공익사업에 직접필요로 하는 경우

사업시행자가 필요로 하여 지상물건을 취득하는 경우 원가법으로 평가한 취득가격을산정하여야 한다.

2. 지장물로서 보상하는 경우

이전비 보상이 원칙이다. 다만, ① 이전이 현저히 곤란하거나, ② 이전으로 인하여 종래의 목적대로 이용하기 곤란한 경우, ③ 이전비가 물건의 가격을 초과하는 경우 물건의 가격으로 하되 원가법을 원칙으로 평가한다.

3. 취득하는 경우로서 원가법의 예외(토지보상법 시행규칙 제33조)

① 지상건축물 중 주거용 건축물의 경우 거래사례비교법에 의해 평가한 금액이 원가법에 의한 평가금액보다 큰 경우, ② 구분소유권의 대상이 되는 건물의 가격은 거래사례비교법으로 한다.

III. 무허가건축물과 가설건축물의 보상

1. 무허가건축물의 의의

관계법령에서 허가 등을 득한 후 건축할 수 있는 경우 이를 허가 없이 건축한 경우를말하며, 무허가건축물 및 가설건축물이 재산권의 대상으로 보상이 되는지 문제된다.

2. 사업인정 이후 무허가건축물

토지보상법 제25조에서는 토지 등의 보전의무를 규정하면서 사업인정 후 건축 등의 행위를 하고자 하는 경우 허가를 받아야 한다고 하면서 사업인정 이후 무허가건축물에대하여는 손실보상을 청구할 수 없다고 규정하고 있는바, 보상의 대상이라 할 수 없다.

3. 사업인정 이전 무허가건축물

(1) 허가의 성질과 재산권의 관계

허가란 법령에 의하여 일반적·상대적 금지를 특정한 경우 해제하여 적법하게 일정행위를 할 수 있게 하는 행위이다. 허가를 요하는 행위를 허가 없이 행한 경우 행정상 강제집행이나 처벌 등 행위의 자체 효력은 부인될 수 있을지언정 허가유무에 따라 재산권의 범위가 달라질 수는 없다고 보아야 할 것이다.

(2) 판례의 태도

판례도 사업인정고시 전에 건축한 건물은 그 건축물이 적법하게 허가를 받아 건축한 것인지, 허가를 받지 아니하고 건축한 무허가건축물인지 여부와 관계없이 손실보상의 대상이 된다고 판시하고 있다.

(3) 검토

허가는 그 성질에 비추어 행위의 적법성 여부에만 관여하고 유효성 여부와는 무관하다 봄이 타당한 바, 사업인정 이전의 건축물에 대하여는 허가 여부와 무관하게 보상의 대상이라 판단된다.

4. 가설건축물의 보상 여부

상기와 달리 가설건축물의 경우 그 설치 시 원상회복의무 등이 부과되어 한시적 이용권능을 갖는 것에 불과하므로 공익사업의 시행으로 해당 가설건축물의 철거를 명하는 것이 특별한 희생을 발생시킨다 볼 수 없으므로 보상대상이 될 수 없다고 본다. 다만, 허가 시 수익기간이 보장된 경우로서 그 기간 이익의 손실이 있는 경우 그 손실에 대한 보상은 주어져야 할 것이다.

Ⅳ. 결(기타 관련문제)

건축물의 이전비나 잔여부분의 보수비 보상 시에 시설개선비용은 제외하고 있다. 그러나 건축물소유자의 귀책사유 없이 해당 공익사업으로 인해 새로운 비용의 지출이 필요하게 된 것이므로 동일효용의 유지범위 내에서 인정함이 타당할 것이라 생각된다.

54절 토지보상법 제77조(영업의 손실 등에 대한 보상)

문제

2009년 1월 20일 서울시 용산 재개발 보상대책에 반발하던 철거민과 경찰이 대치하던 중 화재로 사상자를 낸 용산참사와 관련하여 상가 세입자의 권리금에 대한 논의가 활발하게 진행되고 있다. 상가 세입자의 권리금의 유형과 외국의 입법례에 대해서 설명하시오. 15점

I. 상가 세입자 권리금 보상 검토	II. 외국의 권리금 입법례
1. 권리금의 의의	1. 외국의 권리금제도
2. 부동산의 권리금 유형(종류)	2. 독일의 권리금 법제의 입법례
(1) 바닥권리금	3. 프랑스의 권리금 법제의 입법례
(2) 시설권리금	4. 일본의 권리금 법제의 입법례
(3) 영업권리금	5. 우리나라의 권리금제도
3. 권리금의 영업보상 대상 여부	

I 상가 세입자 권리금 보상 검토

1. 권리금의 의의

일반적으로 용익권·임차권 등의 권리를 양도하는 대가로 주고받는 금전으로서 택지나 건물의 임대차에서 임대료나 보증금 외에 별도로 주고받는 금전을 말한다.

판례

● 대법원 판례(2002.7.26, 2002다25013)[전세보증금반환등]

영업용 건물의 임대차에 수반되어 행하여지는 권리금의 지급은 임대차계약의 내용을 이루는 것은 아니고 권리금 자체는 거기의 영업시설·비품 등 유형물이나 거래처, 신용, 영업상의 노하우 (know-how) 혹은 점포 위치에 따른 영업상의 이점 등 무형의 재산적 가치의 양도 또는 일정기간 동안의 이용대가라고 볼 것인바, 권리금이 그 수수 후 일정한 기간 이상으로 그 임대차를 존속시키기로 하는 임차권 보장의 약정하에 임차인으로부터 임대인에게 지급된 경우에는, 보장기간 동안의 이용이 유효하게 이루어진 이상 임대인은 그 권리금의 반환의무를 지지 아니하며, 다만 임차인은 당초의 임대차에서 반대되는 약정이 없는 한 임차권의 양도 또는 전대차 기회에 부수하여 자신도 일정기간 이용할 수 있는 권리를 다른 사람에게 양도하거나 또는 다른 사람으로 하여금 일정기간 이용케 함으로써 권리금 상당액을 회수할 수 있을 것이지만, 반면 임대인의 사정으로 임대차계약이 중도 해지됨으로써 당초 보장된 기간 동안의 이용이 불가능하였다는 등의 특별한 사정이 있을 때에는 임대인은 임차인에 대하여 그 권리금의 반환의무를 진다고 할 것이고, 그 경우 임대인이 반환의무를 부담하는 권리금의 범위는, 지급된 권리금을 경과기간과 잔존기간에 대응하는 것으로 나누어,

> 임대인은 임차인으로부터 수령한 권리금 중 임대차계약이 종료될 때까지의 기간에 대응하는 부분을 공제한 잔존기간에 대응하는 부분만을 반환할 의무를 부담한다고 봄이 공평의 원칙에 합치된다고 할 것이다(대판 2001.4.10, 2000다59050, 대판 2001.11.13, 2001다20394·20400 등 참조).

2. 부동산의 권리금 유형(종류)

(1) 바닥권리금

상권이 가져다주는 기본 영업력에 의한 대가로 입지적 우월성에 의한 대가이며, 부동산 가격 및 임대료에 화체되어 있다.

(2) 시설권리금

현재 임차인이 초기 개점 시에 투여된 시설비용(인테리어, 간판, 기자재 등)에 대한 대가를 말한다.

(3) 영업권리금

임차인이 자신의 노력에 의해 점포 또는 상가를 활성화하여 형성한 권리금을 말한다.

Check Point!

영업손실보상(권리금 포함 여부를 중심으로) 허강무 박사(한국부동산연구원 책임연구원 논문 인용)

■ 권리금의 유형
1. 무형적 요인에 의한 권리금
   - 특정점포가 갖고 있는 고객, 명성의 대가로서의 권리금
   - 장소적 이익의 대가로서의 권리금
   - 법률 또는 행정적 규제 등에 의한 권리금
2. 유형적 요인에 의한 권리금
   - 시설투자비
   - 인테리어 등
3. 투기적 요인의 권리금
   - 신축상가 등의 바닥권리금 등

---

3. 권리금의 영업보상 대상 여부

(1) 영업손실평가보상 시 바닥권리금은 부동산 가격 및 임대료에 화체되어 있다고 볼 수 있어 상가 세입자가 지불한 유·무형의 자산가치인 권리금은 사실상 시설비(시설권리금)와 영업권(영업권리금)으로 구성된다고 볼 수 있다.

> 권리금 = 시설비 + 영업권

(2) 휴업에 대한 영업손실평가보상 시 시설권리금은 「공익사업을 위한 토지 등의 취득 및 보상에 관한 법률」 시행규칙 제47조(영업의 휴업 등에 대한 손실의 평가)에 의하여 휴업보상평가 시 영업 자산에 대한 감각상각비, 부대비용인 이전비 및 설치비에 일정 부분 포함되어 보상되고 있다.

(3) 그러나 상가 세입자의 무형자산가치인 영업권은 「공익사업을 위한 토지 등의 취득 및 보상에 관한 법률」에서 휴업에 대한 영업손실평가보상 시 별도의 보상대상으로 규정하고 있지 않아 보상대상에 제외되고 있다.

(4) 현실적으로 영업권리금은 부동산시장의 수요와 공급에 의하여 권리금의 매매당사자 간의 형 성된 주관적 투자가치로서 거래가격조사가 용이하지 않고, 객관적 기준의 미비로 가치 추계 가 어려운 문제점이 있어 보상평가 대상으로 포함 시 문제점이 발생할 수 있다.

Ⅱ 외국의 권리금 입법례8)

1. 외국의 권리금제도

독일, 프랑스, 일본의 입법례를 살펴보면, 주택의 경우에는 국가가 사회법적인 차원에서 강력하 게 개입하면서 임차인을 보호하고 있으나, 상가임대차 관계에 있어서는 당사자 간의 형평성 유지 또는 상가건물 임대차제도의 근대화를 위한 보충적 입법으로 나가는 것이 일반적인 경향이다. 즉, 서구나라들은 권리금을 사적 자치에 맡기고 있으며, 이러한 이유는 우리나라와 달리 고액의 보증금 수수가 그리 많지 않고, 대부분 월세에 의존하는 경향과 시설물의 대부분을 임대인이 시 설하도록 하는 관행 등으로 인해 임차인을 강력히 보호할 필요성이 크지 않기 때문이다.

2. 독일의 권리금 법제의 입법례

독일은 1952년 "상가건물임대차법"을 제정하여 영업용 임대차를 차별화하였고, 영업용 건물에 대해서는 임대계약은 자유계약이며, 보증금, 임대료의 선불, 건축비보조금에 대한 명문의 규정은 없고, 더욱이 권리금의 경우에는 그 관행을 찾아 볼 수 없다. 즉, 영업용 건물임대차의 경우에는 보증금의 액수는 자유로운 의사에 맡기고 있으며, 영업시설과 관련하여 계약상 임차인에게 영향 을 줄 만한 가치가 있는 경우에만 임차인이 지급할 의무가 있으며, 독일에서는 상가 임차인의 권리금이나 시설비를 그다지 강력히 보호하지는 않는다.

---

8) 중앙대학교 경제학 박사 박홍희 제공

3. 프랑스의 권리금 법제의 입법례

프랑스는 "임대차특별법"을 통해 임차권을 보호하고 있으며, 현재 영업용 건물임대차 법제에 관해서는 1953년의 "Deret"가 그 기본입법이며, 권리금이란 차임의 선불로서의 성질과 기득권 가격의 보상으로 혼용되고 있으므로 권리금이란 명칭의 단일적 규정은 존재하지 않고, 다만 권리금을 임대인이 받은 경우에는 임대인이 그것을 보상해야 한다는 판례가 있다.

4. 일본의 권리금 법제의 입법례

일본 민법은 영업목적의 임대차에 관한 별도의 특별법을 제정하고 있지 않으며, 권리금에 관한 규정은 없다. 권리금에 관한 일본의 학설은 선의수익자의 반환의무(일본 민법 제703조)에 의하여 반환을 인정하는 견해가 있으나, 판례는 임대차성립 후의 권리금은 반환을 인정하지 않지만, 약정기간 만료 전 잔존기간의 권리금부분의 반환을 인정하고 있다.

5. 우리나라의 권리금제도

우리나라의 권리금제도는 실제로 부동산 현장에서 이루어지는 것으로, 법률적으로는 정비되지 않은 것이 현실이다. 용산참사로 인한 재개발 등 서울 4대문에서는 상가의 권리금 형성이 일반화되어 있는 실정에서 법적 근거가 없고, 정확한 권리금 산정의 한계가 있는 문제가 있다. 학자별로 견해의 대립은 있으나, 그 해법으로 부동산상가의 유형별, 지역별, 상권별 통계적 수치를 일반화하여 이에 따른 보상 매뉴얼을 통해서 보상의 유형으로 만들 수 있다는 견해가 제시되고 있으나, 현실적으로 어렵다고 보인다.

55절 토지보상법 제77조(영업의 손실 등에 대한 보상)

> **문제**
>
> 「공익사업을 위한 토지 등의 취득 및 보상에 관한 법률」상 농업손실보상에 대하여 구체적으로 설명하시오. 10점
>
> Ⅰ. 농업손실보상의 의의 및 법적 성질
> 　1. 의의(토지보상법 제77조)
> 　2. 법적 성질(공권, 2009다43461 판례)
> Ⅱ. 관련규정
> Ⅲ. 용어의 정의
> 　1. 농지
> 　2. 농민
>
> Ⅳ. 보상방법
> Ⅴ. 보상대상자
> 　1. 실제경작자
> 　2. 해당 지역 거주 농민
> 　3. 실제경작자로 인정받기 위한 서류

Ⅰ 농업손실보상의 의의[9] 및 법적 성질

1. 의의(토지보상법 제77조)

농업손실보상이란 공익사업시행지구에 편입되는 농지에 대하여 실제 재배하는 농작물 보상과는 별도로 농민이 편입농지에서 영농을 계속하지 못함에 따른 농업의 손실보상으로 「토지보상법」 제77조에 규정을 두며 「토지보상법 시행규칙」 제48조에서 구체적인 보상규정을 두고 있다.

2. 법적 성질(공권, 2009다43461 판례)

판례는 농업손실보상청구권은 공익사업의 시행 등 적법한 공권력의 행사에 의한 재산상의 특별한 희생에 대하여 전체적인 공평부담의 견지에서 공익사업의 주체가 그 손해를 보상하여 주는 손실보상의 일종으로 공법상의 권리임이 분명하므로 그에 관한 쟁송은 민사소송이 아닌 행정소송절차에 의하여야 할 것이라고 판시하였다. 생각건대 권리의 발생 원인이 공법상 침해에 기인한 바 농업손실보상의 법적 성질은 공권임이 타당하다.

---

[9] 농업의 손실에 대한 보상(국토교통부, 중앙토지수용위원회 수용편람 참고)

Ⅱ 관련규정

토지보상법 시행규칙 제48조(농업의 손실에 대한 보상)

> **◑ 농지법 제2조(정의)**
> 이 법에서 사용하는 용어의 뜻은 다음과 같다.
> 1. "농지"란 다음 각 목의 어느 하나에 해당하는 토지를 말한다.
>   가. 전·답, 과수원, 그 밖에 법적 지목(地目)을 불문하고 실제로 농작물 경작지 또는 대통령령으로 정하는 다년생식물 재배지로 이용되는 토지. 다만, 「초지법」에 따라 조성된 초지 등 대통령령으로 정하는 토지는 제외한다.
>   나. 가목의 토지의 개량시설과 가목의 토지에 설치하는 농축산물 생산시설로서 대통령령으로 정하는 시설의 부지
> 2. "농업인"이란 농업에 종사하는 개인으로서 대통령령으로 정하는 자를 말한다.
> 3. "농업법인"이란 「농어업경영체 육성 및 지원에 관한 법률」 제16조에 따라 설립된 영농조합법인과 같은 법 제19조에 따라 설립되고 업무집행권을 가진 자 중 3분의 1 이상이 농업인인 농업회사법인을 말한다.
>   가. 삭제 [2009.5.27]
>   나. 삭제 [2009.5.27]
>
> **◑ 농지법 시행령 제2조 (농지의 범위)**
> ① 「농지법」(이하 "법"이라 한다) 제2조 제1호 가목 본문에 따른 다년생식물 재배지는 다음 각 호의 어느 하나에 해당하는 식물의 재배지로 한다.
>   1. 목초·종묘·인삼·약초·잔디 및 조림용 묘목
>   2. 과수·뽕나무·유실수 그 밖의 생육기간이 2년 이상인 식물
>   3. 조경 또는 관상용 수목과 그 묘목(조경목적으로 식재한 것을 제외한다)
> ② 법 제2조 제1호 가목 단서에서 "「초지법」에 따라 조성된 토지 등 대통령령으로 정하는 토지"란 다음 각 호의 토지를 말한다.
>   1. 「공간정보의 구축 및 관리 등에 관한 법률」에 따른 지목이 전·답, 과수원이 아닌 토지(지목이 임야인 토지는 제외한다)로서 농작물 경작지 또는 제1항 각 호에 따른 다년생식물 재배지로 계속하여 이용되는 기간이 3년 미만인 토지
>   2. 「공간정보의 구축 및 관리 등에 관한 법률」에 따른 지목이 임야인 토지로서 「산지관리법」에 따른 산지전용허가(다른 법률에 따라 산지전용허가가 의제되는 인가·허가·승인 등을 포함한다)를 거치지 아니하고 농작물의 경작 또는 다년생식물의 재배에 이용되는 토지
>   3. 「초지법」에 따라 조성된 초지
> ③ 법 제2조 제1호 나목에서 "대통령령으로 정하는 시설"이란 다음 각 호의 구분에 따른 시설을 말한다.
>   1. 법 제2조 제1호 가목의 토지의 개량시설로서 다음 각 목의 어느 하나에 해당하는 시설
>   가. 유지(溜池 : 웅덩이), 양·배수시설, 수로, 농로, 제방
>   나. 그 밖에 농지의 보전이나 이용에 필요한 시설로서 농림축산식품부령으로 정하는 시설

2. 법 제2조 제1호 가목의 토지에 설치하는 농축산물 생산시설로서 농작물 경작지 또는 제1항 각 호의 다년생식물의 재배지에 설치한 다음 각 목의 어느 하나에 해당하는 시설
   가. 고정식온실·버섯재배사 및 비닐하우스와 농림축산식품부령으로 정하는 그 부속시설
   나. 축사·곤충사육사와 농림축산식품부령으로 정하는 그 부속시설
   다. 간이퇴비장
   라. 농막·간이저온저장고 및 간이액비저장조 중 농림축산식품부령으로 정하는 시설

⮕ **농지법 시행령 제3조(농업인의 범위)**
법 제2조 제2호에서 "대통령령으로 정하는 자"란 다음 각 호의 어느 하나에 해당하는 자를 말한다.
1. 1천제곱미터 이상의 농지에서 농작물 또는 다년생식물을 경작 또는 재배하거나 1년 중 90일 이상 농업에 종사하는 자
2. 농지에 330제곱미터 이상의 고정식온실·버섯재배사·비닐하우스, 그 밖의 농림축산식품부령으로 정하는 농업생산에 필요한 시설을 설치하여 농작물 또는 다년생식물을 경작 또는 재배하는 자
3. 대가축 2두, 중가축 10두, 소가축 100두, 가금(家禽 : 집에서 기르는 날짐승) 1천수 또는 꿀벌 10군 이상을 사육하거나 1년 중 120일 이상 축산업에 종사하는 자
4. 농업경영을 통한 농산물의 연간 판매액이 120만원 이상인 자

Ⅲ 용어의 정의

1. 농지

전·답 또는 과수원 기타 공부상의 지목에 불구하고 실제현황이 다음과 같이 이용되는 토지(「농지법」 제2조 제1호 가목에 해당하는 토지)를 말한다. 농작물의 경작지, 다년성식물재배지로 목초, 종묘, 인삼, 약초, 잔디 및 조림용 묘목재배지와 과수, 뽕나무, 유실수 기타 생육기간이 2년 이상인 식용 또는 약용으로 이용되는 식물재배지, 그리고 조경 또는 관상용 수목과 그 묘목(판매 목적인 경우) 재배지인 토지를 말한다. 다만, 「공간정보의 구축 및 관리 등에 관한 법률」에 따른 지목이 전·답·과수원이 아닌 토지로서 농작물의 경작이나 다년성식물재배로 계속하여 이용되는 기간이 3년 미만인 토지와 「공간정보의 구축 및 관리 등에 관한 법률」에 따른 지목이 임야인 토지로서 산지전용허가를 받지 아니하고 다년성식물의 재배에 이용되는 토지, 그리고 「초지법」에 의한 초지의 경우는 농지로 보지 않는다.

● 지목이 '임야'로서 '농지법상 농지'인 토지에 대한 보상지침(토지정책과 – 2178 2005.4.26.)

　1. 토지에 대한 평가

　　공부상 지목이 '임야'이나 '농지법상 농지'에 해당되는 경우에는 농지로 평가하여 보상

　※ 농지법상 농지의 판단기준

　　– 사업시행자가 관계도서와 지형·토지형태·이용상황 등을 조사·확인하여 '농지법상 농지'에 해당되는지 여부를 판단

　　– 임야를 개간하여 농지로 3년 이상 경작하였는지 여부가 불명확한 경우 국토지리정보원에서 발행하는 항공사진을 활용하여 '농지법상 농지' 여부를 판단

　　– 개발제한구역 내에서 '영농을 위한 토지의 형질변경' 등 불법형질변경이 명확한 경우에는 종전의 지목대로 보상

　2. 영농손실보상

　　• 공부상 임야인 토지가 농지법상 농지인 경우에는 영농손실을 보상

　　• 개발제한구역 내에서 '영농을 위한 토지의 형질변경' 등 불법형질변경이 명확한 경우에는 영농손실 보상대상에서 제외

---

2. 농민

　농업인(「농지법」 제2조 제2호 및 「농지법 시행령」 제3조 제1호 및 제2호의 규정에 의한 농업인)이란 1,000㎡ 이상의 농지에서 농작물 또는 다년생식물을 경작 또는 재배하거나 1년 중 90일 이상 농업에 종사하는 개인이거나, 농지에 330㎡ 이상의 고정식 온실·버섯재배사·비닐하우스 기타 농작물 또는 다년성식물을 경작 또는 재배하는 자를 뜻한다. 농업법인은 영농조합법인(「농어업경영체 육성 및 지원에 관한 법률」 제16조에 따라 설립된 법인)과 농업회사법인(같은 법 제19조에 따라 설립되고 업무집행권을 가진 자 중 3분의 1 이상이 농업인인 법인)을 말한다.

Ⅳ　보상방법

(1) 재배작물을 구분하지 않고 도별 연간 농가평균 단위경작면적당 농작물총수입의 2년분에 면적을 곱하여 산정한 금액을 보상

　영농손실보상액 산출방법으로는 농가평균농작물조수입에 의한 방법이 있으며, 이는 「통계법」 제3조 제3호의 규정에 의한 농가경제조사통계를 산출근거자료로 한 산출방식이다.

> 도별 농업총수입 ÷ 도별 표본농가경지면적 × 면적 × 2년

또한, 실제소득에 의한 방법은 다음과 같이 산출하여 구한다.

$$단위경작면적당 실제소득 \times 면적 \times 2년$$

이때, 단위경작면적당 실제소득은 농작물실제소득인정기준에 의하여 실제소득으로 입증된 경우에 한한다.

(2) 영농손실보상에서 제외되는 토지

① 사업인정고시일 등 이후부터 농지로 이용되고 있는 토지

② 일시적으로 농지로 이용되고 있는 토지

③ 타인소유의 토지를 불법점유하여 경작하고 있는 토지

④ 농민이 아닌 자가 경작하고 있는 토지

⑤ 토지의 취득에 대한 보상 이후에 사업시행자가 2년 이상 계속하여 경작하도록 허용하는 토지

(3) 농기구에 대한 매각손실액 평가보상

농지 대부분(2/3 이상)이 공익사업시행지구에 편입되어 영농을 계속할 수 없는 경우에는 농기구에 대한 매각손실액을 평가하여 보상한다. 매각손실액 평가곤란 시에는 원가법에 의한 가격의 60% 이내에서 보상한다.

V 보상대상자

1. 실제경작자

원칙적으로 보상계획공고 또는 사업인정고시일 당시의 실제경작자이어야 한다.

2. 해당 지역 거주 농민

임차농지일 경우로서 농지의 소유자가 해당 지역에 거주하는 농민인 경우이어야 하며, 다음의 조건에 따라 대상적격을 구분한다.

① 농지소유자와 실제경작자 간에 협의성립 : 협의내용에 따라 보상

② 농지소유자와 실제경작자 간에 협의불성립 : 각각 50%씩 보상

③ 경작자 자의에 의한 이농, 임대차계약의 해지 등의 사유로 보상협의일 또는 수용재결일 당시 미경작 : 농지소유자(해당 지역에 거주하는 농민인 경우에 한함)

3. 실제경작자로 인정받기 위한 서류

법 제77조 제2항에 따른 실제 경작자는 다음 각 호의 자료에 따라 사업인정고시일 등 당시 타인 소유의 농지를 임대차 등 적법한 원인으로 점유하고 자기소유의 농작물을 경작하는 것으로 인정된 자를 말한다. 이 경우 실제 경작자로 인정받으려는 자가 제5호의 자료만 제출한 경우 사업시행자는 해당 농지의 소유자에게 그 사실을 서면으로 통지할 수 있으며, 농지소유자가 통지받은 날부터 30일 이내에 이의를 제기하지 않는 경우에는 제2호의 자료가 제출된 것으로 본다.

① 농지의 임대차계약서
② 농지소유자가 확인하는 경작사실확인서
③ 「농업·농촌 공익기능 증진 직접지불제도 운영에 관한 법률」에 따른 직접지불금의 수령 확인자료
④ 「농어업경영체 육성 및 지원에 관한 법률」 제4조에 따른 농어업경영체 등록 확인서
⑤ 해당 공익사업시행지구의 이장·통장이 확인하는 경작사실확인서
⑥ 그 밖에 실제 경작자임을 증명하는 객관적 자료

> **판례**
>
> **영업보상과 농업손실보상 경합 시 보상 판례**
>
> ● 대법원 판례(2004.4.27, 2002두8909)
>
> [사건경위]
>
> - 1992.06.18. 서울외곽순환고속도로 구역결정고시(건설부고시 제1992 – 302호)
> - 1992.12.30. 실시계획인가고시(인천광역시고시 제1992 – 210호)
> - 1996.10.04. 실시계획 변경인가고시(인천광역시고시 제1996 – 170호)
> - 1997.03.28. 수용재결(중토위 : 난류이전에 따른 손실보상금 금 58,544,550원 재결)
> - 1997.12.19. 이의재결(중토위 : 휴업보상금 금 4,925,000원 추가재결)
>
> * 난은 이동이 가능한 화분 등 용기에 식재되어 있고 또 판매시설을 갖추고 판매영업을 겸하고 있으므로 영농보상은 인정하지 않는 대신 영업이전에 따른 휴업보상금을 추가
>
> - 2004.8.21. 서울고법 판결(98누3282 판결 제5특별부)
>
> * 피고는 원고에게 영농보상금 금 316,843,561원을 지급하라.
>
> * (구)공특법 시행규칙 제29조 제1항은 일반적인 영농 외에 특수작물재배지로 버섯재배사·묘포장 및 화훼재배장을 추가로 명시하고 있는 바, 지력을 이용하는 경우보다 구조물이나 나무, 묘판 등에 의하여 재배하는 경우가 많은 버섯재배장 등을 추가한 취지에 비추어보면 농경지 자체의 지력을 이용하여 농작물을 재배하는 것이 영농보상금의 지급요건이 된다고 할 수 없고, 이 규정은 영농폐지와 영농이전을 구분하지 않고 실제 재배작물을 기준으로 일정한 산식에 의하여 산정된 금액을 영농손실액으로 지급한다고 되어 있으므로 공공사업지구에 농경지가 편입되고 실제 작물을 재배하고 있는 이상 영농손실액 지급대상이 된다고 할 것이므로, 이 사건 난의 조수입에 전국 농축산물 표준소득 전체소득률을 적용하여 산정한 정당한 영농보상액은 금 316,843,551원을 지급할 의무가 있음.

대판 2004.4.27, 2002두8909

* 농경지의 지력을 이용한 재배가 아닌 화분 등 용기(이하 '화분'이라 한다)에 식재하여 재배되는 난 등 화훼류의 경우와 같이 화분을 기후 등과 같은 자연적 환경이나 교통 등과 같은 사회적 환경 등이 유사한 인근의 대체지로 옮겨 생육에 별다른 지장을 초래함이 없이 계속 재배할 수 있는 경우에는, 유사한 조건의 인근 대체지를 마련할 수 없는 등으로 장래에 영농을 계속하지 못하게 된다거나 생활근거를 상실하게 되는 것과 같은 특단의 사정이 없는 이상 이전에 수반되는 비용 이외에는 달리 특별한 희생이 생긴다고 할 수 없으므로 영농보상의 대상이 된다고 할 수 없다고 할 것이다.

판례

● 농업손실보상은 공권이고 행정소송으로 다투어야 한다.
대법원 2011.10.13. 선고 2009다43461 판결[농업손실보상금]

[판시사항]

[1] 구 공익사업을 위한 토지 등의 취득 및 보상에 관한 법률 제77조 제2항에서 정한 농업손실보상청구권에 관한 쟁송은 행정소송절차에 의하여야 하는지 여부(적극) 및 공익사업으로 인하여 농업손실을 입게 된 자가 사업시행자에게서 위 규정에 따른 보상을 받기 위해서는 재결절차를 거쳐야 하는지 여부(적극)

[2] 갑 등이 자신들의 농작물 경작지였던 각 토지가 공익사업을 위하여 수용되었음을 이유로 공익사업 시행자를 상대로 구 공익사업을 위한 토지 등의 취득 및 보상에 관한 법률 제77조 제2항에 의하여 농업손실보상을 청구한 사안에서, 갑 등이 재결절차를 거쳤는지를 전혀 심리하지 아니한 채 농업손실보상금 청구를 민사소송절차에 의하여 처리한 원심판결을 파기한 사례

[판결요지]

[1] 구 공익사업을 위한 토지 등의 취득 및 보상에 관한 법률(2007.10.17. 법률 제8665호로 개정되기 전의 것, 이하 '구 공익사업법'이라 한다) 제77조 제2항은 "농업의 손실에 대하여는 농지의 단위면적당 소득 등을 참작하여 보상하여야 한다."고 규정하고, 같은 조 제4항은 "제1항 내지 제3항의 규정에 의한 보상액의 구체적인 산정 및 평가방법과 보상기준은 건설교통부령으로 정한다."고 규정하고 있으며, 이에 따라 구 공익사업을 위한 토지 등의 취득 및 보상에 관한 법률 시행규칙(2007.4.12. 건설교통부령 제556호로 개정되기 전의 것)은 농업의 손실에 대한 보상(제48조), 축산업의 손실에 대한 평가(제49조), 잠업의 손실에 대한 평가(제50조)에 관하여 규정하고 있다. 위 규정들에 따른 농업손실보상청구권은 공익사업의 시행 등 적법한 공권력의 행사에 의한 재산상의 특별한 희생에 대하여 전체적인 공평부담의 견지에서 공익사업의 주체가 그 손해를 보상하여 주는 손실보상의 일종으로 공법상의 권리임이 분명하므로 그에 관한 쟁송은 민사소송이 아닌 행정

소송절차에 의하여야 할 것이고, 위 규정들과 구 공익사업법 제26조, 제28조, 제30조, 제34조, 제50조, 제61조, 제83조 내지 제85조의 규정 내용 및 입법 취지 등을 종합하여 보면, 공익사업으로 인하여 농업의 손실을 입게 된 자가 사업시행자로부터 구 공익사업법 제77조 제2항에 따라 농업손실에 대한 보상을 받기 위해서는 구 공익사업법 제34조, 제50조 등에 규정된 재결절차를 거친 다음 그 재결에 대하여 불복이 있는 때에 비로소 구 공익사업법 제83조 내지 제85조에 따라 권리구제를 받을 수 있다.

[2] 갑 등이 자신들의 농작물 경작지였던 각 토지가 공익사업을 위하여 수용되었음을 이유로 공익사업 시행자를 상대로 구 공익사업을 위한 토지 등의 취득 및 보상에 관한 법률(2007.10.17. 법률 제8665호로 개정되기 전의 것, 이하 '구 공익사업법'이라 한다) 제77조 제2항에 의하여 위 농작물에 대한 농업손실보상을 청구한 사안에서, 원심으로서는 농업손실보상금 청구가 구 공익사업법 제34조, 제50조 등에 규정된 재결절차를 거쳐 같은 법 제83조 내지 제85조에 따른 당사자소송에 의한 것인지를 심리했어야 함에도, 이를 간과하여 갑 등이 재결절차를 거쳤는지를 전혀 심리하지 아니한 채 농업손실보상금 청구를 민사소송절차에 의하여 처리한 원심판결에는 농업손실보상금 청구의 소송형태에 관한 법리오해의 위법이 있다고 한 사례

● **토지보상법 시행규칙 제48조 제2항 단서 제1호가 헌법상 정당보상원칙, 비례원칙에 위반되거나 위임입법의 한계를 일탈한 것인지 여부**

대법원 2020.4.29. 선고 2019두32696 판결[손실보상금]

[판시사항]

[1] 2013.4.25. 국토교통부령 제5호로 개정된 공익사업을 위한 토지 등의 취득 및 보상에 관한 법률 시행규칙 제48조 제2항 단서 제1호가 헌법상 정당보상원칙, 비례원칙에 위반되거나 위임입법의 한계를 일탈한 것인지 여부(소극)

[2] 2013.4.25. 국토교통부령 제5호로 개정된 공익사업을 위한 토지 등의 취득 및 보상에 관한 법률 시행규칙 시행일 전에 사업인정고시가 이루어졌으나 위 시행규칙 시행 후 보상계획의 공고·통지가 이루어진 공익사업에 대해서도 영농보상금액의 구체적인 산정방법·기준에 관한 위 시행규칙 제48조 제2항 단서 제1호를 적용하도록 규정한 위 시행규칙 부칙(2013.4.25.) 제4조 제1항이 진정소급입법에 해당하는지 여부(소극)

[판결요지]

[1] 공익사업을 위한 토지 등의 취득 및 보상에 관한 법률 제77조 제4항은 농업손실 보상액의 구체적인 산정 및 평가 방법과 보상기준에 관한 사항을 국토교통부령으로 정하도록 위임하고 있다. 그 위임에 따라 2013.4.25. 국토교통부령 제5호로 개정된 공익사업을 위한 토지 등의 취득 및 보상에 관한 법률 시행규칙(이하 '개정 시행규칙'이라 한다) 제48조 제2항 단서 제1호가 실제소득 적용 영농보상금의 예외로서, 농민이 제출한 입증자료에 따라 산정한 실제소득이 동일 작목별 평균소득의 2배를 초과하는 경우에 해당 작목별

평균생산량의 2배를 판매한 금액을 실제소득으로 간주하도록 규정함으로써 실제소득 적용 영농보상금의 '상한'을 설정하였다.

이와 같은 개정 시행규칙 제48조 제2항 단서 제1호는, 영농보상이 장래의 불확정적인 일실소득을 보상하는 것이자 농민의 생존배려·생계지원을 위한 보상인 점, 실제소득 산정의 어려움 등을 고려하여, 농민이 실농으로 인한 대체생활을 준비하는 기간의 생계를 보장할 수 있는 범위 내에서 실제소득 적용 영농보상금의 '상한'을 설정함으로써 나름대로 합리적인 적정한 보상액의 산정방법을 마련한 것이므로, 헌법상 정당보상원칙, 비례원칙에 위반되거나 위임입법의 한계를 일탈한 것으로는 볼 수 없다.

[2] 사업인정고시일 전부터 해당 토지를 소유하거나 사용권원을 확보하여 적법하게 농업에 종사해 온 농민은 사업인정고시일 이후에도 수용개시일 전날까지는 해당 토지에서 그간 해온 농업을 계속할 수 있다. 그러나 사업인정고시일 이후에 수용개시일 전날까지 농민이 해당 공익사업의 시행과 무관한 어떤 다른 사유로 경작을 중단한 경우에는 손실보상의 대상에서 제외될 수 있다. 사업인정고시가 이루어졌다는 점만으로 농민이 구체적인 영농보상금 청구권을 확정적으로 취득하였다고는 볼 수 없으며, 보상협의 또는 재결절차를 거쳐 협의성립 당시 또는 수용재결 당시의 사정을 기준으로 구체적으로 산정되는 것이다. 또한 공익사업을 위한 토지 등의 취득 및 보상에 관한 법률 시행규칙 제48조에 따른 영농보상은 수용개시일 이후 편입농지에서 더 이상 영농을 계속할 수 없게 됨에 따라 발생하는 손실에 대하여 장래의 2년간 일실소득을 예측하여 보상하는 것이므로, 수용재결 당시를 기준으로도 영농보상은 아직 발생하지 않은 장래의 손실에 대하여 보상하는 것이다. 따라서 공익사업을 위한 토지 등의 취득 및 보상에 관한 법률 시행규칙 부칙(2013.4.25.) 제4조 제1항이 영농보상금액의 구체적인 산정방법·기준에 관한 2013.4.25. 국토교통부령 제5호로 개정된 공익사업을 위한 토지 등의 취득 및 보상에 관한 법률 시행규칙(이하 '개정 시행규칙'이라 한다) 제48조 제2항 단서 제1호를 개정 시행규칙 시행일 전에 사업인정고시가 이루어졌으나 개정 시행규칙 시행 후 보상계획의 공고·통지가 이루어진 공익사업에 대해서도 적용하도록 규정한 것은 진정소급입법에 해당하지 않는다.

● 영농보상은 원칙적으로 농민이 기존 농업을 폐지한 후 새로운 직업 활동을 개시하기까지의 준비기간 동안에 농민의 생계를 지원하는 생활보상으로서의 성격을 가진다.

대법원 2023.8.18. 선고 2022두34913 판결[손실보상금]

[판시사항]

[1] 구 공익사업을 위한 토지 등의 취득 및 보상에 관한 법률 제77조 제2항, 같은 법 시행규칙 제48조 제2항 본문에서 정한 '영농손실보상'의 법적 성격 / 같은 법 시행규칙 제48조에서 규정한 영농손실보상은 공익사업시행지구 안에서 수용의 대상인 농지를 이용하여 경작을 하는 자가 그 농지의 수용으로 인하여 장래에 영농을 계속하지 못하게 되어 특별한 희생이 생기는 경우 이를 보상하기 위한 것인지 여부(적극)

[2] 구 공익사업을 위한 토지 등의 취득 및 보상에 관한 법률 시행규칙 제48조 제2항 단서 제2호의 '직접 해당 농지의 지력을 이용하지 아니하고 재배 중인 작물을 이전하여 해당 영농을 계속하는 것이 가능하다고 인정하는 작목 및 재배방식'을 규정한 '농작물실제소득 인정기준'(국토교통부고시) 제6조 제3항 [별지 2]에 열거되어 있지 아니한 시설콩나물 재배업에 관하여도 같은 시행규칙 제48조 제2항 단서 제2호를 적용할 수 있는지 여부 (적극)

[판결요지]

[1] 공공필요에 의한 재산권의 수용·사용 또는 제한 및 그에 대한 보상은 법률로써 하되, 정당한 보상을 지급하여야 한다(헌법 제23조 제3항). 구 공익사업을 위한 토지 등의 취득 및 보상에 관한 법률(2020.6.9. 법률 제17453호로 개정되기 전의 것, 이하 '구 토지 보상법'이라고 한다) 제77조 소정의 영업의 손실 등에 대한 보상은 위와 같은 헌법상의 정당한 보상 원칙에 따라 공익사업의 시행 등 적법한 공권력의 행사에 의한 재산상의 특별한 희생에 대하여 사유재산권의 보장과 전체적인 공평부담의 견지에서 행하여지는 조절적인 재산적 보상이다. 특히 구 토지보상법 제77조 제2항, 구 공익사업을 위한 토지 등의 취득 및 보상에 관한 법률 시행규칙(2020.12.11. 국토교통부령 제788호로 개정되기 전의 것, 이하 '구 토지보상법 시행규칙'이라고 한다) 제48조 제2항 본문에서 정한 영농손실보상(이하 '영농보상'이라고 한다)은 편입토지 및 지장물에 관한 손실보상과는 별개로 이루어지는 것으로서, 농작물과 농지의 특수성으로 인하여 같은 시행규칙 제46 조에서 정한 폐업보상과 구별해서 농지가 공익사업시행지구에 편입되어 공익사업의 시행으로 더 이상 영농을 계속할 수 없게 됨에 따라 발생하는 손실에 대하여 원칙적으로 같은 시행규칙 제46조에서 정한 폐업보상과 마찬가지로 장래의 2년간 일실소득을 보상 함으로써, 농민이 대체 농지를 구입하여 영농을 재개하거나 다른 업종으로 전환하는 것을 보장하기 위한 것이다. 즉, 영농보상은 원칙적으로 농민이 기존 농업을 폐지한 후 새로운 직업 활동을 개시하기까지의 준비기간 동안에 농민의 생계를 지원하는 간접보상이자 생활보상으로서의 성격을 가진다.

영농보상은 그 보상금을 통계소득을 적용하여 산정하든, 아니면 해당 농민의 최근 실제 소득을 적용하여 산정하든 간에, 모두 장래의 불확정적인 일실소득을 예측하여 보상하는 것으로, 기존에 형성된 재산의 객관적 가치에 대한 '완전한 보상'과는 그 법적 성질을 달리한다.

결국 구 토지보상법 시행규칙 제48조 소정의 영농보상 역시 공익사업시행지구 안에서 수용의 대상인 농지를 이용하여 경작을 하는 자가 그 농지의 수용으로 인하여 장래에 영농을 계속하지 못하게 되어 특별한 희생이 생기는 경우 이를 보상하기 위한 것이기 때문에, 위와 같은 재산상의 특별한 희생이 생겼다고 할 수 없는 경우에는 손실보상 또한 있을 수 없고, 이는 구 토지보상법 시행규칙 제48조 소정의 영농보상이라고 하여 달리 볼 것은 아니다.

[2] 관련 법리와 구 공익사업을 위한 토지 등의 취득 및 보상에 관한 법률 시행규칙(2020.12. 11. 국토교통부령 제788호로 개정되기 전의 것, 이하 '구 토지보상법 시행규칙'이라고 한다) 제48조 제2항 단서 제2호의 신설 경과 등에 비추어 보면, 국토교통부장관이 농림축산식품부장관과의 협의를 거쳐 관보에 고시하는 '농작물실제소득인정기준' 제6조 제3항 [별지 2]에 열거된 작목 및 재배방식에 시설콩나물 재배업이 포함되어 있지 않더라도 시설콩나물 재배업에 관하여도 구 토지보상법 시행규칙 제48조 제2항 단서 제2호를 적용할 수 있다고 봄이 타당하다. 그 이유는 다음과 같다.

(가) 관련 법령의 내용, 형식 및 취지 등에 비추어 보면, 공공필요에 의한 수용 등으로 인한 손실의 보상은 정당한 보상이어야 하고, 영농손실에 대한 정당한 보상은 수용되는 '농지의 특성과 영농상황' 등 고유의 사정이 반영되어야 한다.

(나) 농지의 지력을 이용한 재배가 아닌 용기에 식재하여 재배되는 콩나물과 같이 용기를 기후 등 자연적 환경이나 교통 등 사회적 환경 등이 유사한 인근의 대체지로 옮겨 생육에 별다른 지장을 초래함이 없이 계속 재배를 할 수 있는 경우에는, 유사한 조건의 인근대체지를 마련할 수 없는 등으로 장래에 영농을 계속하지 못하게 되는 것과 같은 특단의 사정이 없는 이상 휴업보상에 준하는 보상이 필요한 범위를 넘는 특별한 희생이 생겼다고 할 수 없다.

(다) 시설콩나물 재배시설에서 재배하는 콩나물과 '농작물실제소득인정기준' 제6조 제3항 [별지 2]에서 규정하고 있는 작물인 버섯, 화훼, 육묘는 모두 직접 해당 농지의 지력을 이용하지 않고 재배한다는 점에서 상호 간에 본질적인 차이가 없으며, 특히 '용기(트레이)에 재배하는 어린묘'와 그 재배방식이 유사하다.

(라) 시설콩나물 재배방식의 본질은 재배시설이 설치된 토지가 농지인지 여부, 즉 농지의 특성에 있는 것이 아니라 '고정식온실' 등에서 용기에 재배하고, 특별한 사정이 없는 한 그 재배시설 이전이 어렵지 않다는 점에 있다. 본질적으로 같은 재배방식에 대하여 '고정식온실' 등이 농지에 설치되어 있다는 사정만으로 2년간의 일실소득을 인정하는 것은 정당한 보상 원칙에 부합하지 않는다.

(마) 구 토지보상법 시행규칙 제48조 제2항 단서 제2호가 적용되어 실제소득의 4개월분에 해당하는 농업손실보상을 하는 작물에 관하여 규정한 '농작물실제소득인정기준' 제6조 제3항 [별지 2]는 '직접 해당 농지의 지력을 이용하지 아니하고 재배 중인 작물을 이전하여 해당 영농을 계속하는 것이 가능하다고 인정하는 경우'를 예시한 것으로, 거기에 열거된 작목이 아니더라도 객관적이고 합리적으로 '직접 해당 농지의 지력을 이용하지 아니하고 재배 중인 작물을 이전하여 해당 영농을 계속하는 것이 가능'하다고 인정된다면 구 토지보상법 시행규칙 제48조 제2항 단서 제2호에 따라 4개월분의 영농손실보상을 인정할 수 있다고 보는 것이 영농손실보상제도의 취지에 부합한다.

56절 | 토지보상법 제78조(이주대책의 수립 등)

문제

한국토지주택공사 甲이 (구)택지개발촉진법에 의해 택지개발예정지구에서 공영개발사업을 실시하기 위하여 乙이 소유하고 있는 토지 1,500㎡와 주거용 건물 120㎡ 중 토지 1,000㎡는 乙과 합의가 이루어져 매수하였으나, 나머지 토지 500㎡와 그 토지 위의 주거용 건물 120㎡는 乙이 합의를 거절함에 따라 매수하지 못했다. 甲이 나머지 토지를 취득하기 위해 거쳐야 할 절차와 취해야 할 조치에 대해 설명하시오. 40점

Ⅰ. 논점의 정리

Ⅱ. 토지취득절차
1. 취득절차의 의의
2. 수용의 보통절차
   (1) 사업인정
   (2) 토지·물건 조서작성
   (3) 사업인정 후 협의
   (4) 재결
3. 공용수용에의 불복

Ⅲ. 토지 및 건물들을 취득하기 위해 취해야 할 조치
1. 개설
2. 주거의 총체적 가치보상
3. 이주대책
   (1) 의의 및 취지
   (2) 요건 및 내용
   (3) 이주정착금
Ⅳ. 사례의 해결

판례

● 이주대책대상자 확인·결정의 법적 성질(=행정처분)과 이에 대한 쟁송방법(= 항고소송)

대법원 2014.2.27. 선고 2013두10885 판결 [일반분양이주택지결정무효확인]

[판시사항]
공익사업을 위한 토지 등의 취득 및 보상에 관한 법률상의 공익사업시행자가 하는 이주대책대상자 확인·결정의 법적 성질(=행정처분)과 이에 대한 쟁송방법(=항고소송)

[판결요지]
공익사업을 위한 토지 등의 취득 및 보상에 관한 법률상의 공익사업시행자가 하는 이주대책대상자 확인·결정은 구체적인 이주대책상의 수분양권을 부여하는 요건이 되는 행정작용으로서의 처분이지 이를 단순히 절차상의 필요에 따른 사실행위에 불과한 것으로 평가할 수는 없다. 따라서 수분양권의 취득을 희망하는 이주자가 소정의 절차에 따라 이주대책대상자 선정신청을 한 데 대하여 사업시행자가 이주대책대상자가 아니라고 하여 위 확인·결정 등의 처분을 하지 않고 이를 제외시키거나 거부조치한 경우에는, 이주자로서는 사업시행자를 상대로 항고소송에 의하여 제외처분이나 거부처분의 취소를 구할 수 있다. 나아가 이주대책의 종류가 달라 각 그 보장하는 내용에 차등이 있는 경우 이주자의 희망에도 불구하고 사업시행자

가 요건 미달 등을 이유로 그중 더 이익이 되는 내용의 이주대책대상자로 선정하지 않았다면 이 또한 이주자의 권리의무에 직접적 변동을 초래하는 행위로서 항고소송의 대상이 된다.

● **이주대책 대상자 제외 처분 1차 결정은 처분으로 보고, 2차 결정은 처분으로 보지 않은 경우 – 대법원 2020두50324판결 – 2차 결정도 처분으로 본다.**

대법원 2021.1.14. 선고 2020두50324 판결[이주대책대상자제외처분취소]

[판시사항]

[1] 행정청의 행위가 항고소송의 대상이 될 수 있는지 결정하는 방법 및 행정청의 행위가 '처분'에 해당하는지 불분명한 경우, 이를 판단하는 방법

[2] 수익적 행정처분을 구하는 신청에 대한 거부처분이 있은 후 당사자가 새로운 신청을 하는 취지로 다시 신청을 하였으나 행정청이 이를 다시 거절한 경우, 새로운 거부처분인지 여부(적극)

[판결요지]

[1] 항고소송의 대상인 '처분'이란 "행정청이 행하는 구체적 사실에 관한 법집행으로서의 공권력의 행사 또는 그 거부와 그 밖에 이에 준하는 행정작용"(행정소송법 제2조 제1항 제1호)을 말한다. 행정청의 행위가 항고소송의 대상이 될 수 있는지는 추상적·일반적으로 결정할 수 없고, 구체적인 경우에 관련 법령의 내용과 취지, 그 행위의 주체·내용·형식·절차, 그 행위와 상대방 등 이해관계인이 입는 불이익 사이의 실질적 견련성, 법치행정의 원리와 그 행위에 관련된 행정청이나 이해관계인의 태도 등을 고려하여 개별적으로 결정하여야 한다. 행정청의 행위가 '처분'에 해당하는지 불분명한 경우에는 그에 대한 불복방법 선택에 중대한 이해관계를 가지는 상대방의 인식가능성과 예측가능성을 중요하게 고려하여 규범적으로 판단하여야 한다.

[2] 수익적 행정처분을 구하는 신청에 대한 거부처분은 당사자의 신청에 대하여 관할 행정청이 이를 거절하는 의사를 대외적으로 명백히 표시함으로써 성립된다. 거부처분이 있은 후 당사자가 다시 신청을 한 경우에는 신청의 제목 여하에 불구하고 그 내용이 새로운 신청을 하는 취지라면 관할 행정청이 이를 다시 거절하는 것은 새로운 거부처분이라고 보아야 한다. 관계 법령이나 행정청이 사전에 공표한 처분기준에 신청기간을 제한하는 특별한 규정이 없는 이상 재신청을 불허할 법적 근거가 없으며, 설령 신청기간을 제한하는 특별한 규정이 있더라도 재신청이 신청기간을 도과하였는지는 본안에서 재신청에 대한 거부처분이 적법한가를 판단하는 단계에서 고려할 요소이지, 소송요건 심사단계에서 고려할 요소가 아니다.

● 이주대책 정상적인 면적 초과 부분에 대한 해석 – 이주자택지 공급한도를 265㎡로 정하였을 뿐 이를 초과하는 부분까지 이주대책으로서 특별공급한 것으로 단정하기 어렵다.

대법원 2023.7.13. 선고 2023다214252 판결
[채무부존재확인] 〈택지개발사업 이주자택지 공급대상자로 선정된 주민들이 사업시행자를 상대로 납입 분양대금 중 생활기본시설 설치비용 상당액이 포함되어 있다고 주장하면서 부당이득반환을 청구한 사건〉

[판시사항]
[1] 공익사업의 시행자가 이주대책을 수립·실시하여야 할 자를 선정하여 그들에게 공급할 택지 또는 주택의 내용이나 수량을 정할 재량을 가지는지 여부(적극) 및 이주대책대상자들에게 이주자택지 공급한도로 정한 265㎡를 초과하여 공급한 부분이 사업시행자가 정한 이주대책의 내용이 아니라 일반수분양자에게 공급한 것과 마찬가지로 볼 수 있는 경우, 초과 부분에 해당하는 분양면적에 대하여 생활기본시설 설치비용을 부담시킬 수 있는지 여부(적극)
[2] 택지개발사업의 시행자인 한국토지주택공사의 '이주 및 생활대책 수립지침'에서 점포겸용·단독주택용지의 경우 이주자택지의 공급규모를 1필지당 265㎡ 이하로 정하면서, 당해 사업지구의 여건과 인근지역 부동산시장동향 등을 종합적으로 고려하여 불가피한 경우에는 위 기준을 다르게 정할 수 있다고 규정하고 있고, 한국토지주택공사는 사업지구 내 이주자택지를 1필지당 265㎡ 상한으로 공급하되, 265㎡를 초과하여 공급하는 경우 초과 면적에 대하여도 감정가격을 적용하지 않고 조성원가에서 생활기본시설 설치비용을 제외한 금액으로 공급하기로 하는 내용의 이주자택지 공급공고와 보상안내를 한 후 이주자택지 공급대상자로 선정된 갑 등과 분양계약을 체결하였는데, 분양면적 중 이주자택지 공급한도인 265㎡ 초과 부분도 이주대책으로서 특별공급된 것인지 문제 된 사안에서, 제반 사정에 비추어 한국토지주택공사는 이주자택지 공급한도를 265㎡로 정하였을 뿐 이를 초과하는 부분까지 이주대책으로서 특별공급한 것으로 단정하기 어렵다고 한 사례
[3] 공익사업을 위한 토지 등의 취득 및 보상에 관한 법률 제78조 제4항에서 정한 '생활기본시설'의 의미 및 일반 광장이나 생활기본시설에 해당하지 않는 고속국도에 부속된 교통광장과 같은 광역교통시설광장이 생활기본시설에 해당하는지 여부(소극) / 대도시권의 대규모 개발사업을 하는 과정에서 광역교통시설의 건설 및 개량에 소요되어 대도시권 내 택지 및 주택의 가치를 상승시키는 데에 드는 비용이 생활기본시설 설치비용에 해당하는지 여부(소극)

[판결요지]
[1] 사업시행자가 공익사업을 위한 토지 등의 취득 및 보상에 관한 법률 시행령 제40조 제2항 단서에 따라 택지개발촉진법 또는 주택법 등 관계 법령에 의하여 이주대책대상자들에게 택지 또는 주택을 공급하는 것은 공익사업을 위한 토지 등의 취득 및 보상에 관한 법률 제78조 제1항의 위임에 근거하여 선택할 수 있는 이주대책의 한 방법이고, 사업시행자는 이주대책을 수립·실시하여야 할 자를 선정하여 그들에게 공급할 택지 또는 주택의

내용이나 수량을 정함에 재량을 갖는다.

이주대책대상자들에게 이주자택지 공급한도로 정한 265㎡를 초과하여 공급한 부분이 사업시행자가 정한 이주대책의 내용이 아니라 일반수분양자에게 공급한 것과 마찬가지로 볼 수 있는 경우 초과 부분에 해당하는 분양면적에 대해서는 일반수분양자와 동등하게 생활기본시설 설치비용을 부담시킬 수 있다.

[2] 택지개발사업의 시행자인 한국토지주택공사의 '이주 및 생활대책 수립지침'(이하 '수립지침'이라고 한다)에서 점포겸용·단독주택용지의 경우 이주자택지의 공급규모를 1필지당 265㎡ 이하로 정하면서, 당해 사업지구의 여건과 인근지역 부동산시장동향 등을 종합적으로 고려하여 불가피한 경우에는 위 기준을 다르게 정할 수 있다고 규정하고 있고, 한국토지주택공사는 사업지구 내 이주자택지를 1필지당 265㎡ 상한으로 공급하되, 265㎡를 초과하여 공급하는 경우 초과 면적에 대하여도 감정가격을 적용하지 않고 조성원가에서 생활기본시설 설치비용을 제외한 금액으로 공급하기로 하는 내용의 이주자택지 공급공고와 보상안내를 한 후 이주자택지 공급대상자로 선정된 갑 등과 분양계약을 체결하였는데, 분양면적 중 이주자택지 공급한도인 265㎡ 초과 부분도 이주대책으로서 특별공급된 것인지 문제 된 사안에서, 한국토지주택공사는 이주대책기준 설정에 관한 재량에 따라 수립지침 등 내부 규정에 의하여 사업지구 내 이주자택지 공급규모의 기준을 1필지당 265㎡로 정하였고, 공급공고와 보상안내에 따라 이를 명확하게 고지한 점, 한국토지주택공사가 이주자택지 공급한도를 초과하는 부분의 공급가격을 그 이하 부분과 동일하게 산정하기로 정하였다거나 분양계약서에 분양면적 전체가 이주자택지로 표시되어 있다고 하여 그로써 당연히 공급규모의 기준을 변경하는 의미로 볼 수 없는 점, 특히 이주자택지 공급규모에 관한 기준을 달리 정하였다고 보기 위해서는 수립지침에 따라 획지분할 여건, 토지이용계획 및 토지이용의 효율성 등 당해 사업지구의 여건과 인근지역 부동산시장동향 등을 고려한 불가피한 사정이 있어야 하는 점 등 제반 사정에 비추어 보면, 한국토지주택공사는 이주자택지 공급한도를 265㎡로 정하였을 뿐 이를 초과하는 부분까지 이주대책으로서 특별공급한 것으로 단정하기 어려운데도, 이와 달리 본 원심판단에 법리오해 등의 잘못이 있다고 한 사례

[3] 공익사업을 위한 토지 등의 취득 및 보상에 관한 법률(이하 '토지보상법'이라고 한다) 제78조에 의하면, 사업시행자가 공익사업의 시행으로 인하여 주거용 건축물을 제공함에 따라 생활의 근거를 상실하게 되는 이주대책대상자를 위하여 수립·실시하여야 하는 이주대책에는 이주정착지에 대한 도로 등 통상적인 수준의 생활기본시설이 포함되어야 하고, 이에 필요한 비용은 사업시행자가 부담하여야 한다. 위 규정 취지는 이주대책대상자에게 생활의 근거를 마련해 주고자 하는 데 있으므로, '생활기본시설'은 구 주택법(2012.1.26. 법률 제11243호로 개정되기 전의 것, 이하 '구 주택법'이라고 한다) 제23조 등 관계 법령에 따라 주택건설사업이나 대지조성사업을 시행하는 사업주체가 설치하도록 되어 있는 도로와 상하수도시설 등 간선시설을 의미한다고 보아야 한다. 그러나 광장은 토지보상법에서 정한 생활기본시설 항목이나 구 주택법에서 정한 간선시설 항목에 포함되어 있지 않으므로, 생활기본시설 항목이나 간선시설 항목에 해당하는 시설에 포함되거나 부속되어

> 그와 일체로 평가할 수 있는 경우와 같은 특별한 사정이 없는 한 생활기본시설에 해당하지 않는다. 따라서 일반 광장이나 생활기본시설에 해당하지 않는 고속국도에 부속된 교통광장과 같은 광역교통시설광장은 생활기본시설에 해당한다고 보기 어렵다.
>
> 또한 대도시권의 대규모 개발사업을 하는 과정에서 광역교통시설의 건설 및 개량에 소요되어 대도시권 내 택지 및 주택의 가치를 상승시키는 데에 드는 비용은 대도시권 내의 택지나 주택을 공급받는 이주대책대상자도 그에 따른 혜택을 누리게 된다는 점에서 생활기본시설 설치비용에 해당하지 않는다.

Ⅰ 논점의 정리

사안은 甲이 공영개발사업을 실시하기 위하여 토지소유자 乙이 소유하고 있는 토지 일부를 협의절차를 거쳐 매수하였으나 나머지 토지 일부와 건물은 합의가 이루어지지 않아 매수하지 못한 상태로서, ① 甲이 사업을 시행하기 위해서는 乙의 나머지 토지와 건물을 취득하여야 하며 이를 위해서는 사업시행인 甲은 공익사업을 위한 토지 등의 취득 및 보상에 관한 법률(이하 '토지보상법')의 보통수용절차를 거쳐야 하며, ② 동시에 사업시행인 甲은 해당 건물이 주거용 건물이므로 토지취득 이외의 조치로서 이주대책 등을 위한 조치를 강구해야 한다.

Ⅱ 토지취득절차

1. 취득절차의 의의

공용수용은 공익사업을 위하여 상대방의 의사에 반하여 강제적으로 취득하는 제도이므로 수용자와 피수용자의 이해를 조절할 필요가 있다. 이에 토지보상법은 공용수용의 절차를 엄격히 법정화하여 공·사익간의 이해·조화를 통한 사전적 권리구제의 기능을 수행하고자 하였다. 현행법상 토지수용·사용절차는 보통절차와 특별한 경우 절차의 일부를 생략하는 약식절차로 구분되는바, 사안에서는 사업인정 전 협의취득절차를 거쳤으므로 토지보상법에 의한 보통절차를 거쳐야 한다.

2. 수용의 보통절차

(1) 사업인정

사업인정은 수용의 1단계 절차로서 사업시행자에게 일정한 절차를 거칠 것을 조건으로 수용권을 설정하는 형성처분으로서 공·사익 이익형량을 통한 공공성 판단과 사전적 권리구제의 역할을 통해 존속보장의 이념을 실현하는 제도적 장치이다. 甲이 사업인정을 받기 위해서는 사업인정신청서를 시장·도지사를 거쳐 국토교통부장관에게 제출하여야 한다. 사업인정이 고시되면 그 날로부터 효력이 발생하며 토지수용권의 발생 및 수용목적물의 확정, 관계인의 범위 제한 등의 효과가 발생한다.

(2) 토지·물건 조서작성

사업인정이 고시된 후 제2단계 절차로서 수용할 토지 및 물건의 내용을 확인하기 위해 토지조서와 물건조서를 작성하여야 한다. 이를 위해 甲에게 토지물건조사권이 부여되며, 甲은 토지에 출입하여 측량·조사할 수 있다. 甲이 토지조서와 물건조서를 작성하면 이에 서명날인하고 토지소유자와 관계인을 입회시켜 이에 서명날인케 하여야 한다. 토지물건조서는 토지수용위원회의 재결이나 당사자 사이의 분쟁 시 증거방법이기 때문에 조서상의 내용은 별도 입증을 기다릴 것 없이 진실한 것으로 추정되는 효력을 지닌다.

(3) 사업인정 후 협의

① **의의 및 제도적 취지** : 사업인정 후 협의는 사업시행자가 수용·사용할 토지, 물건의 범위, 시기 등과 손실보상에 대하여 소유자와 하는 교섭행위로서 수용권 발동을 자제하고 최소침해의 원칙을 구현하는 제도적 취지가 인정된다.

② **절차중복의 방지를 통한 신속한 공익사업의 수행** : 종전 토지수용법에서는 사업인정 전 협의를 거쳤어도 반드시 사업인정 후 협의를 거치도록 하여 절차중복과 보상의 형평성의 문제가 제기되었다. 이에 토지보상법은 일정한 경우 사업인정 후 협의를 생략할 수 있도록 하여 이러한 절차중복의 문제를 시정하여 신속한 공익사업의 수행을 도모하고자 하였다.

(4) 재결

재결이란 공용수용의 종국적 절차로서 사업시행자에게 부여된 수용권의 구체적인 내용을 결정하고 그 실행을 완성시키는 형성처분이다. 이는 공공복리의 실현을 위해 강제적인 권력행사를 통해 수용목적을 달성하면서 침해되는 사익간의 조화를 위해 엄격한 형식과 절차를 두고 있다.

3. 공용수용에의 불복

이러한 절차를 거치면 사업시행자는 권리를 취득하고, 토지소유자 등은 손실보상, 환매권을 가지게 된다. 이러한 효과에 불복이 있는 경우에는 재결을 대상으로 이의신청, 행정소송을 제기할 수 있고, 보상금에 불복이 있는 경우에는 보상금증감청구소송을 제기할 수 있는데, 토지보상법은 특례규정을 마련하여 공익사업의 신속한 수행과 피수용자의 권익보호를 도모하고 있다.

다만, 사업인정도 처분성을 가지므로 사업인정에 대해 일반 행정심판소송법에 의해 불복이 가능할 것이다. 그러나 불가쟁력이 발생한 사업인정의 위법성을 재결단계에서 다툴 수는 없다는 것이 판례의 태도이다.

Ⅲ 토지 및 건물들을 취득하기 위해 취해야 할 조치

1. 개설

甲이 나머지 토지와 건물을 취득하기 위해 취해야 할 조치로는 토지보상법 시행규칙을 유추하여 살펴볼 수 있다. 주거용 건물이 편입되는 경우에는 주거의 총체적 가치보상으로서 각종 생활보상과 이주대책이 검토되어야 한다.

2. 주거의 총체적 가치보상

공익사업시행지구에 편입되는 주거용 건축물의 소유자에 대하여는 해당 건축물에 대한 보상을 하는 때에 일정한 주거이전비를 보상하여야 한다. 또한 주거용 건축물의 세입자로서 사업인정고시일 등이 있은 당시 해당 공익사업시행지구 안에서 3개월 이상 거주한 자에 대하여는 일정한 주거이전비를 보상하여야 한다. 토지 등의 취득 또는 사용에 따라 이전하여야 하는 동산에 대하여는 이전비를 보상하여야 하며, 공익사업시행지구에 편입되는 주거용 건축물의 거주자에 대하여는 일정한 이사비를 보상하여야 한다.

이주정착금은 보상대상인 주거용 건축물에 대한 평가액의 30%에 해당하는 금액으로 하되, 그 금액이 1천2백만원 미만인 경우에는 1천2백만원으로 하고, 2천4백만원을 초과하는 경우에는 2천4백만원으로 한다(시행규칙 제53조 제2항).

주거용 건축물로서 평가한 금액이 6백만원 미만인 경우 그 보상액은 6백만원으로 한다. 또한 공익사업의 시행으로 인하여 주거용 건축물에 대한 보상을 받은 자가 그 보상일부터 20년 이내에 다른 공익사업시행지구에 재편입되는 경우 해당 평가액의 30퍼센트를 가산하여 1천만원을 한도로 보상한다(시행규칙 제58조).

3. 이주대책(토지보상법 제78조, 제78조의2)

(1) 의의 및 취지

이주대책이란 공익사업의 시행으로 인하여 주거용 건축물을 제공함에 따라 생활의 근거를 상실하게 되는 자에게 이주할 택지나 주택을 공급하는 것이다. 토지보상법 제78조 제1항의 이주대책에 대하여 대법원의 다수의견은 생활보상의 일환으로 국가의 적극적이고 정책적인 배려에 의하여 마련된 제도로 보지만, 대법원의 소수의견은 생활보상의 일환으로 마련된 제도로서, 헌법 제23조 제3항이 규정하는 손실보상의 한 형태라고 보아야 한다고 주장한다. 대법원 판례는 토지보상법 제78조 제1항 및 제4항은 강행규정으로 판시하고 있다.

(2) 요건 및 내용

공익사업에 필요한 주거용 건물을 제공함에 따라 생활의 근거를 상실하게 되는 자를 위하여 이주대책을 수립하며, 이주대책의 내용에는 이주정착지에 대한 도로·급수시설·배수시설 그 밖의 공공시설 등 해당 지역조건에 따른 생활기본시설이 포함되어야 한다. 특히, 이주대책은 이주대책대상자 중 이주정착지에 이주를 희망하는 자가 10호 이상인 경우에 수립·실시하되, 다만 사업시행자가 택지개발촉진법 등에 의해 이주대책대상자에게 택지 또는 주택을 공급한 경우에는 이주대책을 수립실시한 것으로 본다.

(3) 이주정착금(토지보상법 시행령 제41조 및 규칙 제53조)

이주정착금은 사업시행자가 이주대책을 수립·실시하지 못하거나 이주대책대상자가 이주정착지가 아닌 다른 지역으로 이주하고자 하는 경우에 지급한다.

Ⅳ 사례의 해결

1. 사안에서 甲은 나머지 토지와 건물을 취득하기 위해서는 토지보상법이 예정하고 있는 보통수용절차인 사업인정, 조서작성, 협의 및 협의성립확인, 재결 등의 절차를 거쳐야 한다.

2. 사안에서 甲은 토지취득보상 이외에 취해야 할 조치로는 주거이전비, 이주대책 등이 있는바, 특히 이주대책의 경우 사안은 택지개발촉진법에 의해 공영개발사업을 행하고 있는바, 이주대책대상자에게 택지나 주택 등을 공급한 경우에는 이주대책을 수립·실시한 것으로 본다는 규정에 의해 甲은 공영개발사업지 내의 택지를 이주자에게 공급함으로써 이주대책에 갈음할 수 있다.

57절 | 토지보상법 제79조(그 밖의 토지에 관한 비용보상 등)

문제

甲은 A시 B동 지역의 자가소유 건물에서 허가 받은 음식점을 운영하고 있는 사업자이다. 그런데 A시가 지하철 노선 확장을 통한 교통체증 해소를 위해 이 지역에 지하철 공사를 시작하였다. 그로 인해 지하철공사구역 인근에 위치한 甲의 음식점은 지하철 공사의 소음, 먼지뿐 아니라 통로 봉쇄로 인하여 손님이 급감하여 영업이 곤란하게 되었고, 또한 甲의 건물에 약 2미터 가량의 균열이 발생하였는데 甲이 그 원인에 대한 정밀조사를 의뢰한 결과 지하철 공사의 충격에 의한 것임이 밝혀졌으나 이는 매우 이례적인 경우이다. 이에 甲은 지하철 공사를 주관하는 A시에 그 영업손실 및 건물손상에 대한 보상을 요청하였는바, A시는 사업구역 밖이라는 이유를 들어 이를 거절하고 있다. 이에 甲은 손실보상청구소송을 제기하고자 하는바, 甲이 손실보상을 받을 수 있는지 설명하시오. **40점**

Ⅰ. 논점의 정리

Ⅱ. 간접손실보상의 개관
  1. 간접손실의 의의 및 종류(토지보상법 제79조)
  2. 간접손실이 손실보상의 대상인지 여부
  3. 손실보상청구의 방법

Ⅲ. 간접손실의 요건
  1. 개설
  2. 적법한 공익사업의 시행결과로 인한 것
  3. 특별한 희생의 발생
    (1) 판단기준
    (2) 사안의 경우
  4. 보상규정의 존재 여부
    (1) 관련규정 검토
    (2) 사안의 경우

Ⅳ. 보상규정이 결여된 간접손실의 보상가능성
  1. 간접손실보상규정 결여 논의
  2. 판례의 태도에 의한 보상가능성
    (1) 판례의 태도
    (2) 사안의 경우
  3. 수용적 침해이론의 적용가능성
    (1) 의의 및 요건
    (2) 조정보상법리와의 관계
    (3) 우리나라에의 도입가능성
    (4) 사안의 경우

Ⅴ. 사례의 해결

Tip 강박사의 TIP(최근 기출문제)

1. 사업지 밖에서 운영되던 B위탁판매장의 보상대상 해당 여부(제30회 3번)
2. 공익사업구역 밖에서 음식점을 경영하던 중 공익사업으로 음식점의 주출입로가 단절되어 일정 기간 휴업을 할 수 밖에 없게 된 경우의 보상(제29회 1번)

판례

● 공익사업 시행지구 밖의 간접손실보상에 대한 새로운 해석(잠업사에 대한 소음진동으로 인한 공익사업시행지구 밖 영업손실보상 쟁점)

대법원 2019.11.28. 선고 2018두227 판결[보상금]
[판시사항]
[1] 공익사업을 위한 토지 등의 취득 및 보상에 관한 법률 시행규칙 제64조 제1항 제2호에서 정한 공익사업시행지구 밖 영업손실보상의 요건인 '공익사업의 시행으로 인한 그 밖의 부득이한 사유로 일정 기간 동안 휴업이 불가피한 경우'에 공익사업의 시행 결과로 휴업이 불가피한 경우가 포함되는지 여부(적극)

[2] 실질적으로 같은 내용의 손해에 관하여 공익사업을 위한 토지 등의 취득 및 보상에 관한 법률 제79조 제2항에 따른 손실보상과 환경정책기본법 제44조 제1항에 따른 손해배상 청구권이 동시에 성립하는 경우, 영업자가 두 청구권을 동시에 행사할 수 있는지 여부 (소극) 및 '해당 사업의 사업완료일로부터 1년'이라는 손실보상 청구기간이 지나 손실보상청구권을 행사할 수 없는 경우에도 손해배상청구가 가능한지 여부(적극)

[3] 공익사업으로 인하여 공익사업시행지구 밖에서 영업을 휴업하는 자가 공익사업을 위한 토지 등의 취득 및 보상에 관한 법률 제34조, 제50조 등에 규정된 재결절차를 거치지 않은 채 곧바로 사업시행자를 상대로 공익사업을 위한 토지 등의 취득 및 보상에 관한 법률 시행규칙 제47조 제1항에 따라 영업손실에 대한 보상을 청구할 수 있는지 여부(소극)

[4] 어떤 보상항목이 공익사업을 위한 토지 등의 취득 및 보상에 관한 법령상 손실보상대상에 해당함에도 관할 토지수용위원회가 사실을 오인하거나 법리를 오해함으로써 손실보상대상에 해당하지 않는다고 잘못된 내용의 재결을 한 경우, 피보상자가 제기할 소송과 그 상대방

[판결요지]
[1] 모든 국민의 재산권은 보장되고, 공공필요에 의한 재산권의 수용 등에 대하여는 정당한 보상을 지급하여야 하는 것이 헌법의 대원칙이고(헌법 제23조), 법률도 그런 취지에서 공익사업의 시행 결과 공익사업의 시행이 공익사업시행지구 밖에 미치는 간접손실 등에 대한 보상의 기준 등에 관하여 상세한 규정을 마련해 두거나 하위법령에 세부사항을 정하도록 위임하고 있다.
이러한 공익사업시행지구 밖의 영업손실은 공익사업의 시행과 동시에 발생하는 경우도 있지만, 공익사업에 따른 공공시설의 설치공사 또는 설치된 공공시설의 가동·운영으로 발생하는 경우도 있어 그 발생원인과 발생시점이 다양하므로, 공익사업시행지구 밖의 영업자가 발생한 영업상 손실의 내용을 구체적으로 특정하여 주장하지 않으면 사업시행자로서는 영업손실보상금 지급의무의 존부와 범위를 구체적으로 알기 어려운 특성이 있다.
공익사업을 위한 토지 등의 취득 및 보상에 관한 법률 제79조 제2항에 따른 손실보상의 기한을 사업완료일부터 1년 이내로 제한하면서도 영업자의 청구에 따라 보상이 이루어지도록 규정한 것[공익사업을 위한 토지 등의 취득 및 보상에 관한 법률 시행규칙(이하

‘시행규칙’이라 한다) 제64조 제1항]이나 손실보상의 요건으로서 공익사업시행지구 밖에서 발생하는 영업손실의 발생원인에 관하여 별다른 제한 없이 ‘그 밖의 부득이한 사유’라는 추상적인 일반조항을 규정한 것(시행규칙 제64조 제1항 제2호)은 간접손실로서 영업손실의 이러한 특성을 고려한 결과이다.

위와 같은 공익사업시행지구 밖 영업손실보상의 특성과 헌법이 정한 ‘정당한 보상의 원칙’에 비추어 보면, 공익사업시행지구 밖 영업손실보상의 요건인 ‘공익사업의 시행으로 인한 그 밖의 부득이한 사유로 일정 기간 동안 휴업이 불가피한 경우’란 공익사업의 시행 또는 시행 당시 발생한 사유로 휴업이 불가피한 경우만을 의미하는 것이 아니라 공익사업의 시행 결과, 즉 그 공익사업의 시행으로 설치되는 시설의 형태·구조·사용 등에 기인하여 휴업이 불가피한 경우도 포함된다고 해석함이 타당하다.

[2] 공익사업을 위한 토지 등의 취득 및 보상에 관한 법률(이하 ‘토지보상법’이라 한다) 제79조 제2항(그 밖의 토지에 관한 비용보상 등)에 따른 손실보상과 환경정책기본법 제44조 제1항(환경오염의 피해에 대한 무과실책임)에 따른 손해배상은 근거 규정과 요건·효과를 달리하는 것으로서, 각 요건이 충족되면 성립하는 별개의 청구권이다. 다만 손실보상 청구권에는 이미 ‘손해 전보’라는 요소가 포함되어 있어 실질적으로 같은 내용의 손해에 관하여 양자의 청구권을 동시에 행사할 수 있다고 본다면 이중배상의 문제가 발생하므로, 실질적으로 같은 내용의 손해에 관하여 양자의 청구권이 동시에 성립하더라도 영업자는 어느 하나만을 선택적으로 행사할 수 있을 뿐이고, 양자의 청구권을 동시에 행사할 수는 없다. 또한 ‘해당 사업의 사업완료일로부터 1년’이라는 손실보상 청구기간(토지보상법 제79조 제5항, 제73조 제2항)이 도과하여 손실보상청구권을 더 이상 행사할 수 없는 경우에도 손해배상의 요건이 충족되는 이상 여전히 손해배상청구는 가능하다.

[3] 공익사업을 위한 토지 등의 취득 및 보상에 관한 법률(이하 ‘토지보상법’이라 한다) 제26조, 제28조, 제30조, 제34조, 제50조, 제61조, 제79조, 제80조, 제83조 내지 제85조의 규정 내용과 입법 취지 등을 종합하면, 공익사업으로 인하여 공익사업시행지구 밖에서 영업을 휴업하는 자가 사업시행자로부터 공익사업을 위한 토지 등의 취득 및 보상에 관한 법률 시행규칙 제47조 제1항에 따라 영업손실에 대한 보상을 받기 위해서는, 토지보상법 제34조, 제50조 등에 규정된 재결절차를 거친 다음 그 재결에 대하여 불복이 있는 때에 비로소 토지보상법 제83조 내지 제85조에 따라 권리구제를 받을 수 있을 뿐이다. 이러한 재결절차를 거치지 않은 채 곧바로 사업시행자를 상대로 손실보상을 청구하는 것은 허용되지 않는다.

[4] 어떤 보상항목이 공익사업을 위한 토지 등의 취득 및 보상에 관한 법령상 손실보상대상에 해당함에도 관할 토지수용위원회가 사실을 오인하거나 법리를 오해함으로써 손실보상대상에 해당하지 않는다고 잘못된 내용의 재결을 한 경우에는, 피보상자는 관할 토지수용위원회를 상대로 그 재결에 대한 취소소송을 제기할 것이 아니라, 사업시행자를 상대로 공익사업을 위한 토지 등의 취득 및 보상에 관한 법률 제85조 제2항에 따른 보상금 증감소송을 제기하여야 한다.

I 논점의 정리

사안은 지하철 공사로 인해 인근의 음식점 영업상의 손실 및 건물손상을 당한 甲이 손실보상을 청구한 경우 보상받을 수 있는지를 묻고 있다.

1. 해당 손실은 사업시행지 밖의 손실인바, 먼저 간접손실보상의 개관을 검토하고,
2. 간접손실의 요건을 살펴 직접적인 특별한 희생이 발생했는지 여부 및 영업손실보상의 경우 보상규정이 존재하는지를 검토한다.
3. 보상규정이 없는 경우 간접손실의 보상을 인정할 수 있는지 학설, 판례 및 특히 건물손상과 같이 예측불가능한 손실의 경우 독일의 수용적 침해이론의 적용가능성을 살펴 검토하기로 한다.

II 간접손실보상의 개관

1. 간접손실의 의의 및 종류(토지보상법 제79조)

간접손실이란 공공사업의 시행으로 사업시행지 이외의 주변 토지소유자에게 미치는 손실을 말한다. 이에는 물리적·기술적 손실과 사회적·경제적 손실이 있는 바, 사안의 건물손상은 전자에 해당하고 영업상 손실은 후자에 해당한다. 다만 최근 대법원 2018두227 판결에서는 이러한 물리적·기술적 손실과 사회적 경제적 손실을 하나의 법리로 통합 정리하고 있다는 점에 주목하여야 한다.

2. 간접손실이 손실보상의 대상인지 여부

종래에 손실보상은 공용침해로 인하여 직접 발생한 손실만을 대상으로 하는 것으로 이해되었고, 따라서 간접손실은 원칙상 손실보상의 대상이 되지 않는다고 보았다. 그러나 간접손실도 공익사업이 원인이 되어 발생한 것이므로 손실보상의 개념에 포함되는 것으로 보아야 한다. 판례도 간접손실을 헌법 제23조 제3항에 규정한 손실보상의 대상이 된다고 보고 있다.

3. 손실보상청구의 방법

간접손실을 손실보상의 대상으로 본다면 그 보상청구는 손실보상청구권의 법적 성격에 따라 달라진다. 판례는 일반적으로 사권으로 보아 민사소송으로 다툰다고 하나, 공행정작용에 의해 발생한 손실인 점 및 행정소송법 개정안에서 손실보상청구소송은 당사자소송으로 규정한 점 등을 볼 때 공법상 당사자소송으로 다툼이 타당하다 여겨진다.

III 간접손실의 요건

1. 개설

간접손실보상은 그 유형을 정형화하기 어려워 모든 경우를 대비한 규정을 두기 어려운 바, 어떤 요건이 충족되어야 간접보상의 대상이 되는지 문제된다. 그러나 상기한 바와 같이 간접보상도 헌법상 손실보상의 내용에 포함된다면 손실보상의 일반적 요건을 충족할 필요가 있다.

2. 적법한 공익사업의 시행결과로 인한 것

간접손실이 되기 위해서는 적법한 공익사업의 시행 또는 완성된 시설의 사업시행지 밖 재산권에 대한 침해가 비의도적이기는 하나 직접적 관련성이 있어야 한다. 사안의 경우는 해당 지하철 공사에 의해 발생한 손실로서 그 직접적 관련성은 인정된다.

3. 특별한 희생의 발생

(1) 판단기준

상대방의 침해가 재산권의 사회적 제약을 넘어 특별한 희생이 되는지에 대한 판단기준으로, 인적 범위를 기준으로 침해가 일반적인지 개별적인지 여부에 따라 판단하는 형식적기준설과, 재산권이 제약되는 개별적 정도와 강도로 판단하는 실질적기준설이 있다. 헌법재판소는 G.B. 지정 관련하여 종래 목적대로 사용할 수 없거나 사용수익 방법이 없는 경우 예외적으로 특별한 희생이 발생한다고 보았다. 생각건대 한 가지 기준만으로는 불충분한바 침해행위의 태양, 침해정도, 기본권 침해 여부 등을 종합·고려하여 개별·구체적으로 판단함이 타당시된다.

(2) 사안의 경우

사안의 경우 甲은 소음, 먼지 및 통로 봉쇄에 따른 손님의 급감 등으로 영업이 곤란하게 되었고, 건물의 손상도 입었는 바, 수인한도를 넘는 특별한 희생이 발생한 것으로 판단된다.

4. 보상규정의 존재 여부

(1) 관련규정 검토

「공익사업을 위한 토지 등의 취득 및 보상에 관한 법률」(이하 '토지보상법')은 동법 시행규칙 제64조 제1항 제2호에 진출입로의 단절 등으로 일정기간 휴업이 불가피한 경우 해당 영업을 공익사업시행지구에 편입되는 것으로 보아 보상하여야 한다고 규정하고 있다.

(2) 사안의 경우

사안의 경우 甲의 영업은 통로 봉쇄 등에 따른 영업곤란으로 토지보상법 시행규칙 제64조의 요건에 해당된다고 판단되는바, 동법에 근거하여 영업손실보상을 받을 수 있을 것이다. 다만, 건물손상에 대하여는 동법에 근거규정이 없는바, 이하 보상규정 없는 경우의 보상가능성을 살펴보고자 한다.

Ⅳ 보상규정이 결여된 간접손실의 보상가능성

1. 간접손실보상규정 결여 논의

보상규정이 없는 경우 손실보상이 불가하므로 입법에 의해 해결해야 한다는 부정설과, 간접손실도 헌법 제23조 제3항의 영역에 포함되는바, 헌법의 직접적 효력에 의해 또는 관련보상규정의 유추적용을 통해 보상을 인정하여 주자는 긍정설의 입장이 있다. 생각건대 장기적으로는 입법해결이 타당하나, 간접보상도 손실보상의 영역이라면 헌법규정의 합목적적 해석에 의해 보상을 인정해주는 것이 바람직하다 여겨진다. 다만, 간접보상의 개념이 불명확한 현 제도하에서 매우 이례적인 건물 손상의 경우까지 적용할 수 있는지는 의문시되어 충분한 권리구제를 달성할 수 없는 한계가 있다.

2. 판례의 태도에 의한 보상가능성

(1) 판례의 태도

판례는 위탁판매수수료 사건과 관련하여 간접손실의 발생이 예측가능하고, 그 손실의 범위도 특정될 수 있다면 이를 헌법 제23조 제3항에 규정한 손실보상의 대상이 된다고 보고, (구)공특법 시행규칙상의 간접손실보상규정을 유추적용하여 그에 관한 보상을 인정하는 것이 타당하다고 보았다.

(2) 사안의 경우

판례에 따르면 손실의 발생이 예측가능하고 그 범위도 특정될 수 있어야 하는바, 예컨대 지하철 공사시 인근 음식점의 영업손실은 예측이 가능하여 보상대상이 되나, 사안과 같은 이례적인 건물손상의 경우에는 예측이 불가하여 판례의 입장에 따르더라도 인정되기 어렵다고 여겨진다.

3. 수용적 침해이론의 적용가능성

(1) 의의 및 요건

적법한 행정작용의 부수적 결과로서 의도되지 않은 비정형적 침해의 경우에도 보상해주자는 이론이 독일의 수용적 침해이론이다. 그 요건에 있어서 일반적인 손실보상과 달리 침해의 발생이 비의도적이고 부수적인 것이라는 점에서 주목된다.

(2) 조정보상법리와의 관계

조정보상법리는 적법하고 비의도적인 수용적 침해이더라도 예견가능한 경우 보상입법을 통하여 보상을 인정하여 주자는 이론으로 독일의 자갈채취판결에 의해 등장한 이론이다. 이 이론으로 인하여 예측가능한 비정형적 침해에 대하여는 조정보상법리에 의한 보상이 가능하나, 예측불가능한 영역에 있어서는 여전히 수용적 침해이론에 의한 보상이 의미를 지니고 있다.

(3) 우리나라에의 도입가능성

수용적 침해이론의 도입에 대해 독일과 같은 관습법의 부재로 인해 부인하는 견해가 있으나, 우리 헌법 제23조는 독일 기본법과 그 구조가 다르다는 점에서 그 법리를 도입하는 것은 가능하다 보이며, 특히 예측불가능한 손실발생의 경우와 같이 현존하는 권리구제의 사각지대를 위해서라도 수용적 침해보상을 인정함이 타당하다 여겨진다.

(4) 사안의 경우

수용적 침해보상이론을 인정한다면 사안의 경우 영업상의 손실뿐 아니라 매우 이례적인 건물 손상의 경우에도 손실보상이 인정될 수 있는바, 그 실익이 크다 하겠다.

Ⅴ 사례의 해결

1. 사업시행지 밖의 甲이 입은 손실은 간접손실이며, 손실보상의 영역에 포함된다고 판단되는 바, 甲은 민사소송 또는 당사자소송으로 다툴 수 있다.

2. 甲의 영업상 손실 및 건물손상의 손실은 특별한 희생에 해당하나, 영업상 손실은 토지보상법 시행규칙상 간접보상규정에 의해 보상이 가능한 반면, 건물손상은 관련법에 보상규정이 없어 학설, 판례 등의 검토를 요한다.

3. 예측가능한 간접손실의 경우 헌법 제23조의 직접적용 또는 판례에 따른 유추적용에 의해 보상이 가능하나, 이례적인 건물 손상의 경우 예측가능한 것이 아니어서 문제된다.

4. 따라서 예측불가능한 건물손상과 같이 현존하는 권리구제의 흠결을 보완하기 위해서라도 독일의 수용적침해이론을 적용하여 보상을 인정하여줄 필요가 있다 여겨진다.

58절 토지보상법 제79조(그 밖의 토지에 관한 비용보상 등)

문제

전라북도에서 잠업사를 운영하던 甲은 2024년 7월 양잠업과 누에업 사업자등록을 하고 양
잠농가에 누에를 공급하는 사업을 잘 진행하고 있었다. 그런데 2020년 1월부터 2025년 12
월 31일까지 사업시행자인 호남철도공사가 호남고속전철사업을 인근에서 진행하여 2025
년 12월말에 완공되었고, 2026년 3월경 사업이 완료되어 고속철도가 지나다니면서 소음과
진동으로 甲이 운영하던 잠업사의 멀쩡한 누에가 30% 이상 폐사를 하였다. 국립농업과학원
조사결과 호남고속철도의 소음과 진동이 기준치 이상을 넘어 폐사한 것으로 밝혀졌다. 잠업
사 대표 甲은 공익사업을 위한 토지등의 취득 및 보상에 관한 법률에 따라 적절한 보상을
받고자 한다. 다음 물음에 답하시오. **40점** (해당 문제는 대법원 2019.11.28. 선고 2018두
227 판결을 기초로 함)

(1) 공익사업시행지구 밖 간접손실보상에 대해 설명하고 간접손실보상 대상인지 설명하시
오. **20점**

(2) 호남철도 공사로 공익사업시행지구 밖의 양잠업 등을 운영하는 甲이 공익사업을 위한
토지 등의 취득 및 보상에 관한 법률 시행규칙 제64조 제1항 제2호에서 정한 공익사
업시행지구 밖 영업손실보상의 요건인 '공익사업의 시행으로 인한 그 밖의 부득이한
사유로 일정 기간 동안 휴업이 불가피한 경우'에 공익사업의 시행 결과로 휴업이 불가
피한 경우가 포함되는지 여부를 설명하시오. **10점**

(3) 실질적으로 같은 내용의 손해에 관하여 공익사업을 위한 토지 등의 취득 및 보상에
관한 법률 제79조 제2항에 따른 손실보상과 환경정책기본법 제44조 제1항에 따른 손
해배상청구권이 동시에 성립하는 경우, 영업자가 두 청구권을 동시에 행사할 수 있는
지 여부를 검토하고, '해당 사업의 사업완료일로부터 1년'이라는 손실보상 청구기간이
지나 손실보상청구권을 행사할 수 없는 경우에도 손해배상청구가 가능한지 여부를 설
명하시오. **5점**

(4) 공익사업으로 인하여 공익사업시행지구 밖에서 영업을 휴업하는 자가 공익사업을 위
한 토지 등의 취득 및 보상에 관한 법률 제34조, 제50조 등에 규정된 재결절차를 거치
지 않은 채 곧바로 사업시행자를 상대로 공익사업을 위한 토지 등의 취득 및 보상에
관한 법률 시행규칙 제47조 제1항에 따라 영업손실에 대한 보상을 청구할 수 있는지
여부와 어떤 보상항목이 공익사업을 위한 토지 등의 취득 및 보상에 관한 법령상 손실
보상대상에 해당함에도 관할 토지수용위원회가 사실을 오인하거나 법리를 오해함으로
써 손실보상대상에 해당하지 않는다고 잘못된 내용의 재결을 한 경우, 피보상자가 제
기할 소송과 그 상대방을 설명하시오. **5점**

〈설문 (1)에 대하여〉

I 공익사업시행지구 밖 간접손실보상의 의의

공익사업으로 인하여 사업시행지 밖의 재산권자에게 가해지는 손실 중 공익사업으로 인하여 필연적으로 발생하는 손실이 간접손실이다. 간접손실은 공익사업의 시공 또는 완성 후의 시설이 사업시행지구 외에 미치는 손실이다. 손실의 발생은 직접 또는 간접적으로 발생할 수 있고, 손실은 재산가액의 감소는 물론 생활피해, 정신적 피해 등을 포함한다고 볼 수 있다.

학계에서는 일반적으로 물리적·기술적 손실과 사회적·경제적 손실로 구분한다. 물리적·기술적 손실은 이를 간접침해보상이라고 하고, 사회적·경제적 손실을 간접손실이라고 한다. 또한 공익사업의 시행 시 발생하는 피해와 사업이 완료된 후 발생하는 피해로 구분할 수 있다. 사업시행 시 발생하는 피해는 사업 과정 중의 소음·진동·먼지 등으로 인한 피해이고, 사업 완료 후 발생하는 손실은 토지와 건물의 경우 지가하락, 지반변동, 주거 및 생활의 불편, 영업 등의 영위 곤란, 전파수신장애, 지하수고갈, 소음·진동 등이 있다. 대법원 2019.11.28. 2018두227 판결에서는 구분과는 달리 전반적인 공익사업시행지구 밖의 보상을 간접손실보상이라고 보면서 사회적·경제적 손실은 물론 물리적·기술적 손실도 간접손실의 유형으로 분류하며 피수용자의 권익보호를 한층 강화하고 있다.

II 간접손실보상의 법적 성격과 논거

1. 간접손실보상의 법적 성격

손실보상은 사인에게 가해진 특별한 희생을 공평부담을 통해 조절함을 목적으로 하기 때문에, 간접손실보상도 보상의 일반적 논거가 적용된다. 간접손실보상은 비록 공익사업의 비용 부담을 가중시키나, 그로 인해 발생한 피해가 구제되는 것이 공평한 원칙에서 보더라도 타당하다. 간접손실보상의 법적 성질에 대해서는 손해배상설, 손실보상설, 결과책임설 등이 주장되고 있으나, 손실보상설이 합리적이라 할 수 있다. 학자에 따라서는 특별한 수인 한도를 넘는 경우에는 그 피해에 대하여 손실보상이 아닌 손해배상이 주어져야 한다는 주장도 있다.

2. 간접손실보상의 논거

간접손실보상의 논거는 생활권보상에서 찾을 수 있다. ① 공익사업이 시행됨으로 인하여 생활의 기반을 상실하게 될 때 종전과 같은 생활을 영위할 수 없는 것은 말할 것도 없고, 인간다운 생활을 유지할 수 없게 되는 경우도 있을 수 있다. 생활보상이 피수용자나 관계인의 인간다운 생활을 회복시켜 주기 위한 것이라면 간접손실도 마땅히 인간다운 생활을 보장하기 위해 보상되어야 하는 것이다. ② 생활보상이 수용이 없었던 것과 같은 생활상태를 재현하는 것이라는 것을 전제하고 있다. ③ 종래와 같은 수준을 유지할 수 있을 정도의 생활안정을 위해 간접손실보상이 이루어져야 한다. ④ 생활보상은 지역 주민의 갈등을 해소하고, 사업의 원활한 시행에 협조를 구하는 수단이 될 수 있으므로, 이는 간접손실 보상에도 타당한 것이므로 공익사업의 원활화를 위해 필요하다.

Ⅲ 간접손실이 헌법 제23조 제3항에 포함되는지 여부

1. 문제점

간접손실이 헌법 제23조 제3항에 포함되는 손실이라면 헌법 제23조 제3항의 정당보상이 주어져야 하므로, 이하 견해대립을 검토한다.

2. 학설

헌법 제23조 제3항은 공용침해로 인하여 재산권자에게 직접적으로 발생한 손실만을 보상하는 것으로 규정하고 있다고 보는 부정설, 간접손실도 적법한 공용침해에 의해 필연적으로 발생한 손실이므로 헌법 제23조 제3항의 손실보상에도 포함시키는 것이 타당하다는 긍정설이 있다.

3. 판례 및 검토

판례는 간접손실을 헌법 제23조 제3항에서 규정한 손실보상의 대상이 된다고 본다. 간접손실도 적법한 공용침해로 인하여 예견되는 통상의 손실이고, 헌법 제23조 제3항을 손실보상에 관한 일반적 규정으로 보는 것이 타당하므로, 간접손실을 헌법 제23조 제3항의 손실에 포함시키는 것이 타당하다.

> **판례**
>
> 수산업협동조합이 수산물 위탁판매장을 운영하면서 위탁판매 수수료를 지급받아 왔고, 그 운영에 대하여는 (구)수산자원보호령(1991.3.28. 대통령령 제13333호로 개정되기 전의 것) 제21조 제1항에 의하여 그 대상지역에서의 독점적 지위가 부여되어 있었는데, 공유수면매립사업의 시행으로 그 사업대상지역에서 어업활동을 하던 조합원들의 조업이 불가능하게 되어 일부 위탁판매장에서의 위탁판매사업을 중단하게 된 경우, 그로 인해 수산업협동조합이 상실하게 된 위탁판매수수료 수입은 사업시행자의 매립사업으로 인한 직접적인 영업손실이 아니고 간접적인 영업손실이라고 하더라도 피침해자인 수산업협동조합이 공공의 이익을 위하여 당연히 수인하여야 할 재산권에 대한 제한의 범위를 넘어 수산업협동조합의 위탁판매사업으로 얻고 있는 영업상의 재산이익을 본질적으로 침해하는 특별한 희생에 해당하고, 사업시행자는 공유수면매립면허 고시 당시 그 매립사업으로 인하여 위와 같은 영업손실이 발생한다는 것을 상당히 확실하게 예측할 수 있었고 그 손실의 범위도 구체적으로 확정할 수 있으므로, <u>위 위탁판매수수료 수입손실은 헌법 제23조 제3항에 규정한 손실보상의 대상이 되고, 그 손실에 관하여 구 공유수면매립법(1997.4.10.법률 제5335호로 개정되기 전의 것) 또는 그 밖의 법령에 직접적인 보상규정이 없더라도 공공용지의 취득 및 손실보상에 관한 특례법 시행규칙상의 각 규정을 유추적용하여 그에 관한 보상을 인정하는 것이 타당하다</u>(대판 1990.10.8, 99다27231).

Ⅳ 공익사업시행지구 밖 영업에 대한 간접손실보상의 보상의 근거와 판례의 태도

1. 토지보상법의 규정

① 토지보상법 제79조 제2항

제79조 (그 밖의 토지에 관한 비용보상 등)

① 사업시행자는 공익사업의 시행으로 인하여 취득하거나 사용하는 토지(잔여지를 포함한다) 외의 토지에 통로·도랑·담장 등의 신설이나 그 밖의 공사가 필요할 때에는 그 비용의 전부 또는 일부를 보상하여야 한다. 다만, 그 토지에 대한 공사의 비용이 그 토지의 가격보다 큰 경우에는 사업시행자는 그 토지를 매수할 수 있다.

② <u>공익사업이 시행되는 지역 밖에 있는 토지 등이 공익사업의 시행으로 인하여 본래의 기능을 다할 수 없게 되는 경우에는 국토교통부령으로 정하는 바에 따라 그 손실을 보상하여야 한다.</u>

② 토지보상법 시행규칙 제64조

제64조(공익사업시행지구 밖의 영업손실에 대한 보상)

① 공익사업시행지구 밖에서 제45조에 따른 영업손실의 보상대상이 되는 영업을 하고 있는 자가 공익사업의 시행으로 인하여 다음 각 호의 어느 하나에 해당하는 경우에는 그 영업자의 청구에 의하여 당해 영업을 공익사업시행지구에 편입되는 것으로 보아 보상하여야 한다.

1. 배후지의 3분의 2 이상이 상실되어 그 장소에서 영업을 계속할 수 없는 경우
2. 진출입로의 단절, 그 밖의 부득이한 사유로 인하여 일정한 기간 동안 휴업하는 것이 불가피한 경우

② 제1항에 불구하고 사업시행자는 영업자가 보상을 받은 이후에 그 영업장소에서 영업이익을 보상받은 기간 이내에 동일한 영업을 하는 경우에는 실제 휴업기간에 대한 보상금을 제외한 영업손실에 대한 보상금을 환수하여야 한다.

2. 대법원 2018두227 판례와 원심인 고등법원 판례(대전고법 2017누44)

 – 중략 – 공익사업시행지구 밖의 영업손실은 공익사업의 시행과 동시에 발생하는 경우도 있지만, 공익사업에 따른 공공시설의 설치공사 또는 설치된 공공시설의 가동·운영으로 발생하는 경우도 있어 그 발생원인과 발생시점이 다양하므로, 공익사업시행지구 밖의 영업자가 발생한 영업상 손실의 내용을 구체적으로 특정하여 주장하지 않으면 사업시행자로서는 영업손실보상금 지급의무의 존부와 범위를 구체적으로 알기 어려운 특성이 있다. 공익사업을 위한 토지 등의 취득 및 보상에 관한 법률 제79조 제2항에 따른 손실보상의 기한을 사업완료일부터 1년 이내로 제한하면서도 영업자의 청구에 따라 보상이 이루어지도록 규정한 것[공익사업을 위한 토지 등의 취득 및 보상에 관한 법률 시행규칙(이하 '시행규칙'이라 한다) 제64조 제1항]이나 손실보상의 요건으로서

공익사업시행지구 밖에서 발생하는 영업손실의 발생원인에 관하여 별다른 제한 없이 '그 밖의 부득이한 사유'라는 추상적인 일반조항을 규정한 것(시행규칙 제64조 제1항 제2호)은 간접손실로서 영업손실의 이러한 특성을 고려한 결과이다(대판 2019.11.28, 2018두227).

환경정책기본법 제44조 제1항은 '환경오염 또는 환경훼손으로 피해가 발생하는 경우에는 해당 환경오염 또는 환경훼손의 원인자가 그 피해를 배상하여야 한다.'고 규정하고 있고, 위 환경오염에는 소음·진동으로 사람의 건강이나 환경에 피해를 주는 것도 포함되므로, 소음·진동 등으로 수인한도를 넘는 손해를 입은 피해자들에 대하여 원인자는 그 귀책사유가 없더라도 특별한 사정이 없는 한 이를 배상할 의무가 있다. 앞서 본 사실 및 증거들에 변론 전체의 취지를 더하여 보면, 피고는 이 사건 노선을 완공하여 개통한 후, 철도공사로 하여금 이 사건 노선에서 고속열차를 운행하도록 함으로써 발생한 소음·진동·전자파로 인하여 이 사건 잠업사에서 생산하는 누에씨의 품질저하, 위 누에씨를 공급받는 전라북도 농업기술원 종자사업소의 누에씨 수령거부, 잠업농가의 누에씨 수령거부 등의 피해가 발생하였다고 봄이 상당하므로, 호남고속철도의 열차 운행으로 인한 소음·진동·전자파의 원인자인 피고는 위 소음·진동·전자파의 환경오염으로 인하여 원고가 입은 손해를 배상할 책임이 있다(대전고등법원 2018.7.5, 2017누44).

3. 일반적인 대법원 판례의 태도

불법행위 성립요건으로서의 위법성은 관련 행위 전체를 일체로만 판단하여 결정하여야 하는 것은 아니고, 문제가 되는 행위마다 개별적·상대적으로 판단하여야 할 것이므로 어느 시설을 적법하게 가동하거나 공용에 제공하는 경우에도 그로부터 발생하는 유해배출물로 인하여 제3자가 손해를 입은 경우에는 그 위법성을 별도로 판단하여야 하고, 이러한 경우의 판단기준은 그 유해의 정도가 사회생활상 통상의 수인한도를 넘는 것인지 여부라고 할 것이다.

고속도로의 확장으로 인하여 소음·진동이 증가하여 인근 양돈업자가 양돈업을 폐업하게 된 사안에서, 양돈업에 대한 침해의 정도가 사회통념상 일반적으로 수인할 정도를 넘어선 것으로 보아 한국도로공사의 손해배상책임을 인정한 사례

환경정책기본법 제31조 제1항 및 제3조 제1호, 제3호, 제4호에 의하면, 사업장 등에서 발생되는 환경오염으로 인하여 피해가 발생한 경우에는 당해 사업자는 귀책사유가 없더라도 그 피해를 배상하여야 하고, 위 환경오염에는 소음·진동으로 사람의 건강이나 환경에 피해를 주는 것도 포함되므로, 피해자들의 손해에 대하여 사업자는 그 귀책사유가 없더라도 특별한 사정이 없는 한 이를 배상할 의무가 있다(대판 2001.2.9, 99다55434).

4. 새로운 2018두227 대법원 판결에 대한 검토

대법원 2018두227 판결은 누에 잠업으로 농업의 경영으로 이를 영업으로 보아 영업손실보상을 한 것으로, 토지보상법 제79조 제2항에 의거 동법 시행규칙 제64조에 의하면 해당 사안의 잠업사의 경영의 경우에도 일종의 농업인의 영업에 해당되는 것으로 볼 수 있겠다. 그렇다면 이를 공익사업 시행지구 밖의 손실보상인 간접손실 보상으로 보상할 수 있느냐가 쟁점인데 그동안 대법원 판례는 소극적으로 대처하여 오다가 이번 2018두227 판결에서 공익사업시행지구 밖의 간접손실에 대해서 적극적인 보상을 한다는 취지의 판결을 하고 있다. 특히 원심인 대전 고법 2017두44 판결에서 보면 잠업사에 발생하는 최고 소음도는 주간 및 야간의 경우 모두 소음진동관리법령에서 정한 기준을 초과하는 조사를 농업과학기술원 소외 3인의 박사의 조사를 통해 이를 입증하였고, 대법원은 이를 받아 들여 적극적인 손실보상이 되도록 판시하고 있다. 그 이외에 고속도로 확장 공사로 인한 소음진동으로 양돈업을 폐업하게 된 경우에 이를 손해배상하도록 하는 판결도 있다. 그동안 공익사업시행지구밖의 물리적 기술적 손실에 대해 소극적으로 대처하다가 이번 대법원 판결에서 이를 별도 구분하지 않고 간접손실로 적극적인 보상을 하도록 판시하였고, 아울러 환경정책기본법에 따라 손해배상청구도 가능하도록 판시하고 있다.

5. 해당 잠업사에 대한 공익사업의 손실발생가능성과 예측가능성 검토

간접손실에 대해서는 손실의 발생가능성과 그 범위의 예측가능성 측면은 과거 판례에서 이를 입증하는 경우에 관계규정을 유추적용하여 보상할 수 있다고 판례는 보고 있다. 아래 판례에서 손실 발생 가능성과 그 범위의 특정성에 대해 다음과 같이 판시하고 있다.

– 중략 – 원고가 입게 된 손실은 이 사건 사업지구 밖에서 일어난 간접손실이라 할 것인바, 특례법 제3조 제1항이 "공공사업을 위한 토지 등의 취득 또는 사용으로 인하여 토지 등의 소유자가 입은 손실은 사업시행자가 이를 보상하여야 한다."고 규정하고, 특례법 시행규칙 제23조의5에서 공공사업시행지구 밖에 위치한 영업에 대한 간접손실에 대하여도 일정한 요건을 갖춘 경우 이를 보상하도록 규정하고 있는 점에 비추어, 공공사업의 시행으로 인하여 그러한 손실이 발생하리라는 것을 쉽게 예견할 수 있고 그 손실의 범위도 구체적으로 특정할 수 있는 경우라면 그 손실의 보상에 관하여 특례법 시행규칙의 간접보상 규정을 유추적용할 수 있는 것이다(대판 1999.6.11, 97다56150 참조).

그런데 그 원고가 수산제조업 신고를 한 것으로 보아야 할 것임은 앞서 본 바와 같고, 그 신고서에는 제조공장의 위치·생산능력 및 원료의 확보방법을 기재하도록 하는 한편 주요 기기의 명칭·수량 및 능력에 관한 서류를 첨부하도록 하고 있어, 그 공공사업의 시행으로 인하여 소멸되는 김 양식장의 규모와 정도를 김가공공장의 위치, 원료의 확보방법 등과 대조하여 손실 발생을 쉽게 예견할 수 있고 나아가 생산능력까지도 파악할 수 있어 손실액도 어느 정도 특정할 수 있다고 볼 것이다. 그럼에도 그 원고가 입은 영업손실이 발생을 예견하기 어렵고 손실의 범위도 쉽게 확정할 수 없다는 이유로 특례법 시행규칙의 간접보상에 관한 규정을 유추적용할 수 없어 손실보상청구권을 인정할 수 없다고 한 원심의 가정적 판단 부분에도 공공사업의 시행으로 인한 간접보상에 관한 법리를 오해한 위법이 있다. 따라서 그 원고의 이 부분 상고이유의 주장은 정당하여 이를 받아들인다(대판 1999.12.24, 98다57419 · 57426).

위의 대법원 1999.12.24, 98다57419 판결에서 김 양식장의 경우에는 김 양식 규모와 정도 김 가공공장의 위치와 원료확보방법 등과 대조하여 손실을 예견가능하고, 나아가 생산능력과 파악할 수 있기 때문에 그 손실액을 어느 정도 특정할 수 있다고 보고 있다. 따라서 공익사업시행지구 밖의 잠업사의 경우에도 마찬가지로 매출자료가 존재하고 유충 손상으로 양잠농가가 제대로 잠업이 되지 않음으로써 매출감소가 예견됨으로 간접손실보상의 대상이 된다고 판단된다.

〈설문 (2)에 대하여〉

1. 법률평가 보상주의

모든 국민의 재산권은 보장되고, 공공필요에 의한 재산권의 수용 등에 대하여는 정당한 보상을 지급하여야 하는 것이 헌법의 대원칙이고(헌법 제23조), 법률도 그런 취지에서 공익사업의 시행 결과 공익사업의 시행이 공익사업시행지구 밖에 미치는 간접손실 등에 대한 보상의 기준 등에 관하여 상세한 규정을 마련해 두거나 하위법령에 세부사항을 정하도록 위임하고 있다.

2. 관련 판례 검토

이러한 공익사업시행지구 밖의 영업손실은 공익사업의 시행과 동시에 발생하는 경우도 있지만, 공익사업에 따른 공공시설의 설치공사 또는 설치된 공공시설의 가동 · 운영으로 발생하는 경우도 있어 그 발생원인과 발생시점이 다양하므로, 공익사업시행지구 밖의 영업자가 발생한 영업상 손실의 내용을 구체적으로 특정하여 주장하지 않으면 사업시행자로서는 영업손실보상금 지급의무의 존부와 범위를 구체적으로 알기 어려운 특성이 있다. 공익사업을 위한 토지 등의 취득 및 보상에 관한 법률 제79조 제2항에 따른 손실보상의 기한을 사업완료일부터 1년 이내로 제한하면서도 영업자의 청구에 따라 보상이 이루어지도록 규정한 것[공익사업을 위한 토지 등의 취득 및 보상에 관한 법률 시행규칙(이하 '시행규칙'이라 한다) 제64조 제1항]이나 손실보상의 요건으로서 공익사업시행지구 밖에서 발생하는 영업손실의 발생원인에 관하여 별다른 제한 없이 '그 밖의 부득이한 사유'라는 추상적인 일반조항을 규정한 것(시행규칙 제64조 제1항 제2호)은 간접손실로서 영업손실의 이러한 특성을 고려한 결과이다.

위와 같은 공익사업시행지구 밖 영업손실보상의 특성과 헌법이 정한 '정당한 보상의 원칙'에 비추어 보면, 공익사업시행지구 밖 영업손실보상의 요건인 '공익사업의 시행으로 인한 그 밖의 부득이한 사유로 일정 기간 동안 휴업이 불가피한 경우'란 공익사업의 시행 또는 시행 당시 발생한 사유로 휴업이 불가피한 경우만을 의미하는 것이 아니라 공익사업의 시행 결과, 즉 그 공익사업의 시행으로 설치되는 시설의 형태 · 구조 · 사용 등에 기인하여 휴업이 불가피한 경우도 포함된다고 해석함이 타당하다(대판 2019.11.28, 2018두227).

〈설문 (3)에 대하여〉

1. 손실보상청구권과 손해배상청구권을 동시에 행사할 수 있는지 여부

공익사업을 위한 토지 등의 취득 및 보상에 관한 법률(이하 '토지보상법'이라 한다) 제79조 제2항(그 밖의 토지에 관한 비용보상 등)에 따른 손실보상과 환경정책기본법 제44조 제1항(환경오염의 피해에 대한 무과실책임)에 따른 손해배상은 근거 규정과 요건·효과를 달리하는 것으로서, 각 요건이 충족되면 성립하는 별개의 청구권이다. 다만 손실보상청구권에는 이미 '손해 전보'라는 요소가 포함되어 있어 실질적으로 같은 내용의 손해에 관하여 양자의 청구권을 동시에 행사할 수 있다고 본다면 이중배상의 문제가 발생하므로, 실질적으로 같은 내용의 손해에 관하여 양자의 청구권이 동시에 성립하더라도 영업자는 어느 하나만을 선택적으로 행사할 수 있을 뿐이고, 양자의 청구권을 동시에 행사할 수는 없다(대판 2019.11.28, 2018두227).

2. 손실보상 청구기간 이후에 손해배생청구가 가능한지 여부

또한 '해당 사업의 사업완료일로부터 1년'이라는 손실보상 청구기간(토지보상법 제79조 제5항, 제73조 제2항)이 도과하여 손실보상청구권을 더 이상 행사할 수 없는 경우에도 손해배상의 요건이 충족되는 이상 여전히 손해배상청구는 가능하다(대판 2019.11.28, 2018두227).

〈설문 (4)에 대하여〉

① 공익사업을 위한 토지 등의 취득 및 보상에 관한 법률(이하 '토지보상법'이라 한다) 제26조, 제28조, 제30조, 제34조, 제50조, 제61조, 제79조, 제80조, 제83조 내지 제85조의 규정 내용과 입법 취지 등을 종합하면, 공익사업으로 인하여 공익사업시행지구 밖에서 영업을 휴업하는 자가 사업시행자로부터 공익사업을 위한 토지 등의 취득 및 보상에 관한 법률 시행규칙 제47조 제1항에 따라 영업손실에 대한 보상을 받기 위해서는, 토지보상법 제34조, 제50조 등에 규정된 재결절차를 거친 다음 그 재결에 대하여 불복이 있는 때에 비로소 토지보상법 제83조 내지 제85조에 따라 권리구제를 받을 수 있을 뿐이다. 이러한 재결절차를 거치지 않은 채 곧바로 사업시행자를 상대로 손실보상을 청구하는 것은 허용되지 않는다.

② 어떤 보상항목이 공익사업을 위한 토지 등의 취득 및 보상에 관한 법령상 손실보상대상에 해당함에도 관할 토지수용위원회가 사실을 오인하거나 법리를 오해함으로써 손실보상대상에 해당하지 않는다고 잘못된 내용의 재결을 한 경우에는, 피보상자는 관할 토지수용위원회를 상대로 그 재결에 대한 취소소송을 제기할 것이 아니라, 사업시행자를 상대로 공익사업을 위한 토지 등의 취득 및 보상에 관한 법률 제85조 제2항에 따른 보상금증감소송을 제기하여야 한다(대판 2019.11.28, 2018두227).

베타답안

Ⅰ. 서(논점의 정리)

1. 설문 1에서는 간접손실보상에 대해 설명하고 그 요건을 검토해 사안의 간접손실보상 대상인지 여부를 파악한다.
2. 설문 2에서는 판례를 통해 토지보상법 제79조 제2항과 동법 시행규칙 제64조 제1항 제2호의 해석을 통해, 공익사업의 시행 결과 휴업이 불가피한 경우가 포함되는지 여부를 검토한다.
3. 설문 3도 판례를 통해 손실보상청구권과 손해배상청구권의 동시행사 여부 및 손실보상청구기간이 지난 경우 손해배상청구 가능 여부를 파악한다.
4. 설문 4 또한 판례를 통해 민사소송 및 당사자소송 가능성을 검토한다.

Ⅱ. 간접손실보상 대상인지 여부

1. 간접손실보상의 의의

공익사업으로 인하여 사업시행지 밖의 재산권자에게 가해지는 손실 중 공익사업으로 인하여 필연적으로 발생하는 손실을 간접손실이라고 한다. 간접손실보상은 이러한 간접손실을 보상하는 것이다.

2. 간접손실보상의 유형

학계는 일반적으로 물리적·기술적 손실을 간접침해보상, 사회적·경제적 손실을 간접손실이라 한다. 최근 판례(2018두227)는 사회적·경제적 손실은 물론 물리적·기술적 손실도 간접손실의 유형으로 보아 피수용자 권익보호를 한층 강화하고 있다.

3. 간접손실보상의 성격

침해의 효과가 간접적인 것이라는 점에서 직접침해에 의한 보상과 구별되며, 손실이 있은 후에 행하는 사후보상의 성격을 갖는다. 간접보상은 재산권 보상 및 생활보상의 성격을 모두 갖는다.

4. 간접손실보상의 법적 근거

간접손실이 헌법 제23조 제3항의 손실보상에 포함되는지 문제된다. ① 부정설, 긍정설이 대립한다. ② 판례는 헌법 제23조 제3항에서 규정한 손실보상 대상이라고 본다. ③ 적법한 공용침해로 인해 예견되는 통상의 손실이므로 헌법 제23조 제3항의 손실보상에 포함시키는 것이 타당하다.

5. 간접손실보상의 요건

(1) 간접손실의 존재

① 공공사업 시행으로 사업시행지 밖의 토지소유자 등이 입은 손실이어야 하고, ② 그 손실의 발생이 예견가능하고, ③ 그 손실의 범위가 구체적으로 특정될 수 있어야 한다.

(2) 특별한 희생

사회적 제약을 넘는 특별한 희생을 요한다. 구별기준으로 인적범위의 특정성이라는 형식적 기준설과 침해의 본질과 강도라는 실질적 기준설이 있다. 한가지 기준으로는 불충분한 바, 양자를 모두 고려함이 타당하다.

(3) 보상규정의 존재

토지보상법 제79조 제2항은 '공익사업시행지 밖 토지 등이 본래의 기능을 다할 수 없는 경우'라 하여, 동법 시행규칙 제59조 내지 제65조에 간접손실보상을 구체적으로 규정하고 있다.

6. 사안이 간접손실보상 대상인지 여부

(1) 보상규정(토지보상법 시행규칙 제64조 제1항 제2호)

해당 시행규칙 제64조에서는 '그 밖의 사유로 인하여 휴업이 불가피한 경우'라고 규정하고 있다. 공익사업 시행 결과로 인한 경우도 포함되는지는 설문 2에서 검토한다.

(2) 보상대상 여부

사업지구 내가 아닌 인근이라는 점, 농업과학기술원의 조사결과로 손실 발생이 예견 가능하고 매출자료가 존재한다는 점에서 특정가능하여 간접손실이 인정된다. 보급잠 종을 공급하는 유일한 업체로 인적범위가 특정가능하고, 소음·진동관리 법령에서 정한 기준 초과로 특별한 희생으로 판단된다. 따라서 간접손실보상 대상으로 판단된다.

Ⅲ. 공익사업 시행 결과로 인한 경우가 포함되는지 여부

1. 간접손실보상의 범위

간접손실이 공익사업으로 인한 토지취득으로 인한 손실을 포함한다는 점에는 의견이 일치하고 있으나, 공익사업의 시행상 공사로 인한 손실 또는 공익사업 완성 후 시설의 운영으로 인한 손실도 포함되는지 문제시된다.

2. 대법원 판례(2019.11.28, 2018두227)

(1) 영업 손실 보상의 특성

공익사업 시행지구 밖 영업손실은 공익사업 시행과 동시에 발생하는 경우도 있지만, 공익사업에 따른 공공시설의 설치공사 또는 설치된 공공시설의 가동·운영으로 발생하는 경우도 있어 그 발생원인과 발생시점이 다양하다.

(2) 토지보상법상 규정 해석

토지보상법 제79조 제2항이 손실보상의 기한을 사업완료일이 아닌 사업완료일부터 1년 이내로 규정한 점, 동법 시행규칙 제64조에서 '그 밖의 부득이한 사유'라는 추상적인 일반조항을 규정한 것은 간접손실로서 영업손실의 이러한 특성을 고려한 결과이다.

3. 검토

상기 판례에 따라 영업손실보상의 특성과 '정당한 보상의 원칙'에 비추어, '그 밖의 부득이한 사유로 일정 기간 동안 휴업이 불가피한 경우'에 공익사업 시행 결과로 휴업이 불가피한 경우도 포함된다고 판단된다.

Ⅳ. 손해배상청구권 가능여부

1. 손실보상청구권과 손해배상청구 동시 행사 가능 여부

판례(2018두227)에 따르면 토지보상법상 손실보상과 환경정책기본법상 손해배상은 근거규정과 요건·효과를 달리하는 것으로서, 각 요건이 충족되면 성립하는 별개의 청구권이다. 다만, 동시에 행사할 수 있다고 본다면 이중배상 문제가 발생하여, 어느 하나만을 선택할 수 있다고 본다.

2. 손실보상청구기간이 지난 경우 행사가능성

'해당 사업의 사업완료일로부터 1년'이라는 손실보상 청구기간이 도과하여 손실보상청구권을 더 이상 행사할 수 없는 경우에도 손해배상 요건이 충족되는 이상 여전히 손해배상청구는 가능하다.

Ⅴ. 간접손실보상의 보상방법

1. 민사소송 및 당사자소송 가능성

판례에 따르면 '토지보상법의 규정내용과 입법취지 등을 종합하면, 재결절차를 거친 다음 그 재결에 대하여 불복이 있는 때에 비로소 토지보상법 제83조 내지 제85조에 따라 권리구제를 받아야 한다'고 하여 민사소송 및 당사자소송 가능성을 부정한다.

2. 피보상자가 제기할 소송과 그 상대방

최근 판례(2018두227)는 토지보상법에 관한 법령상 손실보상 대상에 해당함에도 관할 토지수용위원회가 사실을 오인하거나 법리를 오해함으로서 손실보상대상에 해당하지 않는다고 잘못된 내용의 재결을 한 경우 토지보상법 제85조 제2항에 따른 '보상금증감청구소송'을 제기하여야 한다고 해 그 상대방은 사업시행자가 된다.

Ⅵ. 사안의 해결

① 설문 1에서는 사안의 경우, 간접손실보상의 요건인 간접손실의 발생, 특별한 희생, 보상규정이 충족돼 간접손실보상대상이 된다.
② 설문 2의 경우, 영업손실의 특성상 공익사업의 시행 결과로 인한 간접손실도 보상대상이라 본다.
③ 설문 3의 경우, 손해배상청구권과 손실보상청구권은 그 요건, 효과가 다르므로 동시 성립가능하나, 둘 중 하나만 선택적으로 행사가능하다. 그리고 손실보상청구기간이 지나도 손해배상청구는 가능하다.
④ 설문 4의 경우, 사안은 판례에 따라 토지보상법 제85조 제2항의 '보상금증감에 관한 소송'으로 행하고, 사업시행자가 상대방이 된다.

59절

- 토지보상법 제83조(이의의 신청)
- 행정법 쟁점 : 행정심판법 제58조(행정심판의 고지)

문제

서울의 도심기능 및 인구의 분산과 수도권 주택공급수단의 목적에서 정부는 3기 신도시 중 하나로 인천시 계양 일대를 지정하였다. 신도시 지역의 개발에는 다양한 도시기반시설의 확충이 필요하고, 이러한 필요에 따라 사업의 시행을 맡은 한국토지주택공사는 우선 기반시설인 도로건설을 위해 인천 계양구 일대의 토지를 매입하기로 결정하였다 그러나 협의보상에 저항하는 토지소유자들이 많아 불가피하게 공용수용절차를 진행하고 있다. 甲은 경기도 화성시에 있는 자신의 토지가 도로부지로 수용됨에 따라 경기도와 손실보상액에 대한 협의를 하였으나 서로 간의 의견차이로 인해 계속 협의가 결렬되었다. 이에 2019.5.31. 인천시 토지수용위원회가 해당 토지수용에 관하여 재결을 하게 되었다. 甲은 이에 불복하고자 한다. 40점

(1) 甲이 도로부지로의 수용에 관한 결정 자체를 다투고자 하는 경우와 손실보상금액이 적기 때문에 증액을 요구하고자 하는 경우에 각각 어떠한 불복방법이 존재하는지를 설명하시오. 30점

(2) 만약, 인천시 토지수용위원회가 수용재결서 정본을 송달하면서 이의신청기간을 알리지 아니한 경우 그 효과는 어떠한지를 판례를 토대로 설명하시오. 10점

Ⅰ. 논점의 정리

Ⅱ. 관련 행정작용의 검토
  1. 재결의 의의 및 취지와 법적 성질
  2. 해당 재결의 위법성

Ⅲ. 설문 (1)의 경우
  1. 문제의 소재
  2. 수용재결에 대해 불복하는 경우
    (1) 이의신청
        ① 의의 및 성격
        ② 이의신청의 제기 및 효과
        ③ 이의재결의 효력
    (2) 취소소송
        ① 의의 및 행정심판과의 관계
        ② 제기요건 및 효과
    (3) 무효등확인소송
    (4) 사안의 경우

  3. 손실보상액에 대해 불복하는 경우
    (1) 이의신청
    (2) 보상금증액청구소송
        ① 의의 및 취지
        ② 소송의 유형
        ③ 소송의 성질
        ④ 소송의 제기
        ⑤ 심리 및 판결
    (3) 사안의 적용
  4. 사안의 경우

Ⅳ. 설문 (2)의 경우
  1. 행정심판법상 고지제도
  2. 수용재결에 대한 적용 여부
  3. 고지의무 위반의 효과
  4. 사안의 경우

Ⅴ. 사안의 해결

I 논점의 정리

(1) 설문 (1)의 사안에서는 인천시 계양테크노밸리 신도시 개발과 관련 인천시 토지수용위원회가 경기도에 있는 甲 등의 토지를 수용하는 재결을 하게 되었는바, 이에 피수용자 甲은 수용결정에 대한 재결 자체에 대해 또는 보상금의 증액을 요구하고자 하는 경우 각각의 권리구제수단이 어떠한지를 검토한다. 즉, 「공익사업을 위한 토지 등의 취득 및 보상에 관한 법률」(이하 '토지보상법') 제83조 이하 제85조까지의 내용을 고찰하여 보기로 한다.

(2) 설문 (2)의 경우 인천시 토지수용위원회가 수용재결을 함에 있어 불복절차를 고지하지 아니한 경우 그 효과에 대하여 행정심판법상 고지제도의 적용 여부와 이에 따른 고지의무 위반 시 효과를 검토하기로 한다.

II 관련 행정작용의 검토

1. 재결의 의의 및 취지와 법적 성질

재결이란 사업인정고시가 있은 후 협의불성립·불능의 경우에 사업시행자의 신청에 의하여 관할 토지수용위원회가 행하는 공용수용의 종국적 절차로서, 사업시행자가 보상금을 지급·공탁할 것을 조건으로 토지 등의 권리를 취득하고 피수용자는 그 권리를 상실하게 하는 것을 내용으로 하는 형성적 행정행위이다. 그 밖에 시심적 쟁송·당사자쟁송의 성격을 갖는 준사법 작용이며 재결신청 시 토지수용위원회는 재결의무가 있으므로 기속행위라 할 수 있다.

2. 해당 재결의 위법성

재결의 위법성 사유로서 ① 수용재결에 대해서 관할위반, 절차누락, 신청주장된 범위 이외의 재결 등이 있으며, ② 보상금액이 정당보상액과의 차이에 따른 사유가 있을 수 있다. 이하에서는 상기의 위법성 사유가 있음을 전제하고 ①과 ②의 경우를 나눠서 권리구제수단을 검토한다.

III 설문 (1)의 경우

1. 문제의 소재

甲이 인천시 토지수용위원회의 재결에 대해 불복하고자 하는바, 토지보상법은 이에 대해 이의 신청 및 행정소송을 규정하고 있다. 다만 재결내용이 수용부분과 보상금부분으로 구분되므로 이를 각각 나누어 검토하고자 한다. 또한 수용재결 자체에 대한 불복에서 무효등확인소송의 경우 취소소송에 관한 규정을 대부분 준용하는바, 무효등확인소송에 대해서는 간략히 살펴보고자 한다.

2. 수용재결에 대해 불복하는 경우

(1) 이의신청(법 제83조)

① 의의 및 성격

이의신청이란 관할 토지수용위원회의 위법, 부당한 재결에 의해 권익을 침해당한 자가 중앙토지수용위원회에 그 취소·변경을 구하는 것이다. 이는 토지보상법에 특례를 규정하고 있는 특별법상 행정심판으로 볼 수 있다. 판례도 종전 토지수용법상 이의신청은 행정심판의 성격을 갖는다고 판시하였다. 따라서 토지보상법에 의하는 것 이외에는 행정심판법 제4조에 의해 행정심판법이 준용되게 된다.

② 이의신청의 제기 및 효과

위법, 부당한 재결에 불복하는 자는 재결서 정본을 받은 날부터 30일 이내에 중앙토지수용위원회에, 또는 관할 토지수용위원회를 거쳐 중앙토지수용위원회에 이의를 신청할 수 있으며, 이의신청이 있는 경우 중앙토지수용위원회는 심리, 재결할 의무를 부담하며 사업의 진행 및 토지의 수용 또는 사용을 정지시키지 아니한다. 중앙토지수용위원회는 원재결이 위법 또는 부당하다고 인정될 때에는 그 재결의 전부 또는 일부를 취소하거나 손실보상액을 변경할 수 있으며, 이에 의해 보상금이 증액된 경우 사업시행자는 재결서 정본을 받은 날부터 30일 이내에 증액된 보상금을 지급 또는 공탁해야 한다.

③ 이의재결의 효력

이의신청에 대한 재결이 확정된 때에는 민사소송법상의 확정판결이 있은 것으로 보며, 재결서 정본은 집행력 있는 판결의 정본과 동일한 효력을 가진다.

(2) 취소소송(법 제85조 제1항)

① 의의 및 행정심판과의 관계

토지수용위원회의 위법한 재결의 취소나 변경을 구하는 소송을 말하며 행정소송법 제8조에 의해 토지보상법이 특별히 규정한 것 외에는 행정소송법이 준용되게 된다. 행정소송법은 행정심판 임의주의를 채택하고 있고 (구)토지수용법 하에서 판례는 이의신청 전치주의로 해석한 바 있으나, 현행 토지보상법은 이의신청 임의주의를 명시적으로 규정함으로써 신속한 권리구제를 도모하고 있다.

② 제기요건 및 효과

재결의 취소, 변경을 구할 법률상 이익이 있는 자는 위법한 재결을 대상으로 관할 행정법원에 원재결에 대하여 불복이 있는 경우에는 재결서를 받은 날부터 90일 이내에, 이의신청을 거친 때에는 이의신청에 대한 재결서를 받은 날부터 60일 이내에 소를 제기할 수 있다. 취소소송의 대상은 원재결이며, 이의재결은 재결 자체에 고유한 위법이 있는 경우에 한한다. 종래에 토지수용법에서는 원처분주의와 재결주의에 대한 논란이 있었으나, 토지보상법 제85조는 명문으로 소송의 대상을 제34조 재결에 한정하고 있으므로 행정소송법 제19조와 같이 원처분주의를 취하고 있다고 본다. 소가 제기되면 관할법원은 심리·판결할 의무를 지게 되며, 원고는 중복제소가 금지된다(법원에 대한 효과). 토지보상법은 제88조에서 집행부정지원칙을 명문으로 규정하고 있다(처분 등에 대한 효과).

(3) 무효등확인소송(판례를 통해 인정)

토지수용위원회의 재결의 효력유무, 존재 여부를 확인하는 소송으로 토지보상법은 명시적 규정은 없으나 판례는 이를 인정한 바 있다. 무효등확인소송은 이를 확인할 법률상 이익이 있는 자가 재결청을 피고로 하여 원처분을 대상으로 제소기간이나 이의신청 전치주의의 제한 없이 관할행정법원에 제기할 수 있다. 관할법원은 원칙적으로 피고의 소재지를 관할하는 행정법원이 된다. 무효등확인소송의 경우 견해의 대립은 있으나 사정판결제도는 적용되지 않을 것이다.

(4) 사안의 경우

甲은 인천시 토지수용위원회의 재결에 대하여 불복이 있는 경우에 해당 인천시 지방토지수용위원회를 거쳐 중앙토지수용위원회에 이의를 신청할 수 있다. 또한 이의신청 임의주의 취지에 따라 甲은 이의신청을 제기함이 없이 바로 행정소송을 제기하거나, 또는 이의신청을 제기하여 그 이의재결에 대하여 불복이 있을 때에 행정소송을 제기할 수 있다. 행정소송은 재결 자체의 하자유형에 따라 취소소송이나, 무효등확인소송을 제기할 수 있다.

3. 손실보상액에 대하여 불복하는 경우

(1) 이의신청

위법, 부당한 재결에 불복하는 자는 재결서 정본을 받은 날부터 30일 이내에 중앙토지수용위원회에, 또는 지방토지수용위원회를 거쳐 중앙토지수용위원회에 이의를 신청할 수 있으며, 이의신청이 있는 경우 중앙토지수용위원회는 심리, 재결할 의무를 부담하며 사업의 진행 및 토지의 수용 또는 사용을 정지시키지 아니한다. 이때 이의신청은 특별행정심판으로서 수용결정 자체에 불복하는 경우의 이의신청과 동일하며, 이의신청은 그 성격상 수용결정에 대한 이의신청과 보상금액에 대한 이의신청으로 구분된다.

(2) 보상금증액청구소송(법 제85조 제2항)

① 의의 및 취지

보상금증액청구소송이란 보상재결사항에 대하여 불복이 있는 경우 제기하는 소송으로서, 분쟁의 일회적인 해결을 도모하는 데 목적이 있다. 한편 종전에는 피고에 중앙토지수용위원회를 규정하여 그 소송의 유형이나 형태 등에 논란이 존재하였으나 토지보상법은 피고에서 중앙토지수용위원회를 제외하고 있어 소송유형에 관한 불필요한 논쟁을 해결하고 있다.

② 소송의 유형(형식적 당사자소송 여부)

형식적 당사자소송이란 행정청의 처분 등에 의하여 형성된 법률관계에 관하여 다툼이 있는 경우에 해당 처분 등의 효력을 다툼이 없이 직접 그 처분 등에 의하여 형성된 법률관계에 대하여 그 일방당사자를 피고로 하여 제기하는 소송이다. 보상금증감청구소송은 관할 토지수 용위원회의 재결한 보상금만을 다투는 것이고 재결청이 공동피고에서 제외됨으로 인하여 소 송당사자가 법률관계의 당사자이므로 전형적인 형식적 당사자소송으로 판단된다.

③ 소송의 성질

㉠ 형성소송설은 보상재결의 처분성을 긍정하면서 그 공정력 또는 형성력의 배제없이는 보상 금의 증감·변경이 불가능하다고 본다. 즉, 보상금증감청구소송은 형식적으로는 당사자 쟁송의 방식을 취하고 있지만 실질적으로는 토지수용위원회의 보상재결에서 정한 보상액 이 과다 과소하여 위법하다는 이유로 그것의 취소·변경을 구하는 항고소송으로 본다.

㉡ 이에 반해 확인·급부소송설은 손실보상에 관한 소의 궁극적 목적은 재결을 취소하여 다 시 재결을 하게 하는 것이 아니라 당사자 사이에서 정당한 보상액을 확인하거나 부족액을 급부하게 하는 것이기 때문에 재결의 취소·변경 없이 보상액을 변경하고 그 지급을 구하 는 소송이라고 한다.

㉢ 생각건대 보상금증감청구소송이 재결청을 관여시키지 않고 소송당사자 사이의 분쟁을 일 회적으로 해결하는 것이 입법취지이므로 확인·급부소송설이 타당할 것이다.

④ 소송의 제기

소송당사자에 대해서는 종전과 달리 토지보상법은 원고가 토지소유자 또는 관계인인 경우 피 고는 사업시행자가 되고, 원고가 사업시행자인 경우 피고는 토지소유자 또는 관계인을 각각 피고로 한다고 규정하고 있다. 제소기간 및 행정심판 임의주의에 대해서는 당사자소송의 경 우에도 취소소송의 규정이 준용되므로 토지보상법상의 취소소송의 기간에 관한 특례가 적용 되며 행정심판 임의주의가 적용된다고 할 것이다. 따라서 이의신청을 거치지 않고 수용재결 서를 받은 날부터 90일 이내 또는 이의재결서를 송달받은 날부터 60일 이내에 당사자소송을 제기할 수 있다. 재판관할에 대해서는 형식적 당사자소송의 제1심 관할은 피고소재지를 관할 하는 행정법원이나, 피고가 국가 또는 지방자치단체 등인 경우에는 관계 행정청의 소재지를 피고의 소재지로 보며, 토지의 수용에 있어서는 그 토지의 소재지를 관할하는 행정법원에 소 송을 제기할 수 있으며, 보증소가 제기되더라도 집행부정지원칙에 따라 사업의 진행 및 토지 의 수용사용은 정지되지 아니한다.

⑤ 심리 및 판결

㉠ 심리의 범위와 관련하여 손실의 범위도 심리의 범위에 포함되는지 논란이 있다. 이에 대 하여 보상금증감청구소송의 소송물에는 손실의 범위에 대한 것은 포함되지 아니한다는 견해와 손실의 범위도 포함된다는 견해(판례, 다수설)가 있다. 보상금증감청구소송의 소송 물에는 손실의 범위도 포함된다고 보는 것이 타당하므로, 잔여지수용에 대한 불복도 손실 보상의 측면으로 이해하여 보상금증감청구소송으로 다툴 수 있다고 본다.

㉡ 판례에 따르면 보상항목 간 유용에 관하여 "보상은 수용 또는 사용의 대상이 되는 물건별 로 하는 것이 아니라 피보상자의 개인별로 행하여지는 것이라고 할 것이므로 피보상자는 수용대상물건 중 일부에 대하여만 불복이 있는 경우에는 그 부분에 대하여만 불복의 사유

를 주장하여 행정소송을 제기할 수 있다고 할 것이나, 행정소송의 대상이 된 물건 중 일부 항목에 관한 보상액은 과소하고 다른 항목의 보상액은 과다한 경우에는 그 항목 상호간의 유용을 허용하여 과다부분과 과소부분을 합산하여 보상금 합계액을 결정하여야 할 것이다."라고 판시하여 이를 긍정한다.

ⓒ 정당보상액의 입증책임은 민사소송법상 원칙인 법률요건분배설에 의하게 된다. 손실보상 액이 적정한 것인지의 입증책임에 대하여 재결청에 입증책임이 있으며, 정당한 손실보상 금액이 재결에서 정한 손실보상액보다 더 많다는 주장에 대한 입증책임은 그것을 주장하는 원고에게 있다고 한다.

ⓔ 지연손해금과 관련하여 보상금증액청구소송에서 이의재결에서 정한 보상금액을 초과하여 정당보상액이 산정된 경우 그 초과부분에 대하여 지연이자가 발생하는지가 문제된다. 부정설은 재결이나 이에 대한 소송절차에서 비로소 정당보상액이 확정되므로 지연이자는 발생하지 않는다고 하며, 긍정설은 법원이 정당한 보상액이라고 인정하는 액에 대하여 수용의 시기 이후에는 지연이자가 발생한다고 한다. 토지보상법 제87조에 의하여 이자가 발생한다고 보기 때문에, 보상금증액청구소송에서 이의재결에서 정한 보상금액을 초과하여 보상액이 산정되었다면 소를 제기하면서 공탁한 금액과 초과분에 모두 이자가 발생한다고 보아야 한다.

(3) 사안의 적용

甲은 인천시 토지수용위원회를 거쳐 중앙토지수용위원회에 대해 이의를 제기할 수 있으며, 또한 甲은 보상금증감청구소송을 통해 손실보상금의 증액을 구할 수도 있다.

4. 사안의 경우

甲은 도로부지로의 수용결정 자체를 다투고자 하는 경우 이의신청 및 하자의 유형에 따라 취소소송이나 무효등확인소송을 제기할 수 있고 보상금액의 증액을 요구하는 경우에는 이의신청이나 보상금증액청구소송을 통해 권리구제를 받을 수 있다.

Ⅳ 설문 (2)의 경우

1. 행정심판법상 고지제도(행정심판법 제58조)

행정심판법은 행정청이 처분을 서면으로 하는 경우 해당 처분이 행정심판의 대상이 되는 처분인지, 행정심판의 대상이 되는 경우 소관위원회 및 심판청구기간을 알려야 한다고 규정하여 고지제도를 도입하고 있다. 고지제도는 행정의 민주화, 행정의 신중·합리화를 도모하고 개인의 권리보호에 기여하는 제도라 할 것이다.

2. 수용재결에 대한 적용 여부

행정심판법상 고지제도가 토지보상법상 수용재결에서도 그대로 적용될 수 있는지 문제가 되나, 고지제도의 취지가 처분을 할 때에 불복방법을 알려주는 제도로서 모든 행정처분에는 특별한 사정이 없는 한 고지제도가 적용된다고 볼 것이다. 더욱이 수용재결에 대하여 이의신청을 제기하는 경우 토지보상법 제83조에서는 재결서 정본을 받은 날부터 30일 이내에 제기하도록 규정하고 있는바, 고지제도의 실익은 더 크다 할 것이다.

3. 고지의무 위반의 효과

고지는 법적 효과를 발생시키는 행위가 아니고 비권력적 사실행위에 해당한다. 그러나 행정심판법은 고지제도의 실효성을 확보하기 위해 고지의무 위반의 경우 일정한 제재를 가하고 있다. 즉, 행정심판법 제27조는 제5항에서 행정청이 심판청구기간을 90일보다 긴 기간으로 잘못 알린 경우 그 고지한 기간 내에 행정심판을 할 수 있으며, 제6항에서는 심판청구기간을 알리지 않은 경우 처분이 있는 날부터 180일 이내에 심판청구를 할 수 있다고 규정하고 있다. 대법원 판례도 "재결서 정본을 송달함에 있어서 상대방에게 이의신청기간을 알리지 않았다면 행정심판법 제27조 제6항의 규정에 의하여 같은 조 제3항의 기간(있은 날~180일) 내에 이의신청을 할 수 있다고 보아야 할 것"이라고 판시하고 있다.

4. 사안의 경우

설문에서 인천시 토지수용위원회가 수용재결서 정본을 송달함에 있어서 甲에게 이의신청기간을 고지하지 아니한 경우에 甲은 행정심판법 제27조 제6항 규정에 의하여 수용재결이 있는 날부터 180일 이내에 이의신청을 할 수 있을 것이다. 따라서 甲은 수용재결서를 받은 날부터 30일이 경과한 경우라 할지라도 수용재결이 있는 날부터 180일 이내에 이의신청을 제기할 수 있고, 이의신청에 대한 재결서를 받은 날부터 60일 이내에 행정소송을 제기할 수 있을 것이다.

V 사안의 해결

1. 설문 (1)의 경우 수용재결 자체에 대한 불복 시 이의신청 내지 항고소송으로서 취소소송 내지 무효등확인소송을 제기할 수 있고, 보상금액에 대한 불복인 경우 이의신청 내지 보상금증액청구소송을 통해 분쟁의 일회적 해결을 도모할 수 있다.

2. 설문 (2)의 경우 인천시 토지수용위원회가 수용재결을 함에 있어서 불복절차와 기간에 대한 고지를 하지 아니한바, 행정심판법 제27조 제6항에 따라 처분이 있는 날부터 180일 이내에 이의신청을 할 수 있을 것이다.

60절
- 토지보상법 제85조(행정소송의 제기)
- 행정법 쟁점 : 행정소송법 제19조(취소소송의 대상)

문제

다음은 사업인정과 수용재결등에 대한 내용이다. 다음 물음에 답하시오. 30점

가. 사업인정 및 고시
평택 – 이동간 도로 확장 및 포장공사 {2024.2.27. 서울지방국토관리청 고시 제2024
– 39호로 도로구역결정(변경)}
나. 사업시행자 : 피고 대한민국 산하 서울지방국토관리청장
다. 피고 중앙토지수용위원회의 2025.12.21.자 수용재결
(1) 수용대상 : 평택시 ○○동 산 5번지 38,480㎡의 원고의 공유지분 11,640분의
11,340 중 447,907,200분의 180,748,260 및 위 토지 지상 지장물, 외 평택시
○○동 일대
(2) 손실보상금 : 2,935,865,000원
라. 피고 중앙토지수용위원회의 2026.4.19.자 이의재결
– 손실보상금을 3,116,411,600원으로 증액(해당 내용은 대법원 2008두1504의 사실
관계임)

(1) 「공익사업을 위한 토지 등의 취득 및 보상에 관한 법률」(이하 '토지보상법')상 수용결
정에 대하여 피수용자는 다투고자 한다. 어떤 권리구제방법이 있는지를 검토하고, 수
용재결을 소송의 대상으로 삼을지, 이의재결을 소송의 대상으로 삼을지를 설명하시오.
15점

(2) 수용재결 보상금과 이의재결 보상금에 대하여 만족하지 못하는 피수용자는 토지보상
법상 어떤 불복 방법을 해야 하는지에 대하여 관련 규정과 판례를 중심으로 설명하시
오. 15점

Ⅰ. 논점의 정리

Ⅱ. 관련 행정작용의 개관
1. 재결의 의의 및 법적 성질
2. 재결의 위법성

Ⅲ. (물음 1) 수용결정에 대한 권리구제와
원처분주의 여부
1. 수용결정에 대한 권리구제방법
(1) 재결에 대한 이의신청
(2) 재결에 대한 취소소송
(3) 재결에 대한 무효등확인소송

2. 소송의 대상에 대한 검토
(1) 원처분주의와 재결주의
(2) 원처분주의에서 재결취소소송

Ⅳ. (물음 2) 보상금액에 대한 불복과
판례의 검토
1. 이의신청(토지보상법 제83조)
2. 보상금증감청구소송
(1) 의의 및 취지
(2) 법적 성질
(3) 소송요건
(4) 심리범위

> **V. 사안의 해결**
> 1. (설문 1) 원처분주의와 재결주의 – 소송의 대상
>
> 2. (설문 2) 보상금증감청구소송 – 법률관계에 대한 다툼

Ⅰ 논점의 정리

공익사업을 위한 토지 등의 취득 및 보상에 관한 법률(이하 '토지보상법')에서는 수용재결 등에 대한 불복수단으로 이의신청 및 취소소송과 함께 보상금증감청구소송에 대하여 규정하고 있다. 이하에서는 수용재결에 대한 불복수단에 대하여 검토하고, 만일 수용재결 및 이의재결에 대하여 불복하고자 하는 경우 행정소송법 제19조 단서 등을 근거로 어느 것을 소의 대상으로 삼아야 할지 검토한다. 또한, 수용결정 자체가 아닌 보상금액에 관하여 다투는 경우 제기할 수 있는 보상금증감청구소송에 대하여 검토하고자 한다.

Ⅱ 관련 행정작용의 개관

1. 재결의 의의 및 법적 성질

재결이란 사업인정의 고시가 있은 후 협의불성립 또는 불능의 경우 사업시행자가 보상금을 지급 및 공탁할 것을 전제로 토지 등의 권리를 취득하고 피수용자는 그 권리는 상실하게 하는 것을 내용으로 하는 형성적 행정행위이다.

2. 재결의 위법성

수용재결의 적법요건을 갖추지 못하면 재결의 위법성을 구성하는데, 재결의 위법성 사유로서 수용재결에 대해서 관할 위반, 절차 누락, 신청주장된 범위 이외의 재결 등이 있으며, 보상금액이 정당보상액과의 차이에 따른 사유가 있을 수 있다.

Ⅲ (물음 1) 수용결정에 대한 권리구제와 원처분주의 여부

1. 수용결정에 대한 권리구제방법

(1) 재결에 대한 이의신청

1) 의의 및 성격

이의신청이란 관할 토지수용위원회의 위법 및 부당한 재결에 의해 권익을 침해당한 자가 중앙토지수용위원회에 그 취소 또는 변경을 구하는 것이다. 이는 토지보상법에 특례를 규정하고 있는 특별법상 행정심판으로 볼 수 있다. 따라서 토지보상법에 의하는 것 이외에는 행정심판법 제4조 제2항에 의해 행정심판법이 준용된다.

2) 이의신청의 제기 및 효과

위법 및 부당한 재결에 대하여 이의가 있는 자는 재결서 정본을 받은 날부터 30일 이내에 중앙토지수용위원회에 서면으로 신청해야 하며, 처분청을 경유하여야 한다. 제소기간을 단축한 것은 수용행정의 특수성과 전문성을 살리기 위한 것으로 합헌적 규정이며, 이의신청이 있는 경우 중앙토지수용위원회는 심리, 재결할 의무를 부담하며 사업의 진행 및 토지의 수용 또는 사용을 정지시키지 아니한다(토지보상법 제88조).

3) 이의재결의 효력

이의재결에 의해 보상금이 증액된 경우 사업시행자는 재결의 취소 또는 변경의 재결서 정본을 받은 날부터 30일 이내에 보상금을 받을 자에게 그 증액된 보상금을 지급하거나 공탁하여야 한다. 이의재결이 확정된 때에는 민사소송법상의 확정판결이 있은 것으로 보며, 재결서 정본은 집행력 있는 판결의 정본과 동일한 효력을 가지며, 사업시행자 및 토지소유자 또는 관계인은 토지수용위원회에 재결확정증명서의 교부를 청구할 수 있다.

(2) 재결에 대한 취소소송

1) 의의

취소소송이란, 행정청의 위법한 처분 등의 취소 또는 변경을 구하는 소송을 말한다. 공용수용에 있어서는 관할 토지수용위원회의 재결 또는 중앙토지수용위원회의 이의재결이 위법함을 전제로 하여 그 재결의 취소 또는 변경을 구하는 소송을 말한다. 토지보상법이 정하는 특례사항 이외에는 행정소송법이 적용된다.

2) 취소소송의 제기요건

취소소송이 적법하기 위해서는 관할 토지수용위원회의 위법한 재결에 대해 이의가 있는 자가 권리보호의 필요가 있는 경우에 관할 토지수용위원회를 피고로 재결서를 받은 날부터 90일 또는 이의재결서를 받은 날부터 60일 이내에 피고의 소재지를 관할하는 행정법원에 소장으로 제기하여야 한다. (구)토지수용법에서는 소송의 대상과 관련하여 재결주의를 규정한 것인지에 대해 논란이 있었으나, 개정 토지보상법 제85조 제1항은 "제34조의 규정에 의한 재결에 대하여 불복이 있는 때에는 재결서를 받은 날부터 90일 이내에, 이의신청을 거친 때에는 이의재결서를 받은 날부터 60일 이내" 라고 규정하여 논란의 여지 없이 원처분주의로 개정되었다. 또한 동조는 이의신청을 임의절차로 명확히 하였다.

3) 취소소송의 제기효과

"행정소송의 제기는 사업의 진행 및 토지의 수용 또는 사용을 정지시키지 아니한다"고 규정하여 집행부정지를 원칙으로 하고 있으며, 법원은 심리 및 판결할 구속을 받고, 당사자는 동일한 사건에 대하여 중복하여 소를 제기하지 못한다.

4) 심리 및 판결

심리의 내용은 요건심리와 본안심리로 구분되며, 심리의 방식은 행정소송법의 심리규정이 그대로 적용된다. 판결은 각하, 기각, 인용, 사정판결이 가능하며, 위법성의 판단시점 및 판결의 효력은 행정소송법이 그대로 적용된다. 토지보상법 제87조에서는 "사업시행자가 제기한 소송이 각하, 기각 또는 취하된 경우 사업시행자는 재결서 정본을 받은 날 또는 이의신청을 거친 경우에는 이의재결서 정본을 받은 날부터 판결일 또는 취하일까지 기간에 대하여 소송촉진 등에 관한 특례법 제3조의 규정에 의한 법정이율을 적용하여 산정한 금액을 보상금에 가산하여 지급하여야 한다"고 규정하고 있다.

(3) 재결에 대한 무효등확인소송

1) 의의

무효등확인소송이란 처분 등의 효력유무 또는 존재 여부를 확인하는 소송이다. 무효인 처분도 처분의 외관이 존재하여 집행될 수 있으므로 무효임을 공적으로 확인받을 필요가 있는바 여기에 무효등확인소송이 인정되는 실익이 있다.

2) 취소소송에 관한 사항의 적용

소송을 제기할 수 있는 자는 사업시행자와 토지소유자 및 관계인이며, 재결청이 피고가 된다. 관할 법원은 원칙적으로 피고의 소재지를 관할하는 행정법원이 된다. 소송이 각하, 기각 또는 취하된 경우에는 재결이 확정되고 사업시행자가 소송을 제기한 경우로서 소송이 각하, 기각 또는 취하된 경우에는 가산금을 지급하여야 한다.

3) 이의신청전치 및 제소기간의 적용배제

무효등확인소송에서는 개별법에서 이의신청전치를 규정하고 있는 경우에도 적용이 없고, 제소기간의 제한도 적용이 없다. 재결의 위법사유가 중대, 명백한 것인 때에는 법원이 심사하기 전에 중앙토지수용위원회가 심리 및 판단할 필요가 없다고 할 것이기 때문이다. 그리고 무효인 재결은 처음부터 효력이 없는 것이므로, 법률관계의 조속한 확정의 요청에 기한 제소기간의 제한규정도 적용이 없다고 볼 것이다.

2. 소송의 대상에 대한 검토

(1) 원처분주의와 재결주의

1) 원처분주의와 재결주의의 양자의 의의

원처분주의란 소송의 대상을 원처분으로 하되, 재결취소소송은 재결에 고유한 위법이 있는 경우에만 인정하는 것을 말하며, 재결주의란 소송대상을 재결로만 하여 원처분의 위법도 재결취소소송으로 다투도록 하는 정책적 제도를 말한다.

2) 행정소송법 제19조의 태도

현행 행정소송법 제19조는 "취소소송은 처분 등을 대상으로 한다. 다만, 재결취소소송의 경우에는 재결 자체에 고유한 위법이 있음을 이유로 하는 경우에 한한다."라고 규정하여 원처분주의를 취하고 있다.

(2) 원처분주의에서 재결취소소송

1) 재결 자체의 고유한 위법의 의미

재결 자체의 고유한 위법이란 주로 재결의 주체, 절차, 형식상 하자를 의미하나, 내용상 하자도 포함된다고 봄이 타당하다. 판례는 제3자효 행정행위에 있어서 재결로 인해 새로이 권익침해를 받은 자는 재결의 고유한 위법을 주장할 수 있다고 판시하였다.

> **판례**
>
> ● 대판 2010.1.28, 2008두1504[수용재결취소등]
>
> **[판시사항]**
>
> 토지소유자 등이 수용재결에 불복하여 이의신청을 거친 후 취소소송을 제기하는 경우 피고 적격(=수용재결을 한 토지수용위원회) 및 소송대상(=수용재결)
>
> **[판결요지]**
>
> 공익사업을 위한 토지 등의 취득 및 보상에 관한 법률 제85조 제1항 전문의 문언 내용과 같은 법 제83조, 제85조가 중앙토지수용위원회에 대한 이의신청을 임의적 절차로 규정하고 있는 점, 행정소송법 제19조 단서가 행정심판에 대한 재결은 재결 자체에 고유한 위법이 있음을 이유로 하는 경우에 한하여 취소소송의 대상으로 삼을 수 있도록 규정하고 있는 점 등을 종합하여 보면, 수용재결에 불복하여 취소소송을 제기하는 때에는 이의신청을 거친 경우에도 수용재결을 한 중앙토지수용위원회 또는 지방토지수용위원회를 피고로 하여 수용재결의 취소를 구하여야 하고, 다만 이의신청에 대한 재결 자체에 고유한 위법이 있음을 이유로 하는 경우에는 그 이의재결을 한 중앙토지수용위원회를 피고로 하여 이의재결의 취소를 구할 수 있다고 보아야 한다.

2) 취소의 대상

인용재결로서 형성재결인 취소재결의 경우 그 자체가 소의 대상이 되며, 명령재결인 취소명령재결의 경우 재결에 따른 처분이 소의 대상인지 문제되나 판례는 재결 및 재결에 따른 처분 모두 소의 대상이 될 수 있다는 입장이다.

3) 고유한 위법 없을시 판결의 종류

재결 자체에 고유한 위법이 없음에도 소제기한 경우 행정소송법 제19조 단서가 소극적 소송요건을 정한 것으로 보아 각하하여야 한다는 견해가 있으나 판례는 기각해야 한다고 본다. 재결 자체의 위법 여부는 본안판단사항이기 때문에 판례의 태도가 타당하다 판단된다.

Ⅳ **(물음 2) 보상금액에 대한 불복과 판례의 검토**

1. 이의신청(토지보상법 제83조)

토지보상법상 이의신청이란 위법 및 부당한 수용재결에 불복이 있는 소유자 및 사업시행자가 중앙토지수용위원회에 이의를 신청하는 것을 말한다. 이는 특별법상 행정심판이며 '~할 수 있다'로 규정되어 행정심판 임의주의의 성격이다. 재결서 정본을 받은 날로부터 30일 이내에 신청가능하고, 이의재결이 있는 경우 재결의 전부 또는 일부의 취소가 가능하며, 이의재결이 확정된 경우 확정판결과 동일한 효력을 갖는다. 보상금에 대해 불복하는 경우 이의신청도 가능하나, 실질적인 권리구제수단은 보상금증감청구소송인바, 이하 보상금증감청구소송에 대하여 검토한다.

2. 보상금증감청구소송

(1) 의의 및 취지(토지보상법 제85조 제2항)

보상금증감청구소송이란 토지수용위원회의 재결에 불복하여 보상금에 대해 다투는 소송으로 시행자 및 소유자가 피고가 되어 수용재결의 취소 없이 보상금 및 보상대상에 대해 다투는 일회적인 권리구제 취지의 소송을 의미한다.

(2) 법적 성질

1) 형식적 당사자소송

형식적 당사자소송이란 행정청의 처분 등을 원인으로 하는 법률관계에 관한 소송으로 실질적으로 처분 등의 효력을 다투면서 처분청을 피고로 하지 않고 법률관계의 일방당사자를 피고로 하여 제기하는 소송을 말한다. 보상금증감청구소송은 수용재결을 원인으로 한 법률관계에 관한 소송으로서 실질적으로는 수용재결의 내용을 다투면서도 그 법률관계의 한쪽 당사자를 피고로 하는 소송이므로 전형적인 형식적 당사자소송에 해당한다. (구)토지수용법에서는 이를 전형적인 형식적 당사자소송으로 보기에는 무리가 있어 논란이 되었지만, 토지보상법에서는 재결청을 피고에서 제외함으로써 이를 해결하였다.

2) 확인 급부소송

형성소송설과 확인 급부소송설이 대립하나 형식적 당사자소송은 궁극적으로 법률관계를 다툰다는 점, 해당 소송의 입법취지는 법원이 정당 보상액을 확인하고 그 이행을 명하는 데 있다는 점을 볼 때 확인 및 급부소송설이 타당하다고 생각된다. 보상원인이 있으면 손실보상청구권은 실체법규에 보상에 관한 규정이 있는가 없는가에 관계없이 헌법규정에 의하여 당연히 발생하므로 수용자는 정당보상을 지급해야 할 것이다. 다만, 토지보상법상 보상재결은 보상에 대한 권리를 가격시점에 있어 구체화하는 작용으로 처분성은 긍정될 수 있으나, 일단 가격시점에 있어 재결에 의해 구체화된 보상금이 헌법 제23조 제3항에 의해 구체화될 보상금에 미달된 경우 보상금증감청구소송은 그 급부를 확인하고, 그 이행을 구하는 소로 이해되어야 할 것이다.

(3) 소송요건

1) 소송의 대상

토지보상법 제85조 제2항에서 규정하고 있는 소송은 토지수용위원회가 행한 재결 가운데 보상금의 증감에 관한 것만을 대상으로 한다. 소송의 대상은 토지수용위원회의 재결에서 정한 보상금 그 자체가 대상이 되고, 중앙토지수용위원회의 이의재결에서 정한 보상금에 불복할 경우는 이의재결에서 정한 보상금이 대상이 되는 것으로 보아야 할 것이다.

2) 당사자적격

손실보상금에 관한 법률관계의 당사자인 피수용자와 사업시행자에게 당사자적격이 인정된다. 즉, 보상금증액청구소송에서는 피수용자가 원고이고, 사업시행자가 피고가 된다. 반면에 보상금감액청구소송에서는 사업시행자가 원고이고, 피수용자가 피고가 된다.

3) 제소기간

당사자소송은 원칙적으로 제소기간의 제한이 없으나, 토지보상법 제85조 제1항의 취소소송의 제소기간을 보상금증감청구소송에 적용하고 있다. 즉, 보상금증감청구소송의 제소기간은 재결서를 받은 날부터 90일 이내에, 이의신청을 거친 때에는 이의신청에 대한 재결서를 받은 날부터 60일 이내이다.

4) 재판관할

형식적 당사자소송의 제1심 관할법원은 피고의 소재지를 관할하는 행정법원이다. 그러나 국가 또는 공공단체가 피고인 경우에는 관계 행정청의 소재지를 피고의 소재지로 보며, 토지의 수용에 있어서는 그 토지의 소재지를 관할하는 행정법원에 소송을 제기할 수 있다.

(4) 심리범위

1) 심리의 범위

확장수용청구가 손실보상에 관한 사항으로 보상금증감청구소송 제기가 가능한지 견해가 대립하나 판례는 긍정하고 있다. 생각건대, 보상금증감에 관한 소송이란 보상금액에 관한 다툼에 한정하는 것인지, 아니면 보상금액의 다툼은 물론 보상의 원인인 손실의 범위결정에 관한 다툼까지도 포함하는 것인지에 대하여 의문이 제기될 수 있다. 보상금의 증감에 관한 소송이 구체적으로 어느 범위까지 다툴 수 있는가에 대하여 논란이 있지만, 보상금액을 다투는 것이기 때문에 보상대상에 대한 평가만을 의미하는 것으로 보아야 할 것이다. 토지보상법 제85조 제2항의 문언만으로 판단할 때 소송의 범위는 보상금액상의 다툼을 의미하는 것으로 보는 것이 타당하다고 판단된다.

> **판례**
>
> ● 대판 2010.8.19, 2008두822[토지수용이의재결처분취소등]
>
> **[판시사항]**
> [1] 구 '공익사업을 위한 토지 등의 취득 및 보상에 관한 법률' 제74조 제1항에 의한 잔여지 수용청구를 받아들이지 않은 토지수용위원회의 재결에 대하여 토지소유자가 불복하여 제기하는 소송의 성질 및 그 상대방
> [2] 구 '공익사업을 위한 토지 등의 취득 및 보상에 관한 법률' 제74조 제1항의 잔여지 수용청구권 행사기간의 법적 성질(=제척기간) 및 잔여지 수용청구 의사표시의 상대방(=관할 토지수용위원회)

[3] 토지소유자가 자신의 토지에 숙박시설을 신축하기 위해 부지를 조성하던 중 그 토지의 일부가 익산 - 장수 간 고속도로 건설공사에 편입되자 사업시행자에게 부지조성비용 등의 보상을 청구한 사안에서, 부지조성비용이 별도의 보상대상으로 인정되지 않는다면 토지소유자에게 잔여지의 가격 감소로 인한 손실보상을 구하는 취지인지 여부에 관하여 의견을 진술할 기회를 부여하고 그 당부를 심리·판단하였어야 함에도, 이러한 조치를 취하지 않은 원심판결에 석명의무를 다하지 않아 심리를 제대로 하지 않은 위법이 있다고 한 사례

[판결요지]

[1] 구 '공익사업을 위한 토지 등의 취득 및 보상에 관한 법률'(2007. 10. 17. 법률 제8665호로 개정되기 전의 것) 제74조 제1항에 규정되어 있는 잔여지 수용청구권은 손실보상의 일환으로 토지소유자에게 부여되는 권리로서 그 요건을 구비한 때에는 잔여지를 수용하는 토지수용위원회의 재결이 없더라도 그 청구에 의하여 수용의 효과가 발생하는 형성권적 성질을 가지므로, 잔여지 수용청구를 받아들이지 않은 토지수용위원회의 재결에 대하여 토지소유자가 불복하여 제기하는 소송은 위 법 제85조 제2항에 규정되어 있는 '보상금의 증감에 관한 소송'에 해당하여 사업시행자를 피고로 하여야 한다.

[2] 구 '공익사업을 위한 토지 등의 취득 및 보상에 관한 법률'(2007. 10. 17. 법률 제8665호로 개정되기 전의 것) 제74조 제1항에 의하면, 잔여지 수용청구는 사업시행자와 사이에 매수에 관한 협의가 성립되지 아니한 경우 일단의 토지의 일부에 대한 관할 토지수용위원회의 수용재결이 있기 전까지 관할 토지수용위원회에 하여야 하고, 잔여지 수용청구권의 행사기간은 제척기간으로서, 토지소유자가 그 행사기간 내에 잔여지 수용청구권을 행사하지 아니하면 그 권리가 소멸한다. 또한 위 조항의 문언 내용 등에 비추어 볼 때, 잔여지 수용청구의 의사표시는 관할 토지수용위원회에 하여야 하는 것으로서, 관할 토지수용위원회가 사업시행자에게 잔여지 수용청구의 의사표시를 수령할 권한을 부여하였다고 인정할 만한 사정이 없는 한, 사업시행자에게 한 잔여지 매수청구의 의사표시를 관할 토지수용위원회에 한 잔여지 수용청구의 의사표시로 볼 수는 없다.

[3] 토지소유자가 자신의 토지에 숙박시설을 신축하기 위해 부지를 조성하던 중 그 토지의 일부가 익산 - 장수 간 고속도로 건설공사에 편입되자 사업시행자에게 부지조성비용 등의 보상을 청구한 사안에서, 잔여지에 지출된 부지조성비용은 그 토지의 가치를 증대시킨 한도 내에서 잔여지의 감소로 인한 손실보상액을 산정할 때 반영되는 것일 뿐, 별도의 보상대상이 아니므로, 잔여지에 지출된 부지조성비용이 별도의 보상대상으로 인정되지 않는다면 토지소유자에게 잔여지의 가격 감소로 인한 손실보상을 구하는 취지인지 여부에 관하여 의견을 진술할 기회를 부여하고 그 당부를 심리·판단하였어야 함에도, 이러한 조치를 취하지 않은 원심판결에 석명의무를 다하지 않아 심리를 제대로 하지 않은 위법이 있다고 한 사례

● 대판 2019.11.28, 2018두227[보상금]

[판시사항]

[1] 공익사업을 위한 토지 등의 취득 및 보상에 관한 법률 시행규칙 제64조 제1항 제2호에서 정한 공익사업시행지구 밖 영업손실보상의 요건인 '공익사업의 시행으로 인한 그 밖의 부득이한 사유로 일정 기간 동안 휴업이 불가피한 경우'에 공익사업의 시행 결과로 휴업이 불가피한 경우가 포함되는지 여부(적극)

[2] 실질적으로 같은 내용의 손해에 관하여 공익사업을 위한 토지 등의 취득 및 보상에 관한 법률 제79조 제2항에 따른 손실보상과 환경정책기본법 제44조 제1항에 따른 손해배상청구권이 동시에 성립하는 경우, 영업자가 두 청구권을 동시에 행사할 수 있는지 여부(소극) 및 '해당 사업의 사업완료일로부터 1년'이라는 손실보상 청구기간이 지나 손실보상청구권을 행사할 수 없는 경우에도 손해배상청구가 가능한지 여부(적극)

[3] 공익사업으로 인하여 공익사업시행지구 밖에서 영업을 휴업하는 자가 공익사업을 위한 토지 등의 취득 및 보상에 관한 법률 제34조, 제50조 등에 규정된 재결절차를 거치지 않은 채 곧바로 사업시행자를 상대로 공익사업을 위한 토지 등의 취득 및 보상에 관한 법률 시행규칙 제47조 제1항에 따라 영업손실에 대한 보상을 청구할 수 있는지 여부(소극)

[4] 어떤 보상항목이 공익사업을 위한 토지 등의 취득 및 보상에 관한 법령상 손실보상대상에 해당함에도 관할 토지수용위원회가 사실을 오인하거나 법리를 오해함으로써 손실보상대상에 해당하지 않는다고 잘못된 내용의 재결을 한 경우, 피보상자가 제기할 소송과 그 상대방

[판결요지]

[1] 모든 국민의 재산권은 보장되고, 공공필요에 의한 재산권의 수용 등에 대하여는 정당한 보상을 지급하여야 하는 것이 헌법의 대원칙이고(헌법 제23조), 법률도 그런 취지에서 공익사업의 시행 결과 공익사업의 시행이 공익사업시행지구 밖에 미치는 간접손실 등에 대한 보상의 기준 등에 관하여 상세한 규정을 마련해 두거나 하위법령에 세부사항을 정하도록 위임하고 있다.

이러한 공익사업시행지구 밖의 영업손실은 공익사업의 시행과 동시에 발생하는 경우도 있지만, 공익사업에 따른 공공시설의 설치공사 또는 설치된 공공시설의 가동·운영으로 발생하는 경우도 있어 그 발생원인과 발생시점이 다양하므로, 공익사업시행지구 밖의 영업자가 발생한 영업상 손실의 내용을 구체적으로 특정하여 주장하지 않으면 사업시행자로서는 영업손실보상금 지급의무의 존부와 범위를 구체적으로 알기 어려운 특성이 있다. 공익사업을 위한 토지 등의 취득 및 보상에 관한 법률 제79조 제2항에 따른 손실보상의 기한을 사업완료일부터 1년 이내로 제한하면서도 영업자의 청구에 따라 보상이 이루어지도록 규정한 것[공익사업을 위한 토지 등의 취득 및 보상에 관한 법률 시행규칙(이하 '시행규칙'이라 한다) 제64조 제1항]이나 손실보상의 요건으로서 공익사업시행지구 밖에서 발생하는 영업손실의 발생원인에 관하여 별다른 제한 없이 '그 밖의 부득이한 사유'라

는 추상적인 일반조항을 규정한 것(시행규칙 제64조 제1항 제2호)은 간접손실로서 영업손실의 이러한 특성을 고려한 결과이다.

위와 같은 공익사업시행지구 밖 영업손실보상의 특성과 헌법이 정한 '정당한 보상의 원칙'에 비추어 보면, 공익사업시행지구 밖 영업손실보상의 요건인 '공익사업의 시행으로 인한 그 밖의 부득이한 사유로 일정 기간 동안 휴업이 불가피한 경우'란 공익사업의 시행 또는 시행 당시 발생한 사유로 휴업이 불가피한 경우만을 의미하는 것이 아니라 공익사업의 시행 결과, 즉 그 공익사업의 시행으로 설치되는 시설의 형태·구조·사용 등에 기인하여 휴업이 불가피한 경우도 포함된다고 해석함이 타당하다.

[2] 공익사업을 위한 토지 등의 취득 및 보상에 관한 법률(이하 '토지보상법'이라 한다) 제79조 제2항(그 밖의 토지에 관한 비용보상 등)에 따른 손실보상과 환경정책기본법 제44조 제1항(환경오염의 피해에 대한 무과실책임)에 따른 손해배상은 근거 규정과 요건·효과를 달리하는 것으로서, 각 요건이 충족되면 성립하는 별개의 청구권이다. 다만 손실보상청구권에는 이미 '손해 전보'라는 요소가 포함되어 있어 실질적으로 같은 내용의 손해에 관하여 양자의 청구권을 동시에 행사할 수 있다고 본다면 이중배상의 문제가 발생하므로, 실질적으로 같은 내용의 손해에 관하여 양자의 청구권이 동시에 성립하더라도 영업자는 어느 하나만을 선택적으로 행사할 수 있을 뿐이고, 양자의 청구권을 동시에 행사할 수는 없다. 또한 '해당 사업의 사업완료일로부터 1년'이라는 손실보상 청구기간(토지보상법 제79조 제5항, 제73조 제2항)이 도과하여 손실보상청구권을 더 이상 행사할 수 없는 경우에도 손해배상의 요건이 충족되는 이상 여전히 손해배상청구는 가능하다.

[3] 공익사업을 위한 토지 등의 취득 및 보상에 관한 법률(이하 '토지보상법'이라 한다) 제26조, 제28조, 제30조, 제34조, 제50조, 제61조, 제79조, 제80조, 제83조 내지 제85조의 규정 내용과 입법 취지 등을 종합하면, 공익사업으로 인하여 공익사업시행지구 밖에서 영업을 휴업하는 자가 사업시행자로부터 공익사업을 위한 토지 등의 취득 및 보상에 관한 법률 시행규칙 제47조 제1항에 따라 영업손실에 대한 보상을 받기 위해서는, 토지보상법 제34조, 제50조 등에 규정된 재결절차를 거친 다음 그 재결에 대하여 불복이 있는 때에 비로소 토지보상법 제83조 내지 제85조에 따라 권리구제를 받을 수 있을 뿐이다. 이러한 재결절차를 거치지 않은 채 곧바로 사업시행자를 상대로 손실보상을 청구하는 것은 허용되지 않는다.

[4] <u>어떤 보상항목이 공익사업을 위한 토지 등의 취득 및 보상에 관한 법령상 손실보상대상에 해당함에도 관할 토지수용위원회가 사실을 오인하거나 법리를 오해함으로써 손실보상대상에 해당하지 않는다고 잘못된 내용의 재결을 한 경우에는, 피보상자는 관할 토지수용위원회를 상대로 그 재결에 대한 취소소송을 제기할 것이 아니라, 사업시행자를 상대로 공익사업을 위한 토지 등의 취득 및 보상에 관한 법률 제85조 제2항에 따른 보상금 증감청구소송을 제기하여야 한다.</u>

판례

● 손실보상금 채권에 관하여 압류 및 추심명령이 있는 경우 보상금증감청구소송의 당사자적격을 상실하지 않는다.

대법원 2022.11.24. 선고 2018두67 전원합의체 판결[손실보상금]

[판시사항]

공익사업을 위한 토지 등의 취득 및 보상에 관한 법률에 따른 토지소유자 또는 관계인의 사업시행자에 대한 손실보상금 채권에 관하여 압류 및 추심명령이 있는 경우, 채무자인 토지소유자 등이 보상금의 증액을 구하는 소를 제기하고 그 소송을 수행할 당사자적격을 상실하는지 여부(소극)

[판결요지]

공익사업을 위한 토지 등의 취득 및 보상에 관한 법률(이하 '토지보상법'이라 한다) 제85조 제2항에 따른 보상금의 증액을 구하는 소(이하 '보상금 증액 청구의 소'라 한다)의 성질, 토지보상법상 손실보상금 채권의 존부 및 범위를 확정하는 절차 등을 종합하면, 토지보상법에 따른 토지소유자 또는 관계인(이하 '토지소유자 등'이라 한다)의 사업시행자에 대한 손실보상금 채권에 관하여 압류 및 추심명령이 있더라도, 추심채권자가 보상금 증액 청구의 소를 제기할 수 없고, 채무자인 토지소유자 등이 보상금 증액 청구의 소를 제기하고 그 소송을 수행할 당사자적격을 상실하지 않는다고 보아야 한다. 그 상세한 이유는 다음과 같다.

① 토지보상법 제85조 제2항은 토지소유자 등이 보상금 증액 청구의 소를 제기할 때에는 사업시행자를 피고로 한다고 규정하고 있다. 위 규정에 따른 보상금 증액 청구의 소는 토지소유자 등이 사업시행자를 상대로 제기하는 당사자소송의 형식을 취하고 있지만, 토지수용위원회의 재결 중 보상금 산정에 관한 부분에 불복하여 그 증액을 구하는 소이므로 실질적으로는 재결을 다투는 항고소송의 성질을 가진다.

행정소송법 제12조 전문은 "취소소송은 처분 등의 취소를 구할 법률상 이익이 있는 자가 제기할 수 있다."라고 규정하고 있다. 앞서 본 바와 같이 보상금 증액 청구의 소는 항고소송의 성질을 가지므로, 토지소유자 등에 대하여 금전채권을 가지고 있는 제3자는 재결에 대하여 간접적이거나 사실적·경제적 이해관계를 가질 뿐 재결을 다툴 법률상의 이익이 있다고 할 수 없어 직접 또는 토지소유자 등을 대위하여 보상금 증액 청구의 소를 제기할 수 없고, 토지소유자 등의 손실보상금 채권에 관하여 압류 및 추심명령이 있더라도 추심채권자가 재결을 다툴 지위까지 취득하였다고 볼 수는 없다.

② 토지보상법 등 관계 법령에 따라 토지수용위원회의 재결을 거쳐 이루어지는 손실보상금 채권은 관계 법령상 손실보상의 요건에 해당한다는 것만으로 바로 존부 및 범위가 확정된다고 볼 수 없다. 토지소유자 등이 사업시행자로부터 손실보상을 받기 위해서는 사업시행자와 협의가 이루어지지 않으면 토지보상법 제34조, 제50조 등에 규정된 재결절차를 거친 뒤에 그 재결에 대하여 불복이 있는 때에 비로소 토지보상법 제83조 내지 제85조에 따라 이의신청 또는 행정소송을 제기할 수 있을 뿐이고, 이러한 절차를 거치지 않은 채 곧바로 사업시행자를 상대로 손실보상을 청구하는 것은 허용되지 않는다.

이와 같이 손실보상금 채권은 토지보상법에서 정한 절차로서 관할 토지수용위원회의 재결 또는 행정소송 절차를 거쳐야 비로소 구체적인 권리의 존부 및 범위가 확정된다. 아울러 토지보상법령은 토지소유자 등으로 하여금 위와 같은 손실보상금 채권의 확정을 위한 절차를 진행하도록 정하고 있다. 따라서 사업인정고시 이후 위와 같은 절차를 거쳐 장래 확정될 손실보상금 채권에 관하여 채권자가 압류 및 추심명령을 받을 수는 있지만, 그 압류 및 추심명령이 있다고 하여 추심채권자가 위와 같은 손실보상금 채권의 확정을 위한 절차에 참여할 자격까지 취득한다고 볼 수는 없다.

③ 요컨대, 토지소유자 등이 토지보상법 제85조 제2항에 따라 보상금 증액 청구의 소를 제기한 경우, 그 손실보상금 채권에 관하여 압류 및 추심명령이 있다고 하더라도 추심채권자가 그 절차에 참여할 자격을 취득하는 것은 아니므로, 보상금 증액 청구의 소를 제기한 토지소유자 등의 지위에 영향을 미친다고 볼 수 없다. 따라서 보상금 증액 청구의 소의 청구채권에 관하여 압류 및 추심명령이 있더라도 토지소유자 등이 그 소송을 수행할 당사자적격을 상실한다고 볼 것은 아니다.

2) 보상액의 항목 상호간 유용문제

손실보상금액에 관한 항목 간 유용이 허용되는지가 의문일 수 있다. 항목 간 유용이 허용되면 각 항목별로 손실보상금액을 비교 및 합산하여서 결정하는 것이 아니고 항목별 보상금액의 총합을 상호 비교하여 결정하게 된다. 대법원도 행정소송의 대상이 된 물건 중 일부 항목에 관한 보상액은 과소하고 다른 항목의 보상액은 과다한 경우에는 그 항목 상호 간의 유용을 허용하여 과다부분과 과소부분을 합산하여 보상금액을 결정하여야 한다고 판시한 바 있다.

3) 입증책임

당사자소송에 있어서 입증책임은 민사소송법상의 일반원칙에 의하여 분배된다고 보는 것이 일반적이다. 통설 및 판례는 법률요건분배설을 취하고 있다. 판례는 손실보상증액청구의 소에 있어서 그 이의재결에서 정한 손실보상금액보다 정당한 손실보상금액이 더 많다는 점에 대한 입증책임은 원고에게 있다고 한다.

4) 지연이자의 발생범위

보상금증감청구소송에서 정한 보상금액과 재결에서 정한 보상금액과의 차액의 지연이자에 대해 판례는 "기업자의 손실보상 지급의무는 수용시기로부터 발생하고 행정소송에서 정한 보상액과의 차액 역시 손실보상의 일부분이므로, 이 차액이 수용의 시기에 지급되지 않은 이상 이에 대하여 지연손해금이 발생한다"고 한다.

Ⅴ 사안의 해결

1. (설문 1) 원처분주의와 재결주의 – 소송의 대상

행정소송법 제19조 단서 및 토지보상법 제85조에 따르면 원칙적으로는 원처분주의 입장에 있다. 따라서 피수용자는 수용결정자체에 대하여 불복하고자 할 경우에는 토지보상법 제83조 및 제85조에 따라 이의신청 및 취소소송을 제기할 수 있으며, 이 경우 소의 대상은 원칙적으로 원처분인 수용재결이지만, 이의재결 자체에 고유한 위법이 있다고 인정되는 경우 이의재결 자체를 소의 대상으로 할 수 있다.

2. (설문 2) 보상금증감청구소송 – 법률관계에 대한 다툼

수용재결 자체가 아닌 보상금의 액수에 대하여 다투는 경우에는 이의신청뿐만 아니라 실질적인 권리구제 수단으로서 보상금증감청구소송의 제기가 가능하다. 또한 최근 대법원 판례인 2010.8.19, 2008두822와 2019.11.28, 2018두227 판결을 통해 볼 때, 보상금증감청구소송의 심리범위가 늘어나고 있는 것은 국민의 재산권 보호를 위한 가장 최적의 형식적 당사자소송으로서 기능하고 있는 것으로 판단된다.

61절　토지보상법 제91조(환매권) - 23회, 19회, 13회, 1회 기출

문제

국방부장관은 국가안보의 중요성을 인식하고 서해 5도에 군부대 사격장 시설의 확장 설치를 위하여, 서해 5도 중 연평도의 甲소유의 토지에 대하여는 사업인정고시 전인(사업인정고시일 2009.10.4.) 2009.3.4.에 협의취득의 형식으로, 乙소유의 토지에 대하여는 사업인정고시 후인 2009.12.4.에 수용재결을 통하여 이를 취득하여 사격장을 설치·운영하여 오다가 2016.4.5.이를 다른 지역으로 이전하고 2016.4.5 해당 사격장 사업폐지를 고시하고 위 토지를 아무런 사용계획 없이 방치하고 있다. 30점 (다만 2021.8.10. 개정 시행되는 토지보상법 제91조 제1항 적용을 전제하여 문제를 풀 것)

(1) 甲, 乙은 각각 과거 자신의 소유였던 토지를 되찾을 수 있는지, 가능하다면 그 요건과 절차 등을 설명하시오. 15점

(2) 만약, 이 토지들에 대하여 A시장이 공영주차장 설치장소로 도시관리계획 변경결정을 한 상태라면 甲과 乙이 이 토지를 되찾을 수 있는지를 논하시오. 15점 (도시관리계획 변경 결정으로 [국토의 계획 및 이용에 관한 법률]상 실시계획고시가 있어 사업인정이 의제된 것으로 본다.)

Ⅰ. 논점의 정리

Ⅱ. 환매권 행사 가능 여부(설문 (1)의 검토)
　1. 의의
　2. 성질
　3. 내용
　　(1) 주체
　　(2) 요건
　　(3) 행사기간
　　(4) 행사방법·절차
　4. 설문 (1)의 검토

Ⅲ. 공익사업의 변환 시 환매권 행사 가능 여부(설문 (2)의 검토)
　1. 기산특례 적용 여부
　　(1) 법 제91조 제6항
　　(2) 사안의 경우

　2. 사업주체가 변경되는 경우도 포함되는지 여부
　　(1) 문제점
　　(2) 판례
　　(3) 검토
　3. 사안의 경우

Ⅳ. '공익사업의 변환'규정이 사업인정 전 협의취득에도 적용되는지 여부
　1. 토지보상법 규정 및 대법원 판례
　2. 검토
　3. 사안의 경우

Ⅴ. 사례의 해결
　1. 설문 (1)의 경우
　2. 설문 (2)의 경우

> **Tip** 제19회 1번 문제로 기출되었으나, 공익사업변환제도(법 제91조 제6항)의 위헌성과 통지의무 위반에 대한 손해배상책임의 문제는 아직 구체적으로 출제되지는 않았다. 특히 최근의 환매권과 관련된 대법원 판례를 통해서 공부의 깊이를 높여야 할 것이다.

□ **대판 2010.9.30, 2010다30782[소유권이전등기]**

[판시사항]

[1] 환매권에 관하여 규정한 '공익사업을 위한 토지 등의 취득 및 보상에 관한 법률' 제91조 제1항에 정한 '해당 사업'의 의미 및 협의취득 또는 수용된 토지가 필요 없게 되었는지 여부의 판단기준

[2] '공익사업을 위한 토지 등의 취득 및 보상에 관한 법률' 제91조 제1항에 정한 환매권 행사기간의 의미

[3] '공익사업을 위한 토지 등의 취득 및 보상에 관한 법률' 제91조 제6항에 정한 공익사업의 변환이 인정되는 경우, 환매권 행사가 제한되는지 여부(적극)

[4] '공익사업을 위한 토지 등의 취득 및 보상에 관한 법률' 제91조 제6항에 정한 공익사업의 변환은 새로운 공익사업에 관해서도 같은 법 제20조 제1항의 규정에 의해 사업인정을 받거나 위 규정에 따른 사업인정을 받은 것으로 의제되는 경우에만 인정할 수 있는지 여부(적극)

[5] 공익사업을 위해 협의취득하거나 수용한 토지가 변경된 사업의 사업시행자 아닌 제3자에게 처분된 경우에도 '공익사업의 변환'을 인정할 수 있는지 여부(소극)

[6] 지방자치단체가 도시관리계획상 초등학교 건립사업을 위하여 학교용지를 협의취득하였으나 위 학교용지 인근에서 아파트 건설사업을 하던 주택건설사업 시행자와 그 아파트단지 내에 들어설 새 초등학교부지와 위 학교용지를 교환하고 위 학교용지에 중학교를 건립하는 것으로 도시관리계획을 변경한 사안에서, 위 학교용지에 관한 환매권 행사를 인정한 사례

[판결요지]

[1] 환매권에 관하여 규정한 '공익사업을 위한 토지 등의 취득 및 보상에 관한 법률'(이하 '공익사업법'이라고 한다) 제91조 제1항에서 말하는 '해당 사업'이란 토지의 협의취득 또는 수용의 목적이 된 구체적인 특정의 공익사업으로서 공익사업법 제20조 제1항에 의한 사업인정을 받을 때 구체적으로 특정된 공익사업을 말하고, '국토의 계획 및 이용에 관한 법률' 제88조, 제96조 제2항에 의해 도시계획시설사업에 관한 실시계획의 인가를 공익사업법 제20조 제1항의 사업인정으로 보게 되는 경우에는 그 실시계획의 인가를 받을 때 구체적으로 특정된 공익사업이 바로 공익사업법 제91조 제1항에 정한 협의취득 또는 수용의 목적이 된 해당 사업에 해당한다. 또 위 규정에 정한 해당 사업의 '폐지·변경'이란 해당 사업을 아예 그만두거나 다른 사업으로 바꾸는 것을 말하고, 취득한 토지의 전부 또는 일부가 '필요 없게 된 때'란 사업시행자가 취득한 토지의 전부 또는 일부가 그 취득목적 사업을 위하여 사용할 필요 자체가 없어진 경우를 말하며, 협의취득 또는 수용된 토지가 필요 없게 되었는지 여부는 사업시행자의 주관적인 의사를 표준으로 할 것이 아니라 해당 사업의 목적과 내용, 협의취득의 경위와 범위, 해당 토지와 사업의 관계, 용도 등 제반 사정에 비추어 객관적·합리적으로 판단하여야 한다.

[2] '공익사업을 위한 토지 등의 취득 및 보상에 관한 법률' 제91조 제1항에서 환매권의 행사요건으로 정한 "해당 토지의 전부 또는 일부가 필요 없게 된 때부터 1년 또는 그 취득일부터 10년 이내에 그 토지를 환매할 수 있다."라는 규정의 의미는 취득일부터 10년 이내에 그 토지가 필요 없게 된 경우에는 그때부터 1년 이내에 환매권을 행사할 수 있으며, 또 필요 없게 된 때부터 1년이 지났더라도 취득일부터 10년이 지나지 않았다면 환매권자는 적법하게 환매권을 행사할 수 있다는 의미로 해석함이 옳다.

[3] 공익사업의 변환을 인정한 입법취지 등에 비추어 볼 때, '공익사업을 위한 토지 등의 취득 및 보상에 관한 법률' 제91조 제6항은 사업인정을 받은 해당 공익사업의 폐지·변경으로 인하여 협의취득하거나 수용한 토지가 필요 없게 된 때라도 위 규정에 의하여 공익사업의 변환이 허용되는 다른 공익사업으로 변경되는 경우에는 해당 토지의 원소유자 또는 그 포괄승계인에게 환매권이 발생하지 않는다는 취지를 규정한 것이라고 보아야 하고, 위 조항에서 정한 "제1항 및 제2항의 규정에 의한 환매권 행사기간은 관보에 해당 공익사업의 변경을 고시한 날부터 기산한다."는 의미는 새로 변경된 공익사업을 기준으로 다시 환매권 행사의 요건을 갖추지 못하는 한 환매권을 행사할 수 없고 환매권 행사요건을 갖추어 제1항 및 제2항에 정한 환매권을 행사할 수 있는 경우에 그 환매권 행사기간은 해당 공익사업의 변경을 관보에 고시한 날부터 기산한다는 의미로 해석해야 한다.

[4] '공익사업을 위한 토지 등의 취득 및 보상에 관한 법률' 제91조 제6항에 정한 공익사업의 변환은 같은 법 제20조 제1항의 규정에 의한 사업인정을 받은 공익사업이 일정한 범위 내의 공익성이 높은 다른 공익사업으로 변경된 경우에 한하여 환매권의 행사를 제한하는 것이므로, 적어도 새로운 공익사업에 관해서도 같은 법 제20조 제1항의 규정에 의해 사업인정을 받거나 또는 위 규정에 따른 사업인정을 받은 것으로 의제하는 다른 법률의 규정에 의해 사업인정을 받은 것으로 볼 수 있는 경우에만 공익사업의 변환에 의한 환매권 행사의 제한을 인정할 수 있다.

[5] 공익사업의 원활한 시행을 위한 무익한 절차의 반복 방지라는 '공익사업의 변환'을 인정한 입법취지에 비추어 볼 때, 만약 사업시행자가 협의취득하거나 수용한 해당 토지를 제3자에게 처분해 버린 경우에는 어차피 변경된 사업시행자는 그 사업의 시행을 위하여 제3자로부터 토지를 재취득해야 하는 절차를 새로 거쳐야 하는 관계로 위와 같은 공익사업의 변환을 인정할 필요성도 없게 되므로, 공익사업의 변환을 인정하기 위해서는 적어도 변경된 사업의 사업시행자가 해당 토지를 소유하고 있어야 한다. 나아가 공익사업을 위해 협의취득하거나 수용한 토지가 제3자에게 처분된 경우에는 특별한 사정이 없는 한 그 토지는 해당 공익사업에는 필요 없게 된 것이라고 보아야 하고, 변경된 공익사업에 관해서도 마찬가지이므로, 그 토지가 변경된 사업의 사업시행자 아닌 제3자에게 처분된 경우에는 공익사업의 변환을 인정할 여지도 없다.

[6] 지방자치단체가 도시관리계획상 초등학교 건립사업을 위하여 학교용지를 협의취득하였으나 위 학교용지 인근에서 아파트 건설사업을 하던 주택건설사업 시행자와 그 아파트단지 내에 들어설 새 초등학교부지와 위 학교용지를 교환하고 위 학교용지에 중학교를 건립하는 것으로 도시관리계획을 변경한 사안에서, 위 학교용지에 대한 협의취득의 목적이 된 해당 사업인 '초등학교 건립사업'의 폐지·변경으로 위 토지는 해당 사업에 필요 없게 되었고, 나아가 '중학교 건립사업'에 관하여 사업인정을 받지 않았을 뿐만 아니라 위 학교용지가 중학교 건립사업의 시행자 아닌 제3자에게 처분되었으므로 공익사업의 변환도 인정할 수 없다는 이유로 위 학교용지에 관한 환매권 행사를 인정한 사례

I 논점의 정리

설문 (1)은 「공익사업을 위한 토지 등의 취득 및 보상에 관한 법률」(이하 '토지보상법')상 환매권의 의의, 성질, 요건, 절차 등을 묻고 있으며, 설문 (2)는 토지보상법 제91조 제6항의 공익사업변환으로 인한 환매권 기산특례규정이 사업주체가 변경된 경우에도 적용되는지와 이와 같은 조항이 사업인정 전 협의취득의 경우에도 준용되는 성질의 것인지를 묻고 있다. 이하에서는 토지보상법

규정과 함께 학설과 판례를 중심으로 사안을 구체적으로 검토하기로 한다. 특히 최근 토지보상법 제91조 제1항 환매권 행사 요건에 개정되었는바, 개정된 내용을 중심으로 살펴보기로 한다.

Ⅱ 환매권 행사 가능 여부(설문 (1)의 검토)

1. 의의

환매권이란 공용수용의 목적물이 공익사업의 폐지·변경으로 인하여 불필요하게 되거나 또는 현실적으로 수용의 목적이 되었던 공익사업에 공용되고 있지 아니한 경우에, 피수용자가 일정한 요건하에 다시 원소유권을 회복할 수 있는 권리를 말한다. 이는 토지보상법 제91조에 근거한다.

2. 성질

환매는 ① 사업시행자가 사인과 평등한 지위에 있으며(주체), ② 그 목적은 주로 또는 전적으로 사인의 이익을 위한 것이므로(이익) 그 법률관계는 사법관계라고 보아야 하고 이러한 법률관계에서 사인이 가지는 환매권도 사권이라고 본다(판례). 그러나 최근에는 공법상 원인에 의해 발생한 권리로 공권으로 보는 유력한 견해도 존재한다.

3. 내용

(1) 주체

환매권자는 수용 당시의 토지소유자 또는 포괄승계인이다.

(2) 요건

> 🔁 **토지보상법 제91조**
> ① 공익사업의 폐지·변경 또는 그 밖의 사유로 취득한 토지의 전부 또는 일부가 필요 없게 된 경우 토지의 협의취득일 또는 수용의 개시일(이하 이 조에서 "취득일"이라 한다) 당시의 토지소유자 또는 그 포괄승계인(이하 "환매권자"라 한다)은 다음 각 호의 구분에 따른 날부터 10년 이내에 그 토지에 대하여 받은 보상금에 상당하는 금액을 사업시행자에게 지급하고 그 토지를 환매할 수 있다.
>   1. 사업의 폐지·변경으로 취득한 토지의 전부 또는 일부가 필요 없게 된 경우: 관계 법률에 따라 사업이 폐지·변경된 날 또는 제24조에 따른 사업의 폐지·변경 고시가 있는 날
>   2. 그 밖의 사유로 취득한 토지의 전부 또는 일부가 필요 없게 된 경우: 사업완료일
> ② 취득일부터 5년 이내에 취득한 토지의 전부를 해당 사업에 이용하지 아니하였을 때에는 제1항을 준용한다. 이 경우 환매권은 취득일부터 6년 이내에 행사하여야 한다.

해당 사안은 사격장에 대한 폐지를 고시한바, 토지보상법 제91조 제1항 제1호에서 사업의 폐지고시가 있은 날로부터 10년 이내에 환매권을 행사하면 되는 것이다. 이는 피수용자의 권리보호를 위한 것으로 최근 헌법불합치결정으로 인하여 해당 법령이 개정된 것이다.

판례

● **(판례변경)토지보상법 제91조 제1항 10년 이내 부분 헌법불합치 결정**
2020.11.26. 2019헌바131 헌법불합치 결정 토지보상법 제91조 제1항 10년 적용부분

헌법재판소는 2020년 11월 26일 재판관 6:3의 의견으로, 환매권의 발생기간을 제한한 공익사업을 위한 토지 등의 취득 및 보상에 관한 법률(2011.8.4. 법률 제11017호로 개정된 것) 제91조 제1항 중 '토지의 협의취득일 또는 수용의 개시일부터 10년 이내에' 부분이 헌법에 합치되지 아니한다는 결정을 선고하였다. [헌법불합치]

이에 대하여 위 조항이 재산권을 침해하지 아니한다는 재판관 이선애, 재판관 이종석, 재판관 이미선의 반대의견이 있다.

■ 사건개요

○ 창원시는 2005.9.경 내지 2006.1.경 청구인들로부터 '괴정−외성 간 해양관광도로 개설공사'를 추진하기 위하여 '공익사업을 위한 토지 등의 취득 및 보상에 관한 법률'(이하 '토지보상법'이라 한다)에 따라 창원시 진해구 ○○ 등 6필지 토지(이하 '이 사건 토지'라 한다)에 관하여 공공용지 협의취득에 의한 소유권이전등기를 마쳤다.

○ 창원시는 위 해양관광도로 개설공사를 진행하던 중 부산−진해 경제자유구역청이 추진하는 '남산유원지 개발계획'과 중복되는 부분이 있음이 밝혀져 사업진행을 보류하다가, 2017.5.25. 이 사건 토지를 위 해양관광도로 사업부지에서 제외하는 내용의 창원도시관리계획 결정(변경) 고시를 하였다(창원시 고시 제2017−102호).

○ 청구인들은 2018.1.8. 창원시를 상대로 주위적으로 환매를 원인으로 한 소유권이전등기절차 이행을 구하고, 예비적으로 환매권 통지를 하지 않은 불법행위에 기한 손해배상을 구하는 소를 제기하였다.

○ 청구인들은 위 소송 계속 중인 2019.3.14. 토지보상법 제91조 제1항에 대하여 위헌법률심판제청을 신청하였고, 2019.4.5. 위 신청이 기각되자 같은 달 19. 이 사건 헌법소원심판을 청구하였다.

■ 심판대상

○ 이 사건 심판대상은 '공익사업을 위한 토지 등의 취득 및 보상에 관한 법률'(2011.8.4. 법률 제11017호로 개정된 것) 제91조 제1항 중 '토지의 협의취득일 또는 수용의 개시일(이하 이 조에서 "취득일"이라 한다)부터 10년 이내에' 부분(이하 '이 사건 법률조항'이라 한다)이 헌법에 위반되는지 여부이다.

● **[심판대상조항] 공익사업을 위한 토지 등의 취득 및 보상에 관한 법률(2011.8.4. 법률 제 11017호로 개정된 것)**

제91조(환매권)

① 토지의 협의취득일 또는 수용의 개시일(이하 이 조에서 "취득일"이라 한다)부터 10년 이 내에 해당 사업의 폐지·변경 또는 그 밖의 사유로 취득한 토지의 전부 또는 일부가 필요 없게 된 경우 취득일 당시의 토지소유자 또는 그 포괄승계인(이하 "환매권자"라 한다)은 그 토지의 전부 또는 일부가 필요 없게 된 때부터 1년 또는 그 취득일부터 10년 이내에 그 토지에 대하여 받은 보상금에 상당하는 금액을 사업시행자에게 지급하고 그 토지를 환매할 수 있다.

■ **결정주문**

1. 공익사업을 위한 토지 등의 취득 및 보상에 관한 법률(2011.8.4. 법률 제11017호로 개정 된 것) 제91조 제1항 중 '토지의 협의취득일 또는 수용의 개시일(이하 이 조에서 "취득일" 이라 한다)부터 10년 이내에' 부분은 헌법에 합치되지 아니한다.

2. 법원 기타 국가기관 및 지방자치단체는 입법자가 개정할 때까지 위 법률조항의 적용을 중지하여야 한다.

■ **이유의 요지**

● **환매권의 법적 성격과 심사기준**

○ 우리 헌법은 국민의 재산권 보장을 원칙으로 하고 예외적으로 공공필요 등 헌법상 요건을 갖춘 경우 토지수용 등을 인정하고 있다. 따라서 토지수용 등 절차를 종료하였다고 하더 라도 공익사업에 해당 토지가 필요 없게 된 경우에는 토지수용 등의 헌법상 정당성이 장 래를 향하여 소멸한 것이므로, 이러한 경우 종전 토지소유자가 소유권을 회복할 수 있는 권리인 환매권은 헌법이 보장하는 재산권의 내용에 포함되는 권리이다.

○ 이 사건 법률조항은 '취득일로부터 10년 이내'로 환매권의 발생기간을 제한하고 있는데, 이러한 제한은 환매권의 구체적 행사를 위한 내용을 정한 것이라기보다는 환매권 발생 여부 자체를 정하는 것이어서 사실상 원소유자의 환매권을 배제하는 결과를 초래할 수 있으므로, 헌법 제37조 제2항에서 정한 기본권 제한입법의 한계를 준수하고 있는지 살펴 본다.

● **과잉금지원칙 위반 여부**

○ 환매권의 발생기간을 제한한 것은 사업시행자의 지위나 이해관계인들의 토지이용에 관한 법률관계 안정, 토지의 사회경제적 이용 효율 제고, 사회일반에 돌아가야 할 개발이익이 원소유자에게 귀속되는 불합리 방지 등을 위한 것인데, 그 입법목적은 정당하고 이와 같 은 제한은 입법목적 달성을 위한 유효적절한 방법이라 할 수 있다.

○ 그러나 2000년대 이후 다양한 공익사업이 출현하면서 공익사업 간 중복·상충 사례가 발생하였고, 산업구조 변화, 비용 대비 편익에 대한 지속적 재검토, 인근 주민들의 반대

등에 직면하여 공익사업이 지연되다가 폐지되는 사례가 발생하고 있다. 2020년 6월 기준 토지취득절차 돌입 후 10년 6개월이 경과하였음에도 공사가 완료되지 않은 공익사업이 156건, 이를 위해 사인으로부터 취득한 토지가 약 14,000필지에 이른다.

○ 이와 같은 상황에서 이 사건 법률조항의 환매권 발생기간 '10년'을 예외 없이 유지하게 되면 토지수용 등의 원인이 된 공익사업의 폐지 등으로 공공필요가 소멸하였음에도 단지 10년이 경과하였다는 사정만으로 환매권이 배제되는 결과가 초래될 수 있다. 다른 나라의 입법례에 비추어 보아도 발생기간을 제한하지 않거나 더 길게 규정하면서 행사기간 제한 또는 토지에 현저한 변경이 있을 때 환매거절권을 부여하는 등 보다 덜 침해적인 방법으로 입법목적을 달성하고 있다. 이 사건 법률조항은 침해의 최소성 원칙에 어긋난다.

○ 이 사건 법률조항으로 제한되는 사익은 헌법상 재산권인 환매권의 발생 제한이고, 이 사건 법률조항으로 환매권이 발생하지 않는 경우에는 환매권 통지의무도 발생하지 않기 때문에 환매권 상실에 따른 손해배상도 받지 못하게 되므로, 사익 제한 정도가 상당히 크다.

○ 그런데 10년 전후로 토지가 필요 없게 되는 것은 취득한 토지가 공익목적으로 실제 사용되지 못한 경우가 대부분이다. 토지보상법은 부동산등기부상 협의취득이나 토지수용의 등기원인 기재가 있는 경우 환매권의 대항력을 인정하고 있어 공익사업에 참여하는 이해관계인들은 환매권이 발생할 수 있음을 충분히 알 수 있다. 토지보상법은 이미 환매대금 증감소송을 인정하여 당해 공익사업에 따른 개발이익이 원소유자에게 귀속되는 것을 차단하고 있다.

○ 따라서 이 사건 법률조항이 추구하고자 하는 공익은 원소유자의 사익침해 정도를 정당화할 정도로 크다고 보기 어려우므로, 법익의 균형성을 충족하지 못한다.

○ 결국 이 사건 법률조항은 헌법 제37조 제2항에 반하여 국민의 재산권을 침해하여 헌법에 위반된다.

● 헌법불합치결정과 적용중지
○ 다만 이 사건 법률조항의 위헌성은 환매권의 발생기간을 제한한 것 자체에 있다기보다는 그 기간을 10년 이내로 제한한 것에 있다. 이 사건 법률조항의 위헌성을 제거하는 다양한 방안이 있을 수 있고 이는 입법재량 영역에 속한다. 이 사건 법률조항의 적용을 중지하더라도 환매권 행사기간 등 제한이 있기 때문에 법적 혼란을 야기할 뚜렷한 사정이 있다고 보이지는 않는다.

○ 따라서 이 사건 법률조항 적용을 중지하는 헌법불합치결정을 하고, 입법자는 가능한 한 빠른 시일 내에 이와 같은 결정 취지에 맞게 개선입법을 하여야 한다.

■ **반대의견(재판관 이선애, 재판관 이종석, 재판관 이미선)**

○ 환매권은 헌법상 재산권의 내용에 포함되는 권리이나, 그 구체적인 내용과 한계는 법률에 의하여 정해진다. 이 사건 법률조항은 환매권의 구체적인 모습을 형성하는 것임과 동시에 환매권 행사를 제한하는 것임을 염두에 두고 기본권 제한입법의 한계를 일탈한 것인지 살펴보아야 한다.

○ 대체로 10년이라는 기간은 토지를 둘러싼 사업시행자나 제3자의 이해관계가 두껍게 형성되고, 토지의 사회경제적 가치가 질적 변화를 일으키기에 상당한 기간으로 볼 수 있다. 우리나라의 경우 부동산 가치 변화가 상당히 심하고, 토지를 정주 공간보다는 투자의 대상으로 인식하는 사회적 경향이 뚜렷하여 원소유자가 환매권을 행사하는 주된 동기가 상승한 부동산의 가치회수인 경우가 많다.

○ 이러한 사정들을 고려하면, 이 사건 법률조항의 환매권 발생기간 제한이 환매권을 형해화하거나 그 본질을 훼손할 정도로 불합리하다고 볼 수 없다.

○ 토지보상법은 5년 이내에 취득한 토지 전부를 공익사업에 이용하지 아니하였을 때 환매권을 인정하여 이 사건 법률조항에 따른 환매권 제한을 상당 부분 완화하고 있다. 취득일로부터 10년이 지난 뒤 해당 토지가 다른 공익사업에 편입되는 경우가 있는데, 이 경우에는 이 사건 법률조항으로 달성하고자 하는 토지의 효율적 이용이라는 공익이 작다고 할 수 없다.

○ 개발이익 귀속과 관련하여서도, 이 사건 법률조항보다 장기간 환매권 발생기간을 인정하게 되면, 여러 공익사업이 지역개발사업으로 함께 시행되는 경우가 적지 않은 현실에서 해당 공익사업과 관계없는 인근 유사토지의 지가가 다른 지역개발사업에 의하여 현저히 상승하는 경우가 발생하고, 이 경우 사회일반의 이익으로 돌아가야 할 개발이익이 원소유자에게 귀속되는 불합리한 결과가 발생할 수 있다.

○ 이 사건 법률조항의 환매권 발생기간 제한은 입법목적 달성을 위해 필요한 범위 내의 것이고 원소유자의 불이익이 달성하려는 공익보다 크다고 할 수 없다.

○ 따라서 이 사건 법률조항은 기본권 제한 입법의 한계를 일탈하여 청구인들의 재산권을 침해한다고 볼 수 없다.

■ **결정의 의의**

○ 종래 이 사건 법률조항과 동일한 내용의 구 '공공용지의 취득 및 손실보상에 관한 특례법' 및 구 토지수용법 조항이 헌법에 위반되지 아니한다고 판시한 헌재 1994.2.24. 92헌가15등 결정은 이 결정 취지와 저촉되는 범위 안에서 이를 변경한다.

○ 이 사건은 토지보상법상 환매권의 발생기간을 일률적으로 10년으로 제한한 것이 국민의 재산권을 과도하게 제한하여 헌법에 위반된다고 한 결정이다. 입법자는 이 결정의 취지에 따라 최대한 빠른 시일 내에 개선입법을 하여 위헌적 상태를 제거하여야 한다.

(3) 행사기간

사업의 폐지변경 고시가 있는 날, 또는 사업의 완료일부터 10년 이내에 그 토지에 대하여 받은 보상금에 상당하는 금액을 사업시행자에게 지급하고 그 토지를 환매할 수 있다. 환매요건이 발생하면 사업시행자는 이를 통지 또는 공고할 수 있는데 이러한 통지·공고가 있으면 그 날부터 6월 내에 행사하여야 한다. 이 기간도 제척기간이다.

(4) 행사방법·절차

환매권을 행사할 때에는 보상금 상당액을 사업시행자에게 지급하고 환매의 의사를 표명해야 한다. 토지의 가격이 취득일 당시에 비하여 현저히 변동된 경우 사업시행자 및 환매권자는 환매금액에 대하여 서로 협의하되 협의가 성립되지 아니하는 때에는 그 금액의 증감을 법원에 청구할 수 있다. 또한 보상금 상당액의 지급은 선이행 의무이므로 대금을 지급하거나 공탁하지 아니하고서는 무조건 또는 상환으로 소유권이전등기를 구하는 것은 허용되지 아니한다(대판 1993.9.14, 92다56810, 92다56827(병합), 92다56834(병합)). 환매권자가 제척기간 내에 환매대금을 지급하여 환매권을 행사하면 상대방의 의사와 상관없이 환매가 성립한다(대판 1992.6.23, 92다7832). 이때 별도의 행위 없이 소유권이 이전하는지에 관하여는 견해가 나뉜다.

4. 설문 (1)의 검토

사안의 甲, 乙은 협의취득 또는 수용된 토지의 원소유자로서, 해당 토지가 현재 사용되지 아니하고 방치되어 있으며, 사격장으로서 사업을 폐지고시한바 토지보상법 제91조 제1항 요건을 충족하여 환매권을 행사할 수 있다. 따라서 甲, 乙은 위에서 본 절차에 따라 이를 행사하면 사안의 토지를 되찾을 수 있다.

Ⅲ 공익사업의 변환 시 환매권 행사 가능 여부(설문 (2)의 검토)

1. 기산특례 적용 여부

(1) 법 제91조 제6항

토지보상법 제91조 제6항은 '국가, 지방자치단체 또는 「공공기관의 운영에 관한 법률」 제4조에 따른 공공기관 중 대통령령으로 정하는 공공기관이 사업인정을 받아 공익사업에 필요한 토지를 협의취득하거나 수용한 후 해당 공익사업이 제4조 제1호부터 제5호까지에 규정된 다른 공익사업(별표에 따른 사업이 제4조 제1호부터 제5호까지에 규정된 공익사업에 해당하는 경우를 포함한다)으로 변경된 경우 제1항 및 제2항에 따른 환매권 행사기간은 관보에 해당 공익사업의 변경을 고시한 날부터 기산(起算)한다.'고 규정하고 있어 환매권 행사가 가능한지 검토가 요구되며 가능하다고 하더라도 사업주체가 변경되거나 사업인정 전 협의취득에 의한 경우에도 기산특례규정이 적용되는지 여부가 문제된다.

(2) 사안의 경우

동항이 적용되는 것은 공익사업의 변환, 즉 처음 수용의 목적이었던 공익사업(사격장)이 아닌 다른 공익사업(주차장)을 위해 해당 토지를 사용하게 된 경우이다. 전자의 공익사업에는 제한이 없으나 후자의 공익사업은 토지보상법 제4조 제1호 내지 제5호((2010.4.5.개정) – 제4조 제1호부터 제5호까지에 규정된 다른 공익사업(별표에 따른 사업이 제4조 제1호부터 제5호까지에 규정된 공익사업에 해당하는 경우를 포함한다))의 공익사업에 한정된다.

사안의 경우 A시장이 행하는 주차장사업은 제4조 제2호에 해당하는 지방자치단체의 사업으로 기산특례규정에 적용될 여지가 있다. 다만, 본건의 경우 사업주체가 국방부장관에서 A시장으로 변경되어 사업주체가 변경된 경우에도 기산특례규정이 적용되는지의 검토가 요구되며 그 결과에 따라 환매권 행사 여부가 결정될 것이다.

2. 사업주체가 변경되는 경우도 포함되는지 여부

(1) 문제점

동항은 공익사업의 변환 시에 환매권이 부인됨을 규정하고 있으나 이때의 변경이 사업주체의 동일성은 전제로 하고 있는가에 대하여 해석이 달라질 수 있으므로 검토가 요구된다.

(2) 판례

"이른바 공익사업의 변환이 국가, 지방자치단체 또는 정부투자기관이 사업인정을 받아 토지를 협의취득 또는 수용한 경우에 한하여, 그것도 사업인정을 받은 공익사업이 공익성의 정도가 높은 (구)토지수용법 제3조 제1호 내지 제4호에 규정된 다른 공익사업으로 변환된 경우에만 허용되도록 규정하고 있는 (구)토지수용법 제71조 제7항 등 관계법령의 규정내용이나 그 입법이유 등으로 미루어 볼 때, 같은 법 제71조 제7항 소정의 공익사업의 변환이 국가, 지방자치단체 또는 정부투자기관 등 사업시행자(또는 사업시행자)가 동일한 경우에만 허용되는 것으로 해석되지는 않는다."(대판 1994.1.25, 93다11760)라고 하여 사업주체의 동일성을 요구하지 않는다.

(3) 검토

학설 중에는 환매권제도의 취지상 판례와 같은 해석은 확장해석이고 이는 공평의 원칙에 반한다고 보는 견해도 유력하다. 그러나 법이 사업주체의 동일성을 요구하고 있지 아니하고, 사업주체가 같은 경우와 다른 경우를 달리 취급할 아무런 이유가 없으므로 판례의 태도가 타당하다.

3. 사안의 경우

사안에서는 새로운 사업인정이 있었고 그 목적이 공영주차장으로 토지보상법 제4조 제2호에 해당하는 공익사업이므로 비록 사업주체가 국방부장관에서 A시장으로 변경되었으나, '공익사업의 변환'에 해당한다고 보아 수용재결에 의해 토지를 수용당한 乙에게는 환매권이 발생하지 아니하며, 乙은 문제의 토지를 찾을 수 없다. 다만, 甲의 경우에는 사업인정 전 협의취득의 방법에 의하여 기산특례 규정이 사업인정 전 취득의 경우에도 적용되는지 검토가 이루어진 후 최종 행사가능성이 달라질 수 있다.

Ⅳ '공익사업의 변환'규정이 사업인정 전 협의취득에도 적용되는지 여부

1. 토지보상법 규정 및 대법원 판례

토지보상법 제91조 제6항은 "국가, 지방자치단체 또는 공공기관이 사업인정을 받아"라고 명시적으로 규정하고 있으나 대법원은 "(구)공공용지의 취득 및 손실보상에 관한 특례법과 (구)토지수용법은 모두 공공복리의 증진과 사유재산권과의 합리적 조절을 도모하려는 데 그 목적이 있고, 그 각 환매권의 입법이유와 규정취지 등에 비추어 볼 때 토지수용법 제71조 제7항의 규정은 그 성질에 반하지 않는 한 이를 위 특례법 제9조 제1항에 의한 환매요건에 관하여도 유추적용할 수 있으므로 그 범위 안에서 환매권 행사가 제한된다."(대판 1994.5.24, 93다51218)라고 판시하여 환매권 행사를 제한하고 있다. 그러나 최근 환매권에 대한 대법원 판례는 제91조 제6항의 "사업인정을 받아"를 엄격히 해석함으로써 사업인정 후의 공익사업에 한정되는 판례를 내놓고 있는 것으로 평가된다(대판 2010.9.30, 2010다30782 : 적어도 새로운 공익사업에 관해서도 같은 법 제20조 제1항의 규정에 의해 사업인정을 받거나 또는 위 규정에 따른 사업인정을 받은 것으로 의제하는 다른 법률의 규정에 의해 사업인정을 받은 것으로 볼 수 있는 경우에만 공익사업의 변환에 의한 환매권 행사의 제한을 인정할 수 있다).

2. 검토

전체적으로는 토지보상법상 환매권도 위에서 본 바와 같이 사권이므로 양자는 그 성질이 같다는 점, 법 규정의 취지가 사업인정 전 협의취득에 대해 제한을 두고자 한 취지라고 해석하기 어렵다는 점을 고려하면 사업인정 전 협의취득의 경우에도 기산특례규정이 적용된다고 보는 것이 타당할 것이나, 2010.9.30, 2010다30782 대법원 판결에서 "적어도 새로운 공익사업에 관해서도 토지보상법 제20조 제1항의 규정에 의해 사업인정을 받거나 또는 위 규정에 따른 사업인정을 받은 것으로 의제하는 다른 법률의 규정에 의해 사업인정을 받은 것으로 볼 수 있는 경우에만 공익사업의 변환에 의한 환매권 행사의 제한을 인정할 수 있다."라고 판시함으로써 사업인정 전 협의의 경우에는 환매권 행사제한이 되지 않음으로써 환매권 행사가 가능하리라 보인다.

3. 사안의 경우

위와 같이 본다면 甲도 환매권 행사제한의 기산특례규정으로 인해 역시 환매권이 없게 된다고 볼 수 있겠지만, 최근의 대법원 판례의 해석으로 볼 때 사업인정 전인 경우에는 적용이 어렵다고 판시하고 있는바, 환매권 행사가 가능하리라 판단된다.

Ⅴ 사례의 해결

1. 설문 (1)의 경우

토지보상법 제91조 제1항이 개정되었으나 甲, 乙은 환매권 행사요건을 충족한다 할 것이므로 환매권을 취득하고 소정의 절차에 따라 이를 행사하면 토지를 회복할 수 있다.

2. 설문 (2)의 경우

乙은 환매권 행사에 있어 환매권 행사제한의 기산특례규정이 적용된다 할 것이므로 환매권 행사가 불가능하다고 판단되고, 甲의 경우는 사업인정 전의 협의취득인바, 최근의 대법원 판례를 토대로 해석해 볼 때 환매권 행사제한이 되지 않는다고 보이는바, 환매권 행사가 가능하다고 생각된다.

> **베타답안**
>
> **30점**
>
> ### Ⅰ. 논점의 정리
>
> 1. 설문 (1)에서 甲과 乙이 자신의 토지를 되찾는 방법은 토지보상법 제91조, 제92조의 환매권 행사로서 사안은 사격장시설 이전으로 전부가 불필요하여 방치되고 있는 상황에서 행사요건, 행사방법, 절차에 대하여 살펴본다.
> 2. 설문 (2)에서 국방에 관한 사업이 A시의 공영주차장 설치사업으로 공익사업이 변경된 경우에 甲과 乙이 환매권을 행사할 수 있는지 등이 문제되며, 이는 환매권 행사제한특례의 적용 문제이다.
>
> ### Ⅱ. 설문 (1) 환매권 행사가능 여부
>
> #### 1. 환매권의 의의
>
> 환매권이란 공용수용의 목적물이 공익사업의 폐지·변경으로 인하여 불필요하게 되었거나 공익사업에 공용되고 있지 아니한 경우에, 피수용자가 일정한 요건하에 다시 원소유권을 회복할 수 있는 권리를 말하며, 이는 토지보상법 제91조에 근거한다.
>
> #### 2. 법적 성질
>
> 공권인지 사권인지 논의가 있으며, 환매권 행사시 매매의 효력이 생기고, 이 매매는 환매권자와 국가 간의 사법상 매매로 보여지는바, 사권인 듯하다.

3. 환매권 행사요건

(1) 환매권자와 환매권 상대방 및 환매목적물

환매권자는 토지소유자 또는 그 포괄승계인이고 상대방은 사업시행자와 사업시행자의 승계취득자이고 목적물소유권에 한정된다.

(2) 필요 없게 된 경우(토지보상법 제91조 제1항)

토지보상법 제91조

① 공익사업의 폐지·변경 또는 그 밖의 사유로 취득한 토지의 전부 또는 일부가 필요 없게 된 경우 토지의 협의취득일 또는 수용의 개시일(이하 이 조에서 "취득일"이라 한다) 당시의 토지소유자 또는 그 포괄승계인(이하 "환매권자"라 한다)은 다음 각 호의 구분에 따른 날부터 10년 이내에 그 토지에 대하여 받은 보상금에 상당하는 금액을 사업시행자에게 지급하고 그 토지를 환매할 수 있다.

   1. 사업의 폐지·변경으로 취득한 토지의 전부 또는 일부가 필요 없게 된 경우: 관계 법률에 따라 사업이 폐지·변경된 날 또는 제24조에 따른 사업의 폐지·변경 고시가 있는 날

   2. 그 밖의 사유로 취득한 토지의 전부 또는 일부가 필요 없게 된 경우: 사업완료일

② 취득일부터 5년 이내에 취득한 토지의 전부를 해당 사업에 이용하지 아니하였을 때에는 제1항을 준용한다. 이 경우 환매권은 취득일부터 6년 이내에 행사하여야 한다.

(3) 환매권 행사기간

관계 법률에 따라 사업이 폐지·변경된 날 또는 제24조에 따른 사업의 폐지·변경 고시가 있는 날 따른 날부터 10년 이내에 그 토지에 대하여 받은 보상금에 상당하는 금액을 사업시행자에게 지급하고 그 토지를 환매할 수 있다. 사업시행자는 환매요건 발생시 통지 공고해야 하고, 사업시행자가 통지 공고한 날부터 6개월 이내에 환매권자는 환매권을 행사하여야 한다.

4. 보상금액의 선지급, 일방적 의사표시로 환매성립

환매권자는 환매의 요건을 충족하면 이미 수령한 보상금액을 사업시행자에게 지급하고 환매의 의사표시를 하면 사업시행자의 의사와 관계없이 환매권을 행사할 수 있다.

5. 환매권 행사의 효과

환매권을 해제권설, 예약완결권설, 물권적 취득권설이 있으나 재매매예약권과 같다고 봄이 타당하고 소유권이전등기를 청구할 수 있다.

6. 甲과 乙이 환매권 행사가능 여부

甲과 乙은 토지소유자이고 환매목적물은 토지이며 환매상대방은 국방부장관이다. 해당 사안은 사격장 사업폐지고시일(2016.4.5.)부터 10년 이내에 그 토지에 대하여 받은 보상금에 상당하는 금액을 사업시행자에게 지급하고 그 토지를 환매할 수 있다.

III. 설문 (2) 환매권 행사제한 사유 유무

1. 문제의 제기

상기 환매권 행사요건을 충족하였으나 공영주차장사업으로 변환된 경우로서 ① 새로운 공익사업이 사업인정 받아야 하는지, ② 사업주체의 변경과 ③ 사업인정 전 취득 시에도 토지보상법 제91조 제6항이 적용되는지 문제된다.

2. 토지보상법 제91조 제6항의 환매권 제한

'국가 등이 사업인정을 받아 토지의 협의취득수용한 후 토지보상법 제4조 제1호 내지 제5호로 변경된 경우 환매권 행사기간은 공익사업변경을 관보에 고시한 때부터 기산한다'라고 하여 행사를 제한한다.

3. 환매권 행사 제한요건

① 원사업주체가 국가, 지방자치단체 또는 공공기관이어야 하고, ② 변경되는 협의취득 또는 수용한 후 사업인정을 받은 공익사업이 토지보상법 제4조 제1호 내지 제5호의 사업에 해당해야 한다. 사안은 원행정청이 국토교통부장관이고 공영차고지사업은 동법 제4조 제2호에 해당하지만 다음과 같은 요건에 대한 논란의 여지가 있다.

4. 새로운 공영주차장사업이 사업인정받아야 하는지(甲·乙 공통)

법에는 종전 사업에 대해서는 사업인정을 받아야 한다고 규정하나 변환된 공익사업에 대해서는 사업인정을 받아야 하는지 규정이 없다. 최근 2010다30782 판결에서 새로운 공익사업에 대해 사업인정 혹은 사업인정의제되어야만 공익사업변환 특례가 적용된다고 한다. 사안에서 단서조항으로 국토의 계획 및 이용에 관한 법률 제96조에 의거 실시계획 고시가 있으면 사업인정의제되는바, 실시계획고시가 있었으므로 판례에 따를 때 요건을 충족한다.

5. A시장으로 변경되는 경우 동조 적용가능 여부(甲·乙 공통)

토지보상법 제91조 제6항에서 사업주체의 변경에 대해서는 규정이 없어 해석논란이 있다. ① 학설은 긍정설, 부정설로 나뉘며, ② 판례는 공익사업변환 규정의 내용이나 입법이유로 미루어 볼 때 사업시행자가 동일한 경우에만 허용되는 것으로 해석되지 않는다고 판시하여 긍정설의 입장이다. 생각건대 법이 사업주체의 동일성을 요구하고 있지 아니하고, 달리 취급할 이유가 없는바, 판례의 태도가 타당하다고 여겨진다. 사안의 경우 乙은 법 제91조 제6항 적용되어 환매권 행사가 제한된다.

6. 사업인정 전 협의취득의 환매권이 동조 적용가능성(甲 경우)

甲은 종전사업에 사업인정 전에 협의취득한바, 법 제91조 제6항에서 "사업인정을 받아"라고 규정하고 있어 문제된다. 긍정설, 부정설의 대립이 있으나 법에 명확한 규정이 없는 이상 확대해석해서는 안 된다고 할 것이다. 사안에서 甲은 법 제91조 제6항이 적용되지 않기 때문에 환매권 행사가 가능하다고 보인다.

Ⅳ. 사안의 해결

1. 설문 (1)에서 甲, 乙은 환매권 행사요건을 충족하여 절차에 따라 행사함으로써 토지를 되찾을 수 있다. 이때 환매권을 사권으로 볼 때 소유권이전등기청구를 위해 민사소송을 제기할 수 있다.

2. 설문 (2)에서 乙은 환매권 행사제한특례에 적용되어 환매권 행사가 불가능하고 甲은 환매권 행사제한이 적용되지 않아서 환매권 행사가 가능하다.

62절 | 토지보상법 제91조(환매권)

문제

2013.11.24. 국토의 계획 및 이용에 관한 법률(이하 '국토계획법'이라 한다) 제30조에 의하여 오산시 양산동 114 일원의 토지에 관하여 양산초등학교를 신설하는 내용이 포함된 도시관리계획(도시계획시설)결정의 고시가 이루어지자, 오산시장은 2014.11.1.국토계획법 제88조에 의하여 오산시 양산동 114 일원에 관하여, 사업시행자를 경기도 화성교육청으로 하는 도시계획시설사업 실시계획을 인가하여 이를 고시(사업인정고시의제)하였다. 그런데 중간에 민간아파트 주택사업시행자가 아파트를 짓고자 하면서 오산시 양산동 114번지 일원(원 토지소유자는 주식회사 미원모방이였고 경기도에서 초등학교 건립을 위해 취득함) 토지를 교환의 형태로 해당 부지를 민간 주택사업시행자에게 처분하였고(소유권 이전 2024.12.10.) 사업인정고시는 하지 않았으며 중학교 건립을 새롭게 추진하게 되었다. 다음 물음에 답하시오(해당 사안은 2024.12.10. 종전 공익사업을 폐지 고시하고, 2025.7.16 현재 환매권을 행사할 수 있는지 여부가 쟁점임)(대법원 2010.9.30, 2010다30782 판결 사례임). **30점** (다만 2021.8.10. 개정 시행되는 토지보상법 제91조 제1항 적용을 전제하여 문제를 풀 것)

(1) 「공익사업을 위한 토지 등의 취득 및 보상에 관한 법률」(이하 '토지보상법') 제91조에서 정한 환매권의 의미와 동법 제1항에 정한 '해당 사업'의 의미 및 협의취득 또는 수용된 토지가 필요 없게 되었는지 여부의 판단기준을 설명하시오. **10점**

(2) 토지보상법 제91조 제1항에서 말하는 환매권 행사기간의 의미와 토지보상법 제91조 제6항에서 정한 공익사업의 변환이 인정되는 경우, 환매권 행사가 제한되는지 여부를 설명하시오. **10점**

(3) 공익사업의 변환은 새로운 중학교 공익사업에 관해서도 토지보상법 제20조 제1항의 규정에 의해 사업인정을 받거나 위 규정에 따른 사업인정을 받은 것으로 의제되는 경우에만 인정할 수 있는지 여부와 지방자치단체(경기도)가 도시관리계획상 초등학교 건립사업을 위하여 학교용지를 협의취득하였으나 위 학교용지 인근에서 아파트 건설사업을 하던 주택건설사업 시행자와 그 아파트 단지 내에 들어설 새 초등학교 부지와 위 학교용지를 교환하고 위 학교용지에 중학교를 건립하는 것으로 도시관리계획을 변경한 사안에서, 위 학교용지에 관한 환매권 행사를 인정할 수 있는지 여부를 설명하시오. **10점**

Ⅰ. 논점의 정리

Ⅱ. (물음 1) 환매권의 의미와 동법 제1항에 정한 '해당 사업'의 의미 및 협의취득 또는 수용된 토지가 필요 없게 되었는지 여부의 판단기준

1. 환매권의 의미
  (1) 환매권의 의의 및 취지
  (2) 환매권의 법적 성질
  (3) 환매권의 행사요건
  (4) 환매권의 행사절차

Ⅰ 논점의 정리

'공익사업을 위한 토지 등의 취득 및 보상에 관한 법률(이하 '토지보상법)' 제91조에서는 피수용
자 입장에서 토지의 소유권을 다시 회복할 수 있는 환매권에 대해서 규정하고 있다. 하지만, 환
매의 요건을 충족한 경우에도 공익사업을 위해 환매권 행사를 제한하는 규정 역시 두고 있다.
이는 환매와 재취득이라는 무용한 절차의 반복방지를 위함에 취지가 있다. 이하에서는 환매권
행사 및 환매권 행사 제한이라는 법리에 따라 사안의 학교용지에 대해 환매권 행사가 가능한지에
대하여 검토해보고자 한다.

Ⅱ (물음 1) 환매권의 의미와 동법 제1항에 정한 '해당 사업'의 의미 및 협의취득 또는 수용된 토지가 필요 없게 되었는지 여부의 판단기준

1. 환매권의 의미

(1) 환매권의 의의 및 취지

환매권이란 공용수용의 목적물이 사업폐지 등의 사유로 공익사업에 불필요하게 되었거나 해당
공익사업에 이용되지 아니하는 경우에 그 목적물의 원래의 소유자 또는 그 포괄승계인이 일정
한 대가를 지급하고 그 목적물의 소유권을 다시 취득할 수 있는 권리를 말한다. 환매권은 더
이상의 공익성이 소멸된 경우 사업시행자가 취득한 토지를 원소유자에게 돌려주는 제도로서
감정의 존중과 공평의 원칙에 따라 피수용자의 재산권의 존속보장을 도모하기 위한 취지이다.

(2) 환매권의 법적 성질

1) 학설

① 공권설은 환매권은 공법적 원인에 의하여 야기된 법적 상태를 원상으로 회복하는 수단이 므로 공법상 권리라고 보는 입장이다. 즉, 환매권은 사업시행자라고 하는 공권력 주체에 대하 여 사인이 가지는 공법상의 권리로 보기에 이 입장에 의하면 환매권에 관한 소송은 공법상 당사자소송의 대상이 된다. ② 반면, 사권설은 환매권은 환매권자의 청구에 의해 행정청이 수용을 해제하는 것이 아니고 환매권자가 자신의 개인적 이익을 위하여 행사하는 권리이므로 사권이라고 보는 견해이다. 이 입장에 의하면 환매권에 관한 소송은 민사소송의 대상이 된다.

2) 판례

대법원은 "징발재산 정리에 관한 특별조치법 제20조 소정의 환매권은 일종의 형성권으로서 그 존속기간은 제척기간으로 봐야 할 것이며, 위 환매권은 재판상이든 그 기간 내에 행사하면 이로써 매매의 효력이 생기고 위 매매는 같은 조 제1항에 적힌 환매권자와 국가 간의 사법상 의 매매라 할 것이다."라고 판시하여 환매권을 사법상 권리로 파악하고 있다. 헌법재판소도 환매권의 법적 성질에 대하여 사권설을 취하고 있다.

3) 검토

환매권자의 행사에 의하여 발생하는 환매권자와 사업시행자 사이의 법률관계에서 사업시행자 가 공권력의 담당자로서 참가하고 있다고 보기는 어렵다고 생각된다. 또한 그 법률관계는 환 매권자의 사익의 실현을 목적으로 한다. 따라서 환매권에 의하여 발생하는 법률관계는 사법 관계이며, 법률관계의 발생원인이 되는 환매권 역시 사권으로 보아야 할 것이다.

(3) 환매권의 행사요건

1) 환매권자

환매권자는 협의취득일 또는 수용 당시의 토지소유자 또는 그의 포괄승계인이다. 따라서 지 상권자나 기타 소유권자가 아닌 다른 권리자는 환매권자가 될 수 없다. 환매권자가 행사하는 환매권은 수용의 시기에 법률상 당연히 성립하고 취득된다. 환매권은 원칙적으로 양도될 수 없고 환매권 양도계약을 체결하였다 하더라도 직접 환매권을 행사할 수 없으며, 다만 환매권 자가 환매한 토지를 양도받을 수 있을 뿐이라고 판시하고 있다.

2) 환매의 목적물

환매의 목적물은 토지소유권이다. 수용된 토지의 일부도 환매의 목적물이 될 수 없다. 토지 이외의 물건, 예컨대 건물, 입목, 토석이나 용익물건 등 토지소유권 이외의 권리는 환매의 대 상이 되지 아니한다. 이에 대하여 환매권이 헌법상 재산권 보장으로부터 도출되는 헌법상 권 리로 보는 입장에서, 오직 토지소유권에 한해서만 환매권을 인정하는 것은 위헌이 아닌가 하 는 문제제기가 있었으나, 헌법재판소는 이를 합헌으로 결정하였다.

3) 환매권의 행사요건

> **토지보상법 제91조**
> ① 공익사업의 폐지·변경 또는 그 밖의 사유로 취득한 토지의 전부 또는 일부가 필요 없게
> 된 경우 토지의 협의취득일 또는 수용의 개시일(이하 이 조에서 "취득일"이라 한다) 당시의
> 토지소유자 또는 그 포괄승계인(이하 "환매권자"라 한다)은 다음 각 호의 구분에 따른 날
> 부터 10년 이내에 그 토지에 대하여 받은 보상금에 상당하는 금액을 사업시행자에게 지
> 급하고 그 토지를 환매할 수 있다.
> 　1. 사업의 폐지·변경으로 취득한 토지의 전부 또는 일부가 필요 없게 된 경우: 관계
> 　　법률에 따라 사업이 폐지·변경된 날 또는 제24조에 따른 사업의 폐지·변경 고시가
> 　　있는 날
> 　2. 그 밖의 사유로 취득한 토지의 전부 또는 일부가 필요 없게 된 경우 : 사업완료일
> ② 취득일부터 5년 이내에 취득한 토지의 전부를 해당 사업에 이용하지 아니하였을 때에는
> 제1항을 준용한다. 이 경우 환매권은 취득일부터 6년 이내에 행사하여야 한다.

4) 환매금액

환매금액은 원칙적으로 해당 토지에 대하여 지급받은 보상금에 상당한 금액이다. 보상금에
상당한 금액이란 토지소유자가 사업시행자로부터 지급받은 보상금을 의미하며 여기에 환매권
행사 당시까지의 법정이자를 가산한 금액을 말하는 것은 아니다. 다만, 토지의 가격이 수용
당시에 비하여 현저히 변경되었을 때에는 사업시행자 또는 환매권자는 서로 협의하되, 협의
가 성립하지 아니하면 그 금액의 증감을 법원에 청구할 수 있다(토지보상법 제91조 제4항).

5) 환매권의 대항력

환매권은 「부동산등기법」에서 정하는 바에 따라 공익사업에 필요한 토지의 협의취득 또는 수
용의 등기가 되었을 때에는 제3자에게 대항할 수 있다(토지보상법 제91조 제5항). 즉, 환매의
목적물이 제3자에게 이전된 경우에 환매권자는 제3자에 대하여 환매권을 행사할 수 있다.

(4) 환매권의 행사절차

환매할 토지가 생겼을 때에는 사업시행자는 지체 없이 이를 환매권자에게 통지하여야 한다.
다만 사업시행자가 과실 없이 환매권자를 알 수 없을 때에는 대통령령으로 정하는 바에 의하
여 이를 공고하여야 한다(토지보상법 제92조 제1항). 환매권의 통지, 공고의 의무는 법적 의무이
다. 따라서 환매의 통지나 공고를 하지 아니함으로써 환매권을 상실시키는 것은 불법행위에
해당한다. 이 경우 통지 및 공고는 환매권자에게 단순히 최고하는 것에 지나지 않는다. 따라서
사업시행자의 통지가 없더라도 환매권자는 환매권을 행사할 수 있다. 환매권자는 이러한 통지
를 받은 날 또는 공고를 한 날부터 6개월이 지난 후에는 위에서 본 환매권 행사기간의 경과
여부를 불문하고 환매권을 행사하지 못한다(토지보상법 제92조 제2항).

2. 해당 사업의 의미

환매권에 관하여 규정한 '공익사업을 위한 토지 등의 취득 및 보상에 관한 법률' 제91조 제1항에서 말하는 '해당 사업'이란 토지의 협의취득 또는 수용의 목적이 된 구체적인 특정의 공익사업으로서 공익사업법 제20조 제1항에 의한 사업인정을 받을 때 구체적으로 특정된 공익사업을 말하고, '국토의 계획 및 이용에 관한 법률' 제88조, 제96조 제2항에 의해 도시계획시설사업에 관한 실시계획의 인가를 받아 공익사업법 제20조 제1항의 사업인정으로 보게 되는 경우에는 그 실시계획의 인가를 받을 때 구체적으로 특정된 공익사업이 바로 공익사업법 제91조 제1항에서 정한 협의취득 또는 수용의 목적이 된 해당 사업에 해당한다.

3. 필요 없게 되었는지 판단기준

해당 사업의 '폐지 및 변경'이란 해당 사업을 아예 그만두거나 다른 사업으로 바꾸는 것을 말하고, 취득한 토지의 전부 또는 일부가 '필요 없게 된 때'란 사업시행자가 취득한 토지의 전부 또는 일부가 그 취득 목적 사업을 위하여 사용할 필요 자체가 없어진 경우를 말하며, 협의취득 또는 수용된 토지가 필요 없게 되었는지 여부는 사업시행자의 주관적인 의사를 표준으로 할 것이 아니라 해당 사업의 목적과 내용, 협의취득의 경위와 범위, 해당 토지와 사업의 관계, 용도 등 제반 사정에 비추어 객관적, 합리적으로 판단하여야 한다.

Ⅲ (물음 2) 환매권 행사기간의 의미와 공익사업의 변환이 인정되는 경우, 환매권 행사가 제한되는지 여부

1. 환매권 행사기간의 의미

(1) 환매권 행사기간

> **토지보상법 제91조**
> ① 공익사업의 폐지·변경 또는 그 밖의 사유로 취득한 토지의 전부 또는 일부가 필요 없게 된 경우 토지의 협의취득일 또는 수용의 개시일(이하 이 조에서 "취득일"이라 한다) 당시의 토지소유자 또는 그 포괄승계인(이하 "환매권자"라 한다)은 다음 각 호의 구분에 따른 날부터 10년 이내에 그 토지에 대하여 받은 보상금에 상당하는 금액을 사업시행자에게 지급하고 그 토지를 환매할 수 있다.
>   1. 사업의 폐지·변경으로 취득한 토지의 전부 또는 일부가 필요 없게 된 경우: 관계 법률에 따라 사업이 폐지·변경된 날 또는 제24조에 따른 사업의 폐지·변경 고시가 있는 날
>   2. 그 밖의 사유로 취득한 토지의 전부 또는 일부가 필요 없게 된 경우: 사업완료일
> ② 취득일부터 5년 이내에 취득한 토지의 전부를 해당 사업에 이용하지 아니하였을 때에는 제1항을 준용한다. 이 경우 환매권은 취득일부터 6년 이내에 행사하여야 한다.

(2) 환매권 행사기간의 의미

공익사업의 폐지·변경 또는 그 밖의 사유로 취득한 토지의 전부 또는 일부가 필요 없게 된 경우 토지의 협의취득일 또는 수용의 개시일(이하 이 조에서 "취득일"이라 한다) 당시의 토지소유자 또는 그 포괄승계인(이하 "환매권자"라 한다)은 (사업의 폐지·변경 고시가 있은 날 또는 사업완료일) 구분에 따른 날부터 10년 이내에 그 토지에 대하여 받은 보상금에 상당하는 금액을 사업시행자에게 지급하고 그 토지를 환매할 수 있다.

또한, 제1항 및 제2항의 요건에 충족되면 환매권자는 자신에게 유리한 기간을 선택적으로 적용할 수 있다.

판례

● 대판 1993.8.13, 92다50652

[판시사항]

가. 공공용지의 취득 및 손실보상에 관한 특례법 제9조 제1항과 제2항의 환매권발생요건에 모두 해당되는 경우 더 짧은 제척기간을 정한 제2항에 의하여 제1항의 환매권의 행사가 제한되는지 여부

나. 같은 법 제9조 제1항의 환매권발생요건

다. 같은 법 시행령 제7조 제1항의 "인근유사토지의 지가변동률"의 의미

[판결요지]

가. 공공용지의 취득 및 손실보상에 관한 특례법 제9조 제1항과 제2항은 환매권발생요건을 서로 달리하고 있으므로 <u>어느 한 쪽의 요건에 해당되면 다른 쪽의 요건을 주장할 수 없게 된다고 할 수는 없고, 양쪽의 요건에 모두 해당된다고 하여 더 짧은 제척기간을 정한 제2항에 의하여 제1항의 환매권의 행사가 제한된다고 할 수도 없을 것이므로 제2항의 규정에 의한 제척기간이 도과되었다 하여 제1항의 규정에 의한 환매권행사를 할 수 없는 것도 아니다.</u>

나. 같은 법 제9조 제1항의 "당해 공공사업의 폐지·변경 기타의 사유로 인하여 취득한 토지 등의 전부 또는 일부가 필요 없게 되었을 때"란 사업시행자가 같은 법 소정의 절차에 따라 취득한 토지 등이 일정한 기간 내에 그 취득목적사업인 공공사업의 폐지·변경 등의 사유로 그 공공사업에 이용될 필요성이 없어진 경우를 의미하고, 이때의 필요성의 유무는 사업시행자의 주관적인 의사와는 관계없이 객관적인 사정에 따라 판단하면 족하다.

다. 같은 법 시행령 제7조 제1항의 "인근유사토지의 지가변동률"이라 함은 환매대상 토지와 지리적으로 인접하고 그 공부상 지목과 토지의 이용상황 등이 유사한 인근유사토지의 지가상승률을 가리키는 것이므로, 그 토지가 속해 있는 직할시의 한 구 전체의 토지에 대한 지목별 평균지가변동률은 이를 인근유사토지의 지가상승률이라 할 수 없다.

---

2. 공익사업변환으로 인한 환매권 제한

(1) 공익사업변환의 의의 및 취지(토지보상법 제91조 제6항)

공익사업의 변환이란 공익사업을 위하여 토지를 협의취득 또는 수용한 후 그 공익사업이 다른 공익사업으로 변경된 경우, 별도의 협의취득 또는 수용 없이 해당 협의취득 또는 수용된 토지를 변경된 다른 공익사업에 이용하도록 하는 제도이다. 이는 수용절차의 무용한 반복을 피하여 공익사업의 원활한 수행을 도모하는 데 취지가 있다.

(2) 공익사업변환의 요건

수용주체가 국가, 지방자치단체 또는 공공기관인 경우에 한한다. 판례는 원래의 사업시행자와 변환되는 다른 공익사업의 시행자가 동일할 필요는 없다는 입장이다. 이에 대해서는 이러한 해석을 적용하면 수용 시와 공익사업의 변환 시 사이에 토지 가격의 변동이 있을 경우 그 차익을 원래의 사업시행자가 차지하는 것은 불합리하므로 사업시행자가 변동되는 경우에는 변환을 허용하지 말아야 한다는 견해가 제시되고 있다. 토지보상법 제91조 제6항이 공익을 위한 인정요건의 강화를 전제로 공익사업의 변환을 인정하고 있다는 점을 감안할 때 판례의 입장이 타당하다고 생각된다. 또한 공익사업의 변환이 인정되기 위해서는 사업인정을 받은 공익사업이 공익성의 정도가 높은 토지보상법 제4조 제1호 내지 제5호에 규정된 다른 공익사업으로 변경된 경우에 한한다.

(3) 공익사업변환의 효과

공익사업의 변환이 인정되는 경우에는 원래의 공익사업의 폐지 및 변경으로 협의취득 또는 수용한 토지가 원래의 공익사업에 필요 없게 된 때에도 환매권을 행사할 수 없다. 해당 토지에 대한 환매권 행사기간은 해당 공익사업의 변경을 관보에 고시한 날부터 다시 기산한다. 국가, 지방자치단체 또는 공공기관(공공기관의 운영에 관한 법률 제4조 내지 제6조에 의함)은 공익사업의 변경사실을 대통령령으로 정하는 바에 따라 환매권자에게 통지하여야 한다.

(4) 소결

생각건대, 토지보상법 제91조 제6항의 문언상 공익사업의 변환을 사업시행자가 동일한 경우로 명백히 한정하고 있지 않으며, 수용에서 중요한 것은 사업의 공익성이지 그 주체가 아니라는 점 등에 비추어 대법원의 해석이 일견 타당하다고 할 수 있다. 한편 사업시행자가 동일하지 않는 경우에 공익사업의 변환이 허용된다고 하더라도 변경 전, 후의 사업시행자가 모두 국가, 지방자치단체 또는 공공기관이어야 하는지, 아니면 변경 후의 사업시행자가 누구인지는 아무런 제한이 없는 것인지가 문제된다. 법문상 변경 전의 사업시행자가 국가, 지방자치단체 또는 공공기관일 것을 규정하고 변경 후의 사업에 대하여는 공익성의 정도가 높은 사업에 해당할 것을 요구할 뿐이므로 변경 후의 사업시행자가 누구인지에 대하여는 제한하고 있지 않은 것으로 해석된다. 또한, 공익사업의 변환을 인정하기 위하여 공익사업의 변경고시를 하는 것 이외에 아무런 절차규정을 두고 있지 않은 것은 공익사업의 추진이라는 행정편의만을 고려하고 제도의 남용을 방지하는 장치를 마련하는 데 있어서는 부족하다는 문제가 있다고 생각된다.

Ⅳ (물음 3) 최종 환매권 인정 여부

1. 공익사업변환을 위한 해당 공익사업과 사업인정 여부

변경 후 공익사업이 토지보상법 제4조 제1호 내지 제5호이어야 한다. 즉, 공익성의 정도가 높은 사업으로 대상사업을 제한하여 헌법상 공공필요를 충족하고자 하였다. 이와 관련하여 대법원은 토지보상법 제91조 제6항에서 정한 공익사업의 변환은 같은 법 제20조 제1항의 규정에 의한 사업인정을 받은 공익사업이 일정한 범위 내의 공익성이 높은 다른 공익사업으로 변경된 경우에 한하여 환매권의 행사를 제한하는 것이므로, 적어도 새로운 공익사업에 관해서도 같은 법 제20조 제1항의 규정에 의해 사업인정을 받거나 또는 위 규정에 따른 사업인정을 받은 것으로 의제하는 다른 법률의 규정에 의해 사업인정을 받은 것으로 볼 수 있는 경우에만 공익사업의 변환에 의한 환매권 행사의 제한을 인정할 수 있다고 판시하였다.

2. 환매권 행사요건 충족 여부

사안의 경우는 사업의 폐지고시일부터 10년 이내이므로 그 토지에 대하여 받은 보상금에 상당하는 금액을 사업시행자에게 지급하고 그 토지를 환매할 수 있다. 즉, 토지보상법 제91조 제1항의 환매권 행사요건을 충족하였다고 판단된다. 이하에서는 중학교 사업으로 변환됨에 따라 환매권 행사제한이 되는지에 대해 검토해보고자 한다.

3. 환매권 행사제한 여부

(1) 제3자에게 처분된 경우 환매권 행사 제한

사업시행자가 아닌 제3자에게 처분된 경우에도 환매권 행사 제한이 되는지 문제되나, 판례는 공익사업의 원활한 시행을 위한 무익한 절차의 반복 방지라는 '공익사업의 변환'을 인정한 입법 취지에 비추어 볼 때, 만약 사업시행자가 협의취득하거나 수용한 해당 토지를 제3자에게 처분해 버린 경우에는 어차피 변경된 사업시행자는 그 사업의 시행을 위하여 제3자로부터 토지를 재취득해야 하는 절차를 새로 거쳐야 하는 관계로 위와 같은 공익사업의 변환을 인정할 필요성도 없게 되므로, 공익사업의 변환을 인정하기 위해서는 적어도 변경된 사업의 사업시행자가 해당 토지를 소유하고 있어야 한다. 나아가 공익사업을 위해 협의취득하거나 수용한 토지가 제3자에게 처분된 경우에는 특별한 사정이 없는 한 그 토지는 해당 공익사업에는 필요 없게 된 것이라고 보아야 하고, 변경된 공익사업에 관해서도 마찬가지이므로, 그 토지가 변경된 사업의 사업시행자가 아닌 제3자에게 처분된 경우에는 공익사업의 변환을 인정할 여지도 없다고 판시하였다.

(2) 사안의 경우

사안과 관련하여 위 학교용지에 대한 협의취득의 목적이 된 해당 사업이 '초등학교 건립사업'의 폐지 및 변경으로 위 토지는 해당 사업에 필요 없게 되었고, 나아가 '중학교 건립사업'에 관하여 사업인정을 받지 않았을 뿐만 아니라 위 학교용지가 중학교 건립사업의 시행자가 아닌 제3자에게 처분되었으므로 공익사업변환도 인정할 수 없다는 이유로 위 학교용지에 관한 환매권 행사제한이 되지 않아 환매권 행사를 할 수 있다고 판단된다.

V 사례의 해결

토지보상법 제91조 제6항의 공익사업변환제도는 헌법상 권리인 환매권의 제한규정임에도 불구하고 위헌의 여지가 있다고 보인다. 이와 관련하여 공익사업변환 시 이해관계인의 절차적 참여, 이의제기, 횟수제한, 불복 등의 규정을 입법적으로 보완할 필요가 있다고 판단된다. 또한, 규정에 대한 엄격한 해석을 통해 공익사업변환에 관한 토지보상법 제91조 제6항 외에 명문의 규정에 없는 요건은 인정하지 않는 것이 국민의 재산권 보장차원에서 타당할 것으로 생각한다. 따라서 해당 토지에 대해서는 환매권을 인정하고, 사업시행자 새로운 공익사업을 시행하고자 한다면 공용수용절차를 통해 해당 토지를 다시 취득하여 공익사업을 행하여야 할 것으로 생각된다.

63절 헌법 제23조(정당한 보상)

문제

녹색성장(綠色成長)은 공동체 또는 지역환경의 개발과의 관련성을 포함하는 토지이용계획으로, 현장 특유의 녹색건물의 개념과 밀접한 관련이 있다. 이는 도시계획, 환경계획, 건축, 공동체 건물 등을 포함한다. 녹색성장전략은 모든 내용을 망라한 '로키산 연구소(Rocky Mountain Institute)'의 Green Development : Integrating Ecology and Real Estate(녹색성장 : 생태와 부동산의 통합)에서 유래한다. 정부의 녹색성장을 뒷받침하는 녹색성장기본법의 제정에 따라 경기도지사 乙은 상업지역인 A지역을 주거지역으로 하는 "도시관리계획의 변경결정"을 하였다. 이 결정으로 인해 A지역 내 토지의 소유자인 甲은 지가의 현저한 하락으로 인해 막대한 손해를 입게 되었다. 이에 대한 甲의 구제수단은 무엇인지에 대하여 설명하시오. 30점

Ⅰ. 논점의 정리
Ⅱ. 계획변경이 위법한 경우 항고쟁송의 제기
  1. 논의의 쟁점
  2. 도시관리계획의 의의
  3. 도시관리계획의 처분성 여부
    (1) 학설
    (2) 판례 및 소결
  4. 청구인적격 및 원고적격
  5. 甲의 청구의 인용가능성 (도시관리계획변경결정의 위법성)
    (1) 계획재량
    (2) 형량명령의 원칙
  6. 사정판결 가능성
  7. 사안의 적용
Ⅲ. 계획이 위법한 경우 손해배상청구

Ⅳ. 계획변경이 적법한 경우 손실보상청구 가능성
  1. 문제의 소재
  2. 특별한 희생의 발생 여부
    (1) 학설
    (2) 대법원 판례 및 헌법재판소 결정
    (3) 소결
  3. 보상규정 흠결 시 헌법 제23조 제3항의 효력논의
    (1) 학설
    (2) 대법원 판례 및 헌법재판소 결정
    (3) 소결
  4. 사안의 적용
Ⅴ. 계획보장청구권의 행사가능성
  1. 문제의 소재
  2. 행사가능성
Ⅵ. 사안의 해결

Tip 손실보상의 일반론 중에서 도시관리계획과 관련된 대표적인 문제 중 하나이다. 특히 계획재량과 관련하여 하자로 형량명령이론은 중요한 논제로 잘 정리해 두기 바란다. 본 문제는 89헌마214 헌법재판소 결정을 중심으로 고찰하여 본다면 좋은 해법이 제시될 것이다.

❏ (구)도시계획법 제21조에 대한 위헌소원

(1998.12.24. 89헌마214, 90헌바16, 97헌바78(병합) 전원재판부)

[판시사항]

1. 토지재산권의 사회적 의무성
2. 개발제한구역(이른바 그린벨트) 지정으로 인한 토지재산권 제한의 성격과 한계
3. 토지재산권의 사회적 제약의 한계를 정하는 기준
4. 토지를 종전의 용도대로 사용할 수 있는 경우에 개발제한구역 지정으로 인한 지가의 하락이 토지재산권에 내재하는 사회적 제약의 범주에 속하는지 여부(적극)
5. (구)도시계획법 제21조의 위헌 여부(적극)
6. 헌법불합치 결정을 하는 이유와 그 의미
7. 보상입법의 의미 및 법적 성격

[결정요지]

1. 헌법상의 재산권은 토지소유자가 이용가능한 모든 용도로 토지를 자유로이 최대한 사용할 권리나 가장 경제적 또는 효율적으로 사용할 수 있는 권리를 보장하는 것을 의미하지는 않는다. 입법자는 중요한 공익상의 이유로 토지를 일정 용도로 사용하는 권리를 제한할 수 있다. 따라서 토지의 개발이나 건축은 합헌적 법률로 정한 재산권의 내용과 한계 내에서만 가능한 것일 뿐만 아니라 토지재산권의 강한 사회성 내지는 공공성으로 말미암아 이에 대하여는 다른 재산권에 비하여 보다 강한 제한과 의무가 부과될 수 있다.

2. 개발제한구역을 지정하여 그 안에서는 건축물의 건축 등을 할 수 없도록 하고 있는 (구)도시계획법 제21조는 헌법 제23조 제1항, 제2항에 따라 토지재산권에 관한 권리와 의무를 일반·추상적으로 확정하는 규정으로서 재산권을 형성하는 규정인 동시에 공익적 요청에 따른 재산권의 사회적 제약을 구체화하는 규정인 바, 토지재산권은 강한 사회성, 공공성을 지니고 있어 이에 대하여는 다른 재산권에 비하여 보다 강한 제한과 의무를 부과할 수 있으나, 그렇다고 하더라도 다른 기본권을 제한하는 입법과 마찬가지로 비례성 원칙을 준수하여야 하고, 재산권의 본질적 내용인 사용·수익권과 처분권을 부인하여서는 아니 된다.

3. 개발제한구역 지정으로 인하여 토지를 종래의 목적으로도 사용할 수 없거나 또는 더 이상 법적으로 허용된 토지이용의 방법이 없기 때문에 실질적으로 토지의 사용·수익의 길이 없는 경우에는 토지소유자가 수인해야 하는 사회적 제약의 한계를 넘는 것으로 보아야 한다.

4. 개발제한구역의 지정으로 인한 개발가능성의 소멸과 그에 따른 지가의 하락이나 지가상승률의 상대적 감소는 토지소유자가 감수해야 하는 사회적 제약의 범주에 속하는 것으로 보아야 한다. 자신의 토지를 장래에 건축이나 개발목적으로 사용할 수 있으리라는 기대가능성이나 신뢰 및 이에 따른 지가상승의 기회는 원칙적으로 재산권의 보호범위에 속하지 않는다. 구역지정 당시의 상태대로 토지를 사용·수익·처분할 수 있는 이상, 구역지정에 따른 단순한 토지이용의 제한은 원칙적으로 재산권에 내재하는 사회적 제약의 범주를 넘지 않는다.

5. (구)도시계획법 제21조에 의한 재산권의 제한은 개발제한구역으로 지정된 토지를 원칙적으로 지정 당시의 지목과 토지현황에 의한 이용방법에 따라 사용할 수 있는 한, 재산권에 내재하는 사회적 제약을 비례의 원칙에 합치하게 합헌적으로 구체화한 것이라고 할 것이나, 종래의 지목과 토지현황에 의한 이용방법에 따른 토지의 사용도 할 수 없거나 실질적으로 사용·수익을 전혀 할 수 없는 예외적인 경우에도 아무런 보상 없이 이를 감수하도록 하고 있는 한, 비례의 원칙에 위반되어 해당 토지소유자의 재산권을 과도하게 침해하는 것으로서 헌법에 위반된다.

6. (구)도시계획법 제21조에 규정된 개발제한구역제도 그 자체는 원칙적으로 합헌적인 규정인데, 다만 개발제한구역의 지정으로 말미암아 일부 토지소유자에게 사회적 제약의 범위를 넘는 가혹한 부담이 발생하는 예외적인 경우에 대하여 보상규정을 두지 않은 것에 위헌성이 있는 것이고, 보상의 구체적 기준과 방법은 헌법재판소가 결정할 성질의 것이 아니라 광범위한 입법형성권을 가진 입법자가 입법정책적으로 정할 사항이므로, 입법자가 보상입법을 마련함으로써 위헌적인 상태를 제거할 때까지 위 조항을 형식적으로 존속케 하기 위하여 헌법불합치 결정을 하는 것인바, 입법자는 되도록 빠른 시일 내에 보상입법을 하여 위헌적 상태를 제거할 의무가 있고, 행정청은 보상입법이 마련되기 전에는 새로 개발제한구역을 지정하여서는 아니 되며, 토지소유자는 보상입법을 기다려 그에 따른 권리행사를 할 수 있을 뿐 개발제한구역의 지정이나 그에 따른 토지재산권의 제한 그 자체의 효력을 다투거나 위 조항에 위반하여 행한 자신들의 행위의 정당성을 주장할 수는 없다.

7. 입법자가 (구)도시계획법 제21조를 통하여 국민의 재산권을 비례의 원칙에 부합하게 합헌적으로 제한하기 위해서는, 수인의 한계를 넘어 가혹한 부담이 발생하는 예외적인 경우에는 이를 완화하는 보상규정을 두어야 한다. 이러한 보상규정은 입법자가 헌법 제23조 제1항 및 제2항에 의하여 재산권의 내용을 구체적으로 형성하고 공공의 이익을 위하여 재산권을 제한하는 과정에서 이를 합헌적으로 규율하기 위하여 두어야 하는 규정이다. 재산권의 침해와 공익간의 비례성을 다시 회복하기 위한 방법은 헌법상 반드시 금전보상만을 해야 하는 것은 아니다. 입법자는 지정의 해제 또는 토지매수청구권제도와 같이 금전보상에 갈음하거나 기타 손실을 완화할 수 있는 제도를 보완하는 등 여러 가지 다른 방법을 사용할 수 있다.

> ◑ **행정계획의 이익 형량 명문화(행정절차법 제40조의4)**
> 행정절차법 제40조의4(행정계획) 행정청은 행정청이 수립하는 계획 중 국민의 권리·의무에 직접 영향을 미치는 계획을 수립하거나 변경·폐지할 때에는 관련된 여러 이익을 정당하게 형량하여야 한다.

I 논점의 정리

본 사안은 경기도지사 乙의 도시관리계획변경 결정으로 인해 토지소유자 甲이 받은 손해에 대한 구제수단을 묻고 있다. 甲의 권리구제로서 첫째, 존속보장 측면에서 행정쟁송을 검토하며, 도시관리계획변경결정의 처분성 여부, 계획재량의 위법성 인정 여부, 사정판결 가능성 여부의 검토가 문제된다. 둘째, 가치보장 측면에서 계획변경이 위법한 경우의 손해배상, 적법한 경우의 손실보상청구 가능성의 검토가 요구되며, 손실보상청구 가능성과 관련하여 특별한 희생 여부와 보상규정이 없는 경우 보상가능성이 문제된다. 마지막으로 계획보장청구권의 행사가능성을 검토함으로써 사례를 해결하고자 한다.

Ⅱ 계획변경이 위법한 경우 항고쟁송의 제기

1. 논의의 쟁점

항고쟁송을 제기하기 위해서는 당사자, 관할, 기간, 대상, 절차 등의 요건을 충족해야 하지만 도시관리계획과 관련하여, 특히 문제가 되는 처분성 여부와 청구인적격, 원고적격을 살펴보고 인용가능성과 관련하여서는 주체, 내용, 절차, 형식 중에서 내용상 하자와 관련하여 계획재량과 형량하자에 대해 살펴본다.

2. 도시관리계획의 의의

도시관리계획이란 시·군의 관할구역에 대하여 수립하는 공간의 발전방향에 관한 행정계획으로서 행정에 관한 전문적·기술적 판단을 기초로 하여 특정한 행정목표를 달성하기 위하여 서로 관련되는 행정수단을 종합·조정함으로써 장래의 일정한 시점에 있어서 일정한 질서를 실현하기 위한 활동기준으로 설정된 것이다.

3. 도시관리계획의 처분성 여부

(1) 학설

도시관리계획변경결정이 항고소송의 대상이 되기 위해서는 처분에 해당해야 한다. 도시관리계획의 법적 성질에 대해 학설은 첫째, 국민의 자유·권리에 관련되는 일반·추상적인 규범의 정립작용으로 보는 견해인 '입법행위설', 둘째, 개인의 권리 내지 법률상의 이익을 개별적, 구체적으로 규제하는 효과를 가져오는 행정청의 처분으로서 항고소송의 대상이 된다는 견해인 '행정행위설', 셋째, 법규명령의 성질과 행정행위의 성질을 모두 가진다는 견해인 '복수성질설', 넷째, 법규범도 아니고 행정행위도 아닌 특수한 성질의 것이지만 구속력을 가지는 경우에는 행정처분에 준하여 행정소송의 대상이 된다고 보는 견해인 '독자성설'이 있다.

(2) 판례 및 소결

이에 대해 대법원은 "(구)도시계획법 제12조 소정의 고시된 도시관리계획결정은 특정 개인의 권리 내지 법률상의 이익을 개별적이고 구체적으로 규제하는 효과를 가져오게 하는 행정청의 처분이라 할 것이고, 이는 행정소송의 대상이 된다."고 판시하였다(대판 1982.3.9, 80누105). 생각건대 도시관리계획결정과 같은 구속적 행정행위의 경우에는 그 계획의 결정, 고시에 의해 특정 개인의 권리·의무에 구체적·개별적 영향을 미치는바, 항고소송의 대상인 처분에 해당한다고 볼 수 있을 것이다.

4. 청구인적격 및 원고적격

취소심판과 취소소송의 청구인적격, 원고적격이 인정되기 위해서는 처분의 취소를 구할 법률상 이익이 있어야 한다. 여기서 법률상 이익이 무엇을 의미하는지에 대하여는 학설상 적법성보장설, 권리구제설, 법률상 이익구제설, 이익구제설 등의 다툼이 있으나 다수의 학설과 일관된 판례는 법률상 이익구제설을 취하여 청구인의 권리뿐만 아니라 법으로 보호하는 이익이 침해되는 경우에도 원고적격을 인정하고 있다. 사안에서 상업지역에서 주거지역으로의 변경으로 인해 현저한 지가하락이 일어났고 이러한 지가하락은 헌법 제23조 등에서 보호되는 개인의 재산권 침해를 의미하므로 사안에서 甲의 청구인적격 및 원고적격을 인정하는 데는 무리가 없다.

5. 甲의 청구의 인용가능성(도시관리계획변경결정의 위법성)

(1) 계획재량

행정계획에서는 행정청에게 광범위한 판단여지 내지는 형성의 자유가 부여되어 있다. 계획재량이란 행정계획의 수립, 변경과정에서 행정청이 가지는 계획상의 광범위한 형성의 자유를 말한다. 이는 행정계획의 본질적인 특성으로서 광범위한 계획재량의 일탈·남용을 판단하여 위법성을 인정하는 것은 용이하지 않다.

(2) 형량명령의 원칙

형량명령의 원칙이란 계획의 수립주체가 계획재량을 행사함에 있어서 관련된 이익(공익 간·사익 간·공사익 간의 이익)을 정당하게 형량해야 한다는 원칙이다. 이는 계획재량의 통제법리이다.

형량의 하자로는 ① 형량을 전혀 하지 않은 경우(형량의 해태), ② 형량에 당연히 포함시켜야 할 사항을 누락한 경우(형량의 흠결), ③ 형량을 하긴 했으나 그것이 객관성과 정당성을 결한 경우(오형량)가 있다. 만약 이러한 하자가 발생한 경우 행정계획은 위법하게 되어 무효등확인소송이나 취소소송의 대상이 된다. 본 설문의 경우 계획재량위반 여부에 대한 내용은 언급되지 않아 인용 여부의 판단은 어렵다고 볼 수 있다.

6. 사정판결 가능성

도시관리계획은 광범위한 영역에 걸쳐 수립, 시행되는 경우가 많고, 계획이 이미 시행되고 있는 경우에는 비록 하자가 있더라도 해당 계획을 취소하는 것이 오히려 공공복리에 적합하지 않은 경우가 많을 것이다. 따라서 도시관리계획의 하자에 대해서는 사정판결이 내려질 가능성이 크다고 볼 수 있다(행정소송법 제28조).

7. 사안의 적용

사안의 경우 경기도지사의 도시관리계획변경결정에 있어서 토지의 경제적이고 효율적인 이용과 공공의 복리증진과 관련 토지권리자의 이익을 충분히 고려하였는지는 명확하지 않다. 만일 형량명령원칙에 위배되는 경우 하자 있는 도시관리계획변경결정이 될 것이다. 다만, 행정계획의 특성상 위법성 도출이 쉽지 않고 여전히 사정판결의 가능성은 존재할 것이다.

Ⅲ 계획변경이 위법한 경우 손해배상청구

국가배상법 제2조 제1항은 국가 또는 지방자치단체는 공무원이 그 직무를 집행하면서 고의 또는 과실로 법령에 위반하여 타인에게 손해를 가한 경우에는 그 손해를 배상하여야 한다고 규정하고 있는 바, 설문에서 도지사 및 관련 공무원이 고의·과실로 법령에 위반하여 위법하게 도시관리계획변경결정을 한 경우에는 甲에게 발생한 손해에 대해 배상책임은 져야 할 것이다. 다만, 도시관리계획의 특성상 위법성 도출이 어렵다는 문제는 있다.

Ⅳ 계획변경이 적법한 경우 손실보상청구 가능성

1. 문제의 소재

행정상 손실보상이란 공공필요에 의한 적법한 공권력의 행사로 인하여 개인의 재산권에 가해진 특별한 희생에 대하여 사유재산권 보장과 공평부담의 견지에서 행정주체가 행하는 재산권의 조절적 전보이다. 사안의 경우 다른 요건은 일단 충족되었다고 보고, 특히 특별한 희생이 발생하였는지, 그리고 이에 해당함에도 보상규정이 없다면 보상청구가 가능한지가 문제된다.

2. 특별한 희생의 발생 여부

(1) 학설

공행정작용으로 인한 손실이 보상을 요하는 특별한 희생인지 수인한도 내의 사회적 제약인지의 구별과 관련하여 첫째, 평등의 원칙을 형식적으로 해석하여 재산권에 대한 침해가 일반적인지 개별적인지 형식적 기준으로 판단하는 형식적 기준설, 둘째, 재산권 침해의 본질과 강도를 기준으로 판단하는 실질적 기준설, 셋째, 양자를 절충한 절충설이 있다.

(2) 대법원 판례 및 헌법재판소 결정

이에 대한 과거 대법원 입장은 개발제한구역을 정하고 있는 (구)도시계획법 제21조의 위헌심판제청사건에서 개발제한구역 내 토지에 대한 공용제한에 대하여 "개발제한구역 안에 있는 토지소유자의 불이익은 명백하지만 이로 인한 토지소유자의 불이익은 공공복리를 위하여 감수하지 아니하면 안 될 정도의 것"이라 하여 특별한 희생은 아니라고 판시하였다. 헌법재판소는 (구)도시계획법 제21조에 대한 위헌소원사건에서 개발제한구역지정으로 발생되는 재산권의 제약을 ① 토지를 종래 목적으로도 사용할 수 없거나(목적위배설), 실질적으로 토지의 사용, 수익의 길이 없는 경우(사적효용설)에는 수인한계를 넘는 것(수인한도설)이므로 특별희생에 해당하고, ② 지가의 하락이나 개발가능성의 소멸로 인한 재산권의 제약은 사회적 제약이라고 한다.

(3) 소결

생각건대 형식적 기준설과 실질적 기준설은 일면 타당성을 지니므로 양 설을 종합적으로 고려하여 개별적, 구체적으로 판단하건대 형식적 기준설에 따라 특정인 또는 특정집단에 대하여 생긴 손실에 대해서 보상해주되, 이 경우에도 실질적 기준설에 비추어 재산권에 대한 침해가 종래 인정되어 오던 재산권의 목적에 위배되거나(목적위배설), 개인의 주관적인 이용목적 내지 효용가치를 불가능하게 만드는 정도(사적효용설)이어서 수인한도를 넘어선 경우로 판단되면(수인한도설) 이는 보상을 요하는 특별희생이라고 본다.

3. 보상규정 흠결 시 헌법 제23조 제3항의 효력논의

(1) 학설

첫째, 헌법 제23조 제3항의 규범적 효력을 부인하는 방침규정설, 둘째, 헌법 제23조 제3항을 불가분조항으로 보아 보상규정이 없는 경우는 위헌무효이며 국가배상청구소송으로 해결해야 한다는 위헌무효설, 셋째, 헌법 제23조 제3항을 직접근거로 손실보상을 받을 수 있다는 직접효력설, 넷째, 헌법 제23조 제3항 및 관계규정을 유추적용하여 손실보상을 받을 수 있다는 유추적용설이 있고, 다섯째, 보상입법부작위위헌설은 보상입법을 기다려 보상하는 것이 타당하다는 최근의 견해도 있다.

(2) 대법원 판례 및 헌법재판소 결정

이와 관련하여 대법원은 시대적 상황과 여건에 따라 태도를 달리 하고 있는바, 제3공화국시기에는 헌법규정의 해석상 직접효력설을 통한 손실보상을 인정하기도 하며, 보상법률주의로 헌법이 개정된 이후에는 위헌무효설과 유추적용설을 취한 판례가 있다. 헌법재판소는 (구)도시계획법 제21조에 위헌소원사건에서 ① (구)도시계획법 제21조에 규정된 개발제한구역제도 그 자체는 원칙적으로 합헌이나, ② 특별한 희생에 해당함에도 보상규정을 두지 않는 것은 평등원칙, 비례원칙에 반하여 위헌이나, 위헌결정으로 인한 법적 안정성의 심각한 동요를 막기 위해 헌법 불합치 결정을 내리고, ③ 입법자에 대해서는 입법 촉구를, 행정청에 대해서는 추가적인 개발제한구역지정 금지를, 토지소유자에게는 입법이 있기 전까지는 권리행사를 할 수 없다.

(3) 소결

생각건대 비록 유추적용설이 구체적으로 무엇을 어떻게 유추적용할 것인지 분명하지 않다는 비판이 있으나 같은 성격의 침해에 대해서는 보상을 해주어도 공평의 원칙에 반하지 않는다는 점, 최근 대법원이 공공사업의 기업지 밖에서 발생한 간접손실에 대해 그에 대한 보상규정이 없는 경우 관계법령의 유추적용이 가능하다고 판시한바 앞으로 제도적, 이론적 보완이 이루어질 때까지 보상 수요를 감당하기 위해서 관계법령의 유추적용을 통한 권익구제가 이루어져야 할 것이다.

4. 사안의 적용

사안의 경우 甲소유 토지는 도시관리계획변경결정으로 인하여 지가가 급락하였고, 상업용 토지가 주거용지로 변환되어 종래의 목적으로 사용하는데 장애가 있어 사적효용가치가 떨어졌다는 점에서 형식설, 실질설을 모두 고려하여 판단하건대 특별한 희생이 발생하였다고 사료된다. 다만, 보상규정이 없는 경우가 문제되는바, 입법적 보완이 이루어지기까지는 관계법령의 유추적용을 통한 권익구제가 필요할 것이다.

Ⅴ 계획보장청구권의 행사가능성

1. 문제의 소재

계획보장청구권이란 행정계획의 폐지, 변경에 대하여 당사자가 자신에게 유리하게 당초 행정계획의 존속이나 변경을 요구할 수 있는 권리를 의미한다. 행정계획은 미래지향적인 행정작용이므로 계획이 확정된 이후에도 사정변경으로 인하여 해당 계획의 폐지나 변경을 해야 할 경우가 발생하며, 동시에 국민들은 행정계획의 지속성을 신뢰하여 자본투자 등의 행위를 하므로 이러한 신뢰이익은 보호되어야 한다. 이때 공익적 차원에서 행정계획의 가변성과 사익적 요청으로 당사자의 신뢰보호원칙이 충돌하게 되고 이에 대한 조화로운 해결이 요망된다.

2. 행사가능성

대법원은 (구)도시계획법상 주민이 행정청에 대하여 도시관리계획 및 그 변경에 대하여 어떤 신청을 할 수 있는 규정이 없고 도시관리계획과 같이 장기성·종합성이 요구되는 행정계획에 있어서 그 계획이 일단 확정된 경우에는 어떤 사정의 변동이 있다고 하여 지역주민에게 일일이 그 계획의 변경 또는 폐지를 청구할 권리를 인정해 줄 수 없는 것이므로 지역주민에게 도시관리계획시설의 변경 폐지를 신청할 조리상의 권리가 있다고 볼 수 없다고 판시하는 등 일반적으로 인정하지 않고 있다. 생각건대 행정계획의 특성을 감안할 때 사익에 비중을 두어 일반적으로 인정하기는 곤란할 것이다.

Ⅵ 사안의 해결

1. 甲은 존속보장 측면에서 도시관리계획변경결정의 처분성이 인정되므로 항고쟁송을 제기할 수 있다. 그러나 사안의 경우 계획재량위반 여부에 관한 내용이 명백하지 않고, 계획재량에는 광범위한 형성의 자유가 있어 위법성 도출이 쉽지는 않을 것이다. 설사 위법성이 인정된다 하더라도 사정판결의 가능성이 크다고 보인다.
2. 다만, 위법성이 인정된다면 손해배상의 일반론에 따라 배상이 가능할 것이다.

3. 적법한 계획변경이라면 특별한 희생이 있다고 보이므로 보상하여야 할 것이며, 보상규정이 없는 경우가 문제되는바, 입법적 보완이 이루어지기까지는 관계법령의 유추적용을 통한 권익구제가 필요할 것이다.

4. 계획존속청구권의 행사가능성에 대해서는 행정계획의 특성을 감안할 때 인정되기 어려울 것으로 판단된다.

베타답안

 30점

Ⅰ. 논점의 정리

(1) 존속보장 측면에서 도시관리계획변경에 대한 항고쟁송과 계획보장청구권의 행사가능성을 검토한다. 도시관리계획변경에 대한 항고쟁송 인용가능성에 대해 도시관리계획결정 처분성, 계획재량의 위법성 여부, 사정판결 가능성을 검토한다.

(2) 가치보장 측면에서 위법한 경우 손해배상, 적법한 경우 손실보상청구 가능성을 검토한다. 손실보상청구 가능성에서는 특별희생과 보상규정이 없는 경우 보상청구 가능성이 문제된다.

Ⅱ. 존속보장으로서 계획변경 자체에 대한 항고쟁송과 계획보장청구 행사가능성

1. 계획변경 자체에 대한 항고소송

(1) 문제제기

항고쟁송 제기 적법성에서 특히 문제되는 요건은 도시관리계획변경의 처분성과 甲의 청구인적격, 원고적격이 문제되고 본안에서 내용상 하자와 관련하여 계획재량과 형량의 하자를 살펴본다.

(2) 행정계획의 의의

행정에 관한 전문적·기술적 판단을 기초하여 특정한 행정목표를 달성하기 위해 관련되는 행정수단을 종합·조정함으로써 장래의 일정한 시점에 있어서 일정한 질서를 실현하기 위한 활동기준이다. 사안에서 상업지역을 주거지역으로 변경하는 도시관리계획변경결정은 행정계획이고 국민에 대한 외부적 구속력이 있는 구속적 행정계획이다.

(3) 도시관리계획변경결정의 처분성

구속적 행정계획이 처분인지에 대해 입법행위설, 행정행위설, 복수성설, 독자성설이 있다. 판례는 도시관리계획결정은 특정 개인의 권리 내지 법률의 이익을 개별적이고 구체적으로 규제하는 효과를 가져오므로 처분이라고 판시하였다. 생각건대 행정계획은 그 종류와 내용이 다양하기 때문에 개별적으로 판단하여야 한다. 사안에서 구속적 행정계획은 甲의 권리제한과 의무를 부과하는 행정행위로서 처분에 해당하여 대상적격이 인정된다.

(4) 甲의 청구인적격과 원고적격

행정심판법 제13조, 행정소송법 제12조 1문에서 "법률상 이익이 있는 자"라고 하고 다수설과 판례에 따른 법률상 보호이익설이 타당하다. 사안에서 지가하락은 헌법 제23조 등에서 보호되는 재산권 침해로서 청구인적격과 원고적격이 인정된다.

(5) 甲청구의 인용가능성(도시관리계획변경결정의 위법성)

① **계획재량 의의와 재량행위와의 구별 여부** : 계획재량은 계획상 광범위한 형성의 자유로서 재량행위와 구별긍정설, 부정설이 있으나 규범구조가 다르므로 질적으로 구별된다는 견해가 타당하다.

② **형량명령의 원칙** : 계획재량의 통제법리로서 형량의 해태, 형량의 흠결, 평가하자, 오형량이 있으면 행정계획은 위법하게 되고 그 정도는 중대명백설에 따른다. 사안에서 계획위반 여부에 대한 내용의 언급이 없는바, 인용 여부의 판단이 어렵다.

(6) 사정판결의 가능성

해당 행정계획이 위법취소사유에 해당하더라도 행정계획의 장기성, 종합성 및 기정사실의 존중 필요성 등의 공익상의 요청으로 사정판결의 가능성이 클 것이다(기성사실이론).

2. 계획보장청구권의 행사가능성

행정계획의 폐지, 변경에 대하여 당사자가 자신에게 유리하게 당초 행정계획의 존속이나 변경을 요구할 수 있는 권리이다. 판례는 도시관리계획은 장기성, 종합성이 요구되며 지역주민에게 일일이 그 계획의 변경, 폐지를 신청할 조리상의 권리가 없다고 판시하였다. 당초 계획의 보장을 청구하고 행정청이 거부하더라도 법규상·조리상 신청권이 없는바, 거부처분이 되지 못하여 거부처분취소소송으로 권리구제를 받지 못할 것이다.

III. 가치보장 측면의 행정상 손해전보

1. 계획변경이 위법한 경우의 국가배상청구

① 국가배상법 제2조의 요건충족 여부가 문제되며, ② 도시관리계획에 있어서 위법성, 손해 그 요건의 입증이 어렵다는 점, 특히 과실이 인정되는 경우가 드물 것이라는 점 등을 볼 때 청구가 인정되기 어려울 것으로 보인다.

2. 계획변경이 적법한 경우 손실보상청구

(1) 손실보상의 의의

공공필요에 의한 적법한 공권력 행사로 인하여 개인의 재산권에 가하여진 특별한 희생에 대하여 사유재산권 보장과 공평부담의 견지에서 행정주체가 행하는 재산권의 조절적 전보이다. 사안에서는 특별희생 여부와 보상규정이 없는 경우가 문제된다.

(2) 특별한 희생발생 여부

침해가 일반적인지 개별적인지로 판단하는 형식적 기준설, 침해의 본질과 강도로 판단하는 실질적 기준설이 있다. 대법원은 개발제한구역 내의 공용제한은 공공복리를 위하여 감수해야 하는 사회적 제약으로 보았고, 헌법재판소는 토지를 종래 목적으로 사용할 수 없거나 실질적으로 토지의 사용·수익의 길이 없는 경우에는 수인한계를 넘는 것으로 보상을 요하는 사회적 제약으로 보았다. 생각건대 양자모두 일면 타당하고 종합적으로 고려하여 판단하여야 한다. 사안에서 甲토지만 지가가 급락했고 주거용지로 변화되어 사적 효용이 하락했기 때문에 특별희생에 해당한다.

(3) 보상흠결시 헌법 제23조 제3항의 효력논의

국토계획법에는 용도지역변경에 따른 보상규정이 없으므로 헌법 제23조 제3항에 근거하여 손실보상이 가능한지 문제된다. 방침규정설, 위헌무효설, 직접효력설, 유추적용설이 있고, 대법원은 제3공화국시기에는 직접효력설을 인정하였고 보상법률주의로 헌법이 개정된 이후 위헌무효설과 유추적용설을 취한 판례가 있다. 헌법재판소는 (구)도시계획법 제21조에 대해 헌법불합치 결정을 하여 입법자에게 입법을 촉구하여 손실보상을 부정하였다. 생각건대 보상 여부는 법률에 유보한 것이 아니라는 직접효력설이 타당하다. 사안에서 헌법 제23조 제3항에 직접 근거하여 손실보상청구가 가능하다.

IV. 사안의 해결

(1) 존속보장으로서 도시관리계획변경결정이 처분이므로 항고쟁송 제기가 가능하고 甲은 청구인적격·원고적격이 인정된다. 계획재량의 통제법리인 형량명령원칙에 위반되는지 명확하지 않고 위반되더라도 사정판결 가능성이 크다. 계획보장청구는 행정계획의 특수성 때문에 인정하기 곤란하다.

(2) 가치보장으로서 위법하면 국가배상청구가능하고 적법한 침해에 대한 손실이 특별한 희생에 해당하면 헌법 제23조 제3항에 직접 근거하여 손실보상청구가 가능하다.

64절 헌법 제23조(정당한 보상)

┌─ 문제 ─

대한민국 헌법은 "제23조 ① 모든 국민의 재산권은 보장된다. 그 내용과 한계는 법률로 정한다. ② 재산권의 행사는 공공복리에 적합하도록 하여야 한다. ③ 공공필요에 의한 재산권의 수용·사용 또는 제한 및 그에 대한 보상은 법률로써 하되, 정당한 보상을 지급하여야 한다."라고 규정하고 있다. 헌법상 정당보상의 의미와 손실보상의 기준을 논의하고, 공익사업을 위한 토지 등의 취득 및 보상에 관한 법률상 손실보상액 결정절차를 설명하시오. 30점

> Ⅰ. 서
> Ⅱ. 정당보상의 의미
>   1. 개설
>   2. 헌법상 정당보상
>   (1) 학설
>   (2) 판례
>   (3) 소결
>   3. 토지보상법상 보상기준
>
> (1) 시가보상
> (2) 공시지가기준 보상
> (3) 생활보상
> Ⅲ. 손실보상액의 결정절차
>   1. 협의
>   2. 재결 또는 결정
>   3. 소송
> Ⅳ. 결

Tip 기출문제 10회 이내에는 격년에 한 번씩 출제되었다. 아주 전형적인 문제이면서도 전체적으로는 쓰기 어려운 문제이다. 배점 균형을 고려하여 답안 작성 시에 목차배치 등에 주의를 기울여서 답안을 구사하여야 할 것이다.

☐ 공익사업을 위한 토지 등의 취득 및 보상에 관한 법률 제70조 제4항 위헌소원
(2009.7.30. 2007헌바76 전원재판부)

[판시사항]
해당 토지에 관한 협의의 성립 또는 재결 당시 공시된 공시지가 중 해당 사업인정고시일에 가장 가까운 시점에 공시된 공시지가를 기준으로 수용된 토지의 보상액을 산정하도록 규정하고 있는 공익사업을 위한 토지 등의 취득 및 보상에 관한 법률 제70조 제4항이 위헌인지 여부(소극)

[결정요지]
토지수용으로 인한 손실보상액의 산정을 공시지가를 기준으로 하되 공시기준일부터 재결 시까지의 시점보정을 지가상승률 등에 의하여 행하도록 규정한 것은 공시지가가 공시기준일 당시의 표준지의 객관적 가치를 정당하게 반영하는 것이고, 표준지와 지가산정 대상토지 사이에 가격의 유사성을 인정할 수 있도록 표준지의 선정이 적정하며, 공시기준일 이후 수용 시까지의 시가변동을 산출하는 시점보정의 방법이 적정한 것으로 보이므로, 청구인의 재산권을 침해하였다고 볼 수 없다.

또한, 해당 토지의 협의 성립 또는 재결 당시 공시된 공시지가 중 해당 사업인정의 고시일에 가장 근접한 시점에 공시된 공시지가로 하도록 규정한 것은 시점보정의 기준이 되는 공시지가에 개발이익이 포함되는 것을 방지하기 위한 것으로서 개발이익이 배제된 손실보상액을 산정하는 적정한 수단에 해당되므로 헌법 제23조 제3항에 위반된다고 볼 수 없다.

[심판대상조문]

공익사업을 위한 토지 등의 취득 및 보상에 관한 법률(2002.2.4. 법률 제6656호로 제정된 것) 제70조(취득하는 토지의 보상) ①~③ 생략

④ 사업인정 후의 취득에 있어서 제1항의 규정에 의한 공시지가는 사업인정고시일 전의 시점을 공시기준일로 하는 공시지가로서, 해당 토지에 관한 협의의 성립 또는 재결 당시 공시된 공시지가 중 해당 사업인정고시일에 가장 가까운 시점에 공시된 공시지가로 한다.

⑤ 생략

□ 공익사업을 위한 토지 등의 취득 및 보상에 관한 법률 제67조 제2항 등 위헌소원
(2009.12.29. 2009헌바142 전원재판부)

[판시사항]

가. 수용보상에 있어서 해당 공익사업으로 인하여 토지 등의 가격에 변동이 있는 경우 이를 고려하지 않도록 하고 있는 '공익사업을 위한 토지 등의 취득 및 보상에 관한 법률'(2002.2.4. 법률 제6656호로 제정된 것, 이하 '공익사업법'이라 한다) 제67조 제2항이 헌법 제23조 제3항의 정당한 보상의 원칙에 위반되는지 여부(소극)

나. 해당 사업인정 고시일에 가장 가까운 시점에 공시된 공시지가를 기준으로 수용된 토지의 보상액을 산정하도록 하고 있는 공익사업법 제70조 제4항 및 (구)공익사업을 위한 토지 등의 취득 및 보상에 관한 법률(2007.10.17. 법률 제8665호로 개정되기 전의 것, 이하 '(구)공익사업법'이라 한다) 제70조 제1항이 재산권을 침해하는지 여부(소극)

[결정요지]

가. 공익사업법 제67조 제2항은 보상액을 산정함에 있어 해당 공익사업으로 인한 개발이익을 배제하는 조항인데, 공익사업의 시행으로 지가가 상승하여 발생하는 개발이익은 사업시행자의 투자에 의한 것으로서 피수용자인 토지소유자의 노력이나 자본에 의하여 발생하는 것이 아니므로, 이러한 개발이익은 형평의 관념에 비추어 볼 때 토지소유자에게 당연히 귀속되어야 할 성질의 것이 아니고, 또한 개발이익은 공공사업의 시행에 의하여 비로소 발생하는 것이므로, 그것이 피수용 토지가 수용 당시 갖는 객관적 가치에 포함된다고 볼 수도 없다.

따라서 개발이익은 그 성질상 완전보상의 범위에 포함되는 피수용자의 손실이라고 볼 수 없으므로, 이러한 개발이익을 배제하고 손실보상액을 산정한다 하여 헌법이 규정한 정당한 보상의 원칙에 위반되지 않는다.

나. 토지수용으로 인한 손실보상액의 산정을 공시지가를 기준으로 하되 공시기준일부터 재결 시까지의 시점보정을 지가상승률 등에 의하여 행하도록 규정한 것은 공시지가가 공시기준일 당시의 표준지의 객관적 가치를 정당하게 반영하는 것이고, 표준지와 지가산정 대상 토지 사이에 가격의 유사성을 인정할 수 있도록 표준지의 선정이 적정하며, 공시기준일 이후 수용 시까지의 시가변동을 산출하는 시점보정의 방법이 적정한 것으로 보이므로 재산권을 침해하였다고 볼 수 없다.

또한 해당 토지의 협의 성립 또는 재결 당시 공시된 공시지가 중 해당 사업인정의 고시일에 가장 근접한 시점에 공시된 공시지가로 하도록 규정한 것은 시점보정의 기준이 되는 공시지가에 개발

이익이 포함되는 것을 방지하기 위한 것으로 개발이익이 배제된 손실보상액을 산정하는 적정한 수단에 해당되므로 헌법 제23조 제3항에 위반된다고 할 수 없다.

[재판관 조대현의 각하의견]
규범통제를 목적으로 하는 헌법재판소법 제68조 제2항의 헌법소원심판에서는 심판대상 법률조항과 쟁점이 동일하면 헌법재판소법 제39조의 동일한 사건에 해당한다고 보아야 하는 바, 이 사건의 심판대상과 쟁점은 헌법재판소가 이미 헌법에 위반되지 아니한다고 심판한 2006헌바79, 2008헌바112 사건 등의 그것과 동일하므로, 이 사건과 이미 심판한 사건의 당사자와 해당 사건이 다르다고 하더라도, 헌법재판소법 제39조의 동일한 사건에 해당된다고 보아야 한다. 따라서 이 사건 심판청구는 헌법재판소법 제39조에 위반되어 부적법하다는 이유로 각하하여야 한다.

[심판대상조문]
공익사업을 위한 토지 등의 취득 및 보상에 관한 법률(2002.2.4. 법률 제6656호로 제정된 것) 제67조 제2항, 제70조 제4항
(구)공익사업을 위한 토지 등의 취득 및 보상에 관한 법률(2007.10.17. 법률 제8665호로 개정되기 전의 것) 제70조 제1항

[참조조문]
헌법 제23조
공익사업을 위한 토지 등의 취득 및 보상에 관한 법률(2002.2.4. 법률 제6656호로 제정된 것) 제67조 제1항, 제70조 제2항
(구)부동산 가격공시 및 감정평가에 관한 법률(2005.1.14. 법률 제7335호 전부 개정되고, 2007.4.27. 법률 제8409호로 개정되기 전의 것) 제9조 제1항 제1호

Ⅰ 서

손실보상이라 함은 국가 또는 공공단체의 적법한 공권력 행사에 의하여 사유재산권에 특별한 희생이 가하여진 경우 그 손실에 대하여 공평부담의 견지에서 행정청이 행하는 조절적 전보이다. 이때 손실보상의 범위는 재산권 보호차원에서 중요한 의미를 가진다. 헌법 제23조 제3항은 수용에 있어서 보상의 기준으로 정당보상을 천명하고 있으나, 정당보상의 범위와 관련하여 학설의 대립이 있는 바, 이하에서 고찰하고 손실보상금액의 결정절차를 살펴보기로 한다.

Ⅱ 정당보상의 의미

1. 개설

헌법 제23조 제3항에서 제시하고 있는 손실보상의 기준인 정당보상은 추상적인 법개념으로서 일의적으로 정의하기는 어려우며 견해대립이 있다.

2. 헌법상 정당보상

(1) 학설

① 완전보상설

미국 수정헌법 제5조의 해석을 중심으로 발전한 이론으로 피침해재산이 가지는 완전한 가치를 보상해야 한다는 견해이다.

② 상당보상설

독일의 바이마르 헌법 제153조의 재산권의 사회적 기속성을 중심으로 발전한 견해로서 사회통념에 비추어 공정·타당한 보상이면 된다는 견해와 합리적 이유가 있으면 하회할 수 있다는 견해가 있다.

③ 절충설

손실보상의 원인이 되는 재산권 침해를 완전보상을 필요로 하는 경우와 상당보상을 필요로 하는 경우로 나누어 생각하는 견해로 학자에 따라 상당보상설의 일부로 보며 그 경우의 해석은 다양하게 나타난다.

(2) 판례

① 대법원은 보상의 시기·방법 등에 어떠한 제한도 없는 완전한 보상을 의미한다고 판시하고,
② 헌법재판소도 정당한 보상이란 원칙적으로 피수용자 재산의 객관적 가치를 완전하게 보상하여야 한다고 판시한 바 있다.

(3) 소결

헌법 제23조 제3항의 정당한 보상이란 반드시 획일적인 보상기준을 말하는 것은 아니다. 원칙적으로 완전보상을 의미하며 완전보상을 하회하는 상당보상을 의미할 수는 없다고 본다. 따라서 개별입법자는 이러한 헌법상의 완전보상의 의미에 따라 손실보상을 구체화하여야 한다.

3. 토지보상법상 보상기준

손실보상의 일반법이라 할 수 있는 법은 시가보상, 공시지가기준 보상, 생활보상 등을 규정하고 있다.

(1) 시가보상

보상액의 산정은 협의에 의한 경우에는 협의 성립 당시의 가격을, 재결에 의한 경우에는 수용 또는 사용의 재결 당시의 가격을 기준으로 하며 해당 공익사업으로 인해 토지 등의 가격에 변동이 있는 때에는 이를 고려하지 아니한다.

(2) 공시지가기준 보상

협의 또는 재결에 의하여 취득하는 토지에 대하여 공시지가를 기준으로 보상하되, 그 공시기준일부터 가격시점까지의 관계법령에 의한 해당 토지의 이용계획, 해당 공익사업으로 인한 지가의 영향을 받지 아니하는 지역의 지가변동률 그 밖에 해당 토지의 위치·형상 등을 참작하여 평가한 적정가격으로 보상한다.

(3) 생활보상

현행법에는 생활보상으로 토지보상법 제78조, 제78조의2 규정이 있고, 그 이외에 토지보상법 제79조 제2항에서는 "공익사업이 시행되는 지역 밖에 있는 토지 등이 공익사업의 시행으로 인하여 본래의 기능을 다할 수 없게 되는 경우에는 국토교통부령으로 정하는 바에 따라 그 손실을 보상하여야 한다."는 규정(이는 간접보상의 근거로 보기도 함)과 동법 제79조 제4항의 "제1항부터 제3항까지에서 규정한 사항 외에 공익사업의 시행으로 인하여 발생하는 손실의 보상 등에 대하여는"을 생활보상의 근거로 보기도 한다. 그러나 생활보상은 재산권 보상에 비해 상대적으로 개념 정립, 법적 근거 등이 미약하므로 이에 대한 개선이 필요하다.

Ⅲ 손실보상액의 결정절차

1. 협의

원칙적인 결정유형으로서 행정기관에 의한 일방적인 손실보상액 결정의 전단계로서의 의미를 갖는 것이다. 협의가 성립하였을 때에는 사업시행자는 법상 절차를 거쳐 협의성립의 확인을 신청할 수 있다. 이때의 확인은 법에 의한 재결로 보며 사업시행자, 토지소유자 및 관계인은 확인된 협의의 성립이나 내용을 다툴 수 없다.

2. 재결 또는 결정

행정청의 손실보상액 결정유형에는 재산권의 제약행위의 허용 여부와 그 손실보상액을 함께 결정하는 경우인 법 제34조의 수용재결과 손실보상액만을 결정하는 경우의 보상재결로 나눌 수 있다.

3. 소송

손실보상을 행하는 것 자체에 대해서는 명문으로 규정하고 있으나, 그 보상액 결정방법에 대해서는 구체적인 규정을 두고 있지 않은 경우에 관련 당사자는 보상금지급청구소송을 제기할 수 있으며 이때에는 소송에 의해 보상액이 결정되게 된다.

Ⅳ 결

헌법 제23조 제3항은 공공필요를 위한 수용을 인정하면서 정당한 보상을 전제요건으로 하고 있으며 보상은 그 시기 및 방법까지 제한이 없는 완전한 보상이어야 하되 생활보상까지 포함되어야 함은 당연하다.

손실보상액 결정방법은 개별법에서 정한 방법에 따르며 오늘날의 실질적 법치주의하에서는 당사자 간의 협의에 의하여 원만한 합의를 이루는 것이 가장 이상적인 방법이라고 볼 수 있다.

베타답안

문 30점

Ⅰ. 서

헌법 제23조 제3항은 손실보상의 기준을 정당보상기준으로 하도록 하고 그 구체적인 보상기준방법은 개별법률에 유보하였다. 따라서 정당보상 범위 내이면 구체적인 보상기준과 방법은 입법자의 재량인 바, 수용사용보상의 일반법인 토지보상법에서는 구체적인 보상기준과 보상결정방법을 정하고 있다. 이하에서는 헌법상 정당보상의 의미와 정당보상 기준하에 토지보상법상 손실보상액 결정절차를 살펴보기로 한다.

Ⅱ. 헌법상 손실보상기준(정당보상원칙)

1. 손실보상의 의의

손실보상이란 공공필요에 의한 적법한 공권력 행사로 인하여 개인의 재산권에 가해진 특별한 희생에 대하여 사유재산권 보장과 공평부담의 견지에서 행정주체가 행하는 재산권의 조절적 전보이다.

2. 헌법상 정당보상원칙의 의미

(1) 문제점

손실보상은 헌법 제23조 제3항의 정당보상이 그 기준이 되나 이를 추상적 법개념으로서 구체적 판단기준으로 보기 어려운 바, 그 의미내용에 대하여 견해가 대립된다.

(2) 정당보상원칙에 대한 학설의 대립

① **완전보상설** : 손실보상은 재산권 침해의 완전한 가치보상이어야 한다고 보는 견해이다. 우리 헌법의 9차에 걸친 개헌의 연혁을 보면 종전에 상당한 보상이라는 표현에서 정당한 보상으로 변화한 것이므로 완전보상을 의미한다고 보며, 보상의 범위에 대하여는 부대적 손실도 보상하는 완전보상이라고 한다.

② **상당보상설** : 손실보상은 공·사익의 비교·형량에 의한 합리적이고 적정한 보상이어야 한다고 본다. 우리 헌법은 구체적 보상기준을 법률에 유보하고 있으므로 개별법률이 인정하는 생활보상까지 인정되는 경우도 있고 하회하는 경우도 있다는 점에서 상당보상이라고 한다.

③ **절충설** : 손실보상은 경우를 나누어 완전하게 또는 상당하게 행하게 된다고 본다. 피해자가 입은 모든 손실을 보상해주는 완전보상이어야 하지만, 공익상의 합리적 사유가 있거나 공익과 사익을 조정하는 견지에서 완전보상을 하회할 수도 있고 또한 생활보상까지 해주어야 하는 경우도 있다고 본다.

(3) 판례의 태도

① 헌법재판소는 정당보상이란 완전보상을 뜻하는 것으로서, 보상금액뿐만 아니라 보상의 시기나 방법 등에 있어서도 어떠한 제한을 두어서는 아니 된다는 것을 의미한다고 판시하였다.

② 대법원은 정당한 보상이란 원칙적으로 피수용 재산의 객관적인 재산가치를 완전하게 보상하는 것을 의미한다고 판시하였다.

3. 검토

헌법 제23조의 정당한 보상이란 재산권 보장의 관점에서 볼 때 완전한 보상을 의미하는 것으로 보는 것이 타당하다 여겨진다. 보상의 구체적인 기준 및 방법에 관하여는 완전보상의 원칙에 반하지 않는 한도 내에서 입법자에게 재량권이 부여된다. 헌법은 정당보상의 원칙을 선언하면서도 보상의 구체적인 기준과 방법은 법률로 정하도록 규정하고 있는데 이 규정의 입법취지도 그러하다고 해석할 수 있다고 보인다.

Ⅲ. 손실보상액 결정절차

1. 개설

손실보상액은 복수평가주의, 법정평가주의에 의하여 감정평가법인등이 평가를 하고 이렇게 평가된 평가액은 협의, 재결, 소송에서 결정된다.

2. 감정평가법인등이 토지보상법에 의한 평가

(1) 사업시행자의 의뢰(토지보상법 제68조 제1항)

사업시행자는 토지 등에 대한 보상액을 산정하려는 경우에는 감정평가법인등 3인(제2항에 따라 시·도지사와 토지소유자가 모두 감정평가법인등을 추천하지 아니하거나 시·도지사 또는 토지소유자 어느 한쪽이 감정평가법인등을 추천하지 아니하는 경우에는 2인)을 선정하여 토지 등의 평가를 의뢰하여야 한다. 다만, 사업시행자가 국토교통부령으로 정하는 기준에 따라 직접 보상액을 산정할 수 있을 때에는 그러하지 아니하다.

(2) 토지소유자 등의 추천(토지보상법 제68조 제2항)

해당 토지를 관할하는 시·도지사와 토지소유자는 대통령령으로 정하는 바에 따라 감정평가법인등을 각 1인씩 추천할 수 있다. 이 경우 사업시행자는 추천된 감정평가법인등을 포함하여 선정하여야 한다.

(3) 법정평가주의(토지보상법 제68조 제3항)

보상액산정의 기준은 헌법 제23조 제3항과 토지보상법 제68조 제3항에 따라 법률 또는 국토교통부령에 따라 이루어져야 한다.

(4) 재평가 등(동법 시행규칙 제17조)

해당 감정평가법인등에게 재평가를 요구하는 경우와 다른 2인 이상의 감정평가법인등에게 재평가를 요구하는 경우로 규정하고 있다.

3. 당사자의 협의에 의하는 경우(토지보상법 제16조, 제26조 및 제29조)

원칙적인 결정유형으로서 행정기관에 의한 일방적인 손실보상액 결정의 전단계로서 의미를 갖는다(법 제16조). 사업인정 후 협의(법 제26조)가 성립하였을 때 사업시행자는 협의성립의 확인(법 제29조)을 신청할 수 있다.

4. 행정청의 재결 또는 결정에 의하는 경우(토지보상법 제34조 및 제80조 제2항)

재산권의 제약행위의 허용 여부와 그 손실보상액을 함께 결정하는 경우인 법 제34조의 수용재결과 법 제80조 제2항에 의거, 신청하는 손실보상액만을 결정하는 경우의 보상재결로 나눌 수 있다.

5. 소송에 의하는 경우

손실보상을 행하는 것 자체에 대하여는 명문으로 규정하고 있으나, 그 보상액의 결정방법에 대해서는 구체적인 규정을 두고 있지 않은 경우에 관련 당사자는 보상금증감청구소송을 제기할 수 있다. 이때 소송에 의해 보상액이 결정된다.

Ⅳ. 결

헌법 제23조 제3항은 공공필요를 위한 수용을 인정하면서 정당한 보상을 전제요건으로 하고 있으며 보상은 그 시기 및 방법까지 제한이 없는 완전한 보상이어야 하되 생활보상까지 포함되어야 함은 당연하다. 손실보상액 결정방법은 개별법에서 정한 방법에 따르며 오늘날의 실질적 법치주의하에서는 당사자 간의 협의에 의하여 원만한 합의를 이루는 것이 가장 이상적인 방법이다.

65절 헌법 제23조(정당한 보상)

문제

대법원은 "헌법 제23조 제3항은 "공공필요에 의한 재산권의 수용·사용 또는 제한 및 그에 대한 보상은 법률로써 하되, 정당한 보상을 지급하여야 한다."라고 규정하고 있는 바, 이 헌법의 규정은 보상청구권의 근거에 관하여서 뿐만 아니라 보상의 기준과 방법에 관하여서도 법률의 규정에 유보하고 있는 것으로 보아야 하고, (구)토지수용법과 (구)지가공시법의 규정들은 바로 헌법에서 유보하고 있는 그 법률의 규정들로 보아야 할 것이다. 그리고 "정당한 보상"이라 함은 원칙적으로 피수용재산의 객관적인 재산가치를 완전하게 보상하여야 한다는 완전보상을 뜻하는 것이라 할 것이나, 투기적인 거래에 의하여 형성되는 가격은 정상적인 객관적 재산가치로는 볼 수 없으므로 이를 배제한다고 하여 완전보상의 원칙에 어긋나는 것은 아니며, 공익사업의 시행으로 지가가 상승하여 발생하는 개발이익은 궁극적으로는 국민 모두에게 귀속되어야 할 성질의 것이므로 이는 완전보상의 범위에 포함되는 피수용 토지의 객관적 가치 내지 피수용자의 손실이라고는 볼 수 없다."라고 판시하고 있는바, 헌법상 정당보상의 의미와 「공익사업을 위한 토지 등의 취득 및 보상에 관한 법률」(이하 '토지보상법')상 보상기준 및 원칙에 대하여 설명하시오. **30점**

Ⅰ. 서(논점의 정리)
Ⅱ. 헌법상 정당보상의 의미
  1. 문제의 제기
  2. 학설
    (1) 완전보상설
    (2) 상당보상설
    (3) 절충설
  3. 헌법재판소의 결정 및 대법원 판례
  4. 소결
Ⅲ. 토지보상법의 보상기준
  1. 개설
  2. 시가보상의 원칙(법 제67조 제1항)
  3. 공시지가기준 보상(법 제70조)
  4. 개발이익의 배제(법 제67조 제2항)
  5. 생활보상의 지향
Ⅳ. 구체적 보상기준이 정당보상에 합치하는지의 여부
Ⅴ. 손실보상의 원칙
  1. 개설

  2. 사업시행자 보상의 원칙
    (법 제61조)
  3. 사전보상의 원칙(법 제62조)
    (1) 의의 및 취지
    (2) 사전보상원칙을 보장하기 위한 제도
    (3) 사전보상원칙의 예외
    (4) 관련 판례
  4. 현금보상의 원칙(법 제63조)
    (1) 의의 및 취지
    (2) 현금보상의 예외
  5. 개인별 보상의 원칙(법 제64조)
  6. 일괄보상의 원칙(법 제65조)
  7. 사업시행 이익과의 상계금지
    (법 제66조)
  8. 시가보상의 원칙(법 제67조 제1항)
  9. 개발이익 배제의 원칙(법 제67조 제2항)
  10. 복수평가의 원칙(법 제68조 제1항)
Ⅵ. 결

Ⅰ 서(논점의 정리)

헌법 제23조는 재산권 보장원칙하에 공공필요에 의한 재산권 침해와 손실보상을 규정하여 공익과 사익 간의 조화를 추구하고 있다. 이러한 공·사익 간의 조화를 실현하는 방법은 보상기준의 설정에 좌우된다고 할 것이다. 이에 우리 헌법 제23조 제3항에서는 "수용·사용 또는 제한 및 그에 대한 보상은 법률로써 하되, 정당한 보상을 지급하여야 한다."라고 규정하여 정당보상의 원칙을 취하면서 구체적인 보상액의 산정기준을 법률에 유보하고 있다.

Ⅱ 헌법상 정당보상의 의미

1. 문제의 제기

헌법의 정당보상은 그 자체로서 손실보상의 구체적 판단기준이라고 보기 어렵기 때문에 이에 관한 해석을 둘러싸고 어느 "범위"까지를 보상의 범주로 볼 것인가에 대하여 학설이 대립하고 있는바, 이는 개별법상 보상기준과 관련하여 구체적인 보상액 산정에 영향을 준다.

2. 학설

(1) 완전보상설

미국 수정헌법 제5조의 '정당한 보상'의 해석을 중심으로 발전된 이론으로 피침해재산이 가지는 경제적 가치를 완전히 보상하여야 한다는 견해이다. 본 견해는 다시 ① 손실보상은 재산권에 대응하는 것이므로 피침해재산의 시가, 거래가격에 의한 객관적 가치를 완전히 보상한다는 객관적 가치보장설, ② 보통 발생되는 손실의 전부뿐만 아니라 부대적 손실을 포함한다고 보는 전부보장설이 있다.

(2) 상당보상설

독일 기본법 제14조 제3항의 '공익과 관계 당사자의 이익의 정당한 형량하에서 보상해야 한다.'의 해석을 중심으로 발전된 이론으로 손실보상은 재산권의 사회적 구속성과 침해행위의 공공성에 비추어 사회국가원리에 바탕을 둔 조화로운 보상이면 족하다는 견해이다. 본 견해는 다시,
① 원칙적으로 완전보상을 추구하나 합리적 이유가 있는 경우 완전보상을 상회하거나 하회할 수도 있다는 완전보장원칙설과,
② 사회통념에 비추어 객관적으로 타당성이 인정되는 것이면 하회하여도 무방하다고 보는 합리적보장설이 있다.

(3) 절충설

일본에서 발전된 견해로 완전보상과 상당보상을 나누어 파악하는 견해이다. 작은 재산 또는 기존 재산권질서 범위 내에서 개별적 침해인 경우는 완전보상을 하여야 하나, 큰 재산 또는 어떤 재산권의 사회적 평가가 변화되어 그 권리관계의 변혁을 목적으로 하는 침해인 경우는

상당보상을 하여도 된다는 견해이다. 그러나 이는 작은 재산과 큰 재산의 구별이 모호하며, 양자를 차별하여 보상하는 근거가 분명하지 못하다는 비판이 가해지고 있다.

3. 헌법재판소의 결정 및 대법원 판례

헌법재판소는 "정당한 보상이란 원칙적으로 피수용재산의 객관적인 재산가치를 완전하게 보상하여야 한다는 완전보상을 뜻하는 것"이라 보면서 더 나아가 "보상의 시기 및 방법에 대하여 어떠한 제한도 없어야 한다."고 판시하였고, 다만 개발이익은 완전한 보상의 범위에 포함되는 피수용 재산권의 객관적 가치 내지 손실에 해당되지 않는다고 판시하여 개발이익 배제가 완전한 보상을 해하지 아니한다고 본다. 대법원도 헌법재판소와 같은 취지에서 "정당한 보상이란 원칙적으로 피수용재산의 객관적인 재산가치를 완전하게 보상하여야 한다는 완전보상을 뜻하는 것이라 할 것이나, 투기적인 거래에 의하여 형성되는 가격은 정상적인 객관적 재산가치로 볼 수 없으므로 이를 배제한다고 하여 완전보상의 원칙에 어긋나는 것은 아니다."라고 판시하였다.

4. 소결

생각건대, 공용침해에 의해 발생한 손실은 개인의 의사에 반하여 발생한 손실이라는 점, 평등원칙 및 국민의 법감정을 고려할 때 정당보상이란 침해된 재산권의 객관적 가치의 보상은 물론 그 보상의 시기, 방법 등에 제한이 없는 완전한 보상이어야 할 것이다. 보상의 범위와 관련하여 일반적으로 해당 재산권에 대한 객관적 가치로 이해되어 왔으나, 손실보상이론에 사회복리국가이념이 도입됨에 따라 보상은 부대적 손실까지 포함하는 재산권 보상은 물론 피수용자의 생활안정까지 확대하여 생활권 보상도 포함하여야 함이 법이념에 합치된다고 사료된다.

Ⅲ 토지보상법의 보상기준

1. 개설

헌법의 구체화 법으로서 손실보상의 일반법적 지위에 있는 공익사업을 위한 토지 등의 취득 및 보상에 관한 법률(이하 "토지보상법")에는 정당보상의 실현을 위하여 손실보상의 기준에 대한 규정을 두어 헌법상 정당보상을 구체화하고 있다.

2. 시가보상의 원칙(법 제67조 제1항)

토지보상법 제67조 제1항은 보상액의 가격시점에 대해 협의에 의한 경우에는 협의 성립 당시의 가격을, 재결에 의한 경우에는 수용 또는 사용의 재결 당시의 가격을 기준으로 하도록 규정하고 있다. 이는 개발이익의 배제, 보상액의 공평화, 수용절차의 지연방지에 그 취지가 있다고 보인다.

3. 공시지가기준 보상(법 제70조)

토지보상법 제70조 제1항은 공시지가를 기준으로 하되 공시기준일부터 가격시점까지 해당 사업과 무관한 지역의 지가변동률을 적용하여 보상하도록 하고 있다. 또한 가격시점 당시 공시된 공시지가 중 가격시점에 가장 가까운 시점에 공시된 공시지가로 한다(제3항). 이는 개발이익을 배제하기 위한 취지로 보인다.

4. 개발이익의 배제(법 제67조 제2항)

개발이익이라 함은 공공사업의 계획 또는 시행이 공고 또는 고시되거나 공공사업의 시행 기타 공공사업의 시행에 따른 절차로서 행하여진 토지이용계획의 설정, 변경, 해제 등으로 인하여 토지소유자가 자기의 노력에 관계없이 지가가 상승되어 현저하게 받은 이익으로서 정상지가상승분을 초과하여 증가된 부분을 의미한다. 토지보상법 제67조 제2항에서는 손실보상액의 산정에 있어서 해당 공익사업으로 인하여 토지 등의 가격에 변동이 있는 때에는 이를 고려하지 아니한다고 규정하여 명문규정으로 하고 있다.

5. 생활보상의 지향

종래의 대물적 보상제도는 손실보상의 적법요건보다는 보상에 중점을 둔 재산권의 가치보장 또는 보상보장을 중시하는 것이었으나, 오늘날에는 재산권 그 자체 내지는 그의 존속보장을 중시하고 있다. 따라서 손실보상은 대물적 보상에 의한 재산상태의 확보만으로는 부족하며, 적어도 수용이 없었던 것과 같은 생활재건의 확보를 내용으로 하는 재산권의 존속보장으로서의 생활보상이어야 하는 것이다.

Ⅳ 구체적 보상기준이 정당보상에 합치하는지의 여부[10)

(후술 문제에서 구체적인 검토를 하도록 함 : 이 문제에서는 간략한 언급만 해도 되지만 별도의 문제로 준비할 필요가 있다고 보임)

Ⅴ 손실보상의 원칙

1. 개설

손실보상의 원칙이란 공익사업을 시행하는 주체가 공용침해에 따른 손실보상을 함에 있어서 지켜야 하는 것을 의미하며, 이는 헌법 제23조 제3항의 정당보상을 구체화하기 위하여 법률로써 규정한 것이다.

---

10) 헌법의 정당보상원칙에 토지보상법상의 구체적 기준이 합치되는지의 여부에 논의가 있는 바, ① 공시지가적용의 문제(공시지가 자체의 정당성과 시가와의 괴리시 기타사항의 반영문제), ② 개발이익의 배제와 개발이익 환수문제, ③ 채권보상의 문제, ④ 생활보상과 간접보상의 범위와 체계문제가 바로 그것이다.

2. 사업시행자 보상의 원칙(토지보상법 제61조)

공익사업에 필요한 토지 등의 취득 또는 사용으로 인하여 토지소유자나 관계인이 입은 손실은 사업시행자가 이를 보상하여야 한다고 규정하여 손실보상자의 의무자를 규정하여 피수용자의 권리보호를 명확히 하고 있다. 이는 헌법이 규정한 정당한 보상을 원활히 하기 위함이다. 이때 손실보상의 주체가 누구냐에 대한 논의가 있을 수 있는데 권리의 본질은 이익의 향수인바, 수용권의 이익을 누리는 사업시행자가 수용권의 주체가 되는 것은 당연하고 따라서 손실보상의 주체도 당연히 사업시행자로 봄이 타당하다.

3. 사전보상의 원칙(토지보상법 제62조)

(1) 의의 및 취지

사업시행자는 해당 공익사업을 위한 공사에 착수하기 이전에 토지소유자 및 관계인에 대하여 보상액의 전액을 지급하여야 한다고 규정하여 사업시행 전 보상금 지급을 명문화하고 있다. 이는 피수용자의 대체지 취득 등을 고려한 피수용자 보호를 위함이다.

(2) 사전보상원칙을 보장하기 위한 제도

수용 또는 사용의 개시일까지 보상금을 지급하도록 하고 있는바, 사전보상의 원칙의 실효성을 담보하기 위하여 재결의 실효제도(토지보상법 제42조)를 두고 있다.

(3) 사전보상원칙의 예외(천측실기)

토지보상법에는 천재·지변, 시급을 요하는 경우 토지의 사용(토지보상법 제38조, 제39조), 측량조사로 인한 손실보상(토지보상법 제9조), 각종 실효로 인한 손실보상(토지보상법 제23조 제2항, 제24조 제6항, 제42조 제2항), 기타 토지에 대한 비용보상(토지보상법 제79조)을 규정하고 있다.

(4) 관련 판례

대법원은 관할 토지수용위원회에서 재결된 보상금을 그 수용개시일까지 지급·공탁하지 않으면 후급약정 또는 보상금에 대해서만 다툰다는 약정이 없는 한 그 수용재결은 전부 효력을 상실하고 따라서 수용대상토지를 점유·사용함은 불법점유로 되어 그 손해를 배상해야 한다고 판시한 바 있다.

4. 현금보상의 원칙(토지보상법 제63조)

(1) 의의 및 취지

이는 손실보상은 현금으로 보상하여야 한다는 것으로 그 취지는 자유로운 유통이 보장되고, 현금이 객관적 가치의 변동이 적기 때문에 손실의 완전한 보상을 위해서이다. 다만, 다른 법률에 특별한 규정이 있는 경우를 제외한다.

(2) 현금보상의 예외

① 현물보상

수용사용할 물건에 갈음하여 다른 물건으로 보상하는 방법으로서 피수용자가 수용 이전의 생활상태를 계속할 수 있도록 대체물건으로 보상함에 그 취지가 있다.

② 매수보상

물건에 대한 이용제한에 따라 종래 이용목적대로 사용이 곤란한 경우, 상대방에게 그 물건에 대한 매수청구권을 인정함으로써 완전보상의 원칙을 실현하는 것이다.

③ 채권보상

공익사업을 위한 수용에 있어서 손실보상금을 지불함에 일정한 경우 채권으로 지급하는 것으로, 이는 보상금의 비율증가에 따라 원활한 사업의 시행과 공익사업의 증대에 대처하기 위한 제도이다(토지보상법 제63조 제7항 이하).

5. 개인별 보상의 원칙(토지보상법 제64조)

손실보상액은 피침해자에게 각각 개별적으로 지불해야 한다는 원칙으로 예외적으로 개인별로 산정할 수 없는 경우 대위주의가 적용된다. 이는 개인의 권리보호에 대위주의보다 개별지불이 유리하기 때문이다.

6. 일괄보상의 원칙(토지보상법 제65조)

사업시행자는 동일한 사업지역에 보상시기를 달리하는 동일인 소유의 토지 등이 여러 개 있는 경우 토지소유자나 관계인이 요구할 때에는 한꺼번에 보상금을 지급하도록 하여야 한다는 원칙으로 이는 토지소유자의 대체지 구입을 원활히 하여 정당보상을 구현하기 위함이다.

7. 사업시행 이익과의 상계금지(토지보상법 제66조)

이에 대해 기업이익이 존재한다면 완전보상 이상을 보상한 결과가 되므로 개발이익 배제의 원칙에 따라 기업이익을 상계해야 한다는 견해가 있으나, 공용수용으로 인한 손실과 개발이익은 원인을 달리하는 것이므로 손실보상과 개발이익환수제도라는 별개의 제도로 운영되는 게 타당하다.

8. 시가보상의 원칙(토지보상법 제67조 제1항)

손실보상은 협의 성립 당시 또는 재결 당시의 적정가격을 기준으로 하여야 하며, 토지는 공시지가를 기준으로 보상함을 원칙으로 한다.

9. 개발이익 배제의 원칙(토지보상법 제67조 제2항)

보상액을 산정할 경우에 해당 공익사업으로 인하여 토지 등의 가격이 변동되었을 때에는 이를 고려하지 아니한다.

10. 복수평가의 원칙(토지보상법 제68조 제1항)

사업시행자는 토지 등에 대한 보상액을 산정하려는 경우에는 감정평가법인등 3인(시·도지사와 토지소유자가 모두 감정평가법인등을 추천하지 아니하거나 시·도지사 또는 토지소유자 어느 한쪽이 감정평가법인등을 추천하지 아니하는 경우에는 2인)을 선정하여 토지 등의 평가를 의뢰하여야 한다. 다만, 사업시행자가 국토교통부령으로 정하는 기준에 따라 직접 보상액을 산정할 수 있을 때에는 그러하지 아니하다.

Ⅵ 결

정당보상을 실현하기 위한 토지보상법제의 발전은 국민들의 권익의식의 확대와도 밀접한 관련을 가지고 있다. 최근 용산 참사와 관련하여 그동안 보상대상에서 제외되었던 권리금의 논쟁도 그렇고, 주거용 세입자와 상가세입자의 이주대책의 개념의 변화도 시대상을 반영한 것이라고 보인다. 다만, 재산권에 기초한 보상은 재산권에 대한 정당보상과 아울러 그 기초생활에 대한 생활보상도 매우 중요한 의미를 지닌다고 할 수 있을 것이다. 입법정책적인 고려가 이루어져야 할 것이며, 국민적인 공감대가 형성되어야 할 부분이기도 하다.

베타답안

 문 30점

Ⅰ. 논점의 정리

헌법 제23조 제3항에서는 "공공필요에 의한 재산권의 수용·사용 또는 제한 및 그에 대한 보상은 법률로써 하되, 정당한 보상을 지급하여야 한다."고 규정하여 정당보상원칙을 천명하고 그 구체적인 보상기준은 법률에 유보하고 있다. 헌법 제23조 제3항의 구체화법으로서 손실보상의 일반법적 지위를 가지는 토지보상법은 정당보상을 실현하기 위해 보상기준과 원칙을 정하고 있다. 이하에서는 추상적인 법개념인 정당보상의 의미와 토지보상법상 보상기준과 원칙을 살펴본다.

Ⅱ. 헌법상 정당한 보상의 의미

1. 문제점

헌법 제23조 제3항의 정당보상이 그 기준이 되나 이는 추상적 법개념으로서 구체적인 기준으로 보기 어렵기 때문에 그 의미에 견해가 대립된다.

2. 학설의 태도

① 피침해재산이 가지는 경제적 가치를 완전하게 보상해야 한다는 '완전보상설', ② 재산권이 가지는 사회적 구속성과 침해의 공공성에 비추어 사회국가원리에 바탕을 둔 적정한 보상이면 족하다는 '상당보상설', ③ 완전보상을 상회 또는 하회하는 구체적 기준을 예시한 '절충설'이 있다.

3. 판례의 태도

① 대법원은 정당한 보상이란 원칙적으로 피수용재산의 객관적인 재산가치를 완전하게 보상하는 것을 의미한다고 판시하였다.
② 헌법재판소는 정당한 보상이란 완전보상을 뜻하는 것으로서, 보상금액뿐만 아니라

보상의 시기나 방법 등에 있어서도 어떠한 제한을 두어서는 아니 된다는 것을 의미한다고 결정하였다.

4. 검토

정당한 보상이란 평등의 원칙 및 국민의 법감정을 고려할 때 완전보상을 의미한다고 보이며 헌법의 법률합치적 해석관점에서 정당한 보상의 범위는 재산권의 가치보상, 부대적 손실보상, 생활보상이라 할 것이다.

III. 토지보상법상 보상기준

상기 완전보상을 실현하기 위하여 토지보상법에서는 관련기준을 마련하고 있다.

1. 시가보상기준(법 제67조)

토지보상법 제67조 제1항에서 손실보상은 협의 성립 당시 또는 재결 당시의 가격을 기준으로 보상하고 있는바, 손실보상은 시가보상이다.

2. 공시지가에 의한 보상기준(법 제70조)

동법 제70조 제1항에서는 손실보상액 산정방법에 있어 객관적인 가치를 보상하기 위해서 공시지가를 기준으로 지가변동률, 생산자물가상승률, 기타사항을 참작하여 평가한 적정가격으로 보상하도록 하고 있으며, 이는 개발이익을 배제하는 역할을 한다.

3. 개발이익 배제기준(법 제67조)

(1) 의의

손실보상금에서 배제하는 개발이익이란 피수용자의 노력과는 무관한 공익사업의 계획이나 시행이 공고 또는 고시되어 해당 토지의 이용가치가 장차 증가될 것으로 기대되어 그 기대가치만큼 토지의 가격이 미리 상승한 것을 말한다.

(2) 토지보상법상 개발이익배제제도

개발이익은 잠재적 이익이고 주관적 이익으로 그 배제는 재산권의 객관적 가치의 완전한 보상이라는 정당보상에 합치하고 법 제67조 제2항에 명문화되어 있다. 그 방법으로는 ① 적용공시지가 적용 시, ② 지가변동률 적용 시, ③ 용도지역 변경 등 해당 사업으로 인한 개발이익을 배제하기 위한 조치를 마련하였다.

4. 생활보상기준(법 제78조 등)

재산권 보상으로는 부족한 생활안정을 위한 보상이라 할 수 있다. 이는 전체 손실보상 중에서 재산의 객관적 가치보상과 그 부대적 손실보상을 제외한 보상으로서 ① 주거용 건축물에 대한 보상특례, ② 생활비보상, ③ 이주대책, ④ 간접보상 등을 토지보상법에서 규정하고 있다.

IV. 토지보상법상 손실보상원칙

1. 사업시행자 보상원칙(법 제61조)

공익사업에 필요한 토지 등의 취득 및 사용으로 인한 손실은 사업시행자가 보상하여야 한다.

2. 사전보상원칙(법 제62조)

공익사업을 위한 공사착수 이전에 보상액의 전액을 지급하여야 한다.

3. 현금보상원칙(법 제63조)

손실보상은 원칙적으로 유통이 자유롭고 가치변동이 적은 현금보상이 원칙이나 과잉유동성흡수와 사업시행자의 재정확보를 위한 채권 및 대토보상이 있다.

4. 개인별 보상원칙(법 제64조)

손실보상액은 피침해자에게 각각 개별적으로 지불해야 한다는 원칙으로 예외적으로 개인별로 산정할 수 없는 경우 대위주의가 적용된다.

5. 일괄보상원칙(법 제65조)

동일사업지역 안에 시기를 달리하는 동일인 소유의 수 개의 토지 등에 있어서 토지소유자 등의 요구가 있는 때에는 일괄지급해야 한다.

6. 사업시행 이익과의 상계금지(법 제66조)

사업시행으로 잔여지의 가격이 증가하거나 그 밖의 이익이 발생한 때에도 손실과 상계할 수 없다.

7. 시가보상원칙(법 제67조 제1항)

보상액의 산정은 협의에 의한 경우에는 협의 성립 당시의 가격을, 재결에 의한 경우에는 수용 또는 사용의 재결 당시의 가격을 기준으로 한다.

8. 개발이익 배제원칙(법 제67조 제2항)

보상액의 산정에서 해당 공익사업으로 인하여 토지 등의 가격에 변동이 있는 때에 이를 고려치 않는다.

9. 복수평가원칙(법 제68조 제1항)

사업시행자는 토지 등에 대한 보상액을 산정하려는 경우에는 감정평가법인등 3인(시·도지사와 토지소유자가 모두 감정평가법인등을 추천하지 아니하거나 시·도지사 또는 토지소유자 어느 한쪽이 감정평가법인등을 추천하지 아니하는 경우에는 2인)을 선정하여 토지 등의 평가를 의뢰하여야 한다.

V. 결

현재 공익사업에 필요한 토지 등의 사유재산권을 강제적으로 취득하는 공용수용의 경우에 있어서 사업의 공익성이 문제되는 경우는 거의 없고 손실보상액이 문제가 되는 경우가 대부분이다. 손실보상과 관련하여 헌법상 정당보상은 재산권 보장의 원칙을 고려할 때 완전보상이 이루어져야 할 것이며, 정당보상의 실현을 위하여 토지보상법의 보상기준과 보상원칙을 준수함으로써 공·사익의 합리적인 조절 및 피수용자의 권리보호를 도모할 수 있을 것이다.

66절 헌법 제23조(정당한 보상)

문제

「공익사업을 위한 토지 등의 취득 및 보상에 관한 법률」에 "제70조(취득하는 토지의 보상)
① 협의나 재결에 의하여 취득하는 토지에 대하여는 「부동산 가격공시에 관한 법률」에 따
른 공시지가를 기준으로 하여 보상하되, 그 공시기준일부터 가격시점까지의 관계 법령에
따른 그 토지의 이용계획, 해당 공익사업으로 인한 지가의 영향을 받지 아니하는 지역의
대통령령으로 정하는 지가변동률, 생산자물가상승률(「한국은행법」 제86조에 따라 한국은
행이 조사·발표하는 생산자물가지수에 따라 산정된 비율을 말한다)과 그 밖에 그 토지의
위치·형상·환경·이용상황 등을 고려하여 평가한 적정가격으로 보상하여야 한다."라고
규정하고 있는 바, 공시지가기준 보상과 정당보상의 관계를 설명하시오. 20점

Ⅰ. 논점의 정리(문제의 소재)

Ⅱ. 공시지가기준 평가의 정당보상의 합치
여부
1. 공시지가보상의 의의 및 취지
2. 위헌 여부에 대한 제 견해
3. 대법원 판례 및 헌법재판소의 결정
4. 소결

Ⅲ. 그 밖의 요인의 보정 여부
1. 그 밖의 요인 보정의 의의 및 취지
2. 견해의 대립
3. 판례의 입장
4. 소결

Ⅳ. 결

> **Tip** 공시지가기준 보상의 경우 토지보상법 제70조에 기반을 둔 취득하는 토지보상의 대원칙이다. 정
> 당보상이라는 것이 보상의 방법 및 시기에서 어떠한 제한을 두지 말라고 하였는데 과연 공시지가
> 기준 보상이 정당보상에 부합되는지 문제된다.

☐ 대판 2002.3.29, 2000두10106[토지수용재결처분취소]

[판시사항]
[1] 토지수용보상액은 (구)지가공시 및 토지 등의 평가에 관한 법률 제10조의2 규정에 따라 결정·공시된
개별공시지가를 기준으로 하여 산정하여야 하는지 여부(소극)와 토지수용보상액이 해당 토지의
개별공시지가를 기준으로 하여 산정한 지가보다 저렴하게 되었다는 사정만으로 그 보상액 산정이
위법한 것인지 여부(소극)
[2] 수용대상토지의 정당한 보상액을 산정함에 있어 보상선례를 참작할 수 있는지 여부(한정 적극)

[판결요지]
[1] 토지수용보상액은 (구)토지수용법 제46조 제2항 등 관계법령에서 규정한 바에 따라 산정하여야
하는 것으로서, (구)지가공시 및 토지 등의 평가에 관한 법률 제10조의2 규정에 따라 결정·공시된
개별공시지가를 기준으로 하여 산정하여야 하는 것은 아니며, 관계법령에 따라 보상액을 산정한

결과 그 보상액이 해당 토지의 개별공시지가를 기준으로 하여 산정한 지가보다 저렴하게 되었다는 사정만으로 그 보상액 산정이 잘못되어 위법한 것이라고 할 수는 없다.

[2] (구)토지수용법 제46조 제2항 등 토지수용보상액 산정에 관한 관계법령의 규정을 종합하여 보면, 수용대상토지에 대한 보상액을 산정하는 경우에 인근 유사토지의 거래사례나 보상선례를 반드시 조사하여 참작하여야 하는 것은 아니며, 다만 인근 유사토지의 거래사례나 보상선례가 있고 그 가격이 정상적인 것으로서 적정한 보상액 평가에 영향을 미칠 수 있는 것임이 인정된 경우에 한 하여 이를 참작할 수 있을 뿐이다.

I 논점의 정리(문제의 소재)

공익사업을 위한 토지 등의 취득 및 보상에 관한 법률(이하 '토지보상법')은 정당보상을 구현하기 위해 시가보상원칙을 채택하면서도 제70조 제1항에서 공시지가기준 평가를 규정하여 일반적으로 시가에 미치지 못하는 공시지가가 보상액 산정의 실질적 기준으로 작용하게 된다. 한편, 헌법상 정당보상은 침해된 재산권의 객관적 가치의 완전보상을 의미하는바, 공시지가기준 보상이 정당보상에 합치하는지 여부가 문제될 수 있다. 따라서 이러한 공시지가기준 평가가 헌법상 정당보상에 합치되는지가 문제된다.

II 공시지가기준 평가의 정당보상의 합치 여부

1. 공시지가기준 보상의 의의 및 취지

토지보상법에 의하여 협의나 재결에 의하여 취득하는 토지에 대하여는 「부동산 가격공시에 관한 법률」에 따른 공시지가를 기준으로 하여 보상하되, 그 공시기준일부터 가격시점까지의 관계 법령에 따른 그 토지의 이용계획, 해당 공익사업으로 인한 지가의 영향을 받지 아니하는 지역의 대통령령으로 정하는 지가변동률, 생산자물가상승률(「한국은행법」 제86조에 따라 한국은행이 조사·발표하는 생산자물가지수에 따라 산정된 비율을 말한다)과 그 밖에 그 토지의 위치·형상·환경·이용상황 등을 고려하여 평가한 적정가격으로 보상하여야 한다.
공시지가기준 보상은 개발이익을 배제하기 위한 취지이다.

2. 위헌 여부에 대한 제 견해

첫째, 위헌으로 보는 견해는 토지보상법 제70조 제1항의 공시지가를 기준으로 보상액을 산정하는 것은 보상액 산정방법을 제한하고 있고, 그 보상액이 시가에 미치지 못하므로 정당보상이라고 할 수 없다는 것을 논거로 하며, 둘째, 긍정하는 견해는 공시지가기준 평가는 보상액 산정으로부터 개발이익 배제에 목적이 있으며 개발이익은 해당 토지소유자에게 귀속되어야 할 정당한 보상에 포함되지 아니하므로 개발이익 배제를 위해 공시지가를 기준으로 평가하도록 한 것이 헌법 제23조 제3항의 정당보상원칙에 반하지 않는다는 입장이다.

3. 대법원 판례 및 헌법재판소의 결정

대법원은 공시지가를 기준으로 보상액을 산정하는 것이 당연히 토지소유자의 몫이 될 수 없는 개발이익을 보상대상에서 배제시킨 것이지 토지소유자에게 귀속되어야 할 보상액의 산정방법에 대하여 어떠한 제한을 가한 것이 아니므로 공시지가를 기준으로 보상액을 산정하도록 한 것을 완전보상의 원리에 어긋난 것이라고 할 수 없다고 하였다. 그리고 공시지가가 인근 토지의 거래 가격 등 제요소를 종합 고려하여 산정되므로 정당보상에 해당한다고 볼 수 있다고 하였다. 헌법 재판소는 공시지가가 적정가격을 반영하지 못하고 있다면, 그것은 제도를 잘못 운영한 결과이므로 정하여진 절차에 의하여 시정할 수 있어 정당보상과 괴리되는 것은 아니라고 하였다.

4. 소결

생각건대 공시지가를 기준으로 함으로써 보상의 객관화 보장 및 개발이익 배제 등의 기능을 수행한다는 점에서 헌법상 정당보상에 합치한다고 사료된다. 다만, 현실적으로 공시지가가 시가에 미달되어 완전보상을 구현하기 위한 시가보상원칙을 퇴색시킬 우려가 있는바, 공시지가의 적정성을 향상시키는 노력이 필요하다고 보인다. 그 구체적인 적정성 확보방안으로는 ① 가감조정적용의 활성화, ② 공시지가의 현실화를 예로 들 수 있다. 또한 그 밖의 요인 보정도 하나의 방안이 될 수 있는 바, 이하에서는 기타요인보정 여부에 대해서 검토하고자 한다.

Ⅲ 그 밖의 요인의 보정 여부

1. 그 밖의 요인 보정의 의의 및 취지

그 밖의 요인 보정(기타요인 보정)이란 토지를 평가함에 있어서 지가변동률, 생산자물가상승률, 지역요인 및 개별요인 이외에 토지가격에 영향을 미치는 요소가 있는 경우 그 요소를 그 밖의 요인 (또는 기타요인)으로 보정하는 것을 말한다. 그 밖의 요인 보정을 하는 취지는 정당보상을 실현하기 위한 것이다.

다만 공시지가기준 평가가 정당보상에 합치한다 하더라도 현실적으로 시가에 미달되는 문제점을 해결하기 위해 토지보상법의 규정이 없이 감정평가에 관한 규칙의 규정만으로 그 밖의 요인을 보정할 수 있는지 여부에 대해 견해의 대립이 있다.

2. 견해의 대립

부정하는 견해는 현행 부동산공시법, 토지보상법에 보상액 산정에 있어서 그 밖의 요인을 보정할 수 있는 근거규정을 삭제한 것은 참작하지 못하도록 해석해야 하고, 공시지가 자체에 인근 유사토지의 정상적인 거래가격 등 기타사항이 반영되어 있으며, 토지보상법은 개별요인의 비교항목을 열거하고 있으며, 감정평가법인등의 자의성이나 재량으로부터 멀리하기 위하여서는 법정의 참작항목 이외에는 어떠한 요인도 참작할 수 없다고 본다. 긍정하는 견해는 판례가 정당보상에 이르는 방법에는 어떠한 제한이 없다고 판시하고 있고, 감정평가규칙 제14조에 근거규정이 있으며, 토지보상법의 개별요인의 비교항목은 예시한 것에 지나지 않는다고 보아 보상액 산정시 그 밖의 요인을 보정할 수 있다고 본다.

3. 판례의 입장

공시지가가 시가를 지향하나 제도운영상의 괴리 가능성을 인정하고, 시가보다 낮은 공시지가에 대해 바로 상향 조정을 할 수는 없고, 거래사례·보상선례 등을 참고하여 시가와의 괴리를 충분히 입증한 경우에 그 밖의 요인 보정이 가능하다고 보아 원칙적으로 기타요인보정의 합헌을 인정한다.

4. 소결

생각건대, 공시지가 자체만으로 보상액 산정 시 완전보상에 미달될 우려가 있어, 헌법상 정당보상의 실현방안으로 그 밖의 요인을 보정하여 정상시가를 반영할 수 있다고 보는 것이 타당한바, 토지보상법에 명문규정을 마련하여 입법적인 보완이 필요하다고 판단된다.

Ⅳ 결

헌법 제23조 제3항에서 정당한 보상을 규정하고 있고, 정당한 보상은 완전한 보상을 의미하며, 완전한 보상의 보상금액뿐만 아니라 보상의 시기, 방법에서 어떠한 제한을 두지 말아야 한다고 헌법재판소 결정과 대법원 판례가 판시하고 있다. 그런 측면에서 공시지가기준 보상은 보상방법론을 특정한 것으로 개발이익을 배제하여 완전한 보상에 부합하지 못한다는 비판적 견해가 있지만, 최근 공시지가가 상당부분 실거래가에 육박하여 보상금액 자체를 놓고 보았을 때는 상당한 보상금액을 지급하고 있는 것이 현실이다. 그러나 공시지가 자체의 한계가 존재하기 때문에 이를 보완하기 위해 대법원 판례는 기타요인 보정으로 정당보상이 될 수 있도록 구체적인 방법론을 제시하고 있는바, 판례의 입장에 따라 기타요인 보정을 통해 토지보상액이 현실화되어 국민의 재산권이 보호될 수 있도록 하는 것이 필요하다고 보인다.

베타답안

 문 20점

Ⅰ. 논점의 정리

헌법 제23조 제3항의 구체화 법으로서 손실보상의 일반법적 지위에 있는 토지보상법은 정당보상을 구현하기 위해 시가보상원칙을 채택하면서도 제70조 제1항에서 공시지가기준 평가를 규정하여 일반적으로 시가에 미치지 못하는 공시지가가 보상액 산정의 실질적 기준으로 작용하게 된다. 따라서 정당보상의 의미가 무엇이며 그 정당보상에 공시지가기준 보상이 합치하는지 여부가 문제될 수 있다.

Ⅱ. 공시지가기준 평가의 정당보상합치 여부

1. 문제점

헌법 제23조 제3항의 정당한 보상은 추상적 법개념으로 구체적 판단기준으로 보기 어려우므로 정당보상의 의미를 살핀 후 공시지가기준 평가가 정당보상에 합치하는지 여부를 검토한다.

2. 정당보상의 의미

완전보상설, 상당보상설이 있으나 대법원은 보상시기·방법 등에 어떠한 제한도 없는 완전보상을 의미한다고 판시하고 헌법재판소도 피수용재산의 객관적 가치를 완전하게 보상하여야 한다고 판시하여 완전보상설을 취한다. 그렇다면 공시지가기준하에 보상함이 완전보상에 해당하는지가 문제이다.

3. 토지보상법상 공시지가기준 평가의 위헌 여부

① 공시지가만으로 보상액 산정방법을 제한하고 있고, 공시지가는 시가에 미달하므로 정당보상이라고 할 수 없다고 보는 '위헌설', 공시지가는 공시기준일의 적정가격을 조사·평가한 것이며 이의신청절차 등을 인정하고 있고, 공시지가로 산정한 보상액이 정당보상액에 미달하는 때에는 그 밖의 요인 반영을 통해 정당보상이 되도록 한다는 점에서 합헌으로 보는 '합헌설'이 있다.

4. 판례

대법원은 공시지가에 의하여 보상액을 산정하도록 한 토지보상법은 완전보상원칙을 선언한 헌법에 위반되지 아니한다고 판시하였다.

5. 검토

공시지가를 기준으로 한 보상방법은 손실보상의 객관화, 개발이익의 배제의 목적을 위한 것으로 공시지가로 산정한 보상액이 정당한 보상액에 미달하는 때에는 그 밖의 요인을 보정할 수 있을 것으로 보여지는바, 토지보상법상 공시지가에 의한 보상기준은 정당보상에 부합한다고 여겨진다. 이와 관련하여 그 밖의 요인 보정에 관한 논의가 있는바 이하 살펴보도록 한다.

Ⅲ. 그 밖의 요인의 보정

1. 문제점

공시지가로 산정한 보상액이 정당보상에 미달하는 경우에 보상선례 등을 통한 그 밖의 요인을 보정하여 보상액을 조정할 수 있는지 문제 된다.

2. 학설

① 토지보상법에 그 밖의 요인 보정에 관한 근거 규정을 찾을 수 없고, 감정평가법인등의 자의성 배제를 위하여 법정의 참작항목 이외에는 어떠한 요인도 참작할 수 없다고 보는 '부정설', ② 감정평가에 관한 규칙 제14조에 '그 밖의 요인보정'에 관한 근거 규정

이 있으며, 토지보상법의 개별요인의 비교항목은 예시한 것에 지나지 않는다고 보는 '긍정설'이 있다.

3. 판례

대법원은 정상거래가격은 보상액 산정에 반영할 수 있다고 하였으며, 과거의 보상선례는 적정한 보상을 위한 중요한 자료로 참작할 수 있다고 판시하였다. 또한 정상적인 거래수준을 입증할 수 있는 호가 등도 참작이 가능하다고 판시하고 있다.

4. 검토

공시지가기준 보상은 공시지가만으로 보상함을 의미하는 게 아니라 인근 유사토지 등의 정상거래가격 등을 참작하여 정당보상액이 되도록 하는 기준으로 미루어 볼 때 그 밖의 요인의 보정은 허용되는 것이 타당하다 여겨진다.

Ⅳ. 결

공시지가기준 보상과 그 밖의 요인의 보정은 토지보상법제와 판례로 인정되어, 실질적인 손실보상에 있어서 기능하고 있다. 공시지가 자체만으로 보상액 산정 시 완전보상에 미달될 우려가 있어, 헌법상 정당보상에의 부합 측면에서 그 밖의 요인 보정이 요구되는바, 토지보상법에 명문규정을 마련하는 입법적 보완이 필요하다고 판단된다.

67절 | 헌법 제23조(정당한 보상)

문제

「공익사업을 위한 토지 등의 취득 및 보상에 관한 법률」 "제67조 (보상액의 가격시점 등) ① 보상액의 산정은 협의에 의한 경우에는 협의 성립 당시의 가격을, 재결에 의한 경우에는 수용 또는 사용의 재결 당시의 가격을 기준으로 한다. ② 보상액을 산정할 경우에 해당 공익사업으로 인하여 토지 등의 가격이 변동되었을 때에는 이를 고려하지 아니한다."라고 규정하고 있는바, 개발이익 배제와 정당보상과의 관계를 설명하시오. **30점**

Ⅰ. 논점의 정리

Ⅱ. 보상액 산정 시 개발이익 배제방법
 1. 개발이익의 배제의 의의 및 취지
 2. 적용공시지가 선정
 3. 해당 사업과 무관한 지역의 지가변동률 적용
 4. 해당 사업을 목적으로 한 용도지역 변경 시 미고려
 5. 소결(판례에 의해 정립된 개발이익 배제제도)

Ⅲ. 개발이익 배제가 정당보상에 합치하는지 여부
 1. 견해의 대립
  (1) 부정하는 견해
  (2) 긍정하는 견해
  (3) 소결
 2. 대법원 판례 및 헌법재판소 결정

 3. 소결
 4. 개발이익 배제방법의 문제점과 개선방안
  (1) 문제점(개발이익 사유화 문제)
  (2) 개선방안

Ⅳ. 개발이익 배제가 평등원칙에 위반되는지 여부(인근 토지소유자와 형평성 문제)
 1. 개설
 2. 형평성에 관한 헌법재판소의 입장과 평가
 3. 소결
 4. 개선방안(개발이익의 환수를 위한 새로운 법제의 도입)
  (1) 조세제도의 개편
  (2) 보상제도의 보완

Ⅴ. 결

Tip 정당보상과 관련하여 개발이익 배제가 정당보상인지에 대해서도 깊이 있게 정리해 두어야 할 것이다.

□ 대판 2010.4.29, 2009두17360[손실보상금]

[판시사항]
인근 유사토지 보상사례의 가격이 개발이익을 포함하고 있어 정상적인 것이 아닌 경우라도 이를 수용대상토지의 보상액 산정에서 참작할 수 있는지 여부(한정 적극)

[판결요지]
수용대상토지의 보상액을 산정하면서 인근 유사토지의 보상사례가 있고 그 가격이 정상적인 것으로

서 적정한 보상액 평가에 영향을 미칠 수 있는 것임이 입증된 경우에는 이를 참작할 수 있고, 여기서 '정상적인 가격'이란 개발이익이 포함되지 아니하고 투기적인 거래로 형성되지 아니한 가격을 말한다. 그러나 그 보상사례의 가격이 개발이익을 포함하고 있어 정상적인 것이 아닌 경우라도 그 개발이익을 배제하여 정상적인 가격으로 보정할 수 있는 합리적인 방법이 있다면 그러한 방법에 의하여 보정한 보상사례의 가격은 수용대상토지의 보상액을 산정하면서 이를 참작할 수 있다.

Ⅰ 논점의 정리

"개발이익"이란 피수용자의 노력과는 무관한 공공사업의 계획이나 시행이 공고 또는 고시되어 해당 토지의 이용가치가 장차 증가될 것으로 기대되어 그 기대가치만큼 토지의 가격이 미리 상승한 것을 말한다. 공익사업을 위한 토지 등의 취득 및 보상에 관한 법률(이하 '토지보상법') 제67조 제2항에서는 보상액의 산정에 있어서 해당 공익사업으로 인하여 토지 등의 가격에 변동이 있는 때에는 이를 고려하지 아니한다고 하여 개발이익 배제원칙을 규정하고 있다.

Ⅱ 보상액 산정 시 개발이익 배제방법

1. 개발이익의 배제의 의의 및 취지

공익사업의 시행으로 지가가 상승하여 발생하는 정상지가 상승에 대한 초과분으로 이러한 개발이익은 사업시행자의 공익사업 시행에 의하여 발생하는 것으로서 피수용자인 토지소유자의 노력이나 자본에 의하여 발생한 것이 아니므로, 이를 배제하고 보상하도록 토지보상법은 규정하고 있다. 이러한 개발이익은 그 성질상 완전보상의 범위에 포함되는 피수용자의 손실이라고 볼 수 없으므로, 개발이익을 배제하고 보상하는 것이 타당하다고 헌법재판소와 대법원 판례는 판시하고 있다.

2. 적용공시지가 선정

토지보상법은 보상액 산정 시 개발이익 배제를 위하여 적용공시지가의 선택기준을 제시하고 있다. 사업인정 전 협의에 의한 취득의 경우에 제1항에 따른 공시지가는 해당 토지의 가격시점 당시 공시된 공시지가 중 가격시점과 가장 가까운 시점에 공시된 공시지가로 한다(토지보상법 제70조 제3항). 사업인정 후의 취득의 경우에 제1항에 따른 공시지가는 사업인정고시일 전의 시점을 공시기준일로 하는 공시지가로서, 해당 토지에 관한 협의의 성립 또는 재결 당시 공시된 공시지가 중 그 사업인정고시일과 가장 가까운 시점에 공시된 공시지가로 한다(법 제70조 제4항). 토지보상법 제5항의 신설로 개발이익 배제를 적용공시지가를 통해 명문으로 인정하고 있는데, 동법 제3항 및 제4항에도 불구하고 공익사업의 계획 또는 시행이 공고되거나 고시됨으로 인하여 취득하여야 할 토지의 가격이 변동되었다고 인정되는 경우에는 제1항에 따른 공시지가는 해당 공고일 또는 고시일 전의 시점을 공시기준일로 하는 공시지가로서 그 토지의 가격시점 당시 공시된 공시지가 중 그 공익사업의 공고일 또는 고시일과 가장 가까운 시점에 공시된 공시지가로 한다(법 제70조 제5항).

3. 해당 사업과 무관한 지역의 지가변동률 적용

공시지가의 공시기준일부터 가격시점까지 해당 토지의 이용계획, 해당 공익사업으로 인한 지가의 영향을 받지 아니하는 지역의 지가변동률과 생산자물가지수를 참작한다(제70조 제1항).

4. 해당 사업을 목적으로 한 용도지역 변경 시 미고려

토지보상법 시행규칙 제23조에서는 해당 사업을 직접 목적으로 용도지역이 변경된 경우에는 변경 전 용도지역을 기준으로 보상하도록 규정하고 있다.

5. 소결(판례에 의해 정립된 개발이익 배제제도)[11]

(1) 개발이익 배제의 원칙 인정

헌법재판소 및 대법원도 개발이익은 궁극적으로는 국민 모두에게 귀속되어야 할 성질의 것이므로 이는 완전보상의 범위에 포함되는 피수용토지의 객관적 가치 내지 피수용자의 손실이라고는 볼 수 없다. 따라서 이를 배제한다고 하여 완전보상의 원칙에 어긋나는 것은 아니라고 한다.

(2) 공시지가등에 의한 개발이익의 배제

공시지가에 개발이익이 포함되어 있는 경우에는 개발이익을 공제하여야 한다고 판시하였다. 해당 공공사업의 시행을 목적으로 한 용도지역 변경은 고려하지 않고 있다. 또한 기타요인보정에 의해서 개발이익의 배제를 통하여 정당보상을 실현하고 있다.

Ⅲ 개발이익 배제가 정당보상에 합치하는지 여부(개발이익 배제기법상의 문제 또는 개발이익의 사유화의 문제)

1. 견해의 대립

(1) 부정하는 견해

부정하는 견해는 인근 토지소유자와의 형평성을 고려하여 해당 토지의 개발이익만 배제하는 것은 정당보상에 반한다고 보고 있다. 즉, 어떤 사업으로 인해 주변의 지가가 상승하면 그 상승이익은 일반적으로 토지소유자가 취득하게 되기 때문에 피수용자에 대하여만 개발이익을 거부해야 할 이유가 없다고 본다.

(2) 긍정하는 견해

긍정하는 견해는 ① 국가배상은 위법행위에 의하여 발생한 손해를 완전히 원상회복하는 데 목적이 있으므로 현재의 재산적 가치뿐만 아니라 앞으로 발생할 가능성이 있는 재산적 가치도 포함하여야 하나 손실보상은 적법행위로 인한 특별한 희생을 공평부담하는 데 목적이 있으므로 현재의 재산적 가치만 대상으로 되고 아직 실현되지 아니한 잠재적 손실(미실현이익)은 그

---

11) 석종현, '손실보상법론'

대상에 포함되지 않는 것이 원칙이라는 점과, ② 공공사업의 시행에 의하여 비로소 발생하는 개발이익은 공익사업의 시행을 볼모로 한 주관적 가치 부여에 지나지 않으며 해당 토지의 현재의 객관적 가치라 할 수 없다는 것을 논거로 한다. 따라서 개발이익은 토지소유자에게 귀속되는 것이 아니므로 손실보상액의 산정에서 배제하는 것이 정당하다.

(3) 소결

개발이익 배제의 정당성, 즉 개발이익을 배제하는 이유로서 개발이익은 완전보상에 포함되는 피수용자의 손실이라 볼 수 없으며, 이를 보상액 산정 시 배제한다고 하여 정당보상에 어긋난다고 할 수 없을 것이다. 개발이익이 정당보상에서 제외되어야 하는 이유는 다음과 같다.

① 개발이익은 사업의 완료 후에 실현될 것으로 예상되는 미실현 이익에 불과한 점,

② 개발이익은 공공사업의 시행을 볼모로 한 주관적 가치 부여에 불과할 뿐 해당 토지의 현재의 객관적 가치라고 할 수 없는 점,

③ 개발이익은 궁극적으로 국민 모두에게 귀속되어야 할 성질의 것이므로 피수용자의 손실로 볼 수 없는 점 등을 들 수 있다. 따라서 개발이익을 배제하고 보상하는 것이 정당보상에 부합된다고 할 것이다.

2. 대법원 판례 및 헌법재판소 결정

대법원은 투기적인 거래에 의하여 형성되는 가격은 정상적인 객관적·재산적 가치로는 볼 수 없으므로, 이를 배제한다고 하여 완전보상의 원칙에 어긋나는 것은 아니며, 공익사업의 시행으로 지가가 상승하여 발생하는 개발이익은 궁극적으로는 국민 모두에게 귀속되어야 할 성질의 것이므로 이는 완전보상의 범위에 포함되는 피수용토지의 객관적 가치 내지 피수용자의 손실이라고는 볼 수 없다고 판시(1993.7.13, 93누2131)하였고, 헌법재판소도 같은 취지의 결정(1990.6.25, 89헌마107)을 하였다.

3. 소결

생각건대, 개발이익은 공익사업의 시행으로 비로소 발생하므로 그 성질상 해당 토지의 객관적 가치에 해당되지 않고, 토지소유자의 노력과 무관한바, 형평의 관념에 비추어 보더라도 토지소유자의 귀속분에 해당된다고 볼 수 없는 점에서, 개발이익의 배제는 정당보상에 합치된다고 사료된다. 다만, 현행 보상기준에 의할 경우 개발이익의 완전한 배제가 어렵고, 인근 토지소유자와의 형평성 문제가 발생하는바, 이하에서는 이러한 문제점과 개선방안에 대해 검토하고자 한다.

4. 개발이익 배제방법의 문제점과 개선방안

(1) 문제점(개발이익의 사유화 문제)

토지보상법은 보상액을 산정함에 있어 사업인정고시 이전의 공시지가를 기준으로 공시기준일부터 가격시점까지 해당 사업과 무관한 지가변동률을 적용하도록 규정하고 있다. 이러한 경우 사

업인정고시일부터 재결일 사이의 개발이익을 완전히 배제하지 못하고, 특히 개별법에 사업인정이 의제되어 사업기간이 장기인 경우 현실적으로 개발이익이 사유화될 수 있는 문제점이 있다.

(2) 개선방안

① 보상기준시점 조정과 보정요인의 변경[12]

보상액 산정의 기준시점을 수용재결일에서 사업인정고시일로 앞당기거나, 시점수정시 공시기준일부터 사업인정고시일까지는 지가변동률을 적용하되 사업인정고시일부터 수용재결일까지는 생산자물가상승률을 적용하도록 하여 개발이익을 완전히 배제할 수 있도록 해야 할 것이다.

② 개발이익을 배제한 상태의 보상금 지급[13]

제도 자체는 그대로 유지하여 기존처럼 보상액을 산정한 후 개발이익에 해당되는 만큼을 공제하여 보상금을 지급하도록 하는 것이다. 이때 공시기준일부터 가격시점까지 지가변동률과 생산자물가상승률 간의 차이가 개발이익에 해당될 것이다.

Ⅳ 개발이익 배제가 평등원칙에 위반되는지 여부(인근 토지소유자와 형평성 문제)

1. 개설

사업시행자의 개발이익은 개발부담금 부과를 통해서 일부를 사회에 환원하고 있으나, 인근 주민의 경우 종전 토지초과이득세법에 의한 토지초과이득세가 그나마 어느 정도 개발이익 환수기능을 하였으나 현재 토지초과이득세법도 폐지되어 피수용자의 상대적 상실감을 가져오고 결과적으로 공익사업의 원활한 시행에도 장애가 되는 형평성의 문제(평등문제)가 발생한다. 즉, 피수용자와 인근 주민을 합리적 이유 없이 차별하는 것으로 평등원칙 위반의 문제가 제기된다.

2. 형평성에 관한 헌법재판소의 입장과 평가

헌법재판소는 "일체의 개발이익을 환수할 수 있는 제도적 장치가 마련되지 아니한 제도적 상황에서 피수용자에게만 개발이익을 배제하는 것이 헌법의 평등원칙에 위배되는 것은 아니다."(헌재 1990.6.25, 89헌마107)라고 판시한 바 있다. 다만, 헌법재판소가 피수용자와 인근 주민과의 형평에 대하여 합헌이라 한 것은 입법적 해결이 있기까지의 한시적인 결정(개발이익 환수라는 제도적 개선을 위해서는 점진적인 개선방안을 모색할 수밖에 없고, 이 과정에서 평등원칙이 장애가 될 수 없다는 취지)이라 하겠으며 농민이 인근 토지의 지가상승으로 보상금액으로는 인근 지역에서는 대토를 구하지 못하는 문제상황에서 개발이익을 환수할 수 있는 기술적 방법이 없다고 하여 피수용자와 인근 주민과의 형평문제가 해결된 것은 아니라 하겠다.

---

12) 류해웅
13) 박평준

3. 소결

현실적으로 피수용자가 보상금만으로 인근 지역에서 대토할 수 없는 문제가 상존하는 바, 피수용자와 인근 토지소유자와의 형평문제가 해결된 것은 아니며, 일체의 개발이익을 환수할 수 있는 방안의 마련이 필요하다.

4. 개선방안(개발이익의 환수를 위한 새로운 법제의 도입)

(1) 조세제도의 개편

현행 개발부담금은 낮은 부담률에 요건이 엄격하고, 양도소득세는 비과세대상이 많고 세율이 낮은 문제가 있다. 최근 과세표준의 현실화를 통한 재산세 및 종부세의 부과와 실거래가 양도소득세를 부과할 수 있도록 일정부분 조세제도의 개편이 이루어진 것은 상당한 의미가 있는 것으로 판단된다.

(2) 보상제도의 보완

피수용자의 상대적 상실감을 완화하기 위해 이주대책 등의 생활보상의 확대를 통해 피수용자의 재산적 보상으로 메꾸어지지 않는 손실을 보전해 주고, 주변 토지의 지가상승으로 대토가 곤란해지는바, 현금보상원칙의 예외로 현물보상을 확대하는 방안을 검토할 필요가 있다.

V 결

일본의 사업인정고시 전 시점을 가격시점으로 하여 보상하도록 한 취지는 대토보상 등을 실현하기 위한 것이고, 최근의 이의재결일을 가격시점으로 하자는 견해의 경우에는 이의신청이 난무함과 아울러 보상협의에 적극 참여한 피수용자들과의 사이의 형평성이 맞지 않으므로, 이에 대한 정부 등 관계기관의 깊은 연구와 감정평가업계의 많은 고뇌가 계속 진행되어야 할 것으로 생각된다.

 베타답안

문 30점

Ⅰ. 논점의 정리

헌법 제23조 제3항에 대한 구체화법으로서 손실보상의 일반법적 지위에 있는 토지보상법에서는 개발이익 배제를 명문화하고 있다. 토지보상법이 공익사업으로 인한 개발이익의 사유화를 인정하지 않겠다는 취지인데 토지를 수용함에 있어 정당보상을 하여야 한다는 헌법 제23조의 정당보상에 위반되지 않는지가 문제이며 합치한다면 인근 주민의 개발이익을 환수하지 못하는 현행 법제하에서 헌법 제11조 평등원칙위반 여부가 문제된다.

Ⅱ. 보상액산정 시 개발이익 배제방법

1. 개발이익의 의의 및 개발이익 배제규정

공익사업의 시행결과 토지소유자의 노력과 관계없이 지가상승분을 초과하여 증가된 것을 말하며 불로소득의 성질을 갖는다. 토지보상법 제67조 제2항에서는 해당 사업으로 인한 토지 등의 가격변동을 고려하지 않는다고 규정하고 있다.

2. 개발이익 배제방법

(1) 적용공시지가(토지보상법 제70조 제3,4,5항)

토지보상법 제70조에서는 사업인정 전 협의시와 사업인정 후 취득에 대해 개발이익을 배제하기 위한 적용공시지가를 규정하고 있다.

(2) 해당 사업과 무관한 인근 지가변동률 적용

공시지가의 공시기준일부터 협의성립 시 또는 재결 시까지의 해당 토지의 이용계획, 해당 공익사업으로 인한 지가의 변동이 없는 지역의 인근 시·군·구 지가변동률, 생산자물가지수 등을 참작한다.

(3) 해당 사업을 목적으로 한 용도지역 변경 미고려

토지보상법 시행규칙 제23조에서는 해당 사업을 직접 목적으로 용도지역 변경된 경우 변경전 용도지역을 기준으로 보상하도록 한다.

(4) 판례에 의해 정립된 개발이익 배제 유형

① 공시지가에 개발이익이 포함되어 있는 경우에는 개발이익을 공제하여야 한다.
② 해당 공익사업의 시행을 목적으로 한 용도지역 변경은 고려하지 않는다.
③ 보상평가를 함에 있어서 기타사항의 참작 시 개발이익은 포함되어서는 아니 된다.
④ 해당 공익사업의 시행을 직접 목적으로 발생한 개발이익은 보상액에서 배제되지만, 다른 사업의 시행으로 인한 개발이익은 배제되어서는 아니 된다.

Ⅲ. 개발이익의 배제가 정당보상 및 평등원칙에의 합치 여부

1. 정당보상의 의미

완전보상설, 상당보상설이 있으나 보상액, 보상시기, 방법에 있어 어떠한 제한도 없는 완전한 보상을 의미한다고 봄이 타당하다는 것이 다수설과 판례의 태도이다.

2. 토지보상법상 개발이익 배제가 정당보상에 합치하는지

(1) 학설과 판례의 태도

① 잠재적 미실현 손실은 그 대상에 포함되지 않는다는 합헌설, 개발이익도 토지소유권에 내재된 토지소유자의 권리라는 점에서 위헌설이 있다.
② 헌법재판소는 개발이익은 궁극적으로는 국민 모두에게 귀속되어야 할 성질의 것이므로 이는 완전보상의 범위에 포함되는 토지의 객관적 가치라고는 볼 수 없다고

하면서, 개발이익을 배제한다고 하여 완전보상의 원칙에 어긋나는 것은 아니라고
한다.

(2) 검토

잠재적 미실현 손실이 보상대상이 될 수 없는 점, 개발이익은 사회전체에 귀속되어
모든 사람들이 향유해야 할 것으로 볼 때 합헌설이 타당하다 여겨진다.

3. 토지보상법상 개발이익 배제가 평등원칙에 합치하는지

해당 지역에 개발사업이 있게 되면 지가의 상승은 당연한 귀결이며 인근 토지소유자의
이익으로 나타나게 되어 형평관계에 문제가 있다. 헌법재판소는 "일체의 개발이익을 환
수할 수 있는 제도적 장치가 마련되지 아니한 제도적 상황에서 사업지안의 토지소유자에
게만 개발이익을 배제하는 것이 헌법의 평등원칙에 위배되는 것은 아니다."라고 판시한
바 있다.

Ⅳ. 결

헌법재판소의 태도는 입법적 해결이 있기까지의 한시적 결정으로 보이며, 인근의 개발
이익 환수문제를 해결하지 못하면 보상금에서 개발이익을 배제함은 형평성에 어긋나게
되고 정당성을 주장하는 데 한계를 드러낼 것이다.

68절 토지보상법 시행규칙 제27조(개간비의 평가 등)

> **문제**
>
> 개간비보상에 대하여 설명하시오. 10점
>
> | | |
> |---|---|
> | Ⅰ. 개설(개간비의 개념) | Ⅲ. 보상평가방법 |
> | Ⅱ. 개간비보상의 요건 | 1. 평가방법 |
> | | 2. 이중보상의 배제 |
> | | Ⅳ. 관련문제(사유지에 적용가능한지 여부) |

Ⅰ 개설(개간비의 개념)

개간비란 토지의 매립, 간척 등의 개간에 소요되는 비용으로서 종래에는 불법으로 국가 등의 토지를 농경지 등으로 개간한 경우에도 그 개간비를 보상하였다. 그러나 현행기준하에서는 불법행위로 인한 부당이득의 향유를 방지하기 위해 개간비보상 대상에서 제외하였다. 개간비의 보상은 재산권 보상에 있어서 부대적 손실 중 잔여지 공사비 등과 함께 실비변상적 성격을 지니며 헌법 제23조 제3항과 토지보상법 시행규칙 제27조에 근거하여 행해진다.

Ⅱ 개간비보상의 요건

개간비보상이 이루어지기 위해서는 국유지 또는 공유지를 관계법령에 의하여 적법하게 개간한 자가 개간 당시부터 보상 당시까지 계속하여 적법하게 해당 토지를 점유하고 있어야 한다. 여기서 개간은 매립 및 간척을 포함하는 개념이다.

Ⅲ 보상평가방법

1. 평가방법

개간비의 평가는 지상물과는 별도로 가격시점 현재의 개간에 소요되는 비용으로 한다. 다만, 보상액은 개간 후의 토지가격에서 개간전의 토지가격을 뺀 금액을 초과하지 못한다. 개간비를 평가함에 있어서는 개간 전과 개간 후의 토지의 시세·지질·비옥도·이용상황 및 개간의 난이도 등을 종합적으로 고려하여야 한다.

2. 이중보상의 배제

개간비를 보상하는 경우 취득하는 토지의 보상액은 개간 후의 토지가격에서 개간비를 뺀 금액으로 한다. 개간자에게 개간비를 보상하고 토지소유자에게는 개간 후의 토지의 현황평가에서 개간비를 공제하고 그 잔액을 보상함으로서 이중보상이 되지 않도록 한다.

Ⅳ 관련문제(사유지에 적용할 수 있는지 여부)

국유지에 대한 개간비보상을 사유지에 유추적용할 수 있는지가 의문인데 사유지에 대한 소유자 이외의 자의 개량행위에 의하여 토지의 가격이 올랐더라도 그 당사자 간에 부당이득의 성립이나 배분에 관한 문제는 별론으로 하고 토지는 현실적인 이용상태에 따라 평가하여 보상되어야 하므로 이와 같은 제도를 사유지에 대하여 적용할 수 있는 명문의 규정이 없는 현재로서는 사유지에 유추적용할 수 없는 것으로 보아야 한다.

1절	– 토지보상법 제20조(사업인정) – 행정법 쟁점 : 하자의 승계

문제

풍납토성은 백제 한성기 왕궁을 수비하기 위한 토성으로 추정되는 유적지로 최고의 왕성 유적으로 백제 한성기의 역사를 보여주는 중요한 문화재이다. 그런데 오랜 세월이 흘러 풍납토성 안에 레미콘 회사가 있어 성벽이 낡고 허물어지고 있어 고증을 거쳐 풍납토성을 다시 재건해야 하겠다고 송파구청장은 판단하였다. 이에 사업시행자로 송파구청장은 풍납토성 보전을 위하여 국토교통부장관에게 사업인정을 신청하였다. 송파구청장의 사업인정 신청에 대하여 국토교통부장관은 토지보상법 제4조 공익사업에 해당되는지, 공공필요는 있는지, 그 공공필요는 비례의 원칙에 부합하는지, 사업시행자의 공익사업 수행능력과 의사가 있는지 제반 문제를 검토하였다. 해당 사안에 대하여 문화재보호법상 사적 지정처분과 이 사건 사업인정고시 처분이 행하여졌다. 2025년 7월 12일 현재 문화재보호법상 각 사적 지정처분에 대한 불가쟁력은 발생하였고, 후행처분에 대한 고유한 하자는 없는 것으로 간주한다. 다음 물음에 답하시오. 40점 (해당 문제는 대법원 2019.2.28. 2017두71031판결을 기초로 함)

(1) 공익사업을 위한 토지 등의 취득 및 보상에 관한 법률(이하 '토지보상법')상 사업인정의 법적 성격 및 사업인정기관이 공익사업을 위한 토지 등의 취득 및 보상에 관한 법률상의 사업인정을 하기 위한 요건에 대하여 설명하시오. 10점

(2) 문화재의 보존을 위한 사업인정 등 처분에 대하여 재량권 일탈·남용 여부를 심사하는 방법 및 이때 구체적으로 고려할 사항, 특히 사업인정의 공익성, 필요성, 비례의 원칙 위반 여부에 대하여 설명하시오. 5점

(3) 국가지정문화재에 대하여 관리단체로 지정된 지방자치단체의 장이 문화재보호법 제83조 제1항 및 공익사업을 위한 토지 등의 취득 및 보상에 관한 법률에 따라 국가지정문화재나 그 보호구역에 있는 토지 등을 수용할 수 있는지 여부를 설명하시오. 5점

(4) 위 공익사업에서 사업시행자 송파구청장에게 해당 공익사업을 수행할 의사와 능력이 있는지 여부와 문화재보호법상 사적지정처분과 사업인정고시는 하자가 승계되는지 여부를 설명하시오. 20점

〈설문 (1)에 대하여 : 사업인정을 하기 위한 요건〉

I 논점의 정리

해당 사안은 사업인정기관이 공익사업을 위한 토지 등의 취득 및 보상에 관한 법률상의 사업인정을 하기 위한 요건이 무엇이며, 사업시행자가 사업인정을 받은 후 그 사업이 공용수용을 할 만한 공익성을 상실하거나 사업인정에 관련된 자들의 이익이 현저히 비례의 원칙에 어긋나게 된 경우 또는 사업시행자가 해당 공익사업을 수행할 의사나 능력을 상실한 경우, 그 사업인정에 터잡아 수용권을 행사할 수 있는지 여부에 대한 고찰을 묻는 문제이다. 이를 해결하기 위해 사업인정기관이 공익사업을 위한 토지 등의 취득 및 보상에 관한 법률상의 사업인정을 하기 위한 요건을 검토하고, 수용권 남용에 해당되는지 여부에 대하여 비례의 원칙에 입각하여 문제를 해결하고자 한다.

II 사업인정기관이 공익사업을 위한 토지 등의 취득 및 보상에 관한 법률상의 사업인정을 하기 위한 요건

1. 공용수용은 헌법상의 재산권 보장의 요청상 불가피한 최소침해성

헌법 제23조는 "① 모든 국민의 재산권은 보장된다. 그 내용과 한계는 법률로 정한다. ② 재산권의 행사는 공공복리에 적합하도록 하여야 한다. ③ 공공필요에 의한 재산권의 수용·사용 또는 제한 및 그에 대한 보상은 법률로써 하되, 정당한 보상을 지급하여야 한다."라고 규정하고 있다. 이 규정의 근본취지는 우리 헌법이 사유재산제도의 보장이라는 기조 위에서 원칙적으로 모든 국민의 구체적 재산권의 자유로운 이용·수익·처분을 보장하면서 공공필요에 의한 재산권의 수용·사용 또는 제한은 헌법이 규정하는 요건을 갖춘 경우에만 예외적으로 허용한다는 것으로 해석된다. 이와 같은 우리 헌법의 재산권 보장에 관한 규정의 근본취지에 비추어 볼 때, 공공필요에 의한 재산권의 공권력적, 강제적 박탈을 의미하는 공용수용은 헌법상의 재산권 보장의 요청상 불가피한 최소한에 그쳐야 한다.

2. 공용수용에서 사업인정의 의의(토지보상법 제20조)

공익사업을 위한 토지 등의 취득 및 보상에 관한 법률(이하 '토지보상법')상 사업인정이라 함은 공익사업을 토지 등을 수용 또는 사용할 사업으로 결정하는 것으로서 공익사업의 시행자에게 그 후 일정한 절차를 거칠 것을 조건으로 일정한 내용의 수용권을 설정하여 주는 형성행위이므로, 해당 사업이 외형상 토지 등을 수용 또는 사용할 수 있는 사업에 해당한다고 하더라도 사업인정기관으로서는 그 사업이 공용수용을 할 만한 공익성이 있는지의 여부와 공익성이 있는 경우에도 그 사업의 내용과 방법에 관하여 사업인정에 관련된 자들의 이익을 공익과 사익 사이에서는 물론, 공익 상호간 및 사익 상호간에도 정당하게 비교·교량하여야 하고, 그 비교·교량은 비례의 원칙에 적합하도록 하여야 한다.

3. 사업인정을 해주기 위한 요건

우리나라 토지보상법제와 판례를 통한 사업인정의 요건은 다음과 같다.

① 토지보상법 제4조에 해당하는 공익사업이어야 한다.

② 공공필요(공공성)가 인정되어야 한다.

③ 비례의 원칙에 의한 공공성 판단이 선행되어야 한다.

④ 사업시행자의 공익사업 수행능력과 의사(대판 2011.1.27, 2009두1051)가 있어야 한다.

> 일본 토지수용법에서 사업인정의 요건은 다음과 같다. 사업인정청은 신청된 사업이 다음의 각 호의 4가지 모든 요건에 해당될 때에만 사업인정을 행할 수 있다.
> ① 사업이 법 제3조(공익사업) 각 호의 1에 규정한 사업일 것
> ② 기업자가 해당 사업을 수행할 충분한 의사와 능력을 가진 자일 것
> ③ 사업이 토지의 적정하고도 합리적인 이용에 기여하는 것일 것
>   해당 토지가 그 사업에 이용됨으로써 얻게 되는 공공의 이익과 해당 토지가 그 사업에 이용됨으로써 잃게 되는 사적 내지 공공의 이익을 비교·형량하여 전자가 후자에 우월하다고 인정되어야 한다. 이는 해당 사업계획의 내용, 그 사업에 의해서 얻게 되는 공공의 이익, 수용토지의 현재 이용상황, 그 토지가 갖는 사적 내지 공공적 가치 등에 대해서 종합적인 판단에 의해서 인정되어야 한다.
> ④ 사업이 토지를 수용 또는 사용할 공익상 필요가 있는 것일 것
>   해당 사업에 대하여 1호에서 3호까지의 요건판단에서 고려된 사항 이외의 사항에 대해서 광범위하게 ⓐ 수용·사용이라는 취득수단을 취할 필요성, ⓑ 그 필요성이 공익목적에 합치 여부의 관점에서 판단을 추가하여야 한다는 의미로서, 사업을 조기에 시행할 필요성이 인정되어야 하고, 수용토지의 범위는 그 사업계획에 필요한 범위 내이고 합리적이라고 인정되어야 한다(공익적합성).

토지보상법상 제4조인 공익사업으로써 위의 4가지 요건을 충족해야만 사업시행자가 사업인정을 위한 요건을 충족한 것으로 판단된다.

〈설문 (2)에 대하여 : 이 사건 사업인정의 공익성, 필요성, 비례의 원칙 위반 여부〉

위에서와 같이 사업인정이란 공익사업을 토지 등을 수용 또는 사용할 사업으로 결정하는 것으로서 공익사업의 시행자에게 그 후 일정한 절차를 거칠 것을 조건으로 일정한 내용의 수용권을 설정하여 주는 형성행위이다. 그러므로 해당 사업이 외형상 토지 등을 수용 또는 사용할 수 있는 사업에 해당한다고 하더라도 사업인정기관으로서는 그 사업이 공용수용을 할 만한 공익성이 있

는지 여부와 공익성이 있는 경우에도 그 사업의 내용과 방법에 관하여 사업인정에 관련된 자들의 이익을 공익과 사익 사이에서는 물론, 공익 상호 간 및 사익 상호 간에도 정당하게 비교·교량하여야 하고, 그 비교·교량은 비례의 원칙에 적합하도록 하여야 한다(대판 1995.12.5, 95누4889, 대판 2005.4.29, 2004두14670 등 참조).

문화재보호법은 관할 행정청에 문화재 보호를 위하여 일정한 행위의 금지나 제한, 시설의 설치나 장애물의 제거, 문화재 보존에 필요한 긴급한 조치 등 수용권보다 덜 침익적인 방법을 선택할 권한도 부여하고 있기는 하다. 그러나 문화재란 인위적이거나 자연적으로 형성된 국가적·민족적 또는 세계적 유산으로서 역사적·예술적·학술적 또는 경관적 가치가 큰 것을 말하는데(문화재보호법 제2조 제1항), 문화재의 보존·관리 및 활용은 원형 유지를 기본원칙으로 한다(문화재보호법 제3조). 그리고 문화재는 한번 훼손되면 회복이 곤란한 경우가 많을 뿐 아니라, 회복이 가능하더라도 막대한 비용과 시간이 소요되는 특성이 있다(대판 2005.1.28, 2004두10661 참조).

이러한 문화재의 보존을 위한 사업인정 등 처분에 대하여 재량권 일탈·남용 여부를 심사할 때에는, 위와 같은 문화재보호법의 내용 및 취지, 문화재의 특성, 사업인정 등 처분으로 인한 국민의 재산권 침해 정도 등을 종합하여 신중하게 판단하여야 한다.

구체적으로는 ① 우리 헌법이 "국가는 전통문화의 계승·발전과 민족문화의 창달에 노력하여야 한다."라고 규정하여(제9조), 국가에 전통문화 계승 등을 위하여 노력할 의무를 부여하고 있는 점, ② 문화재보호법은 이러한 헌법 이념에 근거하여 문화재의 보존·관리를 위한 국가와 지방자치단체의 책무를 구체적으로 정하는 한편, 국민에게도 문화재의 보존·관리를 위하여 국가와 지방자치단체의 시책에 적극 협조하도록 규정하고 있는 점(제4조), ③ 행정청이 문화재의 역사적·예술적·학술적 또는 경관적 가치와 원형의 보존이라는 목표를 추구하기 위하여 문화재보호법 등 관계 법령이 정하는 바에 따라 내린 전문적·기술적 판단은 특별히 다른 사정이 없는 한 이를 최대한 존중할 필요가 있는 점(대판 2000.10.27, 99두264 등 참조) 등을 고려하여야 한다.

〈설문 (3)에 대하여 : 지방자치단체의 장인 참가인 송파구청장이 문화재보호법 제83조 제1항에 따라 국가지정문화재를 수용할 수 있는 사업시행자가 될 수 있는지 여부〉

문화재보호법 제83조 제1항은 "문화재청장이나 지방자치단체의 장은 문화재의 보존·관리를 위하여 필요하면 지정문화재나 그 보호구역에 있는 토지, 건물, 나무, 대나무, 그 밖의 공작물을 「공익사업을 위한 토지 등의 취득 및 보상에 관한 법률(이하 '토지보상법'이라 한다)」에 따라 수용(收用)하거나 사용할 수 있다."라고 규정하고 있다.

한편 국가는 문화재의 보존·관리 및 활용을 위한 종합적인 시책을 수립·추진하여야 하고, 지방자치단체는 국가의 시책과 지역적 특색을 고려하여 문화재의 보존·관리 및 활용을 위한 시책을 수립·추진하여야 하며(문화재보호법 제4조), 문화재청장은 국가지정문화재 관리를 위하여 지방자치단체 등을 관리단체로 지정할 수 있고(문화재보호법 제34조), 문화재청장이나 지방자치단체의 장은 국가지정문화재와 그 역사·문화·환경보존지역의 관리·보호를 위하여 필요하다고 인정하면 일정한 행위의 금지나 제한, 시설의 설치나 장애물의 제거, 문화재 보존에 필요한 긴급한 조치 등을 명할 수 있다(문화재보호법 제42조 제1항).

이와 같이 문화재보호법은 지방자치단체 또는 지방자치단체의 장에게 시·도지정문화재뿐 아니라 국가지정문화재에 대하여도 일정한 권한 또는 책무를 부여하고 있고, 문화재보호법에 해당 문화재의 지정권자만이 토지 등을 수용할 수 있다는 등의 제한을 두고 있지 않으므로, 국가지정문화재에 대하여 관리단체로 지정된 지방자치단체의 장은 문화재보호법 제83조 제1항 및 토지보상법에 따라 국가지정문화재나 그 보호구역에 있는 토지 등을 수용할 수 있다.

원심이, 풍납토성이 국가지정문화재라 하더라도 관리단체인 참가인 송파구청장이 이 사건 수용대상부지를 수용할 수 있다고 판단한 것은 위 법리에 따른 것으로서, 거기에 문화재보호법 제83조 제1항의 수용주체에 관한 법리를 오해한 잘못이 없다.

〈설문 (4)에 대하여 : 송파구청장의 공익사업 수행 의사와 능력이 인정되는지 여부와 하자의 승계 논의〉

I 송파구청장의 공익사업 수행 의사와 능력이 인정되는지

가. 공익사업을 수행하여 공익을 실현할 의사나 능력이 없는 자에게 타인의 재산권을 공권력적·강제적으로 박탈할 수 있는 수용권을 설정하여 줄 수는 없으므로, 사업시행자에게 해당 공익사업을 수행할 의사와 능력이 있어야 한다는 것도 사업인정의 한 요건이라고 보아야 한다(대판 2011.1.27, 2009두1051 참조).

나. 원심은, 이 사건 사업을 위한 사업비는 모두 조달 가능한 것으로 보이고, 사업비 조달 방식도 적법하며, 토지수용보상금도 관계법령에서 정한 보조금 및 지방비의 용도에 포함되므로, 참가인 송파구청장이 이 사건 사업비를 송파구의 자체 예산으로 조달하지 않는다는 사정만으로 참가인 송파구청장에게 사업수행 의사나 능력이 없다고 볼 수 없다고 판단하였다.

관련 법리 및 기록에 비추어 살펴보면, 원심의 이러한 판단은 정당하고, 거기에 공익사업을 시행할 의사 또는 능력에 관한 법리를 오해한 잘못이 없다.

Ⅱ 하자의 승계 여부

1. 의의 및 취지

둘 이상의 행정행위가 연속적으로 행해지는 경우 선행행위에 하자가 있으면 후행행위 자체에 하자가 없어도 선행행위의 하자를 이유로 후행행위를 다툴 수 있는가의 문제가 하자승계의 문제이다. 하자의 승계는 법적안정성과 국민의 재판청구권의 조화의 문제이다.

2. 하자의 승계 전제조건

① 선행행위와 후행행위가 모두 항고소송의 대상인 처분이어야 한다.
② 선행행위는 당연무효가 아닌 취소사유의 하자가 존재해야 한다.
③ 후행행위에는 하자가 없이 적법해야 한다.
④ 선행행위에 불가쟁력이 발생하고 있어 선행행위를 더 이상 다툴 수 없어야 한다.

3. 하자승계의 인정범위

(1) 학설

① 전통적 하자승계론

선행행위와 후행행위가 별개의 목적을 지니는 경우는 승계되지 않고, 일련의 절차를 구성하여 하나의 효과를 목적으로 하는 경우는 승계된다는 입장이다.

② 구속력론

㈀ 구속력론의 의의

하자승계문제를 행정행위 효력 중 불가쟁력이 발생한 선행행위의 후행행위에 대한 구속력의 문제로 다룬다. 즉, 구속력이란 선행 행정행위의 내용과 효과가 후행 행정행위를 구속함으로써 상대방(관계인, 법원)은 후행행위를 다툼에 있어 선행행위의 내용과 대립되는 주장이나 판단을 할 수 없게 하는 효과를 말한다. 즉, 구속력이 미치면 후행행위를 다툴 때 선행행위의 효과와 다른 주장을 할 수 없게 된다.

㈁ 구속력 이론의 한계

구속력은 ① 〈객관적 한계〉로서 선후의 행위가 법적 효과가 일치하는 범위 내에서 미치고, ② 〈주관적 한계〉로서 처분청과 처분의 직접 상대방(이해관계 있는 제3자 포함) 및 법원에 미치며, ③ 〈시간적 한계〉로서 선행행위 발령시 기초가 된 사실적·법적 상황의 동일성이 유지되는 한도 내에서 미친다. ④ 〈추가적 요건〉으로 객관적·주관적·시간적 한계 내에서 선행행위의 후행행위에 대한 구속력이 인정됨으로 인하여 개인의 권리보호가 부당하게 축소될 수 있기 때문에 관련자에게 예측불가능하거나 수인불가능한 경우는 구속력이 미치지 않는다. 따라서 이 경우는 후행행위에서 선행행위의 위법을 주장할 수 있게 된다.

(2) 대법원 판례

① 하나의 법률효과를 목적으로 하는 경우

판례는 2개 이상의 행정처분이 연속적으로 행하여지는 경우 선행처분과 후행처분이 서로 결합하여 1개의 법률효과를 완성하는 때에는 선행처분의 하자가 후행처분에 승계되므로, 선행처분에 불가쟁력이 생겨 그 효력을 다툴 수 없게 된 경우 선행처분의 하자를 이유로 후행처분의 효력을 다툴 수 있다고 한다.

② 별개의 법률효과를 목적으로 하는 경우

(ㄱ) 원칙

판례는 선행처분과 후행처분이 서로 독립하여 별개의 법률효과를 목적으로 하는 때에는 선행처분에 불가쟁력이 생겨 그 효력을 다툴 수 없게 된 경우 선행처분의 하자가 중대하고 명백하여 당연무효인 경우를 제외하고는 선행처분의 하자를 이유로 후행처분의 효력을 다툴 수 없다고 하여 전통적 견해와 원칙적으로 동일한 입장을 취한다.

(ㄴ) 예외

- 쟁송기간이 도과한 개별공시지가결정의 위법을 이유로 그에 기초하여 부과된 양도소득세부과처분의 취소를 구한 판결에서 선행행위와 후행행위가 별개의 법률효과를 목적으로 하는 경우에도 수인성의 원칙을 이유로 하자의 승계를 예외적으로 인정하였다.
- 최근 표준지공시지가결정의 위법이 수용재결에 승계될 것인지가 문제된 사안에서도 양자는 별개의 법률효과를 목적으로 하지만 수인성의 원칙을 이유로 하자의 승계를 긍정하였다.
- 이러한 판례의 태도에 대하여 일부 견해는 구속력설의 한계를 받아들인 것이라 주장하나, 수인성의 원칙은 어떠한 행정영역에서도 적용될 수 있는 원칙이라 봄이 타당하다.

> **판례**
>
> ● 과세처분 등의 취소를 구하는 행정소송에서 선행처분인 개별공시지가결정의 위법성을 독립된 위법사유로 주장할 수 있는지
>
> 선행처분과 후행처분이 서로 독립하여 별개의 효과를 목적으로 하는 경우에도 선행처분의 불가쟁력이나 구속력이 그로 인하여 불이익을 입게 되는 자에게 수인한도를 넘는 가혹함을 가져오며, 그 결과가 당사자에게 예측가능한 것이 아닌 경우에는 국민의 재판받을 권리를 보장하고 있는 헌법의 이념에 비추어 선행처분의 후행처분에 대한 구속력은 인정될 수 없다. 개별공시지가 결정은 이를 기초로 한 과세처분과는 별개의 독립된 처분으로서 서로 독립하여 별개의 법률효과를 목적으로 하는 것이나, 장차 어떠한 과세처분 등 구체적 불이익이 현실적으로 나타나게 되었을 때에 비로소 권리구제의 길을 찾는 것이 우리 국민의 권리의식임을 감안하여 볼 때 토지소유자 등으로 하여금 결정된 개별공시지가를 기초로 하여 장차 과세처분 등이 이루어질 것에 대비하여 항상 토지의 가격을 주시하고 개별공시지가결정이 잘못된 경우 정해진 시정절차를 통하여 이를 시정하도록 요구하는 것은 부당하게 높은 주의의무를 지우는 것이라고 아니할 수 없고, …개별공시지가 결정에 위법이 있는 경우에는 그 자체를 행정소송의 대상이 되는 행정처분

으로 보아 그 위법 여부를 다툴 수 있음은 물론 이를 기초로 한 과세처분 등 행정처분의 취소를 구하는 행정소송에서도 선행처분인 개별공시지가결정의 위법을 독립된 위법사유로 주장할 수 있다(대판 1994.1.25, 93누8542).

● **2007두13845 판결 수용보상금의 증액을 구하는 소송에서 수용대상 토지 가격 산정의 기초가 된 비교표준지공시지가결정의 위법을 독립한 사유로 주장할 수 있는지 여부**

표준지공시지가결정은 이를 기초로 한 수용재결 등과는 별개로 독립된 처분으로서 서로 독립하여 별개의 법률효과를 목적으로 하지만, 표준지공시지가는 이를 인근 토지의 소유자나 기타 이해관계인에게 개별적으로 고지하도록 되어 있는 것이 아니어서 인근 토지의 소유자 등이 표준지공시지가결정 내용을 알고 있었다고 전제하기가 곤란할 뿐만 아니라, 결정된 표준지공시지가가 공시될 당시 보상금 산정의 기준이 되는 표준지의 인근 토지를 함께 공시하는 것이 아니어서 인근 토지소유자는 보상금 산정의 기준이 되는 표준지가 어느 토지인지를 알 수 없으므로, 인근 토지소유자가 표준지의 공시지가가 확정되기 전에 이를 다투는 것은 불가능하다. 더욱이 장차 어떠한 수용재결 등 구체적인 불이익이 현실적으로 나타나게 되었을 경우에 비로소 권리구제의 길을 찾는 것이 우리 국민의 권리의식임을 감안하여 볼 때, 인근 토지소유자 등으로 하여금 결정된 표준지공시지가를 기초로 하여 장차 토지보상 등이 이루어질 것에 대비하여 항상 토지의 가격을 주시하고 표준지공시지가결정이 잘못된 경우 정해진 시정절차를 통하여 이를 시정하도록 요구하는 것은 부당하게 높은 주의의무를 지우는 것이고, 위법한 표준지공시지가결정에 대하여 그 정해진 시정절차를 통하여 시정하도록 요구하지 않았다는 이유로 위법한 표준지공시지가를 기초로 한 수용재결 등 후행 행정처분에서 표준지공시지가결정의 위법을 주장할 수 없도록 하는 것은 수인한도를 넘는 불이익을 강요하는 것으로서 국민의 재산권과 재판받을 권리를 보장한 헌법의 이념에도 부합하는 것이 아니다. 따라서 표준지공시지가결정이 위법한 경우에는 그 자체를 행정소송의 대상이 되는 행정처분으로 보아 그 위법 여부를 다툴 수 있음은 물론, 수용보상금의 증액을 구하는 소송에서도 선행처분으로서 그 수용대상 토지 가격 산정의 기초가 된 비교표준지공시지가결정의 위법을 독립한 사유로 주장할 수 있다.

● **개업공인중개사의 업무정지처분과 등록취소처분 사이의 하자의 승계**

대법원 2019.1.31. 선고 2017두40372 판결 [중개사무소의개설등록취소처분취소]

[판시사항]
[1] 공인중개사법 제38조 제1항 제7호에서 정한 '중개업무'에 거래 당사자 쌍방의 의뢰를 받아 이루어지는 경우 외에 거래 당사자 일방의 의뢰를 받아 이루어지는 경우가 포함되는지 여부(적극) 및 어떠한 행위가 '중개업무의 수행'에 해당하는지 판단하는 기준
[2] 선행처분과 후행처분이 서로 독립하여 별개의 법률효과를 발생시키는 경우, 선행처분에 불가쟁력이 생겨 그 효력을 다툴 수 없게 되면 선행처분의 하자를 이유로 후행처분의 효력을 다툴 수 있는지 여부(원칙적 소극) 및 예외적으로 선행처분의 하자를 이유로 후행처분의 효력을 다툴 수 있는 경우

[판결요지]

[1] 공인중개사법 제38조 제1항 제7호는 '업무정지기간 중에 중개업무를 하는 경우'를 중개사무소의 개설등록 취소사유로 규정하고 있다. 여기에서 말하는 중개업무란 중개대상물에 대하여 거래 당사자 간의 매매·교환·임대차 기타 권리의 득실·변경에 관한 행위를 알선하는 업무를 말한다(공인중개사법 제2조 제1호). 그러한 업무는 거래 당사자 쌍방의 의뢰를 받아 이루어지는 경우뿐만 아니라 거래 당사자 일방의 의뢰를 받아 이루어지는 경우도 포함한다. 한편 어떠한 행위가 '중개업무의 수행'에 해당하는지는 중개업자의 행위를 객관적으로 보아 사회통념상 거래의 알선·중개를 위한 행위라고 인정되는지에 따라 판단하여야 한다.

[2] 2개 이상의 행정처분이 연속적 또는 단계적으로 이루어지는 경우 선행처분과 후행처분이 서로 합하여 1개의 법률효과를 완성하는 때에는 선행처분에 하자가 있으면 그 하자는 후행처분에 승계된다. 이러한 경우에는 선행처분에 불가쟁력이 생겨 그 효력을 다툴 수 없게 되더라도 선행처분의 하자를 이유로 후행처분의 효력을 다툴 수 있다. 그러나 선행처분과 후행처분이 서로 독립하여 별개의 법률효과를 발생시키는 경우에는 선행처분에 불가쟁력이 생겨 그 효력을 다툴 수 없게 되면 선행처분의 하자가 중대하고 명백하여 선행처분이 당연무효인 경우를 제외하고는 특별한 사정이 없는 한 선행처분의 하자를 이유로 후행처분의 효력을 다툴 수 없는 것이 원칙이다. 다만 그 경우에도 선행처분의 불가쟁력이나 구속력이 그로 인하여 불이익을 입게 되는 자에게 수인한도를 넘는 가혹함을 가져오고, 그 결과가 당사자에게 예측가능한 것이 아니라면, 국민의 재판받을 권리를 보장하고 있는 헌법의 이념에 비추어 선행처분의 후행처분에 대한 구속력을 인정할 수 없다.

(3) 검토

① 구속력설은 구속력의 범위를 분명하게 확정하는 것이 용이하지 않다는 문제점이 있고, 추가적 요건은 구속력 고유의 기준은 아니다. 구속력의 범위를 확정하는 것이 용이하다 해도 순후행행위의 구속력의 문제의 상호관계에 대한 분명한 해명 없이 하자승계문제를 구속력의 문제로 대체하는 것은 타당하지 않다.

② 하자승계론이 타당하다. 하나의 법률효과를 기준으로 하는지라는 기준에 개별·구체적인 경우의 불합리성을 제거하기 위해 수인성의 원칙을 추가적 요건으로 하여 판단함이 타당하다.

4. 해당 사안의 검토

원심은, 이 사건 각 사적 지정처분과 이 사건 사업인정고시는 서로 독립하여 별개의 법률효과를 목적으로 하고, 사적 지정처분의 불가쟁력이나 구속력이 원고에게 수인한도를 넘는 가혹함을 가져오고 그 결과가 예측 불가능한 것이라고 인정하기에 부족하며, 원고가 주장하는 각 사적 지정처분의 하자가 당연무효 사유에 해당한다고 볼 만한 사정도 없어 그 주장하는 사적 지정처분의 하자가 이 사건 사업인정고시에 승계되는 것도 아니라는 취지로 판단하였다.

관련 법리에 비추어 원심판결 이유를 살펴보면, 원심의 이러한 판단은 정당하고, 거기에 하자 승계 등에 관한 법리를 오해한 잘못이 없다.

판례

● **해당 문제 쟁점판례 : 대판 2019.2.28, 2017두71031[사업인정고시취소]**

〈풍납토성 보존을 위한 사업인정 사건〉

[판시사항]

[1] 사업인정의 법적 성격 및 사업인정기관이 공익사업을 위한 토지 등의 취득 및 보상에 관한 법률상의 사업인정을 하기 위한 요건

[2] 문화재의 보존을 위한 사업인정 등 처분에 대하여 재량권 일탈·남용 여부를 심사하는 방법 및 이때 구체적으로 고려할 사항

[3] 국가지정문화재에 대하여 관리단체로 지정된 지방자치단체의 장이 문화재보호법 제83조 제1항 및 공익사업을 위한 토지 등의 취득 및 보상에 관한 법률에 따라 국가지정문화재나 그 보호구역에 있는 토지 등을 수용할 수 있는지 여부(적극)

[4] 사업시행자에게 해당 공익사업을 수행할 의사와 능력이 있어야 한다는 것이 사업인정의 한 요건인지 여부(적극)

[판결요지]

[1] 사업인정이란 공익사업을 토지 등을 수용 또는 사용할 사업으로 결정하는 것으로서 공익사업의 시행자에게 그 후 일정한 절차를 거칠 것을 조건으로 일정한 내용의 수용권을 설정하여 주는 형성행위이다. 그러므로 해당 사업이 외형상 토지 등을 수용 또는 사용할 수 있는 사업에 해당하더라도 사업인정기관으로서는 그 사업이 공용수용을 할 만한 공익성이 있는지 여부와 공익성이 있는 경우에도 그 사업의 내용과 방법에 관하여 사업인정에 관련된 자들의 이익을 공익과 사익 사이에서는 물론, 공익 상호 간 및 사익 상호 간에도 정당하게 비교·교량하여야 하고, 비교·교량은 비례의 원칙에 적합하도록 하여야 한다.

[2] 문화재보호법은 관할 행정청에 문화재 보호를 위하여 일정한 행위의 금지나 제한, 시설의 설치나 장애물의 제거, 문화재 보존에 필요한 긴급한 조치 등 수용권보다 덜 침익적인 방법을 선택할 권한도 부여하고 있기는 하다. 그러나 문화재란 인위적이거나 자연적으로 형성된 국가적·민족적 또는 세계적 유산으로서 역사적·예술적·학술적 또는 경관적 가치가 큰 것을 말하는데(문화재보호법 제2조 제1항), 문화재의 보존·관리 및 활용은 원형 유지를 기본원칙으로 한다(문화재보호법 제3조). 그리고 문화재는 한번 훼손되면 회복이 곤란한 경우가 많을 뿐 아니라, 회복이 가능하더라도 막대한 비용과 시간이 소요되는 특성이 있다. 이러한 문화재의 보존을 위한 사업인정 등 처분에 대하여 재량권 일탈·남용 여부를 심사할 때에는, 위와 같은 문화재보호법의 내용 및 취지, 문화재의 특성, 사업인정 등 처분으로 인한 국민의 재산권 침해 정도 등을 종합하여 신중하게 판단하여야 한다.

구체적으로는 ① 우리 헌법이 "국가는 전통문화의 계승·발전과 민족문화의 창달에 노력하여야 한다."라고 규정하여(제9조), 국가에 전통문화 계승 등을 위하여 노력할 의무를 부여하고 있는 점, ② 문화재보호법은 이러한 헌법 이념에 근거하여 문화재의 보존·관리를 위한 국가와 지방자치단체의 책무를 구체적으로 정하는 한편, 국민에게도 문화재의 보존·관리를 위하여 국가와 지방자치단체의 시책에 적극 협조하도록 규정하고 있는 점(제4조), ③ 행정청이 문화재의 역사적·예술적·학술적 또는 경관적 가치와 원형의 보존이라는 목표를 추구

하기 위하여 문화재보호법 등 관계 법령이 정하는 바에 따라 내린 전문적·기술적 판단은 특별히 다른 사정이 없는 한 이를 최대한 존중할 필요가 있는 점 등을 고려하여야 한다.

[3] 문화재보호법 제83조 제1항은 "문화재청장이나 지방자치단체의 장은 문화재의 보존·관리를 위하여 필요하면 지정문화재나 그 보호구역에 있는 토지, 건물, 입목(立木), 죽(竹), 그 밖의 공작물을 공익사업을 위한 토지 등의 취득 및 보상에 관한 법률(이하 '토지보상법'이라 한다)에 따라 수용(收用)하거나 사용할 수 있다."라고 규정하고 있다. 한편 국가는 문화재의 보존·관리 및 활용을 위한 종합적인 시책을 수립·추진하여야 하고, 지방자치단체는 국가의 시책과 지역적 특색을 고려하여 문화재의 보존·관리 및 활용을 위한 시책을 수립·추진하여야 하며(문화재보호법 제4조), 문화재청장은 국가지정문화재 관리를 위하여 지방자치단체 등을 관리단체로 지정할 수 있고(문화재보호법 제34조), 지방자치단체의 장은 국가지정문화재와 역사문화환경 보존지역의 관리·보호를 위하여 필요하다고 인정하면 일정한 행위의 금지나 제한, 시설의 설치나 장애물의 제거, 문화재 보존에 필요한 긴급한 조치 등을 명할 수 있다(문화재보호법 제42조 제1항). 이와 같이 문화재보호법은 지방자치단체 또는 지방자치단체의 장에게 시·도지정문화재뿐 아니라 국가지정문화재에 대하여도 일정한 권한 또는 책무를 부여하고 있고, 문화재보호법에 해당 문화재의 지정권자만이 토지 등을 수용할 수 있다는 등의 제한을 두고 있지 않으므로, 국가지정문화재에 대하여 관리단체로 지정된 지방자치단체의 장은 문화재보호법 제83조 제1항 및 토지보상법에 따라 국가지정문화재나 그 보호구역에 있는 토지 등을 수용할 수 있다.

[4] 공익사업을 수행하여 공익을 실현할 의사나 능력이 없는 자에게 타인의 재산권을 공권력적·강제적으로 박탈할 수 있는 수용권을 설정하여 줄 수는 없으므로, 사업시행자에게 해당 공익사업을 수행할 의사와 능력이 있어야 한다는 것도 사업인정의 한 요건이라고 보아야 한다.

베타답안

풍납토성 사업인정 사건 문제 40점

Ⅰ. 논점의 정리

해당 사안은 풍납토성 보존을 위한 사업인정 사건에 관한 대법원 판례이다. 이하 (설문 1)에서는 사업인정의 개념, 성질 및 요건에 관해 설명하도록 한다.

(설문 2)에서는 문화재 보존을 위한 사업인정 등 처분에 관한 재량권 일탈·남용 여부 판단방법과 구체적으로 고려할 사항에 대해 판례의 태도를 검토하도록 한다. (설문 3)에서는 문화재 관리단체로 지정된 지방자치단체가 보호구역 내 토지를 수용할 수 있는지 판례의 태도를 통해 판단하도록 한다. (설문 4)에서는 사안의 송파구청장에게 공익사업을 수행할 의사와 능력이 있는지 판단하고, 하자승계 검토를 통해 사적 지정처분과 사업인정고시의 하자승계 가능성을 판단한다.

II. 설문 (1) – 사업인정의 개념, 설질 및 요건

1. 사업인정 의의 및 취지(법 제20조)

사업인정이란 공익사업을 토지 등을 수용·사용할 수 있는 사업으로 결정하는 것을 의미한다(법 제2조 제7호). 이는 사업의 수행을 통한 공공복리의 증진 및 국민의 재산권 보호 취지에서 인정된다.

2. 사업인정 법적 성질

사업인정은 ① 수용권 설정 및 보전의무 부과로 국민권익에 영향을 주는 처분성 있는 〈형성행위〉이다. 또한 ② 시행자와 소유자 모두에게 권리와 의무를 발생시키는 〈복효적 행위〉이며 ③ 국토교통부장관의 이익형량으로 결정되는 〈재량행위〉의 성질을 갖는다.

3. 사업인정 요건

(1) 공익사업일 것

사업인정의 요건으로는 토지보상법 제4조에 따른 공익사업이거나 별표에 명시된 개별 법률에 따라 사업인정이 의제되는 사업이어야 한다.

(2) 공공성

사업인정의 요건으로는 비례의 원칙에 따라 관련 공사익을 비교·형량하여, 공익이 사익을 초과하여야 할 것이다. 이외에도 공익우월성, 수용의 필요성, 사업계획의 합리성, 공익지속성이 추가적으로 요구된다.

(3) 사업시행자의 의사와 능력(판례)

사업인정의 요건으로는 사업시행자가 사업을 수행할 의사 및 조직적, 경제적 능력을 필요로 한다. 이때 사업시행자의 능력이 없는 상태의 수용권 설정은 수용권 남용에 해당한다고 판례는 판시하였다.

III. 설문 (2) – 재량권 일탈·남용심사 및 구체적 고려사항(판례)

1. 재량권 일탈·남용 여부 심사방법(판례)

행정소송법 제27조에서는 재량처분의 일탈·남용에 대한 취소를 규정하고 있다. 따라서 사업인정기관은 사업인정과 관련된 공익과 사익, 공익 간의 비교·형량을 통해 결정하되, 이는 비례의 원칙에 적합해야 할 것이다. 또한 문화재보호법 내용 및 취지, 문화재 특성 및 국민의 재산권을 신중히 고려하여 판단해야 한다.

2. 사업인정의 공익성, 필요성, 비례의 원칙여부 검토(행정기본법 제10조)

문화재보존을 위한 사업인정의 재량권 일탈·남용에 관해 구체적으로 검토하기 위해서는 헌법상 국가전통문화 계승의 노력(제9조), 문화재보호법상 취지를 충분히 고려해야 할 것이다. 이때 비례의 원칙은 행정수단과 목적의 합리적 비례관계로 ① 목적달성에 적합한 수단(적합성), ② 국민권익의 최소침해(필요성), ③ 달성되는 이익과 침해되는 이익 간의 형량 비교(상당성)를 단계적으로 고려하여 판단해야 할 것이다.

Ⅳ. 설문 (3) – 지방자치단체장의 문화재 등 수용가능성

1. 토지보상법 제19조의 토지 등의 수용·사용

토지보상법 제19조 제1항에서는 "사업시행자는 공익사업의 수행을 위하여 필요하면 이 법에서 정하는 바에 따라 토지 등을 수용하거나 사용할 수 있다."고 규정한다. 동조 제2항에서는 "공익사업에 수용되거나 사용되고 있는 토지 등은 특별히 필요한 경우가 아니면 다른 공익사업을 위하여 수용하거나 사용할 수 없다."고 규정한다.

2. 지방자치단체장의 문화재 등 수용가능성(판례)

판례는 문화재보호법 제83조 제1항에 따라 문화재의 보호·관리를 위해 문화재청장과 지방자치단체장 모두 문화재 및 보호구역 내의 토지를 수용할 수 있다고 판시하여, 지정권자인 문화재청만이 이를 수용할 수 있는 것이 아니라고 판시하였다.

3. 사안의 경우

사안의 풍납토성이 국가지정문화재라 하더라도 관리단체로 지정된 지방자치단체장인 송파구청장도 문화재보호법 제83조 및 판례의 태도에 따라 문화재의 보호 및 관리를 위하여 토지보상법에 따라 문화재나 그 보호구역 내의 토지 등을 수용·사용할 수 있을 것이다.

Ⅴ. 설문 (4) – 공익사업 수행의사·능력 및 하자승계 여부 검토

1. 공익사업 수행할 의사와 능력판단

사업인정을 받기 위해서는 사업시행자의 공익사업 수행의사와 능력이 요구된다. 사안의 송파구청장은 서울시와 함께 풍납토성 지정지역 276,686㎡를 5,502억에 매입한 점으로 보아 사업을 수행할 의사가 인정되고, 그 외 사업을 수행할 능력이 결여된다는 사정을 찾기 어려워 사업수행능력이 인정된다고 판단된다.

2. 하자의 승계 개관

(1) 하자의 승계 意義

하자승계란 둘 이상의 행정행위가 일련하여 동일한 법률효과를 목적으로 하는 경우 선행행위의 하자를 후행행위에 승계하여 다투는 것을 의미한다.

(2) 하자의 승계요건

하자승계의 요건으로는 ① 선·후행행위가 처분일 것, ② 선행행위가 취소사유일 것, ③ 후행행위가 적법할 것, ④ 선행행위에 불가쟁력이 발생할 것이 요구된다.

(3) 하자의 승계의 인정범위

① 학설

하자승계 인정 여부에 대한 학설에는 ① 선·후행행위가 동일한 법률효과를 목적으로 하는 경우 하자승계를 긍정하는 〈전통적 하자승계론〉과 ② 선행행위의 하자가 후행행위에 대해 "예측가능성 및 수인한도성"을 벗어나는 경우 하자승계를 긍정하는 〈구속력론〉이 대립한다.

② 대법원 판례 및 검토

판례는 전통적인 견해를 따르는 듯하나. 예외적으로 두 법률행위가 동일한 목적이 아닌 경우에도 예측가능성과 수인한도를 종합적으로 검토하여 하자승계를 판단한다. 따라서 하자승계 검토 시 동일한 목적의 법률효과 여부를 판단하되, 예측가능성과 수인한도성을 종합적으로 검토하도록 한다.

3. 사안의 경우

(1) 하자의 승계요건 검토

사안의 사적지정처분과 사업인정은 모두 권익에 영향을 주는 처분성이 존재하고, 사안에 따를 시 사적지정처분은 불가쟁력이 발생하였고 후행처분은 적법하다. 또한 원고가 주장하는 사적지정처분이 당연무효라고 볼 여지가 없으므로 하자승계요건을 충족한다.

(2) 하자의 승계인정 여부(사안의 해결)

사적지정처분과 사업인정은 서로 다른 법률효과를 목적으로 하므로 전통적 하자승계론의 입장에서는 하자승계가 어려울 것이다. 또한, 사업인정 이후의 불복절차 등을 고려할 시 사적지정처분의 하자가 원고의 수인한도를 넘거나 결과를 예측할 수 없다고 보기 어려운바, 하자승계가 부정될 것이다.

VI. 사안의 해결

1. 〈설문 (2)〉의 사업인정에서 재량권 일탈·남용을 판단하기 위해서는 비례의 원칙에 따라 공사익, 공익 간의 비교·형량을 거치되, 헌법 및 문화재보호법의 취지를 고려하여 판단해야 할 것이다.

2. 〈설문 (3)〉에서 판례 및 문화재보호법 규정에 따라 관리단체로 지정된 지방자치단체의 장도 문화재의 보호관리를 위해 문화재 및 보호구역의 토지 등에 대한 수용·사용이 가능하다고 판단된다.

3. 〈설문 (4)〉의 송파구청장을 사업수행의 의사 및 능력이 인정된다. 하자승계의 경우 하자승계요건은 충족되나, 인정 여부의 경우 전통적이론 및 구속력론에 따를 시 하자승계가 부정된다고 판단된다.

2절
- **토지보상법 제20조(사업인정)**
- **행정법 쟁점 : 대상적격, 원처분주의**

문제

사업시행자 甲은 교통량이 증가함에 따라 대규모 도로를 개통하기 위하여 국토교통부장관에게 사업인정을 신청하였고 이에 국토교통부장관은 사업인정을 해주었다. 40점

(1) 이에 사업인정지역의 인근에 거주하는 주민 乙은 도로확충을 통한 공익보다는 자신에게 가해지는 재산권 행사의 제한이나 자연환경 침해가 크다는 이유로 해당 사업인정의 취소를 구하는 쟁송을 제기하였다. 이러한 인근 주민 乙이 제기한 취소소송은 적법한지 여부를 설명하고, 적법하다면 인용가능성이 있는지 설명하시오(관계법령에서 도로사업의 사업인정 시 환경영향평가법령상의 환경영향평가를 받도록 규정하고 있다). 30점

(2) 만약 인근 주민 乙이 행정심판을 제기하여 인용재결(취소재결)을 받은 경우 사업시행자가 이에 취소소송을 제기하려는 경우 인용재결이 소송의 대상이 될 수 있는지를 설명하시오. 10점

Ⅰ. 논점의 정리

Ⅱ. 사업인정의 법적 성질
    1. 처분성
    2. 재량행위성
    3. 제3자효 행정행위

Ⅲ. 설문 (1) 취소소송의 가능성 검토
    1. 취소소송의 적법성
        (1) 소송요건
        (2) 행정소송법 제12조
        (3) 법률상 이익의 의미
            ① 학설 및 판례
            ② 검토
        (4) 법률의 범위문제
            ① 판례와 다수설의 확대화 경향
            ② 인근 주민 법률상 이익 인정 판례
        (5) 사안의 적용

    2. 취소소송의 인용가능성
        (1) 하자의 유형
        (2) 비례원칙 위반 여부
            ① 의의 및 판단기준
            ② 사안의 경우
        (3) 사안의 적용

Ⅳ. 설문 (2) 재결취소소송의 가능성
    1. 개설
    2. 원처분주의와 재결주의
        (1) 논의실익
        (2) 양자의 의의
        (3) 재결주의의 문제점
        (4) 행정소송법 제19조의 태도
    3. 원처분주의하에서 재결취소소송
        (1) 재결 자체의 고유한 위법의 의미
        (2) 취소의 대상
        (3) 고유한 위법 없을 시 판결의 종류
    4. 사안의 적용

Ⅴ. 사례의 해결

> **Tip** **강박사의 TIP(최근 기출문제)**
> 1. 취소소송의 대상적격과 피고적격(제34회 문제1)
> 2. 재결에 대한 항고소송 제기 시 소송의 대상(제25회 문제1)

I 논점의 정리

사안은 사업시행자 甲에 대한 국토교통부장관의 사업인정에 대하여 인근 주민 乙과 사업시행자가 다투는 경우의 문제이다.

1. 설문 (1)에서는 사업인정의 법적 성질을 검토한 후 취소소송의 적법성 관련하여 인근 주민의 원고적격 인정 여부를 검토하며, 인용가능성은 비례원칙으로 내용상 하자를 검토하여 해결한다.

2. 설문 (2)에서는 원처분주의와 재결주의 및 현행 행정소송법 제19조 관련하여 재결이 소송의 대상이 될 수 있는지 검토하기로 한다.

II 사업인정의 법적 성질

1. 처분성(형성행위)

사업인정이란 해당 사업의 공공성·수용가능성 여부를 제 이익형량을 거쳐 판정하는 국토교통부장관의 설권적 형성행위로서 강학상 특허이며, 처분으로서 소송대상이 된다.

2. 재량행위성

재량행위인지 여부는 법규정 취지, 행위의 성질, 기본권 관련성으로 판단하는바, 사업인정은 그 행위의 성질상 국토교통부장관이 공익사업과 관련한 이익의 비교·형량을 거친 뒤 결정하는 절차가 요구된다는 점에서 재량행위로 판단한다.

3. 제3자효 행정행위(복효적행위)

사업인정으로 사업시행자는 수용권의 수익적 효과를 받는 반면, 피수용자 또는 인근 주민의 재산권에 대한 권익침해가 가능한 바, 제3자효 행정행위에 해당된다.

III 설문 (1) 취소소송의 가능성 검토

1. 취소소송의 적법성

(1) 소송요건

취소소송이 적법하려면 소송요건을 만족시켜야 한다. 행정소송법은 제12조(원고적격), 제13조(피고적격), 제19조(대상적격), 제20조(제소기간) 등을 요구한다. 사안에서는 인근 주민이 제기한 취소소송의 적법성에 대한 판단으로 원고적격 이외에 다른 요건은 문제가 되지 않는다고 보이므로, 이하에서는 원고적격을 중점으로 취소소송의 적법성을 검토하도록 한다.

(2) 행정소송법 제12조

동 조항은 원고적격이란 법조하에 "취소소송은 처분의 취소를 구할 '법률상 이익'이 있는 자가 제기할 수 있다"고 규정한 바, 그 '법률상 이익'의 의미가 문제된다.

(3) 법률상 이익의 의미

① 학설 및 판례

법률상 이익을 권리보호로 보는 '권리구제설', 처분의 근거법률 등에 의해 보호되는 이익으로 보는 '법률상 보호이익구제설', 소송에서 재판필요상 보호할 가치가 있는 이익으로 보는 '보호가치 있는 이익구제설', 행정통제 측면에서 접근하는 '적법성 보장설'이 있으며, 판례는 법률상 이익을 근거법률, 관계법률에 의해 보호되는 직접적·구체적 이익으로 보았다.

② 검토

생각건대 현행 소송제도에서 항고소송을 권리구제수단으로 보는 한 법률상 보호이익구제설이 타당하며, 그렇다면 이때 '법률'의 범위를 어떻게 보아야 하는지가 문제된다.

(4) 법률의 범위문제

① 판례와 다수설의 확대화 경향

판례는 처분의 근거법률 외에 관계법률, 나아가 환경영향평가법까지 '법률'에 포함시키며, 다수설은 더 나아가 헌법상 기본권, 일반사회법질서까지 확대하려는 경향이 있다. 최근 행정소송법 개정안에는 법률상 이익의 개념을 '법적으로 정당한 이익'으로 개정하여 그 범위를 넓히고 있는바 시사점이 크다 하겠다.

② 인근 주민 법률상 이익 인정 판례

판례는 연탄공장허가취소소송에서 근거법률 외에 관계법률도 법률의 범위에 포함시켰고, 국립공원개발사업승인취소소송, 원전사업승인취소소송 등에서는 환경영향평가법을 직접적인 근거법률 내지 관계법률로 보아 법률상 이익을 인정하였다.

(5) 사안의 적용

사안의 인근 주민은 사업인정으로 환경적 침해를 받은바 환경영향평가법상 보호해야 할 법률상 이익을 지닌다 할 것이므로, 이를 근거법률 내지 관계법률로 보아 원고적격 인정이 가능하다. 따라서 乙의 취소소송은 적법하다 할 것이다.

2. 취소소송의 인용가능성

(1) 하자의 유형

사안에서 주체, 절차, 형식상 하자는 없는바, 내용상 하자로서 재량의 일탈·남용이 없는지 검토하여야 한다(행정소송법 제27조). 사안에서는 공사익 형량이 문제되는바, 비례원칙으로 판단한다.

(2) 비례원칙 위반 여부(행정기본법 제10조)

① 의의 및 판단기준

행정청의 행위의 수단과 목적 사이에 합리적 비례관계가 있어야 한다는 원칙으로, 적합성, 필요성, 상당성 원칙 위반 여부로 판단한다.

> ↪ 행정기본법 제10조(비례의 원칙)
> 행정작용은 다음 각 호의 원칙에 따라야 한다.
> 1. 행정목적을 달성하는 데 유효하고 적절할 것
> 2. 행정목적을 달성하는 데 필요한 최소한도에 그칠 것
> 3. 행정작용으로 인한 국민의 이익 침해가 그 행정작용이 의도하는 공익보다 크지 아니할 것

② 사안의 경우

행정기본법 제10조에 따라 해당 사업을 위해 사업인정은 적합하고, 수용의 필요성 또한 있다고 보이나, 인근 주민 등의 환경적 이익 침해가 도로사업의 공익보다 크다면 상당성 원칙에 위반되어 위법인정이 가능할 것이다. 이때 위법성 정도는 중대하나 명백치 아니하여 통설, 판례인 중대명백설에 의할 때 취소사유로 판단된다.

(3) 사안의 적용

해당 사업인정은 비례원칙 위반으로 취소사유의 위법하는 바, 乙의 취소소송은 인용가능성이 있다 여겨진다. 다만, 사업인정 후 다수의 이해관계가 발생하였다면 사업인정 취소가 어려워 예외적으로 사정판결을 할 가능성이 있으며, 이 경우에는 인용이 곤란할 것이다.

Ⅳ 설문 (2) 재결취소소송의 가능성

1. 개설

사안에서 인근 주민 乙이 행정심판에서 인용받은 경우 사업시행자 甲이 그 인용재결을 대상으로 취소소송을 제기할 수 있는지 문제된다. 따라서 원처분주의와 재결주의에 대해 먼저 살펴본 후, 행정소송법 규정에 따라 해당 인용재결이 재결 자체의 고유한 위법인지를 검토해야 할 것이다.

2. 원처분주의와 재결주의

(1) 논의실익

행정심판의 재결에 불복하여 취소소송을 제기하는 경우 원처분과 재결은 모두 항고소송의 대상이 될 수 있으나, ① 판결의 모순저촉 방지와, ② 소송경제상 소송의 대상을 제한할 필요가 있으며, 이에 대한 입법주의의 문제가 원처분주의와 재결주의 논의이다.

(2) 양자의 의의

원처분주의란 소송의 대상을 원처분으로 하되, 재결취소소송은 재결에 고유한 위법이 있는 경우에만 인정하는 것을 말하며, 재결주의란 소송대상을 재결로만 하여 원처분의 위법도 재결취소소송으로 다투도록 하는 정책적 제도를 말한다.

(3) 재결주의의 문제점

재결주의에 의하는 경우 ① 행정심판 제기 후 재결의 부존재시 원처분도 다툴 수 없는 점, ② 원처분 자체의 집행정지가 불가한 점, ③ 재결취소판결로 원처분도 취소된다면 불고불리원칙에 위배된다는 점에서 재결주의의 인정에는 문제가 있다.

(4) 행정소송법 제19조의 태도

현행 행정소송법 제19조는 "취소소송은 처분 등을 대상으로 한다. 다만, 재결취소소송의 경우에는 재결 자체에 고유한 위법이 있음을 이유로 하는 경우에 한한다."라고 규정하여 원처분주의를 취하고 있다.

판례

● 원처분주의에 대한 2008두1504 판결

대법원 2010.1.28. 선고 2008두1504 판결 [수용재결취소등]

[판시사항]
토지소유자 등이 수용재결에 불복하여 이의신청을 거친 후 취소소송을 제기하는 경우 피고적격(=수용재결을 한 토지수용위원회) 및 소송대상(=수용재결)

[판결요지]
공익사업을 위한 토지 등의 취득 및 보상에 관한 법률 제85조 제1항 전문의 문언 내용과 같은 법 제83조, 제85조가 중앙토지수용위원회에 대한 이의신청을 임의적 절차로 규정하고 있는 점, 행정소송법 제19조 단서가 행정심판에 대한 재결은 재결 자체에 고유한 위법이 있음을 이유로 하는 경우에 한하여 취소소송의 대상으로 삼을 수 있도록 규정하고 있는 점 등을 종합하여 보면, 수용재결에 불복하여 취소소송을 제기하는 때에는 이의신청을 거친 경우에도 수용재결을 한 중앙토지수용위원회 또는 지방토지수용위원회를 피고로 하여 수용재결의 취소를 구하여야 하고, 다만 이의신청에 대한 재결 자체에 고유한 위법이 있음을 이유로 하는 경우에는 그 이의재결을 한 중앙토지수용위원회를 피고로 하여 이의재결의 취소를 구할 수 있다고 보아야 한다.

---

3. 원처분주의하에서 재결취소소송

(1) 재결 자체의 고유한 위법의 의미

재결 자체의 고유한 위법이란 주로 재결의 주체·절차·형식상 하자를 의미하나, 내용상 하자도 포함된다고 봄이 타당하다. 판례는 제3자효 행정행위에 있어서 재결로 인해 새로이 권익침해를 받은 자는 재결의 고유한 위법을 주장할 수 있다고 판시하였다.

> **판례**
>
> ● 체육시설사업계획승인취소처분취소(대판 1997.12.23, 96누10911)
>
> [1] 이른바 복효적 행정행위, 특히 제3자효를 수반하는 행정행위에 대한 행정심판청구에 있어서 그 청구를 인용하는 내용의 재결로 인하여 비로소 권리이익을 침해받게 되는 자는 그 인용재결에 대하여 다툴 필요가 있고, 그 인용재결은 원처분과 내용을 달리하는 것이므로 그 인용재결의 취소를 구하는 것은 원처분에는 없는 재결에 고유한 하자를 주장하는 셈이어서 당연히 항고소송의 대상이 된다.
>
> [2] 해당 재결과 같이 그 인용재결청인 문화체육부장관 스스로가 직접 해당 사업계획승인처분을 취소하는 형성적 재결을 한 경우에는 그 재결 외에 그에 따른 행정청의 별도의 처분이 있지 않기 때문에 재결 자체를 쟁송의 대상으로 할 수밖에 없다고 본 사례

(2) 취소의 대상

인용재결로서 형성재결인 취소재결의 경우 그 자체가 소의 대상이 되며, 명령재결인 취소명령재결의 경우 재결에 따른 처분이 소의 대상인지 문제되나 판례는 재결 및 재결에 따른 처분 모두 소의 대상이 될 수 있다는 입장이다.

(3) 고유한 위법 없을 시 판결의 종류

재결 자체에 고유한 위법이 없음에도 소제기한 경우 행정소송법 제19조 단서가 소극적 소송요건을 정한 것으로 보아 각하하여야 한다는 견해가 있으나 판례는 기각해야 한다고 본다. 재결 자체의 위법 여부는 본안판단사항이기 때문에 타당시 된다.

> **판례**
>
> ● 투전기영업허가거부처분취소(대판 1994.1.25, 93누16901)
>
> 행정소송법 제19조는 취소소송은 행정청의 원처분을 대상으로 하되(원처분주의), 다만 "재결 자체에 고유한 위법이 있음을 이유로 하는 경우"에 한하여 행정심판의 재결도 취소소송의 대상으로 삼을 수 있도록 규정하고 있으므로 재결취소소송의 경우 재결 자체에 고유한 위법이 있는지 여부를 심리할 것이고, 재결 자체에 고유한 위법이 없는 경우에는 원처분의 당부와는 상관없이 해당 재결취소소송은 이를 기각하여야 한다.

4. 사안의 적용

사안의 사업시행자 甲은 사업인정취소재결에 의해 새로이 수용권을 침해받은 자이므로, 이는 재결의 고유한 위법에 해당한다고 할 것이어서 甲은 인용재결을 소송의 대상으로 하여 다툴 수 있을 것으로 판단된다.

Ⅴ 사례의 해결

1. 설문 (1)에서 인근 주민 乙은 환경영향평가법상 법률상 이익을 가지는바, 취소소송이 가능하며, 비례원칙 위반을 이유로 인용받을 수 있다.

2. 설문 (2)에서 사업시행자 甲은 인용재결에 의해 비로소 권익침해를 받은 자인바, 현행 원처분주의 하에서도 재결의 고유한 위법이 있으므로 인용재결을 대상으로 취소소송 제기가 가능할 것이다.

3절
- 토지보상법 제20조(사업인정)
- 행정법 쟁점: 대상적격, 처분사유추가변경

문제

정부에서는 "녹색성장기본법"을 제정하고 서민들의 주거안정을 도모하기 위하여 자연친화적 녹색아파트 200만호를 건설하기로 정책을 발표하였고, 공용수용과 관련된 제반 절차는 「공익사업을 위한 토지 등의 취득 및 보상에 관한 법률」(이하 '토지보상법')을 준용하기로 하였다. 이에 사업시행자인 한국토지주택공사 甲은 녹색성장기본법 및 토지보상법상 대규모 택지개발사업을 시행하여 녹색아파트를 건설하고자 국토교통부에게 사업인정을 신청하였다. 그러나 이 사실을 안 인근 주민들이 일조권, 조망권 등과 관련하여 항의하는 민원을 거세게 제기하여 해당 사업에 대한 부정적인 여론이 형성되자 국토교통부장관은 인근 주민의 동의를 구할 것을 권고하였고 일정기간 경과 후 국토교통부장관은 한국토지주택공사 甲이 권고를 따르지 않았다는 이유 및 주민동의를 못 받았음을 이유로 사업인정 신청을 반려하였다. 이에 대해 한국토지주택공사 甲이 사업인정 신청 반려행위에 대해 취소소송을 제기하였다. **40점**

(1) 甲의 취소소송의 제기는 적법한지를 설명하시오. **15점**

(2) 甲의 취소소송의 계속 중 국토교통부장관은 자연경관이 훼손된다는 이유를 추가로 제시하였다. 甲의 취소소송 인용가능성에 대해 설명하시오. **25점**

Ⅰ. 논점의 정리

Ⅱ. 설문 (1)의 검토(취소소송이 적법한지 여부)
  1. 문제의 소재
  2. 사업인정의 의의 및 법적 성질
  3. 대상적격의 인정 여부
    (1) 거부가 공권력 행사의 거부로서 신청인의 권리·의무에 직접 영향을 미칠 것
    (2) 국민에게 법규상·조리상의 신청권이 존재할 것
    (3) 대상적격 인정 여부
  4. 원고적격 인정 여부
  5. 해당 소송의 적법성 여부

Ⅲ. 설문 (2)의 검토(취소소송의 인용가능성)
  1. 문제의 소재
  2. 처분사유의 추가·변경의 가능성
    (1) 처분사유의 추가·변경의 의의 및 구별개념
    (2) 인정 여부
    (3) 기본적 사실관계의 동일성 판단 기준
    (4) 사안의 경우
  3. 사업인정 거부처분의 위법성
  4. 위법성 정도
  5. 사안의 경우

Ⅳ. 사례의 해결

I 논점의 정리

설문의 경우 정부에서 녹색아파트 건설과 관련하여 사업시행자인 한국토지주택공사 甲의 취소소송의 제기 가능성과 그 인용 여부를 묻고 있는 것으로,

1. 취소소송의 적법성과 관련하여 사업인정 신청 반려행위는 사업인정 거부행위에 해당되는바, 해당 사업인정 거부가 취소소송의 대상이 되는지, 즉 행정소송법 제2조의 처분에 해당되는지가 문제된다.

2. 취소소송의 인용가능성과 관련하여 먼저 소송의 계속 중 자연경관훼손이라는 처분사유를 추가하였는바, 이러한 처분사유 추가·변경이 가능한지를 검토하고 허용되지 않는다면 당초 처분사유의 위법성만을 판단하면 될 것인바 ① 권고가 행정지도인지 여부, ② 권고를 따르지 않는 경우와 동의 없음을 이유로 거부하는 경우의 위법성을 검토한다.

II 설문 (1)의 검토(취소소송이 적법한지 여부)

1. 문제의 소재

사안에서 국토교통부장관의 사업인정 신청 반려행위는 사업인정의 거부행위에 해당되는바, 취소소송의 적법성과 관련하여 대상적격과 원고적격이 문제된다. 다른 소송요건의 경우 설문에서 특별한 언급이 없는바, 충족된 것으로 본다.

2. 사업인정의 의의 및 법적 성질

사업인정이라 함은 일정한 절차를 거칠 것을 조건으로 하여 수용권을 설정해 주는 형성처분(다수설 및 판례)으로 공익사업을 위한 토지 등의 취득 및 보상에 관한 법률(이하 '토지보상법') 제20조에 근거한다. 기속행위와 재량행위의 구별에 대하여 학설과 판례는 근거 법문언에 우선하고 근거문언이 불분명한 경우 해당 행위의 성질과 헌법상 기본권 등을 고려하여 판단하는바, 이에 의할 때 토지보상법 제20조의 문언이 명확하지 않으나 사업인정은 강학상 특허로서 공공복리의 증진을 목적으로 하는바, 국토교통부장관에게 공익성 여부를 판단할 수 있는 재량을 부여한 것으로 판단할 수 있다고 사료된다.

3. 대상적격의 인정 여부

(1) 거부가 공권력 행사의 거부로서 신청인의 권리·의무에 직접 영향을 미칠 것

행정청의 거부가 작위인 처분과 동일시되기 위해서는 그 거부가 우선 공권력 행사의 거부이어야 한다. 여기에서 '신청인의 법률관계에 변동을 일으키는 것'이라는 의미는 신청인의 실체상의 권리관계에 직접적인 변동을 일으키는 것은 물론 그렇지 않다 하더라도 신청인이 실체상의 권리자로서 권리를 행사함에 중대한 지장을 초래하는 것도 포함한다.

(2) 국민에게 법규상·조리상의 신청권이 존재할 것

① 신청권의 존부가 처분요건인지 여부

판례는 일관되게 항고소송의 대상이 되는 거부처분이 되기 위해서는 법규상·조리상의 신청권이 존재해야 한다고 판시하고 있다. 이에 대하여 일부 학설은, 판례는 소송의 대상과 원고적격의 문제를 분리하지 않고 있다고 비판하면서 신청권의 존부는 행정청의 거부행위가 처분에 해당하기 위한 요건이 아니라고 한다. 이 견해는 거부처분을 그 신청에 따른 행정행위를 요구할 수 있는 법규상·조리상의 권리 유무와 무관하게 처분의 일종으로 간주하고 있는 행정소송법 제2조 제1호, 거부처분취소판결의 기속력 및 간접강제를 규정한 동법 제30조 제2항·제34조 등의 규정으로 미루어, 신청권이 처분의 요건이 아니라고 한다. 나아가 원고가 사실상 그 신청에 따른 행정행위를 요구할 수 있는 법규상·조리상의 권리를 갖고 있느냐의 여부는 소송요건의 문제가 아니라 본안의 문제라고 한다. 생각건대, 원고적격은 개별적 당사자의 주관적 사정에 의하여 좌우되는 것인 데 반하여 처분성 문제는 추상적으로 관계법규에 의하여 인정되고 있는 행정청의 의무사항을 일반국민이 신청할 수 있는지 여부를 따지는 것이라 할 수 있으므로 그 차원을 달리하는 것이다. 이러한 측면에서 판례의 태도가 타당하다고 판단된다.

② 신청권의 존부판단

신청권의 존부는 구체적 사건에서 신청인이 누구인가를 고려치 않고 관계법규의 해석에 의하여 일반국민에게 그러한 신청권을 인정하고 있는가를 살펴 추상적으로 결정되는 것이고, 신청인이 그 신청에 따른 단순한 응답을 받을 권리를 넘어서 신청의 인용이라는 만족적 결과를 얻을 권리를 의미하는 것이 아니다.

(3) 대상적격 인정 여부

사업인정의 거부는 사업시행자의 수용 또는 사용할 수 있는 구체적 권리의 변동을 가져오는 행정청의 공권력의 행사의 거부에 해당되며, 토지보상법 제20조에 의해 법규상 신청권이 인정되므로 처분으로서 취소소송의 대상이 되는바, 대상적격은 충족된다.

4. 원고적격 인정 여부

사업인정이 비록 재량행위에 해당하더라도 오늘날 하자 없는 재량행사를 청구할 권리가 인정되므로, 이러한 한도 내에서 하자 없는 재량을 행사할 의무는 법치국가의 당연한 요청이라 볼 수 있고, 토지보상법은 공익뿐만 아니라 사업시행자의 이익도 보호하고 있다고 판단되므로 공권의 침해로 원고적격이 인정될 수 있다. 또한 행정소송법 제12조의 법률의 의미를 근거법규 및 관계법규뿐만 아니라 나아가 헌법상 기본권까지 확대하는 견해에 의할 경우, 헌법상 직업의 자유 및 영업의 자유를 침해하는 것으로 원고적격이 인정될 수 있다는 견해도 유력하게 주장되고 있다.

5. 해당 소송의 적법성 여부

사안의 사업인정 거부는 사업시행자 甲의 권리·의무에 직접 영향을 미치는 공권력 행사의 거부로서, 판례와 다수견해에 의할 때 처분성이 인정되며, 사업인정이 재량행위이나 하자 없는 재량행사의 의무와 행정소송법 제12조 제1문의 법률의 범위를 관계법규 내지는 헌법상 기본권까지 확대하여 해석한다면 원고적격도 충족되는바, 해당 소송은 적법하다고 판단된다.

Ⅲ 설문 (2)의 검토(취소소송의 인용가능성)

1. 문제의 소재

사안에서 거부처분취소소송이 이유가 있는지 여부를 판단하기 위해서는 우선 소송의 계속 중 국토교통부장관이 종전의 거부사유에 새로이 거부사유를 내세운 바, 처분사유의 추가·변경이 허용되는지가 선결되어야 한다. 왜냐하면 거부사유를 추가할 수 있는 경우에는 새로운 거부사유의 위법성도 검토해야 되기 때문이다.

2. 처분사유의 추가·변경의 가능성

(1) 처분사유의 추가·변경의 의의 및 구별개념

처분사유의 추가·변경이란 소송의 계속 중 처분의 이유로 제시된 법적 또는 사실적 근거를 추가·변경하는 것을 말한다. 처분사유의 추가·변경은 소송경제 및 분쟁의 일회적 해결, 공익보장 및 실체적 진실의 발견을 위해 인정되는 소송법상의 문제이다. 그러나 처분사유의 추가·변경은 원고의 방어권, 이유제시제도의 취지를 훼손할 수 있으므로 일정한 한계 내에서 인정되어야 한다. 따라서 처분사유의 추가나 변경이 가능한가의 문제는 처분의 기초가 되는 사실의 추가 또는 변경에 관한 것이다.

하자의 치유와 처분사유의 추가·변경은 처분의 적법성을 인정하는 것과 관련이 있다는 점에서는 유사하지만, 하자의 치유는 처분시의 하자를 사후보완하는 것인 데 반하여, 처분사유의 추가·변경은 처분 시에 하자 있는 처분을 전제로 하지 않으며 처분 시에 이미 존재하던 사실 등을 주장하는 것인 점에서 하자의 치유와 구별된다. 또한 하자의 치유는 처분의 하자론이라는 행정작용법의 문제이고, 처분사유의 추가·변경은 소송의 심리에 관한 소송법상의 문제이다. 이유제시의 하자의 치유는 처분 시에 존재하는 하자가 사후에 보완되어 없어지는 것인 데 반하여, 행정처분사유의 추가·변경은 처분 시에 이미 존재하였지만 처분이유를 기재하지 않았던 사유를 소송계속 중에 처분이유로 주장하는 것이다.

이유제시의 하자의 치유는 절차의 하자에 관한 문제라면 처분사유의 추가·변경은 실체법상 적법성에 관한 소송법상 문제이다.

(2) 인정 여부

① 학설

처분사유의 추가·변경은 처분의 상대방에게 예기치 못한 불이익을 가져올 수 있으므로 인정될 수 없다는 부정설, 처분사유의 추가·변경을 부정한다고 해도 새로운 처분을 할 수 있으므로 부정할 실익이 없다는 긍정설, 처분의 상대방의 보호와 소송경제의 요청을 고려할 때 제한적인 범위 내에서 처분사유의 추가·변경은 인정되어야 한다는 제한적 긍정설이 있으며, 제한적 긍정설이 통설적 견해이다.

② 판례 및 검토

행정처분의 취소를 구하는 소송에 있어서는 실질적 법치주의와 행정처분의 상대방인 국민에 대한 신뢰보호라는 견지에서 처분청은 당초의 처분사유와 '기본적 사실관계의 동일성'이 인정되는 한도 내에서만 새로운 처분사유를 추가하거나 변경할 수 있다고 하여 제한적 긍정설의 입장에 있으며, 타당하다고 판단된다.

(3) 기본적 사실관계의 동일성 판단기준

판례는 기본적 사실관계의 동일성을 판단하는 기준에 관하여 법률적으로 평가하기 이전에 사회적 사실관계, 즉 일반적으로는 시간적, 장소적 근접성, 행위의 태양, 결과 등 제반사정을 종합적으로 고려한다. 일반적으로 판례는 처분의 근거법령만을 추가·변경하거나 당초 처분사유를 구체화하는 경우 기본적 사실관계의 동일성을 인정하며 그 판단기준에 대해서는 처분사유의 내용이 공통되는지 여부와 취지를 기준으로 판단하는 것으로 보인다.

(4) 사안의 경우

사안의 경우 당초의 거부사유는 권고를 따르지 않았다는 사유 및 인근 주민의 동의가 없었다는 사유이며 소송계속 중 국토교통부장관이 제시한 새로운 거부사유는 자연환경경관이 훼손된다는 것이다. 이는 당초 처분사유와 추가한 처분사유의 내용의 관련성이 없다고 볼 여지가 큰바 기본적 사실관계의 동일성이 인정되기 힘들 것이며, 판례 또한 인근 주민의 동의서 불제출을 이유로 토석채취허가 신청을 반려한 후 자연경관이 훼손된다는 이유를 소송에서 주장하는 경우 기본적 사실관계의 동일성을 부정한다고 판시한 바 있다.

3. 사업인정 거부처분의 위법성

(1) 문제점

사안의 경우 처분사유의 변경은 허용되지 않는바, 처분사유의 위법은 최초의 처분사유의 위법에 한정된다. 따라서 국토교통부장관은 인근 주민의 동의를 받을 것을 권고하였고 이에 따르지 않았다는 이유 및 동의가 없음을 이유로 하여 거부한바 우선 해당 권고가 행정지도에 해당하는지와 행정지도라면 사안의 권고에 행정절차법 제48조 제2항이 적용되는지를 검토하여야 한다.

(2) 권고에 따르지 아니하였음을 이유로 거부하는 경우의 위법성

① 사안의 권고가 행정지도인지 여부

㉠ 행정지도의 의의 : 행정지도란 일반적으로 행정기관이 일정한 행정목적의 달성을 위하여 상대방의 임의적 협력을 기대하여 행하는 비권력적 사실행위라고 정의되고 있다. 행정절차법은 행정기관이 그 소관사무의 범위 안에서 일정한 행정목적을 실현하기 위해 특정인에게 일정한 행위를 하거나 하지 아니하도록 지도·권고·조언 등을 하는 행정작용이라고 정의내리고 있다.

㉡ 사안의 경우 : 사안에서의 권고는 甲에게 임의적 협력을 기대하여 사업에의 정당성 부여 등 일정한 행정목적을 실현하려는 행정작용으로 볼 수 있는바, 행정지도라고 볼 수 있다.

② 사안의 권고에 행정절차법 제48조 제2항의 적용 여부

㉠ 행정절차법 제48조 제2항의 입법목적 및 취지 : 행정기관은 상대방이 행정지도를 따르지 아니하였다는 것을 이유로 불이익한 조치를 하여서는 아니 된다고 규정하고 있다. 행정지도는 상대방의 임의적 협력에 의하여 행정목적을 달성하려는 비권력적 행정작용인바, 상대방이 그에 따르지 않았다고 하여 불리한 조치를 할 수 없다고 봄이 타당하다. 그러나 실제로는 이와 관련한 부당한 조치가 행해질 수 있음을 고려하여 행정절차법은 자명한 원리를 명문으로 규정하고 있는 것으로 볼 수 있다.

㉡ 사안의 경우 : 사안의 경우 국토교통부장관의 권고에도 행정절차법 제48조 제2항이 적용되므로 국토교통부장관은 甲이 주민들의 동의를 구하라는 권고를 위반한 이유로 甲의 신청을 반려할 수 없는바, 이에 반하는 행위를 한 경우 위법하다.

(3) 주민들의 동의가 없음을 이유로 불허하는 경우

명문의 규정이 없는 한 인근 주민의 동의 없음을 이유로 거부할 수 없다고 봄이 일반적이다. 사업인정은 재량행위이므로 주민들의 동의를 부관으로 부가하여 사업인정을 할 수 있었으나 국토교통부장관은 주민들의 동의에 대하여 단순히 권고를 하였을 뿐 부관으로 부가한 적이 없어 주민들의 동의가 없음을 이유로 사업인정을 거부할 수 없다. 따라서 동의 없음을 이유로 사업인정을 거부하는 경우 재량권의 일탈·남용이 되므로 위법하다.

4. 위법성 정도

중대명백설, 중대설, 명백성 보충요건설 등이 있는바, 통설 및 판례인 중대명백설에 의할 때 사안의 경우 중대한 하자이나 일반인의 관점에서 명백하다고 인식하기도 어려운바, 취소정도의 하자로 보인다.

5. 사안의 경우

설문의 경우 새로이 추가한 처분사유는 기본적 사실관계의 동일성이 인정되지 않아 허용되지 아니한 바, 당초 처분사유의 위법성을 판단해 볼 때 동 권고는 행정지도에 해당되며 따라서 행정지도에 따르지 않았다고 불리한 조치를 할 수 없도록 행성절차법에서 명문의 규정을 정한바, 위법성이 인정되며 또한 동의 없음을 이유로 거부하는 것도 허용될 수 없는바 이는 취소정도의 하자에 해당되어 취소소송을 제기한 경우 甲의 취소소송은 인용될 것이다.

Ⅳ 사례의 해결

1. 국토교통부장관의 사업인정 거부에 대해 제기된 본 취소소송의 소적법성은 대상적격과 원고적격에 있어 특히 문제가 된다. 거부가 처분에 해당되는가와 관련하여 사업인정의 거부는 당사자의 권리·의무에 영향을 미치는 공권력의 행사의 거부로서 甲에게는 법규상 신청권이 인정되는바, 처분에 해당하여 대상적격이 인정되고, 한국토지주택공사 甲은 해당 거부처분을 취소할 법률상 이익이 있다고 볼 수 있는 바, 원고적격도 인정되어 해당 소송은 적법하다 볼 수 있다고 생각한다.

2. 소의 인용가능성과 관련하여 새로이 추가한 처분사유는 기본적 사실관계의 동일성이 인정되지 않아 처분사유의 추가·변경이 부정되어 종전 처분사유만으로 그 위법성을 판단하게 되는바, 권고는 행정지도에 속하고 따라서 권고를 따르지 않았음을 이유로 거부한 경우 및 주민동의 없음을 이유로 사업인정을 거부하였다면 재량의 일탈·남용으로 위법성이 인정된다. 따라서 甲은 취소소송을 제기하여 인용판결을 받을 수 있을 것으로 생각된다.

베타답안

 문 40점

Ⅰ. 쟁점의 정리

1. 먼저 위법성 문제와 관련하여 해당 사업인정의 법적 성질을 규명한다.
2. 취소소송의 적법성과 관련하여 기타 소송요건은 충족된 것으로 보이나 사업인정 신청 반려거부가 취소소송의 대상이 되는지, 원고적격에 해당되는지 살펴본다.
3. 취소소송의 인용가능성과 관련하여 먼저 소송의 계속 중 처분사유의 추가·변경이 가능한지를 검토하고 허용되지 않는다면 당초 처분사유의 권고를 따르지 않는 경우와 동의 없음을 이유로 거부하는 경우의 위법성을 검토한다.

Ⅱ. 사업인정의 법적 성질

1. 사업인정의 의의

사업인정이라 함은 일정한 절차를 거칠 것을 조건으로 하여 수용권을 설정해 주는 형성처분(판례)이다.

2. 사업인정의 재량행위성 여부

근거법령의 규정, 문언, 취지 및 행정작용의 성질 등을 종합 참작하여 판단하여야 한다. 사안에서 토지보상법 제20조의 문언이 명확하지 않으나 강학상 특허로서 국토교통부장관에게 공익성 여부를 판단할 수 있는 재량을 부여한 것으로 재량행위에 해당된다.

III. 설문 (1)의 검토(취소소송의 소적법성)

1. 대상적격

(1) 문제점

소가 적법하기 위해서는 거부행위의 처분성이 인정되어야 한다. 그런데, (행정소송법 제2조 제1항 제1호) 규정에도 불구하고 판례는 신청권을 요구하고 있어 그 의미에 대해 검토가 필요하다.

(2) 판례 입장

① 대법원은 거부가 처분성을 갖기 위해서는 "국민이 행정청에 대하여 그 신청에 따른 행정행위를 해 줄 것을 요구할 수 있는 법규상·조리상의 권리가 있어야 한다는" 입장이며, ② 공권력 행사의 거부일 것과, ③ 거부로 인해 국민의 권리·의무에 영향을 미치는 것을 요구한다.

(3) 학설의 입장

이에 대해 원고적격과 혼용한다는 견해와 단순한 응답요구권인 형식적 신청권으로 이해하는 이상 대상적격의 문제로 보는 것이 타당하다는 견해와 본안판단의 문제로 봐야 한다는 견해가 있다.

(4) 검토

판례의 태도는 사건에 대한 주관적인 권리가 아닌 국민에 대한 일반적, 형식적인 신청권을 의미하는 바, 대상적격으로 봄이 타당해 보인다.

(5) 사안의 경우

① 신청권을 대상적격으로 보는 견해 : 토지보상법 제20조 "국토교통부장관의 사업인정을 받아야 한다."고 규정하는바 법규상 신청권이 있고, 사업인정 거부는 일방적 지위에서의 공권력 행사에 해당되고, 거부로 인해 사업시행자의 공용수용권 등에 영향을 미치는바, 대상적격은 인정된다.
② 신청권을 원고적격으로 보는 견해 : 국토교통부장관이 사업인정이라는 구체적 사실에 관한 법집행으로의 공권력 행사의 거부로 대상적격은 인정된다.

2. 원고적격

(1) 법률상 이익의 의미

권리구제설, 법적 보호이익구제설, 보호가치이익설, 적법성보장설이 있으나, 다수설과 판례는 "처분의 근거법률에 의해 보호되는 직접적, 구체적 이익으로" 법적 보호이익구제설로 보고 있다.

(2) 사안의 경우

토지보상법 제20조에서는 "국토교통부장관의 사업인정을 받아야 한다."고 규정하고 있다. 이러한 사업인정이 재량행위인 이상 이는 무하자 재량행사청구권으로 볼 수 있고, 또한 사업인정을 신청한 자의 공용수용권의 부여가능성을 인정하고 있는바, 이는 법률상 이익의 제한에 해당된다.

Ⅳ. 설문 (2)의 검토(취소소송의 인용가능성)

1. 문제점

처분사유가 허용된다면 추가·변경된 사유에 근거하여 내용상 위법 여부를 판단해야 하는 바, 먼저 처분사유의 추가·변경의 검토가 필요하다.

2. 처분사유의 추가·변경의 가능성 여부

(1) 처분사유의 추가·변경 의의

처분사유 추가·변경이란 행정청이 당초 처분을 하면서 처분사유를 밝힌 후, 소송계속 중에 적법성을 유지하기 위해 당초 처분의 사유로 삼았던 것과 다른 사유를 추가하거나 변경하는 것을 말한다.

(2) 인정 여부

① 문제점 : 처분사유의 추가·변경을 허용하는가에 대한 명문의 규정이 없다. 이를 어떻게 이해하느냐에 따라 소송경제와 상대방 보호에 있어 해결 양상이 달라진다.

② 학설 및 판례 : 긍정설, 부정설, 제한적 긍정설 등이 논의되나, 통설 및 판례는 당초의 처분사유와 기본적 사실관계에 있어서 동일성이 인정되는 한도 내에서만 새로운 처분사유를 추가하거나 변경할 수 있다고 하여 제한적 긍정설을 취한다.

③ 검토 : (ㄱ) 각 학설은 일면의 타당성을 지니나, (ㄴ) 긍정설은 이유제시 법리에 반하며, 부정설은 소송경제에 반하는 문제점이 발생할 수 있다. (ㄷ) 따라서 양 가치관의 대립을 조화시키는 제한적 긍정설 내지 판례의 태도가 타당하다.

(3) 객관적 범위 해당 여부

① 기본적 사실관계 의미와 판단기준 : 처분사유를 법률적으로 평가하기 이전의 구체적인 사실에 착안하여 그 기초가 되는 사회적 사실관계가 기본적인 점에서 동일한지를 의미한다. 시간적·장소적 근접성, 행위의 태양에 대한 결과 등의 제반사정을 종합적으로 고려해야 한다고 한다.

② 사안의 경우 : 사안의 경우 당초의 거부사유는 권고를 따르지 않았다는 사유 및 인근 주민의 동의가 없었다는 사유이며 소송계속 중 국토교통부장관이 제시한 새로운 거부사유는 자연환경경관이 훼손된다는 것이다. 이는 당초 처분사유와 추가한 처분사유의 시간적·장소적 근접성 등이 없는 별개의 처분으로 기본적 동일성이 없다. 따라서 처분사유의 추가는 인정되지 않는다. 이하에서는 당초의 처분사유로 위법성을 검토한다.

3. 사업인정 거부의 위법성 검토

(1) 권고에 따르지 아니하였음을 이유로 거부하는 경우

① 사안의 권고가 행정지도인지 여부 : 행정지도란 일반적으로 행정기관이 일정한 행정목적의 달성을 위하여 상대방의 임의적 협력을 기대하여 행하는 비권력적 사실행위로, 사안에서 甲에게 임의적 협력을 기대하여 사업의 정당성 부여 등 일정한 행정목적을 실현하려는 행정지도로 볼 수 있다.

② 사안의 권고에 행정절차법 제48조 제2항의 적용 여부

ㄱ 행정기관은 행정지도의 상대방이 행정지도를 따르지 아니하였다는 것을 이유로 불이익한 조치를 하여서는 아니 된다고 규정하고 있다.

ㄴ 사안의 경우 : 국토교통부장관은 甲이 주민들의 동의를 구하라는 권고를 위반한 이유로 甲의 신청을 반려할 수 없는바, 이에 반하는 행위를 한 경우 위법하다.

(2) 주민들의 동의가 없음을 이유로 불허하는 경우

① 판례의 태도 : 일반적으로 재량행위의 경우 공익적 판단을 통한 거부사유가 인정되고, 또한 판례도 재량행위의 경우에는 공익상의 필요를 이유로 그 허가를 거부할 수 있다고 판시하였다.

② 사안의 경우 : 주민의 동의가 없음을 이유로 한 거부는 공익적 판단이 아닌 단순한 민원발생 방지라는 행정편의적 측면에 해당된다. 따라서 이러한 처분은 위법하다.

Ⅴ. 사례의 해결

1. 사업인정은 사업시행자에게 수용권을 설정하는 설권적 행정행위로 강학상 특허에 해당되며 재량행위라고 보인다.

2. 사업인정의 거부는 당사자의 권리·의무에 영향을 미치는 공권력의 행사의 거부에 해당되며, 동법 제20조 법규상 신청권이 인정되는바 대상적격이 인정되고, 한국토지주택공사 甲은 거부처분을 취소할 법률상 이익이 있는바, 원고적격도 인정되어 소는 적법하다고 생각된다.

3. 추가한 처분사유는 기본적 사실관계의 동일성이 인정되지 않아 처분사유의 추가가 부정되고 권고와 주민동의를 이유로 한 거부는 각각 행정절차법 제48조와 재량의 일탈·남용으로 위법성이 인정된다. 따라서 甲은 인용판결을 받을 수 있다고 생각되며, 이는 공사익형량의 결과로 보인다.

4절
- 토지보상법 제20조(사업인정)
- 행정법 쟁점 : 처분성, 원고적격, 행정규칙의 법규성 논의

문제

국토교통부장관 丙은 영세민의 주거안정을 위하여 경기도의 일부지역에 임대주택을 건설할 사업자를 물색하고 있었다. 이에 甲과 乙이 주택건설사업의 승인을 신청하였다. 이에 국토교통부장관이 甲과 乙의 신청서를 검토하여 보니 양자의 기술 및 공급능력이 거의 대등함을 발견하고 사업인정은 자신의 재량에 해당된다고 보아 합리적인 이유 없이 甲보다 나중에 사업인정을 신청한 乙을 사업시행자로 결정하고 甲에 대한 사업인정을 거부하였다. 이후 甲은 비공식적인 경로를 통하여 주택건설사업의 사업인정에 있어서 신청자들의 공급 및 기술능력이 대등한 경우에는 신청의 선착순에 따라 결정하도록 하여야 한다는 내용의 국토교통부장관의 훈령이 있음을 알게 되었다(국토교통부장관은 이전의 주택건설사업의 사업인정에 있어 이러한 훈령에 의해 선착순에 따라 결정해온 바 있다). 40점

(1) 국토교통부장관의 사업인정 거부에 대해 사업시행자 甲이 취소소송을 제기한 경우 해당 취소소송은 적법한지 여부를 설명하시오.

(2) 甲이 자신의 신청에 대한 거부가 위법하다고 주장하면서 행정소송을 제기한 경우 甲의 청구의 인용 여부에 대하여 설명하시오(훈령은 단순히 행정규칙이라고 전제).

I. 논점의 정리

II. 해당 행정작용의 법적 성질
  1. 처분성 여부
  2. 재량행위성 여부

III. 설문 (1)의 검토
  1. 문제의 소재
  2. 사업인정 '거부'의 처분성
  3. 甲의 원고적격 인정 여부

IV. 설문 (2)의 검토
  1. 문제의 소재
  2. 행정행위의 요건
  3. 훈령위반으로 인한 위법성
  4. 행정의 자기구속법리 위반 여부

V. 사례의 해결

I 논점의 정리

사안은 주택건설사업의 사업인정신청을 거부당한 사업시행자 甲이 해당 주택건설사업의 사업인정에 대해 제기한 행정소송의 적법성과 인용가능성에 대한 문제이다.

1. 설문 (1)에서 甲이 제기하는 행정소송의 적법성을 판단하기 위해서는 먼저 대상적격과 관련하여 사업인정에 대한 거부가 처분성이 인정되는지 여부를 검토해야 하고, 원고적격과 관련하여 사업시행자 甲에게 법률상 이익이 있는지, 특히 재량영역에서 甲에게 무하자재량행사청구권을 인정할 수 있는지를 통해 소송요건의 충족 여부를 살펴보아야 한다.

2. 설문 (2)에서는 이러한 소송요건을 충족한 경우 본안에서 거부처분의 위법성을 검토해야 하며, 이 경우 그 판단의 전제로서 행정규칙의 법적 성질을 규명하여 그 법규성 여부를 검토하고, 법규성이 인정되지 않는 경우 자기구속의 법리를 통한 위법성의 도출이 가능한지 판단한다.

Ⅱ 해당 행정작용의 법적 성질

1. 처분성 여부

사업인정은 사업시행자가 일정한 절차를 거칠 것을 조건으로 수용권을 설정하는 강학상 특허로서 피수용자의 보전의무 등 국민의 권리·의무에 직접적인 영향을 미친다는 점에서 처분성이 인정된다.

2. 재량행위성 여부

재량행위란 요건의 판단 및 효과의 결정에 행정청의 독자적 판단권이 인정되는 것으로서 사업인정은 관계 제 이익의 형량과정에서의 판단의 개입이 필연적인바, 재량행위라 할 것이다. 판례 역시 사업인정은 단순한 확인행위가 아니라 형성행위로서 그 사업이 공용수용을 할 만한 공익성이 있는지 여부를 구체적으로 판단하는 재량행위라 보고 있다.

Ⅲ 설문 (1)의 검토

1. 문제의 소재

취소소송은 위법한 처분 등에 대하여 침해를 받은 국민의 권리를 구제하기 위해 인정되는 것으로, 행정법관계의 특수성과 남소방지를 위해 대상적격, 원고적격, 제소기간의 제한, 피고적격 등 일정한 소제기 요건의 제한을 두고 있다. 사안의 경우 거부행위의 처분성 인정 여부, 甲에게 원고적격이 인정되는지 여부가 문제된다.

2. 사업인정 '거부'의 처분성

행정소송법상 처분이란 '행정청이 행하는 구체적 사실에 관한 법집행으로 공권력 행사 또는 거부와 그 밖에 이에 준하는 행정작용'으로 정의하고 있는바, 부작위와 달리 거부에 대한 개념이 명확하지 않아 학설과 판례의 검토가 필요하다.

(1) 거부행위가 처분이 되기 위한 요건

① 신청인의 권리·의무에 직접 관계가 있는 공권력 행사의 거부일 것

행정청의 거부가 작위인 처분과 동일시할 수 있기 위해서는 그 거부가 우선 공권력 행사의 거부이어야 한다. 따라서 잡종재산의 매각, 임대기간 연장 요청, 협의취득한 공공용지에 대한 환매요구 등 사경제적 행위의 요청에 대한 거부는 이에 해당하지 않는다. 또한 그 거부가 국민의 권리·의무에 직접적으로 영향을 미치는 것이어야 한다. 지적도나 측량성과도, 토지대장, 건축

허가대장, 가옥대장, 임야대장 등 행정청의 행정사무의 편의와 사실증명의 자료를 삼기 위한 장부에의 기재요구의 거부 등은 신청인의 권리·의무에 직접 영향을 미치는 것이 아니어서 취소소송의 대상이 될 수 없다. 또한 건축법상의 각종 신고나 국세기본법상 국세환급금결정 신청 등 자족적인 사인의 공법행위에 대한 거부결정도 이에 해당하지 않는다.

② 법규상, 조리상 신청권

㉠ 판례 : 판례는 일관되게 항고소송의 대상이 되는 거부처분이 되기 위해서는 법규상, 조리상의 신청권이 인정되어야 한다고 본다. 따라서 이러한 신청권이 없는 자의 신청에 대한 거부는 신청인의 권리나 이익에 어떤 영향을 주는 것이 아니므로 이를 행정처분이라 볼 수 없다고 본다.

㉡ 학설(판례의 비판) : 이에 대하여 다수설은 판례가 소송의 대상적격과 원고적격의 문제를 분리하지 않고 있다고 비판하면서, 신청권의 문제를 원고적격의 문제로 본다. 또한 일부 견해는 이러한 신청권의 문제는 소송요건의 문제가 아니라 소를 이유있게 만드는 본안요건의 문제로 본다.

㉢ 신청권의 존부판단 : 판례는 이러한 비판에도 불구하고 일관되게 신청권을 처분성의 요건으로 인정하면서, 그 존부의 판단을 관계법규의 해석을 통해 일반국민에게 그러한 신청권이 있다고 인정되는 것인지를 살펴 추상적으로 결정된다고 보고, 이러한 응답받을 권리를 넘어서 신청의 인용이라는 만족적 결과를 얻을 권리를 의미하는 것은 아니라고 판단하였다.

㉣ 검토 : 생각건대 부작위나 거부처분은 처분의무를 전제하므로 신청권이 없는 신청에 대한 거부나 부작위의 대상적격을 인정하지 않는 판례의 태도가 타당하다. 또한 원고적격은 개별 당사자의 주관적 사정에 좌우되는 것임에 비해, 처분성의 문제는 관계법규의 해석을 통한 행정청의 의무와 그 위반을 검토하는 것인바, 논의의 차원을 달리 하는 것으로 판단된다.

(2) 사업인정 거부의 처분성

토지보상법 제20조는 사업인정의 신청을 전제하고 있고, 동법 시행령 제10조는 신청에 관련된 규정을 두고 있는 바, 甲에게는 법규해석상 추상적 신청권이 인정된다. 따라서 이러한 甲에 대한 거부는 처분성이 인정된다.

3. 甲의 원고적격 인정 여부

사업인정이 비록 재량행위에 해당하더라도 오늘날 하자 없는 재량행사를 청구할 권리가 인정되므로, 이러한 한도 내에서 하자 없는 재량을 행사할 의무는 법치국가의 당연한 요청이라 볼 수 있고, 토지보상법은 공익뿐만 아니라 사업시행자의 이익도 보호하고 있다고 판단되므로 형식적 공권의 침해로 원고적격이 인정될 수 있다. 또한 행정소송법 제12조의 법률의 의미를 근거법규 및 관계법규, 나아가 헌법상 기본권까지 확대하는 견해에 의할 경우, 헌법상 직업의 자유 및 영업의 자유를 침해하는 것으로 원고적격이 인정될 수 있다(김향기 교수님).

Ⅳ 설문 (2)의 검토(사업인정거부처분의 위법성 검토)

1. 문제의 소재

甲의 청구가 인용되기 위하여는 국토교통부장관의 거부처분의 위법성이 인정되어야 하는데 특히 훈령에 위반한 사업인정 거부의 위법성과 관련하여 행정규칙인 훈령의 법규성 여부와 법규성이 부정될 경우 다른 위법성 사유로서 행정의 자기구속의 법리에 위반되는지를 검토해야 할 것이다.

2. 행정행위의 요건

행정행위가 적법하게 성립하기 위하여는 주체, 절차, 형식, 내용상의 요건을 충족시켜야 한다. 사안에서 국토교통부장관은 사업인정에 대한 거부권을 행사할 수 있는 권한이 있는 자로서 주체상 하자는 없으며 설문에서 명확한 절차 및 형식의 준수 여부를 설시하지 않았는바, 별다른 절차 및 형식상 하자는 없는 것으로 보인다.

3. 훈령위반으로 인한 위법성

(1) 논의의 배경

행정규칙이 외부적으로도 법규성을 지니는지, 즉 대외적 구속력을 가지는지가 문제되는데 이는 행정규칙에 위반한 수명자의 행정처분이 대외적으로 위법하게 되는지와 관련된다.

(2) 학설

① 비법규성설은 행정규칙은 행정조직 내부에서 그 조직작용에 대해 규율하기 위한 것이므로 대내적 구속력만 있을 뿐 대외적으로 국민에 대한 구속력이나 법원에 대한 구속력이 인정되지 않는다.

② 법규성설은 행정부나 입법부의 위임과는 관계없이 시원적인 행정입법권을 가지며 시원적인 행정입법권의 행사를 통해 대외적인 구속력을 갖는 행정규칙을 제정할 수 있고, 이러한 행정규칙은 국민과 법원을 구속하는 대외적인 효력을 가진다.

③ 준법규성설은 재량행위의 영역에서 재량준칙에 의한 행정처분이 반복되면서 일정한 관행이 형성된 경우에 그러한 관행과 다른 처분이 이루어졌다면 헌법상 평등원칙을 위반한 위법한 재량권 행사가 되고, 그 결과 재량준칙은 국민이나 법원에 대해서도 평등원칙을 매개로 간접적으로 법적 효력을 갖게 되며 따라서 준법규성을 인정할 수 있다는 견해이다.

(3) 판례

① 대법원은 원칙적으로 재량준칙 등 행정규칙의 법규성을 부인하고 있다.

② 헌법재판소는 재량준칙이 일정한 관행이 형성된 경우에는 그 규칙에 따라야 할 자기구속을 당하게 되는 경우에는 대외적인 구속력을 가진다고 결정하였다.

> **판례**
>
> 행정규칙이 법령의 규정에 의하여 행정관청에 법령의 구체적 내용을 보충할 권한을 부여한 경우, 또는 재량권 행사의 준칙인 규칙이 그 정한 바에 따라 되풀이 시행되어 행정관행이 이룩되게 되면, 평등의 원칙이나 신뢰보호의 원칙에 따라 행정기관은 그 상대방에 대한 관계에서 그 규칙에 따라야할 자기구속을 당하게 되고, 그러한 경우에는 대외적인 구속력을 가지게 된다 할 것이다(헌재 1990.9.3, 90헌마13).

(4) 소결 및 사안의 적용

법규성설은 행정부가 시원적인 행정입법권을 가진다고 주장하는바, 이는 법률에 의한 법규창조력을 내용으로 하는 법치행정의 원리에 정면으로 배치되는 것으로 타당하지 않다. 또한 준법규성설의 경우 행정의 자기구속의 원칙이 적용되는 사안에서는 행정규칙이 대외적 효력을 가진다고 하지만 자기구속의 원칙이 적용되는 경우에는 헌법상 평등원칙이라는 법규에 따라야 되는 경우이지 행정규칙에 따라야 하는 경우가 아니다. 따라서 비법규성설이 타당하며 비법규성설에 의하면 국토교통부장관 丙의 거부처분은 훈령 위반에 불과하여 위법하다고 단정할 수 없다. 따라서 행정처분의 위법성 여부는 법규를 기준으로 판단하여야 하며 특히 사안의 경우에는 재량준칙의 적용에 있어 행정의 자기구속의 법리에 위반되는지를 검토하여야 할 것이다.

4. 행정의 자기구속법리 위반 여부

(1) 의의 및 법적 근거

평등의 원칙이 구체적으로 적용되어 나타나는 원칙으로 행정기관이 행정결정에 있어서 동종의 사안에 대하여 이전에 제3자에게 행한 결정과 동일한 결정을 상대방에게 하도록 스스로 구속당하는 원칙을 말한다. 이는 헌법상 평등원칙으로부터 파생된 것으로 학설과 판례에 의해 승인된 행정법의 일반원리로 이해할 수 있다.

(2) 인정요건

① 재량권이 인정되는 행정작용

이 원칙은 행정청이 그 처분의 내용에 관한 재량권이 인정되는 영역에서 그 의미를 가진다. 즉, 행정청이 독자적 판단권이 있음에도 불구하고 그 재량권의 행사에 관한 관행이 형성되어 있는 경우에는 스스로 그 관행에 구속되는 것이기 때문이다.

② 선행 행정작용의 존재

이 원칙은 행정기관의 일정한 선행작용을 전제로 한다. 즉, 당사자에게 발령한 행정작용이 평등원칙에 위반된다는 것을 그 개념상 전제로 하므로 이러한 평가를 가능하게 하는 선행 행정작용이 필요하게 된다.

③ 동종사안의 존재 불평등한 후행 행정작용의 존재

자기구속의 법리는 동종사안인 선행 행정작용과 비교하여 불평등한 내용의 행정작용이 발령되는 것을 전제로 한다. 이때의 불평등성의 판단기준은 합리적 차별사유의 유무에 존재한다. 따라서 합리적 차별사유 없이 선행 행정작용의 내용과 상이한 행정작용을 발령하는 때에는 선행 행정작용의 발령을 통하여 발생된 행정의 자기구속에 반하는 문제가 존재하게 되는 것이다.

(3) 한계

① 특수한 사정변경이 있는 경우로서 선행하는 행정관행을 번복할 정도의 특수한 사정이 있는 경우, 자기구속의 법리는 적용되지 않을 수 있다. 또한, ② 자기구속의 법리는 법률에 적합한 행정관행만이 구속력을 갖는 것이다. 따라서 "불법에는 평등 없다."는 법언에 따라 불법을 반복해 줄 것을 청구할 수 있는 권리는 도출되지 않는다.

(4) 사안의 적용

① 자기구속의 법리위배 여부

먼저 해당 주택건설사업에 대한 사업인정은 국토교통부장관의 독자적 판단권이 인정되는 재량행위에 해당된다. 또한 사안의 경우 국토교통부장관은 이전의 행정작용을 통하여 내부지침인 훈령에 따른 사업인정을 해 왔음을 알 수 있고(선행행정작용의 존재), 이러한 훈령에 반하는 사업인정의 거부행위를 하고 있다(불평등한 내용의 후행행정작용의 존재). 따라서 자기구속원칙의 요건을 충족하고 있다.

② 한계검토 및 위법의 정도

사안의 경우, 특수한 사정의 변경이 있거나 불법적 평등의 적용을 요구하는 것이 아닌바, 자기구속의 법리의 한계 내에 있다고 판단된다. 따라서 甲은 자기구속의 법리를 위반한 丙의 사업인정 거부는 위법하다고 판단되며, 그 위법성의 정도는 행정법 일반원칙 위반으로서 취소사유라고 볼 수 있다.

Ⅴ 사례의 해결

1. 설문에 있어서 해당 사업인정에 대한 거부의 처분성이 인정되고, 사업시행자 甲은 거부처분으로서 침해되는 법률상 이익이 있는바, 원고적격을 인정할 수 있을 것이다.
2. 해당 훈령에 위반한 사업인정의 거부처분은 행정규칙의 대외적 구속력 인정 여부에 따라 달라지며 비법규성설에 따를 때 훈령은 법규성을 부정하는 행정규칙이다.
3. 그러나 대외적 구속력이 인정되지 않는다고 하더라도 행정상 자기구속의 법리에 위배되는 위법한 처분으로 사업시행자 甲의 청구는 인용될 수 있을 것이다.

문 40점

Ⅰ. 논점의 정리

사안은 甲이 신청한 사업인정에 대한 국토교통부장관의 거부에 대한 권리구제의 문제로서, 사안의 해결을 위해

1. 먼저 해당 행정작용으로서 사업인정의 법적 성질을 규명하고,

2. 설문 (1)의 취소소송의 적법성과 관련하여 ① 대상적격으로서 해당 거부의 처분성과, ② 사업시행자 甲의 원고적격 인정 여부가 문제된다.

3. 설문 (2)의 해당 거부의 위법 여부로 ① 훈령에 반하는 경우 위법한지와 행정규칙의 법규성 인정 여부가 문제되고, ② 법규성이 없는 경우 행정선례에 의한 자기구속의 법리 위반 여부가 문제되는바, 이하에서 살펴 사례를 해결하기로 한다.

Ⅱ. 사업인정의 법적 성질

1. 처분성

사업인정은 해당 사업의 공공성 및 수용가능성을 관계 제 이익의 형량을 통해 판단하는 국토교통부장관의 설권적 행정행위로서 강학상 특허로 보며, 판례도 사업인정의 처분성을 인정하고 있다.

2. 재량행위성

재량 여부는 ① 법규정의 취지, ② 처분의 성질, ③ 기본권과의 관련성 등으로 판단하는바, 사업인정의 경우 토지보상법 제20조의 문언상 불분명하나 사업인정시 관계 제 이익에 대한 형량이 필요한 점, 토지보상법이 공익추구를 목적으로 하는 점을 고려시 "재량행위"로 평가된다.

Ⅲ. 설문 (1) – 甲의 취소소송의 적법성

1. 문제점

취소소송의 제기가 적법하려면 원고적격, 피고적격, 대상적격, 제소기간 등이 요건을 충족해야 하는 바, 사안의 경우 해당 사업인정 거부의 처분성(대상적격)과 甲의 원고적격이 문제된다.

2. 대상적격 인정 여부

(1) 거부의 처분성 요건

거부가 처분이기 위해서는 "신청인의 권익을 침해하는 공권력 행사의 거부"이어야 하며, 판례는 일관되게 법규상·조리상 신청권을 요구한다.

(2) 신청권의 필요 여부

이에 신청권을 본안의 문제로 보는 견해, 원고적격의 문제로 보는 견해가 있으나 여기서의 신청권은 추상적 응답신청권으로 대상적격의 문제로 보아야 할 것인바, 판례가 타당하다 본다.

(3) 사안의 경우

해당 사업인정의 거부는 공권력 행사의 거부로서 사업시행자 甲은 토지보상법 제20조에 의한 신청권을 갖는바, 상기 어느 견해에 의하더라도 대상적격의 문제는 없다고 본다.

3. 원고적격 충족 여부

행정소송법 제12조 "법률상 이익"의 해석에 있어서 견해의 대립이 있으나 통설·판례는 "법률상 보호이익설"을 취하고 있는바, 사안의 甲의 사익을 근거법규가 보호하려는 취지가 있는가 문제된다. 이에 토지보상법은 공익뿐만이 아니라 공익사업의 시행에 따른 사업시행자의 사익을 보호하려는 취지도 인정되는바, 甲의 원고적격은 인정된다 본다.

4. 소결

따라서 설문의 내용상 제소기간 등의 문제도 없다고 보이므로 甲의 취소소송은 적법하게 제기된 것으로 수소법원은 본안판단을 하여야 할 것이다.

Ⅳ. 설문 (2) – 甲의 취소소송 인용가능성

1. 훈령위반의 위법주장 가능 여부

(1) 훈령의 의의 및 문제점

"훈령"이란 상급기관이 하급기관에 대하여 상당히 장기간에 걸쳐서 그 권한의 행사를 일반적으로 지시하기 위한 행정규칙이다. 사안에서 국토교통부장관은 훈령을 위반한 결정을 한 것으로 훈령의 법규성 여부가 문제된다.

(2) 행정규칙[훈령]의 법적 성질

① 견해의 대립 : 행정권 내부만 구속할 뿐 대외적 구속력은 없다는 "비법규설", 외부에 대한 직접적 효력을 인정하는 "법규설", 원칙상 법규성이 없으나 예외적 자기구속원칙을 매개로 법규성을 갖는다는 "준법규설"이 대립한다.

② 판례의 태도 : 대법원은 "훈령"이 대외적으로 아무런 구속력을 갖지 아니한다고 판시하여 법규성을 부인하고 있으나, 헌법재판소는 자기구속원칙을 매개로 한 행정규칙의 대외적 구속력을 인정한 바 있다.

③ 검토 : 법규설은 법률의 법규창조력에 반하는 점, 준법규설은 자기구속의 법리가 적용되는 경우 평등의 원칙에 반하는 것이지 법규성 없던 것이 법규성을 갖게 되는 것이 아니라는 점에서 "비법규설"을 타당하다 본다.

(3) 사안의 적용

상기 검토와 같이 "비법규설"에 의할 때 훈령위반에 불과한 사업인정의 거부는 당연 위법하다 단정지을 수 없을 것이다. 따라서 재량권 행사에 있어 형성된 관행에 의한 자기구속의 법리에 반하지 않는가가 문제된다.

2. 자기구속의 법리 위반 여부

(1) 의의 및 근거

행정청이 동일사안에 대하여 제3자에게 한 처분과 동일한 처분을 상대방에게 하도록 선례에 의하여 스스로 구속당하는 원칙으로서 견해의 대립이 있으나 "평등의 원칙"에 서 파생된 것으로 봄이 일반적이며 타당하다고 본다.

(2) 요건 및 한계

요건으로서 ① 재량의 영역일 것, ② 행정선례가 존재할 것, ③ 동종사안일 것을 요구 하며, 한계로서 ① 선례가 적법하여야 하고, ② 특수한 사정이 없을 것을 요구한다.

(3) 사안의 경우

해당 사업인정은 재량행위로서 국토교통부장관은 동종사안에 있어 내부지침인 훈령에 따른 사업인정을 해왔음을 설문에서 알 수 있다. 또한 그 선례에 있어 위법은 보이지 않고, 해당 사안에서 고려하여야 할 특수한 사정 또한 없는바, 해당 사업인정의 거부 는 자기구속의 법리에 반하는 위법이 인정된다.

3. 위법의 정도

자기구속의 법리에 반하는 위법은 재량권 행사의 중대한 내용상의 하자이나 그 하자 있음이 일견 명백하다고 보기는 어려운바, 통설·판례의 중대명백설에 의할 때 "취소사 유"라 여겨진다.

4. 소결[인용가능성]

따라서 사업인정 거부의 위법을 주장하는 甲의 주장은 타당하며 제기한 취소소송은 인 용이 가능하다고 본다.

V. 사례의 해결

(1) 설문에 있어서 해당 사업인정에 대한 거부의 처분성이 인정되고, 사업시행자 甲 은 거부처분으로서 침해되는 법률상 이익이 있는바, 원고적격을 인정할 수 있을 것이다.

(2) 해당 훈령에 위반한 사업인정의 거부처분은 행정규칙의 대외적 구속력 인정 여부에 따라 달라지며 비법규성설에 따를 때 훈령은 법규성을 부정하는 행정규칙이다.

(3) 그러나 대외적 구속력이 인정되지 않는다고 하더라도 행정상 자기구속의 법리에 위 배되는 위법한 처분으로 사업시행자 甲의 청구는 인용될 수 있을 것이다.

5절
- 토지보상법 제20조(사업인정)
- 행정법 쟁점 : 취소소송의 요건, 하자의 치유, 절차의 하자와 기속력

문제

사업시행자 甲이 보금자리특별법에 따라 보금자리주택을 건설하기 위하여 사업계획을 작성하여 국토교통부에 주택건설사업계획승인을 신청하였다. 국토교통부장관은 주택건설사업계획승인과 관련하여 이해관계가 있는 자의 의견청취절차를 거치지 아니하고 사업계획을 승인(사업인정의제로 봄)하여 주었다. 「공익사업을 위한 토지 등의 취득 및 보상에 관한 법률」(이하 '토지보상법') 제21조에서는 〈사업인정에 관하여 이해관계가 있는 자의 의견을 들어야 한다〉고 규정하면서 토지보상법 시행령 제11조(의견청취) 제5항에서 토지소유자 등 이해관계자의 의견제출을 명시하고 있고, 주택법은 토지보상법상 사업인정에 관한 절차 등을 준용토록 규정하고 있다. 주택건설지역에 인근한 주민 乙은 의견청취절차의 하자를 이유로 주택건설사업계획승인의 취소를 구하는 쟁송을 제기하였다. 다음 물음에 답하시오. 40점

(1) 사업계획승인(사업인정)의 법적 성질을 설명하시오. 5점

(2) 인근 주민 乙의 취소소송 제기의 적법성을 설명하시오. 15점

(3) 사업계획승인(사업인정으로 의제)의 위법성을 설명하시오. 15점

(4) 절차상 하자와 기속력을 설명하시오. 5점

Ⅰ. 논점의 정리

Ⅱ. 관련 행정작용의 검토
　1. 사업계획승인(사업인정)의 의의
　2. 처분성
　3. 재량행위성
　4. 제3자효 행정행위성

Ⅲ. 소제기의 적법성 여부(요건심리)
　1. 취소소송의 소송요건
　2. 원고적격의 의미와 취지
　3. 법률상 이익의 의미에 대한 해석
　4. 법률의 범위에 관하여
　5. 사안의 적용

Ⅳ. 사업계획승인의 위법성 인정 여부
　　(본안판단)
　1. 문제의 소재
　2. 절차하자가 사업계획승인의 독자적
　　위법사유가 될 수 있는지
　3. 하자의 치유 여부
　4. 사안의 검토

Ⅴ. 절차상 하자와 기속력
　1. 문제점
　2. 취소판결의 기속력에 따른 반복
　　금지효

Ⅵ. 사례의 해결

I 논점의 정리

사안에서 사업시행자 甲의 국민주택건설의 사업계획승인신청에 대하여 국토교통부장관이 주민의 의견청취 없이 사업계획승인을 하였고, 이에 인근 주민이 국토교통부장관의 사업계획승인을 취소소송을 제기하여 다투고 있다.

이에 대하여 1) 관련 행정작용의 법적 성질을 검토하고, 2) 국토교통부장관의 사업계획승인처분의 직접 당사자가 아닌 제3자가 취소쟁송을 제기할 수 있는지와 관련하여 원고적격 인정 여부, 3) 의견청취의 절차적 하자가 사업계획승인의 독자적 위법사유가 되는지, 또한 4) 독자적 위법사유가 된다면 위법성의 정도 및 하자의 치유 여부와, 5) 절차상의 하자와 기속력과의 관계에 대하여 고찰하고자 한다.

II 관련 행정작용의 검토

1. 사업계획승인(사업인정)의 의의

국민주택건설의 사업계획승인에서 주택법이 「공익사업을 위한 토지 등의 취득 및 보상에 관한 법률」(이하 '토지보상법')을 준용하고 있으므로, 사업계획승인은 토지보상법상 사업인정과 같은 성질을 가진다. 따라서 사업계획승인은 국토교통부장관이 행하는 수용권의 설정행위로 볼 수 있다.

2. 처분성

사업인정은 사업시행자가 일정한 절차를 거칠 것을 조건으로 수용권을 설정하는 강학상 특허로서 피수용자의 보전의무 등 국민의 권리·의무에 직접적인 영향을 미친다는 점에서 처분성이 인정된다고 할 것이다.

3. 재량행위성

사업인정은 수용권을 설정하는 형성적 행정행위로서 모든 사정을 참작하여 해당 사업의 공익적 격 여부를 판단해야 하므로(판례) 재량행위에 해당한다고 보인다.

4. 제3자효 행정행위성

사업인정이 복효적 행정행위인지 여부에 관한 문제는 오늘날 제3자의 이익의 보호문제와 관련하여 중요하게 다루어진다. 복효적 행정행위로 인정된다면 제3자도 그에 불복하여 다툴 수 있게 된다. 사업인정은 사업시행자에게는 수익적 효과를 피수용자에게는 침익적 효과를 발생시킨다. 따라서 당연히 복효적 행정행위로 볼 수 있으며, 수익적 효과와 침익적 효과가 각기 다른 사람에게 귀속하므로 복효적 행정행위 중에서 제3자효적 행정행위에 해당한다고 볼 수 있다.

Ⅲ 소제기의 적법성 여부(요건심리)

1. 취소소송의 소송요건

취소소송이 적법하기 위해서는 쟁송의 대상이 되는 처분 등에 대하여 원고적격이 인정되는 당사자가 적법한 피고를 대상으로 제소기간 내에 관할 행정법원에 소송을 제기해야 한다. 사안의 경우, 乙은 사업인정의 당사자가 아닌 제3자이므로 원고적격 인정 여부가 문제된다.

2. 원고적격의 의미와 취지

원고적격이란 구체적인 소송에서 원고로서 소송을 수행하여 본안판단을 받을 수 있는 자격을 말한다. 이는 모든 사람에 의한 소제기를 제한함으로써 소송의 남용을 방지하고, 권리보호가 필요로 되는 당사자를 한정하여 권리구제의 실효성을 기하기 위함이다.

3. 법률상 이익의 의미에 대한 해석

(1) 행정소송법의 태도

행정소송법 제12조는 취소소송은 처분 등의 취소를 구할 "법률상 이익"이 있는 자가 제기할 수 있다고 하여 원고적격으로서 법률상 이익을 요구하고 있는바, 특히 처분의 직접 상대방이 아닌 제3자에게 이러한 법률상 이익이 인정되는지 여부가 문제된다.

(2) 학설

취소소송의 기능을 위법한 처분에 대한 침해된 권리의 회복에 있다고 보는 견해로 이는 권리가 침해된 자만이 법률상 이익을 가진다는 ① 권리구제설, 취소소송의 기능을 법률이 개인의 이익을 위하여 보호하고 있는 이익을 위법한 처분에 이를 방어하기 위한 수단으로 보아 전통적 의미의 권리뿐 아니라 관련법에 의해 보호되는 이익까지 포함하는, ② 법률상 보호이익구제설, 보호가치 있는 이익이면 취소소송을 제기할 수 있는 것으로 보는, ③ 보호가치 있는 이익구제설, 취소소송의 기능을 객관적인 행정처분의 적법성 유지기능으로 보는, ④ 적법성보장설이 있다.

(3) 판례

이와 관련하여 대법원은 "법률상 직접적이고 구체적인 이익이 있는 자만이 소를 제기할 이익이 있고 사실상이며 간접적인 관계를 가지는 데 지나지 않는 사람은 이를 제기할 이익이 없다"하여 법률상 보호이익구제설을 취하고 있다.

(4) 검토

생각건대, 권리구제설은 실체법상 권리가 침해된 경우에만 원고적격을 인정하여 원고적격의 범위가 좁다는 비판이 있고, 보호가치 있는 이익구제설은 침해된 이익의 성질에 비추어 원고적격을 인정하려는 것이라는 점에서 국민의 권리구제 측면상 바람직하나 보호가치 이익인가의 여부가 소송법적으로 결정하여 객관적 기준이 결여되는 문제가 있고, 적법성보장설은 현행 행정소송법의 취소소송을 주관적 쟁송으로 볼 때 객관적 소송화한다는 문제가 있다. 따라서 현행 행정소송법상의 문언과 국민의 재판청구권 보장차원에서 법률상 보호이익구제설이 타당하다고 사료된다.

4. 법률의 범위에 관하여(보호규범이론)

행정소송법 제12조의 법률상 이익의 문언해석에 대하여 법률상 보호이익구제설에 따라 이를 법률상 보호되는 이익이라고 볼 경우, 그 판단근거인 법률의 범위를 어떻게 이해하는가에 의하여 법률상 보호되는 이익의 인정 여부가 달라질 수 있다.

(1) 학설과 판례의 태도

법률에 의해 보호되는 이익을 판단함에 있어 종래에는 법률의 범위를 처분의 직접적인 근거법률에만 한정하였으나, 오늘날 공권의 확대화 경향에 의해 관계법률까지 확대하고 있으며 일부견해는 헌법상 기본권 원리까지 포함되는 것으로 그 폭을 넓히고 있다. 이와 관련해 대법원은 종전에 비해 관계법률의 취지를 목적론적으로 이해하고 또한 처분의 직접적인 근거규정뿐 아니라 처분 시 준용되는 규정을 근거법률에 포함시키고, 처분의 실체법적 근거법률 이외에 처분을 함에 있어서 적용되는 절차법 규정의 취지에 비추어 원고의 법률상 이익을 인정하는 등 보호규범의 범위를 확대하는 경향을 보이고 있다. 다만, 아직까지 대법원은 처분의 근거 내지 관계 법률 이외에 헌법상 기본권 규정까지는 법률상 이익의 해석을 위해 고려하고 있지 않은 것으로 보인다.

(2) 검토

생각건대, 법률상 이익의 존재 여부는 처분의 직접적인 근거법률과 관계법률뿐만 아니라 더 나아가 이러한 법규정만으로도 법률상 이익이 인정되기 어려운 경우에는 오늘날 환경의 이익, 소비자의 권리 등이 중시되고 있는바, 헌법상 기본권 규정으로부터 법률상 이익이 도출될 수 있다고 보아야 할 것이다. 이러한 법률의 목적 내지 취지가 공익보호뿐만 아니라 제3자의 사익도 보호하고 있는 것으로 해석될 경우에는 법률상 이익이 인정된다고 보아야 할 것이다.

5. 사안의 적용(인근 주민 乙의 사익보호성 여부)

(1) 근거법률의 범위

사안의 경우, 사업계획승인의 근거가 되는 주택법이 토지보상법을 준용하도록 하고 있으므로 주택법뿐만 아니라 토지보상법도 근거법규로서 해석된다.

(2) 토지보상법상 이해관계인의 범위

토지보상법 제21조 제1항에서는 사업인정 시에 이해관계인의 의견청취를 규정하고 있고, 동조 제2항에서는 사업인정의제 시에도 이해관계인의 의견청취를 규정하고 있으며, 동조 제3항에서 사업인정과 사업인정의제 시 이해관계가 있는 자에 대한 의견 수렴 절차 이행 여부등을 중앙토지수용위원회에서 검토하도록 규정이 개정되었다. 다음 아래 규정들 신설된 내용이다.
토지보상법 제21조 제1항에서는 국토교통부장관은 사업인정을 하려면 관계 중앙행정기관의
장 및 특별시장·광역시장·도지사·특별자치도지사(이하 "시·도지사"라 한다) 및 제49조에
따른 중앙토지수용위원회와 협의하여야 하며, 대통령령으로 정하는 바에 따라 미리 사업인정
에 이해관계가 있는 자의 의견을 들어야 한다.

토지보상법 제21조 제2항에서는 별표에 규정된 법률에 따라 사업인정이 있는 것으로 의제되
는 공익사업의 허가·인가·승인권자 등은 사업인정이 의제되는 지구지정·사업계획승인 등
을 하려는 경우 제1항에 따라 제49조에 따른 중앙토지수용위원회와 협의하여야 하며, 대통령
령으로 정하는 바에 따라 사업인정에 이해관계가 있는 자의 의견을 들어야 한다.

토지보상법 제21조 제3항은 동법 제49조에 따른 중앙토지수용위원회는 제1항 또는 제2항에
따라 협의를 요청받은 경우 사업인정에 이해관계가 있는 자에 대한 의견 수렴 절차 이행 여부,
허가·인가·승인대상 사업의 공공성, 수용의 필요성, 그 밖에 대통령령으로 정하는 사항을
검토하여야 한다.

(3) 사익보호성 인정 여부

인근 주민 乙은 이해관계인에 포함되며, 이러한 이해관계인에 대한 의견청취를 규정한 법의
취지는 사업인정에 따라 침해되는 사익을 보호하기 위해서라고 판단된다. 따라서 사업계획승
인에 따라 주택사업에 포함되는 사업지역 내 토지소유자뿐만 아니라, 해당 사업으로 인해 권
익을 침해받는 인근 주민 乙은 주택사업에 따른 재산권 또는 환경상 이익의 침해가 예상되는
바, 원고적격이 인정될 수 있다.

Ⅳ 사업계획승인의 위법성 인정 여부(본안판단)

1. 문제의 소재

행정행위가 적법하게 그 효력을 발효하기 위해서는 주체, 절차, 형식, 내용상 하자가 존재하지
않아야 한다. 사안의 경우, 행정절차의 하자와 관련하여 그러한 절차상 하자만을 독립된 위법사
유로 보아 행정행위를 취소 또는 무효로 할 수 있는지의 문제로서, 명문의 규정이 있다면 그에
따르나 일반적으로 이를 규정하고 있지 않은 경우 학설의 대립이 있다.

2. 절차하자가 사업계획승인의 독자적 위법사유가 될 수 있는지

(1) 학설

① 재량행위의 경우

재량행위에 있어서는 적법한 절차를 거쳐 보다 신중한 고려를 하거나 상대방에 대한 청문 등
에 의하여 사실관계를 보다 구체적으로 파악한 경우에는 기존처분과는 다른 처분을 할 수도

있는 것이므로, 절차상 하자 있는 재량처분에 있어서는 그 절차상의 위법사유가 독자적 취소사유가 된다는 것이 일반적 입장이다.

② 기속행위의 경우

㉠ 부정설은 i) 절차규정이란 실체법적으로 적정한 행정결정을 확보하기 위한 수단에 불과하고, ii) 절차하자로 행정처분이 취소되더라도 다시 적법절차에 의해 동일한 처분을 해도 기속력에 반하지 않으므로 동일한 처분이 반복되어 행정경제에 반한다는 이유로 절차하자를 독자적 위법사유로 인정하지 않는 견해이다.

㉡ 긍정설은 i) 행정의 법률적합성 원칙에 따를 때 절차의 하자도 예외일 수 없고, ii) 절차하자를 이유로 취소 후에 행정청이 재처분을 하는 경우에도 반드시 동일한 처분을 한다고 볼 수는 없다는 점, iii) 절차적 규제의 담보수단이 없어진다는 점 등을 들어 절차하자를 독자적 위법사유로 인정하는 견해이다.

(2) 판례

판례는 재량행위인 식품위생법상 청문을 거치지 않은 허가취소처분의 취소에 있어 절차하자의 독자적 위법성을 인정하고, 기속행위인 과세처분에 있어 이유부기의 하자의 위법성도 인정하고 있다.

(3) 검토

행정소송법 제30조 제3항은 절차의 위법을 이유로 취소되는 경우를 규정하고 있고, 적법한 절차를 거쳐야만 실체적 결정의 적정성을 확보할 수 있다는 측면에서 실질적 법치주의가 인정되는 현대행정의 일반원칙상 절차규정의 하자를 독자적 위법사유로 주장할 수 있다고 보는 것이 타당하다. 따라서 사안의 사업계획승인 시 의견청취를 거치지 않은 절차상 하자는 취소소송의 독자적 위법사유가 된다고 할 것이다.

3. 하자의 치유 여부

(1) 치유가능성

① 문제점

절차상 하자가 있는 경우 사후에 절차를 보완하여 행정행위를 적법한 것으로 치유할 수 있는지 학설의 대립이 있다.

② 학설

㉠ 부정설 : 행정청의 자의를 억제하여 국민의 권리구제에 이바지한다는 행정절차의 절차통제적 취지를 고려해 절차상 하자의 치유를 부정하는 견해이다. 이는 행정절차의 독자적인 의미를 강조하는 견해이다.

㉡ 긍정설 : 행정경제를 이유로 독일 연방행정절차법 제45조의 예에 따라 절차의 하자는 사후 추완, 보완에 따라 치유될 수 있다고 본다.

      ⓒ **제한적 긍정설** : 국민의 권리구제와 행정경제를 고려하여 행정기관 스스로에 의한 보완행위가 존재하고, 일정한 시간적 한계 내에서 당사자에게 불이익이 없을 것을 조건으로 하자의 치유가 가능하다는 견해이다.

    ③ **판례**

행정행위의 성질이나 법치주의의 관점에서 볼 때 하자 있는 행정행위의 치유는 원칙적으로 허용될 수 없지만, 예외적으로 행정행위의 무용한 반복을 피하고 당사자의 법적안정성을 기한다는 입장에서 국민의 권리와 이익을 침해하지 않는 범위에서 허용될 수 있다고 하여 제한적 긍정설을 취하고 있다.

    ④ **검토**

절차상 하자의 효과 및 치유문제는 행정절차의 목적, 기능을 고려하여 시민의 권리보호이념과 동시에 행정의 경제적·능률적 수행이념을 어떻게 서로 조화시킬 것인가가 핵심이다. 이러한 측면에서 절차상 하자를 무효사유로 보는 견해나, 하자의 치유가능성을 부정하는 견해는 애초에 양 이념의 조화로운 해결을 봉쇄한다는 점에서 지나치게 경직적이고 일률적이어서 타당하지 않다. 따라서 판례의 태도와 같이 제한적 긍정설을 취함이 타당하다.

(2) 하자치유의 시기

하자의 치유를 언제까지 긍정할 것인지 문제된다. 학설은 ① 행정소송 제기 전까지 가능하다는 견해와, ② 쟁송단계의 개시 전까지 인정된다는 견해로 나뉜다.

판례는 "과세처분의 하자의 치유를 허용하려면 늦어도 과세처분에 대한 불복 여부의 결정 및 불복신청에 편의를 줄 수 있는 상당한 기간 내에 하여야 한다고 볼 것이므로, 과세처분의 전심절차가 끝나고 상고심 계류 중 하자의 치유가 있었다 하더라도 하자가 치유되었다고 볼 수 없다."고 판시하여, 쟁송단계에서의 하자치유를 인정하지 않고 있다.

4. 사안의 검토

사안의 경우, 의견청취의 절차를 거치지 않은 하자는 통설과 판례에 따를 때 독자적 위법성 사유가 인정될 수 있으며, 국토교통부장관의 별도의 하자치유 행위가 없는바, 수소법원은 절차적 하자만을 이유로 사업계획승인을 취소할 수 있다고 보인다.

Ⅴ   절차상 하자와 기속력

1. 문제점

절차상의 하자를 이유로 인용판결이 난 경우, 행정청이 그 절차상의 하자를 시정하여 동일한 내용의 처분을 하는 것이 판결의 기속력에 반하는지가 문제된다.

2. 취소판결의 기속력에 따른 반복금지효

행정청에 대하여 처분이 위법이라는 판결의 내용을 존중하여 그 사건에 대하여 판결의 취지에 따라 행동할 의무를 지우는 힘을 말한다. 그 내용으로 반복금지효와 재처분의무를 그 내용으로 한다. 반복금지효란 행정청은 동일한 사실관계 아래서 동일한 당사자에 대하여 동일한 처분 등을 반복해서는 안 된다는 것으로, 이를 위반한 처분은 당연무효가 된다. 그러나 절차위법을 이유로 처분이 취소된 경우, 해당 절차하자를 시정하여 동일한 내용의 처분을 하였더라도 이는 별개의 처분에 해당하여 반복금지효에 반하지 않는다(통설·판례).

Ⅵ   사례의 해결

1. 사업계획승인은 사업시행자에게 수용권을 설정하는 형성적 처분으로서, 재량행위에 해당하며, 토지소유자 등에게는 침익적 처분으로서 제3자효 행정행위에 해당된다고 할 것이다.

2. 사업계획승인의 직접 당사자가 아닌 乙이 취소소송의 원고적격이 있는지 문제되나, 법률상 이익을 목적론적으로 해석하고, 처분의 근거법규뿐만 아니라 관계법규까지 확대하여 사익보호성을 판단하는 경우, 乙은 해당 사업계획승인에 따라 사익의 침해가 예상되는바, 원고적격이 인정될 수 있다고 보인다.

3. 의견청취의 절차상 하자를 독자적 위법사유로 하여 취소할 수 있는지 문제되나, 통설과 판례에 따를 때 사업계획승인의 경우 재량행위로써 독자적 위법사유가 인정될 수 있으며, 기속행위의 경우도 판례는 독자적 위법사유를 인정하고 있다.

4. 사업계획승인에 대한 취소소송의 인용판결의 기속력에 의하여 행정청은 반복금지효와 재처분의무를 진다. 그러나 절차위법을 이유로 처분이 취소된 경우, 절차하자를 시정하여 다시 사업계획승인을 하더라도 이는 별개의 처분으로 보아 기속력에 반하지 않는다고 할 것이다.

베타답안

문 40점

Ⅰ. 논점의 정리

사안은 주택건설사업계획승인과 관련한 사업지 인근 주민 乙의 권리구제문제로서 사안의 해결을 위해 설문의 순서에 따라,
1. 먼저 해당 행정작용으로서 사업계획승인의 법적 성질을 살펴보고,
2. 乙이 제기한 취소소송이 적법하기 위해 일정한 요건을 충족하여야 하는바, 특히 제3자인 인근 주민의 원고적격 인정 여부가 행정소송법 제12조 "법률상 이익"의 해석과 관련하여 문제된다.
3. 해당 사업계획승인의 위법성으로 절차하자의 독자적 위법 여부와 인정되는 경우 그 위법의 정도가 문제된다.

4. 마지막으로 절차하자에 의해 행정행위가 취소된 경우 그 실효성 확보로서 기속력과 관련 재처분의무와 적법한 절차보완 후 이루어진 재처분의 적법 여부가 문제되는 바, 이를 살펴 사례를 해결토록 한다.

II. 설문 (1) – 사업계획승인(사업인정)의 법적 성질

1. 처분성[행정소송법 제2조 제1호]

처분이란 행정청이 행하는 구체적 사실에 관한 법집행으로서 공권력의 행사 또는 그 거부 등을 말하는바, 사안의 경우 국토교통부장관은 행정청으로서 주택건설사업에 관하여 주택법을 적용하여 행한 공권력의 행사로서 국민의 권리·의무에 직접적 영향을 미치는바, "처분성"을 갖는다고 본다.

2. 설권적 행정행위성

해당 사업계획의 승인은 토지보상법상의 사업인정에 의제되므로 사업인정에 내용으로서 사업시행자에게 일정절차를 조건으로 수용권이 설정되는바, 설권적 행정행위로서 강학상 특허에 해당한다.

3. 재량행위성

재량행위인지의 여부는 근거법령의 규정, 문언, 취지 및 행정작용의 성질 등을 종합·참작하여 판단하여야 하는바, 관계규정은 불분명하나 사업인정 시 관계 제 이익에 대한 정당한 형량이 필요한 점을 볼 때 "재량행위"로 평가된다.

4. 제3자효 행정행위성

사업인정의 성질상 사업시행자에게 수용권 설정의 수익적 효과가 발생하나, 피수용자 등에게는 침익적 효과가 발생하는 것으로 제3자효 행정행위에 해당된다.

III. 설문 (2) – 인근 주민 乙의 취소소송의 적법성

1. 소제기의 적법요건

취소소송은 정당한 원고적격을 가진 자가 소정의 피고를 상대로 행정소송사항에 관하여 소정의 절차와 형식을 갖추어 제소기간 내 관할권이 있는 법원에 제기하여야 하는바, 사안의 경우 인근 주민인 乙의 원고적격이 문제된다.

2. 인근 주민 乙의 원고적격 여부

(1) 원고적격의 의의 및 근거

원고적격이란 구체적 소송을 수행하여 본안판결을 받을 수 있는 자격으로서 행정소송법 제12조에서는 처분 등의 취소를 구할 "법률상 이익"이 있는 자를 요구하고 있는바, 인근 주민인 乙에게 법률상 이익이 있는가가 문제된다.

(2) 법률상 이익의 의미

① **견해의 대립** : 법률상 이익을 권리의 보호로 보는 '권리구제설', 처분의 근거법규 등의 보호이익으로 보는 '법률상 보호이익설', 소송에서 재판의 필요상 보호이익으로 보는 '보호가치 있는 이익설', 행정통제 측면에서 접근하는 '적법성보장설' 등이 있다.

② **판례의 태도** : 판례는 법률상 이익에 대하여 "처분의 근거 또는 관계법규에 의해 보호되는 개별적, 직접적, 구체적 이익"으로 보아 '법률상 보호이익설'을 취하고 있다.

③ **검토** : 적법성보장설은 항고소송의 객관소송화의 우려가 있고, 권리구제설은 원고적격을 지나치게 좁히는 문제가 있으며, 보호가치 있는 이익설은 원고적격의 범위를 소송법적으로 결정하는 문제가 있는 바, 현행 행정소송법의 해석론으로서 국민 재판청구권 보장 차원에서 "법률상 보호이익설"이 타당하다고 본다.

(3) 법률의 범위[공권의 확대화 경향]

최근 판례는 처분의 직접 근거법규뿐만 아니라 요건규정으로 원용하는 준용법규나 절차법규까지도 포함시켜 근거법률의 범위를 넓히고 있으며 더 나아가 학설에서는 헌법상 기본권까지도 그 범위를 확장시키고 있다.

(4) 사안의 경우

근거법률인 주택법상 불분명하나 관계법령으로서 토지보상법상 사업인정은 공익사업의 원활한 시행을 목적하는바, 그에 따른 절차규정으로서 의견청취는 관계 제 이익의 정당한 형량을 하려는 취지인 점을 감안 시 해당 사업지 인근 주민인 乙의 원고적격은 문제되지 않는다 본다.

3. 소결

해당 주택건설사업계획승인은 취소소송의 대상인 "처분"이고 상기와 같이 인근 주민인 乙의 원고적격 또한 문제되지 않는바, 설문상 다른 요건상의 문제도 없어보이므로 乙의 취소소송은 적법하다 본다.

Ⅳ. 설문 (3) – 사업계획승인의 위법성

1. 행정행위의 위법성

행정행위가 적법하기 위해서는 주체, 내용, 절차, 형식상의 하자가 없어야 한다. 사안의 경우 사업승인의 절차로서 의견청취를 흠결한 "절차상 하자"가 존재하나 이러한 절차하자가 내용상 적법함에도 불구하고 행정행위의 독자적 위법사유가 될 수 있는지 문제된다.

2. 절차하자의 독자적 위법성 인정 여부

(1) 견해의 대립

행정경제 및 소송경제를 위해 부정하는 '소극설', 적법절차를 거친 경우 원처분과 동일하게 볼 수 없다 보는 '적극설', 원칙 긍정하나 기속행위의 경우 행정 또는 소송경제에 반한다하여 부정하는 '절충설'이 있다.

(2) 판례의 태도

판례는 재량행위와 기속행위의 구별 없이 절차하자의 독자적 위법을 인정하고 있다.

(3) 검토

행정절차가 성문법으로서 강행규정인 점, 사전적 권리구제로서 기능을 수행하고 있는 점에서 적극설이 타당하다고 본다.

3. 위법의 정도

(1) 무효와 취소의 구별기준

학설은 중대설, 명백성 보충요건설, 구체적 가치형량설이 있으나 무효가 되기 위하여는 그 하자가 중대하고 명백하여야 한다는 중대명백설이 통설 및 판례의 태도이다.

(2) 중대·명백의 의미

하자의 "중대성"이란 적법요건의 중대한 하자를, "명백성"이란 하자 있음이 객관적으로 명백함을 말한다.

(3) 사안의 경우

의견청취를 결한 것은 행정절차법의 위반으로서 하자있음이 객관적으로 명백하나, 처분을 무효로 할 정도의 중요한 적법요건의 위반이라 볼 수 없는 바, "취소사유"로 봄이 타당하다고 여겨진다. 판례도 절차위반을 원칙 "취소사유"로 본다.

4. 소결

따라서 인근 주민 乙은 의견청취절차의 흠결을 이유로 해당 사업계획승인의 "취소"를 주장할 수 있을 것이다.

V. 설문 (4) - 절차상 하자와 기속력

1. 기속력의 의의 및 근거, 취지

행정소송법 제30조 제1항은 취소소송 등의 판결확정시 피고행정청 및 관계행정청은 판결의 취지를 존중해야 할 구속을 받는다고 규정한바, 이는 취소판결의 실효성 확보를 위한 취지가 있다.

2. 절차상 하자와 기속력

(1) 재처분의무[행정소송법 제30조 제2항]

"재처분의무"란 신청을 요하는 처분에 대한 행정청의 거부처분이 판결에 의해 취소된 경우 행정청은 판결의 취지에 따라 다시 처분할 의무를 지는 것을 말한다. 행정소송법 제30조 제3항은 신청에 따른 처분(인용처분)이 절차상의 위법으로 취소되는 경우에도 준용한다고 규정하고 있는바, 사안의 사업계획승인이 절차상 하자로 취소된 경우 국토교통부장관은 기속력에 의한 재처분의무를 진다.

(2) 적법절차를 보완한 재처분의 적법성

판례는 확정판결의 기판력(기속력을 의미)은 절차의 위법사유에 한하여 미치는 것이므로 행정청은 위법사유를 보완하여 새로운 처분을 할 수 있고 그 처분은 종전의 처분과는 별개의 처분으로 기속력에 저촉되지 않는다고 판시하였다. 따라서 국토교통부장관은 절차하자를 보완 후 해당 사업시행자 甲에게 다시 사업승인처분을 하더라도 절차상 하자를 보완한 새로운 처분으로 종전과 별개의 처분이 되므로 취소판결의 기속력에 반하지 않는다.

VI. 사례의 해결

1. 사업계획승인은 사업시행자에게 수용권을 설정하는 형성적 처분으로서 재량행위에 해당하며, 토지소유자 등에게는 침익적 처분으로 제3자효 행정행위에 해당된다고 할 것이다.

2. 사업계획승인의 직접 당사자가 아닌 乙이 취소소송의 원고적격이 있는지 문제되나, 법률상 이익을 목적론적으로 해석하고, 처분의 근거법규뿐만 아니라 관계법규까지 확대하여 사익보호성을 판단하는 경우, 乙은 해당 사업계획승인에 따라 사익의 침해가 예상되는 바 원고적격이 인정될 수 있다고 보인다.

3. 의견청취의 절차상 하자를 독자적 위법사유로 하여 취소할 수 있는지 문제되나, 통설과 판례에 따를 때 사업계획승인의 경우 재량행위로서 독자적 위법사유가 인정될 수 있으며, 기속행위의 경우도 판례는 독자적 위법사유를 인정하고 있다.

4. 사업계획승인에 대한 취소소송의 인용판결의 기속력에 의하여 행정청은 반복금지효와 재처분의무를 진다. 그러나 절차위법을 이유로 처분이 취소된 경우, 절차하자를 시정하여 다시 사업계획승인을 하더라도 이는 별개의 처분으로 보아 기속력에 반하지 않는다고 할 것이다.

6절
- 토지보상법 제20조(사업인정)
- 행정법 쟁점 : 원고적격, 하자의 승계

문제

한국에는 "먹는물관리법" 등이 존재하여 물관리에 철저함을 기하고 있는 실정으로 甲은 그 소유 토지에 지하수 관정을 뚫어 생수를 생산·판매하는 자로서 명성이 높다. 그의 생수생산시설 인근 지역에 乙시가 추진하는 쓰레기하치장 건설사업의 사업인정이 고시되었다. 생수의 역점 판촉전략은 수질관리가 중요한바, 甲은 동 사업이 추진될 경우 그의 생수사업이 큰 타격을 입게 될 것을 우려하고 있다. 우선 甲은 쓰레기하치장 건설입지 선정에 오류가 있다고 생각하고 해당 지역에 동 하치장이 건설되지 않도록 하는 방법을 강구함과 동시에, 동 하치장의 건설이 이루어질 경우에 대비하여 적절한 권리구제수단을 찾고자 한다. 甲이 취할 수 있는 법적 수단과 그에 관한 법리를 설명하시오.[14] **40점**

Ⅰ. 논점의 정리

Ⅱ. 사업인정의 법적 성질
  1. 사업인정의 의의(토지보상법 제20조)
  2. 사업인정의 법적 성질

Ⅲ. 하치장이 건설되지 못하도록 하는 방법
  1. 문제점
  2. 항고소송요건으로서의 원고적격 인정 여부
    (1) 원고적격의 범위
    (2) 사안의 경우
  3. 위법성 검토(이유유무의 문제)
    (1) 위법한지 여부
    (2) 무효인지, 취소인지

  4. 하자승계 가능성
  5. 소결

Ⅳ. 하치장 건설이 이루어질 경우의 권리구제(간접손실보상에 의한 권리구제)
  1. 문제점
  2. 보상의 대상이 되는 간접손실인지 여부
    (1) 간접손실보상의 요건
    (2) 사안의 경우

Ⅴ. 사례의 해결

Ⅰ 논점의 정리

사안은 공익사업 대상지 인근에서 생수사업을 하는 甲에게 쓰레기하치장 건설로 피해가 예상되는바, 어떠한 방법으로 권리구제가 가능한가에 관한 논의이다.

1. 먼저 하치장이 건설되지 않도록 하기 위해서 사업인정고시의 취소를 구하는 항고쟁송이 가능한지, 특히 취소소송의 소송요건으로서 인근 주민의 원고적격과 본안에서의 이유유무를 판단한다.

---

14) 김해룡 교수님 월간감평 응용

2. 또한 동 하치장이 건설될 경우의 권리구제로 가치보상인 손실보상이 가능한지 공익사업을 위한 토지 등의 취득 및 보상에 관한 법률(이하 '토지보상법') 규정의 검토 및 다양한 이론을 통해 검토해 보기로 한다.

Ⅱ 사업인정의 법적 성질

1. 사업인정의 의의(토지보상법 제20조)

사업인정이란 사업시행자의 신청을 받아 국토교통부장관이 행하는 것으로, 특정사업이 토지보상법 제4조의 공익사업에 해당함을 인정하여 사업시행자에게 일정한 절차의 이행을 조건으로 타인의 재산권을 수용할 수 있는 수용권을 설정하여 주는 행위이다.

2. 사업인정의 법적 성질

사업인정은 행정청의 권력적이고 일방적인 의사표시만으로 개별·구체적인 법적 효과를 직접 발생 시키는 행정작용이며, 항고소송의 대상이 되는 처분임은 분명하다. 국토교통부장관이 사업인정을 하기 위해서는 해당 사업이 수용할 만한 공공성을 가지는지 여부를 구체적으로 판단하여야 하며 따라서 사업인정은 재량행위로서의 성질을 가진다. 또한 사업인정으로 인해 사업인정의 당사자 및 인근 주민에게 이익 또는 침익적 효과를 발생시키는바, 복효적 행정행위라 할 수 있다.

Ⅲ 하치장이 건설되지 못하도록 하는 방법

1. 문제점

사업인정고시의 취소를 구하는 항고쟁송으로서 취소소송의 제기요건 중 인근 주민인 甲의 원고적격 여부를 검토하고 본안에서 인용가능한지 문제된다.

2. 취소소송의 항고소송 제기요건으로서 원고적격 인정 여부

(1) 원고적격의 범위

학설은 권리구제설, 법적 보호이익구제설, 보호가치 있는 이익구제설, 적법성보장설 등이 있으며, 판례는 법적 보호이익구제설을 취하고 있다. 다만, 학설 및 판례는 공권의 확대화 경향을 반영하여 처분의 근거법규 외에 관련법규에 의하여 보호되는 이익도 인정하며, 사익보호성 유무를 가능한 널리 인정하려는 입장이다. 판례는 경업자 사이의 원고적격을 인정한 바 있고, 주거지역 내에서 연탄공장건축허가취소처분과 LPG자동차충전소설치허가처분의 취소소송에서 인근 주민의 원고적격을 인정한 바 있다.

행정처분의 직접 상대방이 아닌 제3자라 하더라도 당해 행정처분으로 법률상 보호되는 이익을 침해당한 경우에는 취소소송을 제기하여 당부의 판단을 받을 자격이 있다. 여기에서 말하는 법률상 보호되는 이익은 당해 처분의 근거 법규 및 관련 법규에 의하여 보호되는 개별적·직접적·구체적 이익이 있는 경우를 말하고, 공익보호의 결과로 국민 일반이 공통적으로 가지는 일반적·간접적·추상적 이익과 같이 사실적·경제적 이해관계를 갖는 데 불과한 경우는 여기에 포함되지 아니한다. 또 당해 처분의 근거 법규 및 관련 법규에 의하여 보호되는 법률상 이익은 당해 처분의 근거 법규의 명문 규정에 의하여 보호받는 법률상 이익, 당해 처분의 근거 법규에 의하여 보호되지는 아니하나 당해 처분의 행정목적을 달성하기 위한 일련의 단계적인 관련 처분들의 근거 법규에 의하여 명시적으로 보호받는 법률상 이익, 당해 처분의 근거 법규 또는 관련 법규에서 명시적으로 당해 이익을 보호하는 명문의 규정이 없더라도 근거 법규 및 관련 법규의 합리적 해석상 그 법규에서 행정청을 제약하는 이유가 순수한 공익의 보호만이 아닌 개별적·직접적·구체적 이익을 보호하는 취지가 포함되어 있다고 해석되는 경우까지를 말한다(대판 2015.7.23, 2012두19496·19502).

(2) 사안의 경우

토지보상법은 공익사업을 도모하면서도 국민의 재산권을 보호하려는 법규범이다. 또한 사업인정단계에서 모든 이해관계가 있는 자의 의견을 듣도록 규정하고 있는 취지도 그러한 의도로 볼 수 있다. 토지보상법의 사업인정은 비록 해당 사업 추진에 필요한 토지를 취득하기 위한 사전적 행정결정이지만, 그것으로 공공사업의 건설입지가 사실상 결정된다는 점에서 사업인정단계에서 甲의 재산권에 피해가 유발될 가능성은 매우 높다. 따라서 쓰레기하치장 건설입지의 선정이 사실상 이루어지는 사업인정상의 오류를 주장하는 甲에게 이를 다툴 만한 법률상 이익이 있다고 보아야 할 것이다.

3. 위법성 검토(이유유무의 문제)

(1) 위법한지 여부

설문에서와 같이 甲의 주장이 타당하여 입지선정에 오류가 있다면 이는 사업인정고시의 하자로 되어 위법하게 된다.

(2) 무효인지 취소인지

위법의 효과로서 해당 사업인정고시의 효력이 무효인지 취소인지 문제된다. 무효와 취소는 개별법률에 규정이 있는 경우에는 그에 따르게 되나, 규정이 없는 경우에는 통설·판례의 입장인 중대명백설에 의해서 판단한다. 사안의 경우에는 공익사업을 하면서 입지선정을 그르친 것은 중대한 하자로 볼 수 있으나, 일반인의 시각에서 명백하다고는 볼 수 없어 취소사유로 판단할 수 있을 것이다.

4. 하자승계 가능성

甲이 쓰레기하치장 건설사업의 사업인정에 대한 불복을 언제 제기하여야 하는지의 문제도 중요한 논점이다. 甲이 동 사업인정의 고시에 대하여 일정한 기간 내에 행정심판 내지 행정소송을 제기하지 아니하고 수용재결 내지 이의재결에 대한 쟁송에서 사업인정의 위법을 주장할 수 있는가의 문제는 다단계 행정절차를 거쳐 행해지는 선행처분과 후행처분 간의 하자승계론과 관련되는 문제이다. 학설은 법률효과의 동일성 여부를 기준으로 판단하는 전통적 하자승계론과 선행행위의 구속력을 기준으로 판단하는 구속력이론이 있으나, 다수 및 판례는 전통적 하자승계론의 입장이며, 타당하다고 본다. 사안의 경우에는 사업인정고시와 수용재결 또는 이의재결의 관계를 생각할 수 있으나 양자는 법률 효과가 동일하지 아니하고 수용권 설정행위와 수용 행위자체는 별개의 법률효과를 지향하는 바 하자승계를 인정할 수 없다고 보인다. 따라서 甲은 사업인정고시가 있음을 안 날부터 90일 이내에 항고쟁송을 제기하여야 하며, 만약 불가쟁력이 발생하더라도 하자의 승계를 통해 권리구제를 받는 것은 한계가 있다고 생각된다.

5. 소결

甲에게 원고적격을 인정할 수 있고 사업인정고시의 취소를 구하는 항고쟁송을 구하여 동 사업이 추진되지 못하도록 다툴 수 있다.

Ⅳ 하치장 건설이 이루어질 경우의 권리구제(간접손실보상에 의한 권리구제)

1. 문제점

하치장 건설이 이루어질 경우 가치보상으로서 공익사업시행지구 밖 손실보상청구권 행사가 가능한지 문제된다. 즉 간접손실보상에 대한 토지보상법상 관련규정과 판례 등 손실보상 가능성을 검토한다.

2. 보상의 대상이 되는 간접손실인지 여부

(1) 간접손실보상의 요건

간접손실보상이 인정되기 위해서는 간접손실이 발생하여야 하고, 해당 간접손실이 특별한 희생이 되어야 한다.

1) 간접손실의 존재

간접손실이 되기 위해서는 ① 공익사업의 시행으로 사업시행지 이외의 토지소유자(제3자)가 입은 손실이어야 하고, ② 그 손실이 공익사업의 시행으로 인하여 발생하리라는 것이 예견되어야 하고, ③ 그 손실의 범위가 구체적으로 특정될 수 있어야 한다(대판 1999.12.24, 98다57419).

2) 특별한 희생의 발생

간접손실이 손실보상의 대상이 되기 위해서는 해당 간접손실이 특별한 희생에 해당하여야 한다. 간접손실이 재산권에 내재하는 사회적 제약에 속하는 경우에는 보상의 대상이 되지 않는다.

특별한 희생과 재산권에 내재하는 사회적 제약의 구별기준에 관하여 형식적 기준설과 실질적 기준설이 대립하고 있고, 실질적 기준설은 침해의 본질성 및 강도를 기준으로 구별하는데, 이에는 보호가치의 유무로 판단하는 ① 보호가치설, 침해가 보상 없이 수인가능한지 여부에 따라 판단하는 ② 수인한도설, 재산권이 제한된 상태에서도 합당한 사적인 이용이 가능한지의 여부에 따라 판단하는 ③ 사적효용설, 재산권의 침해가 종래 이용목적과 기능에 위배되는지를 기준으로 하는 ④ 목적위배설, 상황에 비추어 재산권의 주체가 예상할 수 있는 제한인지의 여부를 기준으로 하는 ⑤ 상황구속설 등이 있다. 통설은 형식적 기준설과 각 실질적 기준설이 일면의 타당성만을 갖는다고 보고, 형식적 기준설과 실질적 기준설을 종합하여 특별한 희생과 사회적 제약을 구별하여야 한다고 본다.

(2) 사안의 경우

1) 개설

쓰레기하치장 사업은 사업인정고시를 받은 사업이므로 공공필요가 있다고 보며, 토지보상법에 근거도 있으며, 그로 인하여 甲이 입게 되는 재산상 피해는 특별한 희생으로 볼 수 있다. 다만 甲의 생수생산, 판매사업은 공익사업시행구역 밖에 위치하고 있는바, 그에 대한 보상규정이 문제된다. 토지보상법의 보상규정은 동법 제79조 제2항의 위임에 근거한 동법 시행규칙 제62조, 제64조를 적용할 수 있다. 이는 대표적인 간접손실의 법리로 권리구제를 도모할 수 있다.

2) 공작물에 대한 보상

토지보상법 시행규칙 제62조는 공익사업시행지구 밖의 공작물 등에 대한 보상을 규정하고 있으며, 공익사업시행지구 밖의 공작물 등이 공익사업시행으로 본래의 기능을 다할 수 없게 되는 경우에 소유자의 청구에 의하여 보상받을 수 있다.

甲의 영업이 폐지되거나, 해당 지역에서 다른 지역으로 이전하는 경우에는 해당 생수 생산, 판매를 위한 시설을 보상 받을 수 있을 것이며, 해당 지역에서 계속 영업을 하는 경우에도 생산 및 판매량이 감소한 경우에는 그로 인하여 불필요하게 된 시설부분만을 보상받을 수 있을 것이다.

3) 영업손실에 대한 보상

토지보상법 시행규칙 제64조는 공익사업시행지구 밖의 영업손실에 대한 보상을 규정하고 있으며, 배후지의 2/3가 상실되어 해당 지역에서 영업을 계속할 수 없는 경우 해당 영업자의 청구에 의하여 보상받을 수 있다.

토지보상법 시행규칙 제64조의 요건에 해당하지 아니하는 경우에는 영업손실에 대하여 보상을 줄 수 있는 법적 근거가 문제된다. 이는 특별한 희생이 발생하였음에도 그에 대한 보상규정이 없는 경우의 해결책 논의와 연결된다. 이와 관련하여 간접보상에 대한 보상규정 결여에 대한 논의 문제로 해결하려는 시도, 민법상 방해제거청구 또는 민법상 손해배상청구로 해결하려는 시도, 시민고충처리위원회에 고충민원제기, 환경분쟁조정신청 등과 같이 다양한 시도들이 논의되고 있다.

판례

● 최근 간접손실에 대한 대법원 판례 숙지 요망
  대판 2019.11.28, 2018두227[보상금]

[판시사항]

[1] 공익사업을 위한 토지 등의 취득 및 보상에 관한 법률 시행규칙 제64조 제1항 제2호에서
    정한 공익사업시행지구 밖 영업손실보상의 요건인 '공익사업의 시행으로 인한 그 밖의 부득
    이한 사유로 일정 기간 동안 휴업이 불가피한 경우'에 공익사업의 시행 결과로 휴업이 불가
    피한 경우가 포함되는지 여부(적극)

[2] 실질적으로 같은 내용의 손해에 관하여 공익사업을 위한 토지 등의 취득 및 보상에 관한
    법률 제79조 제2항에 따른 손실보상과 환경정책기본법 제44조 제1항에 따른 손해배상청구
    권이 동시에 성립하는 경우, 영업자가 두 청구권을 동시에 행사할 수 있는지 여부(소극) 및
    '해당 사업의 사업완료일로부터 1년'이라는 손실보상 청구기간이 지나 손실보상청구권을 행
    사할 수 없는 경우에도 손해배상청구가 가능한지 여부(적극)

[3] 공익사업으로 인하여 공익사업시행지구 밖에서 영업을 휴업하는 자가 공익사업을 위한 토
    지 등의 취득 및 보상에 관한 법률 제34조, 제50조 등에 규정된 재결절차를 거치지 않은
    채 곧바로 사업시행자를 상대로 공익사업을 위한 토지 등의 취득 및 보상에 관한 법률 시행
    규칙 제47조 제1항에 따라 영업손실에 대한 보상을 청구할 수 있는지 여부(소극)

[4] 어떤 보상항목이 공익사업을 위한 토지 등의 취득 및 보상에 관한 법령상 손실보상대상에
    해당함에도 관할 토지수용위원회가 사실을 오인하거나 법리를 오해함으로써 손실보상대상
    에 해당하지 않는다고 잘못된 내용의 재결을 한 경우, 피보상자가 제기할 소송과 그 상대방

[판결요지]

[1] 모든 국민의 재산권은 보장되고, 공공필요에 의한 재산권의 수용 등에 대하여는 정당한 보상
    을 지급하여야 하는 것이 헌법의 대원칙이고(헌법 제23조), 법률도 그런 취지에서 공익사업의
    시행 결과 공익사업의 시행이 공익사업시행지구 밖에 미치는 간접손실 등에 대한 보상의 기준
    등에 관하여 상세한 규정을 마련해 두거나 하위법령에 세부사항을 정하도록 위임하고 있다.
    이러한 공익사업시행지구 밖의 영업손실은 공익사업의 시행과 동시에 발생하는 경우도 있
    지만, 공익사업에 따른 공공시설의 설치공사 또는 설치된 공공시설의 가동·운영으로 발생
    하는 경우도 있어 그 발생원인과 발생시점이 다양하므로, 공익사업시행지구 밖의 영업자가
    발생한 영업상 손실의 내용을 구체적으로 특정하여 주장하지 않으면 사업시행자로서는 영
    업손실보상금 지급의무의 존부와 범위를 구체적으로 알기 어려운 특성이 있다. 공익사업을
    위한 토지 등의 취득 및 보상에 관한 법률 제79조 제2항에 따른 손실보상의 기한을 사업완
    료일부터 1년 이내로 제한하면서도 영업자의 청구에 따라 보상이 이루어지도록 규정한 것
    [공익사업을 위한 토지 등의 취득 및 보상에 관한 법률 시행규칙(이하 '시행규칙'이라 한다)
    제64조 제1항]이나 손실보상의 요건으로서 공익사업시행지구 밖에서 발생하는 영업손실의
    발생원인에 관하여 별다른 제한 없이 '그 밖의 부득이한 사유'라는 추상적인 일반조항을 규
    정한 것(시행규칙 제64조 제1항 제2호)은 간접손실로서 영업손실의 이러한 특성을 고려한
    결과이다.
    위와 같은 공익사업시행지구 밖 영업손실보상의 특성과 헌법이 정한 '정당한 보상의 원칙'에

비추어 보면, 공익사업시행지구 밖 영업손실보상의 요건인 '공익사업의 시행으로 인한 그 밖의 부득이한 사유로 일정 기간 동안 휴업이 불가피한 경우'란 공익사업의 시행 또는 시행 당시 발생한 사유로 휴업이 불가피한 경우만을 의미하는 것이 아니라 공익사업의 시행 결과, 즉 그 공익사업의 시행으로 설치되는 시설의 형태·구조·사용 등에 기인하여 휴업이 불가피한 경우도 포함된다고 해석함이 타당하다.

[2] 공익사업을 위한 토지 등의 취득 및 보상에 관한 법률(이하 '토지보상법'이라 한다) 제79조 제2항(그 밖의 토지에 관한 비용보상 등)에 따른 손실보상과 환경정책기본법 제44조 제1항(환경오염의 피해에 대한 무과실책임)에 따른 손해배상은 근거 규정과 요건·효과를 달리하는 것으로서, 각 요건이 충족되면 성립하는 별개의 청구권이다. 다만 손실보상청구권에는 이미 '손해 전보'라는 요소가 포함되어 있어 실질적으로 같은 내용의 손해에 관하여 양자의 청구권을 동시에 행사할 수 있다고 본다면 이중배상의 문제가 발생하므로, 실질적으로 같은 내용의 손해에 관하여 양자의 청구권이 동시에 성립하더라도 영업자는 어느 하나만을 선택적으로 행사할 수 있을 뿐이고, 양자의 청구권을 동시에 행사할 수는 없다. 또한 '해당 사업의 사업완료일로부터 1년'이라는 손실보상 청구기간(토지보상법 제79조 제5항, 제73조 제2항)이 도과하여 손실보상청구권을 더 이상 행사할 수 없는 경우에도 손해배상의 요건이 충족되는 이상 여전히 손해배상청구는 가능하다.

[3] 공익사업을 위한 토지 등의 취득 및 보상에 관한 법률(이하 '토지보상법'이라 한다) 제26조, 제28조, 제30조, 제34조, 제50조, 제61조, 제79조, 제80조, 제83조 내지 제85조의 규정 내용과 입법 취지 등을 종합하면, 공익사업으로 인하여 공익사업시행지구 밖에서 영업을 휴업하는 자가 사업시행자로부터 공익사업을 위한 토지 등의 취득 및 보상에 관한 법률 시행규칙 제47조 제1항에 따라 영업손실에 대한 보상을 받기 위해서는, 토지보상법 제34조, 제50조 등에 규정된 재결절차를 거친 다음 그 재결에 대하여 불복이 있는 때에 비로소 토지보상법 제83조 내지 제85조에 따라 권리구제를 받을 수 있을 뿐이다. 이러한 재결절차를 거치지 않은 채 곧바로 사업시행자를 상대로 손실보상을 청구하는 것은 허용되지 않는다.

[4] 어떤 보상항목이 공익사업을 위한 토지 등의 취득 및 보상에 관한 법령상 손실보상대상에 해당함에도 관할 토지수용위원회가 사실을 오인하거나 법리를 오해함으로써 손실보상대상에 해당하지 않는다고 잘못된 내용의 재결을 한 경우에는, 피보상자는 관할 토지수용위원회를 상대로 그 재결에 대한 취소소송을 제기할 것이 아니라, 사업시행자를 상대로 공익사업을 위한 토지 등의 취득 및 보상에 관한 법률 제85조 제2항에 따른 보상금증감소송을 제기하여야 한다(대판 2019.11.28, 2018두227).

V 사례의 해결

① 토지소유자 甲등은 사업인정고시에 대하여 항고쟁송을 제기하여 쓰레기하치장 건설이 이루어지지 못하도록 다툴 수 있다고 판단된다.

② 쓰레기 하치장이 건설된 경우에는 그로 인해 발생한 손실을 공익사업시행지구 밖 간접손실보상이라고 하며, 토지보상법 제79조 제2항을 근거로 하되, 동법 시행규칙 제59조부터 제65조 등을 적용하여 해당 사안의 보상 청구를 하여 권리구제를 도모할 수 있다고 판단된다.

7절
- 토지보상법 제20조(사업인정)
- 행정법 쟁점 : 행정기본법 제19조(철회)

문제

정부는 서민들의 주거안정을 위하여 현재의 국민임대주택을 보금자리주택으로 명칭을 변경하고 "보금자리주택특별법"을 제정하여 2009년 6월 시행하기에 이르렀다. 이에 국토교통부장관 乙은 서울시 외곽과 경기도 하남시의 관할구역에 걸쳐있는 지역에 보금자리주택을 설치하기로 하고, 생활기반시설로써 상하수도시설을 설치하기로 결정하였다. 이에 따라 사업시행자 甲은 위 사업을 시행하고자 국토교통부장관에게 사업인정을 신청하였고, 이에 따라 국토교통부장관 乙은 사업인정을 행하였으며, 이를 근거로 사업시행자 甲은 조서를 작성하고 협의절차를 이행하고 있는 상태이다. 그러나 국토교통부장관 乙은 해당 지역에 다른 공익사업인 폐기물처리시설을 건설하여야 할 공익적 요청이 강하게 제기되어 이에 대한 계획을 세우고 이를 이유로 甲의 사업인정을 취소하였다(청문 및 이유제시 등의 행정절차는 관련법에 의거 적법하게 거친 상태라고 봄). 이에 甲은 이러한 사업인정의 취소는 위법하다고 보아 이의 취소를 구하고자 취소소송을 제기하였다. 甲의 주장의 타당성을 설명하시오. 40점

Ⅰ. 논점의 정리
Ⅱ. 관련 행정작용의 법적 성질
   1. 사업인정의 의의 및 취지(토지보상법 제20조)
   2. 사업인정의 철회
Ⅲ. 취소소송의 적법성
   1. 취소소송의 요건
   2. 사안의 검토

Ⅳ. 사업인정 철회의 위법성
   1. 문제점
   2. 철회권자
   3. 철회의 절차
   4. 법적 근거
   5. 철회의 사유
   6. 철회권의 제한법리(한계)
   7. 사업인정 철회의 위법성 검토
Ⅴ. 사례의 해결

Ⅰ 논점의 정리

사안은 보금자리주택 건설을 위한 생활기반시설인 상하수도 설치를 위하여 적법하게 발령된 사업인정에 대하여, 국토교통부장관 乙이 새로운 사정을 이유로 한 취소처분에 대하여 다투고자 하는 것으로,

1. 해당 사업인정과 사업인정의 취소의 법적 성질을 살펴서 사업인정의 취소가 강학상 취소인지 철회인지 살피고,
2. 취소소송의 적법성을 간략히 검토한 후, 해당 취소처분의 위법성 주장사유로서 철회권 제한법리를 검토한다.

Ⅱ 관련 행정작용의 법적 성질

1. 사업인정의 의의 및 취지(토지보상법 제20조)

사업인정이란 공익사업을 토지 등을 수용·사용할 사업으로 결정하는 것으로 관계 제 이익의 형량을 거쳐 일정절차를 조건으로 수용권을 설정하는 국토교통부장관의 행정작용을 말한다. 또한, 사업인정은 당사자에게 있어 수익적 행정행위에 해당하여 그 철회시 제한법리의 한계를 받는다.

2. 사업인정의 철회

(1) 사업인정의 취소가 강학상 철회인지 여부

행정행위의 철회란 적법하게 성립한 행정행위의 효력을 행정청이 후발적인 사유에 기하여 본래의 행정행위의 효력을 장래를 향하여 상실시키는 독립된 행정행위를 의미한다. 사안의 경우, 성립 당시 하자 없이 발령된 사업인정을 폐기물처리시설 건설이라는 후발적 사정을 이유로 취소한 것으로 이는 강학상 철회에 해당한다.

(2) 처분성 및 재량행위성

철회는 행정청의 개별·구체적 규율로서 외부적 효력을 갖는 공법상 단독행위로서 강학상 행정행위에 해당하고 이는 국민의 권리·의무에 직접 영향을 미치는 처분이라고 볼 수 있으며, 철회의 법적 근거가 명문에 규정되어 있지 않고, 침익적 성격과 기본권 관련성으로 볼 때 재량행위로 볼 수 있다.

Ⅲ 취소소송의 적법성

1. 취소소송의 요건

취소소송이 적법하게 제기되기 위해서는 처분성이 인정되고, 원고적격 있는 자에 의해 소송의 제기기간 내에 원칙상 처분청을 피고로 관할 행정법원에 소송을 제기해야 한다.

2. 사안의 검토

해당 철회는 침익적 처분으로서 甲은 취소 또는 무효확인을 구할 법률상 이익이 있는 자에 해당한다. 기타의 요건은 충족되는 것으로 판단한다.

Ⅳ 사업인정 철회의 위법성

> ↻ **행정기본법 제19조(적법한 처분의 철회)**
> ① 행정청은 적법한 처분이 다음 각 호의 어느 하나에 해당하는 경우에는 그 처분의 전부 또는 일부를 장래를 향하여 철회할 수 있다.
>   1. 법률에서 정한 철회 사유에 해당하게 된 경우
>   2. 법령등의 변경이나 사정변경으로 처분을 더 이상 존속시킬 필요가 없게 된 경우
>   3. 중대한 공익을 위하여 필요한 경우
> ② 행정청은 제1항에 따라 처분을 철회하려는 경우에는 철회로 인하여 당사자가 입게 될 불이익을 철회로 달성되는 공익과 비교 · 형량하여야 한다.

1. 문제점

행정행위의 철회는 직권취소와 달리 변화된 법적 및 사실상태에 따른 행정의 공익목적을 실현하는 것을 그 취지로 한다. 따라서 이러한 행정행위의 철회를 무제한적으로 행사할 수 있는 것이 아니라 수익적 행정행위의 철회의 경우 일정한 요건과 한계 내에서만 인정될 수 있다. 따라서 이러한 철회권의 제한법리에 위배되는 경우 위법성이 인정된다.

2. 철회권자

행정행위의 철회는 처분청만이 할 수 있으며, 감독청은 법률에 근거가 있는 경우에만 할 수 있다. 하자의 시정을 목적으로 하는 직권취소의 경우에는 감독청의 취소권에 대하여 다툼이 있으나 새로운 상황에 적응을 목적으로 하는 철회의 경우에는 원칙적으로 처분청만이 철회할 수 있다는 것이 일반적 견해이다. 사안의 경우, 국토교통부장관은 사업인정의 처분청으로서 철회권을 가진다고 볼 수 있다.

3. 철회의 절차

행정행위의 철회는 부담적 행정행위에 해당하므로 사전통지, 의견청취, 이유제시 등의 절차를 준수하여야 한다. 사안의 경우 절차적 위법사유는 없는 것으로 판단된다.

4. 법적 근거

부담적 행정행위의 철회는 상대방에게 수익적 효과를 주기 때문에 법적 근거가 불요하다는 것이 일반적 견해이나, 수익적 행정행위의 철회에 있어서 법적 근거가 필요한지 여부에 대해 다툼이 있다. 다만 적법한 행정처분의 철회에 대해서는 일반적인 규정이 행정기본법 제19조에 명문화되었다.

(1) 적극설(근거필요설)

법치행정의 실현과 기본권 보장의 견지에서, 아무런 하자 없이 유효하게 성립된 행정행위를 사후에 공익 또는 사정변경을 들어 그 효력을 소멸시키는 행정행위의 철회는, 별도의 독립된 처분이므로 그 처분을 위한 별도의 법적 근거가 필요하다고 보는 견해이다(최근의 다수설).

(2) 소극설(근거불요설)

항상 변동하는 행정현실에 대처함으로써 공익을 실현하여야 한다는 행정의 합목적성에 비추어 행정행위의 철회는 반드시 법률의 근거를 요하지 않는다고 보는 견해이다(종래 다수설).

(3) 판례 및 검토

판례는 "행정행위를 한 처분청은 처분 당시에 그 행정처분에 별다른 하자가 없었고 또 처분 후에 이를 취소할 별도의 법적 근거가 없다 하더라도 원래의 처분을 그대로 존속시킬 필요가 없게 된 사정변경이 생겼거나 또는 중대한 공익상의 필요가 발생한 경우에는 별개의 행정행위로 이를 철회하거나 변경할 수 있다."라고 판시하여 사정변경 등 철회사유가 있는 예외적인 경우에는 법적 근거가 없더라도 철회가 가능하다고 판시하고 있다. 생각건대, 적극설도 기본권의 보호측면에서 타당성이 있으나, 탄력 있는 행정목적의 수행을 위해 모든 철회사유를 입법하기는 힘들다고 판단되므로 소극설이 타당하다. 최근 제정된 행정기본법 제19조에서도 법령에서 정한 철회사유가 있거나, 사정변경이나 중대한 공익상 필요한 경우에는 철회를 할 수 있다고 규정하고 있어 이제는 행정기본법을 적용하여 철회에 대한 일반적인 논거로 제시하면 될 것으로 생각된다.

5. 철회의 사유

(1) 법령에 규정된 철회사유

하천법 제70조 제1항은 하천의 관리청이 각 호의 1(하천수량의 부족 또는 하천상황의 변경으로 부득이한 경우, 하천공사를 하기 위하여 필요한 경우 등)에 해당하는 경우에는 하천법 또는 이 법에 의한 허가 또는 승인을 받은 자에 대하여 이러한 허가나 승인의 철회 등의 처분을 할 수 있다고 규정하고 있다. 따라서 비교적 불확정 개념으로 철회의 요건이 규정되기는 하였으나 이러한 사유에 의하여 행정행위가 철회될 수 있다. 다만, 철회권의 제한법리는 이러한 경우에도 적용된다.

(2) 상대방의 귀책사유(의무위반 및 부담불이행)에 대한 제재로서의 철회

일반적으로 법령에 규정된 의무 또는 행정행위로 부과된 의무를 위반한 경우 면허, 허가 등을 철회하는 경우가 많다. 실제 개별법령상 의무위반의 경우 영업정지나 취소를 규정하고 있는 경우가 보통이다.

(3) 철회권 유보

행정행위의 부관으로 일정한 철회사유의 존재 시 행정행위를 철회할 수 있다고 철회권을 유보한 경우에 이러한 사유가 발생하면 행정행위를 철회할 수 있다. 그러나 철회사유 없이 철회권 유보만 된 경우에는 다른 철회사유가 존재하여야 한다.

(4) 근거법령의 변경

행정처분의 근거법령이 개정되어 해당 처분이 새 법령상의 요건을 갖추지 못하게 된 경우 행정청이 공익적 관점에서 수익적 행정처분을 철회하는 경우가 있다. 그러나 이 경우 그 수익적 행정처분의 존속을 신뢰한 상대방의 신뢰는 보호되어야 할 것이므로 공익과 신뢰보호를 이익형량하여 철회의 적법성을 판단하여야 한다.

(5) 사정변경 및 중대한 공익상의 필요

행정처분 후 사정이 변경되어 해당 처분을 유지하는 것이 공익을 해하는 경우에는 해당 행정처분을 철회할 수 있다. 예컨대, 주점영업허가를 한 후에 그 인근에 학교가 세워진 경우, 도로용도폐지처분에 따른 도로점용허가의 철회 등을 들 수 있다.

(6) 사안의 검토

甲에 대한 사업인정 취소는 폐기물처리시설 건설이라는 새로운 공익적 요청에 따른 것인바, 이는 새로운 사정의 발생에 따른 철회사유로 볼 수 있다. 폐기물처리시설의 건설은 중대한 공익상의 필요라고 볼 수 있다.

6. 철회권의 제한법리(한계)

(1) 비례의 원칙

철회권 행사는 공익실현에 적합하여야 하며, 필요한 한도 내에서 행해져야 하며, 실현하고자 하는 공익이 철회를 통하여 개인이 입는 손실보다 커야 한다. 사안에서는 甲의 사업인정을 철회하는 방법 외에는 다른 수단이 없다고 보며, 또한 폐기물처리시설 건설에 대한 공익이 상하수도의 설치에 따른 이익보다 우월함을 알 수 있다. 이에 따라 국토교통부장관의 철회는 비례의 원칙에 위배되지 않는다.

> ▶ 행정기본법 제10조(비례의 원칙)
> 행정작용은 다음 각 호의 원칙에 따라야 한다.
> 1. 행정목적을 달성하는 데 유효하고 적절할 것
> 2. 행정목적을 달성하는 데 필요한 최소한도에 그칠 것
> 3. 행정작용으로 인한 국민의 이익 침해가 그 행정작용이 의도하는 공익보다 크지 아니할 것

(2) 실권의 법리

철회의 사유가 발생한 경우에도 장기간 철회권을 행사하지 않는 경우에, 실권의 법리에 따라 행정청은 그 행정행위를 더 이상 철회할 수 없을 것이다. 사안에서는 실권의 법리도 적용될 여지가 없다.

> ↩ **행정기본법 제12조(신뢰보호의 원칙)**
> ② 행정청은 권한 행사의 기회가 있음에도 불구하고 장기간 권한을 행사하지 아니하여 국민이 그 권한이 행사되지 아니할 것으로 믿을 만한 정당한 사유가 있는 경우에는 그 권한을 행사해서는 아니 된다. 다만, 공익 또는 제3자의 이익을 현저히 해칠 우려가 있는 경우는 예외로 한다.

(3) 신뢰보호의 원칙

철회권의 행사에 있어서 개인의 신뢰가 보호되어야 한다. 철회권의 유보, 부담의 불이행, 법에서 정한 사실의 발생 등에서는 상대방은 사전에 철회의 가능성을 충분하게 예견하고 있기 때문에 이에 대해서는 신뢰보호의 원칙이 적용되지 않는다. 그러나 새로운 사정의 발생, 법령의 개정, 중대한 공익의 필요성 등의 경우 공익보다 침해되는 개인의 신뢰이익이 큰 경우는 철회가 제한될 수 있다. 사안의 경우, 철회에 의하여 실현되는 공익이 철회를 통하여 甲이 입는 불이익보다는 크기 때문에 신뢰보호의 원칙에 위배되지 않는다. 다만, 甲은 사업인정의 존속을 신뢰하였고 그 신뢰가 보호가치가 있기 때문에 자신이 입은 재산상의 손실을 당사자소송을 통하여 구제받을 수 있다.

> ↩ **행정기본법 제12조(신뢰보호의 원칙)**
> ① 행정청은 공익 또는 제3자의 이익을 현저히 해칠 우려가 있는 경우를 제외하고는 행정에 대한 국민의 정당하고 합리적인 신뢰를 보호하여야 한다.

┌ **판례** ┐

● 대판 1998.5.8, 98두4061

【판결요지】

[1] 일반적으로 행정상의 법률관계 있어서 행정청의 행위에 대하여 신뢰보호의 원칙이 적용되기 위하여는, ① 행정청이 개인에 대하여 신뢰의 대상이 되는 공적인 견해표명을 하여야 하고, ② 행정청의 견해표명이 정당하다고 신뢰한 데에 대하여 그 개인에게 귀책사유가 없어야 하며, ③ 그 개인이 그 견해표명을 신뢰하고 이에 어떠한 행위를 하였어야 하고, ④ 행정청이 위 견해표명에 반하는 처분을 함으로써 그 견해표명을 신뢰한 개인의 이익이 침해되는 결과가 초래되어야 하며, ⑤ 어떠한 행정처분이 이러한 요건을 충족할 때에는, 공익 또는 제3자의 정당한 이익을 현저히 해할 우려가 있는 경우가 아닌 한, 신뢰보호의 원칙에 반하는 행위로서 위법하게 된다.

7. 사업인정 철회의 위법성 검토

① 사업인정의 철회는 국토교통부장관에 의해 발령되었고, ② 철회의 법적 근거는 없으나 새로운 공익상 필요에 의한 철회사유에 해당하며, ③ 수익적 행정행위의 철회에 대한 한계로서 실권의 법리, 신뢰보호원칙, 비례원칙에 위반되는 사정 또한 보이지 않으므로 甲의 청구는 기각될 것이다.

V 사례의 해결

1. 사업인정의 취소는 공익적 요청에 따른 사정변경이라는 후발적 사유의 발생으로 인하여 국토교통부장관이 장래를 향하여 효력을 소멸시키는 강학상 철회에 해당한다.
2. 소송제기요건에 있어서 처분성, 원고적격 등의 요건을 충족시키는 적법한 소송이라고 보인다.
3. 사업인정은 수익적 행정행위로서 그 철회권의 한계가 인정되나 사안에 있어 그 한계를 넘는 위법이 있다고 판단되지 않는 바, 甲의 청구는 인용될 수 없다고 할 것이다.
4. 그러나 甲은 철회로 인하여 발생한 손실에 대하여 신뢰보호에 기한 손실보상을 통한 권리구제를 모색할 수 있다고 판단된다.

베타답안

 40점

Ⅰ. 논점의 정리

국토교통부장관 乙의 사업인정의 철회에 대하여 甲의 주장의 타당성을 살펴보기 위해서,
1. 먼저 해당 사업인정이 행정행위인지, 행정행위라면 사업인정 취소가 강학상 철회인지를 검토하고 소의 적법성 여부를 간략히 검토한다.
2. 만일 소가 적법하다면 위법성 문제로 먼저 법적 근거 없이도 철회가 가능한지, 가능하다면 어떠한 철회사유에 해당되는지, 철회사유가 존재하는 경우에도 그 한계로 신뢰보호 원칙 등의 제한사유가 있는지 검토를 요한다.

Ⅱ. 사업인정 및 그 취소의 법적 성질

1. 사업인정 의의 및 행정행위성 여부

① 사업인정이란 공익사업을 토지 등을 수용·사용할 사업으로 결정하는 것으로, ② 일정 절차를 거쳐 수용권을 설정하는 국토교통부장관의 행정행위에 해당된다.

2. 사업인정 취소의 법적 성질

(1) 사업인정 취소가 강학상 철회인지 여부

① 철회는 하자 없이 성립한 행정행위에 대해 그 효력을 존속시킬 수 없는 새로운 사정이 발생한 것으로, ② 사업인정은 하자 없이 성립하였고, 이후 폐기물처리시설 건설이란 새로운 사정에 의한 철회에 해당된다.

(2) 처분성 여부

사업인정 취소는 국토교통부장관이 행하는 구체적 사실에 대한 법집행으로 사업시행자의 권리·의무에 영향을 미치는바, 처분성이 인정된다.

(3) 재량행위성 여부

재량행위인지의 여부는 근거법령의 규정, 문언, 취지 및 행정작용의 성질 등을 종합·참작하여 판단하여야 하는 바, 사업인정이 재량행위란 점과 사업인정 취소가 공익적 판단을 요한다는 점에서 재량행위에 해당된다.

Ⅲ. 사업인정 취소의 소 적법성 여부

1. 취소소송의 요건

취소소송이 적법하기 위해서는 대상적격, 원고적격이 있는 자가 제소기간 내에 원칙상 처분청을 피고로 관할 행정법원에 소송을 제기해야 한다.

2. 사안의 경우

상기에서 살펴본 바와 같이 사업인정 취소는 처분성(행정소송법 제2조)은 인정되고, 원고적격, 제소기간 등 기타 소는 적법해 보인다.

Ⅳ. 사업인정 철회의 위법성 검토

1. 철회권자 및 철회의 절차의 하자 여부

철회는 원칙적으로 처분청만이 할 수 있고, 사안에서 국토교통부장관은 사업인정의 처분청이다. 또한 적법절차를 거친바, "주체 및 절차에 있어 적법하다."고 보았다.

2. 철회의 법적 근거 필요 여부

(1) 문제점

강학상 철회에 대한 통칙규정이 없고, 토지보상법상 철회에 대한 규정이 없다. 이를 어떻게 이해하느냐에 따라 위법 여부가 달라진다. 다만 적법한 행정처분의 철회에 대해서는 일반적인 규정이 행정기본법 제19조에 명문화되었다.

(2) 학설

① 상대방에게 부담적 행정행위로 전환되어 법률유보원칙이 적용된다는 근거필요설과, ② 공익적합성에 대한 요청 등을 고려하는 근거불요설이 있다.

(3) 판례

원래의 처분을 그대로 존속시킬 필요가 없게 된 사정변경 또는 중대한 공익상의 필요가 발생한 경우에는 철회할 수 있다고 하여 불요설을 취한다.

(4) 검토

각 학설은 일면의 타당성을 지닌다. 기본권 보장측면에서 법률유보원칙이 관철되어야 함이 원칙이나, 모든 철회사유를 입법하기가 힘들고 탄력적인 행정수행을 위해 근거 불요설이 타당하다. 따라서 철회의 법적 근거가 없어도 철회는 가능하다. 다만, 근거 필요설에 따르면 법률유보원칙에 반하게 된다.

3. 철회사유 해당 여부

(1) 철회사유

철회사유에는 철회권 유보, 귀책사유, 사정변경, 중대한 공익상의 필요 등이 있다.

(2) 사안의 경우

사안에서는 폐기물처리시설 건설이라는 새로운 공익적 요청에 따른 것으로 이는 사정 변경으로 인한 중대한 공익상 필요에 해당된다.

4. 철회권의 제한법리

(1) 문제점

수익적 행정행위 철회는 상대방의 신뢰와 법적안정성을 해할 우려가 있는바, 일정한 제약이 따르게 된다.

(2) 신뢰보호원칙의 위반 여부

① **신뢰보호원칙의 의의**(행정절차법 제4조) : 국민이 행정기관의 어떤 결정의 정당성에 대해 신뢰한 경우에 그 신뢰가 보호받을 가치가 있는 한, 그 신뢰를 보호해 주어야 함을 말한다.

② **신뢰보호원칙 요건 해당 여부**
  ㉠ **요건** : 행정청의 선행조치, 선행조치에 대한 신뢰, 신뢰의 보호가치성, 신뢰에 기인한 처리, 선행조치에 반하는 행정작용 등의 요건이 충족되어야 한다.
  ㉡ **사안의 경우** : 국토교통부장관의 사업인정이라는 선행작용이 있었고 그에 대한 사업시행자의 귀책사유는 없어 보이며 사업조서를 작성하고 협의절차와 이행의 처리가 있었고 사업인정 취소라는 반대작용으로 요건에 충족한다.

③ **한계 위반 여부**
  ㉠ **한계** : 신뢰보호요건이 충족되는 경우라도 공익상의 필요 등과의 관련 제 이익을 비교 형량해야 한다.
  ㉡ **사안의 경우**
    첫째, 해당 지역에서는 생활기반시설 설치보다는 폐기물처리시설의 공익이 더 중대해 보인다는 점, 둘째, 사업시행조서작성과 협의절차 중에 있어 사업진행에 있어 초기 단계에 있는 점을 감안해 볼 때 침해되는 공익 또는 사익이 달성 되는 공익보다 작다고 판단됨에 따라 "신뢰보호의 원칙에 위배되지 않는다."고 보았다.

(3) 비례원칙의 위반 여부

① 비례원칙의 의의(헌법 제37조 제2항) : 행정작용에 있어서 행정목적과 행정수단 사이에 합리적인 비례관계가 있어야 한다는 원칙으로 적합성, 필요성, 상당성 원칙이 있다.

② 비례원칙 위반 여부 : 사업인정 철회는 공익실현에 적합하며, 철회 외에는 다른 수단이 없어 보이는바, 필요성의 원칙에 위배되지 않고 폐기물처리시설 건설이라는 공익이 상하수도시설 설치라는 공익과 사업시행자의 사익보다 더 크기 때문에 "비례원칙에 위배되지 않는다."고 보았다.

(4) 실권의 법리 위반 여부

행정청이 취소, 철회행사 기회가 있음에도 불구하고 장기간 불행사로 상대방이 권리 불행사할 것으로 신뢰한 경우 권리를 행사할 수 없는 법리로 사안에서는 실권의 법리가 적용될 여지가 없다.

5. 소결

철회는 국토교통부장관에 의해 발령되었고, 철회의 법적 근거는 없으나 사정변경 내지 중대한 공익상의 필요에 의한 철회사유에 해당되며, 철회권 제한법리에도 위배되지 않는바, 기각될 것이다. 다만, 사업시행자가 입은 재산상의 손실에 대해서는 당사자소송을 통하여 권리구제가 가능해 보이며, 이에 대한 손실보상규정이 없는바, "헌법 제23조 제3항의 효력논의"가 필요하다고 판단된다.

V. 사례의 해결

1. 사업인정은 행정행위에 해당되고, 사업인정 취소는 강학상 철회에 해당되며, 사업시행자의 권리·의무에 영향을 미치는 처분성이 있고, 공익적 판단에 의해 사업인정 취소를 행하는바, 재량행위에 해당된다고 보인다.

2. 사업인정 취소의 처분성에 따라 대상적격이 인정되며, 원고적격, 제소기간 등 소송요건에도 충족되어 소는 적법하다고 생각한다.

3. 철회의 법적 근거가 없더라도 철회는 가능하며, 철회사유는 사정변경 내지 중대한 공익상 필요로 보인다.
   또한, 신뢰보호원칙, 비례원칙, 실권의 법리에 위배되지 않는바, 사업인정 취소는 적법하다. 다만, 사업시행자의 철회로 인해 발생한 손실은 손실보상이 가능할 것으로 보이며, 보상규정은 없는바, 헌법 제23조 제3항의 효력논의가 필요하다고 생각된다.

4. 토지보상법상 사업인정 철회는 많은 이해당사자가 존재하는 중대한 행정작용으로 이에 따른 주민 공청회과정이나 주민 설명회과정을 거치는 입법이 정비된다면 훨씬 이해관계인들의 이해관계를 잘 조율할 수 있으리라 생각되며, 입법정책적으로도 사업인정 관련 불복규정들을 토지보상법에 정비하는 것이 타당하다고 생각된다.

8절	– 토지보상법 제20조(사업인정) – 행정법 쟁점 : 행정처분의 위법성 고찰

문제

정부는 일본 후쿠시마 원전 사고 이후 원자력 발전소의 위험을 인식하고 국민의 안전을 위한 취지로 '탈원전 정책'을 추진하였다. 이 결과 폐쇄된 노후 원자력 발전소에서 나온 핵폐기물에 대한 처리 방법이 문제가 되었다. 핵폐기물처리를 위하여 사업시행자 甲은 폐기물처리시설관련법에 따라 사업인정을 신청하였고, 국토교통부장관은 면밀히 법적, 사실적 상황을 검토한 후 사업인정을 발령하였다. 그런데 사업인정이 있은 후 폐기물처리시설의 위험성이 언론에 보도되었고, 이에 마을 주변에 폐기물처리시설이 들어서면 지가가 대폭적으로 하락하며 지역의 발전을 저해한다는 이유로 지역주민의 대대적인 집단시위가 벌어졌다. 또한 인근 주민들은 자신들의 주거권과 환경권이 심각하게 침해되고 있으므로 사업인정은 취소되어야 한다고 주장한다. 이에 국토교통부장관은 집단민원의 발생을 해결하기 위해서 사정변경 내지 공익상의 이유를 들어서 사업시행자 甲의 의사를 묻지도 않고 사업인정을 취소하였다. 이에 사업시행자 甲은 사업인정 취소의 위법을 주장할 수 있는지를 설명하시오. 40점

Ⅰ. 논점의 정리

Ⅱ. 관련 행정작용의 법적 성질
  1. 사업인정(토지보상법 제20조)
  2. 사업인정 취소
    (1) 취소와 철회의 의의 및 구별기준
    (2) 사안의 경우

Ⅲ. 내용상 하자유무 검토
  1. 개설
  2. 철회사유의 존재 여부
    (1) 철회사유
    (2) 사안의 경우
  3. 철회의 법적 근거 필요 여부
    (1) 문제점
    (2) 학설 및 판례
    (3) 검토 및 사안 적용
  4. 철회권 제한법리 위반 여부
    (1) 철회의 제한

    (2) 신뢰보호원칙 위반 여부
      ① 의의 및 근거
      ② 요건 및 한계
      ③ 사안의 경우
    (3) 비례원칙 위반 여부
      ① 의의 및 판단기준
      ② 사안의 경우
  5. 사안의 적용

Ⅳ. 절차상 하자유무 검토
  1. 개설
  2. 주체, 형식의 하자
  3. 절차하자
    (1) 의견청취 흠결의 위법성
    (2) 절차하자의 독자적 위법사유 인정 여부
    (3) 사안의 경우

Ⅴ. 사례의 해결

I   논점의 정리

사안은 국토교통부장관이 사업시행자 甲에게 한 사업인정을 인근 주민의 집단민원 등을 이유로 甲의 의견청취 없이 취소한 경우 甲이 주장할 수 있는 위법사유의 존재 여부를 묻고 있다.

1. 먼저 사업인정 및 사업인정 취소의 법적 성질을 검토하여 해당 취소가 직권취소인지 철회인지 판단한다.

2. 철회인 경우 내용상 하자유무와 관련하여 철회의 사유 및 법적 근거 요부, 철회권 제한법리를 검토하여 위법성을 판단한다.

3. 형식상 하자유무와 관련하여 주체, 형식의 하자검토 및 의견청취절차의 하자를 독자적 위법사유로 인정할 수 있는지 검토하여 위법성을 판단한다.

II   관련 행정작용의 법적 성질

1. 사업인정(토지보상법 제20조)

사업인정이란 국토교통부장관이 해당 사업의 공공성 및 수용가능성 여부를 제 이익형량을 거쳐 결정하는 형성적 행위로서 행정행위이며, 판례의 태도와 같이 재량행위로 봄이 타당하다.

2. 사업인정 취소

(1) 취소와 철회의 의의 및 구별기준

강학상 취소란 원시적 위법을 이유로 소급하여 행정행위의 효력을 상실시키는 것을 말하며, 철회란 적법하게 성립한 행정행위의 효력을 새로운 사정의 발생을 이유로 장래를 향하여 상실시키는 것으로 양자의 구별은 원시적 위법 여부로 판단한다. 다만, 최근에는 양자의 구별이 점차 상대화되는 경향이 있다.

(2) 사안의 경우

사안에서 사업인정 시 국토교통부장관은 면밀한 상황 검토를 거쳤는바, 원행정행위의 위법은 없는 것으로 보이므로, 해당 사업인정 취소는 새로운 사정을 이유로 한 것으로서 철회에 해당한다. 또한 사안에서 사업인정 철회 시 이익형량이 요구되는바, 재량행위로 판단한다.

III   내용상 하자유무 검토

1. 개설

사안의 사업인정은 행정행위에 해당하는 바, 甲이 그 위법을 주장하려면 행정행위에 주체, 절차, 형식, 내용의 하자가 있어야 한다. 먼저 내용상 하자로서 철회가 가능한지 검토해 보기로 한다.

2. 철회사유의 존재 여부

(1) 철회사유

철회의 사유로는 ① 원행정행위 이후의 새로운 법적·사실적 사정변경, ② 상대방의 사후의 법령위반, 의무위반 등, ③ 철회권 유보, ④ 기타 중대한 공익상 필요가 있는 경우 등이 있다.

(2) 사안의 경우

사안에서 폐기물처리시설의 위해성에 따른 지역주민들의 집단시위는 새로운 사실적 상황이라 볼 수 있고 중대한 공익상의 필요라 볼 수 있는바, 사업인정의 철회사유가 있다고 여겨진다.

3. 철회의 법적 근거 필요 여부

(1) 문제점

사업인정의 철회사유가 있다 하더라도 토지보상법에는 철회의 법적 근거가 없는바, 법률유보의 원칙상 이 경우에도 철회가 가능한지 문제된다. 따라서 이에 대한 학설 및 판례를 검토한다. 다만 적법한 행정처분의 철회에 대해서는 일반적인 규정이 행정기본법 제19조에 명문화되었다.

(2) 학설 및 판례

① 법적 근거불요설이 다수설이며, 원행정행위의 처분권에 철회권이 포함되어 있다고 보아 행정의 구체적 타당성을 그 논거로 제시한다. ② 반면 법적 근거필요설은 법치주의원칙상 행정의 법률유보 준수를 요구한다. ③ 절충설은 수익적 행정행위의 철회 시에는 법적 근거를 요한다고 한다. 한편, 판례는 법적 근거가 없더라도 사정변경 또는 중대한 공익상의 요청이 있는 경우에는 철회가 가능하다고 하였다.

(3) 검토 및 사안 적용

이론적으로 국민권익보호 측면에서 수익적 행정행위의 철회는 그 법률상 근거를 요한다고 봄이 타당하나, 현실적으로 철회의 일반법, 개별법적 근거가 부재한 우리나라의 현실과 행정의 탄력성 측면을 고려할 때 법적 근거 없이도 철회를 인정할 필요가 있다고 여겨진다. 따라서 사안에서 법적 근거 없이도 사업인정의 철회가 가능하다고 본다. 다만 제정된 행정기본법 제19조에서 일반적인 근거 규정을 두고 있어 이를 논거로 철회를 하면 될 것으로 본다.

4. 철회권 제한법리 위반 여부

(1) 철회의 제한

철회가 가능한 경우에도 법의 일반원칙에 반하는 경우 법우위의 원칙상 철회가 제한된다. 사안과 관련하여 사업시행자의 신뢰보호이익 및 폐기물처리시설의 공익, 지역주민들의 공익이 문제되는바, 신뢰보호원칙과 비례원칙 위반 여부를 검토한다.

(2) 신뢰보호원칙 위반 여부

① 의의 및 근거

신뢰보호원칙이란 행정기관의 적극적 또는 소극적 행위의 정당성 또는 존속성에 대한 개인의 보호가치 있는 신뢰를 보호해주는 원칙으로서 법적안정성의 원칙과 행정절차법 제4조 제2항을 그 근거로 한다.

② 요건 및 한계

㉠ 행정청의 신뢰를 주는 선행조치, ㉡ 상대방의 귀책사유 없는 보호가치 있는 신뢰, ㉢ 신뢰에 따른 상대방의 조치, ㉣ 행정청의 배신행위와 그에 따를 상대방의 권익침해, ㉤ 선행조치와 신뢰 간 상당인과관계의 존재를 그 요건으로 하며, 요건충족시에도 합법성의 원칙과 법적안정성 원칙과의 이익형량을 하여 후자가 더 큰 경우에만 그 위법이 인정된다.

> ➡ 행정기본법 제12조(신뢰보호의 원칙)
> ① 행정청은 공익 또는 제3자의 이익을 현저히 해칠 우려가 있는 경우를 제외하고는 행정에 대한 국민의 정당하고 합리적인 신뢰를 보호하여야 한다.

③ 사안의 경우

사안에서 국토교통부장관의 사업인정에 대해 사업시행자 甲은 귀책사유 없는 신뢰이익을 갖고 있으며, 그 취소로 인해 권익침해가 있는바, 신뢰보호이익이 있다고 판단된다. 다만 그 한계상 甲의 신뢰이익보다 다수 지역주민의 주거・환경권 등의 공익이 더 크다 여겨져 신뢰보호원칙 위반이라고 보기는 어렵다.

(3) 비례원칙 위반 여부

① 의의 및 판단기준

비례원칙이란 행정작용에 있어서 행정목적과 수단 사이에 합리적인 비례관계가 있어야 한다는 원칙을 말한다. 합리적 비례관계 여부는 적합성, 필요성, 상당성의 원칙으로 판단하는바, 이중 협의의 비례원칙으로서 상당성의 원칙은 행정조치에 따른 불이익(공・사익)이 그에 의해 달성되는 이익(공・사익)보다 심히 큰 경우에는 그 행정조치를 취해서는 안 된다는 원칙을 말한다.

> ➡ 행정기본법 제10조(비례의 원칙)
> 행정작용은 다음 각 호의 원칙에 따라야 한다.
> 1. 행정목적을 달성하는 데 유효하고 적절할 것
> 2. 행정목적을 달성하는 데 필요한 최소한도에 그칠 것
> 3. 행정작용으로 인한 국민의 이익 침해가 그 행정작용이 의도하는 공익보다 크지 아니할 것

② 사안의 경우

사안에서는 폐기물처리시설이라는 공익과 지역주민의 생활권 보호라는 공익의 이익형량이 요구되는바, 국가 전체적 관점에서 볼 때 폐기물처리시설의 공익이 크다 여겨져 이에 대한 사업인정 철회는 비례원칙에 위반된다고 판단된다.

5. 사안의 적용

상기와 같이 사업인정 철회는 그 제한법리로서 비례원칙에 위반되어 그 내용상 하자가 인정되며, 그 위법성 정도는 다수설, 판례인 중대명백설에 의할 때 명백하지 않아 취소사유라 여겨진다.

Ⅳ 절차상 하자유무 검토

1. 개설

행정행위의 하자 중 내용상 하자를 제외한 주체, 절차, 형식의 하자를 형식상 하자라 한다. 형식상 하자와 내용상 하자를 구별하는 실익은 취소소송에서 행정행위가 형식상 하자로 취소된 경우 행정청은 동일한 내용의 행정처분을 다시 내릴 수 있지만, 내용상 하자를 이유로 취소된 경우 취소판결의 기속력 때문에 동일한 행정처분을 내릴 수 없다는 데 있다. 따라서 이하에서는 甲이 내용상 하자를 주장하기 전에 형식상 하자만을 이유로 사업인정 철회의 위법을 다툴 수 있는지 검토한다.

2. 주체, 형식의 하자

철회는 그 성질상 새로운 처분을 하는 것과 같기 때문에 철회권자는 처분청만이 가능하다고 보아야 한다. 또한 그 형식은 행정절차법 제24조상 문서로 해아여 하며, 전자문서로 하는 경우에는 당사자의 동의가 있어야 한다. 사안의 경우 국토교통부장관은 사업인정의 처분청으로서 철회권자에 해당하고, 형식에 관해서는 별도 언급이 없는바, 하자가 없는 것으로 보인다.

3. 절차하자

(1) 의견청취 흠결의 위법성

행정절차법 제22조는 침익적 행정행위에 있어서는 개별법적 근거 없이도 의견청취를 해야 할 의무를 규정하고 있다. 따라서 사안의 경우 사업인정 철회는 수익적 행정행위의 취소로 침익적 행위인바, 철회 시 甲의 의견청취 흠결은 위법하다고 할 수 있다.

(2) 절차하자의 독자적 위법사유 인정 여부

의견청취 흠결은 절차하자에 해당하는바, 이를 이유로 해당 처분을 취소하더라도 다시 내용상 동일한 처분을 하게 되어 그 독자적 위법성을 인정할 것인지가 문제된다. 이에 대해 학설이 대립하나, 절차적 법치주의상 인정함이 다수설 및 판례의 태도이며, 행정소송법 제30조 제3항도 절차하자로 인한 취소를 규정한바, 이를 독자적 위법사유로 인정함이 타당하다고 여겨진다.

(3) 사안의 경우

사안의 의견청취 흠결은 절차하자로서 그 위법성이 인정되며, 그 정도는 중대하나 명백하지 않아 취소사유라 할 것이다. 따라서 甲은 내용상 하자를 제기하지 않고 형식상 하자만을 이유로도 사업인정 철회의 위법을 주장할 수 있다.

Ⅴ. 사례의 해결(내용상 하자의 강조)

1. 사업인정 취소는 원시적 하자 없는바, 강학상 철회에 해당한다.

2. 내용상 하자로서 사업인정 철회는 철회사유는 있으나 비례원칙상 이익형량의 위법이 있는바, 甲은 그 위법을 주장할 수 있다.

3. 형식상 하자로서 의견청취절차 흠결은 행정행위의 독자적 위법사유로 인정되는바, 甲은 그 위법을 주장할 수 있다. 다만 절차위법으로 취소 시 동일한 처분을 할 가능성이 큰바, 甲은 내용상 하자를 이유로 사업인정 취소의 위법을 다투는 것이 보다 유리할 것으로 판단된다.

9절	– 토지보상법 제20조(사업인정) – 행정법 쟁점 : 사업인정과 부관(13회 기출)

문제

공공아파트 건설을 위한 택지 기반시설 조성공사를 하고자 하는 사업시행자 甲은 국토교통부장관에게 사업인정을 신청하였다. 사업시행자 甲의 사업인정 신청에 대하여 국토교통부장관은 택지 기반 시설 조성사업 면적의 50%를 기반 시설 이외의 다른 목적을 가진 공공용지로 조성하여 기부채납 할 것을 조건으로 사업인정을 하였다. 사업시행자 甲은 당해 국토교통부 장관의 기부채납(50% 공공용지 기부채납) 부관의 내용이 너무 과다하여 수익성을 도저히 맞출 수 없다고 판단하고 취소소송을 제기하려 한다. 행정기본법에 부관이 새롭게 규정되어 있으며 국토교통부장관의 기부채납 부관에 대하여 사업시행자 甲은 독립하여 취소소송을 제기할 수 있는지에 여부와 행정기본법에 규정된 부당결부금지의 원칙 관점에서 해당 부관의 위법성을 설명하시오. **20점**

Ⅰ. 논점의 정리

Ⅱ. 관련 행정작용의 법적 성질
  1. 사업인정의 의의(재량행위인지)
    (1) 의의 및 성격
    (2) 재량행위인지
  2. 기부채납 조건(부관 중 부담인지)
    (1) 부관
    (2) 부관 중 부담인지

Ⅲ. 부관의 쟁송형태와 독립쟁송가능성
  1. 부관에 대한 쟁송형태
  2. 부관의 독립쟁송가능성
    (1) 학설
    (2) 판례
    (3) 검토

  3. 사안의 경우(기부채납 조건에 대한 취소소송제기의 적법성)

Ⅳ. 부관의 위법성 판단(본안판단)
  1. 기부채납 부관의 위법성 여부 및 위법성 정도
    (1) 부관의 가능성
    (2) 부관의 내용상 한계(부당결부금지원칙)
    (3) 위법성 정도
  2. 부관만의 독립취소 가능성
    (1) 학설
    (2) 판례
    (3) 검토
    (4) 사안의 경우

Ⅴ. 사례의 해결

Ⅰ 논점의 정리

국토교통부장관은 사업인정을 하면서 공공용지의 50%를 기부채납할 것을 조건으로 하였다. 사업시행자 甲은 부관의 내용이 너무 과함을 이유로 들어 부관만을 독립하여 취소시키고자 하는바, 부관에 대한 독립쟁송이 가능한지 살피고, 독립쟁송이 가능하다면 부당결부금지원칙의 관점에서 부관의 위법성을 검토하여 위법한 부관만을 독립적으로 취소할 수 있는지 검토한다.

Ⅱ 관련 행정작용의 법적 성질

1. 사업인정의 의의(재량행위인지)

(1) 의의 및 성격

사업인정이라 함은 일정한 절차를 거칠 것을 조건으로 하여 국토교통부장관이 사업시행자에게 수용권을 설정하는 행위로서, 토지보상법이 공공복리의 증진을 목적으로 하며(법 제1조), 국토교통부장관이 공익성을 판단하여 사업시행자에게 수용권을 설정하여 준다는 점에 비추어 강학상 특허라 판단된다. 또한 사업인정은 그 상대방에게 이익을 주는 행위이므로 수익적 행정행위이다.

(2) 재량행위인지

기속행위와 재량행위의 구별에 관하여 학설과 판례는 근거문언을 우선하고 근거문언이 불분명할 경우 해당 행위의 성질과 헌법상 기본권 등을 고려하여 판단한다. 사안의 경우 근거문언인 토지보상법 제20조로는 불분명하나, 사업인정은 강학상 특허로서 공공복리의 증진을 목적으로 하는바, 국토교통부장관에게 공익성 판단에 대한 재량을 부여한 것으로 볼 수 있다.

2. 기부채납 조건(부관 중 부담인지)

(1) 부관

부관에 대하여 ① 종래의 견해는 "행정행위의 부관은 행정행위의 일반적 효과를 제한하기 위하여 주된 의사표시에 붙여진 종된 의사표시"라 보았으나, ② 새로운 견해는 "행정행위의 효과를 제한 또는 보충, 새로운 의무를 부가하기 위하여 행정기관에 의하여 주된 행정행위에 부가되는 종된 규율"이라 보고 있다.

(2) 부관 중 부담인지

부담이란 행정행위의 주된 내용에 부가하여 그 행정행위의 상대방에게 작위, 부작위, 급부, 수인 등의 의무를 부과하는 부관을 말한다. 부담은 다른 부관과 달리 그 자체가 독립된 행정행위이다. 사안의 부관은 사업시행자에게 택지조성 면적의 50%를 기부채납하라는 작위의무를 부과한 것으로 볼 수 있어 부담으로 보는 것이 타당하다.

Ⅲ 부관의 쟁송형태와 독립쟁송가능성

1. 부관에 대한 쟁송형태

위법한 부관을 다투는 쟁송형태로는 학설상 논의되고 있는 것은 부관 그 자체에 대해 소를 제기하고 부관만의 위법성을 소송물로 보고 심리하는 진정일부취소소송, 부관부 행정행위 전체를 소의 대상으로 하고 부관자체의 위법만을 소송물로 보고 심리하는 부진정일부취소소송, 부관부 행정행위 전체를 소의 대상으로 하고 본안에서 부관부 행정행위 전체의 위법성을 소송물로 하는 전체 취소소송이 있다.

2. 부관의 독립쟁송가능성

(1) 학설

① 제1설은 부담은 독립하여 행정쟁송의 대상이 되나, 부담 이외의 부관의 경우 부종성을 이유로 독립하여 쟁송의 대상이 될 수 없다고 한다. 이 경우 부담에 관한 취소소송은 진정일부취소소송에 해당한다. ② 제2설은 소의 이익이 있는 한 처분성 연계와 관계없이 모든 부관에 대해 독립쟁송이 가능하다는 견해이다. 이 쟁송의 형태는 부진정일부취소소송에 해당한다. ③ 제3설은 소의 이익이 있는 한 모든 부관에 대하여 독립쟁송이 가능하고 이때 소의 형태는 부진정일부취소소송이라고 본다.

(2) 판례

부관 그 자체만을 독립된 쟁송의 대상으로 할 수 없는 것이 원칙이나 부담은 그 자체로서 행정소송의 대상이 될 수 있다고 판시하여 부관 중 부담만이 독립적으로 쟁송의 대상으로 할 수 있다는 다수설과 같은 견해를 취하고 있다.

(3) 검토

생각건대, 부담은 행정행위의 성격을 가지고 있으므로 그 자체로 취소소송의 대상이 될 수 있다고 보아 진정일부취소소송이 가능하며, 반면 기한이나 조건, 철회권유보 등은 그 자체로 처분의 성격을 갖지 않으므로 독립하여 취소소송을 제기할 수는 없고 부관부행정행위 전체를 그 대상으로 하여 그중 위법한 부관에 대해서만 취소를 구하는 부진정일부취소소송을 제기하면 될 것이다.

3. 사안의 경우(기부채납 조건에 대한 취소소송제기의 적법성)

사안에서 기부채납 조건은 부담에 해당하므로 부담만을 독립하여 취소소송의 대상으로 삼을 수 있고, 소송의 형태는 진정일부취소소송이 될 것이다. 또한 부담 취소소송에서 침익적 처분의 직접상대방인 사업시행자 甲은 당해 부담의 취소를 구할 법률상 이익이 인정되며, 기타 다른 소송요건도 문제의 취지상 모두 갖춘 것으로 전제한다.

Ⅳ 부관의 위법성 판단(본안판단)

1. 기부채납 부관의 위법성 여부 및 위법성 정도

(1) 부관의 가능성

판례는 행정청이 수익적 행정처분을 하면서 특별한 근거규정이 없더라도 그 부관으로 부담을 붙일 수 있다고 본다. 학설 역시 재량행위에는 법에 근거 없이도 부관을 붙일 수 있다고 본다. 사안에서 사업인정이 재량행위이므로 토지보상법상에 부관부착에 관한 명문의 근거 규정이 없이도 기부채납조건을 붙일 수 있다.

(2) 부관의 내용상 한계(부당결부금지원칙)

> ❯ 행정기본법 제13조 (부당결부금지의 원칙)
> 행정청은 행정작용을 할 때 상대방에게 해당 행정작용과 실질적인 관련이 없는 의무를 부과해서는 아니 된다.

1) 의의

부당결부금지의 원칙은, 행정작용을 함에 있어서 이와 실질적인 관련이 없는 상대방의 반대급부를 조건으로 하여서는 안 된다는 원칙을 말한다. 부당결부금지의 원칙은 현실적으로는 부관에 의해 행정행위에 반대급부를 결부시키는 경우와 행정상 새로운 의무이행 확보수단과 관련하여 주로 논의되고 있다.

2) 요건

행정기관의 권한행사가 있어야 하며, 권한행사와 반대급부가 결부 또는 의존되어 있어야 한다. 또한 권한행사와 반대급부 사이에는 실체적 관련성이 없어야 한다. 실체적 관련성이란 원인적 관련성과 목적적 관련성을 말한다. ㉠ 원인적 관련성이란 원인적 관련성이란 수익적 내용인 주된 행정행위와 불이익한 의무를 부과하는 부관 사이에 직접적인 인과관계가 있을 것을 요하는 것이다. ㉡ 목적적 관련성이란 행정기관은 부관을 부과함에 있어서 근거법률 및 당해 행정분야의 과업내용에 따라 허용되어지는 특정 목적만을 수행하여야 한다는 것을 의미한다. 예를 들어 식품위생법상 유흥주점허가를 발령하면서 식품위생법의 목적과 무관한 주차장확보부담을 부가하면 위법하게 된다.

3) 사안의 경우

사업인정과 결부된 기부채납조건은 사업인정의 목적을 실현하기 위하여 당해 기부채납이 필요한 것이 아니며, 토지보상법의 사업인정을 허용하는 목적과 취지에도 관련성이 없는바 사업인정과 기부채납조건은 실체적 관련성이 없어 부당결부 금지의 원칙에 위반되어 위법하다.

(3) 위법성 정도

중대명백설에 의하면 당해 부관은 일반원칙에 위배되어 중대한 하자이나, 일반인의 시각에서 명백한 하자라고 보기는 어려우므로 취소사유라고 본다. 판례 역시 주택사업과 무관한 토지를 기부채납하도록 하는 부관은 위법하지만 당연무효는 아니라고 보았다.

2. 부관만의 독립취소 가능성

2. 부관만의 독립취소 가능성

(1) 학설

① 기속행위에 부가된 부관은 그 부관만을 취소시킬 수 있으나, 재량행위의 경우에는 부관을 부가하지 않고는 행정청이 해당 행위를 하지 않았을 것으로 판단되는 경우에는 부관만의 취소는 인정되지 않는다는 견해이다. ② 부관이 주된 행정행위의 중요요소이면 전체를 취소하여야 하지 부관만을 취소할 수 없고, 중요요소가 아닌 경우에는 부관부분만을 취소가 가능하다는 견해이다. ③ 중요요소인지 아닌지, 기속행위인지 재량행위인지 구별하지 않고 부관에 하자가 있으면 법원은 부관부분만을 취소할 수 있다는 견해이다.

(2) 판례

판례는 부진정일부취소소송의 형태를 인정하고 있지 아니하고, 부담에 대해서만 진정일부취소소송을 인정하므로 부담에 대한 취소소송에서 부담이 위법하면 부담만을 독립적으로 취소 가능하다고 본다.

(3) 검토

생각건대, 행정청이 부관을 부가하지 않고는 행정청이 해당 행위를 하지 않았을 것으로 판단되는 경우에는 부관만의 취소는 인정되지 않는다고 보아야 한다. 국민의 권익구제와 행정목적 실현을 적절히 조화시키기 위하여 부관이 주된 행정행위의 본질적 부분인지에 따라 부관의 독립취소가능성을 판단하는 것이 타당하다고 본다.

(4) 사안의 경우

당해 기부채납 조건은 사업인정에 있어 본질적 부분이 아니므로 위법한 당해 부관은 독립적으로 취소의 대상이 된다. 따라서 甲은 기부채납 조건만을 대상으로 하여 당해 부관의 취소를 구하는 소송을 통해 권리구제를 도모할 수 있다.

V 사례의 해결

사안의 기부채납 조건은 사업시행자에게 기부채납을 하라는 작위의무를 부과하여 부담이며, 독립쟁송여부 논의를 통해 부담은 독립된 행정행위인바 독립쟁송이 가능하여 부담취소소송을 제기하면 될 것이다. 사안의 부관이 행정기본법 제13조 부당결부금지원칙 위반인지와 관련하여 사업인정과 기부채납조건이 실질적 관련성(원인적 관련성, 목적적 관련성)이 있어야 하는데, 사업인정과 결부된 기부채납조건은 사업인정의 목적을 실현하기 위하여 당해 기부채납이 필요한 것이 아니며, 토지보상법의 사업인정을 허용하는 목적과 취지에도 관련성이 없어 부당결부금지원칙에 위반된다. 또한 법 위반으로 중대하나 일반인의 견지에서 명백하지 않아 취소 정도의 하자를 갖는바, 甲은 당해 취소소송을 통해 권리구제를 받을 수 있다고 판단된다.

10절
– 토지보상법 제20조(사업인정)
– 행정법 쟁점 : 원고적격, 집행정지, 위법성 판단, 사정판결

문제

사업시행자 한국토지주택공사 甲은 「공공주택 특별법」에 따른 공공주택지구의 조성을 위하여 강제 수용의 필요성이 있어서 「공익사업을 위한 토지 등의 취득 및 보상에 관한 법률」에 의거하여 토지소유자 등과 성실히 협의를 하였으나 성립되지 않았다. 이에 사업시행자 甲은 공공주택 개발을 위해 불가피한 공용수용을 하기 위해 국토교통부장관에게 사업인정을 신청하였고 최근 국토교통부장관으로부터 공공주택지구 조성 개발 사업을 위한 사업인정을 받았다. 그러나 공공주택지구 조성 개발 사업구역의 인근 주민 乙은 "사업구역이 인근 주민들의 산책로 및 녹지공간으로 활용되고 있고, 주택 등의 수요공급에 의할 때 공공주택지구 개발이 필요한 지역이 아니라는 이유"로 사업인정에 대한 행정소송(취소소송)을 법원에 제기하였다. 다음 물음에 답하시오. 40점

(1) 사업인정의 의의 및 법적 성질에 대하여 설명하시오. 5점

(2) 인근 주민 乙은 행정소송법상 원고적격이 있는지 여부를 설명하시오. 10점

(3) 인근 주민 乙은 해당 사업인정이 위법하다고 주장하면서 행정소송을 제기하면서 집행정지를 신청하였는데 집행정지를 받을 수 있는지 여부와 행정법 일반원칙에 따라 그 위법성을 판단하고, 위법성의 정도에 대하여 설명하시오. 15점

(4) 해당 공익사업이 위법한 경우를 가정하더라도 공공복리로 인하여 사정판결을 받을 수 있는지 여부에 대하여 설명하시오. 5점

Ⅰ. 논점의 정리
Ⅱ. (물음 1) 사업인정의 의의 및 법적 성질
  1. 사업인정의 의의 및 취지(토지보상법 제20조)
  2. 사업인정의 법적 성질
    (1) 형성행위
    (2) 재량행위
    (3) 제3자효 행정행위
Ⅲ. (물음 2) 인근 주민의 원고적격 인정 여부
  1. 행정소송법 제12조
  2. 법률상 이익의 의미
    (1) 학설 및 판례
    (2) 검토
  3. 법률의 범위문제
  4. 사안의 경우

Ⅳ. (물음 3) 집행정지의 인용가능성 및 사업인정의 위법성
  1. 집행정지의 인용가능성
    (1) 집행부정지의 원칙
    (2) 집행정지의 개관
    (3) 사안의 경우
  2. 사업인정의 위법성 및 정도
    (1) 사업인정의 위법성 판단
    (2) 비례의 원칙 위반 여부
    (3) 위법성의 정도
Ⅴ. (물음 4) 사정판결의 가능성
  1. 의의(행정소송법 제28조)
  2. 요건
  3. 효과
  4. 사안의 경우
Ⅵ. 사안의 해결

Ⅰ 논점의 정리

사안의 해결을 위하여 공익사업을 위한 토지 등의 취득 및 보상에 관한 법률(이하 '토지보상법')상 사업인정의 의의 및 법적 성질에 대하여 검토하고, 소송요건으로서 인근 주민의 원고적용이 인정되는지를 살펴본 뒤, 행정소송법 제23조에서 규정하고 있는 집행정지의 요건을 충족하고 있는지와 사안의 사업인정의 위법성 및 그 정도에 대하여 검토한다. 또한 사업인정이 위법하더라고 공익성을 이유로 행정소송법 제28조에 따른 사정판결의 가능성에 대해서도 살펴보고자 한다.

Ⅱ (물음 1) 사업인정의 의의 및 법적 성질

1. 사업인정의 의의 및 취지(토지보상법 제20조)

사업인정이란 공익사업을 토지 등을 수용하거나 사용할 사업으로 결정하는 것을 말한다(토지보상법 제2조 제7호). 이는 사업시행자에게 수용권을 부여하고 이를 통해 공익사업의 원활한 진행을 도모하여 공공복리는 증진하는 취지에서 인정된다.

2. 사업인정의 법적 성질

(1) 형성행위

사업시행자에게 수용권을 부여하고 토지소유자 및 이해관계인에게 보전의무를 설정하는바, 국민권익에 직접적인 영향을 주는 형성행위로 처분성을 갖는다.

(2) 재량행위

토지보상법 제20조에서는 "사업인정을 받아야 한다"고 규정하고 있어 법문언의 표현이 불분명하다. 따라서 행위의 성질 및 기본권과의 관련성을 고려하여 판단해야 한다. 사업인정은 자연적 자유를 회복하여 기본권을 실현하는 의미의 학문상 허가가 아닌 새로운 권리의 설정 측면인 특허의 성질을 가지므로 재량행위에 해당한다.

(3) 제3자효 행정행위

사업인정은 해당 사업이 수용할 수 있는 사업임을 결정하는 행위로 차후에 수용재결을 통해서 피수용자의 토지 등의 권리를 사업시행자에게 넘겨주는 효과를 발생시키기 위한 첫 단계 행위이다. 따라서 사업인정의 상대방인 사업시행자에게 수익적 효과의 발생과 더불어 공용수용 법률관계의 타방인 피수용자에게 침익적 효과가 동시에 발생하므로 제3자효 행정행위에 해당한다.

Ⅲ (물음 2) 인근 주민의 원고적격 인정 여부

1. 행정소송법 제12조

행정소송법 제12조는 "취소소송은 처분 등의 취소를 구할 법률상 이익이 있는 자가 제기할 수 있다"고 규정하고 있다. 즉, 법률상 이익이 있는 자에게 원고적격이 인정되게 되는 바, 그 '법률상 이익'의 의미가 문제된다.

2. 법률상 이익의 의미

(1) 학설 및 판례

법률상 이익을 권리보호로 보는 '권리구제설', 처분의 근거법률 등에 의해 보호되는 이익으로 보는 '법률상 보호이익구제설', 소송에서 재판필요상 보호할 가치가 있는 이익으로 보는 '보호가치 있는 이익구제설', 행정통제 측면에서 접근하는 '적법성 보장설'이 있으며, 판례는 법률상 이익을 근거법률, 관계법률에 의해 보호되는 개별적, 직접적, 구체적 이익으로 보았다.

(2) 검토

생각건대 현행 행정소송제도에서 항고소송을 권리구제수단으로 보는 한 법률상 보호이익구제설이 타당하고 판단되며, 그렇다면 이때 '법률'의 범위를 어떻게 보아야 하는지가 문제된다.

3. 법률의 범위문제

(1) 판례와 다수설의 확대화 경향

판례는 처분의 근거법률 외에 관계법률, 나아가 환경영향평가법까지 '법률'에 포함시키며, 다수설은 더 나아가 헌법상 기본권, 일반사회법질서까지 확대하려는 경향이 있다. 최근 행정소송법 개정안에는 법률상 이익의 개념을 '법적으로 정당한 이익'으로 개정하여 그 범위를 넓히고 있는바 시사점이 크다 하겠다.

(2) 인근 주민의 법률상 이익 인정

판례는 연탄공장허가취소소송에서 근거법률 외에 관계법률도 법률의 범위에 포함시켰고, 국립공원개발사업승인 취소소송, 원전사업 승인취소소송 등에서는 환경영향평가법을 직접적인 근거법률 내지 관계법률로 보아 법률상 이익을 인정하였다.

4. 사안의 경우

사안의 인근 주민은 사업인정으로 환경적 침해를 받은바 헌법 기본권상 보호해야 할 법률상 이익을 지닌다 할 것이므로, 이를 근거법률 내지 관계법률로 보아 원고적격 인정이 가능하다. 따라서 乙의 원고적격이 인정된다 할 것이다.

판례

● 대판 1998.9.22, 97누19571[발전소건설사업승인처분취소]

[판시사항]

[1] 환경영향평가대상지역 안의 주민들이 그 대상사업인 전원개발사업실시계획승인처분과 관련하여 갖는 환경상 이익이 직접적·구체적 이익인지 여부(적극) 및 위 주민들에게 그 침해를 이유로 위 처분의 취소를 구할 원고적격이 있는지 여부(적극)

[2] 환경영향평가대상지역 밖의 주민 등의 환경상 이익 또는 전원개발사업구역 밖의 주민 등의 재산상 이익이 직접적·구체적 이익인지 여부(소극) 및 위 주민들에게 그 침해를 이유로 전원개발사업실시계획승인처분의 취소를 구할 원고적격이 있는지 여부(소극)

[3] 전원개발사업실시계획승인처분에 재량권의 일탈·남용이 없다고 본 사례

[판결요지]

[1] 전원개발사업실시계획승인처분의 근거 법률인 전원개발에 관한 특례법령, (구)환경보전법령, (구)환경정책기본법령 및 환경영향평가법령 등의 규정 취지는 환경영향평가대상사업에 해당하는 발전소건설사업이 환경을 해치지 아니하는 방법으로 시행되도록 함으로써 당해 사업과 관련된 환경공익을 보호하려는 데 그치는 것이 아니라 당해 사업으로 인하여 직접적이고 중대한 환경피해를 입으리라고 예상되는 환경영향평가대상지역 안의 주민들이 전과 비교하여 수인한도를 넘는 환경침해를 받지 아니하고 쾌적한 환경에서 생활할 수 있는 개별적 이익까지도 이를 보호하려는 데에 있으므로, 주민들이 위 승인처분과 관련하여 갖고 있는 위와 같은 환경상 이익은 단순히 환경공익 보호의 결과로서 국민 일반이 공통적으로 갖게 되는 추상적·평균적·일반적 이익에 그치지 아니하고 환경영향평가대상지역 안의 주민 개개인에 대하여 개별적으로 보호되는 직접적·구체적 이익이라고 보아야 하고, 따라서 위 사업으로 인하여 직접적이고 중대한 환경침해를 받게 되리라고 예상되는 환경영향평가대상지역 안의 주민에게는 위 승인처분의 취소를 구할 원고적격이 있다.

[2] 환경영향평가대상지역 밖의 주민·일반 국민·산악인·사진가·학자·환경보호단체 등의 환경상 이익이나 전원개발사업구역 밖의 주민 등의 재산상 이익에 대하여는 위 [1]항의 근거 법률에 이를 그들의 개별적·직접적·구체적 이익으로 보호하려는 내용 및 취지를 가지는 규정을 두고 있지 아니하므로, 이들에게는 위와 같은 이익 침해를 이유로 전원개발사업실시계획승인처분의 취소를 구할 원고적격이 없다.

Ⅳ (물음 3) 집행정지의 인용가능성 및 사업인정의 위법성

1. 집행정지의 인용가능성

(1) 집행부정지의 원칙

행정소송법 제23조 제1항에서는 취소소송의 제기는 처분 등의 효력이나 그 집행 또는 절차의 속행에 영향을 주지 아니한다고 규정하여 법적 안정성을 추구하고 있다.

(2) 집행정지의 개관

1) 의의 및 취지

취소소송이 제기된 경우 처분 등이나 그 집행 또는 절차의 속행으로 인해 회복하기 어려운 손해 등의 사유가 있는 경우 그 처분 등의 효력이나 절차의 속행의 전부 또는 일부의 정지를 결정할 수 있으며 이는 본안판결의 실효성을 확보하기 위하여 당사자의 권익을 임시적으로 보호하기 위함이며 행정소송법 제23조 제2항 단서에 근거한다.

2) 요건

① 적극적 요건

㉠ 정지대상인 처분 등이 존재할 것

행정소송법상 집행정지는 종전의 상태, 즉 원상을 회복하여 유지시키는 소극적인 것이므로 침해적 처분을 대상으로 한다.

㉡ 적법한 본안소송이 계속 중일 것

행정소송법상의 집행정지는 민사소송에서의 가처분과는 달리 적법한 본안소송이 계속 중일 것을 요하며, 계속된 본안소송은 소송요건을 갖춘 적법한 것이어야 한다.

㉢ 회복하기 어려운 손해

판례는 금전보상이 불가능하거나 사회통념상 참고 견디기가 현저히 곤란한 유·무형의 손해(적소는 요건 아님)와 중대한 경영상의 위기를(아람마트 사건) 회복하기 어려운 손해로 보고 있다. 이에 대한 소명책임은 신청인에게 있다.

㉣ 긴급한 필요의 존재

회복하기 어려운 손해의 발생이 절박하여 손해를 회피하기 위하여 본안판결을 기다릴 여유가 없을 것을 말한다(93두79).

② 소극적 요건

㉠ 공공복리에 중대한 영향이 없을 것

처분의 집행에 의해 신청인이 입을 손해와 집행정지에 의해 영향을 받을 공공복리 간 이익형향을 하여 공공복리에 중대한 영향을 미칠 우려가 없어야 한다(99무42).

㉡ 본안청구가 이유 없음이 명백하지 아니할 것

집행정지는 인용판결의 실효성을 확보하기 위하여 인정되는 것이며 행정의 원활한 수행을 보장하며 집행정지신청의 남용을 방지할 필요도 있으므로 본안청구가 이유 없음이 명백하지 아니할 것을 집행정지의 소극적 요건으로 하는 것이 타당하다는 것이 일반적 견해이며 판례도 이러한 입장을 취하고 있다(92두30).

3) 내용 및 효력

집행정지는 처분 등의 효력이나 그 집행의 정지, 절차의 속행의 전부 또는 일부의 정지를 내용으로 한다. 효력 정지란 처분의 효력이 존속하지 않는 상태로 되는 것이며 집행정지란 처분의 집행력을 박탈하여 그 내용을 실현하는 행위를 금지하는 것을 말한다. 한편, 집행의 정지나 절차의 속행정지로써 목적을 달성할 수 있는 경우는 집행정지는 허용되지 않는다 할 것이다. 집행정지의 효력으로 형성력은 집행정지로 인해 처분의 효력에는 영향을 미치지 않으나 처분이 없었던 원래상태와 같은 상태가 되며 위반하는 행위는 무효가 된다. 기속력은 당사자인 행정청과 그 밖의 관계 행정청을 구속하며, 시간적 효력은 처분의 발령시점으로 소급하는 것이 아니라 집행정지 결정 시점부터 발생한다.

(3) 사안의 경우

적극적 요건으로 취소소송이 계속 중이며, 정지의 대상이 되는 사업인정이라는 처분이 존재하며, 사업이 진행된다면, 인근 주민의 침해되는 환경권은 회복하기 어려운 손해에 해당한다고 판단되어 집행 정지를 해야 할 긴급한 필요가 있다고 인정된다. 또한, 소극적 요건으로 공공복리에 중대한 영향이 없으며, 본안 판단에 이유 없음이 명백하다고 볼 만한 사실관계도 없으므로 집행정지의 요건을 충족하여 집행정지가 가능하다고 판단된다.

> **판례**
>
> ● 대판 2003.4.25. 2003무2[집행정지]
>
> **[판시사항]**
>
> [1] 행정소송법 제23조 제2항 소정의 '회복하기 어려운 손해'의 의미
>
> [2] 당사자의 경제적 손실이나 기업 이미지 및 신용의 훼손으로 인한 손해가 '회복하기 어려운 손해'에 해당하기 위한 요건
>
> **[결정요지]**
>
> [1] 행정소송법 제23조 제2항에 정하고 있는 행정처분 등의 집행정지 요건인 '회복하기 어려운 손해'라 함은 특별한 사정이 없는 한 금전으로 보상할 수 없는 손해로서 이는 금전보상이 불능인 경우 내지는 금전보상으로는 사회관념상 행정처분을 받은 당사자가 참고 견딜 수 없거나 또는 참고 견디기가 곤란한 경우의 유형, 무형의 손해를 일컫는다.
>
> [2] 당사자가 행정처분 등이나 그 집행 또는 절차의 속행으로 인하여 재산상의 손해를 입거나 기업 이미지 및 신용이 훼손당하였다고 주장하는 경우에 그 손해가 금전으로 보상할 수 없어 '회복하기 어려운 손해'에 해당한다고 하기 위해서는, 그 경제적 손실이나 기업 이미지 및 신용의 훼손으로 인하여 사업자의 자금사정이나 경영 전반에 미치는 파급효과가 매우 중대하여 사업 자체를 계속할 수 없거나 중대한 경영상의 위기를 맞게 될 것으로 보이는 등의 사정이 존재하여야 한다.

● 집행정지결정 : 대법원 2020두34070 판결, 대법원 2021두40720 판결 – 제34회 3번 법규 기출문제에서 출제된 판례

대법원 2020.9.3. 선고 2020두34070 판결

[판시사항]

[1] 제재처분에 대한 행정쟁송절차에서 처분에 대해 집행정지결정이 이루어지고 본안에서 해당 처분이 최종적으로 적법한 것으로 확정되어 집행정지결정이 실효되고 제재처분을 다시 집행할 수 있게 된 경우 및 반대로 처분상대방이 집행정지결정을 받지 못했으나 본안소송에서 해당 제재처분이 위법하다는 것이 확인되어 취소하는 판결이 확정된 경우, 처분청이 취할 조치

[2] 중소기업제품 구매촉진 및 판로지원에 관한 법률에 따른 1차 직접생산확인 취소처분에 대하여 중소기업자가 제기한 취소소송절차에서 집행정지결정이 이루어졌다가 본안소송에서 중소기업자의 패소판결이 확정되어 집행정지가 실효되고 취소처분을 집행할 수 있게 되었으나 1차 취소처분 당시 유효기간이 남아 있었던 직접생산확인의 전부 또는 일부가 집행정지기간 중 유효기간이 모두 만료되고 집행정지기간 중 새로 받은 직접생산확인의 유효기간이 남아 있는 경우, 관할 행정청이 직접생산확인 취소 대상을 '1차 취소처분 당시' 유효기간이 남아 있었던 모든 제품에서 '1차 취소처분을 집행할 수 있게 된 시점 또는 그와 가까운 시점'을 기준으로 유효기간이 남아 있는 모든 제품으로 변경하는 처분을 할 수 있는지 여부(적극)

[판결요지]

[1] 집행정지결정의 효력은 결정 주문에서 정한 기간까지 존속하다가 그 기간이 만료되면 장래에 향하여 소멸한다. 집행정지결정은 처분의 집행으로 회복하기 어려운 손해를 예방하기 위하여 긴급한 필요가 있고 달리 공공복리에 중대한 영향을 미치지 않을 것을 요건으로 하여 본안판결이 있을 때까지 해당 처분의 집행을 잠정적으로 정지함으로써 위와 같은 손해를 예방하는 데 취지가 있으므로, 항고소송을 제기한 원고가 본안소송에서 패소확정판결을 받았더라도 집행정지결정의 효력이 소급하여 소멸하지 않는다.

그러나 제재처분에 대한 행정쟁송절차에서 처분에 대해 집행정지결정이 이루어졌더라도 본안에서 해당 처분이 최종적으로 적법한 것으로 확정되어 집행정지결정이 실효되고 제재처분을 다시 집행할 수 있게 되면, 처분청으로서는 당초 집행정지결정이 없었던 경우와 동등한 수준으로 해당 제재처분이 집행되도록 필요한 조치를 취하여야 한다. 집행정지는 행정쟁송절차에서 실효적 권리구제를 확보하기 위한 잠정적 조치일 뿐이므로, 본안 확정판결로 해당 제재처분이 적법하다는 점이 확인되었다면 제재처분의 상대방이 잠정적 집행정지를 통해 집행정지가 이루어지지 않은 경우와 비교하여 제재를 덜 받게 되는 결과가 초래되도록 해서는 안 된다. 반대로, 처분상대방이 집행정지결정을 받지 못했으나 본안소송에서 해당 제재처분이 위법하다는 것이 확인되어 취소하는 판결이 확정되면, 처분청은 그 제재처분으로 처분상대방에게 초래된 불이익한 결과를 제거하기 위하여 필요한 조치를 취하여야 한다.

[2] 직접생산확인을 받은 중소기업업자가 공공기관의 장과 납품 계약을 체결한 후 직접생산하지 않은 제품을 납품하였다. 관할 행정청은 중소기업제품 구매촉진 및 판로지원에 관한 법률 제11조 제3항에 따라 당시 유효기간이 남아 있는 중소기업자의 모든 제품에 대한 직접생산확인을 취소하는 1차 취소처분을 하였다. 중소기업자는 1차 취소처분에 대하여 취소소송을 제기하였고, 집행정지결정이 이루어졌다. 그러나 결국 중소기업자의 패소판결이 확정되어 집행정지가 실효되고, 취소처분을 집행할 수 있게 되었다. 그런데 1차 취소처분 당시 유효기간이 남아 있었던 직접생산확인의 전부 또는 일부는 집행정지기간 중 유효기간이 모두 만료되었고, 1차 취소처분 당시 유효기간이 남아 있었던 직접생산확인 제품 목록과 취소처분을 집행할 수 있게 된 시점에 유효기간이 남아 있는 직접생산확인 제품 목록은 다르다.

위와 같은 경우 관할 행정청은 1차 취소처분을 집행할 수 있게 된 시점으로부터 상당한 기간 내에 직접생산확인 취소 대상을 '1차 취소처분 당시' 유효기간이 남아 있었던 모든 제품에서 '1차 취소처분을 집행할 수 있게 된 시점 또는 그와 가까운 시점'을 기준으로 유효기간이 남아 있는 모든 제품으로 변경하는 처분을 할 수 있다. 이러한 변경처분은 중소기업자가 직접생산하지 않은 제품을 납품하였다는 점과 중소기업제품 구매촉진 및 판로지원에 관한 법률 제11조 제3항 중 제2항 제3호에 관한 부분을 각각 궁극적인 '처분하려는 원인이 되는 사실'과 '법적 근거'로 한다는 점에서 1차 취소처분과 동일하고, 제재의 실효성을 확보하기 위하여 직접생산확인 취소 대상만을 변경한 것이다.

대법원 2022.2.11. 선고 2021두40720[위반차량운행정지취소등]

[판시사항]

[1] 효력기간이 정해져 있는 제재적 행정처분에 대한 취소소송에서 법원이 본안소송의 판결 선고 시까지 집행정지결정을 한 경우, 처분에서 정해 둔 효력기간은 판결 선고 시까지 진행하지 않다가 선고된 때에 다시 진행하는지 여부(적극) / 처분에서 정해 둔 효력기간의 시기와 종기가 집행정지기간 중에 모두 경과한 경우에도 마찬가지인지 여부(적극) / 이러한 법리는 행정심판위원회가 행정심판법 제30조에 따라 집행정지결정을 한 경우에도 그대로 적용되는지 여부(적극)

[2] 효력기간이 정해져 있는 제재적 행정처분의 효력이 발생한 이후 행정청이 상대방에 대한 별도의 처분으로 효력기간의 시기와 종기를 다시 정할 수 있는지 여부(적극) / 위와 같은 후속 변경처분서에 당초 행정처분의 집행을 특정 소송사건의 판결 시까지 유예한다고 기재한 경우, 처분의 효력기간은 판결 선고 시까지 진행이 정지되었다가 선고되면 다시 진행하는지 여부(적극) / 당초의 제재적 행정처분에서 정한 효력기간이 경과한 후 동일한 사유로 다시 제재적 행정처분을 하는 것이 위법한 이중처분에 해당하는지 여부(적극)

[판결요지]

[1] 행정소송법 제23조에 따른 집행정지결정의 효력은 결정 주문에서 정한 종기까지 존속하고, 그 종기가 도래하면 당연히 소멸한다. 따라서 효력기간이 정해져 있는 제재적 행정처분에 대한 취소소송에서 법원이 본안소송의 판결 선고 시까지 집행정지결정을 하면,

처분에서 정해 둔 효력기간(집행정지결정 당시 이미 일부 집행되었다면 그 나머지 기간)은 판결 선고 시까지 진행하지 않다가 판결이 선고되면 그때 집행정지결정의 효력이 소멸함과 동시에 처분의 효력이 당연히 부활하여 처분에서 정한 효력기간이 다시 진행한다. 이는 처분에서 효력기간의 시기(시기)와 종기(종기)를 정해 두었는데, 그 시기와 종기가 집행정지기간 중에 모두 경과한 경우에도 특별한 사정이 없는 한 마찬가지이다. 이러한 법리는 행정심판위원회가 행정심판법 제30조에 따라 집행정지결정을 한 경우에도 그대로 적용된다. 행정심판위원회가 행정심판 청구 사건의 재결이 있을 때까지 처분의 집행을 정지한다고 결정한 경우에는, 재결서 정본이 청구인에게 송달된 때 재결의 효력이 발생하므로(행정심판법 제48조 제2항, 제1항 참조) 그때 집행정지결정의 효력이 소멸함과 동시에 처분의 효력이 부활한다.

[2] 효력기간이 정해져 있는 제재적 행정처분의 효력이 발생한 이후에도 행정청은 특별한 사정이 없는 한 상대방에 대한 별도의 처분으로써 효력기간의 시기와 종기를 다시 정할 수 있다. 이는 당초의 제재적 행정처분이 유효함을 전제로 그 구체적인 집행시기만을 변경하는 후속 변경처분이다. 이러한 후속 변경처분도 특별한 규정이 없는 한 의사표시에 관한 일반법리에 따라 상대방에게 고지되어야 효력이 발생한다. 위와 같은 후속 변경처분서에 효력기간의 시기와 종기를 다시 특정하는 대신 당초 제재적 행정처분의 집행을 특정 소송사건의 판결 시까지 유예한다고 기재되어 있다면, 처분의 효력기간은 원칙적으로 그 사건의 판결 선고 시까지 진행이 정지되었다가 판결이 선고되면 다시 진행된다. 다만 이러한 후속 변경처분 권한은 특별한 사정이 없는 한 당초의 제재적 행정처분의 효력이 유지되는 동안에만 인정된다. 당초의 제재적 행정처분에서 정한 효력기간이 경과하면 그로써 처분의 집행은 종료되어 처분의 효력이 소멸하는 것이므로(행정소송법 제12조 후문 참조), 그 후 동일한 사유로 다시 제재적 행정처분을 하는 것은 위법한 이중처분에 해당한다.

2. 사업인정의 위법성 및 정도

(1) 사업인정의 위법성 판단

사업인정은 토지 등을 수용 또는 사용할 수 있는 공익사업으로 결정하는 것을 의미하며, 공익 및 사익간의 개별적인 이익형량이 요구되는 재량행위에 해당한다. 따라서 사업인정이 적법하게 성립하기 위해서는 그 성립 및 발효요건인 주체, 내용, 절차, 형식면에서 하자가 없어야 하며 요건상에 흠이 있으면 하자 있는 사업인정이 된다.

(2) 비례의 원칙 위반 여부

1) 비례의 원칙

비례의 원칙이란 행정목적을 달성하는 데 있어 그 목적과 수단 사이에 일정한 비례관계가 유지되어야 한다는 것으로 과잉금지의 원칙이라고도 한다. 그 내용에는 행정작용이 그 목적달성에 적합한 수단이어야 한다는 적합성 원칙, 목적달성을 위한 행정작용은 필요 최소한의 범위 내에서만 허용된다는 필요성 원칙, 두 가지 요건이 모두 충족된 경우에도 다시 행정작용에 의한 침해되는 사익과 달성되는 공익 사이에 합리적인 비례관계가 있어야 한다는 상당성의 원칙이 있다.

> **❹ 행정기본법 제10조(비례의 원칙)**
> 행정작용은 다음 각 호의 원칙에 따라야 한다.
> 1. 행정목적을 달성하는 데 유효하고 적절할 것
> 2. 행정목적을 달성하는 데 필요한 최소한도에 그칠 것
> 3. 행정작용으로 인한 국민의 이익 침해가 그 행정작용이 의도하는 공익보다 크지 아니할 것

2) 사안의 경우

주택건설사업은 토지보상법 제4조 제5호의 공익사업이며 해당 사업의 목적달성을 위한 수단으로 甲소유의 토지는 적합한 수용목적물로 볼 수 있는바, 적합성의 원칙 및 필요성의 원칙에는 반하지 않는다. 하지만, 사안에서 해당 지역은 이미 녹지공간으로 활용되고 있으며, 굳이 개발사업이 필요한 지역이 아니므로 개발로 인한 이익실현보다 인근 주민의 이익침해가 더 큰바, 상당성의 원칙에 위배되어 위법한 사업인정이라고 판단된다.

(3) 위법성의 정도

설문에서 乙이 주장하는 바와 같이 사업인정의 위법성이 인정된다면 그 위법성의 정도가 무효인지 취소인지에 대해 통설 및 판례의 입장인 중대명백설에 의하면 비례의 원칙에 위반한 사업인정의 위법은 중대하나 명백한 하자로 볼 수 없으므로 취소사유라 할 것이다.

Ⅴ (물음 4) 사정판결의 가능성

1. 의의(행정소송법 제28조)

사정판결이란 원고의 청구가 이유 있다고 인정되는 경우에도 처분 등을 취소하는 것이 현저히 공공복리에 적합하지 아니하다고 인정하는 때에는 법원은 원고의 청구를 기각할 수 있는 판결을 말한다. 원고의 청구가 이유 있다고 인정되는 경우에는 청구를 인용하여야 할 것이지만 공익보호를 위해 기각판결을 하는 것이므로 법치주의에 대한 중대한 예외이다. 따라서 그 요건은 엄격히 해석되어야 한다.

2. 요건

사정판결을 하기 위해서는 본안심리 결과 우선 원고의 청구가 이유 있을 것, 즉 처분이 위법하여야 한다. 처분의 위법 여부는 처분시를 기준으로 판단한다. 또한 처분 등을 취소함이 현저히 공공복리에 적합하지 않아야 한다. 공공복리요건은 사익과 공공복리를 비교·형량하여 극히 불가피한 경우에 한하여 인정되어야 하며 이 공익성 요건은 변론종결시를 기준으로 판단한다. 또한 입증책임은 피고인 행정청이 부담하여야 함이 원칙이나 직권으로도 가능하다.

3. 효과

사정판결은 청구기각판결이므로 원고의 청구가 이유 있다 하더라도 원고의 청구는 기각되며 판결의 주문에 해당 처분 등이 위법임을 명시하여야 하고 원고의 청구가 사정판결로 기각되더라도 처분의 위법성 자체가 치유되는 것은 아니므로 그로 인한 손해를 전보하고 기타 손해발생을 예방하기 위해 재해시설의 설치 및 기타 구제방법이 강구되어야 할 것이다.

4. 사안의 경우

인근 주민 乙의 주장이 타당하여 사업인정이 위법하다 하더라도 주택건설 사업의 공익성을 생각한다면 사정판결 가능성을 배제할 수 없으며 요건 충족시 사정판결이 가능할 것이라고 판단된다. 이때, 乙은 사정판결로 인한 손해에 대하여 국가배상청구권 행사를 통해 권리구제를 받을 수 있을 것이다.

Ⅵ 사안의 해결

1. 설문 (1)의 경우 사업인정은 처분이며, 특히 사업인정에 관련된 자들의 이익을 비례의 원칙에 따라 비교·교량하여야 하는 재량행위에 해당할 뿐만 아니라, 제3자에게도 영향을 미치는 제3자효 행정행위에 해당한다.

2. 설문 (2)의 경우 인근 주민에게는 헌법상 환경권에 따른 법률상 이익이 인정된다고 판단되어 행정소송법 제12조에 따른 원고적격이 인정된다고 판단된다.

3. 설문 (3)의 경우 집행정지의 요건을 충족하여 집행정지의 인용이 가능할 것으로 보이고, 사안의 사업인정은 비례의 원칙에 위반하여 위법하여 그 위법성의 정도는 취소사유라고 판단된다.

4. 설문 (4)의 경우 해당 사업인정이 위법하더라도 주택 건설 사업의 공공성을 생각한다면 사정판결의 가능성도 있다고 판단된다. 이때 사정판결로 인한 손해는 국가배상청구권 행사를 통해 권리구제를 받을 수 있을 것이라고 판단된다.

11절
- 토지보상법 제20조(사업인정)
- 행정법 쟁점 : 행정기본법 제10조(비례의 원칙에 의한 공공필요 판단)

문제

공익사업을 위한 토지 등의 취득 및 보상에 관한 법률에 따라 골프연습장을 하기 위하여 사업시행자 甲은 많은 악조건에서도 사업인정을 받아 공익사업을 추진코자 하였다. 그러나 위 사실관계를 볼 때 사업시행자 甲이 임대차로 확보한 토지에 대하여 학교법인 乙이 해당 사건 토지 인도 및 그 지상건물 철거소송을 제기하였고, 이에 대하여 甲은 이 사건 토지에 대한 협의매수를 시도하다가 여의치 않자 2025.11.27. 중앙토지수용위원회에 대하여 이 사건 토지에 대한 수용재결을 신청하여 중앙토지수용위원회의 재결까지 받았다. 다음 물음에 답하시오. 40점 (해당 문제는 대법원 2011.1.27, 2009두1051 판결[토지수용재결처분취소]을 기초로 함)

(1) 사업인정기관이 공익사업을 위한 토지 등의 취득 및 보상에 관한 법률상의 사업인정을 하기 위한 4가지 요건을 설명하고 해당 사안이 사업인정을 받은 것은 적정한 것인지에 대하여 논하시오. 20점

(2) 사업시행자가 사업인정을 받은 후 그 사업이 공용수용을 할 만한 공익성을 상실하거나 사업인정에 관련된 자들의 이익이 현저히 비례의 원칙에 어긋나게 된 경우 또는 사업시행자가 해당 공익사업을 수행할 의사나 능력을 상실한 경우, 그 사업인정에 터잡아 수용권을 행사할 수 있는지 여부를 논하시오. 20점

Ⅰ. 논점의 정리

Ⅱ. (물음 1)
1. 헌법 제23조와 공용수용
2. 사업인정의 의의 및 취지
3. 사업인정의 법적 성질
4. 사업인정을 하기 위한 요건
   (1) 토지보상법 제4조의 공익사업에 해당될 것
   (2) 해당 사업의 공공성
   (3) 비례의 원칙에 의한 공공필요 판단
   (4) 사업시행자의 공익사업 수행 능력과 의사

5. 해당 사안의 사업인정의 적정성
   (1) 관련 판례의 태도
   (2) 검토 및 소결

Ⅲ. (물음 2)
1. 수용재결의 의의 및 취지(토지보상법 제34조)
2. 수용재결의 법적 성질
3. 수용재결의 요건
   (1) 수용재결의 절차 및 형식상 요건
   (2) 수용재결의 내용상 요건
      1) 관련 판례의 태도
      2) 검토
4. 소결

Ⅳ. 사안의 해결

I 논점의 정리

사안은 공익사업을 위한 토지 등의 취득 및 보상에 관한 법률(이하 '토지보상법')상 사업인정 이후 사업시행자의 재정상황이 악화되어 해당 사업을 수행할 능력을 상실한 상태가 되는 중대한 사정변경이 발생했음에도 불구하고, 이를 고려하지 않고 수용재결을 한 것에 위법이 있는지가 쟁점이다. 이하에서는 사업인정의 요건과 수용재결의 위법성에 대해 검토해보고자 한다.

II (물음 1)

1. 헌법 제23조와 공용수용

헌법 제23조는 "① 모든 국민의 재산권은 보장된다. 그 내용과 한계는 법률로 정한다. ② 재산권의 행사는 공공복리에 적합하도록 하여야 한다. ③ 공공필요에 의한 재산권의 수용·사용 또는 제한 및 그에 대한 보상은 법률로써 하되, 정당한 보상을 지급하여야 한다."라고 규정하고 있다. 이 규정의 근본취지는 우리 헌법이 사유재산제도의 보장이라는 기조 위에서 원칙적으로 모든 국민의 구체적 재산권의 자유로운 이용·수익·처분을 보장하면서 공공필요에 의한 재산권의 수용·사용 또는 제한은 헌법이 규정하는 요건을 갖춘 경우에만 예외적으로 허용한다는 것으로 해석된다. 이와 같은 우리 헌법의 재산권 보장에 관한 규정의 근본취지에 비추어 볼 때, 공공필요에 의한 재산권의 공권력적, 강제적 박탈을 의미하는 공용수용은 헌법상의 재산권 보장의 요청상 불가피한 최소한에 그쳐야 한다.

2. 사업인정의 의의 및 취지

사업인정이란 공익사업을 토지 등을 수용하거나 사용할 사업으로 결정하는 것을 말하며, 이는 행정청이 공공성을 개별적으로 판단하는 절차를 법정화함으로써 피수용자의 권리를 보호하고 수용행정의 적정화를 기함에 취지가 있다. 따라서 공용수용의 본격적인 절차 전에 재산권자의 사전적인 권리구제장치의 역할을 한다.

3. 사업인정의 법적 성질

국토교통부장관이 토지보상법 제20조에 따라서 사업인정을 함으로써 수용권이 설정되므로 이는 국민의 권리에 영향을 미치는 처분이다. 또한 사업시행자와 토지소유자에게 수익적, 침익적 효과를 동시에 발생시키는 바 제3자효 행정행위에 해당하며, 토지보상법 제20조 규정상 '받아야 한다'라고 규정하여 불명확하나, 국토교통부장관이 사업인정 시에 이해관계인의 의견청취를 거치고 사업과 관련된 제 이익과의 형량을 거치는 바 재량행위에 해당한다.

4. 사업인정을 하기 위한 요건

(1) 토지보상법 제4조의 공익사업에 해당될 것

공익사업이란 토지보상법 제4조 각 호의 어느 하나에 해당하는 사업을 말한다.

(2) 해당 사업의 공공성

공공성은 시대적 또는 정책적 불확정 개념으로서, 수용의 실질적 허용요건이자 본질적 제약요건이다. 이는 공익이라는 개념과 비례성을 포함하는 개념으로서, 일의적으로 해석할 수는 없으나 통상 공동체 전체를 위한 이익으로 볼 수 있다.

> **판례**
>
> ● 헌재 2014.10.30, 2011헌바129 · 172(병합)
>
> [판결요지]
> 헌법 제23조 제3항에서 규정하고 있는 '공공필요'는 "국민의 재산권을 그 의사에 반하여 강제적으로라도 취득해야 할 공익적 필요성"으로서, '공공필요'의 개념은 '공익성'과 '필요성'이라는 요소로 구성되어 있는바, '공익성'의 정도를 판단함에 있어서는 공용수용을 허용하고 있는 개별법의 입법목적, 사업내용, 사업이 입법목적에 이바지 하는 정도는 물론, 특히 그 사업이 대중을 상대로 하는 영업인 경우에는 그 사업 시설에 대한 대중의 이용·접근가능성도 아울러 고려하여야 한다. 그리고 '필요성'이 인정되기 위해서는 공용수용을 통하여 달성하려는 공익과 그로 인하여 재산권을 침해당하는 사인의 이익 사이의 형량에서 사인의 재산권침해를 정당화할 정도의 공익의 우월성이 인정되어야 하며, 사업시행자가 사인인 경우에는 그 사업시행으로 획득할 수 있는 공익이 현저히 해태되지 않도록 보장하는 제도적 규율도 갖추어져 있어야 한다. 그런데 이 사건에서 문제된 지구개발사업의 하나인 '관광휴양지 조성사업' 중에는 고급골프장, 고급리조트 등(이하 '고급골프장 등'이라 한다)의 사업과 같이 입법목적에 대한 기여도가 낮을 뿐만 아니라, 대중의 이용·접근가능성이 작아 공익성이 낮은 사업도 있다. 또한 고급골프장 등 사업은 그 특성상 사업 운영 과정에서 발생하는 지방세수 확보와 지역경제 활성화는 부수적인 공익일 뿐이고, 이 정도의 공익이 그 사업으로 인하여 강제수용당하는 주민들의 기본권 침해를 정당화할 정도로 우월하다고 볼 수는 없다.

(3) 비례의 원칙에 의한 공공필요 판단

공익사업을 위한 방안이 여러 개인 경우에 국민의 권익과 공익을 가정 적게 침해하는 방안을 채택할 필요가 있다. 다만, 사업인정을 함에 있어 필요한 최소한도의 범위 내로 사업시행지를 한정해야 한다는 의미의 필요성을 사업인정의 요건으로 드는 견해가 있고, 사업인정요건은 아니며 사업인정의 한계에 속하는 문제라는 견해도 있다.

> ↪ **행정기본법 제10조(비례의 원칙)**
> 행정작용은 다음 각 호의 원칙에 따라야 한다.
> 1. 행정목적을 달성하는 데 유효하고 적절할 것
> 2. 행정목적을 달성하는 데 필요한 최소한도에 그칠 것
> 3. 행정작용으로 인한 국민의 이익 침해가 그 행정작용이 의도하는 공익보다 크지 아니할 것

(4) 사업시행자의 공익사업 수행능력과 의사

해당 공익사업을 수행하여 공익을 실현할 의사나 능력이 없는 자에게 타인의 재산권을 강제적으로 박탈할 수 있는 수용권을 설정하여 줄 수는 없으므로, 사업시행자에게 해당 공익사업을 수행할 의사와 능력이 있어야 한다는 것도 사업인정의 한 요건이라고 보아야 한다.

> **판례**
>
> ● 대판 2011.1.27, 2009두1051[토지수용재결처분취소]
>
> [판결요지]
> 사업인정이란 공익사업을 토지 등을 수용 또는 사용할 사업으로 결정하는 것으로서 공익사업의 시행자에게 그 후 일정한 절차를 거칠 것을 조건으로 일정한 내용의 수용권을 설정하여 주는 형성행위이므로, 해당 사업이 외형상 토지 등을 수용 또는 사용할 수 있는 사업에 해당한다고 하더라도 사업인정기관으로서는 그 사업이 공용수용을 할 만한 공익성이 있는지의 여부와 공익성이 있는 경우에도 그 사업의 내용과 방법에 관하여 사업인정에 관련된 자들의 이익을 공익과 사익 사이에는 물론, 공익 상호 간 및 사익 상호 간에도 정당하게 비교·교량하여야 하고, 그 비교·교량은 비례의 원칙에 적합하도록 하여야 한다. 그뿐만 아니라 해당 공익사업을 수행하여 공익을 실현할 의사나 능력이 없는 자에게 타인의 재산권을 공권력적·강제적으로 박탈할 수 있는 수용권을 설정하여 줄 수는 없으므로, 사업시행자에게 해당 공익사업을 수행할 의사와 능력이 있어야 한다는 것도 사업인정의 한 요건이라고 보아야 한다.

5. 해당 사안의 사업인정의 적정성

(1) 관련 판례의 태도

> **판례**
>
> ● 부산고등법원 2008.12.5, 2008누1009[토지수용재결처분취소]
>
> [판결요지]
> (가) 먼저, 창원개발계획의 고시내용에 수용할 토지의 세목이 누락되었다는 점과 이 사건 사업인정을 함에 있어 원고 등 이해관계인의 의견을 듣지 아니하였다는 점에 관하여 보건대, 경상남도지사가 창원개발계획을 고시함에 있어 수용할 이 사건 토지의 세목을 고시내용에 포함하지 아니한 잘못이 있다 하더라도, 앞서 본 바와 같이 이 사건 사업인정고시에는 그 세목이 포함되어 있었으므로 그것이 사업인정 단계에서 다툴 수 있는 취소사유에 해당될 수 있는지 여부는 별론으로 하고 이 사건 사업인정을 무효로 할 중대하고 명백한 하자라고 보기 어려우며(대판 2000.10.13, 2000두5142 참조), 또한 사업인정 단계에서 이해관계인의 의견청취를 하지 아니하였다 하더라도 그것이 중대하고 명백한 하자에 해당한다고 볼 수 없으므로 사업인정 자체가 당연무효라고 할 수 없다(대판 1993.6.29, 91누2342 참조).
>
> (나) 다음으로, 소외 1이 창원개발계획에서 정한 사업시행자에 해당되지 아니함에도 경상남도지사가 그를 이 사건 골프연습장 조성사업시행자로 지정하였다는 점에 관하여 보건대, 위 사실관계에 나타난 바와 같이 이 사건 사업인정을 할 당시의 1999.5.6.자 창원개

발계획에는 사업시행자의 범위를 정함에 있어 체육시설의 사업시행자를 별도로 구분하여 명시하지 않았다가 2003.12.26.에 가서야 뒤늦게 체육시설을 포괄하는 기타시설 항목을 신설하면서 그 시행자의 범위에 소외 1이 해당될 수 있는 실수요자를 포함한 잘못은 있으나, 1999.5.6.자 창원개발계획에도 이 사건 골프연습장이 주요기반시설인 체육시설의 하나로 명시되어 있었던 점, 창원개발계획의 승인 및 변경에 관한 권한과 이 사건 사업인정에 관한 권한이 모두 경상남도지사에게 귀속되어 있으므로 경상남도지사가 창원개발계획에 정하지 아니한 자를 사업시행자로 지정하였다고 해서 그것이 권한 밖의 행위라고 단정하기 어려운 점, 추후 창원개발계획을 변경고시하여 소외 1과 같은 실수요자를 체육시설사업 시행자의 범위에 명시적으로 포함시킴으로써 당초의 하자가 어느 정도 치유되었다고 볼 여지가 있는 점 등을 종합하여 볼 때, 이러한 잘못도 이 사건 사업인정을 당연무효라고 볼 정도의 중대하고 명백한 하자에 해당한다고 보기 어렵다.

(2) 검토 및 소결

생각건대, 사업시행자로 丙을 지정할 당시 토지를 매입하거나 사용승낙을 받을 것을 조건으로 하였으며, 사업시행자는 피수용자 甲소유 토지에 관하여 임대차계약 및 사용승낙서를 받았으나, 실제 보증금과 차임은 전혀 지급하지 않는 사정 등을 고려하여 본다면, 해당 사업인정을 받은 것은 적절하지 못하다고 판단된다. 다만, 통설인 중대명백설에 따른다면, 이러한 사업인정의 하자는 중대하고 명백하여 당연무효라고 보기는 어려우므로, 취소사유에 해당한다고 판단된다.

Ⅲ (물음 2)

1. 수용재결의 의의 및 취지(토지보상법 제34조)

재결이란 사업인정의 고시가 있은 후 협의불성립 또는 불능의 경우에 사업시행자의 신청에 의해 관할 토지수용위원회가 행하는 공용수용의 종국적 절차로서, 침해되는 사익의 중대성을 감안하여 엄격한 형식과 절차규정을 두어 공용수용의 최종단계에서 공익과 사익의 조화를 이루기 위한 제도로서의 의미를 가지고 있다.

2. 수용재결의 법적 성질

재결의 본질이 수용권내용을 확정하고 그 실행의 완성에 있으므로 형성적인 행정처분에 해당한다. 또한, 신청인인 사업시행자 입장에서는 수익적 행정행위에 해당하나, 피수용자에게는 권리를 박탈하는 부담적 효과가 동시에 발생하므로 제3자효 행정행위에 해당하며, 수용목적의 필요성은 사업인정단계에서 판단하므로 토지수용위원회는 재결신청의 요건을 다 갖춘 경우에는 재결을 하여야 하는 기속성이 인정된다고 본다. 다만, 보상액에 관하여는 증액재결을 할 수 있다는 점에서 재량성을 갖는다고 본다.

3. 수용재결의 요건

(1) 수용재결의 절차 및 형식상 요건

토지보상법 제31조(열람), 제32조(심리), 제33조(화해의 권고), 제34조(재결), 제35조(재결기간)

(2) 수용재결의 내용상 요건

1) 관련 판례의 태도

> **판례**
>
> ● 대판 2011.1.27, 2009두1051[토지수용재결처분취소]
>
> [판결요지]
> 공용수용은 헌법상의 재산권 보장의 요청상 불가피한 최소한에 그쳐야 한다는 헌법 제23조의 근본취지에 비추어 볼 때, 사업시행자가 사업인정을 받은 후 그 사업이 공용수용을 할 만한 공익성을 상실하거나 사업인정에 관련된 자들의 이익이 현저히 비례의 원칙에 어긋나게 된 경우 또는 사업시행자가 해당 공익사업을 수행할 의사나 능력을 상실하였음에도 여전히 그 사업인정에 기하여 수용권을 행사하는 것은 수용권의 공익 목적에 반하는 수용권의 남용에 해당하여 허용되지 않는다.

2) 검토

판례는 사업인정 후 사정변경 등으로 사업인정 요건을 충족하지 못하게 된 경우에도, 여전히 그 사업인정에 기하여 수용권을 행사하는 것은 수용권의 남용에 해당한다고 판시하였다. 생각건대, 헌법 제23조의 입법취지를 고려할 때, 판례가 판시한 요건은 수용재결의 내용상 요건으로 판단된다.

4. 소결

사안의 경우는 사업지역에 관련된 여러 토지들이 경매절차가 개시되어 매각된 점, 토지의 수용에 필요한 보상금 등 제반 비용도 보조참가인으로부터 조달되었으며, 골프연습장은 일부 철거된 채 영업을 하지 못하고 있는 상태인 사실과 해당 토지는 학교법인의 기본재산으로서 장차 학교부지 등 교육목적으로 사용될 수 있을 것으로 보이는 점 등을 고려하여 본다면, 사업인정을 받은 이후 재정상황이 더욱 악화되어 수용재결 당시 이미 사업을 수행할 능력을 상실한 상태에 있다고 판단된다. 따라서 해당 토지에 관해 수용재결을 신청하여 재결을 받은 것은 수용권의 남용에 해당한다고 판단된다.

Ⅳ 사안의 해결

생각건대, 헌법 제23조의 취지를 고려해본다면, 사업시행자의 공익사업 수행능력과 의사도 사업인정의 한 요건이라고 보아야 하며, 만일, 사업인정 이후 재정상황의 악화로 사업수행능력을 상실하게 되었다면 이러한 수용권에 기하여 타인의 재산권을 강제로 박탈할 수 없다고 할 것이다. 즉, 판례의 태도에 따른다면 이 경우는 수용권의 남용에 해당하게 된다.

12절 토지보상법 제20조(사업인정)

문제

1970년대부터 비료산업을 선도해오던 甲회사는 회사 명의의 새로운 비료공장을 건설하고자 공장부지를 매입하려고 하였으나 여의치 않아 「공익사업을 위한 토지 등의 취득 및 보상에 관한 법률」상의 사업인정을 받았다. 그 후 협의가 성립되지 못하였고, 중앙토지수용위원회의 재결에 의하여 수용이 행하여졌다. 피수용자인 甲은 사기업이 비료공장을 짓기 위해 해당 토지를 수용하는 것은 위법하다고 주장하면서 이의신청을 하였지만 중앙토지수용위원회는 기각재결을 하였다. 다음 물음에 답하시오. 40점 (해당 문제는 대법원 2013.7.12. 2012두21796 판결에 기초함)

(1) 甲회사의 비료공장 건설사업에 대한 사업인정의 적법 여부를 설명하시오. 20점

(2) 위 사업인정이 위법하다고 인정되는 경우의 권익구제방법을 설명하시오. 20점

Ⅰ. 논점의 정리

Ⅱ. 사업인정의 개관
 1. 사업인정의 의의
 2. 사업인정의 법적 성질(토지보상법 제20조)
  (1) 설권적 형성행위인지 확인행위인지
  (2) 처분성 여부
  (3) 재량행위 여부
  (4) 제3자효 행정행위

Ⅲ. 사업인정의 적법 여부
 1. 개설
 2. 공공적 사용수용(사적공용수용)의 가능성
  (1) 사용수용의 의의 및 근거
  (2) 사용수용을 인정한 판례

  (3) 계속적 공익실현의 보장책
  (4) 사안의 경우
 3. 사업인정의 내용상 요건
  (1) 토지보상법 제4조상의 공익사업 인지
  (2) 공공필요의 판단
   ① 판단기준
   ② 사안의 경우
 4. 사안의 적용

Ⅳ. 위법한 사업인정에 대한 권익구제방법
 1. 사전적 구제방법
 2. 사후적 구제방법
  (1) 사업인정에 대한 행정쟁송
  (2) 재결에 대한 행정소송
  (3) 손해배상의 청구

Ⅴ. 사례의 해결

Ⅰ 논점의 정리

사안은 사기업인 甲회사가 비료공장 건설을 위해 사업인정 및 수용재결을 받았고, 이에 피수용자 甲이 이의신청을 하였으나 기각재결된 경우 사업인정의 적법 여부 및 위법할 경우의 권리구제를 묻고 있다.

1. 먼저 사업인정의 의의 및 법적 성질을 검토하고,
2. 사업인정의 적법 여부와 관련하여, 사기업이 수용을 할 수 있는지 공공적 사용수용의 가능성 검토 및 사업인정의 내용상 요건으로서 「공익사업을 위한 토지 등의 취득 및 보상에 관한 법률」(이하 '토지보상법') 제4조 해당 여부 및 공공필요성 여부를 검토한다.
3. 위법한 사업인정에 대한 권리구제방법으로서, 사업인정에 대해 항고쟁송으로 직접 다투는 방법과 수용재결에 대하여 하자승계 인정 시 소송으로 다투는 방법, 기타 손해배상청구 등의 수단을 살펴본다.

Ⅱ 사업인정의 개관

1. 사업인정의 의의(토지보상법 제20조)

사업인정이라 함은 수용의 1단계 절차로서 토지를 수용 또는 사용할 사업이 토지보상법 제4조 각 호에 해당함을 판단하고, 관계 제 이익의 정당한 형량과정을 거쳐 일정한 절차를 조건으로 일정한 내용의 수용권을 설정하는 국토교통부장관의 행정작용을 말한다.

2. 사업인정의 법적 성질

(1) 설권적 형성행위인지 확인행위인지

사업인정은 수용권의 주체를 누구로 보느냐에 따라 국가수용권설 입장에서는 확인행위에 불과하나, 사업시행자 수용권설 입장에서는 설권적 형성행위에 해당한다. 수용권이란 공용수용의 효과를 향유할 수 있는 능력이라 보는 것이 타당한바, 사업시행자를 수용권의 주체로 보는 설권적 형성행위설이 타당하다고 여겨진다.

(2) 처분성 여부

처분이라 함은 행정청이 행하는 구체적 사실에 관한 법집행으로서 공권력의 행사 또는 그 거부와 그 밖에 이에 준하는 행정작용을 말한다. 행정쟁송법상 취소쟁송은 처분 등을 대상으로 하는바, 사업인정은 국토교통부장관의 공권력 행사로서 설권적 형성행위인 강학상 특허이며, 처분으로서 소송대상이 된다.

(3) 재량행위 여부

재량행위인지 여부는 법규정 취지, 행위의 성질, 기본권 관련성으로 판단하는바, 사업인정은 그 행위의 성질상 이익형량이 요구된다는 점에서 재량행위로 판단되며, 판례도 재량행위라고 판시한 바 있다.

(4) 제3자효 행정행위

사업인정으로 사업시행자는 수용권의 수익적 효과를 받는 반면, 피수용자 또는 인근 주민의 권익침해가 가능한바, 제3자효 행정행위에 해당된다. 따라서 피수용자에게도 사업인정에 대하여 다툴 수 있는 원고적격이 인정된다.

Ⅲ 사업인정의 적법 여부

1. 개설

사안에서 甲회사에 대한 사업인정이 적법하려면 우선 수용의 주체로서 사기업에 의한 수용, 즉 공공적 사용수용이 가능한지 그 의의 및 근거, 관련 판례 등을 위주로 판단하여야 하며, 사업인정의 요건상 주체, 절차, 형식상 하자는 보이지 않는바, 해당 비료공장 건설사업이 사업인정을 할 만한 공공성이 있는 것인지 사업인정의 내용적 요건을 검토하여야 한다.

2. 공공적 사용수용(사적공용수용)의 가능성

(1) 사용수용의 의의 및 근거

사용수용이란 특정한 공익사업을 위하여 국가적 공권을 부여받은 사적주체가 특정 사인의 특정 재산권을 법률의 힘에 의해 보상을 조건으로 강제적으로 취득하는 것을 말하며, 이는 공익상의 필요, 공익사업의 증대, 민간활력의 도입, 공행정의 민간화 등을 위해 그 필요성이 인정된다. 사용수용은 공용수용과 같이 헌법 제23조 제3항에 의해 인정되며, 개별법상 근거로는 토지보상법 제4조 제5호, 동조 제4조 제8호 별표 사업 등 사회기반시설에 대한 민간투자법, 지역균형개발 및 지방중소기업 육성에 관한 법률 등이 있다.

(2) 사용수용을 인정한 판례

대법원은 공익사업인가의 여부는 그 사업 자체의 성질로 보아 그 사업의 공공성과 독점성을 인정할 수 있는가의 여부로써 정할 것이고, 그 사업주체에 따라 정할 성질이 아니라고 판시한 바 있다.

(3) 계속적 공익실현의 보장책

사기업은 이윤추구가 목적인바 사용수용을 인정한다고 하더라도 공익성을 계속적으로 실현할 수 있도록 보장하여야 한다. 이에 대한 보장책은 입법적 통제수단으로서 토지보상법 제91조의 환매권 및 제23조·제24조의 사업인정 효력상실제도가 있으며, 행정적 통제수단으로서 사업시행자에 대한 감독, 명령과 처분, 위반 시 벌칙, 사법적 통제수단으로서 위법한 사용수용에 대한 행정쟁송 및 보장책 미비 시 헌법소원 등이 있다.

(4) 사안의 경우

상기와 같이 사용수용은 헌법 및 개별법상의 근거를 갖고 있으며, 사업주체에 따라 수용 여부가 달라지는 것은 아니라고 판단되는바, 사기업인 甲회사도 수용의 주체로서 사업시행자가 될 수 있다. 다만, 수용의 내용으로서 해당 사업의 공공성이 인정되어야 수용이 가능한바 이하 사업인정의 내용상 요건으로 검토하여 보기로 한다.

3. 사업인정의 내용상 요건

(1) 토지보상법 제4조상의 공익사업인지

토지 등을 취득 또는 사용할 수 있는 사업은 토지보상법 제4조의 각호에 해당하는 사업이어야 한다. 그러나 사안의 비료공장 건설사업은 사기업인 甲이 자신 명의로 공장을 건설하는 것인바 토지보상법 제4조 제3호의 국가, 지방자치단체가 설치하는 공장에 해당하지 않으며, 다른 호의 규정에도 해당하지 않는바, 해당 사업인정은 토지보상법 제4조 요건에 위반한 사업인정이다.

(2) 공공필요의 판단

① 판단기준

공공필요란 대표적 불확정 개념으로서 시대상황에 따라 가변적이며, 그 판단은 광의의 비례 원칙에 의한다. 비례원칙이란 행정주체가 구체적 행정목적을 실현함에 있어 목적과 수단 간에 합리적 비례관계가 유지되어야 한다는 것으로서 적합성, 필요성(최소침해), 상당성(이익형량)의 단계적 심사구조에 의해서 판단한다.

② 사안의 경우

사안의 비료공장 건설사업은 토지보상법 제4조에 위반되어 적합성의 원칙에 위반되며, 상당성 원칙에 의한 이익형량에 있어서도 현 시점에서 비료, 제철산업 등 중공업의 국가적 공공성은 과거 80년대와 달리 인정되기 어려운바, 상당성 원칙에 위반된다 여겨진다. 실제로 비료산업에 대한 공익사업규정이 (구)토지수용법 제3조에는 존재하였으나, 2003년 토지보상법으로 통합제정되면서 공익사업규정에서 삭제되었다.

4. 사안의 적용

사안에서 사기업인 甲회사는 수용의 주체는 될 수 있으나, 그 시행하고자 하는 사업이 상기 검토한바와 같이 공공필요성이 인정되기 어려워 사업인정의 내용상 하자에 해당되는바, 해당 사업인정은 위법한 것으로 보이며 그 하자의 정도는 중대명백설에 의할 때 명백한 법규정 위반으로 무효라고 판단된다.

Ⅳ 위법한 사업인정에 대한 권익구제방법

1. 사전적 구제방법

사전적 구제란 위법·부당한 행정작용 등으로 인하여 권익침해가 발생하기 전에 이를 예방하는 제도적 장치를 말한다. 토지보상법에는 사업인정에 일정절차를 거치게 하고 있는바, 이해관계자의 의견청취 및 관계기관의 장과의 협의, 사업인정고시 시 통지 등의 사전구제절차를 두고 있으며 이는 사업인정의 위법성을 사전에 방지하는 역할을 한다.

2. 사후적 구제방법

(1) 사업인정에 대한 행정쟁송

토지보상법상 사업인정에 대한 불복규정을 두고 있지 않은바, 일반법인 행정심판법 및 행정소송법에 의하여 행정심판 및 행정소송을 제기할 수 있다. 사안의 경우 사업인정의 하자는 무효사유에 해당하는바, 무효등확인심판 및 무효등확인소송의 제기가 가능하며, 이는 제소기간의 제한을 받지 않는다.

(2) 재결에 대한 행정소송

사업인정의 위법이 있는 경우 재결에 대한 하자승계가 인정된다면 재결에 대한 항고소송도 가능할 것이다. 사안의 경우는 수용재결 후 이의신청에 대한 기각재결이 있었던 바, 이의신청은 특별행정심판에 해당하므로 행정소송법 제19조의 원처분주의에 의거 수용재결에 대하여 행정소송을 제기하여야 한다. 또한 사안에서 사업인정의 위법이 무효사유인바, 당연히 그 하자가 수용재결에도 승계된다고 볼 수 있어 甲은 재결에 대한 무효등확인소송으로도 권리구제를 받을 수 있을 것이다.

(3) 손해배상의 청구

국가배상법 제2조 제1항에 의해 국가나 지방자치단체는 공무원 또는 공무를 위탁받은 사인이 직무를 집행하면서 고의 또는 과실로 법령을 위반하여 타인에게 손해를 입히거나, 자동차손해배상보장법에 따라 손해배상의 책임이 있을 때에는 그 손해를 배상하여야 한다. 사안의 경우 위법한 사업인정으로 인하여 피수용자 甲이 재산권의 침해를 받았다면 이에 대한 손해배상을 청구할 수 있을 것이다.

V 사례의 해결

1. 사업인정은 설권적 형성행위로서 처분에 해당하고 재량행위 및 제3자효 행정행위인바, 이에 대하여 피수용자 甲은 행정쟁송으로 다툴 수 있다.

2. 사기업인 甲기업이 행한 사용수용은 수용권의 주체는 문제되지 않으나, 사업인정의 내용상 요건으로서 토지보상법 제4조에 해당되지 않아 명백한 법 규정 위반으로서 위법한 사업인정에 해당하며 그 위법성 정도는 무효사유로 볼 것이다.

3. 따라서 이에 대한 권익구제방법은 사전적 구제수단과, 사후적 구제수단으로서 사업인정에 대한 행정쟁송, 수용재결에 대한 행정소송, 손해배상청구 등이 가능한바, 甲은 이를 통하여 권리구제를 받을 수 있을 것으로 보인다.

※ (구)토지수용법과 (현)토지보상법상 공익사업규정의 비교

토지수용법	토지보상법
제3조(공익사업) 토지를 수용 또는 사용할 수 있는 사업은 다음 각 호의 1에 해당하는 사업이어야 한다. 1. 국방·군사에 관한 사업 2. 법률 또는 법률의 위임에 의하여 발하는 명령에 의하여 시설하는 철도, 궤도, 도로, 주차장, 삭도, 전용자동차도, 교량, 하천, 제방, 언제, 사방, 방풍, 방화, 방조, 방수, 운하, 관개 및 발전용수로, 저수지, 선거, 항만, 부두, 상수도, 하수도, 공중변소, 진애 및 오물처리장, 전기, 전기통신, 방송, 가스, 측후, 항공 및 항로표지에 관한 사업 3. 국가 또는 지방공공단체가 설치하는 청사, 공장, 연구소, 시험소, 보건 또는 문화시설, 공원, 광장, 운동장, 시장, 묘지, 화장장, 도살장, 기타 공공용시설에 관한 사업 4. 법률 또는 법률의 위임에 의하여 발하는 명령에 의하여 시설하는 사회교육이나 학예에 관한 사업 5. 국가 또는 지방공공단체 기타 국가 또는 지방공공단체가 지정한 자가 임대나 양도의 목적으로 시설하는 주택의 건설 또는 택지의 조성에 관한 사업 6. 제철, 비료 기타 대통령령의 정하는 중요산업에 관한 사업 7. 제1호 내지 제6호의1에 게기하는 사업의 시행을 위하여 필요한 통로, 교량, 전선로, 재료적치장 기타 부대시설에 관한 사업 8. 기타 다른 법률에 의하여 토지를 수용 또는 사용할 수 있는 사업	제4조(공익사업) 이 법에 따라 토지 등을 취득하거나 사용할 수 있는 사업은 다음 각 호의 어느 하나에 해당하는 사업이어야 한다. 1. 국방·군사에 관한 사업 2. 관계 법률에 따라 허가·인가·승인·지정 등을 받아 공익을 목적으로 시행하는 철도·도로·공항·항만·주차장·공영차고지·화물터미널·궤도(軌道)·하천·제방·댐·운하·수도·하수도·하수종말처리·폐수처리·사방(砂防)·방풍(防風)·방화(防火)·방조(防潮)·방수(防水)·저수지·용수로·배수로·석유비축·송유·폐기물처리·전기·전기통신·방송·가스 및 기상 관측에 관한 사업 3. 국가나 지방자치단체가 설치하는 청사·공장·연구소·시험소·보건시설·문화시설·공원·수목원·광장·운동장·시장·묘지·화장장·도축장 또는 그 밖의 공공용 시설에 관한 사업 4. 관계 법률에 따라 허가·인가·승인·지정 등을 받아 공익을 목적으로 시행하는 학교·도서관·박물관 및 미술관 건립에 관한 사업 5. 국가, 지방자치단체, 「공공기관의 운영에 관한 법률」 제4조에 따른 공공기관, 「지방공기업법」에 따른 지방공기업 또는 국가나 지방자치단체가 지정한 자가 임대나 양도의 목적으로 시행하는 주택 건설 또는 택지 및 산업단지 조성에 관한 사업 6. 제1호부터 제5호까지의 사업을 시행하기 위하여 필요한 통로, 교량, 전선로, 재료적치장 또는 그 밖의 부속시설에 관한 사업 7. 제1호부터 제5호까지의 사업을 시행하기 위하여 필요한 주택, 공장 등의 이주단지 조성에 관한 사업 8. 그 밖에 별표에 규정된 법률에 따라 토지 등을 수용하거나 사용할 수 있는 사업

13절
- 토지보상법 제21조(협의 및 의견청취 등)
- 행정법 쟁점 : 절차의 하자, 행정기본법 제10조(비례의 원칙)

문제

A 시장 甲은 1990년에 「자연공원법」에 의하여 A 시내 산지 일대 5 ㎢를 'X시립공원'으로 지정·고시한 다음, 1992년 X시립공원 구역을 구분하여 용도지구를 지정하는 내용의 'X시립공원 기본계획'을 결정·공고하였다. 甲은 2017년에 X시립공원 구역 내 10,000 ㎡ 부분에 다목적 광장 및 휴양관(이하 '이 사건 시설'이라 한다)을 설치하는 내용의 'X시립공원 공원계획'을 결정·고시한 다음, 2018년에 甲이 사업시행자가 되어 이 사건 시설에 잔디광장, 휴양관, 도로, 주차장을 설치하는 내용의 'X시립공원 공원사업'(이하 '이 사건 시설 조성사업'이라 한다) 시행계획을 결정·고시하였다. 甲은 이 사건 시설 조성사업의 시행을 위하여 그 사업구역 내에 위치한 토지(이하 '이 사건 B토지'라 한다)를 소유한 乙과 손실보상에 관한 협의를 진행하였으나 협의가 성립되지 않자 수용재결을 신청하였다. 관할 지방토지수용위원회의 수용재결 및 중앙토지수용위원회의 이의재결에 모두 이 사건 B토지의 손실보상금은 1990년의 X시립공원 지정 및 1992년의 X시립공원 용도지구 지정에 따른 계획제한을 받는 상태대로 감정평가 한 금액을 기초로 산정되었다. 다음 물음에 답하시오. 40점

(1) 「공익사업을 위한 토지 등의 취득 및 보상에 관한 법률」 제21조상 사업인정의제가 되더라도 반드시 중앙토지수용위원회와 공익성 협의(검토)를 하도록 규정하고 있는데, 공익성 협의(검토)에는 어떠한 내용을 검토해야 하고, 만약 위 사례에서 공익성 협의(검토)를 제대로 이행하지 않고 한 사업인정고시의 효력은 어떠한지를 설명하시오. 15점

(2) 乙이 위 사건에서 보상금증감청구소송을 제기하면 이 소송에서 이 사건 B토지에 대한 보상평가는 1990년의 X시립공원 지정·고시 이전을 기준으로 하여야 한다고 주장한다. 보상평가에서 공법상 제한받는 토지에 대한 乙의 주장은 타당한지를 설명하시오. 10점

(3) 한편, 丙이 소유하고 있는 토지(이하 '이 사건 C 토지'라 한다)는 「문화재보호법」상 보호구역으로 지정된 토지로서 이 사건 시설 조성사업의 시행을 위한 사업구역 내에 위치하고 있다. 甲은 공물인 이 사건 토지 C토지를 이 사건 시설 조성 사업의 시행을 위하여 수용할 수 있는가에 대하여 광평대군 묘역 관련 판례와 풍납토성 사건 판례를 토대로 설명하시오. 15점

(설문 1에 대하여)

Ⅰ　논점의 정리

'공익사업을 위한 토지 등의 취득 및 보상에 관한 법률(이하 '토지보상법')' 제21조에서는 사업인정을 하면서 협의 및 의견청취 절차 규정을 두고 있다. 이러한 절차에서는 사업의 공공성 및 수용의 필요성을 고려하도록 규정하고 있는 바, 이러한 구체적인 기준에 대해서 검토해보고자 한다. 또한, 사업인정 고시를 하면서 이러한 절차를 결여한 경우 절차상 하자로서 독자적 위법성이 인정되어 취소사유라고 볼 수 있는지에 대해서도 학설 및 판례를 활용하여 검토하고자 한다.

Ⅱ 토지보상법 제21조 공익성 검토기준

1. 관련 규정의 검토

토지보상법 제21조(협의 및 의견청취 등)

2. 형식적 검토기준

형식적 심사는 토지보상법 제4조상 토지수용이 가능한 사업인지 여부, 의견 수렴 및 사업시행절차의 준수여부 등 형식적 요건을 판단하는 과정이다. 이때, 토지수용사업에 해당하지 않는 경우에는 사업인정 신청을 반려하며 의견수렴절차와 사업시행절차를 이행하지 않은 경우에는 보완요구 등을 하게 된다.

3. 실질적 검토기준

실질적 심사는 헌법상 공공필요의 요건에 따라 토지수용사업의 공공성과 토지수용의 필요성으로 구분하여 공익성에 대한 실질적 내용을 판단하게 된다.

이때 판단기준으로 사업의 공공성은 ① 시행목적 공공성, ② 사업시행자 유형, ③ 목적 및 상위계획 부합여부, ④ 사업의 공공기여도, ⑤ 공익의 지속성, ⑥ 시설의 대중성을 가지고 평가한다. 수용의 필요성은 ① 피해의 최소성, ② 방법의 적절성, ③ 사업의 시급성, ④ 사업수행능력을 가지고 평가한다.

■ 토지보상법 제21조 중앙토지수용위원회의 공익성 협의(공익성 검토)

구분	평가항목		평가기준
형식적 심사	수용사업의 적격성		토지보상법 제4조 해당 여부
	사전절차의 적법성		사업시행 절차 준수 여부 의견수렴 절차 준수 여부
실질적 심사	사업의 공공성	시행목적 공공성	주된 시설 종류(국방·군사·필수기반, 생활 등 지원, 주택·산단 등 복합, 기타)
		사업시행자 유형	국가/지자체/공공기관/민간
			국가·지자체 출자비율
		목적 및 상위계획 부합여부	주된 시설과 입법목적 부합여부
			상위계획 내 사업 추진 여부
		사업의 공공기여도	기반시설(용지)비율
			지역균형기여도
		공익의 지속성	완공 후 소유권 귀속
			완공 후 관리주체
		시설의 대중성	시설의 개방성 : 이용자 제한 여부
			접근의 용이성 : 유료 여부 등

수용의 필요성	피해의 최소성	사익의 침해최소화	이주자 발생 및 기준 초과여부
			이주대책 수립
		공익의 침해최소화	보전지역 편입비율, 사회·경제·환경 피해
			(감점)중요공익시설 포함
	방법의 적절성		사전 토지 확보(취득/동의)비율
			사전협의 불가사유 (법적불능·보안규정 존재, 사실적 불능, 알박기 등)
			분쟁제기 여부
			대면협의 등 분쟁완화 노력
	사업의 시급성		공익실현을 위한 현저한 긴급성
			정부핵심과제
	★사업수행능력		사업재원 확보 비율
			보상업무 수행능력(민간, SPC)

Ⅲ 사업인정 고시의 효력

1. 사업인정고시의 의의 및 근거

사업인정고시란 국토교통부장관이 토지보상법 제20조에 따른 사업인정을 하였을 때 지체없이 그 뜻을 사업시행자, 토지소유자 및 관계인, 관계 시, 도지사에게 통지하고 사업시행자의 성명이나 명칭, 사업의 종류, 사업지역 및 수용하거나 사용할 토지의 세목을 관보에 고시하는 것을 말한다. 사업인정고시도 사업인정과 함께 통일적으로 판단하여 특허로 보는 것이 타당하다. 사업인정고시는 토지보상법 제22조에 근거를 두고 있다. 이러한 공익성 검토를 결여한 사업인정고시는 절차상 하자에 해당하는 바, 이하 독자적 위법성과 하자의 정도에 대해서 검토해보고자 한다.

2. 공익성 검토를 결여한 사업인정고시가 취소사유인지 여부

(1) 절차상 하자의 독자적 위법성

1) 학설

① 적법절차 보장 관점에서 독자적 위법사유가 되며, 특히 행정소송법 제30조 제3항에서 절차하자로 인한 취소의 경우에도 기속력을 인정한다는 점을 논거로 하는 긍정설과 ② 절차는 수단에 불과하며, 적법한 절차를 거친 동일한 처분을 다시 받게 되어 행정경제상 불합리하다는 점을 논거로 하는 부정설이 대립한다. ③ 또한, 기속, 재량을 구분하는 절충설이 있다.

2) 판례

대법원은 ① 기속행위인 과세처분에서 이유부기하자를 ② 재량행위인 영업정지 처분에서 청문절차를 결여한 것은 절차적하자를 구성한다고 판시한 바 있다.

3) 검토

현행 행정소송법이 절차의 위법을 이유로 한 취소판결을 인정하고 있으므로(행정소송법 제30 조 제3항) 현행법상 부정설은 타당하지 않다. 행정기관의 절차 경시의 사고가 강한 현재의 상황하에서 절차의 하자를 독립된 취소사유로 봄으로써 절차 중시 행정을 유도하는 것이 타당 하므로 절차상 하자의 독자적 위법성을 인정하는 것이 타당하다고 판단된다.

(2) 절차상 하자가 취소사유인지 여부

통설인 중대명백설에 따른다면, 공익성 검토 절차는 사업인정에 있어 사전적인 권리구제기능 및 피수용자의 의견청취를 하는 취지에 비추어 본다면 해당 규정의 중요한 부분을 위반한 중 대한 하자에 해당한다. 하지만, 일반인의 관점에서 명백하다고는 볼 수 없으므로, 취소사유에 해당한다고 판단된다. 판례 역시도 원칙상 절차의 하자를 취소할 수 있는 하자로 본다.

판례

● 대판 1995.7.11, 94누4615 전원합의체[건설업영업정지처분무효확인]

[판시사항]

– 중략 –

다. 하자 있는 행정처분이 당연무효인지를 판별하는 기준

라. 처분권한의 근거 조례가 무효인 경우, 그 근거 규정에 기하여 한 행정처분이 당연무효인 지 여부

[판결요지]

가. 구 건설업법(1994.1.7.법률 제4724호로 개정되기 전의 것) 제57조 제1항, 같은 법 시행 령 제53조 제1항 제1호에 의하면 건설부장관의 권한에 속하는 같은 법 제50조 제2항 제3호 소정의 영업정지 등 처분권한은 서울특별시장·직할시장 또는 도지사에게 위임되 었을 뿐 시·도지사가 이를 구청장·시장·군수에게 재위임할 수 있는 근거규정은 없으 나, 정부조직법 제5조 제1항과 이에 기한 행정권한의 위임 및 위탁에 관한 규정 제4조에 재위임에 관한 일반적인 근거규정이 있으므로 시·도지사는 그 재위임에 관한 일반적인 규정에 따라 위임받은 위 처분권한을 구청장 등에게 재위임할 수 있다.

나. '가'항의 영업정지 등 처분에 관한 사무는 국가사무로서 지방자치단체의 장에게 위임된 이른바 기관위임사무에 해당하므로 시·도지사가 지방자치단체의 조례에 의하여 이를 구청장 등에게 재위임할 수는 없고 행정권한의 위임 및 위탁에 관한 규정 제4조에 의하 여 위임기관의 장의 승인을 얻은 후 지방자치단체의 장이 제정한 규칙이 정하는 바에 따 라 재위임하는 것만이 가능하다.

다. [다수의견] <u>하자 있는 행정처분이 당연무효가 되기 위하여는 그 하자가 법규의 중요한 부분을 위반한 중대한 것으로서 객관적으로 명백한 것이어야 하며 하자가 중대하고 명백 한 것인지 여부를 판별함에 있어서는 그 법규의 목적, 의미, 기능 등을 목적론적으로 고 찰함과 동시에 구체적 사안 자체의 특수성에 관하여도 합리적으로 고찰함을 요한다.</u>

[반대의견] 행정행위의 무효사유를 판단하는 기준으로서의 명백성은 행정처분의 법적 안정성 확보를 통하여 행정의 원활한 수행을 도모하는 한편 그 행정처분을 유효한 것으로 믿은 제3자나 공공의 신뢰를 보호하여야 할 필요가 있는 경우에 보충적으로 요구되는 것으로서, 그와 같은 필요가 없거나 하자가 워낙 중대하여 그와 같은 필요에 비하여 처분 상대방의 권익을 구제하고 위법한 결과를 시정할 필요가 훨씬 더 큰 경우라면 그 하자가 명백하지 않더라도 그와 같이 중대한 하자를 가진 행정처분은 당연무효라고 보아야 한다.

– 중략 –

판례

● 대판 2001.5.8, 2000두10212[시정명령등취소]

[판시사항]
구 독점규제 및 공정거래에 관한 법률 제49조 제3항 및 제52조 제1항 소정의 절차적 요건을 갖추지 못한 공정거래위원회의 시정조치 또는 과징금납부명령의 적법 여부(소극)

[판결요지]
구 독점규제 및 공정거래에 관한 법률(1999.2.5.법률 제5813호로 개정되기 전의 것) 제49조 제3항은 공정거래위원회로 하여금 법 위반사실에 대한 조사결과를 서면으로 당해 사건의 당사자에게 통지하도록 규정하고, 같은 법 제52조 제1항에 의하면 공정거래위원회가 같은 법 위반사항에 대하여 시정조치 또는 과징금납부명령을 하기 전에 당사자에게 의견을 진술할 기회를 주어야 하고, 같은 조 제2항은 당사자는 공정거래위원회 회의에 출석하여 그 의견을 진술하거나 필요한 자료를 제출할 수 있다고 규정하고 있는 한편, 같은 법 제55조의2의 위임에 따라 공정거래위원회가 같은 법 위반사건의 처리절차를 정하여 고시한 '공정거래위원회의 회의 운영 및 사건절차 등에 관한 규칙'(1998.10.1. 공정거래위원회 고시 제1998 – 10호)은 위 각 규정을 반영하여, 위반사항의 조사 및 심사를 담당하는 심사관은 피조사인에게 심사보고서상의 행위사실 및 심사관의 조치의견을 수락하는지 여부에 대하여 문서로 의견을 구하여야 하고(제28조 제1항), 사건이 회의에 상정되면, 피심인에게 심사보고서(조치의견은 제외)를 송부하면서 상당한 기간을 정하여 이에 대한 의견을 문서로 제출할 것을 통지하여야 하고(제29조 제6항), 심사보고서에 위반사실 등과 함께 피심인이 심사관의 조치의견을 수락하는지 여부를 기재하여 이를 회의에 제출하여야 하며(제26조, 제29조 제1항), 회의의 의장은 피심인의 의견서가 제출된 것을 원칙으로 하여 사건을 심의에 부의하고(제31조), 회의 개최 5일 전까지 피심인에게 서면으로 회의개최를 통지하여야 하며(제33조 제1항), 피심인은 회의에 출석하여 심사관의 심사보고서에 의한 심사결과 진술에 대하여 자신의 의견을 진술할 수 있고(제38조), 심의절차에서 질문권(제39조 제2항), 증거신청권(제41조 제1항)을 행사할 수 있으며, 의장은 심의를 종결하기 전에 피심인에게 최후진술권을 주어야 하는바(제43조 제2항), 이들 규정의 취지는 공정거래위원회의 시정조치 또는 과징금납부명령으로 말미

암아 불측의 피해를 받을 수 있는 당사자로 하여금 공정거래위원회의 심의에 출석하여 심사관의 심사결과에 대하여 방어권을 행사하는 것을 보장함으로써 심사절차의 적정을 기함과 아울러, 공정거래위원회로 하여금 적법한 심사절차를 거쳐 사실관계를 보다 구체적으로 파악하게 하여 신중하게 처분을 하게 하는 데 있다 할 것이므로, <u>같은 법 제49조 제3항, 제52조 제1항이 정하고 있는 절차적 요건을 갖추지 못한 공정거래위원회의 시정조치 또는 과징금납부명령은 설령 실체법적 사유를 갖추고 있다고 하더라도 위법하여 취소를 면할 수 없다.</u>

Ⅳ 사안의 해결

개정된 토지보상법 입법취지상, 의견청취 절차에서 형식적 기준과 실질적 기준을 활용하여 판단함으로써, 사전적인 권리구제수단으로서의 기능을 할 수 있도록 하여야 한다고 판단된다. 또한, 만일 사업인정 고시를 하면서 이러한 의견청취절차를 결여하거나 하자가 있는 경우에는 절차상 하자로서 독자적 위법성이 인정되어 취소사유에 해당되므로, 취소소송의 제기를 통하여 권리구제를 받을 수 있는 것으로 판단된다.

> **Tip** 강박사의 TIP(최근 기출문제)
> 1. 사업인정고시의 효과에 대하여 설명하시오(제23회 문제4).

(설문 2에 대하여)

Ⅰ 논점의 정리

乙은 보상평가 시 1990년 ×시립공원 지정 및 고시 이전을 기준으로 해야 한다고 주장한다. 토지보상법 제23조 공법상 제한과 관련하여 ×시립공원 지정 및 고시가 '×시립공원 공원사업'을 직접 목적으로 지정 및 고시되었는지를 검토한다.

Ⅱ 공법상 제한받는 토지의 의의 및 종류

1. 공법상 제한받는 토지의 의의 및 종류

공법상 제한받는 토지란 국토의 계획 및 이용에 관한 법률과 같은 관계법령에 의하여 토지의 각종 이용제한 및 규제 등을 받는 토지를 말한다. 이는 일반적 제한과 개별적 제한으로 나누어지게 되는데, 일반적 제한이란 제한을 가한 자체로서 그 목적이 완성되고 별도의 구체적인 사업의 시행이 필요하지 않은 제한사항으로 비침해적 또는 보존적 제한이라고도 한다. 반면, 개별적 제한의 경우는 구체적인 사업의 시행을 목적으로 하는 제한을 말한다.

2. 공법상 제한받는 토지의 평가방법

(1) 토지보상법 시행규칙 제23조

> ➲ **토지보상법 시행규칙 제23조(공법상 제한을 받는 토지의 평가)**
> ① 공법상 제한을 받는 토지에 대하여는 제한받는 상태대로 평가한다. 다만, 그 공법상 제한이 당해 공익사업의 시행을 직접 목적으로 하여 가하여진 경우에는 제한이 없는 상태를 상정하여 평가한다.
> ② 당해 공익사업의 시행을 직접 목적으로 하여 용도지역 또는 용도지구 등이 변경된 토지에 대하여는 변경되기 전의 용도지역 또는 용도지구 등을 기준으로 평가한다.

(2) 공법상 제한받는 토지의 평가 판례 유형

┌─ **판례**

● 대판 1992.3.13, 91누4324[토지수용재결처분취소]

[판시사항]

가. 수용재결단계에서 사업인정처분 자체의 위법을 이유로 재결의 취소를 구할 수 없는지 여부

나. 구 토지수용법(1989.4.1.법률 제4120호로 개정되기 전의 것) 제46조 제2항과 구 국토이용관리법 제29조 내지 제29조의6(1989.4.1.법률 제4120호로 각 삭제) 소정의 보상액 산정방법 및 기준지가에 관한 규정들이 헌법 제23조 제3항에서 규정한 정당보상의 원리에 반하는지 여부(소극)

다. 공법상 제한을 받는 수용대상토지의 보상액 평가 시 고려대상에서 배제하여야 할 공법상 제한의 범위

라. 당해 공공사업의 시행 이전에 도시계획법에 의한 개발제한구역 지정으로 인한 제한은 그대로 고려하고 공원용지 지정으로 인한 제한은 고려하지 아니한 상태로 수용대상토지의 보상액을 평가한 것이 정당하다고 한 사례

[판결요지]

가. 사업인정처분 자체의 위법은 사업인정단계에서 다투어야 하고 이미 그 쟁송기간이 도과한 수용재결단계에서는 사업인정처분이 당연무효라고 볼 만한 특단의 사정이 없는 한 그 위법을 이유로 재결의 취소를 구할 수는 없다.

나. 구 토지수용법(1989.4.1.법률 제4120호로 개정되기 전의 것) 제46조 제2항과 구 국토이용관리법 제29조 내지 제29조의6(1989.4.1.법률 제4120호로 각 삭제) 소정의 보상액의 산정방법 및 기준지가에 관한 규정들이 헌법 제23조 제3항에서 규정한 정당보상의 원리에 반한다고 할 수 없다.

다. 공법상 제한을 받는 수용대상토지의 보상액을 산정함에 있어서는 그 공법상의 제한이 당해 공공사업의 시행을 직접목적으로 하여 가하여진 경우는 물론 당초의 목적사업과

다른 목적의 공공사업에 편입수용되는 경우에도 그 제한을 받지 아니하는 상태대로 평가하여야 할 것인바, 이와 같이 공공용지의 취득 및 손실보상에 관한 특례법 시행규칙 제6조 제4항 소정의 "당해 사업을 직접목적으로 공법상 제한이 가해진 경우"를 확장해석하는 이유가 사업변경 내지 고의적인 사전제한 등으로 인한 토지소유자의 불이익을 방지하기 위한 것이라는 점에 비추어 볼 때 수용대상토지의 보상액 평가 시 고려대상에서 배제하여야 할 당해 공공사업과 다른 목적의 공공사업으로 인한 공법상 제한의 범위는 그 제한이 구체적인 사업의 시행을 필요로 하는 것에 한정된다고 할 것이다.

라. 당해 공공사업의 시행 이전에 이미 도시계획법에 의한 고시 등으로 이용제한이 가하여진 상태인 경우에는 그 제한이 도시계획법 제2장 제2절의 규정에 의한 지역, 지구, 구역 등의 지정 또는 변경으로 인한 제한의 경우 그 자체로 제한목적이 완성되는 일반적 계획제한으로 보고 그러한 제한을 받는 상태 그대로 재결 당시의 토지의 형태 및 이용상황 등에 따라 평가한 가격을 기준으로 적정한 보상가액을 정하여야 하고, 도시계획법 제2조 제1항 제1호 나목에 의한 시설의 설치, 정비, 개량에 관한 계획결정으로서 도로, 광장, 공원, 녹지 등으로 고시되거나, 같은 호 다목 소정의 각종 사업에 관한 계획결정이 고시됨으로 인한 제한의 경우 구체적 사업이 수반되는 개별적 계획제한으로 보아 그러한 제한이 없는 것으로 평가하여야 한다고 하여 수용대상토지에 대하여 당해 공공사업의 시행 이전에 개발제한구역 지정으로 인한 제한은 그대로 고려하고 공원용지 지정으로 인한 제한은 고려하지 아니한 상태로 보상액을 평가하였음이 정당하다고 한 사례

판례

● 대판 2018.1.25, 2017두61799[보상금증액]

[판시사항]

[1] 공법상 제한이 그 자체로 제한목적이 달성되는 일반적 계획제한으로서 구체적 도시계획사업과 직접 관련되지 아니한 때와 공법상 제한이 구체적 사업이 따르는 개별적 계획제한이거나, 일반적 계획제한에 해당하는 용도지역 등의 지정 또는 변경에 따른 제한이더라도 그 용도지역 등의 지정 또는 변경이 특정 공익사업의 시행을 위한 것일 때의 각 경우에 보상액 산정을 위한 토지의 평가 방법

[2] 수용대상 토지에 관하여 특정 시점에서 용도지역 등을 지정 또는 변경을 하지 않은 것이 특정 공익사업의 시행을 위한 것인 경우, 공익사업의 시행을 직접 목적으로 하는 제한으로 보아 용도지역 등의 지정 또는 변경이 이루어진 상태를 상정하여 토지가격을 평가해야 하는지 여부(적극) 및 특정 공익사업의 시행을 위하여 용도지역 등을 지정 또는 변경을 하지 않았다고 보기 위한 요건

[3] 2개 이상의 토지 등에 대한 감정평가 방법 및 예외적으로 일괄평가가 허용되는 경우인 2개 이상의 토지 등이 '용도상 불가분의 관계'에 있다는 의미

[판결요지]

[1] 공익사업을 위한 토지 등의 취득 및 보상에 관한 법률과 그 시행규칙의 관련 규정에 의하면, 공법상 제한을 받는 토지에 대한 보상액을 산정할 때에 해당 공법상 제한이 구 도시계획법(2002.2.4. 법률 제6655호 국토의 계획 및 이용에 관한 법률 부칙 제2조로 폐지) 등에 따른 용도지역·지구·구역(이하 '용도지역 등'이라고 한다)의 지정 또는 변경과 같이 그 자체로 제한목적이 달성되는 일반적 계획제한으로서 구체적 도시계획사업과 직접 관련되지 아니한 경우에는 그러한 제한을 받는 상태 그대로 평가하여야 한다. 반면 도로·공원 등 특정 도시계획시설의 설치를 위한 계획결정과 같이 구체적 사업이 따르는 개별적 계획제한이거나, 일반적 계획제한에 해당하는 용도지역 등의 지정 또는 변경에 따른 제한이더라도 그 용도지역 등의 지정 또는 변경이 특정 공익사업의 시행을 위한 것일 때에는, 그 공익사업의 시행을 직접 목적으로 하는 제한으로 보아 그 제한을 받지 아니하는 상태를 상정하여 평가하여야 한다.

[2] 어느 수용대상 토지에 관하여 특정 시점에서 용도지역·지구·구역(이하 '용도지역 등'이라고 한다)을 지정 또는 변경하지 않은 것이 특정 공익사업의 시행을 위한 것일 경우 이는 해당 공익사업의 시행을 직접 목적으로 하는 제한이라고 보아 용도지역 등의 지정 또는 변경이 이루어진 상태를 상정하여 토지가격을 평가하여야 한다. 여기에서 특정 공익사업의 시행을 위하여 용도지역 등을 지정 또는 변경하지 않았다고 볼 수 있으려면, 토지가 특정 공익사업에 제공된다는 사정을 배제할 경우 용도지역 등을 지정 또는 변경하지 않은 행위가 계획재량권의 일탈·남용에 해당함이 객관적으로 명백하여야만 한다.

[3] 2개 이상의 토지 등에 대한 감정평가는 개별평가를 원칙으로 하되, 예외적으로 2개 이상의 토지 등에 거래상 일체성 또는 용도상 불가분의 관계가 인정되는 경우에 일괄평가가 허용된다. 여기에서 '용도상 불가분의 관계'에 있다는 것은 일단의 토지로 이용되고 있는 상황이 사회적·경제적·행정적 측면에서 합리적이고 그 토지의 가치 형성적 측면에서도 타당하다고 인정되는 관계에 있는 경우를 뜻한다.

Ⅲ 공원지정고시 이전으로 평가해야 하는지 여부

1. 관련 규정의 검토(자연공원법 제19조)

↪ 자연공원법 제19조(공원사업의 시행 및 공원시설의 관리)

① 공법상 제한을 받는 토지에 대하여는 제한받는 상태대로 평가한다. 다만, 그 공법상 제한이 당해 공익사업의 시행을 직접 목적으로 하여 가하여진 경우에는 제한이 없는 상태를 상정하여 평가한다.

② 당해 공익사업의 시행을 직접 목적으로 하여 용도지역 또는 용도지구 등이 변경된 토지에 대하여는 변경되기 전의 용도지역 또는 용도지구 등을 기준으로 평가한다.

2. 관련 판례의 태도

판례는 "자연공원법의 입법 목적, 관련 규정들의 내용과 체계를 종합하면, 자연공원법에 의한 '자연공원 지정' 및 '공원용도지구계획에 따른 용도지구 지정'은, 그와 동시에 구체적인 공원시설을 설치 및 조성하는 내용의 '공원시설계획'이 이루어졌다는 특별한 사정이 없는 한, 그 이후에 별도의 '공원시설계획'에 의하여 시행 여부가 결정되는 구체적인 공원사업의 시행을 직접 목적으로 한 것이 아니므로 공익사업을 위한 토지 등의 취득 및 보상에 관한 법률 시행규칙 제23조 제1항 본문에서 정한 '일반적 계획제한'에 해당한다."고 판시한 바 있다.

3. 소결(해당 사안은 2018년도 ×시립공원 공원사업 시행계획을 결정 및 고시함)

1983.12.2. ×시립공원 지정 및 1987.9.7. ×시립공원 용도지구 지정과 동시에 이 사건 각 토지에 구체적인 공원시설을 설치 및 조성하겠다는 내용의 '공원시설계획'이 수립 및 결정된 바 없고, 그로부터 약 28년이 경과한 2015.5.20.에 이르러서야 비로소 ×시립공원 구역 전부가 아니라 그중 일부에 국한하여 이 사건 시설의 설치 및 조성을 위한 공원시설계획이 비로소 수립, 결정되었으므로, 1983.12.2. ×시립공원 지정 및 1987.9.7. 군립공원 용도지구 지정은 이 사건 시설 조성사업의 시행을 직접 목적으로 하는 것이 아닌 '일반적 계획제한'에 해당한다. 즉, 2018년에서야 ×시립공원 공원사업 시행계획을 결정, 고시가 됨으로써 1990년에 지정된 자연공원구역은 일반적 계획제한으로 보는 것이 타당하다고 판단된다.

> **판례**
>
> ● 대판 2019.9.25, 2019두34982[손실보상금]
>
> [판시사항]
> [1] 공법상 제한이 그 자체로 제한목적이 달성되는 일반적 계획제한으로서 구체적 도시계획사업과 직접 관련되지 아니한 때와 공법상 제한이 구체적 사업이 따르는 개별적 계획제한이거나, 일반적 계획제한에 해당하는 용도지역 등의 지정 또는 변경에 따른 제한이더라도 그 용도지역 등의 지정 또는 변경이 특정 공익사업의 시행을 위한 것일 때의 각 경우에 보상액 산정을 위한 토지의 평가 방법
> [2] 자연공원법에 의한 '자연공원 지정' 및 '공원용도지구계획에 따른 용도지구 지정'이 공익사업을 위한 토지 등의 취득 및 보상에 관한 법률 시행규칙 제23조 제1항 본문에서 정한 '일반적 계획제한'에 해당하는지 여부(원칙적 적극)
>
> [판결요지]
> [1] 공익사업을 위한 토지 등의 취득 및 보상에 관한 법률 제68조 제3항은 손실보상액의 산정 기준 등에 관하여 필요한 사항은 국토교통부령으로 정한다고 규정하고 있다. 그 위임에 따른 공익사업을 위한 토지 등의 취득 및 보상에 관한 법률 시행규칙 제23조는 "공법상 제한을 받는 토지에 대하여는 제한받는 상태대로 평가한다. 다만 그 공법상 제한이 당해 공익사업의 시행을 직접 목적으로 하여 가하여진 경우에는 제한이 없는 상태를 상정하여 평가한

다."(제1항), "당해 공익사업의 시행을 직접 목적으로 하여 용도지역 또는 용도지구 등이 변경된 토지에 대하여는 변경되기 전의 용도지역 또는 용도지구 등을 기준으로 평가한다." (제2항)라고 규정하고 있다.

따라서 공법상 제한을 받는 토지에 대한 보상액을 산정할 때에 해당 공법상 제한이 구 도시계획법(2002.2.4. 법률 제6655호 국토의 계획 및 이용에 관한 법률 부칙 제2조로 폐지)에 따른 용도지역·지구·구역의 지정 또는 변경과 같이 그 자체로 제한목적이 달성되는 일반적 계획제한으로서 구체적 도시계획사업과 직접 관련되지 아니한 경우에는 그러한 제한을 받는 상태 그대로 평가하여야 하고, 도로·공원 등 특정 도시계획시설의 설치를 위한 계획결정과 같이 구체적 사업이 따르는 개별적 계획제한이거나 일반적 계획제한에 해당하는 용도지역·지구·구역의 지정 또는 변경에 따른 제한이더라도 그 용도지역·지구·구역의 지정 또는 변경이 특정 공익사업의 시행을 위한 것일 때에는 당해 공익사업의 시행을 직접 목적으로 하는 제한으로 보아 위 제한을 받지 아니하는 상태를 상정하여 평가하여야 한다.

[2] 자연공원법은 자연공원의 지정·보전 및 관리에 관한 사항을 규정함으로써 자연생태계와 자연 및 문화경관 등을 보전하고 지속가능한 이용을 도모함을 목적으로 하며(제1조), 자연공원법에 의해 자연공원으로 지정되면 그 공원구역에서 건축행위, 경관을 해치거나 자연공원의 보전·관리에 지장을 줄 우려가 있는 건축물의 용도변경, 광물의 채굴, 개간이나 토지의 형질변경, 물건을 쌓아 두는 행위, 야생동물을 잡거나 가축을 놓아먹이는 행위, 나무를 베거나 야생식물을 채취하는 행위 등을 제한함으로써(제23조) 공원구역을 보전·관리하는 효과가 즉시 발생한다. 공원관리청은 자연공원 지정 후 공원용도지구계획과 공원시설계획이 포함된 '공원계획'을 결정·고시하여야 하고(제12조 내지 제17조), 이 공원계획에 연계하여 10년마다 공원별 공원보전·관리계획을 수립하여야 하지만(제17조의3), 공원시설을 설치·조성하는 내용의 공원사업(제2조 제9호)을 반드시 시행하여야 하는 것은 아니다. 공원관리청이 공원시설을 설치·조성하고자 하는 경우에는 자연공원 지정이나 공원용도지구 지정과는 별도로 '공원시설계획'을 수립하여 결정·고시한 다음, '공원사업 시행계획'을 결정·고시하여야 하고(제19조 제2항), 그 공원사업에 포함되는 토지와 정착물을 수용하여야 한다(제22조).

이와 같은 자연공원법의 입법 목적, 관련 규정들의 내용과 체계를 종합하면, 자연공원법에 의한 '자연공원 지정' 및 공원용도지구계획에 따른 용도지구 지정'은, 그와 동시에 구체적인 공원시설을 설치·조성하는 내용의 '공원시설계획'이 이루어졌다는 특별한 사정이 없는 한, 그 이후에 별도의 '공원시설계획'에 의하여 시행 여부가 결정되는 구체적인 공원사업의 시행을 직접 목적으로 한 것이 아니므로 공익사업을 위한 토지 등의 취득 및 보상에 관한 법률 시행규칙 제23조 제1항 본문에서 정한 '일반적 계획제한'에 해당한다.

Ⅳ 사안의 해결(乙 주장의 타당성)

설문상 1990년 ×시립공원 지정, 고시 당시 구체적인 공원시설계획이 이루어진 사실이 없는 바, 이는 일반적 계획제한으로서 지정의 시기적인 측면에서도 해당 사업과는 무관한 제한으로 판단되므로, 토지보상법 제23조에 따라 이를 반영하여 평가하여야 한다. 따라서 乙의 주장은 타당하지 않다고 판단된다.

> **Tip** 강박사의 TIP(공법상 제한 받는 토지의 최근 기출문제)
> : 제31회 문제1, 제28회 문제1, 제24회 문제1

(설문 3에 대하여)

Ⅰ 논점의 정리

甲이 공물인 C토지를 수용할 수 있는지가 문제된다. 토지보상법 제19조 제2항에서는 특별한 필요가 있는 경우에는 수용할 수 있다고 규정하고 있는 바, 이하 용도폐지 없이 공물이 수용가능한지 비례의 원칙을 통해 검토해보고자 한다.

Ⅱ 공물의 의의 및 취지

공물이란 국가, 지방자치단체 등의 행정주체에 의하여 직접 행정목적에 공용된 개개의 유체물을 말한다. 이는 공익성 확보를 위한다는 점에서 그 취지가 인정된다. 사안의 문화재는 문화재보호라는 행정목적을 위해 지정되었다는 점에서 공물에 해당한다고 판단된다.

Ⅲ 공물의 수용가능성

1. 관련 규정의 검토

토지보상법 제19조(토지 등의 수용 또는 사용)

2. 학설의 태도

(1) 긍정설

공물을 사용하고 있는 기존의 사업의 공익성보다 해당 공물을 수용하고자 하는 사업의 공익성이 큰 경우에 해당 공물에 대한 수용이 가능해지며, '공익사업에 수용되거나 사용되고 있는 토지 등'에는 공물도 포함된다고 한다. 즉, 용도폐지 선행 없이도 공물 수용이 가능하다고 보는 견해이다.

(2) 부정설

공물은 이미 공적 목적에 제공되고 있기 때문에, 먼저 공용폐지가 되지 않는 한 수용의 대상이 될 수 없다고 한다. 또한 토지보상법 제19조 제2항에서 말하는 특별한 경우란 명문의 규정이 있는 경우라고 한다.

3. 판례 및 검토 – 광평대군 묘역 판례

(구)토지보상법 제5조의 제한 이외의 토지에 관하여는 아무런 제한을 하지 않으므로 지방문화재로 지정된 토지와 관련하여 수용의 대상이 된다고 판시한 바 있다. 생각건대, 토지보상법 제19조의 규정 취지상, 특별한 필요가 있는 경우 별도의 용도폐지가 없이도 공물이 수용가능하다고 보는 것이 타당하다.

또한 풍납토성 판례에서도 "문화재보호법은 지방자치단체 또는 지방자치단체의 장에게 시·도지정문화재뿐 아니라 국가지정문화재에 대하여도 일정한 권한 또는 책무를 부여하고 있고, 문화재보호법에 해당 문화재의 지정권자만이 토지 등을 수용할 수 있다는 등의 제한을 두고 있지 않으므로, 국가지정문화재에 대하여 관리단체로 지정된 지방자치단체의 장은 문화재보호법 제83조 제1항 및 토지보상법에 따라 국가지정문화재나 그 보호구역에 있는 토지 등을 수용할 수 있다."라고 판시함으로써 공물의 수용가능성을 인정하고 있다.

> 판례
>
> ● 대판 1996.4.26, 95누13241[토지수용이의재결처분취소등]
>
> [판결요지]
> [1] 택지개발촉진법 제12조 제2항에 의하면 택지개발계획의 승인·고시가 있은 때에는 토지수용법 제14조 및 제16조의 규정에 의한 사업인정 및 사업인정의 고시가 있은 것으로 보도록 규정되어 있는바, 이와 같은 택지개발계획의 승인은 당해 사업이 택지개발촉진법상의 택지개발사업에 해당함을 인정하여 시행자가 그 후 일정한 절차를 거칠 것을 조건으로 하여 일정한 내용의 수용권을 설정해 주는 행정처분의 성격을 갖는 것이고, 그 승인고시의 효과는 수용할 목적물의 범위를 확정하고 수용권으로 하여금 목적물에 관한 현재 및 장래의 권리자에게 대항할 수 있는 일종의 공법상 권리로서의 효력을 발생시킨다고 할 것이므로 토지소유자로서는 선행처분인 건설부장관의 택지개발계획 승인단계에서 그 제척사유를 들어 쟁송하여야 하고, 그 제소기간이 도과한 후 수용재결이나 이의재결 단계에 있어서는 위 택지개발계획 승인처분에 명백하고 중대한 하자가 있어 당연무효라고 볼 특단의 사정이 없는 이상 그 위법 부당함을 이유로 재결의 취소를 구할 수는 없다.
> [2] 토지수용법은 제5조의 규정에 의한 제한 이외에는 수용의 대상이 되는 토지에 관하여 아무런 제한을 하지 아니하고 있을 뿐만 아니라, 토지수용법 제5조, 문화재보호법 제20조 제4호, 제58조 제1항, 부칙 제3조 제2항 등의 규정을 종합하면 구 문화재보호법(1982.12.31. 법률 제3644호로 전문 개정되기 전의 것) 제54조의2 제1항에 의하여 지방문화재로 지정된 토지가 수용의 대상이 될 수 없다고 볼 수는 없다.

● 대판 2019.2.28, 2017두71031[사업인정고시취소]

[판결요지]

[1] 사업인정이란 공익사업을 토지 등을 수용 또는 사용할 사업으로 결정하는 것으로서 공익사업의 시행자에게 그 후 일정한 절차를 거칠 것을 조건으로 일정한 내용의 수용권을 설정하여 주는 형성행위이다. 그러므로 해당 사업이 외형상 토지 등을 수용 또는 사용할 수 있는 사업에 해당하더라도 사업인정기관으로서는 그 사업이 공용수용을 할 만한 공익성이 있는지 여부와 공익성이 있는 경우에도 그 사업의 내용과 방법에 관하여 사업인정에 관련된 자들의 이익을 공익과 사익 사이에서는 물론, 공익 상호 간 및 사익 상호 간에도 정당하게 비교·교량하여야 하고, 비교·교량은 비례의 원칙에 적합하도록 하여야 한다.

[2] 문화재보호법은 관할 행정청에 문화재 보호를 위하여 일정한 행위의 금지나 제한, 시설의 설치나 장애물의 제거, 문화재 보존에 필요한 긴급한 조치 등 수용권보다 덜 침익적인 방법을 선택할 권한도 부여하고 있기는 하다. 그러나 문화재란 인위적이거나 자연적으로 형성된 국가적·민족적 또는 세계적 유산으로서 역사적·예술적·학술적 또는 경관적 가치가 큰 것을 말하는데(문화재보호법 제2조 제1항), 문화재의 보존·관리 및 활용은 원형 유지를 기본원칙으로 한다(문화재보호법 제3조). 그리고 문화재는 한번 훼손되면 회복이 곤란한 경우가 많을 뿐 아니라, 회복이 가능하더라도 막대한 비용과 시간이 소요되는 특성이 있다.

이러한 문화재의 보존을 위한 사업인정 등 처분에 대하여 재량권 일탈·남용 여부를 심사할 때에는, 위와 같은 문화재보호법의 내용 및 취지, 문화재의 특성, 사업인정 등 처분으로 인한 국민의 재산권 침해 정도 등을 종합하여 신중하게 판단하여야 한다.

구체적으로는 ① 우리 헌법이 "국가는 전통문화의 계승·발전과 민족문화의 창달에 노력하여야 한다."라고 규정하여(제9조), 국가에 전통문화 계승 등을 위하여 노력할 의무를 부여하고 있는 점, ② 문화재보호법은 이러한 헌법 이념에 근거하여 문화재의 보존·관리를 위한 국가와 지방자치단체의 책무를 구체적으로 정하는 한편, 국민에게도 문화재의 보존·관리를 위하여 국가와 지방자치단체의 시책에 적극 협조하도록 규정하고 있는 점(제4조), ③ 행정청이 문화재의 역사적·예술적·학술적 또는 경관적 가치와 원형의 보존이라는 목표를 추구하기 위하여 문화재보호법 등 관계 법령이 정하는 바에 따라 내린 전문적·기술적 판단은 특별히 다른 사정이 없는 한 이를 최대한 존중할 필요가 있는 점 등을 고려하여야 한다.

[3] 문화재보호법 제83조 제1항은 "문화재청장이나 지방자치단체의 장은 문화재의 보존·관리를 위하여 필요하면 지정문화재나 그 보호구역에 있는 토지, 건물, 입목(立木), 죽(竹), 그 밖의 공작물을 공익사업을 위한 토지 등의 취득 및 보상에 관한 법률(이하 '토지보상법'이라 한다)에 따라 수용(收用)하거나 사용할 수 있다."라고 규정하고 있다.

한편 국가는 문화재의 보존·관리 및 활용을 위한 종합적인 시책을 수립·추진하여야 하고, 지방자치단체는 국가의 시책과 지역적 특색을 고려하여 문화재의 보존·관리 및 활용을 위한 시책을 수립·추진하여야 하며(문화재보호법 제4조), 문화재청장은 국가지정문화재 관리를 위하여 지방자치단체 등을 관리단체로 지정할 수 있고(문화재보호법 제34

조), 지방자치단체의 장은 국가지정문화재와 역사문화환경 보존지역의 관리·보호를 위하여 필요하다고 인정하면 일정한 행위의 금지나 제한, 시설의 설치나 장애물의 제거, 문화재 보존에 필요한 긴급한 조치 등을 명할 수 있다(문화재보호법 제42조 제1항). 이와 같이 문화재보호법은 지방자치단체 또는 지방자치단체의 장에게 시·도지정문화재뿐 아니라 국가지정문화재에 대하여도 일정한 권한 또는 책무를 부여하고 있고, 문화재보호법에 해당 문화재의 지정권자만이 토지 등을 수용할 수 있다는 등의 제한을 두고 있지 않으므로, 국가지정문화재에 대하여 관리단체로 지정된 지방자치단체의 장은 문화재보호법 제83조 제1항 및 토지보상법에 따라 국가지정문화재나 그 보호구역에 있는 토지 등을 수용할 수 있다.

[4] 공익사업을 수행하여 공익을 실현할 의사나 능력이 없는 자에게 타인의 재산권을 공권력적·강제적으로 박탈할 수 있는 수용권을 설정하여 줄 수는 없으므로, 사업시행자에게 해당 공익사업을 수행할 의사와 능력이 있어야 한다는 것도 사업인정의 한 요건이라고 보아야 한다.

4. 비례의 원칙으로 수용가능성 검토

(1) 비례의 원칙의 의의 및 근거

비례의 원칙이란 행정작용에 있어서 행정목적과 행정수단 사이에는 합리적인 비례관계가 있어야 한다는 원칙을 말한다. 헌법 제37조 제2항 및 법치국가원칙으로부터 도출되는 법원칙이므로 헌법적 효력을 가지며, 이에 반하는 행정권 행사는 위법하다.

(2) 비례의 원칙의 요건

① 적합성의 원칙이란 행정은 추구하는 행정목적의 달성에 적합한 수단을 선택하여야 한다는 원칙을 말한다. ② 필요성의 원칙이란 적합한 수단이 여러 가지인 경우에 국민의 권리를 최소한으로 침해하는 수단을 선택하여야 한다는 원칙을 말한다. ③ 상당성의 원칙이란 행정조치를 취함에 따른 불이익이 그것에 의해 달성되는 이익보다 심히 큰 경우에는 그 행정조치를 취해서는 안된다는 원칙을 말하며, 각 원칙은 단계구조를 이룬다.

> ➋ 행정기본법 제10조(비례의 원칙)
> 행정작용은 다음 각 호의 원칙에 따라야 한다.
> 1. 행정목적을 달성하는 데 유효하고 적절할 것
> 2. 행정목적을 달성하는 데 필요한 최소한도에 그칠 것
> 3. 행정작용으로 인한 국민의 이익 침해가 그 행정작용이 의도하는 공익보다 크지 아니할 것

(3) 검토

비례의 원칙으로 단계적 심사 과정을 거쳐서 적합성의 원칙, 필요성의 원칙, 상당성의 원칙 등을 고려하여 실현되는 공익이 침해되는 공익보다 더 큰 경우, 또한 공익 간 충돌에서도 더 큰 합리성이 존재한다면 그 공익에 우선하여 더 큰 공익에 의하여 수용가능성이 인정된다고 보는 것이 타당하다고 본다.

Ⅳ 사안의 해결

생각건대, 공물의 수용가능성은 쟁점이 용도폐지를 선행하지 아니하고 공물을 수용할 수 있느냐가 핵심적 요소이다. 결국 이는 비례의 원칙으로서 단계적 심사과정을 거쳐서 판단해야 할 문제라고 할 수 있다. 토지보상법 제19조는 특별한 필요가 있는 경우에 수용을 할 수 있다고 규정하고 있어서 별도의 용도폐지에 대한 규정이 없이 더 큰 공익이 존재한다면 공익간 충돌에 있어서도 수용가능성의 길을 열어 논 것이라고 볼 수 있겠다. 광평대군 묘역 판례와 풍납토성 판례에 의할 때 일정한 공익적 요청이 큰 경우에는 용도폐지를 선행하지 않고 공물의 수용가능성이 인정된다고 할 것으로 판단된다.

> **Tip 강박사의 TIP(최근 기출문제)**
> 1. 공물인 이 사건 C토지를 이 사건 시설 조성사업의 시행을 위하여 수용할 수 있는지 여부(제31회 문제1)

14절 │ 토지보상법 제29조(협의 성립의 확인)

문제

한국토지주택공사는 국방·군사시설사업에 관한 법률에 따른 국방·군사시설사업인 특전사 부지 이전사업의 사업시행자이다. 이천시 마장면 양촌리 전 1,319㎡에 관하여 1956.6.30. 수원지방법원 이천등기소 접수 제750호로 대한민국 명의의 소유권보존등기가 마쳐져 있었고 향후 홍길동에게 이전등기 되어 있었다. 한국토지주택공사는 2009.8.6. 이 사건 사업의 부지에 포함된 이 사건 토지를 취득하기 위하여 그 등기명의자였던 홍길동과 사이에 협의를 성립시키고, 2009.8.26. 이를 원인으로 한 소유권이전등기를 마쳤다. 원고(이원수)는 2014.10.10. 서울중앙지방법원 2014가단209928호로 원고(이원수)의 부인(신사임당)로부터 이 사건 토지를 상속한 자신이 이 사건 토지의 진정한 소유자라고 주장하며 등기부상 명의인인 홍길동과 한국토지주택공사를 상대로 이 사건 보존등기 및 이 사건 이전등기의 말소를 구하는 소를 제기하였다. 이후 한국토지주택공사는 「공익사업을 위한 토지 등의 취득 및 보상에 관한 법률」(이하 '토지보상법'이라 한다) 제29조에 따라 이 사건 토지의 소유자로서 등기부상 명의인 홍길동의 동의를 받고 한국주택공사와 홍길동 사이의 매매계약서, 협의성립확인신청 동의서, 토지조서 및 보상금 지급서류에 공증을 받아 중앙토지수용위원회(피고)에게 이 사건 토지에 관한 협의 성립의 확인을 신청하였고, 중앙토지수용위원회(피고)는 2015.3.26. 협의성립확인 신청을 수리하였다(해당 사실관계는 대법원 2018.12.13, 2016두51719 판결의 내용임). 다음 물음에 답하시오. 30점

(1) 토지보상법상 협의성립확인에 대하여 설명하시오. 10점

(2) 토지보상법상 협의성립확인을 받은 경우 소유권 취득의 효과는 일반적인 사업인정 전 협의취득의 소유권 취득 효과와 어떤 차이가 있는지 설명하시오. 10점

(3) 토지보상법상 위의 사건에서 진정한 소유자는 상속자는 원고 이원수이고, 진정한 소유자가 동의한 것이 아니라 등기부상 명의인 홍길동이 동의한 것이기 때문에 이는 진정한 소유자 동의라고 볼 수 없다고 주장하며 행정소송을 제기하였다. 협의성립확인신청 수리처분이 적법한 것이지 아니면 위법한 것인지 여부를 설명하시오. 10점

> **Tip 강박사의 TIP(최근 기출문제)**
> 1. 협의성립확인이 필요적 절차인지 여부와 협의성립확인의 법적효과(제30회 문제4)

Ⅰ 논점의 정리

공익사업을 위한 토지 등의 취득 및 보상에 관한 법률(이하 '토지보상법')상 협의성립확인은 사업시행자와 피수용자 사이에 협의가 성립한 이후 피수용자의 동의를 얻어 관할 토지수용위원회의 확인을 받아 재결로 간주하는 제도를 말한다. 이는 공익사업의 원활한 수행을 도모하기 위한 취지인바, 이때 동의의 주체인 소유자가 단순히 등기부상 소유자를 의미하는지가 문제된다. 이하에서는 협의성립확인의 의의, 취지 및 법적 성질과 이에 따른 취득의 효과를 설명하고, 최근 대법원 판례를 통해, 협의성립확인에 있어서 동의의 주체인 소유자가 단순히 등기부상 소유자가 아닌 진정한 소유자에 해당함을 밝히고자 한다.

Ⅱ (물음 1) 협의성립확인에 대하여 설명

1. 협의성립확인의 의의 및 근거

협의성립확인이란 사업인정 후 협의성립 시 사업시행자가 피수용자의 동의를 받거나 또는 공증을 받아 관할 토지수용위원회에 협의성립확인을 받는 제도이다. 협의성립확인은 '신청할 수 있다'라고 되어 있어(제29조 제1항) 신청은 필요적 사항이 아니며, 확인절차를 거치지 않았다고 하여 협의 성립 효력이 상실되는 것은 아니다. 토지보상법 제29조에 근거한다.

2. 협의성립확인의 취지

협의성립확인은 당사자 간의 합의에 의해 수용재결과 같은 효력을 부여(원시취득)함으로써 수용재결절차에 의하지 아니하고 수용의 목적을 달성하고, 계약 불이행에 따른 분쟁 예방, 공익사업의 원활한 진행을 기함에 취지가 있다.

3. 협의성립확인의 법적 성질

협의성립확인을 받으면 재결로 간주되어 처분성이 인정된다는 점에서 형성적 행정행위로 보아야 한다는 견해와 법규정에 의해 특정한 사실 또는 법률관계의 존부 또는 정부에 관해 분쟁의 여지가 없도록 확인하는 준법률행위적 행정행위로서 확인행위라는 견해가 있다. 생각건대, 토지보상법 규정상 협의성립확인은 재결로 보며, 확인 시 협의의 성립이나 내용을 다툴 수 없다는 확정력이 부여되므로 재결과 같은 형성적 행정행위로 봄이 타당하다고 판단된다.

4. 협의성립확인은 재결로 간주(토지보상법 제29조 제4항)

토지보상법 제29조 제1항에 따르면, 토지소유자 및 관계인(이하 '토지소유자 등'이라 한다)과 사업시행자 사이에 보상협의가 성립되었을 때 사업시행자는 해당 토지소유자 등의 '동의'를 받아 관할 토지수용위원회에 협의성립의 확인을 신청할 수 있다. 또한 같은 조 제3항에 따르면 사업시행자는 토지의 소재지, 지번, 지목 및 면적 등 대통령령으로 정하는 사항에 대하여 공증인법에 따른 공증을 받아 제1항에 따른 협의성립의 확인을 신청할 수도 있는데, 이 경우 관할 토지수용위원회가 이를 수리함으로써 협의성립이 확인된 것으로 간주한다. 같은 조 제4항에 따르면, 이와 같은 협의성립의 확인은 토지보상법에 따른 재결로 보며, 사업시행자와 토지소유자 등은 그 확인된 협의의 성립이나 내용을 다툴 수 없게 된다.

5. 협의성립확인의 권리구제

협의성립확인을 받을 시 불가변력에 따라 재결로 간주된다. 재결에 대한 불복으로는 토지보상법 제83조 및 제85조에서 규정하고 있으므로 이에 따라 권리구제를 받게 된다. 즉, 제83조에 따른 이의신청 또는 제85조에 따른 행정소송을 제기하여 확인의 효력을 소멸시킨 후 비로소 협의에 관한 불복이 가능할 것이다.

Ⅲ (물음 2) 소유권 취득의 효과

1. 법적 성질

협의의 법적 성질에 대한 논의 대상은 "확인받지 아니한 협의"에 한하여 논의되며, 그 논의의 실익은 적용법규와 쟁송형태의 차이에 있다. 판례의 태도에 따를 때, 사업인정 전 협의는 사법상 계약에 해당한다. 반면, 협의성립확인은 토지보상법 제29조 제4항에 의거 재결로 간주되어 공법적 관계로 처분성이 인정된다.

> **판례**
>
> ● 대판 2013.8.22, 2012다3517[부당이득반환]
>
> [판시사항]
>
> 공익사업을 위한 토지 등의 취득 및 보상에 관한 법률에 의한 보상을 하면서 손실보상금에 관한 당사자 간의 합의가 성립한 경우, 그 합의 내용이 같은 법에서 정하는 손실보상 기준에 맞지 않는다는 이유로 그 기준에 따른 손실보상금 청구를 추가로 할 수 있는지 여부(원칙적 소극)
>
> [판결요지]
>
> 공익사업을 위한 토지 등의 취득 및 보상에 관한 법률(이하 '공익사업법'이라고 한다)에 의한 보상합의는 공공기관이 사경제주체로서 행하는 사법상 계약의 실질을 가지는 것으로서, 당사자 간의 합의로 같은 법 소정의 손실보상의 기준에 의하지 아니한 손실보상금을 정할 수 있으며, 이와 같이 같은 법이 정하는 기준에 따르지 아니하고 손실보상액에 관한 합의를 하였다고 하더라도 그 합의가 착오 등을 이유로 적법하게 취소되지 않는 한 유효하다. 따라서 공익사업법에 의한 보상을 하면서 손실보상금에 관한 당사자 간의 합의가 성립하면 그 합의 내용대로 구속력이 있고, 손실보상금에 관한 합의 내용이 공익사업법에서 정하는 손실보상 기준에 맞지 않는다고 하더라도 합의가 적법하게 취소되는 등의 특별한 사정이 없는 한 추가로 공익사업법상 기준에 따른 손실보상금 청구를 할 수는 없다.

2. 취득효과

사업인정 전 협의취득은 사법상 계약의 성질을 가지며, 확인은 계약에 대한 확정력을 발생시키는 행정처분의 성질을 갖는다. 이러한 법적 성질을 어떻게 보느냐에 따라 목적물의 원시취득 여부가 달라지는바, 협의성립확인이 있게 되면 법률규정에 의한 물권변동으로 재결과 동일하게 보아 원시취득에 해당하나, 사업인정 전 협의취득의 경우는 법률행위에 의한 물권변동으로 승계취득에 해당한다.

3. 성립효과

협의가 성립하면 사업시행자는 목적물의 권리를 취득한다. 즉, 사업시행자는 협의에서 정한 시기까지 보상금을 지급 및 공탁하고 피수용자는 그 시기까지 토지 및 물건을 사업시행자에게 인도, 이전함으로써 목적물에 대한 권리를 취득하고 피수용자는 그 권리를 상실한다. 반면, 협의성립확인은 재결로 간주되므로 재결과 동일한 효과가 발생한다. 즉, 사업시행자는 보상금의 지급 또는 공탁을 조건으로 토지에 관한 소유권 및 기타의 권리를 원시취득하고 피수용자의 의무불이행시 대집행을 신청할 수 있다. 피수용자는 목적물 인도, 이전 의무와 손실보상 청구권, 환매권 등을 갖는다.

4. 권리구제

착오를 이유로 다툴 수 있는지에 대하여, 협의취득의 경우 확인이 있기 전까지는 당사자는 계약에 관한 착오를 이유로 민법규정을 유추적용하여 또는 판례의 입장에 따라 민사소송으로 다툴수 있으나, 확인을 받게 되면 협의의 성립이나 내용을 다툴 수 없는 확정력이 발생하여 더 이상다툴 수 없게 된다. 다만, 협의성립확인에 대하여 처분성이 인정되므로 협의성립이나 내용이 아닌 다른 사유를 들어 행정쟁송을 통해 권리구제를 받을 수 있다.

Ⅳ (물음 3) 협의성립확인신청수리처분의 적법 여부

1. 토지보상법상 공증방법에 의한 협의성립확인

협의성립확인제도는 수용과 손실보상을 신속하게 실현시키기 위하여 도입되었다. 토지보상법 제29조는 이를 위한 전제조건으로 협의성립의 확인을 신청하기 위해서는 협의취득 내지 보상협의가 성립한 데에서 더 나아가 확인신청에 대하여도 토지소유자 등이 동의할 것을 추가적 요건으로정하고 있다. 특히 토지보상법 제29조 제3항은, 공증을 받아 협의성립의 확인을 신청하는 경우에 공증에 의하여 협의당사자의 자발적 합의를 전제로 한 협의의 진정 성립이 객관적으로 인정되었다고 보아, 토지보상법상 재결절차에 따르는 공고 및 열람, 토지소유자 등의 의견진술 등의절차 없이 관할 토지수용위원회의 수리만으로 협의성립이 확인된 것으로 간주함으로써, 사업시행자의 원활한 공익사업 수행, 토지수용위원회의 업무간소화, 토지소유자 등의 간편하고 신속한이익실현을 도모하고 있다.

2. 협의성립확인은 원시취득의 성질

한편 토지보상법상 수용은 일정한 요건하에 그 소유권을 사업시행자에게 귀속시키는 행정처분으로서 이로 인한 효과는 소유자가 누구인지와 무관하게 사업시행자가 그 소유권을 취득하게 하는원시취득이다. 반면, 토지보상법상 '협의취득'의 성격은 사법상 매매계약이므로 그 이행으로 인한사업시행자의 소유권 취득도 승계취득이다. 그런데 토지보상법 제29조 제3항에 따른 신청이 수리됨으로써 협의성립의 확인이 있었던 것으로 간주되면, 토지보상법 제29조 제4항에 따라 그에관한 재결이 있었던 것으로 재차 의제되고, 그에 따라 사업시행자는 사법상 매매의 효력만을 갖는 협의취득과는 달리 그 확인대상 토지를 수용재결의 경우와 동일하게 원시취득하는 효과를 누리게 된다.

3. 협의성립확인신청수리처분의 위법성

(1) 관련 규정의 검토

토지보상법 제29조(협의 성립의 확인), 시행령 제13조(협의성립확인의 신청)

(2) 판례를 통한 사안의 해결

판례

● 대판 2012.2.23, 2010다96164

[판시사항]

공익사업을 위한 토지 등의 취득 및 보상에 관한 법률 제29조 제3항에 따른 협의 성립의 확인 신청에 필요한 동의의 주체인 토지소유자는 협의 대상이 되는 '토지의 진정한 소유자'를 의미하는지 여부(적극) / 사업시행자가 진정한 토지소유자의 동의를 받지 못한 채 등기부상 소유명의자의 동의만을 얻은 후 관련 사항에 대한 공증을 받아 위 제29조 제3항에 따라 협의 성립의 확인을 신청하였으나 토지수용위원회가 신청을 수리한 경우, 수리 행위가 위법한지 여부(원칙적 적극) / 이와 같은 동의에 흠결이 있는 경우 진정한 토지소유자 확정에서 사업시행자의 과실 유무를 불문하고 수리 행위가 위법한지 여부(적극) 및 이때 진정한 토지소유자가 수리 행위의 위법함을 이유로 항고소송으로 취소를 구할 수 있는지 여부(적극)

[판결요지]

공익사업을 위한 토지 등의 취득 및 보상에 관한 법률(이하 '토지보상법'이라 한다) 제29조에서 정한 협의성립확인제도는 수용과 손실보상을 신속하게 실현시키기 위하여 도입되었다. 토지보상법 제29조는 이를 위한 전제조건으로 협의 성립의 확인을 신청하기 위해서는 협의취득 내지 보상협의가 성립한 데에서 더 나아가 확인 신청에 대하여도 토지소유자 등이 동의할 것을 추가적 요건으로 정하고 있다. 특히 토지보상법 제29조 제3항은, 공증을 받아 협의 성립의 확인을 신청하는 경우에 공증에 의하여 협의 당사자의 자발적 합의를 전제로 한 협의의 진정 성립이 객관적으로 인정되었다고 보아, 토지보상법상 재결절차에 따르는 공고 및 열람, 토지소유자 등의 의견진술 등의 절차 없이 관할 토지수용위원회의 수리만으로 협의 성립이 확인된 것으로 간주함으로써, 사업시행자의 원활한 공익사업 수행, 토지수용위원회의 업무 간소화, 토지소유자 등의 간편하고 신속한 이익실현을 도모하고 있다.

한편 토지보상법상 수용은 일정한 요건하에 그 소유권을 사업시행자에게 귀속시키는 행정처분으로서 이로 인한 효과는 소유자가 누구인지와 무관하게 사업시행자가 그 소유권을 취득하게 하는 원시취득이다. 반면, 토지보상법상 '협의취득'의 성격은 사법상 매매계약이므로 그 이행으로 인한 사업시행자의 소유권 취득도 승계취득이다. 그런데 토지보상법 제29조 제3항에 따른 신청이 수리됨으로써 협의 성립의 확인이 있었던 것으로 간주되면, 토지보상법 제29조 제4항에 따라 그에 관한 재결이 있었던 것으로 재차 의제되고, 그에 따라 사업시행자는 사법상 매매의 효력만을 갖는 협의취득과는 달리 확인대상 토지를 수용재결의 경우와 동일하게 원시취득하는 효과를 누리게 된다.

이처럼 간이한 절차만을 거치는 협의 성립의 확인에, 원시취득의 강력한 효력을 부여함과 동시에 사법상 매매계약과 달리 협의 당사자들이 사후적으로 그 성립과 내용을 다툴 수 없게 한 법적 정당성의 원천은 사업시행자와 토지소유자 등이 진정한 합의를 하였다는 데에 있다. 여기에 공증에 의한 협의성립확인 제도의 체계와 입법 취지, 그 요건 및 효과까지 보태어 보면, 토지보상법 제29조 제3항에 따른 협의 성립의 확인 신청에 필요한 동의의 주체인 토지소유자는 협의 대상이 되는 '토지의 진정한 소유자'를 의미한다. 따라서 사업시행자가 진정한 토지소유자의 동의를 받지 못한 채 단순히 등기부상 소유명의자의 동의만을 얻은 후 관련 사항에 대한 공증을 받아 토지보상법 제29조 제3항에 따라 협의 성립의 확인을 신청하였음에도 토지수용위원회가 신청을 수리하였다면, 수리 행위는 다른 특별한 사정이 없는 한 토지보상법이 정한 소유자의 동의 요건을 갖추지 못한 것으로서 위법하다. 진정한 토지소유자의 동의가 없었던 이상, 진정한 토지소유자를 확정하는 데 사업시행자의 과실이 있었는지 여부와 무관하게 그 동의의 흠결은 위 수리 행위의 위법사유가 된다. 이에 따라 진정한 토지소유자는 수리 행위가 위법함을 주장하여 항고소송으로 취소를 구할 수 있다(대판 2018.12.13, 2016두51719).

Ⅴ 사안의 해결

대법원 판례를 통해 협의성립확인에 있어서 동의의 주체인 소유자는 등기부상 소유자가 아닌 진정한 소유자에 해당함을 검토하였다. 이러한 협의성립확인이 있으면 확정력이 발생하는데도 불구하고 공증에 의한 확인절차의 경우에는 피수용자가 의견을 제출할 기회도 부여받지 못하게 되는 문제점이 있다. 따라서 공증에 의한 확인절차에도 피수용자의 절차적 참여를 보장할 수 있는 방안이 모색되어야 하며, 사업시행자가 피수용자에게 협의성립확인에 대한 동의를 요구할 때 확인의 효과를 고지하는 사전고지제도를 도입할 필요성이 있다.

15절 토지보상법 제29조(협의 성립의 확인)

경기도 화성시 동탄면에 소재한 OO저수지에서 10여년간 낚시터 및 식당을 운영하고 있던 甲은, 그 지역 일대가 택지개발사업구역으로 지정됨에 따라 국토교통부장관으로부터 사업인정을 받은 한국토지주택공사 乙과 손실보상에 관한 협의를 진행하여 계약을 체결하였다. 이때 乙은 甲에게 의사를 묻지도 않고 관할 토지수용위원회에 협의성립확인을 신청하였고, 동 위원회는 협의성립확인을 해주었다. 그런데 얼마 후 OO저수지를 관리하는 한국농어촌공사에서 OO저수지 주변 토지는 농업생산기반시설 부지이며 甲이 「농어촌정비법」 제23조에 따른 목적 외 사용승인을 받지 않고 낚시터시설물 및 식당건축물 등을 설치하였으므로, 동법 제128조에 따라 불법시설물의 철거 및 원상회복을 명하였다. 이에 사업시행자 乙은 甲의 낚시터시설물 및 식당건축물 등이 철거대상 시설물인바, 甲이 직접 이를 철거하여야 하고 손실보상해줄 수 없다고 주장하고 있다. 40점

(1) 이 경우 손실보상해줄 수 없다는 乙의 주장이 타당한지를 설명하시오. 10점

(2) 한편 甲은 기 계약한 협의금액을 다시 살펴본 결과 일부 지장물에 대한 보상액이 누락된 것으로서 이에 대한 착오가 있었음을 이유로 이미 협의성립확인된 계약을 취소하기를 원하게 되었다. 이때 甲의 권리구제수단은 무엇인지, 그리고 甲이 계약을 취소할 수 있는지 설명하시오. 20점

(3) 만약 위 (2)와 같은 상황에서 협의계약 당시 정한 잔금지급일이 지났다면, 甲은 곧바로 협의계약을 취소한 후 乙에게 재결신청청구를 할 수 있는가? 그때 乙이 거부하는 경우 甲의 권리구제수단에 대해 설명하시오. 10점

I 논점의 정리

사안은 택지개발사업에 따른 피수용자 甲과 사업시행자 乙 간의 협의와 협의성립확인, 재결신청청구를 둘러싼 다툼 시 권리구제를 묻는 문제이다.

1. 설문 (1)에서는 「공익사업을 위한 토지 등의 취득 및 보상에 관한 법률」(이하 '토지보상법') 상의 건축물 등의 보상규정을 검토하고, 동 규정 취지상 사업인정 이전의 무허가(승인)건축물 등의 보상인정 여부를 살펴 손실보상의 당위성을 판단한다.

2. 설문 (2)에서는 먼저 협의성립확인의 차단효를 취소쟁송으로 제거할 수 있는지 검토하고, 그 후 당사자소송 등으로 협의의 취소를 다툴 때 사법규정의 유추적용 가능성을 검토하여 취소가 가능한지 논한다.

3. 설문 (3)에서는 보상금 미지급 시 협의성립확인이 실효되는지에 따라 바로 계약취소 후 재결신청청구가 가능한지 검토하며, 乙이 재결신청을 거부할 경우 쟁송수단으로 다툴 수 있는지 살펴본다.

II 관련 행정작용의 검토

1. 협의

(1) 의의 및 근거

협의란 사업시행자가 수용할 토지 등에 관한 권리를 취득하거나 소멸시키기 위하여 토지소유자 및 관계인과 의논하여 이루어진 의사의 합치를 말하며, 사안은 사업인정 후인바, 토지보상법 제26조에 그 근거가 있다.

(2) 법적 성질

학설은 사업시행자가 피수용자와 대등한 지위에서 행하는 임의적인 합의로서 수용권의 행사는 아니라는 '사법상 계약설'과, 사업시행자가 기득의 수용권을 실행하는 방법에 불과하고, 협의가 성립되지 않으면 재결에 의하게 된다는 점에서 수용계약의 성격이라고 보는 '공법상 계약설'이 있으며, 이에 대해 대법원은 사법상 계약으로 보고 있다. 생각건대, 협의는 행정주체인 사업시행자가 사실상의 공권력의 담당자로서 우월적인 지위에서 공익을 실현하는 공용수용의 절차의 하나이므로 공법상 계약으로 봄이 타당하다.

2. 협의성립확인

(1) 의의 및 취지

협의성립 확인은 수용절차의 필수적 사항은 아니나, 확인절차를 거치면 당사자 간의 합의에 대해 수용재결과 같은 효력을 부여하는 행정처분이다(토지보상법 제29조). 이는 당사자의 합의에 수용재결의 효력을 부여하여 계약의 불이행에 따른 분쟁을 예방하고, 수용재결절차에 의하지 않고 수용목적을 달성할 수 있도록 함으로써 공익사업의 원활한 진행을 도모하기 위함이다.

(2) 법적 성질

협의성립 확인은 특정한 사실 또는 법률관계에 의문이 있는 경우 공권적으로 그 존부 또는 정부를 판단하는 행위로서 준법률행위적 행정행위인 확인에 해당하며, 구체적 사실에 관한 법집행으로서 처분성이 있다고 할 것이다. 다만, 이를 공증으로 보는 견해도 있으나, 공증은 불가변력이 아니라 공적증거력에 불과한바, 반증이 있으면 공증의 취소없이 공적증거력이 전복된다는 점에서 인정되기 어렵다.

(3) 요건 및 효과

당사자 사이에 협의가 성립한 후에 수용재결을 신청기간 내에 토지소유자 및 관계인의 동의를 얻어 관할 토지수용위원회에 협의성립확인을 신청하여야 한다. 확인된 협의는 재결로 간주되므로, 행정행위 일반의 효력이 발생하며 토지수용법상 구체적 효력으로서 재결과 동일한 효과를 발생시킨다. 또한 협의를 더 이상 다툴 수 없게 하는 차단효과를 토지보상법은 규정하고 있다.

3. 재결신청청구권

(1) 의의 및 취지

재결신청청구권이란 사업인정 후 협의불성립의 경우 토지소유자 및 관계인이 사업시행자에게 재결신청을 조속히 할 것을 청구하는 권리이다(토지보상법 제30조 제1항). 토지보상법이 토지소유자 등에게 재결신청의 청구권을 부여한 이유는 수용을 둘러싼 법률관계의 조속한 안정과 재결신청의 지연으로 인한 피수용자의 불이익을 배제하기 위한 것으로서, 사업시행자와의 형평의 원리에 입각한 제도이다.

(2) 성립요건

피수용자가 서면으로 사업시행자에게 협의기간 만료일부터 재결신청가능기간 만료일까지 청구하며, 판례는 협의기간 내라도 성립가능성이 없음이 명백한 경우와 처음부터 상당기간 경과토록 협의기간을 미통지한 경우에도 재결신청청구를 할 수 있다고 판시한 바 있다.

(3) 효과

사업시행자는 그 청구가 있은 날부터 60일 이내에 재결을 신청하여야 하며, 60일이 경과한 경우에는 그 경과한 기간에 대하여 소송촉진 등에 관한 특례법 제3조의 규정에 의한 법정이율(연 12%)을 적용한 지연가산금을 지급하여야 한다.

Ⅲ 설문 (1) 乙의 손실보상의무 존재 여부

1. 관련규정의 검토

토지보상법 제75조에는 건축물, 입목, 공작물, 기타 물건에 대하여는 해당 물건의 가격범위 내에서 이전에 필요한 비용으로 보상하여야 한다고 규정하고 있으며, 동법 제25조에는 사업인정 후 건물의 건축 등에 대하여 허가를 받아야 한다고 하고 사업인정 이후 무허가건축물 등에 대하여 손실보상을 청구할 수 없다고 규정하고 있다. 사안의 경우는 사업인정 이전부터 설치되어 있던 건축물 등인바, 보상대상 여부가 되는지 논의가 필요하다.

2. 사업인정 이전 무허가건축물 등의 보상대상 여부

(1) 허가의 성질과 재산권

허가란 법령에 의하여 일반적·상대적 금지를 특정한 경우에 해제하여 적법하게 일정행위를 할 수 있게 하는 행위이다. 허가를 요하는 행위를 허가 없이 행한 경우 행정상 강제집행이나 처벌의 대상이 될 수 있는 것은 별론으로 하고 행위 자체의 효력이 부인되는 것은 아니다. 따라서 허가유무에 따라 재산권의 범위가 달라질 수는 없다.

(2) 대집행 대상과 재산권

무허가건축물 등을 방지하기 위하여 건축법상 대집행규정에 따라 행정대집행법상의 대집행이 가능하다. 대집행 대상이 되므로 대집행을 실행할 경우 재산가치는 소멸하므로 보상대상에서 제외된다는 견해가 있으나 이는 근거미약으로 수긍하기 곤란하다.

(3) 판례의 태도 및 검토

판례는 사업인정고시 전에 건축한 건물은 그 건축물이 적법하게 허가를 받아 건축한 것인지, 허가를 받지 아니하고 건축한 무허가건축물인지 여부와 관계없이 손실보상의 대상이 된다고 판시하고 있다. 생각건대, 허가는 그 성질에 비추어 행위의 적법성 여부에만 관여하고 유효성 여부와는 무관하므로 재산권 요건을 충족하여 사업인정 이전 건축물 등에 대하여 허가 여부와 무관하게 보상의 대상이라고 판단된다.

3. 사안의 적용

사안의 경우 甲이 사업인정 이전부터 건축 또는 설치하여 사용 중인 건축물 등인바, 농어촌정비법상의 불법건물에 해당된다 하더라도 이와 관계없이 손실보상대상이 된다고 여겨진다. 따라서 사업시행자 乙은 손실보상하여야 할 의무가 있다.

Ⅳ 설문 (2) 甲의 권리구제수단 및 계약취소 가능성

1. 개설

사안에서 甲의 권리구제를 위하여는 먼저 협의성립확인의 차단효를 제거하여야 하는바, 그 위법성을 검토하여 그에 따른 항고쟁송 가능성을 논하며, 그 후 협의에 대한 취소는 협의의 법적 성질에 따라 쟁송수단을 검토하여야 한다. 또한 협의계약취소 가능성과 관련하여 사법규정을 유추적용할 수 있는지와 협의가 위법한지 살펴보아야 한다.

2. 협의성립확인의 위법성 및 정도

협의성립 확인 시 먼저 피수용자의 동의를 얻은 뒤 관할 토지수용위원회에 확인신청을 하여야 하는바, 사안의 경우 피수용자 甲의 동의를 얻지 않고 확인을 받은바, 위법한 협의성립확인이며, 그 위법성 정도는 중대하나 일반인의 시각에서 명백하다고 보기는 어려운바 취소사유로 판단된다.

3. 甲의 권리구제수단

(1) 협의성립확인에 대한 취소쟁송

사안에서 협의성립확인에 취소사유의 하자가 있다고 판단되는바, 그에 대한 취소쟁송으로 다툴 수 있다. 협의성립확인은 재결로 간주되는바, 그에 대한 불복도 토지보상법 제83조 내지 제85조에서 규정하는 이의신청 및 취소소송으로 다투어야 할 것이다.

(2) 협의에 대한 쟁송수단

협의는 처분이 아닌 바, 그 법적 성질을 사법상 계약으로 볼 경우 민사소송으로 다투고, 공법상 계약으로 볼 경우 공법상 당사자소송으로 다툴 수 있다. 사안의 경우는 사업인정 후 협의로서 공법상 계약이라 판단되는바, 공법상 당사자소송으로 다툴 수 있을 것이다.

4. 계약취소 가능성

(1) 공법규정 흠결 시 사법규정 유추적용 가능성

공사법은 목적을 달리하는 분리된 별개의 법체계로 보아 유추적용을 부정하는 견해, 특별한 규정이 없는 한 당연히 유추적용이 가능하다는 견해, 공사법관계의 차이를 인정하되 내용이

유사한 경우에 한하여 제한적으로 유추적용이 가능하다는 견해가 있다. 판례는 제한적 유추적용설을 취하고 있는바, 생각건대 부정설은 공사법의 절대적 구별을 전제하는 점, 특별사법설은 공사법일원론을 전제한다는 점에서 부당하다. 공법관계의 특수성을 무시할 수 없다는 점및 유추적용의 지나친 확장을 제한한다는 점에서 판례의 태도가 타당하다고 여겨진다.

(2) 협의의 위법성

민법은 의사표시의 중요한 부분에 착오가 있는 경우 이를 이유로 취소할 수 있다고 규정하는바, 이를 사적 자치 내지 사인 상호간의 이해조정을 위한 규정으로 볼 때 관리관계에 유추적용이 가능하다고 판단된다. 이때 중요한 부분의 착오라 함은 판례에 의하면 보통 일반인이 표의자의 입장에 섰더라면 그와 같은 의사표시를 하지 않았으리라고 여겨질 정도로 그 착오가 중요한 것을 말하며, 다만 그 착오가 표의자의 중대한 과실로 인한 때에는 취소하지 못한다.

(3) 위법성 정도

공법상 계약의 하자유형에 대해 견해가 나뉘는바, 무효 또는 취소가 모두 존재한다는 견해, 행정행위와 달리 공정력이 인정되지 않으므로 위법한 공법상 계약은 무효가 되며 취소는 인정될 수 없다는 견해가 있는바, 검토하건데 공법상 계약도 기본적 성질이 사법상 계약과 동일하므로 성질이 허용하는 한 민법상 계약의 법리에 따라 취소의 하자유형이 인정되어야 할 것이라 본다.

(4) 사안의 적용

사안의 경우 보상금에 대한 착오는 중요부분의 의사표시의 하자라 할 수 있으며, 甲에게 중대한 과실이 있다고 보기도 어려운바, 협의의 위법성이 인정되어 甲은 협의계약을 취소할 수 있다고 여겨진다.

Ⅴ 설문 (3) 재결신청청구 및 거부 시 권리구제수단

1. 협의성립확인의 실효 여부

협의성립 확인은 재결로 간주하므로 협의성립확인을 받은 후에도 협의에서 정한 보상의 시기까지 손실보상을 하지 아니하면 수용재결의 실효규정(법 제42조)이 적용되어 해당 확인행위의 효력은 상실된다고 볼 것이다. 이때 협의의 효력도 상실되는지 논란이 있으나, 협의는 계약이므로 계약불이행의 문제가 발생되는 것이지 곧바로 협의의 효력이 상실된다고 볼 수는 없다.

2. 재결신청청구 가능성

사안의 경우 협의성립확인이 실효된바, 甲은 곧바로 공법상 당사자소송 등으로 협의계약을 취소한 후 재결신청청구를 할 수 있을 것이다.

3. 재결신청 거부 시 甲의 권리구제수단

최근 대법원 판례(대판 2019.8.29, 2018두57865)에서 "공익사업을 위한 토지 등의 취득 및 보상에 관한 법률 제28조, 제30조에 따르면, 편입토지 보상, 지장물 보상, 영업·농업보상에 관해서는 사업시행자만이 재결을 신청할 수 있고 토지소유자와 관계인은 사업시행자에게 재결신청을 청구하도록 규정하고 있으므로, 토지소유자나 관계인의 재결신청 청구에도 사업시행자가 재결신청을 하지 않을 때 토지소유자나 관계인은 사업시행자를 상대로 거부처분 취소소송 또는 부작위 위법확인소송의 방법으로 다투어야 한다. 구체적인 사안에서 토지소유자나 관계인의 재결신청 청구가 적법하여 사업시행자가 재결신청을 할 의무가 있는지는 본안에서 사업시행자의 거부처분이나 부작위가 적법한가를 판단하는 단계에서 고려할 요소이지, 소송요건 심사단계에서 고려할 요소가 아니다."라고 판시함으로써 재결신청청구 거부 시에는 거부처분취소소송으로 다툴 수 있다고 보고 있다.

4. 사안의 경우

사안에서 乙이 甲의 정당한 재결신청청구를 거부하는 것에 대해 甲은 최근 대법원(대판 2019.8.29, 2018두57865) 판례에 의하여 재결신청청구거부처분 취소소송으로 다툴 수 있다. 가산금제도로 간접적으로 강제하는 것 외에는 별다른 권리구제수단이 없었으나 최근 대법원에서 피수용자의 권리보호를 위해 전향적인 판결을 하였다. 최근 대법원 판례(대판 2011.7.14, 2011두2309)는 보상대상에서 제외된 물건의 경우 재결신청청구 거부에 대한 취소소송을 인정하여 피수용자의 권리구제를 강화하려는 움직임이 있었고, 대법원 2019.8.29, 2018두57865 판결에서 거부처분취소소송이나 부작위위법확인소송으로 다툴 수 있도록 길을 열어주었다.

Ⅵ 문제해결

1. 설문 (1)에서 甲의 낚시터시설물 및 식당건축물 등은 사업인정 이전에 설치 또는 건축된 것으로서 그 불법 여부와 상관없이 손실보상의 대상이 되는바, 乙은 이를 보상하여야 한다.

2. 설문 (2)에서 해당 협의성립확인이 위법한바, 甲은 이를 취소쟁송으로 다투어 제거한 뒤 공법상 당사자쟁송으로 협의내용을 다툴 수 있으며, 사법규정을 제한적으로 유추적용할 경우 사안의 협의는 그 위법성이 인정되는바, 취소가 가능할 것이다.

3. 설문 (3)에서는 해당 협의성립확인의 효력이 실효되는바, 甲은 바로 협의를 취소하고 재결신청청구를 할 수 있고 최근 대법원 판례(대판 2019.8.29, 2018두57865)에 따라 재결신청청구 거부에 대해서는 거부처분취소소송으로 다툴 수 있다고 하겠다. 사업시행자의 재결신청청구를 거부에 대하여 거부처분취소소송으로 다툴 수 있도록 판례가 전향적으로 해석함으로써 피수용자의 권리보호가 한층 강화될 것으로 보인다.

16절 토지보상법 제30조(재결 신청의 청구)

문제

국토교통부장관은 사업시행자 한국수자원공사(피고)의 창원산업단지 사업인정 신청에 대하여 2025년 2월 25일 사업인정을 해주고 해당 사업인정고시를 하였다. 해당 지역에서 농사를 짓던 토지소유자 甲과 그 가족들은 사업시행자의 협의에 불응하고 공익사업을 위한 토지등의 취득 및 보상에 관한 법률에 따라 재결신청청구를 하였다. 이에 사업시행자 한국수자원공사는 피수용자들의 재결신청청구에 대하여 재결신청청구 거부회신을 하였고, 이에 토지소유자 갑과 가족들은 행정소송으로 재결신청청구 거부취소소송을 제기하였다. 그런데 위와 같이 재결신청청구거부 회신에 대해 행정법원은 처분이 되지 않는다며 부적법 각하하였다. 이에 토지소유자 甲과 토지소유자 형, 그리고 관계인들은 억울하여 고등법원과 대법원까지 소송을 불사하고자 한다. 한국수자원공사는 국책사업으로 현 공익사업을 국가로부터 위임받아 행정청의 지위를 갖고 있다. 다음 물음에 답하시오. 40점 (해당 문제는 대법원 2019.8.29. 선고 2018두57865 판결을 기초로 함)

(1) 공익사업을 위한 토지 등의 취득 및 보상에 관한 법률상 토지소유자 및 관계인에게 인정되는 재결신청청구권에 대하여 설명하시오. 5점

(2) 위 사실관계에서 사업시행자 한국수자원공사는 주변민원이 많아 여러 사정 등을 고려하여 사업추진 시기를 늦출 필요성이 있다고 판단하고 사업인정고시 후 상당한 기간이 경과하도록 협의 기간을 통지하지 아니하고 있다면, 토지소유자 甲은 공익사업을 위한 토지 등의 취득 및 보상에 관한 법률상 재결신청의 청구를 할 수 있는지를 설명하시오. 5점

(3) 공익사업을 위한 토지 등의 취득 및 보상에 관한 법률상 한국수자원공사가 보상계획을 공고·열람한 후에 토지소유자 甲에게 협의기간을 2025년 3월 1일부터 2025년 3월 30일까지로 하여 보상협의요청서를 보내왔다고 가정하자. 협의를 진행해 본 결과 당사자 간에 협의가 성립할 가능성이 없음이 명백한 경우 甲은 협의기간 만료 전에도 재결신청의 청구를 할 수 있는지, 만약 할 수 있다면 한국수자원공사는 언제까지 재결을 신청하여야 하는지를 검토하시오. 만약 사업시행자가 보상협의요청서에 기재한 협의기간이 종료하기 전에 토지소유자 및 관계인이 재결신청의 청구를 하였으나 사업시행자가 협의기간이 종료하기 전에 협의기간을 연장한 경우, 공익사업을 위한 토지 등의 취득 및 보상에 관한 법률 제30조 제2항에서 정한 60일 기간의 기산 시기는 언제인지 설명하시오. 10점

(4) 공익사업을 위한 토지 등의 취득 및 보상에 관한 법률상 한국수자원공사가 토지소유자 甲의 농업손실보상에 대한 재결신청의 청구를 거부하는 경우 甲은 소송의 방법으로 그 절차의 이행을 구할 수 있는지를 설명하시오. 20점

① 종전 재결신청청구거부 시에 민사소송의 방법으로 소구할 수 없다는 판례와 행정소송으로 재결신청청구거부 시 취소소송가능하다는 판례를 검토하시오. 5점

② 공익사업으로 농업의 손실을 입게 된 자가 공익사업을 위한 토지 등의 취득 및 보상에 관한 법률 제34조, 제50조 등에 규정된 재결절차를 거치지 않은 채 곧바로 사업시행자를 상대로 손실보상을 청구할 수 있는지 여부를 설명하시오. 5점

③ 편입토지 보상, 지장물 보상, 영업·농업보상에 관하여 토지소유자나 관계인이 사업시행자에게 재결신청을 청구했음에도 사업시행자가 재결신청을 하지 않을 경우, 토지소유자나 관계인의 불복 방법 및 이때 사업시행자에게 재결신청을 할 의무가 있는지가 소송요건 심사단계에서 고려할 요소인지 여부를 설명하시오. 5점

④ 한국수자원공사법에 따른 사업을 수행하기 위한 토지 등의 수용 또는 사용으로 손실을 입게 된 토지소유자나 관계인이 공익사업을 위한 토지 등의 취득 및 보상에 관한 법률 제30조에 따라 한국수자원공사에 재결신청을 청구하는 경우, 위 사업의 실시계획을 승인할 때 정한 사업시행기간 내에 해야 하는지 여부를 설명하시오. 5점

〈설문(1) 재결신청청구권〉

Ⅰ. 재결신청청구권의 의의 및 취지

Ⅱ. 재결신청청구권의 행사
  1. 당사자
  2. 청구의 기간
  3. 청구의 내용 및 형식

Ⅲ. 재결신청청구의 효과

〈설문 (2) 협의기간의 통지가 없는 경우〉

Ⅰ. 논점의 정리

Ⅱ. 재결신청의 청구가능성
  1. 판례의 태도
  2. 검토

Ⅲ. 소결

〈설문 (3) 협의가 성립할 가능성이 없음이 명백한 경우〉

Ⅰ. 논점의 정리

Ⅱ. 재결신청의 청구 가능성
  1. 판례의 태도
  2. 검토

Ⅲ. 재결신청청구 시 60일의 기산점
  1. 판례의 태도
  2. 검토

Ⅳ. 소결

〈설문 (4) 사업시행자가 재결신청의 청구를 거부하는 경우〉

Ⅰ. 논점의 정리

Ⅱ. 행정소송을 통한 이행강제 가능 여부

Ⅲ. 재결신청청구에 대한 2018두57865 판결 검토

Ⅳ. 사례의 해결

Tip 강박사의 TIP(최근 기출문제)

1. 재결신청을 하지 않는 경우의 불복방법(제32회 문제1)

〈설문 (1) 재결신청청구권〉

Ⅰ 재결신청청구권의 의의 및 취지

재결신청청구권은 사업인정 후 협의불성립의 경우에 피수용자가 사업시행자에게 재결신청을 조속히 할 것을 요청할 수 있는 권리를 말한다. 「공익사업을 위한 토지 등의 취득 및 보상에 관한 법률」(이하 '토지보상법') 제30조에서 재결신청의 청구에 대하여 규정을 두고 있다.

사업시행자는 사업인정 고시 후 1년 이내에 언제든지 재결을 신청할 수 있는 반면에 토지소유자 및 관계인은 재결신청권이 없으므로, 수용을 둘러싼 법률관계의 조속한 확정을 바라는 토지소유자 및 관계인의 이익을 보호하고 수용당사자간의 공평을 기하기 위한 것이다.

Ⅱ 재결신청청구권의 행사

1. 당사자

청구권자는 토지소유자 및 관계인이며, 피청구권자는 토지수용위원회에 재결을 신청할 수 있는 사업시행자가 됨이 원칙이며, 수행업무의 대행자가 있는 경우에는 그 업무대행자에게 신청하여도 된다. 판례도 동지이다(대판 1995.10.13, 94누7232).

> **판례**
>
> 재결신청청구서에 토지수용법시행령 제16조의2 제1항 각 호 소정의 사유들이 명확히 항목별로 나뉘어 기재되어 있지는 아니하나, 그 내용을 자세히 검토하여 보면 위 청구서에 위 사항이 모두 포함되어 있다고 보여질 뿐 아니라, 법이 위와 같은 형식을 요구하는 취지는 토지소유자 등의 의사를 명확히 하려는 데 있고, 재결신청의 청구는 엄격한 형식을 요하지 아니하는 서면행위이고, 따라서 토지소유자 등이 서면에 의하여 재결청구의 의사를 명백히 표시한 이상 같은 법 시행령 제16조의2 제1항 각 호의 사항 중 일부를 누락하였다고 하더라도 위 청구의 효력을 부인할 것은 아니고, 또한 기업자를 대신하여 협의절차의 업무를 대행하고 있는 자가 따로 있는 경우에는 특별한 사정이 없는 한 재결신청의 청구서를 그 업무대행자에게도 제출할 수 있다.
>
> 토지수용법 제25조와 제25조의3의 규정에 의한 지연가산금은 재결청구당시의 시가를 보상하는 경우에만 인정된다는 논지는 지연가산금제도의 취지나 같은 법 제25조와 제25조의3 규정의 해석상 받아들일 수 없는 독자적인 견해에 불과하다(대판 1995.10.13, 94누7232).

2. 청구의 기간

토지보상법에 따르면 원칙적으로 사업인정고시 후에 사업시행자가 협의기간으로 통지한 기간이 경과하였음에도 불구하고 협의가 성립되지 못한 경우에 재결을 신청할 것을 청구할 수 있다(토지보상법시행령 제14조 제1항). 따라서 청구의 기간은 협의기간 만료일로부터 재결신청 할 수 있는 기간만료일까지이다.

3. 청구의 내용 및 형식

청구권의 내용은 사업시행자에게 재결신청을 할 것을 청구하는 것이다. 청구형식은 일정한 사항을 기재한 재결신청청구서의 제출은 사업시행자에게 직접 제출하거나 증명취급의 방법으로 한다.

Ⅲ 재결신청청구의 효과

피수용자가 사업시행자에게 재결신청의 청구를 한 때에는 사업시행자는 재결신청을 할 의무를 부담하며, 해당 의무를 해태한 경우에는 지연가산금을 지급하여야 한다. 사업시행자는 그 청구가 받은 날로부터 60일 이내에 재결을 신청하여야 한다. 따라서 원칙적으로 60일의 기산일은 청구가 있은 날로부터 기산한다. 사업시행자가 청구가 있은 날로부터 60일이 경과하여 재결신청을 한 때에는 그 경과한 기간에 대하여 법정이율을 적용한 지연가산금을 지급하여야 한다.

〈설문 (2) 협의기간의 통지가 없는 경우〉

I 논점의 정리

사업시행자가 사업인정고시가 있은 후에 상당한 기간이 경과하도록 협의기간의 통지가 없어 조속히 법률관계의 안정을 바라는 피수용자의 지위가 불안해지는 경우에 재결신청의 청구를 할 수 있는지 여부가 문제된다.

II 재결신청의 청구가능성

1. 판례의 태도

판례는 도시계획사업시행자가 사업실시계획인가의 고시 후 상당한 기간이 경과하도록 협의대상 토지소유자에게 협의기간을 통지하지 아니하였다면 토지소유자로서는 (구)토지수용법 제25조의3 제1항에 따라 재결신청의 청구를 할 수 있다고 판시하였다.

> **판례**
>
> 토지수용법이 토지소유자 등에게 재결신청의 청구권을 부여한 이유는, 협의가 성립되지 아니한 경우 시행자는 사업인정의 고시 후 1년 이내(도시계획사업은 그 사업의 시행기간 내)에는 언제든지 재결을 신청할 수 있는 반면 토지소유자는 재결신청권이 없으므로, 수용을 둘러싼 법률관계의 조속한 확정을 바라는 토지소유자 등의 이익을 보호함과 동시에 수용당사자간의 공평을 기하기 위한 것이라고 해석되는 점, 같은 법 제25조의3 제3항의 가산금 제도의 취지는 위 청구권의 실효를 확보하자는 것이라고 해석되는 점을 참작하여 볼 때, 도시계획사업 시행자가 사업실시계획인가의 고시 후 상당한 기간이 경과하도록 협의대상 토지소유자에게 협의기간을 통지하지 아니하였다면 토지소유자로서는 토지수용법 제25조의3 제1항에 따라 재결신청의 청구를 할 수 있다(대판 1993.8.27, 93누9064).

2. 검토

재결신청의 청구권은 수용 법률관계의 조속한 확정을 바라는 피수용자의 권익을 보호하고, 당사자 간 공평을 기하기 위해서 인정되는 점을 고려할 때 사업인정 고시 후 상당한 기간이 경과하도록 협의기간의 통지 자체가 없는 경우에 피수용자는 재결신청의 청구를 할 수 있다고 봄이 타당하다고 생각된다.

III 소결

토지소유자 甲은 한국수자원공사에 대하여 재결신청의 청구를 할 수 있고, 한국수자원공사는 청구를 받은 때부터 60일 이내에 재결신청을 하여야 한다고 보인다.

〈설문 (3) 협의가 성립할 가능성이 없음이 명백한 경우〉

Ⅰ 논점의 정리

사안은 협의의 통지가 있어 협의하였으나 협의성립가능성이 없음이 명백한 경우이다. 이때 피수용자가 협의기간이 만료되기 이전에도 재결신청의 청구를 할 수 있는지, 할 수 있다면 한국수자원공사는 언제까지 재결신청을 하여야 하는가의 문제이다.

Ⅱ 재결신청의 청구 가능성

1. 판례의 태도

판례는 수용에 관한 협의기간이 정해져 있는 경우라도 협의의 성립가능성 없음이 명백해졌을 때와 같은 경우에는 굳이 협의기간이 종료될 때까지 기다리게 하여야 할 필요성이 없는 것이므로 협의기간 종료 전이라도 기업자(현) 사업시행자나 그 업무대행자에 대하여 재결신청의 청구를 할 수 있는 것으로 보아야 한다고 판시하였다.

> **판례**
>
> 가. 기업자를 대신하여 토지수용에 관한 협의절차 업무를 대행하고 있는 자가 있는 경우에는 특별한 사정이 없는 이상 재결신청의 청구서를 그 업무대행자에게도 제출할 수 있다.
> 나. 수용에 관한 협의기간이 정하여져 있더라도 협의의 성립가능성 없음이 명백해졌을 때와 같은 경우에는 굳이 협의기간이 종료될 때까지 기다리게 하여야 할 필요성도 없는 것이므로 협의기간 종료 전이라도 기업자나 그 업무대행자에 대하여 재결신청의 청구를 할 수 있는 것으로 보아야 하며, 다만 그와 같은 경우 토지수용법 제25조의3 제2항에 의한 2월의 기간은 협의기간 만료일로부터 기산하여야 한다(대판 1993.7.13, 93누2902).

2. 검토

토지보상법 제30조 제1항은 대통령령이 정하는 바에 따라 재결 신청할 것을 청구할 수 있다고 규정하고 있고, 동법시행령 제14조 제1항은 협의기간이 경과한 후에 청구할 수 있다고 규정하고 있다. 따라서 이러한 법령의 규정에 의하면 피수용자는 협의기간이 종료되어야 재결신청의 청구를 할 수 있는 것으로 보인다. 그러나 재결신청의 청구권이 피수용자의 권익을 보호하기 위한 제도임을 고려할 때 협의불성립이 명확하다면 재결신청의 청구를 할 수 있다고 봄이 타당하며 판례의 태도가 옳다고 생각된다.

Ⅲ 재결신청청구 시 60일의 기산점

1. 판례의 태도

판례는 협의기간이 종료하기 전이라도 협의성립가능성이 없음이 명백하다면 재결신청의 청구를 할 수 있다고 하면서도 그러한 경우에 사업시행자가 가산금지급의무를 부담하게 되는 60일의 기간은 협의기간 만료일로부터 기산하여야 한다고 판시하였다.

> **판례**
>
> [1] 구 공익사업을 위한 토지 등의 취득 및 보상에 관한 법률(2011.8.4.법률 제11017호로 개정되기 전의 것, 이하 '구 공익사업법'이라고 한다) 제84조 제1항, 제85조, 제30조 등 관계 법령의 내용, 형식 및 취지를 종합하면, 구 공익사업법 제30조 제3항에서 정한 지연가산금은, 사업시행자가 재결신청의 청구를 받은 때로부터 60일을 경과하여 재결신청을 한 경우 관할 토지수용위원회에서 재결한 보상금(이하 '재결 보상금'이라고 한다)에 가산하여 토지소유자 및 관계인에게 지급하도록 함으로써, 사업시행자로 하여금 구 공익사업법이 규정하고 있는 기간 이내에 재결신청을 하도록 간접강제함과 동시에 재결신청이 지연된 데에 따른 토지소유자 및 관계인의 손해를 보전하는 성격을 갖는 금원으로, 재결 보상금에 부수하여 구 공익사업법상 인정되는 공법상 청구권이다. 그러므로 제소기간 내에 재결 보상금의 증감에 대한 소송을 제기한 이상, 지연가산금은 구 공익사업법 제85조에서 정한 제소기간에 구애받지 않고 그 소송절차에서 청구취지 변경 등을 통해 청구할 수 있다고 보는 것이 타당하다.
>
> [2] 공익사업을 위한 토지 등의 취득 및 보상에 관한 법률 시행령 제8조 제1항, 제14조 제1항의 내용, 형식 및 취지를 비롯하여, 토지소유자 및 관계인이 협의기간 종료 전에 사업시행자에게 재결신청의 청구를 한 경우 구 공익사업을 위한 토지 등의 취득 및 보상에 관한 법률(2011.8.4.법률 제11017호로 개정되기 전의 것, 이하 '구 공익사업법'이라고 한다) 제30조 제2항에서 정한 60일의 기간은 협의기간 만료일로부터 기산하여야 하는 점, 사업인정고시가 있게 되면 토지소유자 및 관계인에 대하여 구 공익사업법 제25조에서 정한 토지 등의 보전의무가 발생하고, 사업시행자에게는 구 공익사업법 제27조에서 정한 토지 및 물건에 관한 조사권이 주어지게 되는 이상, 협의기간 연장을 허용하게 되면 토지소유자 및 관계인에게 위와 같은 실질적인 불이익도 연장될 우려가 있는 점, 협의기간 내에 협의가 성립되지 아니하여 토지소유자 및 관계인이 재결신청의 청구까지 한 마당에 사업시행자의 협의기간 연장을 허용하는 것은 사업시행자가 일방적으로 재결신청을 지연할 수 있도록 하는 부당한 결과를 가져올 수 있는 점 등을 종합해 보면, 사업시행자가 보상협의요청서에 기재한 협의기간을 토지소유자 및 관계인에게 통지하고, 토지소유자 및 관계인이 그 협의기간이 종료하기 전에 재결신청의 청구를 한 경우에는 사업시행자가 협의기간이 종료하기 전에 협의기간을 연장하였다고 하더라도 구 공익사업법 제30조 제2항에서 정한 60일의 기간은 당초의 협의기간 만료일로부터 기산하여야 한다고 보는 것이 타당하다(대판 2012.12.27, 2010두9457).

2. 검토

토지보상법 제30조 제2항에 따르면 사업시행자는 청구가 있은 날부터 60일 이내에 재결신청을 하여야 한다고 규정하고 있다. 따라서 판례와 같이 협의기간 종료 전에 재결신청의 청구는 할 수 있지만, 60일의 기간은 협의기간이 종료된 때부터 기산한다는 판례의 태도가 나쁜 의도를 가지고 미리 재결신청을 청구하여 지연가산금을 받는 사례를 없애기 위해서는 협의기간 만료일부터 기산한다는 취지가 타당하다고 보인다.

Ⅳ 소결

甲은 협의기간 만료일인 2025년 3월 30일 이전이라도 협의성립가능성이 없음이 명백한 때에는 사업시행자인 한국수자원공사에 대하여 재결 신청할 것을 청구할 수 있다. 또한 지연가산금을 부담하게 되는 기간이 법령이 규정한 바와 같이 60일은 청구일로부터 기산한다고 보는 것이 1차적으로는 타당하다고 생각된다. 다만 대법원 판례의 태도에 따르면 재결신청청구에 따른 지연가산금 기산일은 협의기간 만료일부터 기산하는 것이 판례의 취지에 맞는 것으로 보인다.

〈설문 (4) 사업시행자가 재결신청의 청구를 거부하는 경우〉

Ⅰ 논점의 정리

피수용자의 재결신청의 청구권의 실효성을 보장하기 위해서 지연가산금 규정을 두고 있으나, 사업시행자가 그럼에도 불구하고 재결신청을 여전히 해태하는 경우 소송을 통하여 그 절차의 이행을 촉구할 수 있는가 하는 점이 문제된다. 위 청구 당시에 재결의 신청을 구할 법규상 또는 조리상의 신청권이 인정되지 않아 피고가 이 사건 회신을 통하여 위 청구를 거부하였다고 하여도 그 거부로 인하여 원고의 권리나 법적 이익에 어떤 영향을 주는 것도 아니어서 이 사건 회신은 항고소송의 대상이 되는 거부처분에 해당하지 않는다. 설령 이 사건 회신을 거부처분으로 보아 이를 취소한다고 하더라도 피고로서는 더 이상 이 사건 사업을 위한 재결을 신청할 수 없게 되었다는 점은 동일하므로 원고가 이 사건 회신의 취소를 구할 소의 이익이 인정되지 않는다고 보면서 행정법원은 부적법 각하하였다. 행정소송을 통하여 이를 다툴 수 있는지 여부가 쟁점이 된다.

Ⅱ 행정소송을 통한 이행강제 가능 여부

1. 종전의 대법원 판례의 태도 : 기업자가 토지소유자 등의 재결신청의 청구를 거부하는 경우, 민사소송의 방법으로 그 절차 이행을 구할 수 있는지 여부(소극)

토지수용법이 토지소유자 등에게 재결신청의 청구권을 부여한 이유는 협의가 성립되지 아니하는 경우 사업시행자는 사업인정의 고시가 있은 날로부터 1년 이내(전원개발사업은 그 사업의 시행기간 내)에는 언제든지 재결신청을 할 수 있는 반면에, 토지소유자는 재결신청권이 없으므로, 수용을 둘러싼 법률관계의 조속한 확정을 바라는 토지소유자 등의 이익을 보호함과 동시에 수용 당사자 사이의 공평을 기하기 위한 것이라고 해석되는 점, 위 청구권의 실효를 확보하기 위하여 가산금 제도를 두어 간접적으로 이를 강제하고 있는 점(토지수용법 제25조의3 제3항), 기업자가 위 신청기간 내에 재결신청을 하지 아니한 때에는 사업인정은 그 기간만료일의 익일부터 당연히 효력을 상실하고, 그로 인하여 토지소유자 등이 입은 손실을 보상하여야 하는 점(같은 법 제17조, 제55조 제1항) 등을 종합해 보면, 사업시행자가 토지소유자 등의 재결신청의 청구를 거부한다고 하여 이를 이유로 민사소송의 방법으로 그 절차 이행을 구할 수는 없다.

공유수면매립사업의 시행으로 인한 손실보상의 경우에는 사업시행자나 손실을 입은 자 쌍방이 공유수면매립법 및 그 시행령이 규정하고 있는 절차에 따라 관할 토지수용위원회에 직접 재정신청을 할 수 있으므로 사업시행자를 상대로 재정신청을 하도록 청구하는 소를 제기할 이익이 없을 뿐만 아니라, 손실을 입은 자가 사업시행자를 상대로 재정신청을 하도록 청구할 수 있는 법률상의 근거가 없으므로 이를 소로서 구할 자격도 없다(대판 1997.11.14. 97다13016).

2. 보상제외처분취소 등에서 지장물 보상제외에 대한 재결신청청구 거부 시 다툼

공익사업을 위한 토지 등의 취득 및 보상에 관한 법률(이하 '공익사업법'이라 한다) 제30조 제1항은 재결신청을 청구할 수 있는 경우를 사업시행자와 토지소유자 및 관계인 사이에 '협의가 성립하지 아니한 때'로 정하고 있을 뿐 손실보상대상에 관한 이견으로 협의가 성립하지 아니한 경우를 제외하는 등 그 사유를 제한하고 있지 않은 점, 위 조항이 토지소유자 등에게 재결신청청구권을 부여한 취지는 공익사업에 필요한 토지 등을 수용에 의하여 취득하거나 사용할 때 손실보상에 관한 법률관계를 조속히 확정함으로써 공익사업을 효율적으로 수행하고 토지소유자 등의 재산권을 적정하게 보호하기 위한 것인데, 손실보상대상에 관한 이견으로 손실보상협의가 성립하지 아니한 경우에도 재결을 통해 손실보상에 관한 법률관계를 조속히 확정할 필요가 있는 점 등에 비추어 볼 때, '협의가 성립되지 아니한 때'에는 사업시행자가 토지소유자 등과 공익사업법 제26조에서 정한 협의절차를 거쳤으나 보상액 등에 관하여 협의가 성립하지 아니한 경우는 물론 토지소유자 등이 손실보상대상에 해당한다고 주장하며 보상을 요구하는데도 사업시행자가 손실보상대상에 해당하지 아니한다며 보상대상에서 이를 제외한 채 협의를 하지 않아 결국 협의가 성립하지 않은 경우도 포함된다고 보아야 한다.

아산~천안 간 도로건설 사업구역에 포함된 토지의 소유자가 토지상의 지장물에 대하여 재결신청을 청구하였으나, 그중 일부에 대해서는 사업시행자가 손실보상대상에 해당하지 않아 재결신청 대상이 아니라는 이유로 수용재결 신청을 거부하면서 보상협의를 하지 않은 사안에서, 사업시행자가 수용재결 신청을 거부하거나 보상협의를 하지 않으면서도 아무런 조치를 취하지 않은 것은 공익사업을 위한 토지 등의 취득 및 보상에 관한 법률에서 정한 재결신청청구제도의 취지에 반하여 위법하다고 판시하였다(대판 2011.7.14, 2011두2309).

3. 2018두57865 판결에서 재결신청청구 거부 시 거부처분취소소송으로 다툼

공익사업을 위한 토지 등의 취득 및 보상에 관한 법률 제28조, 제30조에 따르면, 편입토지 보상, 지장물 보상, 영업·농업보상에 관해서는 사업시행자만이 재결을 신청할 수 있고 토지소유자와 관계인은 사업시행자에게 재결신청을 청구하도록 규정하고 있으므로, 토지소유자나 관계인의 재결신청 청구에도 사업시행자가 재결신청을 하지 않을 때 토지소유자나 관계인은 사업시행자를 상대로 거부처분 취소소송 또는 부작위 위법확인소송의 방법으로 다투어야 한다(대판 2019.8.29, 2018두57865).

4. 소결

종전에 재결신청청구 거부 시에는 민사소송의 방법으로 소구할 수 없다고 판시하였지만 최근 2018두57865 판결로 보면 재결신청청구 거부 시에 거부처분취소소송으로 다툴 수 있다고 판시함으로써 피수용자의 권리보호를 한층 강화한 것으로 판단된다.

Ⅲ 재결신청청구에 대한 2018두57865 판결 검토

1. 공익사업으로 농업의 손실을 입게 된 자가 공익사업을 위한 토지 등의 취득 및 보상에 관한 법률 제34조, 제50조 등에 규정된 재결절차를 거치지 않은 채 곧바로 사업시행자를 상대로 손실보상을 청구할 수 있는지 여부

공익사업을 위한 토지 등의 취득 및 보상에 관한 법률(이하 '토지보상법'이라 한다) 제26조, 제28조, 제30조, 제34조, 제50조, 제61조, 제83조 내지 제85조의 규정 내용 및 입법 취지 등을 종합하면, 공익사업으로 농업의 손실을 입게 된 자가 사업시행자로부터 토지보상법 제77조 제2항에 따라 농업손실에 대한 보상을 받기 위해서는 토지보상법 제34조, 제50조 등에 규정된 재결절차를 거친 다음 그 재결에 대하여 불복이 있는 때에 비로소 토지보상법 제83조 내지 제85조에 따라 권리구제를 받을 수 있을 뿐, 이러한 재결절차를 거치지 않은 채 곧바로 사업시행자를 상대로 손실보상을 청구하는 것은 허용되지 않는다.

2. 편입토지 보상, 지장물 보상, 영업·농업보상에 관하여 토지소유자나 관계인이 사업시행자에게 재결신청을 청구했음에도 사업시행자가 재결신청을 하지 않을 경우, 토지소유자나 관계인의 불복 방법 및 이때 사업시행자에게 재결신청을 할 의무가 있는지가 소송요건 심사단계에서 고려할 요소인지 여부

공익사업을 위한 토지 등의 취득 및 보상에 관한 법률 제28조, 제30조에 따르면, 편입토지 보상, 지장물 보상, 영업·농업보상에 관해서는 사업시행자만이 재결을 신청할 수 있고 토지소유자와 관계인은 사업시행자에게 재결신청을 청구하도록 규정하고 있으므로, 토지소유자나 관계인의 재결신청 청구에도 사업시행자가 재결신청을 하지 않을 때 토지소유자나 관계인은 사업시행자를 상대로 거부처분 취소소송 또는 부작위 위법확인소송의 방법으로 다투어야 한다. 구체적인 사안에서 토지소유자나 관계인의 재결신청 청구가 적법하여 사업시행자가 재결신청을 할 의무가 있는지는 본안에서 사업시행자의 거부처분이나 부작위가 적법한가를 판단하는 단계에서 고려할 요소이지, 소송요건 심사단계에서 고려할 요소가 아니다.

3. 한국수자원공사법에 따른 사업을 수행하기 위한 토지 등의 수용 또는 사용으로 손실을 입게 된 토지소유자나 관계인이 공익사업을 위한 토지 등의 취득 및 보상에 관한 법률 제30조에 따라 한국수자원공사에 재결신청을 청구하는 경우, 위 사업의 실시계획을 승인할 때 정한 사업시행기간 내에 해야 하는지 여부

한국수자원공사법에 따르면, 한국수자원공사는 수자원을 종합적으로 개발·관리하여 생활용수 등의 공급을 원활하게 하고 수질을 개선함으로써 국민생활의 향상과 공공복리의 증진에 이바지함을 목적으로 설립된 공법인으로서(제1조, 제2조), 사업을 수행하기 위하여 필요한 경우에는 공익사업을 위한 토지 등의 취득 및 보상에 관한 법률(이하 '토지보상법'이라 한다) 제3조에 따른 토지 등을 수용 또는 사용할 수 있고, 토지 등의 수용 또는 사용에 관하여 한국수자원공사법에 특별한 규정이 있는 경우 외에는 토지보상법을 적용한다(제24조 제1항, 제7항). 한국수자원공사법 제10조에 따른 실시계획의 승인·고시가 있으면 토지보상법 제20조 제1항 및 제22조에 따른 사업인정 및 사업인정의 고시가 있은 것으로 보고, 이 경우 재결신청은 토지보상법 제23조 제1항 및 제28조 제1항에도 불구하고 실시계획을 승인할 때 정한 사업의 시행기간 내에 하여야 한다(제24조 제2항).

Ⅳ 사례의 해결

최근에 나온 2018두57865 판결에 의하면 재결신청청구에 대해서는 피수용자 권리보호가 미흡했는데 재결신청청구 거부 시에는 거부처분 취소소송으로, 부작위시에는 부작위위법확인소송으로 다툴 수 있다고 판시함으로서 피수용자의 권익보호를 도모한 획기적인 판례로 판단된다.

베타답안

문 40점

Ⅰ. 논점의 정리

(물음 1)에서는 사안과 관련한 토지보상법 제30조의 재결신청청구권에 대해 설명하고자 한다. (물음 2)에서는 사업인정고시 후 상당 기간이 경과하도록 협의기간을 통지하고 있지 않은 경우 토지소유자 甲이 재결신청청구를 할 수 있는지 검토한다. (물음 3)에서는 당사자 간 협의가 불성립할 것이 명백한 경우 협의기간 만료 전에도 甲이 재결신청청구를 할 수 있는지, 할 수 있다면 사업시행자는 언제까지 재결을 신청해야 하는 지를 검토한다. (물음 4)에서는 재결신청의 청구 거부 시 구제방안과, 이에 관한 종전 및 최근 판례를 검토한다. 또한 농업손실에 대해 곧바로 사업시행자에게 청구할 수 있는지, 재결신청청구한 보상항목에 대해 재결신청하지 않은 경우의 권리구제방안을 검토한다.

Ⅱ. (물음 1)

1. 재결신청청구권의 의의 및 취지

공용수용의 당사자 간 협의 불성립의 경우, 토지소유자 및 관계인이 사업시행자에게 재결신청을 조속히 할 것을 청구하는 권리를 말한다. 수용관계에서의 법적 안정성과 재결신청 지연으로 인한 피수용자의 권리보호 취지에서 인정된다.

2. 재결신청청구권의 요건 및 효과(토지보상법 제30조 규정 검토)

토지보상법 제30조에서는 사업인정고시 이후의 협의가 성립되지 아니할 것, 토지소유자와 관계인이 서면으로 사업시행자에게 신청할 것을 요건으로 한다. 사업시행자는 청구를 받은 경우 청구를 받은 날부터 60일 이내에 재결을 하도록 규정하고 있다. 60일 기간을 넘겨 재결을 신청할 경우에는 지연된 기간만큼 가산금을 지급해야 하는 효과가 발생한다.

III. (물음 2)

1. 사업인정 고시 후 상당기간이 경과하도록 협의 기간을 통지하고 있지 않은 경우 (관련 판례 검토)

원칙적으로는 사업시행자가 협의기간으로 통지한 기간이 경과했음에도 협의가 불성립한 경우 재결을 신청청구권이 인정된다. 다만, 판례에서는 예외적으로 사업시행자가 사업인정 후 상당 기간이 지나도록 협의기간을 통지하지 않은 경우 토지소유자는 재결신청의 청구를 할 수 있도록 판시한 바 있다.

2. 사안의 경우

협의가 성립되지 않은 경우 시행자는 사업인정 고시 후 1년 이내에 언제든지 재결을 신청할 수 있는 반면, 토지소유자는 재결신청권이 없는 바 이에 대한 권리구제 수단으로 재결신청청구권이 인정되었다는 취지를 고려할 때, 해당 제도의 실효성 확보를 위해 토지소유자에게 재결신청의 청구가 가능하도록 인정함이 타당하다.

IV. (물음 3)

1. 당사자 간 협의 불성립이 명백한 경우 협의기간 만료 전에 재결신청의 청구를 할 수 있는지

관련 판례인 93누2902에서는 협의기간이 정해져 있더라도, 협의의 성립가능성이 없음이 명백한 경우에는 협의 기간이 종료될 때까지 기다릴 필요 없이 재결신청의 청구를 할 수 있다고 인정한 바 있다.

2. 재결신청의 청구가 가능한 경우 사업시행자는 언제까지 재결을 신청해야 하는 지

판례는 협의기간의 종료 전이라도 협의가 불성립함이 명백한 경우라면, 재결신청의 청구를 할 수 있다고 인정하면서 이러한 경우 사업시행자는 60일의 기간이 협의기간 만료일부터 기산한다고 보았다. 즉 협의 기간 도중 재결신청의 청구는 할 수 있으나, 사업시행자가 가산금지금 의무를 부과하게 되는 60일의 기산점은 협의기간 만료일로 해야 한다는 입장이다.

3. 사안의 경우(판례의 타당성 검토)

① 당사자 간 협의 불성립이 명백하다면 협의 기간의 종료까지 기다릴 실익이 없는 바, 당사자의 권리구제 측면에서 만료일 이전의 재결신청청구를 인정하는 것은 합당하다고 생각한다. ② 다만, 고의로 협의기간 만료일 이전에 재결신청의 청구를 한 뒤, 가산금지급의무의 기산점을 앞당기는 유인으로도 작용할 수 있다. 규정의 악용 방지를 위해 협의기간 만료일을 기산점으로 보는 판례의 태도는 타당하다고 생각한다.

V. (물음 4)

1. 개설

재결신청청구의 거부에 대해 종전판례와 최근 판례가 권리구제 방안에 대해 다른 입장을 보이고 있는 바, 이하에서는 두 가지 판례를 모두 검토하고 권리구제 수단에 대해 자세히 논하고자 한다.

2. (물음 4-1)

(1) 종전판례 검토

종전의 판례에서는 사업시행자에게 가산금 제도를 두어 재결을 조속히 신청하도록 강제하는 규정을 두고 있다는 점, 재결신청청구권의 인정이 공용수용의 당사자 간 권리 균형의 취지에서 인정된다는 점을 들어 사업시행자가 재결신청의 청구를 거부한다고 해서 민사소송의 방법으로 절차 이행을 구할 수 없다 판시한 바 있다.

(2) 최근판례 검토

최근 판례에서는 토지소유자의 재결청구 신청에 대해 사업시행자가 재결신청을 하지 않는 경우에는, 토지소유자나 관계인은 사업시행자를 상대로 거부처분취소소송 또는 부작위위법확인소송의 방법으로 다툴 수 있다고 판시한 바 있다.

3. (물음 4-2)

(1) 관련 판례 검토

판례에서는 공익사업으로 농업의 손실을 입게 된 자가 사업시행자로부터 토지보상법 제77조 제2항에 따라 농업손실에 대한 보상을 받기 위해서는 토지보상법 제34조, 제50조 등에 규정된 재결절차를 거친 다음, 재결에 대해 불복이 있을 때 토지보상법 제83조와 제85조로 권리구제를 받을 수 있다고 판시한 바 있다.

(2) 대법원 판례 태도의 타당성

토지보상법 제26조, 28조, 30조, 34조, 50조, 61조, 83조 및 85조 규정의 내용과 입법 취지를 고려한다면 농업손실보상에 대해서는 당사자간 합의와 재결 절차를 거친 뒤에, 재결에 대해 불복을 통한 권리구제가 가능하다고 봄이 타당하다. 따라서 대법원 판례의 태도도 타당하다 생각한다.

4. (물음 4-3)

판례는 토지소유자는 사업시행자를 상대로 거부처분 취소소송 또는 부작위 위법확인소송의 방법으로 다투어야 하고, 구체적인 사안에서 토지소유자나 관계인의 재결신청 청구가 적법하여 사업시행자가 재결신청을 할 의무가 있는지는 본안에서 사업시행자의 거부처분이나 부작위가 적법한가를 판단하는 단계에서 고려할 요소이지, 소송요건 심사단계에서 고려할 요소가 아니라고 판시한 바 있다.

5. (물음 4 - 4)

관련 판례에 따르면 한국수자원공사법에 따른 사업시행인가 고시가 있는 경우, 토지보상법 제20조 제1항 및 제22조에 따른 사업인정고시가 있는 경우로 보는바, 재결신청은 토지보상법 제23조 제1항 및 제28조 제1항 규정에도 불구하고, 실시계획 승인 당시에 정한 사업의 시행기간에 재결을 신청하면 된다고 판시한 바 있다. 〈사안의 경우〉 판례의 내용과 동일한 바, 기존 사업시행계획 당시의 기간 내에만 재결을 신청하면 된다고 봄이 타당하다.

VI. 사례의 해결

문제에 제시된 판례의 경우 토지소유자의 재결신청 청구에 대한 사업시행자의 거부에 대해서는 거부처분에 해당하지 않는다고 보았다. 그러나 재결신청청구와 관련한 개관, 협의 기산 시점 판례, 입법 취지 등을 고려하고 최근 판례에서도 거부처분으로 보고 있는 점을 들어 재결신청의 청구에 대한 거부를 거부처분 취소소송으로 다툴 수 있다고 생각한다.

판례

재결신청청구 판례 전문(민사사건 대법원 판례, 행정사건 고등법원 판례. 행정사건 대법 판례)

● **사업시행자가 재결신청청구를 거부한 경우의 대법원 판례(민사사건)**
  대판 1997.11.14, 97다13016[손해배상(기)]

  [판시사항]
  [1] 기업자가 토지소유자 등의 재결신청의 청구를 거부하는 경우, 민사소송의 방법으로 그 절차 이행을 구할 수 있는지 여부(소극)
  [2] 공유수면매립사업의 시행으로 인하여 손실을 입은 자의 경우 관할 토지수용위원회에 직접 재정신청을 할 수 있는지 여부(적극)

  [판결요지]
  [1] 토지수용법이 토지소유자 등에게 재결신청의 청구권을 부여한 이유는 협의가 성립되지 아니하는 경우 기업자는 사업인정의 고시가 있은 날부터 1년 이내(전원개발사업은 그 사업의 시행기간 내)에는 언제든지 재결신청을 할 수 있는 반면에, 토지소유자는 재결신청권이 없으므로, 수용을 둘러싼 법률관계의 조속한 확정을 바라는 토지소유자 등의 이익을 보호함과 동시에 수용당사자 사이의 공평을 기하기 위한 것이라고 해석되는 점, 위 청구권의 실효를 확보하기 위하여 가산금제도를 두어 간접적으로 이를 강제하고 있는 점((구)토지수용법 제25조의3 제3항), 기업자가 위 신청기간 내에 재결신청을 하지 아니한 때에는 사업인정은 그 기간만료일의 익일부터 당연히 효력을 상실하고, 그로 인하여 토지소유자 등이 입은 손실을 보상하여야 하는 점(같은 법 제17조, 제55조 제1항) 등을 종합해 보면, 기업자가 토지소유자 등의 재결신청의 청구를 거부한다고 하여 이를 이유로 민사소송의 방법으로 그 절차이행을 구할 수는 없다.

[2] 공유수면매립사업의 시행으로 인한 손실보상의 경우에는 사업시행자나 손실을 입은 자 쌍방이 공유수면매립법 및 그 시행령이 규정하고 있는 절차에 따라 관할 토지수용위원회에 직접 재정신청을 할 수 있으므로 사업시행자를 상대로 재정신청을 하도록 청구하는 소를 제기할 이익이 없을 뿐만 아니라, 손실을 입은 자가 사업시행자를 상대로 재정신청을 하도록 청구할 수 있는 법률상의 근거가 없으므로 이를 소로서 구할 자격도 없다.

● **사업시행자가 재결신청청구를 거부한 경우의 고등법원의 판례**
서울고등법원 제4행정부 판결

[청구취지]

주문과 같다(원고들은 당심에 이르러, 원래 국토해양부장관을 상대로 제기한 손실보상금을 구하는 당사자소송을, 현재 피고를 상대로 한 주문과 같은 취지의 거부처분의 취소를 구하는 항고소송으로 변경하였다. 또한 원고들은 소 변경신청서에서 피고가 2008.8.5.과 2008.8.22. 원고들에 대하여 한 각 거부처분의 취소를 구하고 있으나, 아래에서 살펴보는 바와 같이 피고가 2008.8.5.과 2008.8.22.에 원고들에게 한 회신의 내용은 모두 원고들의 2008.7.25.자 재결신청청구에 대하여 거부하는 의사표시를 내용으로 하고 있는 것으로서 실질적으로 동일하므로, 피고의 2008.8.5.회신내용에 나타난 거부처분의 취소를 구하는 것으로 위 청구취지를 선해한다).

[이유]

1. 처분의 경위

가. 국토해양부장관은 2005.11.28. 건설교통부고시 제2005 – 372호로 경기 연천군 군남면 선곡리, 왕징면 강내리(임진강본류) 일대 6,788,212㎡를 사업시행지로 한 군남홍수조절지 건설기본계획을 수립하여 고시하였다.

나. 피고는 매년 국토해양부장관과 사이에 위와 같은 댐건설 및 댐치수능력증대사업 대행계약을 맺는 한편, 토지수용 등에 따른 보상업무를 위탁받아 국토해양부장관을 대행하여 피고 명의로 군남홍수조절지 건설사업(이하 '이 사건 사업'이라 한다) 등의 협의, 보상, 재결신청 등 업무를 처리하였다.

다. 원고들은 경기 연천군 OOO 일대에서 OOO밭을 각 경작하고 있는데, 재배하고 있던 인삼들이 이 사건 사업으로 인하여 수몰되게 되자 피고에 대하여 이에 대한 농업손실보상 및 지장물보상을 요구하였으나, 피고가 보상대상이 되지 않는다고 주장하여 협의가 성립되지 아니하였다.

라. 원고들은 2008.7.25. 피고에게 농업손실보상 및 지장물보상에 관하여 관할 토지수용위원회에 재결신청을 할 것을 청구하였는데, 피고는 2008.8.5.자 회신에서 지장물과 영농손실보상 및 수용재결 대상이 아니라고 거부하는 취지의 답변을 하였고, 2008.8.22.자 회신에서 원고들이 요구하는 영농손실 및 지장물보상은 사업인정고시 이후에 식재한 것으로 보상대상이 되지 아니하여 수용재결신청대상이 아니라고 통지함으로써, 원고들의 재결신청을 거부하였다(이하 첫번째 회신인 2008.8.5.자 회신을 '이 사건 처분'이라 한다).

[인정 근거]

갑 제1호증, 갑 제31호증 내지 갑 제32호증의 2, 을 제6호증의 1 내지 3의 각 기재, 변론 전체의 취지

2. 주장 및 판단

가. 원고들의 주장

수용대상자인 원고들의 수용재결 신청이 있는 경우 사업시행자인 피고는 의무적으로 토지수용위원회에 재결을 신청하여야 하고, 원고들의 보상요구가 보상대상이 되지 않는다는 이유로 재결신청 자체를 거부할 수는 없으므로 이 사건 처분은 위법하다.

나. 판단

공익사업을 위한 토지 등의 취득 및 보상에 관한 법률(이하, '공익사업법'이라고 한다) 제26조, 제28조, 제30조, 제34조, 제83조, 제84조, 제85조에 의하면 공익사업시행구역 내 토지의 소유자 및 관계인이 사업시행자로부터 토지 등의 수용 또는 사용으로 인한 손실보상을 받기 위해서는 사업시행자와 사이에 협의절차를 거쳐야 하고, 협의가 성립되지 않거나 협의를 할 수 없는 때에는 사업시행자가 관할 토지수용위원회에 수용재결을 신청하기를 기다려 수용재결을 거쳐야 하며, 그 수용재결에 대하여 이의가 있을 때에는 수용재결서를 받은 날부터 90일 이내에 행정소송을 제기하거나 또는 중앙토지수용위원회에 이의신청을 하여 이의재결을 거칠 수 있고, 그 이의재결에 대하여도 불복이 있을 때에는 그 이의재결서를 받은 날부터 60일 이내에 행정소송을 제기할 수 있다.

위 각 조문의 취지에 의하면, 토지소유자 등은 재결을 거치지 않고서는 직접 당사자소송의 방법으로 사업시행자에게 보상금의 지급을 청구할 수는 없다고 할 것이고, 그 결과 관계법령에 의한 보상대상이 됨에도 불구하고 사업시행자가 그 대상이 되지 않는다고 판단하여 재결신청 자체를 거부할 경우 토지소유자 등은 손실보상을 받을 길이 전혀 없게 되는바, 이와 같은 경우를 대비하여 공익사업법 제30조 제1항은 '사업인정고시가 있은 후 협의가 성립하지 아니한 때에는 토지소유자 및 관계인은 대통령령이 정하는 바에 따라 서면으로 사업시행자에게 재결의 신청을 할 것을 청구할 수 있다.'고 규정하고 있고, 같은 조 제2항은 '사업시행자는 제1항의 규정에 의한 청구를 받은 때에는 그 청구가 있는 날부터 60일 이내에 대통령령이 정하는 바에 따라 관할 토지수용위원회에 재결을 신청하여야 한다.'라고 규정하고 있는 것이므로, 당사자 간에 보상에 관한 협의가 성립되지 아니하여 토지소유자 등이 사업시행자에게 재결신청 청구를 할 경우 사업시행자로서는 그 신청취지가 주장 자체로서 이유 없음이 명백하지 아니하는 한 일단 관할 토지수용위원회에 재결신청을 하여 그 재결 결과에 따라 보상 여부에 관한 업무를 처리하여야 하는 것이지, 사업시행자가 보상대상이 되지 않는다고 스스로 판단하여 재결신청 자체를 거부할 수는 없다고 보아야 할 것이다.

그렇다면 위와 같은 이유로 원고들의 재결신청청구를 거부한 피고의 이 사건 처분은 위법하므로 취소되어야 한다.

3. 결론

따라서 원고들의 이 사건 청구를 인용하기로 하여 주문과 같이 판결한다.

● 보상제외처분취소등
  대판 2011.7.14. 2011두2309

[판시사항]

[1] 공익사업을 위한 토지 등의 취득 및 보상에 관한 법률 제30조 제1항에서 정한 '협의가 성립되지 아니한 때'에, 토지소유자 등이 손실보상대상에 해당한다고 주장하며 보상을 요구하는데도 사업시행자가 손실보상대상에 해당하지 않는다며 보상대상에서 이를 제외한 채 협의를 하지 않아 결국 협의가 성립하지 않은 경우도 포함되는지 여부(적극)

[2] 도로건설 사업구역에 포함된 토지의 소유자가 토지상의 지장물에 대하여 재결신청을 청구하였으나, 그중 일부에 대해서는 사업시행자가 손실보상대상에 해당하지 않아 재결신청대상이 아니라는 이유로 수용재결 신청을 거부하면서 보상협의를 하지 않은 사안에서, 위 처분이 위법하다고 본 원심판단을 수긍한 사례

[판결요지]

[1] 공익사업을 위한 토지 등의 취득 및 보상에 관한 법률(이하 '공익사업법'이라 한다) 제30조 제1항은 재결신청을 청구할 수 있는 경우를 사업시행자와 토지소유자 및 관계인 사이에 '협의가 성립하지 아니한 때'로 정하고 있을 뿐 손실보상대상에 관한 이견으로 협의가 성립하지 아니한 경우를 제외하는 등 그 사유를 제한하고 있지 않은 점, 위 조항이 토지소유자 등에게 재결신청청구권을 부여한 취지는 공익사업에 필요한 토지 등을 수용에 의하여 취득하거나 사용할 때 손실보상에 관한 법률관계를 조속히 확정함으로써 공익사업을 효율적으로 수행하고 토지소유자 등의 재산권을 적정하게 보호하기 위한 것인데, 손실보상대상에 관한 이견으로 손실보상협의가 성립하지 아니한 경우에도 재결을 통해 손실보상에 관한 법률관계를 조속히 확정할 필요가 있는 점 등에 비추어 볼 때, '협의가 성립되지 아니한 때'에는 사업시행자가 토지소유자 등과 공익사업법 제26조에서 정한 협의절차를 거쳤으나 보상액 등에 관하여 협의가 성립하지 아니한 경우는 물론 토지소유자 등이 손실보상대상에 해당한다고 주장하며 보상을 요구하는데도 사업시행자가 손실보상대상에 해당하지 아니한다며 보상대상에서 이를 제외한 채 협의를 하지 않아 결국 협의가 성립하지 않은 경우도 포함된다고 보아야 한다.

[2] 아산~천안 간 도로건설 사업구역에 포함된 토지의 소유자가 토지상의 지장물에 대하여 재결신청을 청구하였으나, 그중 일부에 대해서는 사업시행자가 손실보상대상에 해당하지 않아 재결신청대상이 아니라는 이유로 수용재결 신청을 거부하면서 보상협의를 하지 않은 사안에서, 사업시행자가 수용재결 신청을 거부하거나 보상협의를 하지 않으면서도 아무런 조치를 취하지 않은 것은 공익사업을 위한 토지 등의 취득 및 보상에 관한 법률에서 정한 재결신청청구 제도의 취지에 반하여 위법하다고 본 원심판단을 수긍한 사례

[참조조문]

[1] 공익사업을 위한 토지 등의 취득 및 보상에 관한 법률 제30조 제1항
[2] 공익사업을 위한 토지 등의 취득 및 보상에 관한 법률 제30조 제1항

● 수용재결신청청구거부처분취소
대판 2019.8.29, 2018두57865

[판시사항]

[1] 공익사업으로 농업의 손실을 입게 된 자가 공익사업을 위한 토지 등의 취득 및 보상에 관한 법률 제34조, 제50조 등에 규정된 재결절차를 거치지 않은 채 곧바로 사업시행자를 상대로 손실보상을 청구할 수 있는지 여부(소극)

[2] 편입토지 보상, 지장물 보상, 영업·농업보상에 관하여 토지소유자나 관계인이 사업시행자에게 재결신청을 청구했음에도 사업시행자가 재결신청을 하지 않을 경우, 토지소유자나 관계인의 불복 방법 및 이때 사업시행자에게 재결신청을 할 의무가 있는지가 소송요건 심사단계에서 고려할 요소인지 여부(소극)

[3] 한국수자원공사법에 따른 사업을 수행하기 위한 토지 등의 수용 또는 사용으로 손실을 입게 된 토지소유자나 관계인이 공익사업을 위한 토지 등의 취득 및 보상에 관한 법률 제30조에 따라 한국수자원공사에 재결신청을 청구하는 경우, 위 사업의 실시계획을 승인할 때 정한 사업시행기간 내에 해야 하는지 여부(적극)

[판결요지]

[1] 공익사업을 위한 토지 등의 취득 및 보상에 관한 법률(이하 '토지보상법'이라 한다) 제26조, 제28조, 제30조, 제34조, 제50조, 제61조, 제83조 내지 제85조의 규정 내용 및 입법 취지 등을 종합하면, 공익사업으로 농업의 손실을 입게 된 자가 사업시행자로부터 토지보상법 제77조 제2항에 따라 농업손실에 대한 보상을 받기 위해서는 토지보상법 제34조, 제50조 등에 규정된 재결절차를 거친 다음 그 재결에 대하여 불복이 있는 때에 비로소 토지보상법 제83조 내지 제85조에 따라 권리구제를 받을 수 있을 뿐, 이러한 재결절차를 거치지 않은 채 곧바로 사업시행자를 상대로 손실보상을 청구하는 것은 허용되지 않는다.

[2] 공익사업을 위한 토지 등의 취득 및 보상에 관한 법률 제28조, 제30조에 따르면, 편입토지 보상, 지장물 보상, 영업·농업보상에 관해서는 사업시행자만이 재결을 신청할 수 있고 토지소유자와 관계인은 사업시행자에게 재결신청을 청구하도록 규정하고 있으므로, 토지소유자나 관계인의 재결신청 청구에도 사업시행자가 재결신청을 하지 않을 때 토지소유자나 관계인은 사업시행자를 상대로 거부처분 취소소송 또는 부작위 위법확인소송의 방법으로 다투어야 한다. 구체적인 사안에서 토지소유자나 관계인의 재결신청 청구가 적법하여 사업시행자가 재결신청을 할 의무가 있는지는 본안에서 사업시행자의 거부처분이나 부작위가 적법한가를 판단하는 단계에서 고려할 요소이지, 소송요건 심사단계에서 고려할 요소가 아니다.

[3] 한국수자원공사법에 따르면, 한국수자원공사는 수자원을 종합적으로 개발·관리하여 생활용수 등의 공급을 원활하게 하고 수질을 개선함으로써 국민생활의 향상과 공공복리의 증진에 이바지함을 목적으로 설립된 공법인으로서(제1조, 제2조), 사업을 수행하기 위하여 필요한 경우에는 공익사업을 위한 토지 등의 취득 및 보상에 관한 법률(이하 '토지보상법'이라 한다) 제3조에 따른 토지 등을 수용 또는 사용할 수 있고, 토지 등의 수용 또는 사용에 관하여 한국수자원공사법에 특별한 규정이 있는 경우 외에는 토지보상법을 적용한다(제24조 제1항 제7항). 한국수자원공사법 제10조에 따른 실시계획의 승인·고시가 있으면 토지보상법 제

20조 제1항 및 제22조에 따른 사업인정 및 사업인정의 고시가 있은 것으로 보고, 이 경우 재결신청은 토지보상법 제23조 제1항 및 제28조 제1항에도 불구하고 실시계획을 승인할 때 정한 사업의 시행기간 내에 하여야 한다(제24조 제2항).

위와 같은 관련 규정들의 내용과 체계, 입법 취지 등을 종합하면, 한국수자원공사가 한국수자원공사법에 따른 사업을 수행하기 위하여 토지 등을 수용 또는 사용하고자 하는 경우에 재결신청은 실시계획을 승인할 때 정한 사업의 시행기간 내에 하여야 하므로, 토지소유자나 관계인이 토지보상법 제30조에 의하여 한국수자원공사에 하는 재결신청의 청구도 위 사업 시행기간 내에 하여야 한다.

17절
- **토지보상법 제34조(재결)**
- **행정법 쟁점 : 하자의 승계, 집행정지, 사정판결**

문제

최근 부산광역시는 도시 중심부를 관통하는 하천의 상류에 장마철 홍수피해를 방지할 목적으로 댐건설을 계획하고 협의를 통한 용지매수에 착수하였다. 그러나 당초 부산광역시의 예상과 달리 댐건설에 필요한 용지매수가 원활하게 진행되지 않자, 부산광역시장은「공익사업을 위한 토지 등의 취득 및 보상에 관한 법률」에 따라 국토교통부장관에게 사업인정을 신청하는 등 사업인정절차를 거쳤으며, 그로부터 3년 이후 중앙토지수용위원회는 부산광역시에 댐건설에 필요한 용지에 대해 수용재결을 하였다. 그런데 문제는 수용예정 지역 내에서 약 1,000년 이전부터 거주하면서 전통문화를 고수해 온 K집성촌의 토지소유자인 甲 등은 댐건설로 인해 자신들의 성지인 시조묘지가 이장되어야 할 뿐만 아니라 시조 사당을 중심으로 지금까지 고수해 온 자신의 전통문화(이 전통문화는 문화재보호법상 "중요민속자료"로 지정이 예정되어 있음)의 상실에 대한 고려가 전혀 없다는 이유를 들어 댐 건설사업인정은 위법이며, 동 사업인정의 위법성은 수용재결에 승계되기 때문에 수용재결 또한 위법하다고 주장하면서 수용재결의 취소를 요구하고 있다. 이러한 사안 내용을 전제로 다음질문에 답하시오. 40점

(1) 甲 등이 제기한 수용재결의 취소소송에서 사업인정의 위법성을 다툴 수 있는지 여부 및 그리고 이 경우에 댐건설로 인한 K집성촌의 전통문화에 대한 영향이 고려되지 않았다는 점을 이유로 사업인정의 위법성을 甲 등이 주장하는 경우에 어떠한 법리구성이 필요한지를 설명하시오. 20점

(2) 행정소송법 제23조 제1항은「취소소송의 제기는 처분 등의 효력이나 그 집행 또는 절차의 속행에 영향을 주지 아니한다.」고 규정하고 있어 甲 등이 수용재결의 취소소송을 제기하더라도 부산광역시는 토지소유권을 취득하고, 이를 전제로 댐건설을 진행할 수 있다. 그렇다면 이 경우에 甲 등이 소송진행 중에 댐건설을 중지시킬 방법은 무엇인지를 설명하시오. 10점

(3) 만약 (2)의 소송진행 중에 댐건설을 중지시키는 것이 현저히 공공복리에 반하는 경우 법원은 사정판결을 내릴 수 있는지를 설명하시오. 10점

I. 논점의 정리
II. 설문 (1) 수용재결취소소송에서 사업인정의 위법성을 다툴 수 있는지 여부(하자의 승계)
  1. 해당 행정작용의 법적 성질
    (1) 문제점

(2) 사업인정의 의의 및 법적 성질
(3) 재결의 의의 및 법적 성질
2. 사업인정의 위법성 여부 및 정도
  (1) 재량의 한계
  (2) 위법성 여부
  (3) 위법성 정도

Ⅰ 논점의 정리

1. 설문 (1)은 사업인정의 하자가 수용재결에 승계되는지 여부가 주된 쟁점이다. 이의 해결을 위해 먼저 하자의 승계의 기본적 전제요건을 갖추었는지 여부에 관하여 특히 甲 등이 주장하는 사업 인정의 위법성의 법리구성과 관련하여 재량행위로서 재량의 일탈·남용이 있는지 여부 및 그 위법성의 정도가 취소사유에 해당하는지를 살펴본다. 이후 전제요건을 충족한다면 사업인정의 하자가 수용재결에 승계되는지에 관련하여 하자승계의 인정범위에 대한 검토도 필요하다.

2. 설문 (2)는 수용재결에 대한 취소소송 중 댐건설을 중지시키는 방법으로서 집행정지가 있는 바, 그 인용요건을 충족하는지에 대해 검토하여야 하며,

3. 설문 (3)은 그 요건을 갖추지 못하여 취소소송 심리 중에 취소판결을 내릴 경우 현저히 공공 복리에 반하는 사정이 발생한 경우 법원은 사정판결을 할 수 있는지 여부 및 구제방법이 쟁점 사항이다.

Ⅱ 설문 (1) 수용재결취소소송에서 사업인정의 위법성을 다툴 수 있는지 여부(하자의 승계)

1. 해당 행정작용의 법적 성질

(1) 문제점

사안에서 甲은 위법한 행정작용으로 인하여 권익을 침해받고 있으며 그에 대하여 침해된 권익 을 구제받고자 한다. 따라서 甲의 권리구제수단 및 가능성을 타진하기 위해서 문제가 된 행정 작용은 무엇이고 이의 법적 성질은 어떠한지 검토하기로 한다.

(2) 사업인정의 의의 및 법적 성질(토지보상법 제20조)

사업인정은 수용의 1단계 절차로 국토교통부장관이 해당 사업이 토지보상법 제4조의 공익사업에 해당함을 인정하여 사업시행자에게 일정한 절차를 거칠 것을 조건으로 수용권을 설정하는 행정행위이다. 이는 사업시행자에게 수용권을 부여하므로 형성행위이며 행정청이 그 사업이 공용수용을 할 만한 공익성이 있는지 여부 등 모든 사정을 참작하여 구체적으로 판단하여야 하는 것으로서 사업인정 여부는 행정청의 재량에 속한다.

(3) 재결의 의의 및 법적 성질(토지보상법 제34조)

재결이란 사업시행자의 신청에 의해 관할 토지수용위원회가 행하는 공용수용의 종국적 절차로서 사업시행자는 토지 등의 권리를 취득하고 피수용자는 그 권리를 상실하게 하는 것을 내용으로 하는 행위이다. 이는 수용권의 주체에 대한 통설의 입장인 사업시행자수용권설에 의할 경우 권리의 소멸과 취득의 권리관계 변동을 형성하는 형성행위이며 재결신청이 있으면 반드시 재결을 해야 할 의무를 부담한다고 보아야 하므로 기속행위라 할 것이다.

2. 사업인정의 위법성 여부 및 정도

(1) 재량의 한계

재량행위라 할지라도 재량권의 일탈·남용이 있는 경우는 사법심사의 대상(행정소송법 제27조)이 될 수 있으며 재량권의 한계를 넘는 재량권 행사에는 사실오인, 평등의 원칙, 비례의 원칙 위반, 재량권의 불행사 또는 해태, 목적위반 등을 들 수 있다.

(2) 위법성 여부

위 사안에서 사업인정의 관계인인 甲 등의 시조묘지 이장의 문제, 시조사당 수몰로 인한 전통문화의 상실, 특히 甲 등 이해관계인이 고수해온 전통문화가 문화재보호법상 "중요민속자료"로 지정이 예정되어 있는 점 등에 대한 구체적 사정을 고려하지 않아 甲 등의 이익을 형량하지 않고 처분한 경우로서 재량의 흠결에 해당하여 위법하다고 할 수 있다.

(3) 위법성 정도

하자가 취소사유인지 무효사유인지에 대하여 중대설, 명백성보충요건설, 중대명백설(외견상 일견명백설) 등의 대립이 있으며, 판례는 기본적으로 '행정행위의 하자의 내용이 중대하고, 그 하자가 통상인의 기준에서 외관상 명백한 경우에 해당 행정행위는 무효로 된다.'는 중대명백설 중 외견상 일견명백설의 입장을 취하면서도 구체적 사안의 특수성을 고려하는 태도이다. 행정행위의 적법성의 확보와 공적거래의 안전 내지 상대방의 신뢰보호를 중요시한다는 점에서 이러한 판례의 입장이 타당하다고 보인다. 본 사안과 관련하여 사업인정은 甲 등의 구체적 사정을 고려하지 않은 재량의 흠결에 해당하여 그 하자는 중대하나 통상의 인식능력을 갖춘 일반인의 판단에 따를 때 누구의 의심도 허용하지 않을 만큼 객관적이고 확실한 하자라고 보기 어려운바, 취소사유에 해당한다고 보아야 할 것이다.

3. 사업인정의 하자가 수용재결에 승계되는지

(1) 하자승계의 의의

행정이 여러 단계의 행정행위를 거쳐 행해지는 경우 선행행위가 취소사유에 해당하는 하자가 있으나 제소기간 내에 다투지 않아 불가쟁력이 발생하여 취소소송을 제기할 수 없는 경우 후행 행정행위가 적법함에도 선행 행정행위의 위법을 이유로 후행 행정행위의 위법을 주장할 수 있는지 여부에 대한 문제에서 이를 긍정하는 경우에 하자가 승계된다고 한다.

(2) 하자의 승계의 기본적 전제요건을 충족하였는지 여부

① 기본적 전제요건

하자승계의 전제요건으로 ㉠ 선행 행정행위와 후행 행정행위가 모두 처분이어야 하고, ㉡ 선행 행정행위는 무효사유가 아닌(무효사유가 있는 경우는 당연히 승계됨) 취소사유에 해당하는 하자가 존재하여야 하며, ㉢ 후행 행정행위 자체에는 고유한 하자가 없어야 하고, ㉣ 선행 행정행위에 불가쟁력이 발생하고 있을 것이 요구된다.

② 사안의 경우

특히, 본 사안에서 전제요건 검토에 있어 선행 행정행위인 사업인정과 후행 행정행위인 수용재결은 형성적 행정처분임에 유의할 필요가 있으며, 수용재결에는 특별히 하자가 있다고 볼 여지가 사안의 내용상으로 나타나지 아니하고, 선행 행정행위인 사업인정은 이미 3년 전에 이루어졌는바, 불가쟁력이 발생하였으며 취소사유의 하자가 존재하므로 전제요건을 충족한다 할 것이다.

(3) 하자의 승계의 인정범위

① 문제점

행정법관계의 안정성과 행정의 실효성 보장이라는 요청과 국민의 권리구제 요청을 어떻게 조화시킬 것인가에 대해서 견해가 대립한다.

② 학설

㉠ 선행 행정행위와 후행 행정행위가 결합하여 동일한 하나의 법률효과를 목적으로 하는 경우에 하자가 승계된다는 견해, ㉡ 각각 독립하여 별개의 효과를 발생시킨다 하더라도 동일한 행정목적을 달성하기 위한 목적과 수단관계에 있는 경우 하자가 승계된다는 견해, ㉢ 선행행정행위에 발생한 불가쟁력을 후행행위에 대한 구속력의 문제로 이해하는 견해 등이 있다.

③ 판례

판례는 기본적으로 선·후의 행정행위가 결합하여 하나의 법적 효과를 달성시키는지 여부를 기준으로 하자의 승계 여부를 결정한다. 다만, 판례 중에는 예외적으로 선·후의 행정행위가 서로 독립하여 별개의 효과를 목적으로 하는 경우에도 불이익을 입게 되는 자에게 수인한도를 넘는 가혹한 결과를 가져오고 그 결과가 당사자에게 예측 가능한 것이 아닌 경우에는 하자의 승계를 인정하고 있다. 그러나 본 사안과 관련하여 판례는 사업인정에 취소사유가 있는 경우 사업인정단계에서 다루어야지 그 하자를 이유로 수용재결의 취소를 구할 수 없다고 하여 하자의 승계를 부정하고 있다(대판 2000.10.13, 2000두5142).

④ 검토 및 소결

구속력의 문제로 보는 견해는 기판력과 구속력의 실질적 차이를 간과하였다는 점, 선·후의 행정행위가 동일한 법률효과를 목적으로 하느냐를 기준으로 삼는 견해는 지나치게 형식적이라는 점에서 부당하다 할 것이다. 법적안정성과 제3자의 보호요청과 국민의 권리구제 요청을 조화시켜 법적안정성이나 제3자 보호에 지장이 없다면 하자의 승계를 인정하는 것이 타당할 것이다.

(4) 사안의 경우

본 사안과 관련하여 사업인정은 그 자체가 독립의 법적 효과를 발생하는 행정행위이지만, 수용이라는 궁극적 목적을 달성하기 위한 준비행위로서 그 하자가 수용재결에 승계된다고 보는 것이 타당할 것이다. 실무상으로 사업인정단계에 이해관계인의 적극적 참여절차가 결여되어 있을 뿐만 아니라, 사업인정단계에서는 현실적으로 이해관계인의 관심도 없다는 점을 고려한다면 권리구제 측면에서도 하자의 승계를 긍정하여야 할 것이다. 따라서 수용재결의 취소소송에서 사업인정의 위법성을 다툴 수 있다고 보인다.

Ⅲ 설문 (2) 수용재결취소소송 중 댐건설을 중지시키기 위해 甲 등이 취할 수 있는 조치(집행정지인용 여부)

1. 문제점

甲 등이 수용재결에 대한 취소소송을 제기하더라도 집행부정지의 원칙(행정소송법 제23조 제1항)상 본안판결 이전에 댐건설이 완료될 수 있다. 행정소송법은 항고소송에 의한 권리구제의 실효성 확보를 위해서 가구제로서 집행정지제도를 규정하고 있고(동법 제23조 제2항), 甲 등이 수용재결취소소송을 본안으로 하여 댐건설 완료 전에 그 집행정지신청을 할 수 있는바, 그 인용 여부가 문제된다.

2. 집행정지의 인용요건 및 충족 여부

(1) 집행정지의 인용요건

집행정지가 인용되기 위해서는 ① 집행정지의 대상인 처분 등의 존재, ② 적법한 본안소송의 계속, ③ 회복하기 어려운 손해발생의 우려, ④ 긴급한 필요의 존재, ⑤ 공공복리에 중대한 영향을 미칠 우려가 없을 것, ⑥ 본안 청구가 이유 없음이 명백하지 아니할 것(다수설, 판례) 등의 요건을 충족해야 한다. 본 사안과 관련하여 형성적 처분인 수용재결이 존재하고, 수용재결에 대한 취소소송에 특별한 부적법 사유는 없다고 판단된다. 또한 수용재결취소 청구가 이유 없음이 명백하다고 할 수 없다. 따라서 나머지 요건의 충족 여부가 문제된다.

(2) 집행정지의 인용요건 충족 여부

① 회복하기 어려운 손해발생의 우려

회복하기 어려운 손해라 함은 '금전보상이 불능인 경우뿐만 아니라, 금전보상으로 사회관념 상 행정처분을 받은 당사자가 참고 견딜 수 없거나 참고 견디기가 곤란한 유·무형의 손해'를 의미하는 바, 수용재결과 그 후속조치로 인하여 甲 등의 전통문화의 상실 위험은 금전보상이 곤란하며, 또한 금전보상으로도 전보될 수 없는 무형적 손해라 할 것이므로 회복하기 어려운 손해발생의 우려가 긍정된다고 보인다.

② 긴급한 필요의 존재

댐의 완공기간은 장기간이나 그 이전단계의 조치로서 해당 토지의 인도, 이전의무불이행시 행정청에 의한 대집행(공익사업을 위한 토지 등의 취득 및 보상에 관한 법률 제43조, 제44조) 등의 염려가 있는 바, 손해를 피하기 위하여 본안판결을 기다릴 여유가 없는 경우에 해당된다 할 것이다.

③ 공공복리에 중대한 영향을 미칠 우려가 없을 것

처분의 집행에 의해 신청인이 입을 손해와 처분의 집행정지에 의해 영향을 받을 공공복리를 비교·형량하여 정하여야 하는바, "부산광역시 주민들의 재산·생명에 대한 보호의 필요성 이 甲 등의 전통문화 상실로 인한 불이익보다 크다고 할 수 있으므로 공공복리에 중대한 영향 을 미칠 우려가 있다"고 보인다.

3. 사안의 경우

현재 재결취소소송이 진행 중이고 재결은 처분임이 명백하고 전통문화재가 훼손됨은 금전적 배 상으로 수인불가능하다고 볼 수 있고 이를 예방하기 위한 긴급한 필요도 인정된다고 본다. 다만, 댐건설은 공공복리를 위하여 중대한 사안이므로 집행정지를 인정할 수 없다고 하겠다.

Ⅳ 설문 (3) 취소소송 중 댐건설 완료 시 법원의 판단(사정판결 가부)

1. 사정판결의 의의 및 취지

위에서 살펴본 바와 같이 甲 등의 집행정지신청이 법원에 의해 인용되지 않고 소송계속 중에 취 소판결을 내릴 시 현저히 공공복리에 반하는 사유가 발생한 경우라면 甲 등의 권리구제와 관련하 여 법원의 판단에 있어 문제가 되는 것은 사정판결이다(행정소송법 제28조). 사정판결이라고 함은 원고의 청구가 이유 있다고 인정되는 경우에도 처분 등을 취소하는 것이 현저히 공공복리에 적합 하지 않다고 인정되는 때에 법원이 청구를 기각하는 판결을 의미한다. 이는 법치주의에 대한 중 대한 예외로서 그 요건은 엄격히 해석되어야 한다.

2. 사정판결의 적용범위

무효등확인판결에서는 제28조를 준용하지 않고 있는데 무효인 처분의 경우에도 사정판결이 가능한지에 대해 무효인 경우에는 처분자체가 존재하지 않고 준용규정이 없다는 이유로 부정하는 견해(판례동지)와 무효와 취소의 구별이 상대적이고 처분이 무효로 확인됨으로 인하여 현저하게 불합리한 결과를 초래하는 경우에는 가능하다는 긍정하는 견해가 있는바, 처분 상대방의 지나친 결과를 초래한다는 점에서 부정함이 타당시 된다.

3. 사정판결의 요건 및 그 충족 여부

법원이 사정판결을 하기 위해서는 ① 처분 등이 위법하고, ② 처분 등을 취소함이 현저히 공익에 적합하지 않은 경우, 즉 위법한 처분을 취소함으로써 발생하게 되는 새로운 공익 침해의 정도가 위법한 처분을 취소하지 않고 방치함으로써 발생되는 처분의 상대방의 불이익과 기타 공익침해의 정도보다 현저히 큰 경우이어야 한다. 사업인정의 하자가 수용재결에 승계되는바, ①의 요건은 충족하였다. 그러나 법원의 수용재결을 취소함으로 인하여 후속처분이 무효로 되어 원상회복을 해야 한다면 부산광역시 주민의 재산·생명의 중대한 위험뿐만 아니라 댐공사에 투자된 엄청난 비용의 무효화로 인한 국가 및 지방자치단체의 막대한 재정적 손해가 甲 등의 전통문화 유지라는 무형적 이익보다 월등히 큰 경우라 할 것이다. 법원은 이상의 검토에 의할 때 사정판결을 해야 할 것이다.

4. 甲 등의 구제방법

법원은 사정판결을 함에 있어 甲 등이 입게 될 손해의 정도와 배상방법 그 밖의 사정을 조사해야 할 것이다(행정소송법 제28조 제2항). 그리고 법원은 판결 시 처분이 위법함을 주문에 명시해야 하며(동법 제28조 제1항 2문), 소송비용은 피고인 중앙토지수용위원회의 부담으로 한다(동법 제32조).

Ⅴ 사례의 해결

1. 설문 (1)과 관련하여 사업인정은 그 자체가 독립의 법적 효과를 발생하는 행정행위이지만, 수용이라는 궁극적 목적을 달성하기 위한 준비행위로서 그 하자가 수용재결에 승계된다고 보는 것이 타당할 것이다.

2. 설문 (2)와 관련하여 甲 등의 수용재결에 대한 집행정지신청을 할 수 있겠으나 댐건설이 공공복리에 중대한 경우로서 집행정지가 인용될 수 없다 할 것이다.

3. 설문 (3)과 관련하여 부산광역시 주민의 생명의 중대한 위험 및 국가의 막대한 재정적 손해가 甲 등의 전통문화 유지라는 무형적 이익보다 월등히 큰 경우라 할 것인바, 사정판결을 해야 할 것이다.

18절
- 토지보상법 제34조(재결)
- 행정법 쟁점 : 행정심판법 제58조(행정심판의 고지)

문제

인천광역시는 올해 23개 공익사업 시행을 위해 378억 4000만원의 보상비를 확보하여 편입용지 손실보상을 추진한다고 2016년 1월 20일 밝혔다. 작년에 이어 계속 보상을 추진하는 사업장은 19개소 342억 2000만원이고, 올해 새로 보상을 추진하는 사업장은 4개소 36억 2000만원이다. 이중 도로사업 보상은 14개소이고, 하천사업 보상은 7개소이며, 기타 사업보상은 2개소이다. 특히 인천광역시 서구 일대의 도로확장공사와 관련하여 甲의 토지가 인천광역시 지방토지수용위원회의 수용재결에 의하여 수용되었다. 본 수용재결은 「공익사업을 위한 토지 등의 취득 및 보상에 관한 법률」(이하 '토지보상법')에 의한 것인데, 이에 대하여 甲은 해당 수용처분은 위법한 것이거나 적어도 수용재결에서 정한 보상액은 과소한 것이라고 보아 이를 다투려고 한다. 40점

(1) 甲이 취할 수 있는 토지보상법상 쟁송수단에 대하여 구체적으로 설명하시오.

(2) 만약, 토지수용위원회가 수용재결서 정본을 송달하면서 이의신청기간을 알리지 아니한 경우 그 효과는 어떠한지를 대법원 판례를 토대로 설명하시오.

Ⅰ. 논점의 정리
Ⅱ. 설문 (1)의 검토
  1. 개설
  2. 이의신청
    (1) 이의신청 제기
    (2) 이의신청에 대한 재결
  3. 수용재결의 효력을 다투는 소송
    (1) 개설
    (2) 취소소송

  4. 보상금을 다투는 소송
    (1) 의의
    (2) 소송성질
    (3) 소송요건
    (4) 심리 및 판결
Ⅲ. 설문 (2)의 검토
  1. 행정심판법상 고지(행정심판법 제58조)
  2. 수용재결과 고지제도
  3. 고지의무 위반의 효과
  4. 사안의 경우
Ⅳ. 사례의 해결

Ⅰ 논점의 정리

본건은 인천광역시 서구 일대의 도로확장공사와 관련하여 도로확장공사를 위한 사업에 자신의 토지가 수용되자 수용재결에 대해 위법하거나 적어도 보상금액이 과소함을 이유로 다투고자 하며 만약 수용재결서 정본에 이의신청에 대한 기간을 고지하지 아니한 경우 수용재결의 효과를 묻고

있다. 먼저 설문 (1)의 해결을 위해서는 공익사업을 위한 토지 등의 취득 및 보상에 관한 법률(이하 '토지보상법') 제83조에 의한 이의신청, 동법 제85조 제1항에 의한 행정소송과 동법 제85조 제2항에 의한 행정소송인 보상금증감청구소송에 대해 검토하여야 하며, 설문 (2)의 해결을 위해서는 고지제도와 수용재결에 대한 고지제도의 적용 여지 및 그 효과의 검토가 이루어져야 한다.

Ⅱ 설문 (1)의 검토

1. 개설

설문에서 甲이 취할 수 있는 쟁송수단은 이의신청과 행정소송이며 행정소송은 이원적 구조로서 수용재결 자체의 효력을 다투는 소송으로서 취소소송을 제기할 수 있겠고, 보상금액에 대한 다툼으로서 보상금증감청구소송을 제기할 수 있다.

2. 이의신청

(1) 이의신청 제기

법 제83조에 의해 관할 토지수용위원회의 재결에 대하여 이의가 있는 자는 중앙토지수용위원회에 이의를 신청할 수 있다. 다만, 이의신청은 재결서의 정본을 받은 날부터 30일 이내에 하여야 한다.

(2) 이의신청에 대한 재결

중앙토지수용위원회에 이의신청이 있는 경우 제34조의 규정에 의한 재결이 위법 또는 부당하다고 인정하는 때에는 그 재결의 전부 또는 일부를 취소하거나 보상액을 변경할 수 있다. 이의신청에 대한 재결이 확정되면 집행력 있는 판결의 정본과 동일한 효력을 가진다.

3. 수용재결의 효력을 다투는 소송

(1) 개설

사업시행자·토지소유자 또는 관계인은 제34조 재결에 대하여 불복이 있는 때에는 재결서를 받은 날부터 90일 이내에, 이의신청을 거친 때에는 이의신청에 대한 재결서를 받은 날부터 60일 이내에 각각 행정소송을 제기할 수 있다. 행정소송에는 취소소송과 무효등확인소송을 생각할 수 있으나 통상 취소소송의 형태가 될 것이다.

(2) 취소소송

행정심판과의 관계에서는 행정소송법 제18조에서 임의주의를 규정하고 있으며 법에 특별히 따로 규정하고 있지 않으므로 임의주의로 볼 것이며, 소송의 대상 문제에서는 (구)토지수용법에서는 원처분주의·재결주의 논란이 있었으나 현행법은 행정소송법 제19조상 원처분주의를 채택하고 있어 문제되지 않는다.

판례

● 대판 2010.1.28, 2008두1504[수용재결취소등]

[판시사항]

토지소유자 등이 수용재결에 불복하여 이의신청을 거친 후 취소소송을 제기하는 경우 피고 적격(=수용재결을 한 토지수용위원회) 및 소송대상(= 수용재결)

[판결요지]

공익사업을 위한 토지 등의 취득 및 보상에 관한 법률 제85조 제1항 전문의 문언 내용과 같은 법 제83조, 제85조가 중앙토지수용위원회에 대한 이의신청을 임의적 절차로 규정하고 있는 점, 행정소송법 제19조 단서가 행정심판에 대한 재결은 재결 자체에 고유한 위법이 있음을 이유로 하는 경우에 한하여 취소소송의 대상으로 삼을 수 있도록 규정하고 있는 점 등을 종합하여 보면, 수용재결에 불복하여 취소소송을 제기하는 때에는 이의신청을 거친 경우에도 수용재결을 한 중앙토지수용위원회 또는 지방토지수용위원회를 피고로 하여 수용재결의 취소를 구하여야 하고, 다만 이의신청에 대한 재결 자체에 고유한 위법이 있음을 이유로 하는 경우에는 그 이의재결을 한 중앙토지수용위원회를 피고로 하여 이의재결의 취소를 구할 수 있다고 보아야 한다.

4. 보상금을 다투는 소송

(1) 의의

행정소송이 보상금의 증감에 관한 소송인 경우 해당 소송을 제기하는 자가 토지소유자 및 관계인인 때에는 사업시행자를, 사업시행자인 때에는 토지소유자 및 관계인을 각각 피고로 한다. 이는 분쟁의 일회적 해결, 신속한 권리구제를 통해 공익사업의 효율성을 제고하기 위함이다.

(2) 소송성질

형식적 당사자소송이란 행정청의 처분 등에 의하여 형성된 법률관계에 관하여 해당 처분 등의 효력을 다툼이 없이 그 처분에 의하여 형성된 법률관계를 다투는 소송을 말하는데 보상금증감청구소송은 관할 토지수용위원회의 재결한 보상금만을 다투는 것이고 재결청이 공동피고에서 제외됨으로 인하여 소송당사자가 법률관계의 당사자이므로 전형적인 형식적 당사자소송에 해당한다. 또한 재결청인 토지수용위원회를 포함시키지 않고 보상당사자 사이의 분쟁을 일회적으로 해결하는 것이 입법취지인 만큼 이는 확인·급부소송에 해당한다.

(3) 소송요건

소송을 제기하는 자가 토지소유자 및 관계인인 때에는 사업시행자를, 사업시행자인 때에는 토지소유자 및 관계인을 각각 피고로 한다. 재결서를 받은 날부터 90일 이내, 이의신청을 거친 때에는 이의재결서를 받은 날부터 60일 이내에 제기하여야 한다.

(4) 심리 및 판결

잔여지수용청구에 대해 보상금의 증액을 구하는 행정소송을 제기할 수 있다고 보아야 하며, 보상항목에 대한 유용이 가능한가에 대하여 판례는 보상은 물건별로 행하는 것이 아니라 개인별로 행하는 것이므로 행정소송의 대상이 된 물건 상호간의 유용을 허용하여 보상금의 합계액을 결정하여야 한다고 한다. 또한 입증책임은 법률요건분류설의 입장에서 입증책임은 원고에게 있다고 보고 있다.

판례

● 대판 2010.8.19, 2008두822[토지수용이의재결처분취소등]

[판시사항]

[1] (구)'공익사업을 위한 토지 등의 취득 및 보상에 관한 법률' 제74조 제1항에 의한 잔여지 수용청구를 받아들이지 않은 토지수용위원회의 재결에 대하여 토지소유자가 불복하여 제기하는 소송의 성질 및 그 상대방

[2] (구)'공익사업을 위한 토지 등의 취득 및 보상에 관한 법률' 제74조 제1항의 잔여지 수용청구권 행사기간의 법적 성질(=제척기간) 및 잔여지 수용청구 의사표시의 상대방(=관할 토지수용위원회)

[3] 토지소유자가 자신의 토지에 숙박시설을 신축하기 위해 부지를 조성하던 중 그 토지의 일부가 익산 – 장수 간 고속도로 건설공사에 편입되자 사업시행자에게 부지조성비용 등의 보상을 청구한 사안에서, 부지조성비용이 별도의 보상대상으로 인정되지 않는다면 토지소유자에게 잔여지의 가격 감소로 인한 손실보상을 구하는 취지인지 여부에 관하여 의견을 진술할 기회를 부여하고 그 당부를 심리·판단하였어야 함에도, 이러한 조치를 취하지 않은 원심판결에 석명의무를 다하지 않아 심리를 제대로 하지 않은 위법이 있다고 한 사례

[판결요지]

[1] (구)'공익사업을 위한 토지 등의 취득 및 보상에 관한 법률'(2007.10.17. 법률 제8665호로 개정되기 전의 것) 제74조 제1항에 규정되어 있는 잔여지 수용청구권은 손실보상의 일환으로 토지소유자에게 부여되는 권리로서 그 요건을 구비한 때에는 잔여지를 수용하는 토지수용위원회의 재결이 없더라도 그 청구에 의하여 수용의 효과가 발생하는 형성권적 성질을 가지므로, 잔여지 수용청구를 받아들이지 않은 토지수용위원회의 재결에 대하여 토지소유자가 불복하여 제기하는 소송은 위 법 제85조 제2항에 규정되어 있는 '보상금의 증감에 관한 소송'에 해당하여 사업시행자를 피고로 하여야 한다.

[2] (구)'공익사업을 위한 토지 등의 취득 및 보상에 관한 법률'(2007.10.17. 법률 제8665호로 개정되기 전의 것) 제74조 제1항에 의하면, 잔여지 수용청구는 사업시행자와 사이에 매수에 관한 협의가 성립되지 아니한 경우 일단의 토지의 일부에 대한 관할 토지수용위원회의 수용재결이 있기 전까지 관할 토지수용위원회에 하여야 하고, 잔여지 수용청구권의 행사기간은 제척기간으로서, 토지소유자가 그 행사기간 내에 잔여지 수용청구권을 행

사하지 아니하면 그 권리가 소멸한다. 또한 위 조항의 문언 내용 등에 비추어 볼 때, 잔여지 수용청구의 의사표시는 관할 토지수용위원회에 하여야 하는 것으로서, 관할 토지수용위원회가 사업시행자에게 잔여지 수용청구의 의사표시를 수령할 권한을 부여하였다고 인정할 만한 사정이 없는 한, 사업시행자에게 한 잔여지 매수청구의 의사표시를 관할 토지수용위원회에 한 잔여지 수용청구의 의사표시로 볼 수는 없다.

[3] 토지소유자가 자신의 토지에 숙박시설을 신축하기 위해 부지를 조성하던 중 그 토지의 일부가 익산 – 장수 간 고속도로 건설공사에 편입되자 사업시행자에게 부지조성비용 등의 보상을 청구한 사안에서, 잔여지에 지출된 부지조성비용은 그 토지의 가치를 증대시킨 한도 내에서 잔여지의 감소로 인한 손실보상액을 산정할 때 반영되는 것일 뿐, 별도의 보상대상이 아니므로, 잔여지에 지출된 부지조성비용이 별도의 보상대상으로 인정되지 않는다면 토지소유자에게 잔여지의 가격 감소로 인한 손실보상을 구하는 취지인지 여부에 관하여 의견을 진술할 기회를 부여하고 그 당부를 심리·판단하였어야 함에도, 이러한 조치를 취하지 않은 원심판결에 석명의무를 다하지 않아 심리를 제대로 하지 않은 위법이 있다고 한 사례

Ⅲ 설문 (2)의 검토

1. 행정심판법상 고지(행정심판법 제58조)

행정심판법은 "행정청이 처분을 서면으로 하는 경우에는 그 상대방에게 처분에 관하여 행정심판을 제기할 수 있는지의 여부, 제기하는 경우 심판청구절차 및 청구기간을 알려야 한다."고 규정하여 고지제도를 규정하고 있다. 이는 행정의 민주화, 행정의 신중·합리화를 도모하고 개인의 권리보호에 기여하는 제도라 할 것이다.

2. 수용재결과 고지제도

행정심판법상 고지제도가 토지보상법상 수용재결에서도 그대로 적용될 수 있는지가 문제되나 고지제도의 취지가 처분을 할 때에 불복방법을 알려주는 것이므로 특별한 사정이 없는 한 모든 행정처분에 적용된다고 볼 것이다. 더욱이 수용재결에 대하여 이의신청을 제기하는 경우 법 제83조에서는 행정심판에 대한 제기기간보다 짧은 기간인 30일을 규정하고 있어 고지제도의 실익은 더 크다 할 것이다.

3. 고지의무 위반의 효과

고지는 법적 효과를 발생시키지 않는 비권력적 사실행위에 해당한다. 그러나 행정심판법은 고지제도의 실효성을 확보하기 위해 고지의무 위반의 경우 행정심판법 제27조 제6항에서 행정청이 심판청구기간을 알리지 아니한 때에는 제3항의 기간 내(처분이 있은 날부터 180일 이내)에 심판청구를 할 수 있다고 규정하고 있다. 판례 역시 "재결서 정본을 송달함에 있어서 상대방에게 이의신

청기간을 알리지 않았다면 (구)행정심판법 제18조 제6항의 규정에 의하여 같은 조 제3항의 기간 (있은 날부터 180일) 내에 이의신청을 할 수 있다고 보아야 할 것"이라고 판시하고 있다.

4. 사안의 경우

甲은 행정심판법 제27조 제6항 규정에 의하여 수용재결이 있은 날부터 180일 이내에 이의신청을 할 수 있을 것이다. 그러므로 만약 甲이 수용재결서를 받은 날부터 30일이 경과한 경우라 할지라도 수용재결이 있은 날부터 180일 이내에 이의신청을 제기하고, 이의신청에 대한 재결서를 받은 날부터 60일 이내에 행정소송을 제기할 수 있을 것이다.

> **판례**
>
> ● 대판 1996.3.8, 95누18147[이주자택지매매계약해제처분취소]
>
> **[판시사항]**
> 택지개발촉진법에 의한 시행자의 처분에 대하여 상대방이 행정심판 청구기간을 고지받지 못한 경우의 행정심판 제기기간
>
> **[판결요지]**
> 택지개발촉진법 제27조와 행정심판법 제18조 제1항, 제3항, 제6항, 제42조 제1항, 제43조 제2항 등의 관계규정을 종합하면, 택지개발사업의 시행자가 택지개발촉진법에 의하여 서면으로 처분을 하면서 상대방에게 행정심판을 제기할 수 있는지의 여부와 그 청구기간 등을 알리지 아니한 경우, 상대방은 처분이 있은 날부터 3월 내에 행정심판을 제기할 수 있고, 그 기간을 경과하여 제기한 행정심판청구는 부적법하다.

Ⅳ 사례의 해결

설문 (1)에서 甲이 행할 수 있는 수용재결의 불복방법은 이의신청, 취소소송 및 보상금증감청구소송을 생각해 볼 수 있다.

설문 (2)의 경우 甲은 행정심판법 제27조 제6항 규정에 의하여 수용재결이 있은 날부터 180일 이내에 이의신청을 할 수 있을 것이다. 그러므로 만약 甲이 수용재결서를 받은 날부터 30일이 경과한 경우라 할지라도 수용재결이 있은 날부터 180일 이내에 이의신청을 제기하고, 이의신청에 대한 재결서를 받은 날부터 60일 이내에 행정소송을 제기할 수 있을 것이다.

19절 | 토지보상법 제34조(재결)

문제

[사례 문제] 최근 공익사업을 위한 토지 등의 취득 및 보상에 관한 법률 제21조에서 사업인 정의제시에 중앙토지수용위원회와 협의하고 이해관계인의 의견청취를 하도록 별도 규정하 고 있다. 중앙토지수용위원회에서의 공익성 검토기준으로 다음과 같은 사례에 대하여 공익 성 검토의견을 내고자 한다. 각 사례에 대하여 공익성 검토 의견을 제시하도록 하시오(최 종 검토의견은 공익성 검토 적정, 공익성 검토 부적정, 공익성 검토 협의취득 강화 세 가지 의견을 최종적으로 제시하도록 함). 20점

(출처 : 이재훈 사무관, 사업인정의제사업에 대한 중앙토지수용위원회 의견청취절차와 공 익성 판단, 한국토지보상법연구회 토지보상연구 제17집, 2017)

① 유원지 내 일반음식점 신축하는 건으로 민간사업자가 이용객들의 편의를 제공하기 위 하여 대구 소재 유원지 내 일반음식점(조경시설, 주차장 포함)을 개설하는 사업을 국토 의 계획 및 이용에 관한 법률상 도시계획시설사업이며 사업인정의제 받으려고 중앙토 지수용위원회에 공익성 검토를 요청한 사례

② 회원제 골프장 진입도로 개설사업(2건)으로 민간사업자가 회원제 골프장진입도로를 개 설 후 무상귀속시키는 사업이며 국토의 계획 및 이용에 관한 법률상 도시계획시설사업 에 따라 사업인정의제 받으려고 중앙토지수용위원회에 공익성 검토를 요청한 사례

③ 관광단지 조성사업(회원제 콘도)으로 진도군 일원에 지정된 해양관광단지 조성사업으 로 회원제 콘도·호텔, 아쿠아월드 등을 조성하는 사업이며 관광진흥법에 의한 사업인 정의제를 받으려고 중앙토지수용위원회에 공익성 검토를 요청한 사례

④ 민간공원조성사업으로 민간사업자가 공원면적 70% 이상을 기부채납하고 나머지 부지 (30%)에 비공원시설(공동주택)을 조성하는 도시공원조성사업이며 공원녹지법상 사업 인정의제 받으려고 중앙토지수용위원회에 공익성 검토를 요청한 사례

⑤ 지역균형개발사업(주택/연수원)으로 지역개발사업의 일환으로, 골프장, 주택, 연수원을 민간투자방식으로 실시하는 사업이며 지역개발 및 지원에 관한 법률상 사업인정의제 받으려고 중앙토지수용위원회에 공익성 검토를 요청한 사례

공익성 기준 검토를 통한 해당 사례의 해결(공익성 검토에 대한 중앙토지수용위원회 의견제시 사례)

※ 예시답안

1. 유원지 내 일반음식점 신축 : 부적정
   - (개요) 민간사업자가 이용객들의 편의를 제공하기 위하여 대구 소재 유원지 내 일반음식점(조경시설, 주차장 포함)을 개설하는 사업(국토계획법)
   - (의견) 음식점은 음식판매를 통한 민간사업자의 수익창출을 주목적으로 하고 있고, 그 밖에 설치되는 조경시설, 연못 등은 모두 이 건 음식점의 운영·이용에 제공되는 것으로 위 시설 또한 독자적인 공익성을 갖추었다고 보기 어려운 바, 사유재산을 강제로 수용할 만큼의 공익상 필요가 있는 사업으로 보기 어려움

2. 회원제 골프장 진입도로 개설사업(2건) : 협의취득 강화
   - (개요) 민간사업자가 회원제 골프장진입도로를 개설 후 무상귀속(국토계획법)
   - (의견) 협의취득 노력 강화

3. 관광단지 조성사업(회원제 콘도) : 협의취득 강화
   - (개요) 진도군 일원에 지정된 해양관광단지 조성사업으로 회원제 콘도·호텔, 아쿠아월드 등을 조성하는 사업(관광진흥법)
   - (의견) 대중·개방성이 미흡하므로 수용의 범위를 최소화하는 것이 필요

4. 민간공원조성사업 : 협의취득 강화
   - (개요) 민간사업자가 공원면적 70% 이상을 기부채납하고 나머지 부지(30%)에 비공원시설(공동주택)을 조성하는 도시공원조성사업 (공원녹지법)
     * 유사사례 : 새적굴 근린공원 민간공원조성사업(충북 청주시 청원구)
   - (의견) ① 협의취득 노력 강화, ② 민간사업자에게 개발이익의 과도한 귀속방지 및 ③ 주변 도시경관과 조화 요구(잠두봉) ④ 녹지보존을 위한 노력강화(새적굴)

5. 지역균형개발사업(주택/연수원) : 협의취득 강화
   - (개요) 지역개발사업의 일환으로, 골프장, 주택, 연수원을 민간투자방식으로 실시하는 사업(지역개발 및 지원에 관한 법률)
   - (의견) 주거지구부지(주택 등), 특정지구부지(연수원 등) 조성사업은 공익사업이 갖추어야 할 공공성이 상대적으로 낮으므로 협의취득 강화

베타답안

문 20점

Ⅰ. (물음 1)

유원지는 공익의 필요를 위해 지어진 시설이나, 내부의 일반 음식점은 민간사업자가 운영하는 것이고, 일반 음식점의 운영을 위해 조경시설과 주차장 개설을 하고자 사업인정을 요청한 상황이다. 그러나 토지보상법 제4조 공익사업에 해당하지 않을뿐더러, 해당 사업으로 인해 달성하고자 하는 공익보다 사업시행자의 사익이 더 큰 점을 보아 공익성이 없어 부적정하다고 판단할 수 있다.

Ⅱ. (물음 2)

골프장 진입도로 개설은 해당 골프장을 이용하는 회원들의 편익을 위한 목적인 점, 무상귀속이 되더라도 결국 회원제 골프장의 효용에 이용되는 것인 점을 들어 수용할 만큼의 공익적 필요가 인정된다고 보기 어렵다. 따라서 공익성 부적정 판단이 될 것으로 보인다.

Ⅲ. (물음 3)

회원제 콘도 위주의 관광단지이나, 해당 사업으로 진도의 해양관광 수입 및 관광객 방문 등 파생 효과가 예상되는바 공익의 필요가 인정되는 것으로 판단된다. 그러나 회원제 위주로 진행되는 바 수용권을 과도하게 설정하기는 어렵고, 협의취득을 강화함으로써 수용권의 정도를 조정하는 것이 타당하다고 판단된다.

Ⅳ. (물음 4)

민간 사업자가 시행하는 사업이나 공원조성 사업은 공익의 필요가 인정되는 점, 사업면적 부지의 70% 이상을 지방자치단체에 기부채납하는 점을 고려할 때 사업의 공익성이 인정된다. 30% 토지에 대한 공동주택을 조성할 때 사업의 수익성이 인정될 수 있고, 사업시행자의 수행능력 또한 사업인정의 중요한 요건인바 공익성이 적정하다 생각한다.

Ⅴ. (물음 5)

지역의 균형개발을 위한 사업인 점, 해당 사업으로 인한 지역경제가 활성화 될 수 있다는 점을 들어 공익성이 인정된다. 다만 민간투자방식으로 실시하는 사업인바 과도하게 수용권을 설정해주는 것보다는 협의취득을 강화하는 방향이 적절하다 판단된다.

20절   토지보상법 제34조(재결)

문제

원주지방국토관리청장(이하 '이 사건 사업시행자'라고 한다)이 시행하는 이 사건 공익사업을 위하여 2013.1.18. 원고(이하 피수용자 甲 또는 원고 토지소유자 甲) 소유인 경기도 광주시 임야 3,505㎡ 등 5필지(이하 '이 사건 토지'라고 한다)를 수용하고, 그 손실보상금은 합계 976,261,750원으로 하며, 수용개시일은 2013.3.13.로 한다는 내용의 수용재결(이하 '이 사건 수용재결'이라고 한다)을 하였다. 당시 이 사건 사업시행자는 이 사건 수용재결의 보상금액에 관하여 감액 청구소송을 제기할지를 검토하고 있었다. 한편 원고(토지소유자)는 '50억원이 넘는 대출금채무로 인해 매일 300만원에 달하는 지연손해금 채무가 발생하고 있다'라고 언급하면서, 이 사건 사업시행자에게 하루라도 빨리 이 사건 토지의 손실보상금을 지급해 주고, 나아가 이 사건 토지에 인접한 잔여지 6필지(이하 '이 사건 잔여지'라고 한다)도 매수해 줄 것을 요청하였다. 이러한 상황에서 원고와 이 사건 사업시행자는 2013.2.18. 이 사건 토지에 관하여 보상액을 943,846,800원으로, 이 사건 잔여지에 관하여 보상금액을 693,573,430원으로 정한 각 '공공용지의 취득협의서'를 작성하였고, 원고가 이 사건 사업시행자에게 위 각 금액을 청구하는 내용의 각 보상금청구서 및 같은 금액을 영수한다는 내용의 각 영수증을 작성·교부하였으며, 2013.2.21. 이 사건 토지 및 잔여지에 관하여 '2013.2.18. 공공용지의 협의취득'을 원인으로 소유권이전등기가 마쳐졌다. 한편 이 사건 토지에 관한 위 보상금청구서에는 이의를 유보한다는 취지와 함께 "보상액이 너무 억울하여 이의 유보를 기재하고 향후 조치를 취하려 한다."는 내용이 기재되어 있다. 이 사안은 특이하게도 수용재결(2013.1.18.)이 있었고, 수용의 개시일(2013.3.13.) 사이에 협의하여(2013.02.18.~ 2013.2.21. 소유권이전 등기 경료) 소유권까지 넘긴 상황이다.(대법원 2017.4.13. 선고 2016두64241 판결) 위와 같은 상황에서 교묘하게도 피수용자는 수용재결이 나온 다음에 협의를 진행하여 사업시행자에게 소유권을 넘기면서 잔여지 보상도 받아놓고도 수용재결에서 수용의 개시일에 보상금지급을 공탁하지 않았다는 이유로 수용재결 무효확인소송을 제기하였다. 다음의 물음에 답하시오. 40점 (각각의 문제는 별개의 문제임)

(1) 수용재결의 의의 및 법적 성질을 설명하시오. 10점

(2) 수용재결의 실효와 재결신청 효력과의 관계에 대하여 설명하시오. 10점

(3) 수용재결에서 정한 수용의 개시일에 당사자가 협의의 형태로 소유권을 이전하고 보상금을 지급하였을 뿐만 아니라 잔여지까지 보상을 마친 경우에 피수용자는 수용재결 무효확인 주장을 하고 있다. 다음에 구체적인 내용을 설명하고 검토하시오. 20점

  ① 사업인정 전후의 협의의 성립으로 소유권 취득을 설명하시오.

  ② 수용의 개시일에 소유권 취득에 대해 설명하시오.

  ③ 수용재결 이후에 협의로 취득할 수 있는지 여부를 검토하시오.

  ④ 수용재결 무효확인을 구할 실익이 있는지 여부를 검토하시오.

〈설문 (1)에 대하여〉

Ⅰ 수용재결의 의의 및 취지

수용재결은 사업인정고시 후 협의불성립·불능의 경우 사업시행자의 재결신청에 의해 관할 토지수용위원회가 행하는 수용 또는 사용결정의 최종적 판단절차이다(제34조, 제50조). 강제적 권력행사를 통해 공익을 실현하고, 엄격한 절차와 형식을 통해 공익과 사익을 조절하기 위한 제도로서 취지가 있다.

Ⅱ 수용재결의 법적 성질

1. 형성적 행정행위 여부

(1) 문제점

수용권자를 누구로 보는지 견해에 따라 재결의 형성적 행정행위 여부가 달라진다. 어느 견해로 보더라도 강학상 행정행위이자 행정쟁송법상 처분으로서 항고쟁송의 대상이 된다.

(2) 학설

① 〈국가수용권설〉 수용권의 주체는 국가이므로, 재결은 국가가 수용권을 행사하여 피수용자의 권리를 박탈하여 사업시행자에게 이전해 주는 행위로 본다. ② 〈사업시행자수용권설〉 수용권의 주체는 사업시행자이므로, 재결은 사업시행자에게 부여된 수용권의 구체적 내용을 확정하고, 사업시행자와 피수용자간의 권리 취득 및 상실을 결정하는 형성적 행정행위라고 한다. 이 견해가 다수설이다.

(3) 판례

대법원은 재결은 일정한 법적 효과를 가져오는 처분으로서 행정행위의 성질을 갖는다고 하였다(대판 1993.1.9, 91누8050; 대판 1993.4.27, 92누15789).

(4) 검토

생각건대 사업시행자수용권설의 입장이 타당한바, 재결은 수용권의 구체적 내용을 결정하고 권리취득 및 상실을 결정하는 형성적 행정행위로 봄이 타당하다.

2. 기속행위·재량행위 여부

사업시행자가 재결신청을 하면 관할 토지수용위원회는 형식적 요건이 미비되지 않는 한 재결을 해야 하므로, 재결의 발령 자체는 기속행위로 볼 수 있다. 그러나 토지보상법 제50조 제2항 단서에 따르면 손실보상금에 관하여 증액재결을 할 수 있고, 사업인정 단계에서 확정된 모든 토지를 수용할 의무를 부담하는 것은 아니고, 재결단계에서 공공성의 판단, 사업시행자의 사업수행의 의사나 능력을 판단하는 점에 비추어 재결의 내용에 있어서는 재량행위로 볼 수 있다.

> **판례**
>
> 공용수용은 헌법상의 재산권 보장의 요청상 불가피한 최소한에 그쳐야 한다는 헌법 제23조의 근본취지에 비추어 볼 때, 사업시행자가 사업인정을 받은 후 그 사업이 공용수용을 할 만한 공익성을 상실하거나 사업인정에 관련된 자들의 이익이 현저히 비례의 원칙에 어긋나게 된 경우 또는 사업시행자가 해당 공익사업을 수행할 의사나 능력을 상실하였음에도 여전히 그 사업인정에 기하여 수용권을 행사하는 것은 수용권의 공익 목적에 반하는 수용권의 남용에 대항하여 허용되지 않는다(대판 2011.1.27, 2009두1051).

3. 제3자효 행정행위 및 공법상 대리의 성격

수용재결은 사업시행자에게는 재산권 취득의 수익적 효과를 피수용자에게는 재산권 박탈의 침익적 효과를 부여하므로, 제3자효 행정행위이다. 또한 관할 토지수용위원회가 독립적 판단작용을 하므로, 준사법작용과 유사한 당사자심판의 성격, 시심적 쟁송의 성질을 갖고, 수용권자와 피수용권자를 대신하여 수용재결의 사항을 판단하므로 공법상 대리의 성격도 갖고 있다.

Ⅲ 소결

수용재결은 관할 토지수용위원회가 수용결정을 종국적 판단하는 것으로서, 형성적 행정행위이며, 제3자효 행정행위성과 공법상 대리의 성격을 지닌 것이다. 이는 결과적으로 공익사업에 있어서 공사익형량의 마지막 단계라고 할 것이다.

〈설문 (2)에 대하여〉

Ⅰ 수용재결의 실효의 의의 및 취지

수용재결의 실효란 유효하게 성립한 재결효력이 객관적 사실의 발생에 따라 상실되는 것을 말한다(제42조). 재결실효제도는 사전보상원칙을 이행하기 위함이다.

Ⅱ 수용재결의 실효 사유

사업시행자가 수용 또는 사용의 개시일까지 관할 토지수용위원회가 재결한 보상금을 지급하거나 공탁하지 아니하였을 때에는 해당 토지수용위원회의 재결은 효력을 상실한다(제42조 제1항). 재결 이후 사용 또는 수용의 개시일 전에 사업인정이 취소 또는 변경되었을 경우 그 고시 결과에 따라 재결의 효력은 상실된다.

Ⅲ 수용재결 실효와 재결신청 효력의 관계

1. 문제점

재결의 효력이 상실된 경우 재결신청의 효력이 어떻게 되느냐에 대하여 견해가 나뉘어 있다.

2. 견해 대립

재결신청의 효력이 유효하다는 견해는 보상금을 지급하거나 공탁하지 않으면 토지보상법 제42조 규정에서 재결의 효력만을 상실시킬 뿐 재결신청의 효력까지를 상실시키는 것은 아니므로 유효하다고 한다. 그러나 재결과 그 기초가 되는 재결신청은 운명을 같이하여야 하므로, 보상금을 지급하거나 공탁하지 않아 재결의 효력이 상실되면 그 효력이 상실되어야 한다는 견해가 있다.

3. 대법원 판례

토지수용의 내용이 공익사업을 위해서 기업자에게 타인의 재산권을 강제적으로 취득시키는 효과를 나타내는 데 있다고 하더라도 이는 그 보상금의 지급을 조건으로 하고 있는 것인 만큼 토지수용법 제65조의 규정내용 역시 기업자가 그 재결된 보상금을 그 수용시기까지 지급 또는 공탁하지 않은 이상 위 수용위원회의 재결은 물론 재결의 전제가 되는 재결신청도 아울러 그 효력을 상실하는 것이라고 해석함이 상당하고, 재결의 효력이 상실되면 재결신청 역시 그 효력을 상실하게 되는 것이므로 그로 인하여 토지수용법 제17조 소정의 사업인정의 고시가 있은 날부터 1년 이내에 재결신청을 하지 않는 것으로 되었다면 사업인정도 역시 효력을 상실하여 결국 그 수용절차 일체가 백지상태로 환원된다고 판시하였다(대판 1987.3.1, 84누158).

Ⅳ 이의재결 증액보상금 미지급 시 이의재결의 실효

사업시행자가 수용 또는 사용의 개시일까지 관할 토지수용위원회가 재결한 보상금을 지급하거나 공탁하지 아니하였을 때에는 해당 토지수용위원회의 재결은 효력을 상실한다. 이 경우 재결은 무효로 되어 수용의 목적물을 취득할 수 없게 된다(대판 1995.9.15, 93다48458). 그러나 이의재결에서 증액된 보상금을 지급·공탁하지 않았다 하여 이의재결이 당연히 실효되는 것은 아니라 한다(대판 1989.6.27, 88누3956).

〈설문 (3)에 대하여〉

Ⅰ 사업인정 전후의 협의의 성립으로 소유권 취득

사업시행자는 사업인정 전이나 그 후에 토지조서 및 물건조서의 작성, 보상계획의 열람 등 일정한 절차를 거친 후 토지 등에 대한 보상에 관하여 토지소유자 및 관계인과 협의한 다음 그 협의가 성립되었을 때 계약을 체결할 수 있다(제14조 내지 제17조, 제26조, 이하 '협의취득'이라 한다). 이때의 보상합의는 공공기관이 사경제주체로서 행하는 사법상 계약의 실질을 가지는 것으로서, 당사자 간의 합의로 토지보상법이 정한 손실보상 기준에 의하지 아니한 손실보상금을 정할 수 있고, 이처럼 법이 정하는 기준에 따르지 아니하고 손실보상액에 관한 합의를 하였다고 하더라도 그 합의가 착오 등을 이유로 적법하게 취소되지 않는 한 유효하므로(대판 2013.8.22, 2012다3517 참조), 사업시행자는 그 합의에서 정한 바에 따라 토지 등을 취득 또는 사용할 수 있다.

Ⅱ 수용의 개시일에 소유권등 취득

사업시행자는 위와 같은 협의가 성립되지 아니하거나 협의를 할 수 없을 때에는 사업인정고시가 된 날부터 1년 이내에 대통령령으로 정하는 바에 따라 관할 토지수용위원회에 재결을 신청할 수 있고(제28조 제1항), 이때 토지수용위원회는 '1. 수용하거나 사용할 토지의 구역 및 사용방법, 2. 손실보상, 3. 수용 또는 사용의 개시일과 기간' 등에 관하여 재결하며(제50조 제1항), 사업시행자가 수용 또는 사용의 개시일까지 관할 토지수용위원회가 재결한 보상금을 지급하거나 공탁하지 아니하여 재결이 효력을 상실하지 않는 이상(제42조 제1항), 사업시행자는 수용이나 사용의 개시일에 토지나 물건의 소유권 또는 사용권을 취득한다(제45조 제1항, 제2항, 이하 '수용재결취득'이라 한다).

Ⅲ 수용재결 이후에 협의로 취득할 수 있는지 여부

토지보상법은 사업시행자로 하여금 우선 협의취득절차를 거치도록 하고, 그 협의가 성립되지 않거나 협의를 할 수 없을 때에 수용재결취득절차를 밟도록 예정하고 있기는 하다. 그렇지만 ① 일단 토지수용위원회가 수용재결을 하였더라도 사업시행자로서는 수용 또는 사용의 개시일까지 토지수용위원회가 재결한 보상금을 지급 또는 공탁하지 아니함으로써 그 재결의 효력을 상실시킬 수 있는 점, ② 토지소유자 등은 수용재결에 대하여 이의를 신청하거나 행정소송을 제기하여 보상금의 적정 여부를 다툴 수 있는데, 그 절차에서 사업시행자와 보상금액에 관하여 임의로 합의할 수 있는 점, ③ 공익사업의 효율적인 수행을 통하여 공공복리를 증진시키고, 재산권을 적정하게 보호하려는 토지보상법의 입법목적(제1조)에 비추어 보더라도 수용재결이 있은 후에 사법상 계약의 실질을 가지는 협의취득절차를 금지해야 할 별다른 필요성을 찾기 어려운 점 등을 종합해 보면, 토지수용위원회의 수용재결이 있은 후라고 하더라도 토지소유자 등과 사업시행자가 다시 협의하여 토지 등의 취득이나 사용 및 그에 대한 보상에 관하여 임의로 계약을 체결할 수 있다고 보아야 한다.

Ⅳ 수용재결 무효확인을 구할 실익이 있는지 여부

앞서 본 법리에다가 위 사실관계로부터 알 수 있는 다음과 같은 사정들, 즉 ① 원고와 이 사건 사업시행자는 이 사건 수용재결이 있은 후 이 사건 토지에 관하여 보상금액을 새로 정하여 취득협의서를 작성하였고, 이를 기초로 참가인 앞으로 소유권이전등기까지 마친 점, ② 원고가 위와 같이 새로 협의한 보상금액을 청구하면서 이 사건 토지에 관한 보상금청구서에 이의를 유보한다는 취지를 기재하였으나, 위 보상금청구서는 원고가 단독으로 작성한 서면임에 반하여, 원고와 이 사건 사업시행자가 공동으로 작성한 취득협의서에는 이의를 유보한다는 취지의 내용은 없는 점, ③ 원고와 이 사건 사업시행자가 2013.2.18. 이 사건 토지 및 잔여지에 관하여 동시에 협의취득 계약을 체결함으로써, 원고로서는 이 사건 토지의 보상금액을 수용개시일보다 일찍 수령하여 상당한 액수의 금융기관대출 지연손해금 채무가 발생하는 것을 피할 수 있었고, 이 사건 잔여지에 관해서도 수용재결절차를 거치지 아니한 채 손실보상을 받는 이익을 얻게 되었으며, 이 사건 사업시행자로서도 이 사건 토지를 이 사건 수용재결의 보상금액보다 일부 감액된 금액으로 취득하는 등, 상호 포괄적으로 이익을 절충하여 합의한 결과로 보이는 점 등을 종합해 보면, 원고와 이 사건 사업시행자가 이 사건 수용재결과는 별도로 '이 사건 토지의 소유권을 이전한다는 점과 그 대가인 보상금의 액수'를 합의하는 계약을 새로 체결하였다고 볼 여지가 충분하고, 만약 이러한 별도의 협의취득절차에 따라 이 사건 토지에 관하여 참가인 앞으로 소유권이전등기가 마쳐진 것이라면 설령 원고가 이 사건 수용재결의 무효확인 판결을 받더라도 원고로서는 이 사건 토지의 소유권을 회복시키는 것이 불가능하고, 나아가 그 무효확인으로써 회복할 수 있는 다른 권리나 이익이 남아 있다고도 볼 수 없다.

그럼에도 원심은, 이 사건 소가 부적법하다는 취지의 참가인 주장을 그 판시와 같은 사정만을 들어 배척하고, 나아가 본안에 관하여 판단한 제1심판결을 인용하였으니, 이러한 원심판결에는 수용재결 후 별도의 협의취득에 따라 토지 등의 소유권이 이전된 경우 수용재결의 무효확인을 구할 소의 이익에 관한 법리를 오해한 나머지 필요한 심리를 다하지 아니하여 판결에 영향을 미친 잘못이 있다. 이 점을 지적하는 상고이유 주장은 이유 있다.

21절 토지보상법 제42조(재결의 실효)

문제

다음의 사실관계를 토대로 물음에 답하시오. 40점

1. 공익사업의 수용재결의 경위

   가. 공익사업의 개요
   - 명칭 : 광주 - 원주 고속도로 민간투자사업(2공구 1차)
   - 고시 : 2010.3.4.국토교통부 고시 제2010 - 129호, 2010.5.3.같은 고시 제2010 - 262호
   - 사업시행자 : 원주지방국토관리청장

   나. 피고의 2013.1.18.자 수용재결(피고는 중앙토지수용위원회)
   - 수용대상 : 피수용자 토지
   - 수용개시일 : 2013.3.13.
   - 이 사건 각 토지에 대한 손실보상금 : 합계 976,261,750원

   다. 사실관계
   수용대상 토지의 일부 토지에 대하여는 한국전력공사가 "전기공작물(철탑 및 송전선)의 건설과 소유"를 목적으로 하여 2012.1.4.구분지상권설정 등기를 경료하였는데, 해당 면적은 각각 65㎡, 55㎡, 652㎡이고, 한국전력공사는 위 구분지상권설정 당시 소유자인 피수용자에게 지료 합계 32,414,950원(위 각 토지에 대하여 각각 3,357,250원, 2,260,500원, 26,797,200원)을 일시금으로 지급하였다. 이 사건 사업시행자와 한국전력공사는 이 사건 각 토지의 수용에도 불구하고 이 사건 구분지상권을 존속시키기로 합의하였다. 이 사건 사업시행자는 2013.2.18. 피수용자에게 이 사건 수용재결에서 정한 이 사건 각 토지에 대한 손실보상금 합계 976,261,750원에서 이 사건 구분지상권의 지료 합계 32,414,950원을 공제한 943,846,800원을 지급하였다.

2. 피수용자의 주장

   이 사건 수용재결에 따른 손실보상금 합계 976,261,750원은 이 사건 각 토지의 가액에서 이 사건 각 토지 중 (지번 1, 지번 2, 지번 3) 토지에 대하여 설정된 구분지상권의 평가가격이 이미 공제된 금액이라 할 것인데, 이 사건 사업시행자는 위 손실보상금에서 임의로 위 구분지상권의 지료를 공제하여 원고에게 위 손실보상금 중 일부인 943,846,800원만을 지급하고 수용개시일까지 나머지 32,414,950원을 지급하지 아니하였으므로, 공익사업을 위한 토지 등의 취득 및 보상에 관한 법률 제42조에 따라 이 사건 수용재결은 실효되었음이 명백하다.

3. 사업시행자의 진행상황

이 사건 수용재결의 보상금액에 관하여 감액 청구소송을 제기할지를 검토하고 있었다. 한편 피수용자는 '50억원이 넘는 대출금채무로 인해 매일 300만원에 달하는 지연손해금 채무가 발생하고 있다'라고 언급하면서, 이 사건 사업시행자에게 하루라도 빨리 이 사건 토지의 손실보상금을 지급해 주고, 나아가 이 사건 토지에 인접한 잔여지 6필지도 매수해 줄 것을 요청하였다. 이러한 상황에서 피수용자와 이 사건 사업시행자는 2013.2.18. 이 사건 토지에 관하여 보상금액을 943,846,800원으로, 이 사건 잔여지에 관하여 보상금액을 693,573,430원으로 정한 각 '공공용지의 취득협의서'를 작성하였고, 피수용자가 이 사건 사업시행자에게 위 각 금액을 청구하는 내용의 각 보상금청구서 및 같은 금액을 영수한다는 내용의 각 영수증을 작성·교부하였으며, 2013.2.21. 이 사건 토지 및 잔여지에 관하여 '2013.2.18. 공공용지의 협의취득'을 원인으로 사업시행자 소유권이전등기가 마쳐졌다(해당 사안은 대법원 2017.4.13. 2016두64241 판결[수용재결무효확인] 사례임).

(1) 공익사업을 위한 토지 등의 취득 및 보상에 관한 법률(이하 '토지보상법')에는 공익사업을 위하여 피수용자가 가지고 있는 토지 등의 재산권 취득절차를 규정하고 있다. 토지보상법에서 규정하고 있는 임의적 취득절차와 강제적 취득절차에 대하여 법령 규정을 중심으로 설명하시오. 15점

(2) 토지보상법상 협의취득에 대한 법적 성질과 수용 등을 통한 강제취득의 법적 성질에 대하여 각각 설명하고, 분쟁 발생 시에 쟁송방법에 대한 차이점을 논하시오. 10점

(3) 위 사례에서 토지보상법상 수용재결일 이후 수용의 개시일 사이에 피수용자와 협의하여 협의 계약 취득 방식으로 사업시행자가 소유권을 취득한 것이 타당한 것인지 여부와, 위와 같이 수용개시일 이후에 재결이 실효된 것을 기회로 수용재결무효확인소송을 통해 피수용자는 소유권을 회복할 수 있는지 여부를 검토하시오. 15점

Ⅰ. 논점의 정리

Ⅱ. (물음 1) 재산권 취득절차
  1. 임의적 취득절차
    (1) 공익사업 준비절차
    (2) 사업인정 전 협의
  2. 강제적 취득절차
    (1) 사업인정
    (2) 조서작성
    (3) 사업인정 후 협의
    (4) 재결

  (5) 불복

Ⅲ. (물음 2) 협의취득과 강제취득
  1. 법적 성질
    (1) 임의적 협의취득의 법적 성질
    (2) 강제취득의 법적 성질
  2. 행정쟁송방법상
    (1) 협의취득에 대한 쟁송
    (2) 강제취득에 대한 쟁송

Ⅰ 논점의 정리

해당 사안은 이 사건 수용재결 이후, 당사자인 사업시행자와 토지소유자 간 공공용지의 취득협의서를 작성한 것에 대한 타당성 논의로 최근 대법원 판례인 '수용재결무효판례'를 기반으로 한다. 이하 (물음 1)에서는 공익사업을 위한 토지 등의 취득절차를 토지보상법을 중심으로 임의적 취득절차와 강제적 취득절차로 나누어 살펴본다. (물음 2)에서는 협의취득의 성질을 공, 사권을 기준으로 판단 후, 이에 대한 쟁송방법의 차이를 논하도록 한다. (물음 3)에서는 최근 대법원 판례를 통해서 수용재결 이후에도 협의취득이 가능한지와 재결실효를 이유로 수용재결 무효등 확인소송을 통해 소유권을 회복할 수 있는지에 대해서 검토해보고자 한다.

Ⅱ (물음 1) 재산권 취득절차

1. 임의적 취득절차

(1) 공익사업 준비절차(토지보상법 제9조~제15조)

토지보상법에서는 임의적 협의 취득절차이전의 '공익사업 준비절차'로 ① 타인 토지출입 허가(제9조), ② 출입의 통지(제10조), ③ 인용의무(제11조), ④ 장해물 제거(제12조), ⑤ 증표제시(제13조), ⑥ 조서작성(제14조), ⑦ 보상계획열람(제15조)을 규정하고 있다.

(2) 사업인정 전 협의(토지보상법 제16조)

협의란 토지 등의 취득에 대한 양 당사자 간의 의사합치로, 토지보상법 제16조의 협의는 사업인정 이전 임의적 성격의 협의취득을 의미한다. 협의 계약의 체결 후 사업시행자는 토지 등을 승계취득하게 된다. 이는 공공복리 증진과 국민의 재산권 보호 취지에서 인정된다.

2. 강제적 취득절차

(1) 사업인정(토지보상법 제20조)

사업인정이란 공익사업을 토지 등을 수용, 사용 할 수 있는 사업으로 결정하는 것으로(법 제2조 제7호), 사업 이전의 공익성 판단, 의견청취 등을 통한 사전적 권리구제, 피수용자의 권리보호 취지에서 인정된다.

(2) 조서작성(토지보상법 제27조)

사업인정 이후 사업시행자 또는 감정평가업자는 사업의 준비나 토지조서 및 물건조서를 작성, 토지등 감정평가를 위해 토지나 물건에 출입하여 조서를 작성할 권리를 갖는다.

(3) 사업인정 후 협의(토지보상법 제26조)

협의란 토지 등의 취득에 대한 양 당사자 간의 의사 합치로, 토지보상법 제26조의 사업인정 이후 협의는 사업인정을 통해 사업시행자에게 부여된 수용권을 기반으로 한다. 이때 사업시행자는 재결을 받아 토지 등에 대한 원시취득이 가능하며 이는 공공복리 증진과 재산권보호를 취지로 한다.

(4) 재결(토지보상법 제34조)

재결이란 사업인정의 고시가 있은 후 협의불성립 또는 불능의 경우에 사업시행자의 신청에 의해 관할 토지수용위원회가 행하는 공용수용의 종국적 절차로서, 사업시행자가 보상금을 지급·공탁할 것을 전제로 토지 등의 권리를 취득하고 피수용자는 그 권리를 상실하게 하는 것을 내용으로 하는 형성적 행정행위이다.

(5) 불복(토지보상법 제83조, 제85조 제2항)

재결에 대한 불복으로는 토지보상법 제83조의 이의신청과 제85조 제1항의 취소소송, 그리고 제85조 제2항의 보상금청구소송이 존재한다. 토지보상법에서는 이러한 재결에 대한 불복절차를 통해 토지 등의 수용 및 보상금의 결정과정을 거쳐 최종적으로 강제적 취득절차를 마무리하게 된다.

Ⅲ (물음 2) 협의취득과 강제취득

1. 법적 성질

(1) 임의적 협의취득의 법적 성질 : 사적취득 판례언급(대판 1998.5.22, 98다2242 · 2259)

판례는 사업인정 이전 협의취득에 대해 '사적 경제주체로서 행하는 사법상 계약의 실질을 가지는 것으로' 판시하고 있다. 생각건대, 사업인정이라는 공권력에 의한 처분 이전 당사자 간의 의사합치라는 점을 고려할시 사업인정 전 협의는 〈사법상 계약〉임이 타당하다.

(2) 강제취득의 법적 성질

사업인정 이후 협의에 대해서는 판례는 사법상 실질을 갖는 〈사법상 계약〉으로 판시하였다. 그러나 사업인정에 의해 형성된 수용권을 기반으로 한 협의로, 국가의 우월한 지위하에서의 계약으로 〈공법상 계약〉의 성질을 지닌다고 보는 것이 타당하다고 판단된다.

2. 행정쟁송방법상

(1) 협의취득에 대한 쟁송 : 민사소송

사업인정 전 협의의 법적 성질은 〈사법상 계약〉이므로, 이에 대한 다툼은 〈민사소송〉에 의해 이루어질 수 있을 것이다.

(2) 강제취득에 대한 쟁송

① 사업인정 후 협의의 성질을 사법상 계약으로 보는 판례에 따를 시 민사소송으로 권리구제를 도모해야 하나, 공법상 계약으로 보는 견해에 따를시 공법상 당사자소송이 타당하다. 그 외 강제취득절차 중 ② 재결에 대한 권리구제는 토지보상법 제83조 행정심판 및 제85조 취소소송, 보상금증감청구소송을 통해 쟁송이 가능할 것이다. ③ 사업인정의 경우 토지보상법상 권리구제 규정을 두고 있지 아니하므로 일반법인 행정심판법 및 행정소송법이 적용된다.

Ⅳ (물음 3) 수용재결 이후 협의 취득타당성과 피수용자의 소유권 회복가능성 여부

1. 수용재결 이후 협의취득의 타당성

(1) 관련 규정의 검토

토지보상법 제1조(목적), 제42조(재결의 실효), 제83조(이의의 신청), 제85조(행정소송의 제기)

(2) 관련 판례의 태도

> **판례**
>
> ● 대판 2017.4.13, 2016두64241[수용재결무효확인]
>
> **[판시사항]**
> 공익사업을 위한 토지 등의 취득 및 보상에 관한 법률상 토지수용위원회의 수용재결이 있은 후 토지소유자 등과 사업시행자가 다시 협의하여 토지 등의 취득이나 사용 및 그에 대한 보상에 관하여 임의로 계약을 체결할 수 있는지 여부(적극)
>
> **[판결요지]**
> 공익사업을 위한 토지 등의 취득 및 보상에 관한 법률(이하 '토지보상법'이라 한다)은 사업시행자로 하여금 우선 협의취득절차를 거치도록 하고, 협의가 성립되지 않거나 협의를 할 수 없을 때에 수용재결취득절차를 밟도록 예정하고 있기는 하다. 그렇지만 일단 토지수용위원

> 회가 수용재결을 하였더라도 사업시행자로서는 수용 또는 사용의 개시일까지 토지수용위원회가 재결한 보상금을 지급 또는 공탁하지 아니함으로써 재결의 효력을 상실시킬 수 있는 점, 토지소유자 등은 수용재결에 대하여 이의를 신청하거나 행정소송을 제기하여 보상금의 적정 여부를 다툴 수 있는데, 그 절차에서 사업시행자와 보상금액에 관하여 임의로 합의할 수 있는 점, 공익사업의 효율적인 수행을 통하여 공공복리를 증진시키고, 재산권을 적정하게 보호하려는 토지보상법의 입법 목적(제1조)에 비추어 보더라도 수용재결이 있은 후에 사법상 계약의 실질을 가지는 협의취득절차를 금지해야 할 별다른 필요성을 찾기 어려운 점 등을 종합해 보면, 토지수용위원회의 수용재결이 있은 후라고 하더라도 토지소유자 등과 사업시행자가 다시 협의하여 토지 등의 취득이나 사용 및 그에 대한 보상에 관하여 임의로 계약을 체결할 수 있다고 보아야 한다.

(3) 검토

생각건대, 공용수용은 헌법상 재산권 보장의 요청상 최소한의 침해를 가하는 한도 내에서 이루어져야 한다. 따라서 수용재결이 있은 후라고 하더라도 최소침해의 원칙을 관철시키기 위한 협의취득의 취지상 사업시행자와 피수용자 사이의 협의로 인한 물권 변동이 가능하다고 판단된다. 특히, 공익사업의 효율적인 수행과 재산권을 적정하게 보호하려는 토지보상법의 입법취지에 비추어보더라도 수용재결 이후 협의취득을 긍정한 판례의 태도가 타당하다고 판단된다.

2. 피수용자의 협의취득 가능성

(1) 수용재결의 실효의 의의 및 취지

수용재결의 실효란 유효하게 성립한 재결효력이 객관적 사실의 발생에 따라 상실되는 것을 말한다(토지보상법 제42조). 재결의 실효 제도는 사전보상 원칙을 이행하기 위함에 취지가 있다.

(2) 수용재결의 실효사유

사업시행자가 수용 또는 사용의 개시일까지 관할 토지수용위원회가 재결한 보상금을 지급하거나 공탁하지 아니하였을 때에는 해당 토지수용위원회의 재결은 효력을 상실한다(제42조 제1항). 재결 이후 사용 또는 수용의 개시일 전에 사업인정이 취소 또는 변경되었을 경우 그 고시 결과에 따라 재결의 효력은 상실된다.

(3) 수용재결 실효와 재결신청 등 효력의 관계

재결의 효력이 상실된 경우 재결신청의 효력이 어떻게 되느냐에 대하여 재결신청의 효력이 유효하다는 견해는 보상금을 지급하거나 공탁하지 않으면 토지보상법 제42조 규정에서 재결의 효력만을 상실시킬 뿐 재결신청의 효력까지 상실시키는 것은 아니므로 유효하다고 한다. 반면에 재결과 그 기초가 되는 재결신청은 운명을 같이하여야 하므로, 보상금을 지급하거나 공탁하지 않아 재결의 효력이 상실되면 그 효력이 상실되어야 한다는 견해가 있다. 판례는 사업인정의 고시가 있은 날부터 1년 이내에 재결신청을 하지 않는 것으로 되었다면 사업인정도 역시 효력을 상실하여 결국 그 수용절차 일체가 백지상태로 환원된다고 판시하였다.

> **판례**
>
> ● 대판 1987.3.10, 84누158[토지수용재결처분취소]
>
> **[판시사항]**
>
> 가. 기업자가 토지수용위원회에서 재결한 보상금을 수용시기까지 지급 또는 공탁하지 않은 경우 재결신청의 효력
>
> 나. 재결 및 재결신청의 실효와 사업인정의 효력
>
> 다. 계쟁중인 행정처분이 무효인 경우 사정판결의 가부
>
> **[판결요지]**
>
> 가. 토지수용의 내용이 공익사업을 위해서 기업자에게 타인의 재산권을 강제적으로 취득시키는 효과를 나타내는데 있다고 하더라도 이는 그 보상금의 지급을 조건으로 하고 있는 것인 만큼 토지수용법 제65조의 규정내용 역시 기업자가 그 재결된 보상금을 그 수용시기까지 지급 또는 공탁하지 않은 이상 위 수용위원회의 재결은 물론 재결의 전제가 되는 재결신청도 아울러 그 효력을 상실하는 것이라고 해석함이 상당하다.
>
> 나. 재결의 효력이 상실되면 재결신청 역시 그 효력을 상실하게 되는 것이므로 그로 인하여 토지수용법 제17조 소정의 사업인정의 고시가 있은 날로부터 1년 이내에 재결신청을 하지 않는 것으로 되었다면 사업인정도 역시 효력을 상실하여 결국 그 수용절차 일체가 백지상태로 환원된다.
>
> 다. 계쟁중인 행정처분이 무효인 경우에는 존치시킬 효력이 있는 행정행위가 없기 때문에 구 행정소송법(1951.8.24, 법률 제213호) 제12조 소정의 사정판결을 할 수 없다.

> **판례**
>
> ● 대판 1989.6.27, 88누3956[토시수용재결처분취소]
>
> **[판시사항]**
>
> 중앙토지수용위원회의 이의재결절차에 있어서 기업자가 이의재결에서 증액된 보상금을 일정한 기간 내에 지급 또는 공탁하지 아니하는 경우 이의재결의 실효 여부(소극)
>
> **[판결요지]**
>
> 중앙토지수용위원회의 이의재결에 관하여 토지수용법 제75조 제2항은 원재결의 취소 또는 변경으로 인하여 보상금이 증액된 때에는 기업자는 이의재결서 정본을 송달받은 날로부터 1개월 내에 증액된 보상금을 지급 또는 공탁하도록 규정하고 있을 뿐 달리 관할 토지수용위원회의 재결에서와 같이 같은 법제65조의 실효규정을 두었거나 이를 준용할 근거를 두지 아니하였을 뿐만 아니라 같은 법 제75조의2 제2항은 이의신청에 대한 재결이 확정되었을 때에는 민사소송법상의 확정판결이 있는 것으로 보며 재결정본은 집행력 있는 판결정본과 동일

한 효력을 가진다고 규정하고 있고 같은 법 제76조는 관할 토지수용위원회의 재결에 대한 이의신청이 있더라도 사업의 진행 및 토지의 수용 또는 사용은 정지되지 아니한다고 한 규정들을 종합하여 보면 중앙토지수용위원회의 이의재결절차에 있어서는 관할 토지수용위원회와는 달리 기업자가 이의재결에서 증액된 보상금을 일정한 기간 내에 지급 또는 공탁하지 아니하더라도 이의재결 자체가 당연히 실효된다고 해석되지 아니한다.

(4) 판례를 통한 사안의 해결

> **판례**
>
> ● 대판 2017.4.13, 2016두64241[수용재결무효확인]
>
> [판시사항]
> 중앙토지수용위원회가 지방국토관리청장이 시행하는 공익사업을 위하여 갑 소유의 토지에 대하여 수용재결을 한 후, 갑과 사업시행자가 '공공용지의 취득협의서'를 작성하고 협의취득을 원인으로 소유권이전등기를 마쳤는데, 갑이 '사업시행자가 수용개시일까지 수용재결보상금 전액을 지급·공탁하지 않아 수용재결이 실효되었다'고 주장하며 수용재결의 무효확인을 구하는 소송을 제기한 사안에서, 갑이 수용재결의 무효확인 판결을 받더라도 토지의 소유권을 회복시키는 것이 불가능하고, 무효확인으로써 회복할 수 있는 다른 권리나 이익이 남아 있다고도 볼 수 없다고 한 사례
>
> [판결요지]
> 중앙토지수용위원회가 지방국토관리청장이 시행하는 공익사업을 위하여 갑 소유의 토지에 대하여 수용재결을 한 후, 갑과 사업시행자가 '공공용지의 취득협의서'를 작성하고 협의취득을 원인으로 소유권이전등기를 마쳤는데, 갑이 '사업시행자가 수용개시일까지 수용재결보상금 전액을 지급·공탁하지 않아 수용재결이 실효되었다'고 주장하며 수용재결의 무효확인을 구하는 소송을 제기한 사안에서, 갑과 사업시행자가 수용재결이 있은 후 토지에 관하여 보상금액을 새로 정하여 취득협의서를 작성하였고, 이를 기초로 소유권이전등기까지 마친 점 등을 종합해 보면, 갑과 사업시행자가 수용재결과는 별도로 '토지의 소유권을 이전한다는 점과 그 대가인 보상금의 액수'를 합의하는 계약을 새로 체결하였다고 볼 여지가 충분하고, 만약 이러한 별도의 협의취득절차에 따라 토지에 관하여 소유권이전등기가 마쳐진 것이라면 설령 갑이 수용재결의 무효확인 판결을 받더라도 토지의 소유권을 회복시키는 것이 불가능하고, 나아가 무효확인으로써 회복할 수 있는 다른 권리나 이익이 남아 있다고도 볼 수 없다고 한 사례

V 사안의 해결

1. **(물음 1)** 토지보상법에서는 임의적 취득절차로 공익사업의 준비과정(법 제9조~제15조)과 협의 (제16조)를 규정한다. 강제적 취득절차로는 공용수용 절차로써 사업인정, 조서작성, 협의, 재결, 이의신청 및 행정소송을 규정하고 있다.

2. **(물음 2)** 판례는 협의에 대해 사법상 실질을 갖는 〈사법상 계약〉으로 판시하였다. 법 제16조의 사업인정 전 협의의 경우 〈사법상 계약〉이 타당하나, 법 제26조의 사업인정 후의 협의는 공법인 토지보상법의 수용권을 기반으로 한다는 점에서 〈공법상 계약〉이 타당하다. 이에 따라 협의취득 의 경우 민사소송을 통한 구제가 가능할 것이고, 강제적 취득절차의 경우 공법상 당사자소송 및 재결의 이의신청, 취소소송, 보상금증감청구소송을 통해 다툴 수 있을 것이다.

3. **(물음 3)** 수용재결 이후 당사자 간 협의 가능성에 대해 재결 이후 당사자 간 협의를 통해 보상금 결정이 가능한 점, 토지보상법의 입법목적, 재결 이후 당사자 간 협의를 부정할 필요성이 없는바, 협의 계약 취득 방식으로 사업시행자가 소유권을 취득한 것은 타당하다. 따라서 피수용자는 토지 의 소유권을 회복시키는 것이 불가능하고, 나아가 무효확인으로써 회복할 수 있는 다른 권리나 이익이 남아 있다고도 볼 수 없다.

22절 토지보상법 제50조(재결사항)

문제

공익사업을 위한 토지등의 취득 및 보상에 관한 법률(이하 '토지보상법')에 따라 경기도지방토지수용위원회는 2017.2.27. 피수용자 甲 소유의 분할 전 하남시 미사동 100번지 임야 46,756㎡(이하 '이 사건 토지'라 한다) 중 1,558㎡ 부분(이 부분은 나중에 하남시 미사동 100−1번지로 분할된 후 수용되었다. 이하 '이 사건 수용대상 토지'라 한다)과 이 사건 토지 중 3,603㎡ 부분(이하 '이 사건 사용대상 토지'라 한다)에 관하여 이 사건 재결을 하였다. 이 사건 경기도지방토지수용위원회 재결의 주문에는 '이 사건 사업을 위하여 원고 소유의 별지 기재 토지를 수용하도록 하고, 별지 기재 물건을 이전하게 하며, 손실보상금은 628,449,600원으로 한다. 수용개시일은 2017.4.13.으로 한다.'라고만 기재되어 있고, 이유에는 '이 사건 사업에 편입되는 별지 기재 토지 등의 취득을 위하여 소유자와 협의를 하였으나, 보상금 저렴 등의 사유로 협의가 성립되지 아니하여 재결신청에 이르렀다. 본건 재결신청은 위 규정에 의한 적법한 재결신청으로 사업시행자는 별지 기재 토지 등을 수용할 수 있는 권한이 인정된다.'라고 기재되어 있다. 이 사건 재결서의 별지 목록(토지)에는 이 사건 수용대상 토지에 관한 보상금액을 324,843,000원(단가 208,500원), 이 사건 사용대상 토지에 관한 보상금액을 202,488,600원(단가 56,200원)으로 정한다는 내용과 그 각 면적만이 기재되어 있을 뿐이다(출처 : 대법원 2019.6.13. 선고 2018두42641 판결 [수용재결취소등]). 다음 물음에 답하시오. 20점 (각 물음은 별개의 내용임)

(1) 위 경기도토지수용위원회가 토지에 관하여 사용재결을 하는 경우, 재결서에 사용할 토지의 위치와 면적, 권리자, 손실보상액, 사용 개시일 외에 사용방법, 사용기간을 구체적으로 특정하여야 하는지 여부를 설명하시오. 5점

(2) 위 경기도토지수용위원회가 피수용자 甲 소유의 토지 중 일부는 수용하고 일부는 사용하는 재결을 하면서 재결서에는 수용대상 토지 외에 사용대상 토지에 관해서도 '수용'한다고만 기재한 사안에서, 위 재결 중 사용대상 토지에 관한 부분은 토지보상법 제50조 제1항에서 정한 사용재결의 기재사항에 관한 요건을 갖추지 못한 흠이 있음에도 사용재결로서 적법하다고 볼 수 있는지 검토하시오. 5점

(3) 토지보상법에 따라 위 수용재결 및 이의재결에 관여하는 관할 지방토지수용위원회와 중앙토지수용위원회에 대하여 설명하시오. 10점

Ⅰ. 논점의 정리

Ⅱ. (물음1)에 대하여
 1. 재결의 의의, 취지(토지보상법 제34조)
 2. 재결의 요건(토지보상법 제50조)

 3. 관련 판례의 태도
 4. 검토 및 소결

Ⅲ. (물음2)에 대하여
 1. 관련 판례의 태도
 2. 검토 및 소결

Ⅰ 논점의 정리

공익사업을 위한 토지 등의 취득 및 보상에 관한 법률(이하 '토지보상법')은 제34조에 수용재결에 대하여 규정하면서 동법 제50조에 재결사항을 명시하고 있다. 사안은 사용 부분과 수용 부분을 구체적으로 구분하지 않은 재결서의 위법이 문제된다. 이하에서는 관련규정 및 판례를 통해 재결서의 위법성을 검토하고, 사용재결의 기재사항에 관한 요건을 갖추지 못한 흠이 있음에도 사용재결로서 적법하다고 볼 수 있는지 살핀다.

Ⅱ (물음1)에 대하여

1. 재결의 의의, 취지(토지보상법 제34조)

재결이란 사업인정의 고시가 있은 후 협의불성립 또는 불능의 경우에 사업시행자의 신청에 의해 관할 토지수용위원회가 행하는 공용수용의 종국적 절차로서 침해되는 사익의 중대성을 감안하여 엄격한 형식과 절차규정을 두어 공용수용의 최종단계에서 공익과 사익의 조화를 이루기 위한 제도로서의 의미가 있다.

2. 재결의 요건(토지보상법 제50조)

토지수용위원회의 재결사항은 ① 수용·사용할 토지의 구역 및 사용방법, ② 손실의 보상, ③ 수용·사용의 개시일과 기간, ④ 그 밖에 이 법 및 다른 법률에서 정한 사항이다. 토지수용위원회는 사업시행자, 토지소유자 또는 관계인이 신청한 범위에서 재결하여야 한다. 다만, 손실보상의 경우에는 증액재결을 할 수 있다.

> ➜ 토지보상법 제50조(재결사항)
>   ① 토지수용위원회의 재결사항은 다음 각 호와 같다.
>   1. 수용하거나 사용할 토지의 구역 및 사용방법
>   2. 손실보상
>   3. 수용 또는 사용의 개시일과 기간
>   4. 그 밖에 이 법 및 다른 법률에서 규정한 사항
>   ② 토지수용위원회는 사업시행자, 토지소유자 또는 관계인이 신청한 범위에서 재결하여야 한다.
>   다만, 제1항 제2호의 손실보상의 경우에는 증액재결(增額裁決)을 할 수 있다.

3. 관련 판례의 태도

> **판례**
>
> ● 대법원 2019. 6. 13. 선고 2018두42641 판결 [수용재결취소등]
>
> **[판시사항]**
>
> [1] 관할 토지수용위원회가 토지에 관하여 사용재결을 하는 경우, 재결서에 사용할 토지의 위치와 면적, 권리자, 손실보상액, 사용 개시일 외에 사용방법, 사용기간을 구체적으로 특정하여야 하는지 여부(적극)
>
> **[판결요지]**
>
> [1] 공익사업을 위한 토지 등의 취득 및 보상에 관한 법령이 재결을 서면으로 하도록 하고, '사용할 토지의 구역, 사용의 방법과 기간'을 재결사항의 하나로 규정한 취지는, <u>재결에 의하여 설정되는 사용권의 내용을 구체적으로 특정함으로써 재결 내용의 명확성을 확보하고 재결로 인하여 제한받는 권리의 구체적인 내용이나 범위 등에 관한 다툼을 방지하기 위한 것이다. 따라서 관할 토지수용위원회가 토지에 관하여 사용재결을 하는 경우에는 재결서에 사용할 토지의 위치와 면적, 권리자, 손실보상액, 사용 개시일 외에도 사용방법, 사용기간을 구체적으로 특정하여야 한다.</u>

4. 검토 및 소결

생각건대, 재결은 공용수용의 최종단계에서 공익과 사익의 조화를 이루기 위한 제도로서의 의미를 가지고 있다는 점, 명확한 재결서를 통해서 피수용자의 적정한 재산권보호를 한다는 토지보상법의 입법 취지를 달성할 수 있다는 점을 고려한다면 사용재결을 하는 경우, 재결서에 사용할 토지의 위치와 면적, 권리자, 손실보상액, 사용 개시일 외에 사용방법, 사용기간을 구체적으로 특정하여야 한다고 보는 것이 타당하다고 판단된다.

Ⅲ (물음2)에 대하여

1. 관련 판례의 태도

> **판례**
>
> ● 대법원 2019. 6. 13. 선고 2018두42641 판결 [수용재결취소등]
>
> **[판시사항]**
>
> 지방토지수용위원회가 갑 소유의 토지 중 일부는 수용하고 일부는 사용하는 재결을 하면서 재결서에는 수용대상 토지 외에 사용대상 토지에 관해서도 '수용'한다고만 기재한 사안에서, 위 재결 중 사용대상 토지에 관한 부분은 공익사업을 위한 토지 등의 취득 및 보상에 관한 법률 제50조 제1항에서 정한 사용재결의 기재사항에 관한 요건을 갖추지 못한 흠이 있음에도 사용재결로서 적법하다고 본 원심판단에 법리를 오해한 잘못이 있다고 한 사례

> [판결요지]
> 지방토지수용위원회가 갑 소유의 토지 중 일부는 수용하고 일부는 사용하는 재결을 하면서 재결서에는 수용대상 토지 외에 사용대상 토지에 관해서도 '수용'한다고만 기재한 사안에서, 사용대상 토지에 관하여는 공익사업을 위한 토지 등의 취득 및 보상에 관한 법률(이하 '토지보상법'이라 한다)에 따라 사업시행자에게 사용권을 부여함으로써 송전선의 선하부지로 사용할 수 있도록 하기 위한 절차가 진행되어 온 점, 재결서의 주문과 이유에는 재결에 의하여 지방토지수용위원회에 설정하여 주고자 하는 사용권이 '구분지상권'이라거나 사용권이 설정될 토지의 구역 및 사용방법, 사용기간 등을 특정할 수 있는 내용이 전혀 기재되어 있지 않아 재결서만으로는 토지소유자인 갑이 자신의 토지 중 어느 부분에 어떠한 내용의 사용제한을 언제까지 받아야 하는지를 특정할 수 없고, 재결로 인하여 토지소유자인 갑이 제한받는 권리의 구체적인 내용이나 범위 등을 알 수 없어 이에 관한 다툼을 방지하기도 어려운 점 등을 종합하면, 위 재결 중 사용대상 토지에 관한 부분은 토지보상법 제50조 제1항에서 정한 사용재결의 기재사항에 관한 요건을 갖추지 못한 흠이 있음에도 사용재결로서 적법하다고 본 원심판단에 법리를 오해한 잘못이 있다고 한 사례

2. 검토 및 소결

사안의 재결사항의 경우 수용부분과 사용부분이 구체적으로 명시되어 있지 않아, 재결서만으로는 토지소유자가 자신의 토지 중 어느 부분이 어떠한 내용의 사용제한을 언제까지 받아야 하는지 특정할 수 없고, 제한받는 권리의 구체적 내용, 범위 등에 대해 알 수가 없다. 이에 사용재결에 기재사항의 요건을 갖추지 못한 흠이 있다. 생각건대, 토지보상법 제50조에서 재결서의 내용으로 수용하거나 사용할 토지의 구역 및 사용방법 등을 기재하도록 규정하고 있는 점, 재결서가 불명확할 경우 공사익의 조화가 제대로 이루어지지 않아 이에 대한 다툼을 방지하기도 어려운 점을 고려해본다면 해당 재결서는 수용 또는 사용과 관련된 내용들에 대해서 명확하게 기재하여야 한다. 따라서 사안의 재결서는 기재사항에 관한 요건을 갖추지 못한 것으로 위법하다고 보는 것이 타당하다고 판단된다.

Ⅳ (물음3)에 대하여

1. 토지수용위원회의 법적지위

토지수용위원회는 공익사업에 필요한 토지 등의 수용 또는 사용에 대한 재결을 목적으로 설치되어 있다는 점에서 독립된 행정기관이며, 다수의 구성위원의 합의에 의해 독립적으로 토지수용위원회의 이름으로 재결을 하는 점에서 합의제 행정청이다. 또한 준사법적 행정기관에 해당한다. 법에서 반드시 설치하도록 하고 있어 필수기관이라고 본다. 토지수용위원회는 토지보상법 제49조 내지 제60조, 동법 시행령 제23조 내지 제24조에 근거한다.

➲ **토지보상법 제49조(설치)**

토지등의 수용과 사용에 관한 재결을 하기 위하여 국토교통부에 중앙토지수용위원회를 두고, 특별시·광역시·도·특별자치도(이하 "시·도"라 한다)에 지방토지수용위원회를 둔다.

➲ **토지보상법 제52조(중앙토지수용위원회)**

① 중앙토지수용위원회는 위원장 1명을 포함한 20명 이내의 위원으로 구성하며, 위원 중 대통령령으로 정하는 수의 위원은 상임(常任)으로 한다.

② 중앙토지수용위원회의 위원장은 국토교통부장관이 되며, 위원장이 부득이한 사유로 직무를 수행할 수 없을 때에는 위원장이 지명하는 위원이 그 직무를 대행한다.

③ 중앙토지수용위원회의 위원장은 위원회를 대표하며, 위원회의 업무를 총괄한다.

④ 중앙토지수용위원회의 상임위원은 다음 각 호의 어느 하나에 해당하는 사람 중에서 국토교통부장관의 제청으로 대통령이 임명한다.

  1. 판사·검사 또는 변호사로 15년 이상 재직하였던 사람

  2. 대학에서 법률학 또는 행정학을 가르치는 부교수 이상으로 5년 이상 재직하였던 사람

  3. 행정기관의 3급 공무원 또는 고위공무원단에 속하는 일반직공무원으로 2년 이상 재직하였던 사람

⑤ 중앙토지수용위원회의 비상임위원은 토지 수용에 관한 학식과 경험이 풍부한 사람 중에서 국토교통부장관이 위촉한다.

⑥ 중앙토지수용위원회의 회의는 위원장이 소집하며, 위원장 및 상임위원 1명과 위원장이 회의마다 지정하는 위원 7명으로 구성한다. 다만, 위원장이 필요하다고 인정하는 경우에는 위원장 및 상임위원을 포함하여 10명 이상 20명 이내로 구성할 수 있다.

⑦ 중앙토지수용위원회의 회의는 제6항에 따른 구성원 과반수의 출석과 출석위원 과반수의 찬성으로 의결한다.

⑧ 중앙토지수용위원회의 사무를 처리하기 위하여 사무기구를 둔다.

⑨ 중앙토지수용위원회의 상임위원의 계급 등과 사무기구의 조직에 관한 사항은 대통령령으로 정한다.

➲ **토지보상법 제53조(지방토지수용위원회)**

① 지방토지수용위원회는 위원장 1명을 포함한 20명 이내의 위원으로 구성한다.

② 지방토지수용위원회의 위원장은 시·도지사가 되며, 위원장이 부득이한 사유로 직무를 수행할 수 없을 때에는 위원장이 지명하는 위원이 그 직무를 대행한다.

③ 지방토지수용위원회의 위원은 시·도지사가 소속 공무원 중에서 임명하는 사람 1명을 포함하여 토지 수용에 관한 학식과 경험이 풍부한 사람 중에서 위촉한다.

④ 지방토지수용위원회의 회의는 위원장이 소집하며, 위원장과 위원장이 회의마다 지정하는 위원 8명으로 구성한다. 다만, 위원장이 필요하다고 인정하는 경우에는 위원장을 포함하여 10명 이상 20명 이내로 구성할 수 있다.

⑤ 지방토지수용위원회의 회의는 제4항에 따른 구성원 과반수의 출석과 출석위원 과반수의 찬성으로 의결한다.

⑥ 지방토지수용위원회에 관하여는 제52조 제3항을 준용한다.

2. 재결의 분담

수용 토지가 2 이상의 시·도에 걸치거나 국토교통부, 국가, 시·도가 사업시행자인 경우에는 중앙토지수용위원회가 수용재결을 관할하며, 그 외에는 지방토지수용위원회가 행한다. 수용재결에 대한 이의신청으로 특별법상 행정심판인 이의재결은 중앙토지수용위원회에서만 행한다.

3. 중앙토지수용위원회

국토교통부에 두며, 위원장 1명을 포함한 20명 이내의 위원으로 구성한다. 간사 1명과 서기 몇명을 상임으로 둔다. 위원장은 국토교통부장관이 되며, 위원장은 위원회를 대표하고 위원회의 업무를 총괄한다. 회의는 위원장이 소집하며, 위원장 및 상임위원 1명과 위원장이 회의마다 지정하는 위원 7명으로 구성하며, 이에 대한 구성원의 과반수의 출석과 과반수의 찬성으로 의결한다.

4. 지방토지수용위원회

위원장 1명을 포함한 20명 이내의 위원으로 구성한다. 위원장은 시·도지사가 된다. 회의는 위원장이 소집하며, 위원장과 위원장이 회의마다 지정하는 위원 8명으로 구성한다. 회의는 구성원 과반수의 출석과 출석위원 과반수의 찬성으로 의결한다.

Ⅳ 사안의 해결

재결은 공용수용의 최종단계로서 공익과 사익의 조화를 이루기 위한 제도로서 기능한다. 그러므로, 재결서 역시 이에 따라 수용 또는 사용에 관련된 사항에 대해서도 명확하게 기재하여야 하며, 토지보상법 제50조에서도 필요한 사항을 규정하고 있다. 따라서 사안의 재결서는 이러한 기재사항에 관한 요건을 충족하지 못한 것으로 위법하다고 보는 것이 타당하다고 생각된다.

> ■ 실전에서 답안을 쓴다면 다음과 같은 목차 구성으로 답안으로 쓴다면 효과적으로 보임.
>   Ⅰ. 개설
>   Ⅱ. 토지수용위원회의 법적 지위(법적구성(조직), 역할, 운영이 3대 포인트임)
>   Ⅲ. 중앙토지수용위원회의 법적 구성과 역할(기능) 및 운영
>   Ⅳ. 지방토지수용위원회의 법적 구성과 역할(기능) 및 운영
>   Ⅴ. 결

23절 토지보상법 제68조(보상액의 산정)

> **문제**
>
> 최근 부동산 가격 폭등에 따른 부동산 가격의 안정화 및 대도시 인구분산 등의 목적으로 정부는 경기도 하남시 교산지구일대를 3기 신도시로 지정하기로 부동산 정책을 결정하였다. 이에 한국토지주택공사 주도로 대규모 택지개발을 시행하기로 하여, 한국토지주택공사는 택지개발사업이 시행될 지역의 토지에 대한 보상평가를 감정평가법인등 甲에게 의뢰하였다. 甲은 평소 친분관계가 있는 乙소유의 토지에 대해 인근 유사토지에 비해 약 30% 높게 평가하였고, 이는 다른 감정평가사의 평가액에 비해서도 약 30% 높은 것이었다. 주변 토지소유자들은 평가가 잘못 이루어졌다는 불만을 토로하면서 재평가를 요구하고, 한국토지주택공사의 협의에 불응하였다. 이 사안과 관련하여 다음 쟁점사항에 대하여 논술하시오. 30점
>
> (1) 감정평가법인등 甲의 보상평가가 타당하게 이루어진 것인가에 대하여 설명하시오. 15점
>
> (2) 사안과 관련하여 사업시행자인 한국토지주택공사가 취하여야 할 조치에 대하여 설명하시오. 15점
>
> ---
>
> I. 논점의 정리
>
> II. 설문 (1) 보상평가의 타당성
>   1. 논의의 쟁점
>   2. 친분관계가 있는 사람의 토지를 평가할 수 있는지 여부
>   (1) 관련법률의 검토
>   (2) 설문의 검토
>   3. 인근 유사토지에 비해 30% 높은 평가가 인정될 수 있는지의 여부
>   (1) 판례의 검토
>   (2) 설문의 검토
>
> III. 설문 (2) 한국토지주택공사가 취해야 할 조치
>   1. 논의의 쟁점
>   2. 재평가 여부
>   (1) 토지보상법상의 관련규정의 검토
>   (2) 재평가 여부의 검토
>   3. 한국토지주택공사가 취할 조치
>
> IV. 사례의 해결

I. 논점의 정리

본 사안은 친분관계에 있는 乙의 소유지에 대해 감정평가법인등 甲이 인근 유사토지에 비해 30% 고가로 평가한 것뿐 아니라 다른 감정평가사에 의한 평가금액보다도 30% 높은 금액으로 보상액을 평가함으로서 주변 토지소유자들이 한국토지주택공사의 협의에 불응한 사안으로, 설문 (1)과 관련하여서는 감정평가사와 친분관계에 있는 자의 토지를 평가할 수 있는지, 인근 유사토지에 비해 30% 높은 평가가 인정될 수 있는지, 다른 감정평가사보다 높게 평가한 보상평가가 정당성을 가질 수 있는지가 문제되며, 설문 (2)와 관련하여서는 한국토지주택공사가 취해야 할 조치로

서 재평가를 의뢰하여야 하는지, 아니면 협의에 불응한 주변 토지소유자의 토지에 대해 재결을 신청하여야 하는지가 문제된다.

Ⅱ 설문 (1) 보상평가의 타당성

1. 논의의 쟁점

감정평가법인등 甲의 평가의 타당성 여부를 검토하기 위해서는 ① 친분관계에 있는 자의 토지를 평가할 수 있는지를 검토하고, ② 인근 유사토지에 비해 30% 높은 평가가 인정될 수 있는지를 검토해야 한다.

2. 친분관계가 있는 사람의 토지를 평가할 수 있는지 여부

(1) 관련법률의 검토

「감정평가 및 감정평가사에 관한 법률」제25조 제2항은 "감정평가법인등은 자기 또는 친족 소유, 그 밖에 불공정하게 제10조에 따른 업무를 수행할 우려가 있다고 인정되는 토지 등에 대해서는 이를 감정평가하여서는 아니 된다."라고 규정하고 있다.

(2) 설문의 검토

감정평가법인등 甲과 토지소유자 乙은 평소의 친분관계가 있는바, 이는 감정평가 및 감정평가사에 관한 법률 제25조 제2항의 불공정한 감정평가의 우려가 있는바, 감정평가법인등 甲은 비록 평가의뢰를 받았다고 하여도 이를 반려함이 타당했다고 볼 수 있어, 乙의 토지를 평가한 것은 정당성이 결여되었다고 판단된다.

3. 인근 유사토지에 비해 30% 높은 평가가 인정될 수 있는지의 여부

(1) 판례의 검토

판례는 감정평가사의 손해배상책임의 요건과 관련하여 1.3배의 격차율이 적정가격과 현저한 차이가 있는가의 유일한 판단기준이 될 수 없고 부당감정에 이르게 된 감정평가법인등의 귀책사유가 무엇인가 하는 점을 고려하여 사회통념에 따라 탄력적으로 판단해야 한다고 판시한 바 있다(대판 1997.5.7, 96다52427).

> **판례**
>
> "(구)지가공시 및 토지 등의 평가에 관한 법률 제5조 제2항, 시행령 제7조 제4항, (구)공공용지의 취득 및 손실보상에 관한 특례법 시행규칙 제5조의4 제1항, 제4항의 각 규정들은 표준지공시지가를 정하거나 공공사업에 필요한 토지의 보상가를 산정함에 있어서 2인 이상의 감정평가법인등에 평가를 의뢰하였는데 평가액 중 최고평가액이 최저평가액의 <u>1.3배를 초과하는 경우에는 건설교통부장관이나 사업시행자가 다른 2인의 감정평가법인등에게 대상 물건의 평가를 다시</u>

의뢰할 수 있다는 것뿐으로서 여기서 정하고 있는 1.3배의 격차율이 바로 (구)지가공시 및 토지 등의 평가에 관한 법률 제26조 제1항이 정하는 평가액과 적정가격 사이에 '현저한 차이'가 있는가의 유일한 판단기준이 될 수 없다. (구)지가공시 및 토지 등의 평가에 관한 법률 제26조 제1항은 고의에 의한 부당감정과 과실에 의한 부당감정의 경우를 한데 묶어서 그 평가액이 적정가격과 '현저한 차이'가 날 때에는 감정평가법인등은 감정의뢰인이나 선의의 제3자에게 손해배상책임을 지도록 정하고 있는 바, 고의에 의한 부당감정의 경우와 과실에 의한 부당감정의 경우를 가리지 아니하고 획일적으로 감정평가액과 적정가격 사이에 일정한 비율 이상의 격차가 날 때에만 '현저한 차이'가 있다고 보아 감정평가법인등의 손해배상책임을 인정한다면 오히려 정의의 관념에 반할 수도 있으므로, 결국 감정평가액과 적정가격 사이에 '현저한 차이'가 있는지 여부는 부당감정에 이르게 된 감정평가법인등의 귀책사유가 무엇인가 하는 점을 고려하여 사회통념에 따라 탄력적으로 판단하여야 한다"(대판 1997.5.7, 96다52427).

(2) 설문의 검토

감정평가법인등 甲이 30% 고가로 평가한 것에 대해서는 앞서의 친분관계에 의한 불공정한 감정평가의 개연성으로 고가평가를 의심할 수 있을 것이나, 평가금액 자체로서 부당하다고 확언할 수는 없으나 친분관계에 있는 자 소유의 토지를 평가한 것이라는 점을 고려하여 사회통념에 따라 판단해 본다면 친분관계에 의한 고가평가의 개연성을 인정할 수 있을 것이라고 판단된다.

Ⅲ 설문 (2) 한국토지주택공사가 취해야 할 조치

1. 논의의 쟁점

주변 토지소유자들의 재평가요구와 협의불응에 대하여 한국토지주택공사가 취해야 할 조치에는 어떠한 것이 있는가를 검토하기 위해서는 먼저 본건이 공익사업을 위한 토지 등의 취득 및 보상에 관한 법률(이하 '토지보상법')상의 재평가요건에 해당하는지 여부를 검토하고, 그렇지 않을 경우 한국토지주택공사가 취할 조치에 어떤 것이 있는지에 대해 검토하기로 한다.

2. 재평가 여부

(1) 토지보상법상의 관련규정의 검토

토지보상법 시행규칙 제17조(재평가 등)

(2) 재평가 여부의 검토

위 토지보상법 시행규칙 조항을 검토하면 우선 ① 동법 시행규칙 제17조 제2항에 따른 "乙" 소유의 토지평가액이 최저평가액과 최고평가액이 차이가 110퍼센트를 초과하고 있으며, ② 동 규칙 제17조 제1항과 관련하여 동 평가는 감정평가 및 감정평가사에 관한 법률 제25조

제2항에 위반한 사유가 있는 것으로 보인다. 따라서 설문에서의 주변 토지소유자들의 재평가 요구는 정당한 것으로 한국토지주택공사는 재평가를 실시하여야 할 것으로 보인다.

3. 한국토지주택공사가 취할 조치

한국토지주택공사는 재평가를 실시하여야 하되, 다만 甲 감정평가법인등의 보상평가가 감정평가 및 감정평가사에 관한 법률 제25조 제2항에 위반한 것인지에 대해 부정적인 판단을 한다면 재평가의 대상이 될 수 없으며, 한국토지주택공사는 주변 토지소유자의 토지 등을 취득하기 위하여 토지수용위원회에 재결을 신청할 수 있을 것이다. 또한, 재평가 사유로서 최고평가액과 최저평가액이 110% 이상 차이에 의한 경우 한국토지주택공사는 평가내역 및 해당 감정평가법인등을 국토교통부장관에게 통지하여야 한다(토지보상법 시행규칙 제17조 제5항).

Ⅳ 사례의 해결

1. 설문 (1)과 관련하여 친분관계에 있는 자의 토지를 보상평가한 것은 감정평가 및 감정평가사에 관한 법률 제25조 제2항에 위반소지가 있으며, 30% 고가평가한 것은 판례의 태도에 의할 때 명확하지는 않으나 다른 특별한 사유가 없다면 친분관계에 있는 자의 토지라는 점에서 정황상 고가평가의 개연성을 인정할 수 있을 것이다. 따라서 감정평가사 甲의 보상평가는 정당성을 결여하였다고 봄이 타당하다.

2. 설문 (2)와 관련하여 토지보상법 시행규칙 제17조 제1항 및 2항에 의해 재평가 여부를 판단할 때 재평가 사유에 해당한다고 보이므로 한국토지주택공사는 재평가를 하여야 하며, 다만 재평가 사유에 해당되지 않는다고 판단할 때는 한국토지주택공사는 재결을 통해 관련 토지의 수용을 하여야 할 것이다.

> **베타답안**

 30점

Ⅰ. 논점의 정리

사안은 감정평가법인등 甲의 보상평가와 관련한 평가의 타당성 및 사업시행자 한국토지주택공사의 대응을 묻고 있다.

1. 먼저 설문 (1)과 관련하여 ① 甲의 보상평가가 감정평가 및 감정평가사에 관한 법률 제25조 성실의무 등의 위반 여부와, ② 평가액결정의 적정성 여부가 문제되며,

2. 설문 (2) 관련 甲의 보상평가가 적정성을 갖지 못한 경우 사업시행자인 한국토지주택공사의 대응방안으로서 ① 재평가의뢰, ② 수용재결의 신청, ③ 감정평가법인등 甲의 제재신청 등을 살펴 사례를 해결토록 한다.

II. 설문 (1)에 대하여

1. 감정평가 및 감정평가사에 관한 법률 제25조의 위반 여부

(1) 감정평가 및 감정평가사에 관한 법률 제25조의 검토

감정평가 및 감정평가사에 관한 법률 제25조 제2항은 "감정평가법인등은 자기 또는 친족 소유, 그 밖에 불공정하게 제10조에 따른 업무를 수행할 우려가 있다고 인정되는 토지 등에 대해서는 이를 감정평가하여서는 아니 된다."라고 규정하고 있다.

(2) 사안의 경우

감정평가법인등 甲과 토지소유자 乙은 평소의 친분관계가 있는바, 이는 감정평가 및 감정평가사에 관한 법률 제25조 제2항의 불공정한 감정평가의 우려가 있는바, 감정평가법인등 甲은 비록 평가의뢰를 받았다고 하여도 이를 반려함이 타당했다고 볼 수 있어, 乙의 토지를 평가한 것은 정당성이 결여되었다고 판단된다.

2. 평가액 결정의 적정성 여부

(1) 적정가격의 판단기준

판례는 적정가격과의 현저한 차이 여부와 관련하여 '(구)지가공시법상의 1.3배가 유일한 판단기준이 될 수 없고, 귀책사유를 고려하여 사회통념에 따라 탄력적 판단을 하여야 한다'고 판시한 바 있다.

(2) 사안의 경우

적정가격의 평가인지 여부는 개별적 사안에 따라 적용한 공시지가, 비교요인의 적용 및 수정의 적절성, 기타요인보정의 적정성 등을 종합 참작하여 결정하여야 하나 사안의 경우 그러한 사정의 판단은 불분명하나 인근 토지와의 괴리, 복수평가주체의 평가결과와의 괴리, 해당 토지소유자인 乙과의 친분 등을 고려해 볼 때 해당 乙의 물건에 대한 보상평가액이 적정성을 상실한 고가평가의 가능성이 매우 높아 보인다.

3. 소결

따라서 甲의 보상평가는 특별한 합리적 사유를 제시하지 못하는 한 적정성을 상실한 것으로 부당한 평가에 해당한다고 볼 여지가 높다 본다.

III. 설문 (2)에 대하여

1. 재평가의뢰

(1) 토지보상법 시행규칙 제17조의 검토

① 재평가요구 : 사업시행자는 제출된 보상평가서가 관계법령에 위반 또는 부당하게 평가되었다 인정하는 경우 해당 감정평가법인등에게 그 사유를 명시하여 다시 평가를 요구할 수 있다.

② 다른 감정평가법인등에게 의뢰 : 대상물건의 평가액 중 최고평가액이 최저평가액의 110%를 초과하는 경우 다른 2인 이상의 감정평가법인등에게 대상 물건의 평가를 의뢰하여야 한다.

(2) 사안의 경우

따라서 다른 평가사의 평가액과 30% 높이 평가된 사유에 의해 한국토지주택공사는 다른 2인 이상의 감정평가법인등에게 대상 물건의 평가를 의뢰하여야 한다.

2. 수용재결의 신청

乙이 소유한 토지에 대한 재평가 이외의 다른 물건의 평가는 적정하다 인정하는 경우 한국토지주택공사는 협의불능에 의한 수용재결을 신청하여 주변 토지를 취득할 수 있을 것이다.

3. 국토교통부장관에게 통지

(1) 토지보상법 시행규칙 제17조 제5항

사업시행자 재평가 사유로서 최고평가액과 최저평가액이 110% 이상 차이에 의한 경우 사업시행자는 평가내역 및 해당 감정평가법인등을 국토교통부장관에게 통지하여야 한다. 이때 국토교통부장관은 해당 감정평가가 관련법령에 정하는 바에 따라 적법하게 행하여졌는지 여부를 조사하여야 한다.

(2) 사안의 적용

따라서 동 사유에 의한 재평가를 의뢰한 경우 한국토지주택공사는 국토교통부장관에게 그 사유 등을 통지하여야 한다.

4. 기타 감정평가사 甲의 징계요청

한국토지주택공사는 乙 등과의 관계에 의한 甲의 불공정감정평가가 인정된다고 보는 경우 국토교통부장관에게 사실조사를 청구하여 甲의 징계조치를 요구할 수 있을 것이다.

Ⅳ. 사례의 해결

1. 설문 (1)과 관련하여 친분관계에 있는 자의 토지를 보상평가한 것은 감정평가 및 감정평가사에 관한 법률 제25조 제2항에 위반소지가 있으며, 30% 고가평가한 것은 판례의 태도에 의할 때 명확하지는 않으나 다른 특별한 사유가 없다면 친분관계에 있는 자의 토지라는 점에서 정황상 고가평가의 개연성을 인정할 수 있을 것이다. 따라서 감정평가사 甲의 보상평가는 정당성을 결여하였다고 봄이 타당하다.

2. 설문 (2)와 관련하여 토지보상법 시행규칙 제17조 제1항 및 제2항에 의해 재평가 여부를 판단할 때 재평가 사유에 해당한다고 보이므로 한국토지주택공사는 재평가를 하여야 하며, 다만 재평가 사유에 해당되지 않는다고 판단할 때는 한국토지주택공사는 재결을 통해 관련 토지의 수용을 하여야 할 것이다.

24절 토지보상법 제70조(취득하는 토지의 보상)

문제

서울특별시 서초구 원지동 부근에 추모공원 도시계획시설 사업으로 임야 1,878㎡가 공익사업지역에 편입되었다. 해당 토지가 서울추모공원 조성사업에 편입되면서 피수용자들은 손실보상을 청구하면서 다음과 같은 주장을 하고 있다. 이 사건 헌법 제23조 제3항 및 공익사업을 위한 토지 등의 취득 및 보상에 관한 법률(이하 '토지보상법') 조항들은 수용토지 등의 구체적인 보상액 산정 및 평가방법을 투자비용 · 예상수익 및 거래가격 등을 고려하여 산정하도록 하고 있을 뿐 구체적인 내용을 하위법규에 모두 위임하고 있으므로, 포괄위임입법금지 원칙에 반하고, 공용 수용에 따른 '정당한 보상'의 내용을 반드시 '법률'로 규정하여야 한다는 헌법 제23조 제3항에 반한다. 또한 토지보상법 시행규칙 제23조 제2항, 제24조가 이 사건 법률조항들이 위임하지 아니한 사항에 대하여 규정하고 있어 '법률'에 의한 보상원칙에 반하고, 토지보상법 시행규칙 제23조 제2항은 개발이익에 포함된다고 볼 수 없는 개발제한구역 지정으로 인한 지가하락 부분의 특별한 희생을 보상금 산정에 반영하지 못하도록 하고, 같은 규칙 제24조는 불법으로 형질을 변경한 토지의 경우 현황대로 평가하지 아니하고 토지의 형질이 변경될 당시의 이용상황을 상정하여 평가하도록 하여 정당한 보상의 원칙에도 위배된다. 한편, 토지보상법 시행규칙 제23조 제2항에 의하여 개발제한구역의 해제와 공익사업상의 개발계획 수립의 선후관계라는 우연한 사정에 의하여 보상액의 차이가 발생하므로 평등원칙에도 위배된다고 주장하고 있다(해당 사례는 2011.12.29. 2010 헌바 205 · 282 · 296 · 297 위헌소원 사건임). 이하 물음에 답하시오. 40점

(1) 위 사례에서 토지보상법 제70조상 일반적인 토지 보상 기준과 토지보상법 제67조 제2항에서 규정하고 있는 개발이익배제기준에 대하여 설명하시오. 10점

(2) 위 사례를 통해 토지보상법상 공법상 제한받는 토지의 보상평가 기준과 무허가 · 불법 형질변경 토지 보상 평가기준에 대하여 설명하시오. 10점

(3) 행정상 손실보상의 요건인 특별한 희생에 대한 판단과 헌법 제23조 제3항의 효력 논의로 만약 보상 규정이 흠결되어 있는 경우에 어떻게 권리구제를 받을 수 있는지 여부를 논술하시오. 15점

Ⅰ. 논점의 정리

Ⅱ. (물음 1)
  1. 토지보상 평가기준
    (1) 공시지가기준보상
    (2) 시점수정
    (3) 기타요인 보정

  2. 개발이익 배제기준
    (1) 개발이익 배제의 의미
    (2) 관련 판례의 태도
    (3) 개발이익 배제의 정당성

Ⅰ 논점의 정리

행정상 손실보상이란 적법한 공행정작용에 의한 개인의 재산권 침해로 인한 특별한 희생에 대하여 사유재산권의 보장과 공평부담의 견지에서 행정주체가 행하는 재산적 보상을 말하며, 헌법 제23조 제3항을 헌법적 근거로 하여 각 개별법상 보상규정을 마련하고 있다. 이하에서는, 공익사업을 위한 토지 등의 취득 및 보상에 관한 법률(이하 '토지보상법')상 대표적인 보상대상으로 토지의 손실보상 기준에 대하여 검토한 뒤, 보상규정이 흠결된 경우 어떤 방식으로 권리구제를 받을 수 있는지 검토해보고자 한다.

Ⅱ (물음 1)

1. 토지보상 평가기준

(1) 공시지가기준보상

협의 또는 재결에 의하여 취득하는 토지에 대하여는 부동산 가격공시에 관한 법률에 의한 공시지가를 기준으로 하고, 해당 공익사업으로 인한 개발이익 또는 개발손실을 배제하기 위해 해당 공익사업으로 인한 지가의 영향을 받지 아니하는 지역의 지가변동률을 적용하도록 규정하고 있다(토지보상법 제70조 제1항). 또한, 해당 공익사업으로 인한 개발이익 등을 배제하기 위해 공시지가 기준일을 규정하고 있다.

(2) 시점수정

1) 시점수정의 의의

시점수정이라 함은 평가에 있어서 거래사례자료의 거래시점과 가격시점이 시간적으로 불일치하여 가격수준의 변동이 있는 경우 거래사례가격을 가격시점의 수준으로 정상화하는 작업을 말한다. 보상평가에 있어서는 토지의 평가 시 공시기준일과 평가대상토지의 가격시점 간의 시간적 불일치로 인한 가격수준의 변동을 정상화하는 작업을 의미한다.

2) 시점수정의 방법(토지보상법 제70조 제1항 및 동법 시행령 제37조)

토지보상법상 시점수정은 해당 사업으로 인한 지가의 영향을 받지 아니하는 지역의 대통령령이 정하는 지가변동률, 생산자물가상승률을 기준으로 하여 공시기준일부터 가격시점까지의 정상적인 지가상승분을 반영하는 방법을 통하여 시점수정을 하도록 규정하고 있다. 적용 지가변동률 선정에 있어 토지보상법 제70조 제1항의 위임에 따라 동법 시행령 제37조는 표준지가 소재하는 시, 군 또는 구의 용도지역별 지가변동률을 원칙으로 하되, 해당 공익사업으로 인하여 평가대상 토지가 소재하는 시, 군 또는 구의 지가가 변동된 경우에는 해당 공익사업과 관계없는 인근 시, 군 또는 구의 지가변동률을 선정, 적용하도록 규정하고 있다.

(3) 기타요인 보정(그 밖의 요인보정)

1) 기타요인 보정의 의의 및 취지

기타요인 보정은 공시지가 기준 보상을 함에 있어서 시간적 불일치와 공간적 불일치를 교정하고도 반영되지 못한 부분에 대하여 정당보상차원에서 행해지는 것으로 감칙과 같은 경우에는 그 밖의 요인 보정이라는 표현을 쓰고 있으나 대법원 판례는 기타요인 보정, 기타사항 참작이라는 표현을 사용하고 있다. 이는 정당보상을 실현하기 위한 취지이다.

2) 기타요인 보정에 대한 견해의 대립

① 부정하는 견해는 현행 토지보상법에 보상액 산정에 있어서 기타요인을 참작할 수 있는 근거규정을 삭제한 것은 참작하지 못하도록 해석해야 하고, 감정평가법인등의 자의성이나 재량으로부터 멀리하기 위하여서는 법정의 참작항목 이외에는 어떠한 요인도 참작할 수 없다고 본다.

② 반면에, 긍정하는 견해는 판례가 정당보상에 이르는 방법에는 어떠한 제한이 없다고 판시하고 있고, 감정평가에 관한 규칙 제14조 제2항 제5호에 그 밖의 보정 근거규정이 있으며, 토지보상법의 개별요인의 비교항목은 예시한 것에 지나지 않는다고 보아 보상액 산정 시 기타요인을 참작할 수 있다고 본다.

3) 판례의 입장

● 대판 1994.1.25, 93누11524

[판시사항]

가. 수용대상토지의 보상액 산정에 있어 인근유사토지의 정상거래가격을 참작할 수 있는 경우

나. 인근유사토지의 정상거래가격의 의미 및 인근유사토지의 정상거래사례가 있고 그것을 참작함으로써 보상액 산정에 영향을 미친다는 점에 대한 입증책임

다. 재개발사업을 사업시행지구별로 분할 시행하는 경우 각 지구별사업이 별개의 사업인지 여부

라. 수용보상액 감정평가서의 가격산정요인 설시 정도

[판결요지]

가. 구 토지수용법(1991.12.31. 법률 제4483호로 개정되기 전의 것) 제46조 제2항, 지가공시 및 토지 등의 평가에 관한 법률 제9조, 제10조, 감정평가에 관한 규칙(1989.12.31. 자 건설부령 제460호) 제17조 제1항, 제6항 등 토지수용에 있어서의 손실보상액 산정에 관한 관계법령의 규정을 종합하여 보면, 수용대상토지의 정당한 보상액을 산정함에 있어서 인근유사토지의 정상거래사례를 반드시 조사하여 참작하여야 하는 것은 아니며, 다만 인근유사토지의 정상거래사례가 있고 그 거래가격이 정상적인 것으로서 적정한 보상액 평가에 영향을 미칠 수 있는 것임이 입증된 경우에는 이를 참작할 수 있다.

나. 인근유사토지의 정상거래가격이라고 하기 위해서는 대상토지의 인근에 있는 지목·등급·지적·형태·이용상황·용도지역·법령상의 제한 등 자연적, 사회적 조건이 수용대상토지와 동일하거나 유사한 토지에 관하여 통상의 거래에서 성립된 가격으로서 개발이익이 포함되지 아니하고 투기적인 거래에서 형성된 것이 아닌 가격이어야 하고, 그와 같은 인근유사토지의 정상거래사례에 해당한다고 볼 수 있는 거래사례가 있고 그것을 참작함으로써 보상액 산정에 영향을 미친다고 하는 점은 이를 주장하는 자에게 입증책임이 있다.

다. 인근유사토지의 거래사례가격에 개발이익이 포함되어 있다는 이유로 이를 배제함에 있어서는 당해 사업으로 인한 개발이익 포함된 거래사례만을 배제하여야 하고, 재개발사업을 사업시행지구별로 분할시행하는 경우 각 지구별사업은 각각 독립된 별개의 사업으로 볼 수 있다.

라. 토지수용 보상액을 평가함에 있어서는 관계법령에서 들고 있는 모든 가격산정요인들을 구체적, 종합적으로 참작하여 각 요인들이 빠짐없이 반영된 적정가격을 산출하여야 하고, 이 경우 감정평가서에는 모든 가격산정요인의 세세한 부분까지 일일이 설시하거나 그 요소가 평가에 미치는 영향을 수치적으로 표현할 수는 없다 하더라도 적어도 그 가격산정요인들을 특정 명시하고 그 요인들이 어떻게 참작되었는지를 알아볼 수 있는 정도로 기술하여야 한다.

4) 검토

헌법 제23조 제3항의 완전보상의 원칙을 '시가보상'으로 볼 때 정책가격의 성격이 강한 공시지가만을 기준으로 보상액 산정 시 완전보상에 미달될 우려가 있어, 헌법상 정당보상의 실현방안으로 기타요인을 참작할 수 있다고 보는 것이 타당한 바, 토지보상법에 명문규정을 마련하여 입법적인 보완이 필요하다고 판단된다.

2. 개발이익 배제기준

(1) 개발이익 배제의 의미

개발이익이란 정상지가 상승분을 초과하여 사업시행자나 토지소유자에게 귀속되는 토지가액의 증가분을 의미한다. 이는 토지소유자의 노력과는 관계없는 이익인바, 토지보상법 제67조 제2항에서 개발이익 배제를 보상기준으로 명시하고 있다.

(2) 관련 판례의 태도

> **판례**
>
> ● 대판 2014.2.27, 2013두21182
>
> **[판시사항]**
> 공익사업을 위한 토지 등의 취득 및 보상에 관한 법률 제67조 제2항에서 정한 수용 대상 토지의 보상액을 산정함에 있어, 해당 공익사업과는 관계없는 다른 사업의 시행으로 인한 개발이익을 포함한 가격으로 평가할 것인지 여부(적극) 및 개발이익이 해당 공익사업의 사업인정고시일 후에 발생한 경우에도 마찬가지인지 여부(적극)
>
> **[판결요지]**
> 공익사업을 위한 토지 등의 취득 및 보상에 관한 법률 제67조 제2항은 '보상액을 산정할 경우에 해당 공익사업으로 인하여 토지 등의 가격이 변동되었을 때에는 이를 고려하지 아니한다'라고 규정하고 있는바, 수용 대상 토지의 보상액을 산정함에 있어 해당 공익사업의 시행을 직접 목적으로 하는 계획의 승인, 고시로 인한 가격변동은 이를 고려함이 없이 재결 당시의 가격을 기준으로 하여 적정가격을 정하여야 하나, 해당 공익사업과는 관계없는 다른 사업의 시행으로 인한 개발이익은 이를 포함한 가격으로 평가하여야 하고, 개발이익이 해당 공익사업의 사업인정고시일 후에 발생한 경우에도 마찬가지이다.

(3) 개발이익 배제의 정당성

1) 개발이익 배제의 정당성

개발이익이 정당보상에 해당하는지를 두고 견해가 대립하나, 판례는 수용사업의 시행으로 인한 개발이익은 해당 사업의 시행에 의하여 비로소 발생하는 것이어서 수용대상토지가 수용당시 갖는 객관적 가치에 포함될 수는 없는 것이며, 따라서 이를 배제하고 손실보상을 한다해도 정당보상의 원리에 위반되지 않는다고 판시하였다. 생각건대, 개발이익은 공익사업의 시행으로 비로소 발생하므로 그 성질상 해당 토지의 객관적 가치에 해당되지 않고 토지소유자의 노력과 무관한 바, 형평의 관념에 비추어 보더라도 토지소유자의 귀속분에 해당된다고 볼 수 없는바, 개발이익의 배제는 정당보상에 합치된다고 사료된다. 다만, 현행 보상기준에 의할 경우 개발이익의 완전한 배제가 어렵고, 인근 토지소유자와의 형평성 문제가 발생하는바, 이에 대한 입법적인 개선이 필요하다고 판단된다.

2) 개발이익 배제 및 환수의 문제점과 개선방안

이러한 개발이익 사유화의 문제점을 개선하기 위해 보상액 산정의 기준시점을 수용재결일에서 사업인정고시일로 앞당기거나, 시점수정 시 공시기준일부터 사업인정고시일까지는 지가변동률을 적용하되 사업인정고시일부터 수용재결일까지는 생산자물가상승률을 적용하도록 하여 개발이익을 완전히 배제할 수 있도록 해야 할 것이다. 또한 개발이익 환수제도의 개선을 위해 과세표준의 현실화를 통한 종합토지세의 부과와 실거래가 양도소득세를 부과할 수 있도록 조세제도의 개편이 필요하다고 판단된다. 피수용자의 상대적 상실감을 완화하기 위해 이주대책 등의 생활보상의 확대를 통해 피수용자에 대한 재산적 보상만으로 메워지지 않는 손실을 보전해 주고, 주변 토지의 지가상승으로 대토가 곤란해지는 바, 현금보상원칙의 예외로 현물보상을 확대하는 방안을 검토할 필요가 있다. 실제로 일정한 경우에 대토보상이 가능하도록 입법조치한 것은 높이 평가된다.

Ⅲ (물음 2)

1. 공법상 제한받는 토지의 평가기준

(1) 공법상 제한의 의미

공법상 제한받는 토지란 국토의 계획 및 이용에 관한 법률과 같은 관계법령에 의하여 토지의 각종 이용제한 및 규제 등을 받는 토지를 말한다. 토지보상법 시행규칙 제23조 제1항에서는 "공법상 제한을 받는 토지에 대하여는 제한받는 상태대로 평가한다. 다만, 그 공법상 제한이 해당 공익사업의 시행을 직접 목적으로 하여 가하여진 경우에는 제한이 없는 상태를 상정하여 평가한다."고 규정하고 있다. 용도지역 등의 지정에 의한 공법상 제한은 내재적, 사회적 제약에 해당하는 바, 공법상 제한을 받는 토지는 특별한 희생에 해당되지 않으므로 제한받는 상태대로 평가하여 보상하는 것이 타당하다고 사료된다.

(2) 판례의 태도

공법상 제한을 받는 토지의 수용보상액을 산정함에 있어서는 그 공법상의 제한이 해당 공공사업의 시행을 직접목적으로 하여 가하여진 경우에는 그 제한을 받지 아니하는 상태대로 평가하여야 하고, 해당 공공사업의 시행 이전에 이미 해당 공공사업과 관계없이 (구)도시관리계획법에 의한 고시 등으로 일반적 계획제한이 가하여진 경우에는 그러한 제한을 받는 상태로 평가하여야 한다.

> **판례**
>
> ● 대판 2005.2.18, 2003두14222
>
> **[판시사항]**
>
> [1] 공공사업지구에 포함된 토지에 대하여 공공사업시행 이후에 당해 공공사업의 시행을 직접 목적으로 하지 않는 공법상의 제한이 가하여진 경우, 그 공법상의 제한을 받는 토지의 수용보상액 평가방법
>
> [2] 문화재보호구역의 확대 지정이 당해 공공사업인 택지개발사업의 시행을 직접 목적으로 하여 가하여진 것이 아님이 명백하므로 토지의 수용보상액은 그러한 공법상 제한을 받는 상태대로 평가하여야 한다고 한 사례
>
> **[판결요지]**
>
> [1] 공법상의 제한을 받는 토지의 수용보상액을 산정함에 있어서는 그 공법상의 제한이 당해 공공사업의 시행을 직접 목적으로 하여 가하여진 경우에는 그 제한을 받지 아니하는 상태대로 평가하여야 할 것이지만, 공법상 제한이 당해 공공사업의 시행을 직접 목적으로 하여 가하여진 경우가 아니라면 그러한 제한을 받는 상태 그대로 평가하여야 하고, 그와 같은 제한이 당해 공공사업의 시행 이후에 가하여진 경우라고 하여 달리 볼 것은 아니다.
>
> [2] 문화재보호구역의 확대 지정이 당해 공공사업인 택지개발사업의 시행을 직접 목적으로 하여 가하여진 것이 아님이 명백하므로 토지의 수용보상액은 그러한 공법상 제한을 받는 상태대로 평가하여야 한다고 한 사례

> **판례**
>
> ● 대판 2018.1.25, 2017두61799
>
> **[판시사항]**
>
> [1] 공법상 제한이 그 자체로 제한목적이 달성되는 일반적 계획제한으로서 구체적 도시계획사업과 직접 관련되지 아니한 때와 공법상 제한이 구체적 사업이 따르는 개별적 계획제한이거나, 일반적 계획제한에 해당하는 용도지역 등의 지정 또는 변경에 따른 제한이더라도 그 용도지역 등의 지정 또는 변경이 특정 공익사업의 시행을 위한 것일 때의 각 경우에 보상액 산정을 위한 토지의 평가 방법
>
> [2] 수용대상토지에 관하여 특정 시점에서 용도지역 등을 지정 또는 변경을 하지 않은 것이 특정 공익사업의 시행을 위한 것인 경우, 공익사업의 시행을 직접 목적으로 하는 제한으로 보아 용도지역 등의 지정 또는 변경이 이루어진 상태를 상정하여 토지가격을 평가해야 하는지 여부(적극) 및 특정 공익사업의 시행을 위하여 용도지역 등을 지정 또는 변경을 하지 않았다고 보기 위한 요건
>
> [3] 2개 이상의 토지 등에 대한 감정평가 방법 및 예외적으로 일괄평가가 허용되는 경우인 2개 이상의 토지 등이 '용도상 불가분의 관계'에 있다는 의미

[판결요지]

[1] 공익사업을 위한 토지 등의 취득 및 보상에 관한 법률과 그 시행규칙의 관련 규정에 의하면, 공법상 제한을 받는 토지에 대한 보상액을 산정할 때에 해당 공법상 제한이 구 도시계획법(2002. 2. 4. 법률 제6655호 국토의 계획 및 이용에 관한 법률 부칙 제2조로 폐지) 등에 따른 용도지역·지구·구역(이하 '용도지역 등'이라고 한다)의 지정 또는 변경과 같이 그 자체로 제한목적이 달성되는 일반적 계획제한으로서 구체적 도시계획사업과 직접 관련되지 아니한 경우에는 그러한 제한을 받는 상태 그대로 평가하여야 한다. 반면 도로·공원 등 특정 도시계획시설의 설치를 위한 계획결정과 같이 구체적 사업이 따르는 개별적 계획제한이거나, 일반적 계획제한에 해당하는 용도지역 등의 지정 또는 변경에 따른 제한이더라도 그 용도지역 등의 지정 또는 변경이 특정 공익사업의 시행을 위한 것일 때에는, 그 공익사업의 시행을 직접 목적으로 하는 제한으로 보아 그 제한을 받지 아니하는 상태를 상정하여 평가하여야 한다.

[2] 어느 수용대상토지에 관하여 특정 시점에서 용도지역·지구·구역(이하 '용도지역 등'이라고 한다)을 지정 또는 변경하지 않은 것이 특정 공익사업의 시행을 위한 것일 경우 이는 해당 공익사업의 시행을 직접 목적으로 하는 제한이라고 보아 용도지역 등의 지정 또는 변경이 이루어진 상태를 상정하여 토지가격을 평가하여야 한다. 여기에서 특정 공익사업의 시행을 위하여 용도지역 등을 지정 또는 변경하지 않았다고 볼 수 있으려면, 토지가 특정 공익사업에 제공된다는 사정을 배제할 경우 용도지역 등을 지정 또는 변경하지 않은 행위가 계획재량권의 일탈·남용에 해당함이 객관적으로 명백하여야만 한다.

[3] 2개 이상의 토지 등에 대한 감정평가는 개별평가를 원칙으로 하되, 예외적으로 2개 이상의 토지 등에 거래상 일체성 또는 용도상 불가분의 관계가 인정되는 경우에 일괄평가가 허용된다. 여기에서 '용도상 불가분의 관계'에 있다는 것은 일단의 토지로 이용되고 있는 상황이 사회적·경제적·행정적 측면에서 합리적이고 그 토지의 가치 형성적 측면에서도 타당하다고 인정되는 관계에 있는 경우를 뜻한다.

2. 무허가건축물 등의 부지 보상

(1) 무허가건축물 등의 부지 개념(토지보상법 시행규칙 제24조)

무허가건축물 등의 부지라 함은 건축법 등 관계법령에 의하여 허가를 받거나 신고를 하고 건축 또는 용도변경을 하여야 하는 건축물을 허가를 받지 아니하거나 신고를 하지 아니하고 건축 또는 용도변경한 건축물의 부지를 말한다.

(2) 무허가건축물 등 부지 평가기준

1) 무허가건축물 건축시점 확인방법

1989. 1. 24. 이전 건축된 무허가건축물 등에 대하여는 이를 적법한 건축물로 보도록 규정되어 있으므로 무허가건물의 건축시점 확인은 보상에 있어 필수적 조사사항이다. 무허가건물

건축시점의 확인은 무허가건물대장의 건축일자를 기준으로 하되, 무허가건물대장이 없는 경우에는 지방자치단체에 공문으로 조회하여 항공사진 촬영일자 등을 확인해야 한다.

판례

● 대판 2002.9.6, 2001두11236

[판시사항]

[1] 사업시행자가 토지의 이용상황을 조사한 토지조서를 보상계획과 함께 공고하고 대상물건의 소유자등에게 개별통지한 경우, 중앙토지수용위원회가 정당한 손실보상금을 결정함에 있어서 반드시 그 토지조서에 표시된 대로의 이용상황을 기준으로 하여야 하는지 여부(소극)

[2] 무허가건축물관리대장에 건축물로 등재되어 있다고 하여 그 건축물이 적법한 절차를 밟아서 건축된 것이라거나 그 건축물의 부지가 적법하게 형질변경된 것으로 추정되는지 여부(소극)

[3] 1995.1.7. 개정된 공공용지의 취득 및 손실보상에 관한 특례법 시행규칙의 시행에 따른 불법형질변경 토지 등에 대한 평가 방법

[판결요지]

[1] 공공용지의 취득 및 손실보상에 관한 특례법 시행규칙 제5조의2, 제5조의3, 제5조의4, 토지수용법 제23조, 제24조, 토지수용법시행령 제15조의 규정을 종합하면, 협의취득의 전제로서 사업시행자가 공공용지의 취득 및 손실보상에 관한 특례법 시행규칙에 의하여 토지의 이용상황을 조사한 토지조서를 보상계획과 함께 공고하고 대상물건의 소유자등에게 개별통지하였다 하더라도, 중앙토지수용위원회가 정당한 손실보상금을 결정함에 있어서 반드시 그 토지조서에 표시된 대로의 이용상황을 기준으로 하여야 하는 것은 아니다.

[2] 무허가건축물관리대장은 관할관청이 개발제한구역 안의 무허가건축물에 대한 관리차원에서 작성하는 것이므로, 위 대장의 작성목적, 작성형식, 관리상태 등에 비추어 거기에 건축물로 등재되어 있다고 하여 그 건축물이 적법한 절차를 밟아서 건축된 것이라거나 그 건축물의 부지가 적법하게 형질변경된 것으로 추정된다고 할 수 없다.

[3] 1995.1.7. 공공용지의 취득 및 손실보상에 관한 특례법 시행규칙 제6조 제6항이 시행된 이후 불법형질변경된 토지를 평가함에 있어서는, 가격시점에 있어서의 현실적인 이용상황에 따른 평가원칙에 대한 예외로서, 그 형질변경시기가 위 같은 법 시행규칙 제6조 제6항의 시행 전후를 불문하고 당해 토지가 형질변경이 될 당시의 이용상황을 상정하여 평가하여야 하고, 다만 위 같은 법 시행규칙 부칙 제4항에 의하여 그 시행 당시 이미 공공사업시행지구에 편입된 불법형질변경 토지 등에 한하여 같은 법 시행령 제2조의10 제2항에 따라 가격시점에서의 현실적인 이용상황(즉, 형질변경 이후의 이용상황)에 따라 평가하여야 한다.

---

2) 1989.1.24. 이전 건축된 무허가건물 부지면적 산정방법

1989.1.24.이전 건축된 무허가건축물 등은 그 적법성은 인정되나 그 건축물 부지에 대하여는 명확한 보상기준이 없어 우리 위원회에서는 무허가건축물의 바닥면적만을 대지로 인정하는 것을 원칙으로 하고, 예외적으로 건축물 부지로 이용되고 있는 것이 객관적으로 인정되고 지적공사의 현황측량결과에 의거 사업시행자가 대지로서 인정한 해당 면적이 확인되는 경우 이를 대지로 평가 및 보상하고 있다.

판례

● 대판 2002.9.4, 2000두8325

[판시사항]

[1] 구 공공용지의 취득 및 손실보상에 관한 특례법 시행규칙 제6조 제6항 소정의 '무허가건물 등의 부지'의 의미 및 1995.1.7. 개정된 같은 법 시행규칙의 시행에 따른 불법형질변경 토지에 대한 평가 방법

[2] 무허가건물에 이르는 통로, 야적장, 주차장 등은 그 무허가건물의 부지라고 볼 수 없고, 불법형질변경된 토지가 택지개발사업시행지구에 편입된 때로 보는 택지개발계획의 승인・고시가 1995.1.7.개정된 공공용지의 취득 및 손실보상에 관한 특례법 시행규칙 제6조 제6항의 시행 이후에 있은 경우, 그 형질변경 당시의 이용상황으로 상정하여 평가하여야 한다고 판단한 사례

[판결요지]

[1] 구 공공용지의 취득 및 손실보상에 관한 특례법 시행규칙(1995.1.7.건설교통부령 제3호로 개정되기 전의 것) 제6조 제6항 소정의 '무허가건물 등의 부지'라 함은 당해 무허가건물 등의 용도・규모 등 제반 여건과 현실적인 이용상황을 감안하여 무허가건물 등의 사용・수익에 필요한 범위 내의 토지와 무허가건물 등의 용도에 따라 불가분적으로 사용되는 범위의 토지를 의미하는 것이라고 해석되고, 한편, 불법형질변경된 토지를 평가함에 있어서는, 1995.1.7.건설교통부령 제3호로 개정된 같은 법 시행규칙 제6조 제6항의 시행 이후에는 가격시점에 있어서의 현실적인 이용상황에 따른 평가원칙에 대한 예외로서, 그 형질변경시기가 위 같은 법 시행규칙 제6조 제6항의 시행 전후를 불문하고 당해 토지가 형질변경이 될 당시의 이용상황을 상정하여 평가하여야 하며, 다만, 개정된 같은 법 시행규칙 부칙 제4항에 의하여 그 시행 당시 이미 공공사업시행지구에 편입된 불법형질변경토지 등에 한하여 같은 법 시행령 제2조의10 제2항에 따라 가격시점에서의 현실적인 이용상황(즉, 형질변경 이후의 이용상황)에 따라 평가하여야 하는 것으로 해석된다.

[2] 무허가건물에 이르는 통로, 야적장, 마당, 비닐하우스・천막 부지, 컨테이너・자재적치 장소, 주차장 등은 무허가건물의 부지가 아니라 불법으로 형질변경된 토지이고, 위 토지가 택지개발사업시행지구에 편입된 때로 보는 택지개발계획의 승인・고시가 1995.1.7. 개정된 공공용지의 취득 및 손실보상에 관한 특례법 시행규칙 제6조 제6항의 시행 이후에 있은 경우, 그 형질변경 당시의 이용상황인 전 또는 임야로 상정하여 평가하여야 한다고 한 사례

---

3) 1989.1.24.이후 건축된 무허가건축물 등의 부지

1989.1.24. 이후에 건축된 무허가건축물 등은 그 적법성이 인정되지 아니하므로 그 부지에 대해서도 무허가건축물 등이 건축된 당시의 이용상황을 상정하여 평가하여야 한다.

3. 불법형질변경토지의 보상

(1) 불법형질변경토지의 개념

불법형질변경토지라 함은 국토의 계획 및 이용에 관한 법률 등 관계법령에 의하여 허가를 받거나 신고를 하고 형질변경을 하여야 하는 토지를 허가를 받지 아니하거나 신고를 하지 아니하고 형질변경한 토지를 말한다.

(2) 불법형질변경토지의 평가기준

1) 개요

적법한 절차를 거치지 아니하고 형질변경을 한 토지는 형질변경될 당시의 이용상황을 상정하여 평가하는 것이 원칙이므로 현실이용상황이 대지, 전, 답 및 과수원 등일지라도 공부상 지목이 다르다면 적법한 절차를 거쳐 형질변경되었는지의 여부를 확인한 후 평가 및 보상하여야 한다.

> **판례**
>
> ● 대판 2002.2.8, 2001두7121
>
> **[판시사항]**
> 공공용지의 취득 및 손실보상에 관한 특례법 시행규칙 제6조 제6항이 모법의 위임 범위를 벗어나거나 위 부칙 제4항이 법률불소급의 원칙에 반하는지 여부(소극)
>
> **[판결요지]**
> 공공용지의 취득 및 손실보상에 관한 특례법 시행령에는 비록 토지의 구체적 상황에 따른 평가방법에 관하여 건설교통부령에 위임한다는 명문의 규정을 두고 있지는 아니하나, 공공용지의 취득 및 손실보상에 관한 특례법(이하 '특례법'이라 한다) 제4조 제2항 제1호, 특례법 시행령 제2조의10 제1항, 제2항은 토지의 일반적 이용방법에 의한 객관적 상황을 기준으로 하되 일시적 이용상황을 고려하지 아니하고 산정함으로써 적정가격으로 보상액을 산정하여야 한다는 원칙을 정하고 있는바, 불법으로 형질변경된 토지에 대하여는 관계 법령에서 원상회복을 명할 수 있고, 허가 등을 받음이 없이 형질변경행위를 한 자에 대하여는 형사처벌을 할 수 있음에도, 그러한 토지에 대하여 형질변경된 상태에 따라 상승된 가치로 평가한다면, 위법행위로 조성된 부가가치 등을 인정하는 결과를 초래하여 '적정보상'의 원칙이 훼손될 우려가 있으므로, 이와 같은 부당한 결과를 방지하기 위하여 불법으로 형질변경된 토지에 대하여는 특별히 형질변경될 당시의 이용상황을 상정하여 평가함으로써 그 '적정가격'을 초과하는 부분을 배제하려는 것이 특례법 시행규칙(1995.1.7.건설교통부령 제3호로 개정된 것) 제6조 제6항의 규정 취지라고 이해되고, 따라서 위 규정은 모법인 특례법 제4조 제2항 제1호,

특례법시행령 제2조의10 제1항, 제2항에 근거를 두고, 그 규정이 예정하고 있는 범위 내에서 토지의 적정한 산정방법을 구체화·명확화한 것이지, 모법의 위임 없이 특례법 및 같은 법 시행령이 예정하고 있지 아니한 토지의 산정방법을 국민에게 불리하게 변경하는 규정은 아니라고 할 것이므로 모법에 위반된다고 할 수 없으며, 또한 특수한 토지에 대한 평가기준을 정하고 있는 특례법 시행규칙 제6조 제6항의 적용 여부는 평가의 기준시점에 따라 결정되므로, 비록 개정된 특례법 시행규칙 제6조 제6항이 시행되기 전에 이미 불법으로 형질변경된 토지라 하더라도, 위 개정 조항이 시행된 후에 공공사업시행지구에 편입되었다면 개정 조항을 적용하여야 하고, 부칙(1995.1.7.) 제4항에서 위 개정 조항 시행 당시 공공사업시행지구에 편입된 불법 형질변경토지만 종전의 규정을 적용하도록 하였다 하여, 이를 들어 소급입법이라거나 헌법 제13조 제2항이 정하고 있는 법률불소급의 원칙에 반한다고 할 수 없다.

2) 제3자가 불법형질변경한 경우

토지소유자가 아닌 제3자가 형질변경한 경우에도 적법한 허가나 승인 없이 한 경우에는 불법형질변경 토지이므로 형질변경전의 이용상황대로 평가 및 보상한다.

> **판례**
>
> ● 서울고법 2002.3.22, 2001누9150
>
> **[판시사항]**
>
> [1] 국방·군사시설사업에 관한 법률에 의한 국방·군사시설사업의 실시계획 승인처분의 쟁송기간이 도과한 후 수용재결이나 이의재결단계에서 그 위법 부당함을 이유로 이의재결의 취소를 구할 수 있는지 여부(소극)
>
> [2] 현황평가원칙의 예외사유인 구 공공용지의 취득 및 손실보상에 관한 특례법 시행규칙 제6조 제6항의 적용 기준
>
> **[판결요지]**
>
> [1] 국방·군사시설사업에 관한 법률 제4조 제1항, 제5조 제2항, 제6조 제1항, 제2항, 제3항 등의 규정에 의한 국방·군사시설사업의 실시계획의 승인은 사업시행자가 그 후 일정한 절차를 거칠 것을 조건으로 하여 일정한 내용의 수용권을 설정해 주는 행정처분의 성격을 갖는 것이고, 그 승인 고시의 효과는 수용할 목적물의 범위를 확정하고 수용권으로 하여금 목적물에 관한 현재 및 장래의 권리자에게 대항할 수 있는 일종의 공법상 권리로서의 효력을 발생시킨다 할 것이므로, 토지소유자로서는 선행처분인 실시계획인가·고시단계에서 그 사업인정의 위법·부당함을 들어 쟁송하여야 하고 쟁송기간이 지난 후 수용재결이나 이의재결단계에 있어서는 위 실시계획인가·고시에 명백하고 중대한 하자가 있어 당연무효라고 볼 특단의 사정이 없는 이상 그 위법·부당함을 이유로 이의재결의 취소를 구할 수는 없다.
>
> [2] 구 공공용지의 취득 및 손실보상에 관한 특례법 시행규칙(2002.12.31. 건설교통부령 제344호로 폐지) 제6조 제6항은 현황평가원칙의 예외로서 "무허가건물 등의 부지나 불법

으로 형질변경된 토지는 무허가건물 등이 건축될 당시 또는 토지의 형질변경이 이루어질 당시의 이용상황을 상정하여 평가한다."라고 규정하고 있는바(다만, 위 시행규칙 부칙 제4항에 의하면, 위 규칙 시행 당시 공공사업시행지구에 편입된 불법형질변경 토지 또는 무허가개간 토지 등의 보상 등에 대하여는 위 개정규정에 불구하고 종전의 규정에 의하도록 하고 있다), 위 규정의 취지는 토지의 소유자 또는 제3자가 불법 형질변경 등을 통하여 현실적인 이용현황을 왜곡시켜 부당하게 손실보상금의 평가가 이루어지게 함으로 인하여 토지소유자가 부당한 이익을 얻게 되는 것을 방지함으로써 구 공공용지의 취득 및 손실보상에 관한 특례법(2002.2.4. 법률 제6656호 공익사업을 위한 토지 등의 취득 및 보상에 관한 법률 부칙 제2조로 폐지) 제4조 제2항이 규정하고 있는 '적정가격보상의 원칙'을 관철시키기 위한 것이라 할 것이므로, 국가 또는 지방공공단체가 적법한 절차를 거치지 아니하고 개인의 토지를 형질변경하여 그 토지를 장기간 공익에 제공함으로써 그 토지의 가격이 상승된 이후에 스스로 공익사업의 시행자로서 그 토지를 취득하는 경우와 같이 위 규정을 적용한다면 오히려 '적정가격보상의 원칙'에 어긋나는 평가가 이루어질 수 있는 특별한 사정이 있는 때에는 위 규정이 적용되지 아니하고, 수용에 의하여 취득할 토지에 대한 평가의 일반원칙에 의하여 수용재결 당시의 현실적인 이용상황에 따라 평가하는 것이 합당하다.

3) 사업인정 이후 형질변경허가를 득하지 아니한 지목변경토지의 적법성 인정 여부

토지보상법 제25조 제1항의 규정에 의거 사업인정 고시가 있은 후에는 누구든지 고시된 토지에 대하여 사업에 지장을 초래할 우려가 있는 형질의 변경을 하지 못하도록 규정되어 있으므로 적법한 형질변경허가 절차 없이 토지소유자 임의로 토지의 형질을 변경하여 이용 중에 있다 하더라도 그 토지에 대한 평가는 형질변경 전의 이용상황대로 평가 및 보상한다. 사업인정의 고시가 있었음에도 허가관청의 착오 등으로 적법하게 허가를 득한 경우는 이를 인정하여 현황평가하여 보상한다.

Ⅳ (물음 3)

1, 특별한 희생의 판단기준

(1) 특별한 희생의 의의

특별한 희생이란 사회적 제약을 넘어서는 손실을 의미한다. 구체적인 경우에 재산권의 침해에 의하여 발생된 손실이 사회적 기속에 해당하는지 또는 특별희생에 해당하는지에 관한 구별기준은 오랫동안 견해의 대립이 되어 왔다. 이에 대한 구별기준은 크게 형식적 기준설, 실질적 기준설 그리고 절충설로 구분할 수 있다.

(2) 특별한 희생의 판단기준

1) 학설

공행정작용으로 인한 손실이 보상을 요하는 특별희생인지 수인한도 내의 사회적 제약인지의 구별과 관련하여 첫째, 평등의 원칙을 형식적으로 해석하여 재산권에 대한 침해가 일반적인지 개별적인지 형식적 기준으로 판단하는 형식적 기준설, 둘째, 재산권 침해의 본질과 강도를 기준으로 판단하는 실질적 기준설, 셋째, 양자를 절충한 절충설이 있다.

2) 대법원 및 헌법재판소의 입장

과거 대법원 입장은 개발제한구역을 정하고 있는 (구)도시계획법 제21조의 위헌심판제청사건에서 개발제한구역 내 토지에 대한 공용제한에 대하여 "개발제한구역 안에 있는 토지소유자의 불이익은 명백하지만 이로 인한 토지소유자의 불이익은 공공복리를 위하여 감수하지 아니하면 안 될 정도의 것"이라 하여 특별한 희생은 아니라고 판시하였다.

3) 검토

생각건대 형식적 기준설과 실질적 기준설은 일면 타당성을 지니므로 양 설을 종합적으로 고려하여 개별적·구체적으로 판단하여 형식적 기준설에 따라 특정인 또는 특정집단에 대하여 생긴 손실에 대해서 보상해 주되, 이 경우에도 실질적 기준설에 비추어 재산권에 대한 침해가 종래 인정되어 오던 재산권의 목적에 위배되거나(목적위배설), 개인의 주관적인 이용목적 내지 효용가치를 불가능하게 만드는 정도(사적 효용설)이어서 수인한도를 넘어선 경우로 판단되면(수인한도설) 이는 보상을 요하는 특별희생이라고 본다.

2. 보상규정 흠결 시 권리구제

(1) 학설

① 헌법 제23조 제3항의 규범적 효력을 부인하는 방침규정설, ② 헌법 제23조 제3항을 불가분조항으로 보아 보상규정이 없는 경우는 위헌무효이며 국가배상청구소송으로 해결해야 한다는 위헌무효설, ③ 헌법 제23조 제3항을 직접근거로 손실보상을 받을 수 있다는 직접효력설, ④ 헌법 제23조 제3항 및 관계규정을 유추적용하여 손실보상을 받을 수 있다는 유추적용설이 있고, ⑤ 보상입법부작위위헌설은 보상입법을 기다려 보상하는 것이 타당하다는 최근의 견해도 있다.

(2) 대법원 및 헌법재판소의 입장

대법원은 시대상황에 따라 직접효력설, 위헌무효설, 유추적용설 등 다른 입장의 판시를 해왔으며, 헌법재판소는 89헌마214 결정에서 침해규정만 두고 보상규정을 두지 않은 경우 손실보상을 직접 청구할 수는 없다고 보고 권력분립의 원칙에 입각하여 입법권자로 하여금 결정취지에 부합하는 보상입법을 마련하고 동 법률에서 정한 바에 따라 손실보상을 행하도록 판시한 바 있다.

(3) 검토

생각건대 비록 유추적용설이 구체적으로 무엇을 어떻게 유추적용할 것인지 분명하지 않다는 비판이 있으나 같은 성격의 침해에 대해서는 보상을 해주어도 공평의 원칙에 반하지 않는다는 점, 최근 대법원이 공공사업의 기업지 밖에서 발생한 간접손실에 대해 그에 대한 보상규정이 없는 경우 관계법령의 유추적용이 가능하다고 판시한바 앞으로 제도적, 이론적 보완이 이루어질 때까지 보상수요를 감당하기 위해서 관계법령의 유추적용을 통한 권익구제가 이루어져야 할 것이다.

Ⅴ 사안의 해결

생각건대, 직접적인 보상규정이 없는 경우라 하더라도 헌법 제23조의 취지상 재산권 침해를 받은 자에 대한 손실보상은 해주어야 한다고 판단된다. 또한, 입법적 해결과 관련하여 금전보상뿐만 아니라 손실을 대체하거나 완화할 수 있는 방법에 대해서도 고려해 볼 수 있다고 생각한다. 이와 관련해서는 대토보상, 공사대행보상 등이 있고, 손실완화제도로는 매수청구권 부여나 규제완화, 보조금지급 등의 방법을 생각할 수 있을 것이다.

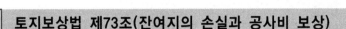

25절 | 토지보상법 제73조(잔여지의 손실과 공사비 보상)

문제

아래의 내용은 대법원 2017.7.11, 2017두40860 판결에 대한 원심인 고등법원 2심의 판단이다. 다음의 물음에 답하시오. **30점**

원심인 고등법원 2심의 판단 – 본안에 관한 판단

1. 원고들의 주장 요지

원고들의 소유 토지 일부가 이 사건 공익사업의 부지로 편입됨으로써 ① 이 사건 잔여지 토지의 면적이 축소되고 모양이 직사각형의 넓은 토지에서 좁은 사다리꼴이나 부정형의 삼각꼴이 되는 등 그 효율성이 감소되었으며, ② 잔여지 전면에 자동차전용도로가 개설됨으로써 잔여지로의 진출입이 종전보다 어렵게 되는 등 획지조건이 악화되었고, ③ 자동차 소음이 발생함으로써 환경조건이 열악해졌으며, ④ 이 사건 고속국도 양측의 도로구역 경계선으로부터 각 20m의 접도구역이 지정됨으로써 행정조건이 열악해져 이 사건 잔여지의 가치하락이 발생하였으므로, 피고는 그 손실을 보상할 의무가 있다.

2. 판단

먼저 ① 토지의 면적 축소나 변경으로 인한 효율성 감소, ② 진출입 곤란 등으로 인한 획지조건 악화, ③ 자동차 소음으로 인한 환경조건 악화로 인하여 이 사건 잔여지의 가치하락이 발생하였다는 점에 대하여는 원고들이 제출한 증거들만으로는 이를 인정하기에 부족하고 달리 이를 인정할 증거가 주1) 없다.

다음으로 ④ 접도구역 지정으로 인한 손실에 대하여는, 아래의 사정 등에 비추어 보면 이는 이 사건 공익사업에 따른 토지의 일부 편입으로 인하여 발생한 손실이 아니라 국토교통부장관의 접도구역 지정이라는 별도의 행정행위에 따라 발생한 손실에 해당하므로, 피고가 보상하여야 하는 손실에 해당되지 않는다.

1) (구)도로법 제49조 제1항(2014.1.14. 법률 제12248호로 전부 개정되기 전의 것, 이하 같다)은 "관리청은 도로구조의 손궤 방지, 미관 보존 또는 교통에 대한 위험을 방지하기 위하여 도로경계선으로부터 20m를 초과하지 아니하는 범위에서 대통령령으로 정하는 바에 따라 접도구역으로 지정할 수 있다."라고 규정하고 있고, 제3항은 "접도구역에서는 토지의 형질을 변경하는 행위나 건축물이나 그 밖의 공작물을 신축·개축 또는 증축하는 행위를 하여서는 아니 된다."라고 규정하고 있으며, (구)도로법 제53조 제1항 "접도구역이 지정되는 경우 그 지정으로 인하여 접도구역에 있는 토지를 종래의 용도로 사용할 수 없어 그 효용이 현저하게 감소한 토지 또는 해당 토지의 사용 및 수익이 사실상 불가능한 토지의 경우 그 소유자가 일정한 요건에 해당하는 때에는 도로의 관리청에 그 토지에 대한 매수를 청구할 수 있다."라고 규정하고 있고, (구)도로법 제92조 제1항은 "이 법에 따른 처분이나 제한으로 손실을 입은 자가 있으면 국토교통부장관이 행한 처분이나 제한으로 인한 손실은 국고에서 보상하고, 그 밖의 행정

청이 한 처분이나 제한으로 인한 손실은 그 행정청이 속해 있는 지방자치단체에서 보상하여야 한다."라고 규정하며 이에 따라 제2항은 손실의 보상에 관한 협의절차를, 제3항은 재결절차를 각 규정하고 있다. 이러한 규정을 종합해 보면, 이 사건 잔여지의 접도구역 지정으로 인한 손실에 관하여는 (구)공익사업을 위한 토지 등의 취득 및 보상에 관한 법률(2013.3.23. 법률 제11690호로 개정되기 전의 것, 이하 '(구)토지보상법'이라 한다)이 아니라 (구)도로법이 적용된다고 보아야 주2) 한다. 주3)

2) 접도구역 지정으로 인한 손실은 토지의 일부 편입으로 인하여 곧바로 발생하는 것이 아니라 접도구역이 지정됨으로써 비로소 발생하는 손실이므로 접도구역이 지정되기 전에는 현실적으로 그 손실의 발생여부 및 보상액을 확정할 수 없다. 앞서 본 바와 같이 (구)도로법 제49조 제1항은 접도구역을 "도로경계선으로부터 20m를 초과하지 아니하는 범위"에서 지정하도록 하고 있으므로 실제 지정되기 전에는 어떤 범위에서 접도구역이 지정될 것인지를 알 수가 없다. 특히 을 제4호증의 기재 및 변론 전체의 취지에 의하면, 이 사건 고속국도의 접도구역은 2015.7.29. 국토교통부고시 제2015-538호에 의하여 20m에서 10m로 변경된 사실을 인정할 수 있는바, 이러한 사정까지 고려해 보면, 잔여지 가치 하락의 기준시점이 되는 토지의 협의취득 당시 피고가 접도구역으로 인한 손실까지 예상해 이를 보상한다는 것은 사실상 불가능할 뿐 아니라 바람직하지도 않다.

3) 접도구역 지정으로 인한 보상의 주체가 토지수용 또는 협의취득으로 인한 보상의 주체와 일치하는 것도 아니다. 토지수용 또는 협의취득으로 인한 잔여지 보상의 주체는 (구)토지보상법 제73조에 따라 사업시행자인 반면, 접도구역 지정으로 인한 보상의 주체는 (구)도로법 제92조에 따라 국가 또는 지방자치단체가 되므로 보상의 주체도 엄격하게 구분된다. 원고들은 한국도로공사법 제13조 제1항, 제3항에 따라 피고가 국토교통부장관으로부터 도로사업의 시행 및 도로관리청의 업무를 위탁받아 수행하므로, 피고가 접도구역 지정으로 인한 보상의 주체라고 주장하나, 원고들이 들고 있는 위 조항만으로 곧바로 피고에게 접도구역 지정 업무를 대행할 권한이 생긴다거나(실제로 이 사건에서도 접도구역 지정은 국토교통부장관이 직접 하였다) 그 지정에 따른 보상업무를 위탁받아 수행할 권한이 생긴다고 보기 어려우므로, 원고들의 위 주장은 이유 없다.

4) 접도구역 지정으로 인한 공용부담은 토지의 일부 수용 내지 협의취득과 무관하게 도로부근의 토지소유자 모두에게 발생하는 부담이므로 이로 인한 손실보상의 법률관계 역시 그러한 견지에서 일의적이고 공평하게 해결될 필요가 있다. 따라서 원고들이 접도구역 지정처분을 이유로 (구)도로법 제92조 제2항, 제3항에 따른 협의 또는 재결절차를 거치지 않고 이와 별개의 절차에서 따로 보상을 청구할 수는 없다고 할 것이다.

3. 결론

그렇다면 원고 12의 이 사건 소 중 화성시(주소 2 생략) 답 531㎡에 대한 청구부분은 부적법하여 이를 각하하고, 원고들의 나머지 청구는 이유 없으므로 이를 모두 기각하여야 할 것이다. 제1심판결은 이와 결론을 일부 달리하여 부당하므로 피고의 항소를 받아들여 제1심판결 중 피고 패소부분을 취소하고, 그 부분에 해당하는 원고들의 청구를 모두 기각하며 소송총비용은 원고들이 부담하기로 하여 주문과 같이 판결한다.

(출처 : 서울고등법원 2017.3.17, 2016누60494 판결[잔여지가치하락손실보상금청구])

(1) 해당 접도구역 사안에 대하여 토지소유자는 손실보상청구를 할 수 있는지 여부에 대한 법제처 유권 해석을 요청하였다. 해당 사안에 대하여 법제처는 유권해석을 어떻게 하였는지 검토하시오. 15점

도로법 제40조(접도구역의 지정 및 관리)

① 도로관리청은 도로 구조의 파손 방지, 미관(美觀)의 훼손 또는 교통에 대한 위험 방지를 위하여 필요하면 소관 도로의 경계선에서 20미터(고속국도의 경우 50미터)를 초과하지 아니하는 범위에서 대통령령으로 정하는 바에 따라 접도구역(接道區域)을 지정할 수 있다.

② 도로관리청은 제1항에 따라 접도구역을 지정하면 지체 없이 이를 고시하고, 국토교통부령으로 정하는 바에 따라 그 접도구역을 관리하여야 한다.

③ 누구든지 접도구역에서는 다음 각 호의 행위를 하여서는 아니 된다. 다만, 도로 구조의 파손, 미관의 훼손 또는 교통에 대한 위험을 가져오지 아니하는 범위에서 하는 행위로서 대통령령으로 정하는 행위는 그러하지 아니하다.

1. 토지의 형질을 변경하는 행위
2. 건축물, 그 밖의 공작물을 신축·개축 또는 증축하는 행위

④ 도로관리청은 도로 구조나 교통안전에 대한 위험을 예방하기 위하여 필요하면 접도구역에 있는 토지, 나무, 시설, 건축물, 그 밖의 공작물(이하 "시설 등"이라 한다)의 소유자나 점유자에게 상당한 기간을 정하여 다음 각 호의 조치를 하게 할 수 있다.

1. 시설 등이 시야에 장애를 주는 경우에는 그 장애물을 제거할 것
2. 시설 등이 붕괴하여 도로에 위해(危害)를 끼치거나 끼칠 우려가 있으면 그 위해를 제거하거나 위해 방지시설을 설치할 것
3. 도로에 토사 등이 쌓이거나 쌓일 우려가 있으면 그 토사 등을 제거하거나 토사가 쌓이는 것을 방지할 수 있는 시설을 설치할 것
4. 시설 등으로 인하여 도로의 배수시설에 장애가 발생하거나 발생할 우려가 있으면 그 장애를 제거하거나 장애의 발생을 방지할 수 있는 시설을 설치할 것

도로법 제41조(접도구역에 있는 토지의 매수청구)

① 접도구역에 있는 토지가 다음 각 호의 어느 하나에 해당하는 경우 해당 토지의 소유자는 도로관리청에 해당 토지의 매수를 청구할 수 있다.

1. 접도구역에 있는 토지를 종래의 용도대로 사용할 수 없어 그 효용이 현저하게 감소한 경우
2. 접도구역의 지정으로 해당 토지의 사용 및 수익이 사실상 불가능한 경우

② 제1항 각 호의 어느 하나에 해당하는 토지(이하 "매수대상토지"라 한다)의 매수를 청구할 수 있는 소유자는 다음 각 호의 어느 하나에 해당하는 자이어야 한다.

1. 접도구역이 지정될 당시부터 해당 토지를 계속 소유한 자
2. 토지의 사용·수익이 불가능하게 되기 전에 해당 토지를 취득하여 계속 소유한 자
3. 제1호 또는 제2호에 해당하는 자로부터 해당 토지를 상속받아 계속 소유한 자

③ 상급도로의 접도구역과 하급도로의 접도구역이 중첩된 경우 매수대상토지의 소유자는 상급도로관리청에 제1항에 따른 매수청구를 하여야 한다.

④ 도로관리청은 제1항에 따라 매수청구를 받은 경우 해당 토지가 효용의 감소 등 대통령령으로 정한 기준에 해당되면 이를 매수하여야 한다.

도로법 제99조(공용부담으로 인한 손실보상)

① 이 법에 따른 처분이나 제한으로 손실을 입은 자가 있으면 국토교통부장관이 행한 처분이나 제한으로 인한 손실은 국가가 보상하고, 행정청이 한 처분이나 제한으로 인한 손실은 그 행정청이 속해 있는 지방자치단체가 보상하여야 한다.

② 제1항에 따른 손실의 보상에 관하여는 국토교통부장관 또는 행정청이 그 손실을 입은 자와 협의하여야 한다.

③ 국토교통부장관 또는 행정청은 제2항에 따른 협의가 성립되지 아니하거나 협의를 할 수 없는 경우에는 대통령령으로 정하는 바에 따라 관할 토지수용위원회에 재결을 신청할 수 있다.

④ 제1항부터 제3항까지의 규정에서 정한 것 외에 공용부담으로 인한 손실보상에 관하여는 「공익사업을 위한 토지 등의 취득 및 보상에 관한 법률」을 준용한다.

(2) 공익사업의 사업시행자가 동일한 소유자에게 속하는 일단의 토지 중 일부를 취득하거나 사용하고 남은 잔여지에 현실적 이용상황 변경 또는 사용가치 및 교환가치의 하락 등이 발생하였으나 그 손실이 토지의 일부가 공익사업에 취득되거나 사용됨으로 인하여 발생한 것이 아닌 경우(접도구역으로 되어 있는 상황임), 공익사업을 위한 토지 등의 취득 및 보상에 관한 법률 제73조 제1항 본문에 따른 잔여지 손실보상 대상에 해당하는지 여부에 대하여 검토하시오. 15점

Ⅰ 접도구역으로 지정된 토지의 소유자가 손실보상을 청구할 수 있는지 여부(「도로법」 제99조 제1항 등 관련)

법제처 유권해석을 중심으로(안건번호18 – 0083 회신일자2018 – 06 – 21)

1. 핵심쟁점

최근 접도구역으로 지정된 토지의 소유자가 토지의 처분이나 제한으로 인한 손실을 이유로 손실 보상을 청구할 수 있는지에 관련한 법제처의 해석 내용이 있어 해당 내용을 중심으로 쟁점을 살펴보기로 한다.

2. 질의요지

「도로법」 제40조 제1항에 따라 접도구역(接道區域)으로 지정된 토지의 소유자는 같은 법 제99조 제1항에 따라 같은 법 제40조 제3항의 행위제한으로 인한 손실의 보상을 청구할 수 있는지?

도로법 제40조(접도구역의 지정 및 관리)

① 도로관리청은 도로구조의 파손 방지, 미관(美觀)의 훼손 또는 교통에 대한 위험방지를 위하여 필요하면 소관 도로의 경계선에서 20미터(고속국도의 경우 50미터)를 초과하지 아니하는 범위에서 대통령령으로 정하는 바에 따라 접도구역(接道區域)을 지정할 수 있다.

② 도로관리청은 제1항에 따라 접도구역을 지정하면 지체 없이 이를 고시하고, 국토교통부령으로 정하는 바에 따라 그 접도구역을 관리하여야 한다.

③ 누구든지 접도구역에서는 다음 각 호의 행위를 하여서는 아니 된다. 다만, 도로구조의 파손, 미관의 훼손 또는 교통에 대한 위험을 가져오지 아니하는 범위에서 하는 행위로서 대통령령으로 정하는 행위는 그러하지 아니하다.
  1. 토지의 형질을 변경하는 행위
  2. 건축물, 그 밖의 공작물을 신축·개축 또는 증축하는 행위

④ 도로관리청은 도로구조나 교통안전에 대한 위험을 예방하기 위하여 필요하면 접도구역에 있는 토지, 나무, 시설, 건축물, 그 밖의 공작물(이하 "시설 등"이라 한다)의 소유자나 점유자에게 상당한 기간을 정하여 다음 각 호의 조치를 하게 할 수 있다.
  1. 시설 등이 시야에 장애를 주는 경우에는 그 장애물을 제거할 것
  2. 시설 등이 붕괴하여 도로에 위해(危害)를 끼치거나 끼칠 우려가 있으면 그 위해를 제거하거나 위해 방지시설을 설치할 것
  3. 도로에 토사 등이 쌓이거나 쌓일 우려가 있으면 그 토사 등을 제거하거나 토사가 쌓이는 것을 방지할 수 있는 시설을 설치할 것
  4. 시설 등으로 인하여 도로의 배수시설에 장애가 발생하거나 발생할 우려가 있으면 그 장애를 제거하거나 장애의 발생을 방지할 수 있는 시설을 설치할 것

---

3. 법제처 답변

이 사안의 경우 접도구역으로 지정된 토지의 소유자는 손실의 보상을 청구할 수 있습니다.

도로법 제41조(접도구역에 있는 토지의 매수청구)

① 접도구역에 있는 토지가 다음 각 호의 어느 하나에 해당하는 경우 해당 토지의 소유자는 도로

관리청에 해당 토지의 매수를 청구할 수 있다.
1. 접도구역에 있는 토지를 종래의 용도대로 사용할 수 없어 그 효용이 현저하게 감소한 경우
2. 접도구역의 지정으로 해당 토지의 사용 및 수익이 사실상 불가능한 경우
② 제1항 각 호의 어느 하나에 해당하는 토지(이하 "매수대상토지"라 한다)의 매수를 청구할 수 있는 소유자는 다음 각 호의 어느 하나에 해당하는 자이어야 한다.
1. 접도구역이 지정될 당시부터 해당 토지를 계속 소유한 자
2. 토지의 사용·수익이 불가능하게 되기 전에 해당 토지를 취득하여 계속 소유한 자
3. 제1호 또는 제2호에 해당하는 자로부터 해당 토지를 상속받아 계속 소유한 자
③ 상급도로의 접도구역과 하급도로의 접도구역이 중첩된 경우 매수대상토지의 소유자는 상급 도로관리청에 제1항에 따른 매수청구를 하여야 한다.
④ 도로관리청은 제1항에 따라 매수청구를 받은 경우 해당 토지가 효용의 감소 등 대통령령으로 정한 기준에 해당되면 이를 매수하여야 한다.

4. 법제처 회답 이유

「도로법」 제40조 제1항에 따라 토지가 접도구역으로 지정·고시되면 같은 조 제3항에 따라 토지의 형질 변경이나 건축행위가 금지되고 이에 따라 해당 토지의 소유자는 토지의 사용가치 및 교환가치가 하락하는 손실을 입게 되는데, 이러한 손실은 도로관리청이 해당 토지를 접도구역으로 지정·고시한 조치에 기인한 것[15]

한편 접도구역에 있는 토지에 대해서는 「도로법」 제41조 제1항에서 해당 토지를 종래의 용도대로 사용할 수 없어 그 효용이 현저하게 감소한 경우(제1호) 등 토지소유자가 수인해야 하는 사회적 제약의 한계를 넘는 재산권 제한에 한정하여 매수청구권을 별도로 보장하고 있고, 같은 법 제83조 제2항(재해발생시 토지 일시사용 등), 제97조 제2항(공익을 위한 허가취소 등) 및 제98조 제2항(감독관청의 명령에 따른 처분)과는 달리 같은 법 제40조에서는 같은 법 제99조를 준용하도록 하는 규정을 별도로 두고 있지 않은 점에 비추어 볼 때 접도구역 지정으로 인한 손실에 대해서는 같은 법 제99조 제1항에 따른 손실보상 규정이 적용되지 않는다는 의견이 있습니다.

그러나 ① 「도로법」 제41조에서 매수청구제도를 도입한 취지는 당시 도로법령에서는 손실보상의 기준·방법 등을 구체적으로 규정하고 있지 않아 접도구역에서의 행위제한으로 인한 손실을 손실보상 규정에 따라 보상받는 것이 현실적으로 곤란하기 때문에 이를 보완하기 위해 매수청구제도를 도입한 것일 뿐 접도구역 내 토지소유자에게 매수청구권만을 인정하고 손실보상청구권은 인정하지 않으려는 취지는 아니라는 점[16]

---

15) 대판 2017.7.11, 2017두40860 판결례 참조로서 「도로법」 제99조 제1항에 따른 손실보상의 요건인 "「도로법」에 따른 처분이나 제한으로 인한 손실"에 해당하므로, 접도구역으로 지정된 토지의 소유자는 같은 법 제99조 제1항에 따른 손실보상을 청구할 수 있습니다.
16) 2004.1.20. 법률 제7103호로 개정된 「도로법」 국회 심사보고서 참조

② 「도로법」 제99조 제1항은 "같은 법에 따른 처분이나 제한으로 인한 손실"에 대한 포괄적인 손실보상 규정이므로 별도의 준용 규정을 두지 않더라도 그 적용이 배제된다고 볼 수 없는 점을 고려하면 그러한 의견은 타당하지 않습니다.

> **도로법 제99조(공용부담으로 인한 손실보상)**
> ① 이 법에 따른 처분이나 제한으로 손실을 입은 자가 있으면 국토교통부장관이 행한 처분이나 제한으로 인한 손실은 국가가 보상하고, 행정청이 한 처분이나 제한으로 인한 손실은 그 행정청이 속해 있는 지방자치단체가 보상하여야 한다.
> ② 제1항에 따른 손실의 보상에 관하여는 국토교통부장관 또는 행정청이 그 손실을 입은 자와 협의하여야 한다.
> ③ 국토교통부장관 또는 행정청은 제2항에 따른 협의가 성립되지 아니하거나 협의를 할 수 없는 경우에는 대통령령으로 정하는 바에 따라 관할 토지수용위원회에 재결을 신청할 수 있다.
> ④ 제1항부터 제3항까지의 규정에서 정한 것 외에 공용부담으로 인한 손실보상에 관하여는 「공익사업을 위한 토지 등의 취득 및 보상에 관한 법률」을 준용한다.

II 공익사업의 사업시행자가 동일한 소유자에게 속하는 일단의 토지 중 일부를 취득하거나 사용하고 남은 잔여지에 현실적 이용상황 변경 또는 사용가치 및 교환가치의 하락 등이 발생하였으나 그 손실이 토지의 일부가 공익사업에 취득되거나 사용됨으로 인하여 발생한 것이 아닌 경우(접도구역으로 되어 있는 상황임), 공익사업을 위한 토지 등의 취득 및 보상에 관한 법률 제73조 제1항 본문에 따른 잔여지손실보상 대상에 해당하는지 여부

※ 법제처의 법령해석(18 – 0083, 2018.6.21)에서 인용하고 있는 대법원 2017.7.11, 2017두40860 판결은 접도구역의 지정에 따른 손실이 잔여지 손실보상의 대상이 아니라는 취지일 뿐 도로법 제99조의 적용대상이 아니라는 취지는 아님.

> **판례**
>
> ● 대판 2017.7.11, 2017두40860[잔여지가치하락손실보상금청구]
>
> [판시사항]
> 공익사업의 사업시행자가 동일한 소유자에게 속하는 일단의 토지 중 일부를 취득하거나 사용하고 남은 잔여지에 현실적 이용상황 변경 또는 사용가치 및 교환가치의 하락 등이 발생하였으나 그 손실이 토지의 일부가 공익사업에 취득되거나 사용됨으로 인하여 발생한 것이 아닌 경우, 공익사업을 위한 토지 등의 취득 및 보상에 관한 법률 제73조 제1항 본문에 따른 잔여지손실보상 대상에 해당하는지 여부(원칙적 소극)

[판결요지]

공익사업을 위한 토지 등의 취득 및 보상에 관한 법률(이하 '토지보상법'이라고 한다) 제73조 제1항 본문은 "사업시행자는 동일한 소유자에게 속하는 일단의 토지의 일부가 취득되거나 사용됨으로 인하여 잔여지의 가격이 감소하거나 그 밖의 손실이 있을 때 또는 잔여지에 통로·도랑·담장 등의 신설이나 그 밖의 공사가 필요할 때에는 국토교통부령으로 정하는 바에 따라 그 손실이나 공사의 비용을 보상하여야 한다."라고 규정하고 있다.

여기서 특정한 공익사업의 사업시행자가 보상하여야 하는 손실은, 동일한 소유자에게 속하는 일단의 토지 중 일부를 사업시행자가 그 공익사업을 위하여 취득하거나 사용함으로 인하여 잔여지에 발생하는 것임을 전제로 한다. 따라서 이러한 잔여지에 대하여 현실적 이용상황 변경 또는 사용가치 및 교환가치의 하락 등이 발생하였더라도, 그 손실이 토지의 일부가 공익사업에 취득되거나 사용됨으로 인하여 발생하는 것이 아니라면 특별한 사정이 없는 한 토지보상법 제73조 제1항 본문에 따른 잔여지손실보상 대상에 해당한다고 볼 수 없다.

[참조조문]

공익사업을 위한 토지 등의 취득 및 보상에 관한 법률 제73조 제1항

베타답안

문 **잔여지가치하락보상과 접도구역** 30점

Ⅰ. 논점의 정리

해당 사안은 토지 일부가 공익사업에 편입되어 남게 된 잔여지의 감가보상 및 접도구역 지정에 따른 손실보상청구이다. 이하 〈설문 (1)〉에서는 손실보상의 개념을 살펴본 후, 접도구역 지정으로 인한 손실 보상청구를 기각한 판례에 대한 법제처의 유권해석에 대해 살펴보도록 한다. 〈설문 (2)〉에서는 토지보상법 제73조의 잔여지 가격 감소에 따른 손실보상의 개념을 살펴 본 후, 잔여지에 대한 손실이 공익사업에 기인하지 않은 경우 보상 여부에 대해 판례를 통해 검토하도록 한다.

Ⅱ. 설문 (1) 접도구역 손실보상에 대한 법제처의 유권해석

1. 손실보상의 개관

(1) 손실보상의 의의, 취지 및 성질

손실보상이란 공공필요에 따른 공권력 행사로 인해 발생한 특별한 희생에 대한 손해전보로, 헌법 제23조의 재산권 보장취지에서 인정된다. 판례는 손실보상을 공권으로 보고 있으며, 이는 공법상 원인에 기인한 권리로써 공권이 타당하다 판단된다.

(2) 손실보상의 요건

손실보상의 요건이 되기 위해서는 ① 공공필요에 의한, ② 적법한 행정행위로 인하여 발생한, ③ 재산권에 대한 공권적 침해로, ④ 사회적 제약을 넘는 특별한 희생에 해당

하여야 한다. ⑤ 이때 보상규정이 존재해야 하며, 보상규정이 결여 되는 경우 헌법 제23조를 유추적용하여 국민의 재산권을 두텁게 보호해야 할 것이다.

2. 사안의 판례 검토

사안의 판례는 공익사업 이후 도로법 제40조에 의해 지정된 접도구역으로 인한 손실보상청구에 대해 ① 접도구역의 지정은 (구)도로법에 의한 것이지 토지보상법에 의한 것이 아니며, ② 토지의 협의취득 당시 접도구역으로 인한 손실발생 여부를 알기 어렵고, ③ 한국도로공사는 도로사업 시행 및 관리를 위탁 받아 수행하므로 보상의 주체가 될 수 없다고 판시하였다.

3. 법제처 유권해석 검토

(1) 개설

접도구역 지정으로 인하여 발생한 손실을 이유로 손실보상을 청구할 수 있는지 여부가 문제시 된다. 즉, 도로법 제40조 제1항, 제3항의 접도구역 지정으로 발생한 토지소유자의 손실을 동법 제99조에 따라 손실보상청구를 제기할 수 있는지가 문제된다.

(2) 법제처 유권해석

법제처 유권해석은 사안의 접도구역으로 인한 소유자의 손실보상 청구가 가능하다고 해석하였다. 이는 ① 가치하락이 도로법 제40조에 따른 도로관리청의 접도구역 지정으로 인한 것으로 동법 제99조의 '이 법에 따른 처분'인 점, ② 접도구역으로 인한 효용감소는 사회적 제약을 넘는 재산권의 침해인 점, ③ 도로법 제41조의 매수청구는 손실보상의 기준·방법을 구체적으로 규정하지 않아 실효성이 떨어지는 점을 종합적으로 고려할 시 〈손실보상청구가 가능〉하다고 판단된다.

4. 소결

사안의 접도구역 지정으로 인한 토지의 행위제한으로 발생한 재산권 손실은 도로사업을 위해 도로법에 따른 적법한 사업으로, 사회적 제약을 넘는 재산권의 특별한 희생으로 도로법 제99조에 따른 보상근거 규정이 있는바 손실보상청구가 가능할 것이다.

III. 설문 (2) 잔여지 손실보상에 해당하는지 여부 검토

1. 잔여지 손실보상 의의 및 취지(법 제73조)

잔여지가격감소 보상은 공익사업으로 토지의 일부가 공용수용 되어 남게 된 잔여지에 발생한 가치하락분 또는 공사비용에 대한 보상을 의미한다. 이는 정당보상의 실현을 위한 취지에서 인정된다.

2. 잔여지손실보상 요건

잔여지손실보상의 요건으로는 ① 일단의 토지 중 일부 편입으로 인하여 남게 된 잔여지의 가치감소 및 손실이 있고, ② 사업완료일부터 1년 이내에 청구할 것이 해당된다.

3. 잔여지손실보상의 절차 및 불복

잔여지손실 또는 비용의 보상은 토지보상법 제9조 제6항 및 제7항을 준용하여 당사자간 협의하되, 협의불성립시 재결의 절차를 거치게 된다. 이러한 재결에 대한 불복은 토지보상법 제83조에 따른 이의 신청 및 제85조의 보상금증감청구소송을 통해 가능하다.

4. 잔여지에 대한 손실보상이 공익사업의 취득·사용에 기인한 경우가 아닌 경우의 손실보상 가능성

(1) 대법원 판례

대법원 판례는 공익사업의 시행자가 보상하여야 하는 손실은 동일한 소유자에게 속하는 일단의 토지 중 일부가 공익사업에 편입되어 잔여지에 발생한 손실을 의미하므로, 잔여지에 발생한 손실이 해당 공익사업으로 인한 것이 아니라면 토지보상법 제73조제1항에 따른 잔여지손실보상의 대상이 될 수 없다고 판시하였다.

(2) 사안의 검토

토지보상법 제73조의 잔여지가치감소 손실보상의 요건은 해당 공익사업으로 인하여일단의 토지 중 일부가 편입되어 발생한 손실을 요건으로 한다. 따라서 위 규정과 판례의 태도를 종합해 볼 때, 발생한 손실이 해당 공익사업의 취득·사용으로 인한 것이아닌 경우 잔여지손실보상이 불가능할 것으로 판단된다.

Ⅳ. 사안의 해결

1. 법제처 유권해석에 따라 접도구역의 지정에 따른 행위제한으로 인해 발생한 손실은도로법 제99조에 따른 손실보상청구가 가능할 것으로 판단된다.
2. 대법원 판례 및 토지보상법 제73조의 요건을 검토하여 볼 때, 잔여지의 가치손실이 해당 공익사업에 기인하지 않은 경우 잔여지 가치손실보상이 어려울 것으로 판단된다.

26절 토지보상법 제74조(잔여지 등의 매수 및 수용 청구)

문제

甲은 2015.3.16. 乙로부터 A광역시 B구 소재 도로로 사용되고 있는 토지 200㎡(이하 '이 사건 토지'라 함)를 매수한 후 자신의 명의로 소유권 이전등기를 하였다. 한편, 甲은 A광역시지방토지수용위원회에 "사업시행자인 B구청장이 도로개설공사를 시행하면서 사업인정고시가 된 2010.4.6.이후 3년 이상 이 사건 토지를 사용하였다"고 주장하면서 「공익사업을 위한 토지 등의 취득 및 보상에 관한 법률」(이하 '토지보상법'이라 함) 제72조 제1호를 근거로 이 사건 토지의 수용을 청구하였다. 이에 대해 A광역시지방토지수용위원회는 "사업인정고시가 된 날부터 1년 이내에 B구청장이 재결신청을 하지 아니하여 사업인정은 그 효력을 상실하였으므로 甲은 토지수용법 제72조 제1호를 근거로 이 사건 토지의 수용을 청구할 수 없다"며 甲의 수용청구를 각하하는 재결을 하였다. 다음 물음에 답하시오. 40점

(1) 토지보상법상 확장수용으로 잔여지수용, 완전수용, 이전수용에 대하여 설명하시오.
10점

(2) A광역시지방토지수용위원회의 완전수용의 각하재결에 대하여 행정소송을 제기하기 전에 강구할 수 있는 甲의 권리구제수단에 관하여 설명하시오. 10점

(3) 甲이 A광역시지방토지수용위원회의 각하재결에 대하여 행정소송을 제기할 경우 그 소송의 형태와 피고적격에 관하여 설명하시오. 20점

I. 논점의 정리

II. (물음 1)
  1. 확장수용의 의의
  2. 잔여지수용의 의의 및 내용
  3. 완전수용의 의의 및 내용
  4. 이전수용의 의의 및 내용

III. (물음 2)
  1. 토지보상법 제72조 수용청구의 특성
    – 형성권
  2. 이의신청의 의의 및 성격
  3. 이의신청의 청구요건
  4. 이의신청 제기의 효과
  5. 이의재결의 효력

IV. (물음 3)
  1. 토지보상법상 행정소송의 특성
  2. 보상금증감청구소송
  3. 확장수용에 있어 보상금증감청구소송의 심리범위
    (1) 문제점
    (2) 학설
    (3) 판례
  4. 행정소송의 피고적격
    (1) 당사자적격
    (2) 토지보상법 제85조 제2항 법률규정
    (3) 피고적격에 대한 대법원 판례
  5. 소결

V. 사안의 해결

> **Tip 강박사의 TIP(최근 기출문제)**
> 1. 완전수용의 권리구제수단(제27회 2번)

Ⅰ 논점의 정리

해당 사안은 공익사업을 위한 토지 등의 취득 및 보상에 관한 법률(이하 '토지보상법') 제72조의 성격과 이에 대한 권리구제의 특성을 묻는 질문이다. 특히 행정소송하기 전에 甲의 권리구제로는 토지보상법 제83조의 이의신청으로 특별법상 행정심판에 대한 쟁점과 확장수용 중 완전수용에 대한 권리구제로 토지보상법 제85조 보상금증감청구소송이 쟁점이라고 할 것이다.

Ⅱ (물음 1)

1. 확장수용의 의의

확장수용이란 수용할 수 있는 목적물의 범위와 정도는 공익사업에 필요한 최소한도에 국한하여야 한다는 최소침해의 원칙에 대한 예외로서, 공익사업을 위해 필요한 범위 또는 정도를 초과하여 수용이 행해지는 경우를 의미한다고 볼 수 있다. 확장수용에는 잔여지수용, 완전수용, 이전수용 세 가지가 있다.

2. 잔여지수용의 의의 및 내용

(1) 잔여지수용의 의의 및 근거

잔여지수용이란 동일한 소유자에 속하는 일단의 토지의 일부가 취득됨으로 인하여 잔여지를 종래의 목적에 사용하는 것이 현저히 곤란한 경우 토지소유자의 청구에 의해 일단의 토지의 전부를 매수하거나 수용하는 것을 말하는 것으로, 토지보상법 제74조에 근거를 두고 있다.

(2) 잔여지수용의 내용

동일한 소유자의 토지일 것, 일단의 토지 중 일부가 편입될 것, 잔여지를 종래의 목적에 사용하는 것이 현저히 곤란할 것 등의 요건을 구비하여야 한다. 잔여지의 판단기준으로 토지보상법 시행령 제39조에서는 대지로서 면적 등의 사유로 인하여 건축물을 건축할 수 없거나 현저히 곤란한 경우, 농지로서 농기계의 진입과 회전이 곤란할 정도로 폭이 좁고 길게 남거나 부정형 등의 사유로 인하여 영농이 현저히 곤란한 경우, 공익사업의 시행으로 인하여 교통이 두절되어 사용 또는 경작이 불가능하게 된 경우 등을 규정한다.

판례

● 대판 2005.1.28, 2002두4679[토지수용이의재결처분취소등]

[판시사항]

[1] 토지수용보상금 증감에 관한 소송에 있어서 이의재결의 기초가 된 각 감정기관의 감정평가와 법원 감정인의 감정평가가 개별요인비교에 관하여만 평가를 다소 달리한 관계로 감정 결과에 차이가 생긴 경우의 채증방법

[2] 구 토지수용법 제48조 제1항에서 정한 '종래의 목적'과 '사용하는 것이 현저히 곤란한 때'의 의미

[3] 지방자치단체가 기업자로서 관할 토지수용위원회에 토지의 취득을 위한 재결신청을 하고 그 장이 관할 토지수용위원회의 재결신청서 및 관계 서류 사본의 공고 및 열람의뢰에 따라 이를 공고 및 열람 에 제공함에 있어서 토지소유자 등에게 의견제출할 것을 통지한 경우, 토지소유자가 당해 지방자치단체에 대하여 한 잔여지수용청구의 의사표시는 관할 토지수용위원회에 대하여 한 잔여지수용청구의 의사표시로 보아야 한다고 한 사례

[판결요지]

[1] 토지수용보상금 증감에 관한 소송에 있어서 이의재결의 기초가 된 각 감정기관의 감정평가와 법원 감정인의 감정평가가 평가방법에 있어 위법사유가 없고 개별요인비교를 제외한 나머지 가격산정요인의 참작에 있어서는 서로 견해가 일치하나 개별요인비교에 관하여만 평가를 다소 달리한 관계로 감정결과(수용대상토지의 보상평가액)에 차이가 생기게 된 경우, 그중 어느 감정평가의 개별요인비교의 내용에 오류가 있음을 인정할 자료가 없는 이상 각 감정평가 중 어느 것을 취하여 정당보상가액으로 인정하는가 하는 것은 그것이 논리칙과 경험칙에 반하지 않는 이상 법원의 재량에 속한다.

[2] 구 토지수용법(1999.2.8, 법률 제5909호로 개정되기 전의 것) 제48조 제1항에서 규정한 '종래의 목적'이라 함은 수용재결 당시에 당해 잔여지가 현실적으로 사용되고 있는 구체적인 용도를 의미하고, '사용하는 것이 현저히 곤란한 때'라고 함은 물리적으로 사용하는 것이 곤란하게 된 경우는 물론 사회적, 경제적으로 사용하는 것이 곤란하게 된 경우, 즉 절대적으로 이용 불가능한 경우만이 아니라 이용은 가능하나 많은 비용이 소요되는 경우를 포함한다.

[3] 지방자치단체가 기업자로서 관할 토지수용위원회에 토지의 취득을 위한 재결신청을 하고 그 장이 관할 토지 수용위원회의 재결신청서 및 관계 서류 사본의 공고 및 열람의뢰에 따라 이를 공고 및 열람에 제공함에 있어서 토지소유자 등에게 의견제출할 것을 통지한 경우, 토지소유자가 당해 지방자치단체에 대하여 한 잔여지수용청구의 의사표시는 관할 토지수용위원회에 대하여 한 잔여지수용청구의 의사표시로 보아야 한다고 한 사례

3. 완전수용의 의의 및 내용

(1) 완전수용의 의의 및 근거

완전수용이란 토지를 사용함으로써 족하지만 토지소유자가 받게 되는 토지이용의 현저한 장애 내지 제한에 따른 수용보상을 가능하게 하기 위해 마련된 제도이다. 따라서 완전수용은 사용에 갈음하는 수용이라고도 하며, 토지보상법 제72조에 근거를 두고 있다.

(2) 완전수용의 내용

완전수용은 토지의 사용기간이 3년 이상인 경우, 토지의 사용으로 인하여 토지의 형질이 변경되는 경우, 사용하고자 하는 토지에 그 토지소유자의 건축물이 있는 때를 요건으로 한다. 완전수용의 청구권은 토지소유자만이 가지며, 사업시행자나 관계인은 갖지 못한다. 따라서 토지소유자만이 위의 요건에 해당하는 토지가 존재할 때 그 토지의 수용을 청구할 수 있다. 이 경우 완전수용의 청구가 있는 토지에 대한 권리를 가진 관계인 및 잔여지에 있는 물건에 관하여 권리를 가진 관계인은 사업시행자 또는 토지수용위원회에 그 권리의 존속을 청구할 수 있다. 토지보상법 제72조에 근거를 두고 있다.

4. 이전수용의 의의 및 내용

(1) 이전수용의 의의 및 근거

수용 또는 사용할 토지의 정착물 또는 공익사업에 공용되는 사업시행자의 소유의 토지에 정착한 타인의 입목, 건축물, 물건 등은 이전비를 보상하고 이전하는 것이 원칙이다. 그러나 물건의 성질상 이전이 불가능하거나, 이전비가 그 정착물의 가격을 초과하는 수도 있다. 이와 같이 토지상의 정착물을 이전할 수 없거나 경제적으로 이전의 실익이 없는 경우에 그 소유자 또는 사업시행자의 청구에 의하여 정착물을 이전에 갈음하여 수용하는 것을 이전수용이라고 한다. "이전에 갈음하는 수용"이라고도 하며, 토지보상법 제75조에 근거를 두고 있다.

(2) 이전수용의 내용

사업시행자는 사업예정지 안에 있는 물건이 이전이 어렵거나, 그 이전으로 인하여 건축물 등을 종래의 목적대로 사용할 수 없게 된 경우, 이전비가 그 물건의 가격을 넘는 경우에는 관할 토지수용위원회에 그 물건의 수용재결을 신청할 수 있다. 종래 토지수용법에서는 전자의 경우 해당 물건의 소유자가 수용청구권을 행사할 수 있고, 후자의 경우에는 사업시행자가 수용청구권을 행사할 수 있도록 규정하고 있었으나, 토지보상법에서는 두 경우 모두 사업시행자가 청구할 수 있도록 규정하고 있다. 다만, 토지소유자의 청구절차가 삭제되어 확장수용으로 보지 않는 견해도 있다.

Ⅲ (물음 2)

1. 토지보상법 제72조의 수용청구의 특성 – 형성권

완전수용도 토지보상법 제74조 제1항이 정한 잔여지수용청구권과 같이 손실보상의 일환으로 토지소유자에게 부여되는 권리로서 그 청구에 의하여 수용의 효과가 생기는 권리로서, 형성권의 성질을 지닌다고 볼 수 있다. 형성권이란 일방적 의사표시로 효과가 발생하는 것으로 당사자의 동의를 요하지 않는다.

2. 이의신청의 의의 및 성격

이의신청이란 관할 토지수용위원회의 위법 또는 부당한 재결에 의해 권익을 침해당한 자가 중앙토지수용위원회에 그 취소 또는 변경을 구하는 것이다. 이는 토지보상법에 특례를 규정하고 있는 특별법상 행정심판으로 볼 수 있다. 따라서 토지보상법에 의하는 것 이외에는 행정심판법 제4조 제2항에 의해 행정심판법이 준용된다.

3. 이의신청의 청구요건

① 수용결정 자체를 다투는 경우는 수용결정이, 보상금결정을 다투는 경우는 보상금 결정이 이의신청의 대상이 된다. ② 이의신청의 당사자는 토지소유자 또는 관계인, 이해관계인 및 사업시행자가 이의신청을 제기할 수 있다. 피청구인은 지방토지수용위원회 또는 중앙토지수용위원회가 된다. ③ 수용재결서 정본을 받은 날로부터 30일 이내에 중앙토지수용위원회에 서면으로 신청해야 하며, 처분청을 경유하여야 한다. 제소 기간을 단축한 것은 수용행정의 특수성과 전문성을 살리기 위한 것으로 합헌적 규정이다.

4. 이의신청제기의 효과

이의신청이 있는 경우 중앙토지수용위원회는 심리, 재결할 의무를 부담하며 사업의 진행 및 토지의 수용 또는 사용을 정지시키지 아니한다(법 제88조). 행정소송법 제23조와 달리 토지보상법 제88조에서 집행부정지 원칙만 규정하고 있어 그 해석상 문제될 수 있다. 그러나 행정심판법과 행정소송법을 배제하는 규정으로 보기 어렵다고 할 것이다.

5. 이의재결의 효력

이의신청에 의하여 보상금이 늘어난 경우 사업시행자는 재결의 취소 또는 변경의 재결서 정본을 받은 날부터 30일 이내에 보상금을 받을 자에게 그 늘어난 보상금을 지급하여야 한다. 다만, 제40조 제2항 제1호, 제2호 또는 제4호에 해당할 때에는 그 금액을 공탁할 수 있다. 또한 토지보상법 제85조 제1항에 따른 기간 이내에 소송이 제기되지 아니하거나 그 밖의 사유로 이의신청에 대한 재결이 확정된 때에는 민사소송법상의 확정판결이 있은 것으로 보며, 재결서 정본은 집행력 있는 판결의 정본과 동일한 효력이 있다.

IV (물음 3)

1. 토지보상법상 행정소송의 특성(신속한 권리구제와 수용행정의 조속한 법률관계 확정)

토지보상법 제85조 제1항은 "사업시행자, 토지소유자 또는 관계인은 제34조에 따른 재결에 불복할 때에는 재결서를 받은 날부터 90일 이내에, 이의신청을 거쳤을 때에는 이의신청에 대한 재결서를 받은 날부터 60일 이내에 각각 행정소송을 제기할 수 있다. 이 경우 사업시행자는 행정소송을 하기 전에 제84조에 따라 늘어난 보상금을 공탁하여야 하며, 보상금을 받을 자는 공탁된 보상금을 소송이 종결될 때까지 수령할 수 없다."고 규정하고 있고, 동조 제1항에 따라 제기하려는 행정소송이 보상금의 증감에 관한 소송인 경우 그 소송을 제기하는 자가 토지소유자 또는 관계인일 때에는 사업시행자를, 사업시행자일 때에는 토지소유자 또는 관계인을 각각 피고로 한다고 규정하고 있다. 이는 수용행정을 둘러싼 조속한 법률관계의 확정과 신속한 권리구제를 도모하기 위해 토지보상법에서 특별히 규정하고 있는 것이다.

2. 보상금증감청구소송(행정소송의 특수한 형태)

(1) 의의 및 취지

보상금증감청구소송은 보상금에 대한 직접적인 이해당사자인 사업시행자와 토지소유자 및 관계인이 보상금의 증감을 소송의 제기를 통해 직접 다툴 수 있도록 하는 당사자소송이다. 이는 종래의 취소소송을 통한 권리구제의 우회를 시정하여 분쟁의 일회적 해결을 도모하고자 함에 그 제도적 취지가 있다.

(2) 형식적 당사자소송

형식적 당사자소송이란 행정청의 처분들을 원인으로 하는 법률관계에 관한 소송으로 실질적으로 처분 등의 효력을 다투면서 처분청을 피고로 하지 않고 법률관계의 일방 당사자를 피고로 하여 제기하는 소송을 말한다. 해당 사안은 형식적 당사자소송의 성질을 가진다고 할 것이다.

(3) 확인 급부 소송성

수용 등의 보상원인이 있으면 손실보상청구권은 실체법규에 보상에 관한 규정이 있는가 없는가에 관계없이 헌법 규정에 의하여 당연히 발생한다고 해석하고, 재결의 손실보상부분은 그것을 확인하는데 지나지 않고, 당사자는 행정소송에서 보상액의 증액분에 대한 지급청구 또는 과불분에 대한 반환청구를 하면 되기 때문에 확인 및 급부소송의 성질을 가진다고 할 것이다.

3. 확장수용에 있어 보상금청구소송의 심리범위

(1) 문제점

보상금의 증감에 관한 소송이 구체적으로 어느 범위까지 다툴 수 있는가에 대하여 논란이 있다. 즉, 확장 수용청구의 경우 보상금증감청구소송의 심리범위에 해당될 것인지가 문제된다.

(2) 학설

① 긍정설은 확장수용청구는 토지수용위원회의 재결사항 가운데 토지 등의 수용 또는 사용에 대한 보상을 심리하는 것으로, 손실의 범위에 따라 보상금의 액수에 증감이 있을 수 있으므로 보상금의 증감에 관한 소송 속에 보상의 원인인 손실의 범위결정에 관한 다툼까지도 포함하는 것이라 해석하고 있다. ② 부정설은 잔여지수용은 재결에 의해 수용하는 토지의 구역이고 수용 시에 특히 인정한 경우를 제외하고는 수용과 같아 단순한 보상의 문제로 볼 수 없고, 따라서 보상원인이 되는 확장수용은 손실보상에 관한 소에 의할 것이 아니라 관할 토지수용위원회의 재결을 다투는 방법에 의하는 것이 타당하다고 본다.

(3) 판례

> **판례**
>
> ● 대판 2010.8.19, 2008두822[토지수용이의재결처분취소등]
>
> [판시사항]
>
> [1] 구 '공익사업을 위한 토지 등의 취득 및 보상에 관한 법률' 제74조 제1항에 의한 잔여지 수용청구를 받아들이지 않은 토지수용위원회의 재결에 대하여 토지소유자가 불복하여 제기하는 소송의 성질 및 그 상대방
>
> [2] 구 '공익사업을 위한 토지 등의 취득 및 보상에 관한 법률' 제74조 제1항의 잔여지 수용청구권 행 사기간의 법적 성질(=제척기간) 및 잔여지 수용청구 의사표시의 상대방(=관할 토지수용위원회)
>
> [3] 토지소유자가 자신의 토지에 숙박시설을 신축하기 위해 부지를 조성하던 중 그 토지의 일부가 익산 − 장수 간 고속도로 건설공사에 편입되자 사업시행자에게 부지조성비용 등의 보상을 청구한 사안에서, 부지조성비용이 별도의 보상대상으로 인정되지 않는다면 토지소유자에게 잔여지의 가격 감소로 인한 손실보상을 구하는 취지인지 여부에 관하여 의견을 진술할 기회를 부여하고 그 당부를 심리·판단하였어야 함에도, 이러한 조치를 취하지 않은 원심판결에 석명의무를 다하지 않아 심리를 제대로 하지 않은 위법이 있다고 한 사례
>
> [판결요지]
>
> [1] 구 '공익사업을 위한 토지 등의 취득 및 보상에 관한 법률'(2007.10.17, 법률 제8665호로 개정되기 전의 것) 제74조 제1항에 규정되어 있는 잔여지 수용청구권은 손실보상의 일환으로 토지소유자에게 부여되는 권리로서 그 요건을 구비한 때에는 잔여지를 수용하는 토지수용위원회의 재결이 없더라도 그 청구에 의하여 수용의 효과가 발생하는 형성권적 성질을 가지므로, 잔여지 수용청구를 받아들이지 않은 토지수용위원회의 재결에 대하여 토지소유자가 불복하여 제기하는 소송은 위 법 제85조 제2항에 규정되어 있는 '보상금의 증감에 관한 소송'에 해당하여 사업시행자를 피고로 하여야 한다.
>
> [2] 구 '공익사업을 위한 토지 등의 취득 및 보상에 관한 법률'(2007.10.17, 법률 제8665호로 개정되기 전의 것) 제74조 제1항에 의하면, 잔여지 수용청구는 사업시행자와 사이에 매수

에 관한 협의가 성립되지 아니한 경우 일단의 토지의 일부에 대한 관할 토지수용위원회의 수용재결이 있기 전까지 관할 토지수용위원회에 하여야 하고, 잔여지 수용청구권의 행사기간은 제척기간으로서, 토지소유자가 그 행사기간 내에 잔여지 수용청구권을 행사하지 아니하면 그 권리가 소멸한다. 또한 위 조항의 문언 내용 등에 비추어 볼 때, 잔여지 수용청구의 의사표시는 관할 토지수용위원회에 하여야 하는 것으로서, 관할 토지수용위원회가 사업시행자에게 잔여지 수용청구의 의사표시를 수령할 권한을 부여하였다고 인정할만한 사정이 없는 한, 사업시행자에게 한 잔여지 매수청구의 의사표시를 관할 토지수용위원회에 한 잔여지 수용청구의 의사표시로 볼 수는 없다.

[3] 토지소유자가 자신의 토지에 숙박시설을 신축하기 위해 부지를 조성하던 중 그 토지의 일부가 익산 – 장수 간 고속도로 건설공사에 편입되자 사업시행자에게 부지조성비용 등의 보상을 청구한 사안에서, 잔여지에 지출된 부지조성비용은 그 토지의 가치를 증대시킨 한도 내에서 잔여지의 감소로 인한 손실 보상액을 산정할 때 반영되는 것일 뿐, 별도의 보상대상이 아니므로, 잔여지에 지출된 부지조성비용이 별도의 보상대상으로 인정되지 않는다면 토지소유자에게 잔여지의 가격 감소로 인한 손실보상을 구하는 취지인지 여부에 관하여 의견을 진술할 기회를 부여하고 그 당부를 심리·판단하였어야 함에도, 이러한 조치를 취하지 않은 원심판결에 석명의무를 다하지 않아 심리를 제대로 하지 않은 위법이 있다고 한 사례

4. 행정소송의 피고적격 - 사업시행자(피고적격으로 재결청 삭제)

(1) 당사자적격

종전에 피고적격에서 재결청이 삭제되고 필요적 공동소송에서 명실상부한 형식적 당사자소송이 되었다. 즉, 손실보상금에 관한 법률관계의 당사자인 피수용자와 사업시행자에게 당사자적격이 인정된다. 즉, 보상 금증액청구소송에서 피수용자는 원고이고, 사업시행자가 피고가 된다. 반면에, 보상금감액청구소송에서는 사업시행자가 원고이고, 피수용자가 피고가 된다.

(2) 토지보상법 제85조 제2항 법률규정

토지보상법 제85조 제2항에서는 동조 제1항에 따라 제기하려는 행정소송이 보상금의 증감에 관한 소송인 경우 그 소송을 제기하는 자가 토지소유자 또는 관계인일 때에는 사업시행자를, 사업시행자일 때에는 토지소유자 또는 관계인을 각각 피고로 한다고 규정하고 있다.

(3) 피고적격에 대한 대법원 판례

토지보상법 제74조 제1항에 규정되어 있는 잔여지수용청구권은 손실보상의 일환으로 토지소유자에게 부여되는 권리로서 그 요건을 구비한 때에는 잔여지를 수용하는 토지수용위원회의 재결이 없더라도 그 청구에 의하여 수용의 효과가 발생하는 형성권적 성질을 가지므로, 잔여지수용청구를 받아들이지 아니한 토지수용위원회의 재결에 대하여 토지소유자가 불복하여 세

기하는 소송은 공익사업법 제85조 제2항에 규정되어 있는 '보상금의 증감에 관한 소송'에 해당하여 사업시행자를 피고로 하여야 한다.

5. 소결

토지보상법 제72조의 문언, 연혁 및 취지 등에 비추어 보면, 위 규정이 정한 수용청구권은 토지보상법 제74조 제1항이 정한 잔여지수용청구권과 같이 손실보상의 일환으로 토지소유자에게 부여되는 권리로서 그 청구에 의하여 수용효과가 생기는 형성권의 성질을 지니므로, 토지소유자의 토지수용청구를 받아들이지 아니한 토지수용위원회의 재결에 대하여 토지소유자가 불복하여 제기하는 소송은 토지보상법 제85조 제2항에 규정되어 있는 '보상금의 증감에 관한 소송'에 해당하고, 피고는 토지수용위원회가 아니라 사업시행자로 하여야 한다.

V 사안의 해결

완전수용의 각하재결에 대하여 행정소송 제기 전에 강구할 수 있는 권리구제는 토지보상법 제83조의 이의신청으로 특별법상 행정심판을 제기하여 권리구제를 도모할 수 있다. 또한 甲이 관할 토지수용위원회의 각하재결에 대하여 행정소송을 제기하는 경우 보상금증액청구소송을 제기할 수 있고, 사업시행자를 피고로 하여 소송을 제기하여 권리구제를 도모할 수 있다.

27절 토지보상법 제74조(잔여지 등의 매수 및 수용 청구)

문제

다음 대법원 판례를 참고하여 답하시오.

■ 대판 2010.08.19, 2008두822[토지수용이의재결처분취소등]

[판결요지]

[1] (구)'공익사업을 위한 토지 등의 취득 및 보상에 관한 법률'(2007.10.17. 법률 제 8665호로 개정되기 전의 것) 제74조 제1항에 규정되어 있는 <u>잔여지 수용청구권은 손실보상의 일환으로 토지소유자에게 부여되는 권리로서 그 요건을 구비한 때에는 잔여지를 수용하는 토지수용위원회의 재결이 없더라도 그 청구에 의하여 수용의 효과가 발생하는 형성권적 성질을 가지므로,</u> 잔여지 수용청구를 받아들이지 않은 토지수용위원회의 재결에 대하여 토지소유자가 불복하여 제기하는 소송은 위 법 제85조 제2항에 규정되어 있는 '보상금의 증감에 관한 소송'에 해당하여 사업시행자를 피고로 하여야 한다.

[2] (구)'공익사업을 위한 토지 등의 취득 및 보상에 관한 법률'(2007.10.17. 법률 제 8665호로 개정되기 전의 것) 제74조 제1항에 의하면, 잔여지 수용청구는 사업시행자와 사이에 매수에 관한 협의가 성립되지 아니한 경우 일단의 토지의 일부에 대한 관할 토지수용위원회의 수용재결이 있기 전까지 관할 토지수용위원회에 하여야 하고, 잔여지 수용청구권의 행사기간은 제척기간으로서, 토지소유자가 그 행사기간 내에 잔여지 수용청구권을 행사하지 아니하면 그 권리가 소멸한다. 또한 위 조항의 문언 내용 등에 비추어 볼 때, <u>잔여지 수용청구의 의사표시는 관할 토지수용위원회에 하여야 하는 것으로서, 관할 토지수용위원회가 사업시행자에게 잔여지 수용청구의 의사표시를 수령할 권한을 부여하였다고 인정할 만한 사정이 없는 한, 사업시행자에게 한 잔여지 매수청구의 의사표시를 관할 토지수용위원회에 한 잔여지 수용청구의 의사표시로 볼 수는 없다.</u>

서울시 관악구 일대 甲소유 토지의 일부를 도로사업에 편입시키는 사업인정이 고시되었다. 이에 甲은 토지의 나머지 부분이 잔여지로 남게 되어 이에 대한 권리구제를 도모하고자 한다. 아래 물음에 답하시오. 40점

(1) 甲이 잔여지를 종래 목적대로 계속 사용할 수 없는 경우 이를 이유로 협의취득단계에서 사업시행자에게 잔여지에 대한 매수청구를 하였다. 그러나 사업시행자인 토지공사가 이를 거부한 경우 甲은 어떠한 권리구제방안들이 있는지 설명하시오.

(2) 만약 甲이 잔여지를 종래 목적대로 계속 사용할 수는 있으나 담장의 신설 등 공사가 필요한 경우 어떤 권리구제방법이 있는지 설명하시오.

Ⅰ 논점의 정리

사안은 수용목적물의 확장에 대한 경우로 사업인정 후 협의단계에서 토지소유자 甲의 잔여지가 발생한 경우 이에 대한 권리구제방안을 묻고 있다.

1. 먼저 잔여지수용의 의의 및 요건에 해당하는지 검토하고,

2. 잔여지 매수청구권의 법적 성질과 관련하여 협의취득단계에서 그 이행을 강제할 수 있는지 검토한다. 또한 매수협의가 불성립한 경우라면 잔여지수용 및 수용청구권의 법적 성질을 살펴 수용청구가 가능한지 살피고, 재결에서 잔여지수용청구가 거부된 경우 보상금증감청구소송 등이 권리구제방안이 될 수 있는지 검토한다.

3. 잔여지를 종래 목적대로 사용할 수 있는 경우 잔여지의 가격감소 등의 손실과 공사의 필요가 발생한 경우 관련 법규정을 살펴 권리구제방법을 논하기로 한다.

Ⅱ 잔여지수용의 개관

1. 의의 및 취지

잔여지수용이란 동일한 토지소유자에게 속하는 일단의 토지의 일부가 협의매수 또는 수용됨으로 인하여 잔여지를 종래의 목적에 사용하는 것이 현저히 곤란한 때에 토지소유자의 청구에 의해 사업시행자가 잔여지를 매수하거나 수용하는 것을 말한다. 이는 헌법상 정당보상의 원칙과 피수용자의 실질적 권리보호의 취지에서 인정된다.

2. 잔여지수용의 요건 및 효과

(1) 토지보상법 제74조

동일한 소유자에게 속하는 일단의 토지의 일부가 협의에 의하여 매수되거나 수용됨으로 인하여 잔여지를 종래의 목적에 사용하는 것이 현저히 곤란할 때에는 해당 토지소유자는 사업시행자에게 잔여지를 매수하여 줄 것을 청구할 수 있으며, 사업인정 이후에는 관할 토지수용위원회에 수용을 청구할 수 있다. 이 경우 수용의 청구는 매수에 관한 협의가 성립되지 아니한 경우에만 할 수 있으며, 사업완료일까지 하여야 한다.

(2) 사안의 경우

사안의 甲의 토지 일부가 잔여지로 남게 되어 종래 목적대로 사용하는 것이 현저히 곤란한 바, 잔여지수용의 요건에 해당된다. 따라서 잔여지 매수청구가 가능하고, 매수협의가 불성립 시에는 수용의 청구가 가능할 것이다.

Ⅲ 협의취득단계에서 매수청구 거부에 대한 권리구제방안(설문 1)

1. 개설

사안의 甲은 잔여지 수용의 요건에 해당되어 협의취득단계에서 적법하게 매수청구하였으나, 사업시행자가 이를 거부한 경우 잔여지매수청구권이 형성권인지 청구권인지에 따라 그 권리구제방안이 달라지는 바, 이하 살펴본다.

2. 잔여지 매수청구권의 법적 성질

(1) 판례의 태도(청구권)

대법원은 협의취득단계에서 토지소유자에게 형성권으로서 잔여지매수청구권이 인정될 수 없다고 하여 그 법적 성질을 매매계약상의 청구권에 불과한 것으로 보고 있다.

> **판례**
>
> ● 대판 2004.9.24, 2002다68713
> 특례법이 토지소유자에게 그 일방적인 의사표시에 의하여 매매계약을 성립시키는 형성권으로서 잔여지매수청구권을 인정하고 있다고 볼 수는 없고, 특례법에 의한 협의취득절차에서도 토지소유자가 사업시행자에게 잔여지 매수청구를 할 수 있음은 의문이 없으나, 이는 어디까지나 사법상의 매매계약에 있어 청약에 불과하다고 할 것이므로 사업시행자가 이를 승낙하여 매매계약이 성립하지 아니한 이상, 토지소유자의 일방적 의사표시에 의하여 잔여지에 대한 매매계약이 성립한다고 볼 수 없다.

(2) 검토

잔여지매수청구시 토지 전부를 매수하여 줄 것을 청구하며, 이의 불성립시 잔여지 수용청구가 가능하도록 규정한 법률 취지를 볼 때, 협의취득단계에서의 매수청구권은 형성권이 아닌 청구권에 불과하다고 봄이 타당하다.

3. 권리구제방안

잔여지 매수청구권을 형성권으로 보게 되면 사업시행자가 이를 거부하더라도 당연히 매수협의성립의 효과가 발생하는바, 甲은 민사 또는 공법상 당사자소송으로 그 보상을 청구할 수 있을 것이다. 그러나 상기 검토한 바와 같이 잔여지 매수청구권은 협의취득단계에서 청구권에 불과한바, 사업시행자의 거부 시 매수협의가 불성립되어 甲은 해당 도로사업의 사업완료일까지 잔여지 수용청구를 하여야 한다.

IV 잔여지 수용청구권 행사(설문 1)

1. 개설

매수협의 불성립 시 甲은 도로사업의 사업완료일까지 관할 토지수용위원회에 잔여지 수용청구를 할 수 있다. 이 경우 수용청구만으로 그 효과가 발생하는지 잔여지 수용 및 청구권의 법적 성질 검토가 필요하며, 토지수용위원회에서 수용청구가 거부된 경우 쟁송이 가능한지 문제된다.

2. 잔여지수용의 법적 성질

(1) 학설 및 판례

학설은 ① 잔여지수용이 피수용자와의 합의를 바탕으로 한 것이라는 사법상 매매설, ② 공익사업에 필요한 최소한도를 넘어선다는 점에서 특별한 행위라고 보는 공법상 특별행위설, ③ 그 본질상 공용수용의 경우와 다를 바 없다는 공용수용설이 대립한다. 이에 대해 판례는 잔여지 수용청구에 의해 직접 수용의 효과가 발생한다고 하여 공용수용설의 입장에 있는 것으로 보인다.

(2) 검토

확장수용이 피수용자의 청구에 의한다는 점에서 통상의 공용수용과는 다르나 수용과정에서 발생하는 법률관계의 합리적 조정을 위한 제도임에 비추어 공용수용설이 타당하다고 본다. 토지보상법 제74조 제3항에서 잔여지 수용 시 사업인정 의제규정을 준용하고 있는 점은 공용수용설을 뒷받침한다고 사료된다.

3. 잔여지 수용청구권의 법적 성질

잔여지수용을 공용수용으로 보는 것이 타당하므로 잔여지 수용청구권도 공권으로 볼 수 있을 것이다. 또한 판례는 잔여지수용청구권이 요건을 구비하면 수용의 효과가 발생하므로 형성권적 성질을 지닌다고 하였는바, 사안의 甲은 잔여지수용청구로 권리구제가 가능할 것이다.

> **판례**
>
> ● 대판 1993.11.12, 93누11159 / 대판 2001.9.4, 99두11080
>
> 잔여지수용청구권이 그 요건을 구비한 때에는 토지수용위원회의 특별한 조치를 기다릴 필요 없이 청구에 의하여 수용의 효과가 발생하므로 이는 형성권적 성질을 가진다.

4. 잔여지 수용거부결정에 대한 권리구제

(1) 이의신청과 행정소송

잔여지수용은 공용수용에 해당하고 잔여지수용거부결정은 관할 토지수용위원회의 재결에 의하는바, 토지보상법 제83조 및 제85조에 따라 甲은 이의신청 및 행정소송으로 이를 다툴 수 있다. 다만, 행정소송 중에 항고소송이 아닌 보상금증액청구소송이 가능한지 논란이 있으며, 그 외에도 일반 당사자소송인 손실보상금청구소송으로 다투어야 한다는 견해가 있는바 검토를 요한다.

(2) 행정소송의 형태에 관한 논의

① 학설

잔여지수용거부재결에 대한 행정소송의 형태에 대하여 학설은 ㉠ 거부재결이 처분이라는 점에서 취소소송으로 다투어야 한다는 '취소소송설', ㉡ 잔여지수용의 문제는 궁극적으로 보상금 증감의 문제이므로 분쟁의 일회적 해결을 위한 '보상금증감청구소송설', ㉢ 잔여지수용청구권이 형성권이므로 그에 따라 토지소유자에게 손실보상청구권이 발생되는바, 일반 당사자소송으로 보상을 청구해야 한다는 '손실보상금청구소송설'이 대립한다.

② 판례

이에 대하여 대법원은 "잔여지수용재결에 불복이 있으면 그 재결의 취소 및 보상금의 증액을 구하는 행정소송을 제기하여야 하며, 곧바로 기업자를 상대로 하여 민사소송으로 잔여지에 대한 보상금의 지급을 구할 수는 없다(대판 2004.9.24, 2002다68731)"고 판시한 바 있다.

> **판례**
>
> ● 대판 1989.6.13, 88누8852
>
> 잔여지수용청구는 손실보상책의 일환으로 토지소유자에게 부여된 권리이므로 그 청구는 수용할 토지의 범위와 그 보상액을 결정할 수 있는 토지수용위원회에 대하여 토지수용의 보상가액을 다투는 방법에 의하여 행사할 수 있다.
>
> ● 대판 2010.8.19, 2008두822
>
> (구)'공익사업을 위한 토지 등의 취득 및 보상에 관한 법률'(2007.10.17. 법률 제8665호로 개정되기 전의 것) 제74조 제1항에 규정되어 있는 잔여지 수용청구권은 손실보상의 일환으

> 로 토지소유자에게 부여되는 권리로서 그 요건을 구비한 때에는 잔여지를 수용하는 토지수용위원회의 재결이 없더라도 그 청구에 의하여 수용의 효과가 발생하는 형성권적 성질을 가지므로, 잔여지 수용청구를 받아들이지 않은 토지수용위원회의 재결에 대하여 토지소유자가 불복하여 제기하는 소송은 위 법 제85조 제2항에 규정되어 있는 '보상금의 증감에 관한 소송'에 해당하여 사업시행자를 피고로 하여야 한다.

③ 검토

잔여지수용은 기본적으로 토지보상법상의 보상과 관련된 문제라는 점에서 볼 때 일반 당사자소송으로 보상금을 청구하는 것은 타당치 않아 보인다. 생각건대 보상금증감청구소송의 제도적 취지가 분쟁의 일회적 해결이라는 점, 보상의 범위에 따라 보상금액이 달라지므로 "보상금의 증감"이라는 토지보상법의 문언에도 배치되지 않는다는 점에서 잔여지수용 여부를 보상금증액청구소송으로 다툴 수 있다고 보는 것이 타당하다 여겨지며, 최근 대법원 2010.8.19, 2008두822 판결에서 잔여지수용재결 거부는 보증소로 권리구제를 도모한다고 판시함으로써 그 논란을 종식하였다고 하겠다.

V 잔여지 손실과 공사비 보상(설문 2)

1. 토지보상법 제73조

동일한 토지소유자에 속하는 일단의 토지 일부가 취득됨으로 인하여 잔여지의 가격이 감소하거나 그 밖의 손실이 있는 때 또는 잔여지에 통로·도랑·담장의 신설 그 밖의 공사가 필요한 때에는 국토교통부령이 정하는 바에 따라 그 손실이나 공사의 비용을 보상하여야 한다. 다만, 잔여지의 가격 감소분과 잔여지에 대한 공사비용을 합한 금액이 잔여지의 가격보다 큰 경우에는 사업시행자는 그 잔여지를 매수할 수 있다.

2. 권리구제방법

잔여지에 대한 손실 또는 비용의 보상 등은 토지보상법 제9조 제6항, 제7항에 따라 양자가 협의하고, 협의 불성립 시에는 관할 토지수용위원회에 재결을 신청한다. 재결에 대한 불복은 재결의 처분성 여부에 따라 달라지는바, ① 처분성을 인정하지 아니하는 경우에는 손실보상청구권의 법적 성질에 따라서 사권으로 보는 입장에서는 민사소송을 제기할 수 있고, 공권으로 보는 입장에서는 당사자소송을 제기할 수 있다고 본다. 그러나 ② 처분성을 인정하는 경우에는 토지보상법에서 정한 절차대로 이의신청과 행정소송을 제기할 수 있다고 볼 것이다.

VI 사례의 해결

1. 공용수용은 재산권 보장의 예외적 조치인바, 그 침해가 최소한도에서 이루어져야 하지만, 잔여지수용은 목적물이 확장되는 경우로서 피수용자의 권익보호의 필요상 그 타당성이 인정된다.

2. 사안의 토지소유자 甲은 협의취득단계에서 매수청구가 거부되었는바, 매수청구권의 성격을 청구권에 불과한 것으로 보는 한 매수협의가 결렬되어 그 거부를 직접 다툴 수 없다.

3. 따라서 甲은 해당 사업의 사업완료일까지 관할 토지수용위원회에 잔여지수용청구를 하여 수용의 효과를 발생시킬 수 있으며, 만약 재결에서 거부된 경우 보상의 범위는 보상금액과 밀접한 관련 있는바, 보상금증액청구소송으로 다투는 것이 실효성 있는 권리구제가 될 것이다.

28절 토지보상법 제75조(건축물 등 물건에 대한 보상)

문제

「공익사업을 위한 토지 등의 취득 및 보상에 관한 법률」(이하 '토지보상법')상 주거이전비 관련한 다음 판례를 통해 물음에 답하시오. 40점

1. 주거이전비에 대한 기초사실

경기도지사는 2006.1.16. 성남시 중원구 중동 1500 일대 40,217.4㎡(이하 '이 사건 중동3구역'이라 한다)에 관하여 도시 및 주거환경정비법(이하 '도시정비법'이라 한다)에 의한 주택재개발사업을 위하여 정비구역으로 지정·고시하였고, 성남시장은 2006.1.24. 사업시행자를 지정·고시하였으며, 2007.3.13. 사업시행인가를 고시하였다. 경기도지사는 2005.11.7. 성남시 수정구 단대동 108-6 일대 75,352㎡(이하 '이 사건 단대구역'이라 한다)에 관하여 도시정비법에 의한 주택재개발사업을 위하여 정비구역으로 지정·고시하였고, 성남시장은 2005.11.24. 사업시행자를 지정·고시하였으며, 2007.9.21. 사업시행인가를 고시하였다. 원고들은 이 사건 각 정비구역 내 주택재개발사업(이하 '이 사건 각 사업'이라 한다)의 사업구역 내에 위치한 주거용 건축물에 거주하다가 이 사건 각 사업의 시행으로 인하여 다른 곳으로 이주하게 된 자들이고, 피고는 이 사건 각 사업의 시행자이다. 피고는 이 사건 각 사업구역 내 주택 세입자 등이 이 사건 각 사업이 시행되는 동안 거주할 수 있도록 성남시 중원구 도촌동에 임대아파트(이하 '순환주택'이라 한다)를 건립하여 위 세입자 등에게 제공하였고, 원고들은 순환주택에 입주하였다.

2. 당사자들의 주장

가. 세입자 원고들 주장

① 구 공익사업을 위한 토지 등의 취득 및 보상에 관한 법률(이하 '토지보상법'이라 한다) 시행규칙(2007.4.12. 건설교통부령 제556호로 개정되기 전의 것, 이하 '개정 전 시행규칙'이라 한다) 제54조 제2항이 공익사업의 시행으로 인하여 이주하게 되는 주거용 건축물의 세입자 중 임대주택 입주권을 받지 않은 세입자에 대하여만 가구원수에 따른 3개월분의 주거이전비를 보상하도록 규정하였던 반면에, 토지보상법 시행규칙(2007.4.12. 건설교통부령 제556호로 개정된 것, 이하 '개정 후 시행규칙'이라 한다) 제54조 제2항은 공익사업의 시행으로 인하여 이주하게 되는 주거용 건축물의 세입자에 대하여는 임대주택 입주권의 부여 여부와 관계없이 가구원수에 따른 4개월분의 주거이전비를 보상하도록 규정하고 있고, 그 부칙(제556호, 2007.4.12. 이하 '이 사건 부칙'이라 한다) 제4조는 개정 후 시행규칙의 시행일인 2007.4.12. 이후에 토지보상법 제15조 등에 따른 보상계획의 공고 및 통지를 한 사업부터

개정 후 시행규칙 제54조 제2항을 적용하도록 규정하고 있다. 원고들은 이 사건 각 사업구역 내의 주택들을 임차하여 거주하다가 이 사건 각 사업의 시행에 따라 순환주택 입주권을 받아 순환주택으로 입주하게 되었는바, 피고는 원고들에게 순환주택 입주권과는 별도로 각 4개월분 주거이전비를 지급할 의무가 있다. ② 원고들의 주거이전비 보상청구권은 공법상 권리로서 포기가 불가능한 것이므로 원고들이 순환주택에 입주하면서 작성한 주거이전비 포기 각서는 무효이다. ③ 주거이전비 보상청구권의 발생 기준시점은 토지보상법 시행규칙 제54조 제2항에 따라 사업시행인가일이다. ④ 피고는 원고들에게 이사비로 429,479원을 지급하여야 한다.

나. 사업시행자 피고 주장

① 피고는 원고들에게 주거이전비와 동일한 성격의 순환주택을 제공하였으므로 순환주택 이외에 추가로 주거이전비를 지급할 의무가 없다. ② 원고들의 주거이전비 보상청구권은 포기 가능한 권리이다. ③ 주거이전비 보상청구권의 발생 기준시점은 사업인정고시일이며, 원고들 중 일부는 부적격 세대원을 포함시켜 주거이전비 보상청구액을 과다 청구하고 있다(출처 : 수원지방법원 2010.5.13, 2009구합9728 판결 [주거이전비등])(출처 : 대법원 2011.7.14, 2011두3685 판결 [주거이전비등]).

(1) 토지보상법상 주거이전비에 대하여 설명하시오. 10점

(2) 사업시행자가 세입자들에게 임시수용시설을 주면서 주거이전비 포기각서를 쓰게 하고 주거이전비는 주지 않고 임시수용시설인 순환주택 입주권만을 주고 주거이전비 포기각서는 유효하다고 주장한다. 사업시행자의 주장은 타당한지에 대하여 설명하시오. 10점

(3) 토지보상법상 재결 절차를 거치기 이전의 주거이전비의 법적 성질에 대하여 설명하고, 토지보상법상 재결을 거친 경우에 주거이전비에 대한 증액을 요구하는 경우와 주거이전비 대상자를 제외하는 거부처분을 할 경우에 권리구제 방법론을 설명하시오. 10점

(4) 만약 토지보상법상 세입자들에 대한 주거이전비 지급은 동시이행관계인지 여부와 주거이전비 지급을 하지 않아 끝까지 버텼는데 20만원 벌금형에 처해진 경우에 이 벌금형이 합당한 것인지 여부를 설명하시오. 5점

Ⅰ. 논점의 정리

Ⅱ. (물음 1) 토지보상법상 주거이전비
  1. 주거이전비의 의의 및 취지
  2. 주거이전비 보상대상자 요건
    (1) 소유자에 대한 주거이전비 보상
    (2) 세입자에 대한 주거이전비 보상

  3. 주거이전비 산정방법 및 산정 기준 시기

Ⅲ. (물음 2) 주거이전비 강행규정 여부
  1. 생활보상으로서의 주거이전비
  2. 토지보상법 시행규칙 제54조의 강행 규정 여부
    (1) 관련 판례의 태도

> **Tip** 강박사의 TIP(최근 기출문제)
> 1. 토지소유자와 세입자의 주거이전비에 대한 권리구제(제33회 문제1)
> 2. 포기각서를 제출한 세입자의 주거이전비 청구 인용 여부(제29회 문제1)
> 3. 무허가건축물 등의 소유자와 임차인의 주거이전비 대상자 해당 여부(제26회 문제2)

I 논점의 정리

해당 사안은 공익사업을 위한 토지 등의 취득 및 보상에 관한 법률(이하 '토지보상법')에서 주거이전비에 관한 쟁점이다. (물음 1)에서는 주거이전비를 지급받기 위한 보상대상자 요건과 주거이전비 산정방법 등에 대하여 설명하고, (물음 2)에서 이러한 내용을 규정하고 있는 시행규칙 제54조가 강행규정에 해당함을 밝힌 뒤, (물음 3)에서는 주거이전비에 대하여 불복하는 경우 권리구제수단에 대하여 주거이전비 증액을 구하는 경우와 대상자를 제외하는 거부처분을 하는 경우로 나누어 검토하고자 한다. 또한, (물음 4)에서 세입자의 퇴거의무와 사업시행자의 주거이전비 지급의무가 동시이행관계인지 판례를 통해 살핀다.

II (물음 1) 토지보상법상 주거이전비

1. 주거이전비의 의의 및 취지

토지보상법상 주거이전비란 주거용 건축물이 공익사업에 편입되어 생활의 근거를 상실한 자에 대하여 주거이전에 필요한 비용을 보상하는 것을 의미한다. 이는 생활보상의 일환으로 주거의 공간을 상실하게 된 피수용자에 대해 종전생활을 유지시켜주기 위한 취지에서 인정된다.

2. 주거이전비 보상대상자 요건

(1) 소유자에 대한 주거이전비 보상(칙 제54조 제1항)

공익사업시행지구에 편입되는 주거용 건축물의 소유자에 대하여는 해당 건축물에 대한 보상을 하는 때에 가구원수에 따라 2월분의 주거이전비를 보상하여야 한다. 다만, 건축물의 소유자가 해당 건축물에 실제 거주하고 있지 아니하거나 해당 건축물이 무허가건축물 등인 경우에는 그렇지 않다.

(2) 세입자에 대한 주거이전비 보상(칙 제54조 제2항)

공익사업의 시행으로 인하여 이주하게 되는 주거용 건축물의 세입자로서 사업인정고시일등 당시 또는 공익사업을 위한 관계법령에 의한 고시 등이 있는 당시 해당 공익사업시행지구안에서 3월 이상 거주한 자에 대하여는 가구원수에 따라 4월분의 주거이전비를 보상하여야 한다. 다만, 다른 법령에 의하여 주택입주권을 받았거나 무허가건축물 등에 입주한 세입자에 대하여는 그렇지 않다.

3. 주거이전비 산정방법 및 산정 기준시기

주거이전비는 '통계법 제3조 제4호'에 따른 통계작성기관이 조사 및 발표하는 가계조사통계의 도시 근로자 가구의 가구원수별 월평균 명목 가계지출비를 기준으로 산정한다. 가구원수가 5인인 경우에는 5인 이상 기준의 월평균 가계지출비에 5인을 초과하는 가구원수에 1인당 평균비용을 곱한 금액을 더한 금액으로 산정한다. 또한 주거이전비의 보상내용은 사업시행인가 고시가 있는 때에 확정되므로 이때를 기준으로 보상금액을 산정해야 한다.

Ⅲ (물음 2) 주거이전비 강행규정 여부

1. 생활보상으로서의 주거이전비

토지보상법상 생활보상이란 재산권의 가치보상 또는 보상보장을 넘어서 재산권 그 자체 내지는 그의 존속보장을 하는 것을 말한다. 특히, 대규모 공익사업이 증대됨에 따라 대물적 보상에 의한 재산상태의 확보만으로는 부족하며, 적어도 수용이 없었던 것과 같은 생활재건의 확보를 내용으로 하는 재산권의 존속보장으로서의 생활보상이 필요하게 된다. 주거이전비는 이러한 생활보상의 일환으로서 그 중요성이 점차 증대되고 있다. 즉 주거이전비란 공익사업 시행으로 인하여 생활 근거를 상실하게 되는 거주자를 위하여 사회보장적 차원에서 지급하는 금원의 성격을 가진 것이다.

2. 토지보상법 시행규칙 제54조의 강행규정 여부

(1) 관련 판례의 태도

> **판례**
>
> ● 대판 2011.7.14, 2011두3685[주거이전비등]
>
> **[판시사항]**
>
> [1] 도시 및 주거환경정비법에 따라 사업시행자에게서 임시수용시설을 제공받는 세입자가 공익사업을 위한 토지 등의 취득 및 보상에 관한 법률 및 같은 법 시행규칙에서 정한 주거이전비를 별도로 청구할 수 있는지 여부(적극)
>
> [2] 사업시행자의 세입자에 대한 주거이전비 지급의무를 정하고 있는 공익사업을 위한 토지 등의 취득 및 보상에 관한 법률 시행규칙 제54조 제2항이 강행규정인지 여부(적극)
>
> [3] 주택재개발사업 정비구역 안에 있는 주거용 건축물에 거주하던 세입자 갑이 주거이전비를 받을 수 있는 권리를 포기한다는 취지의 주거이전비 포기각서를 제출하고 사업시행자가 제공한 임대아파트에 입주한 다음 별도로 주거이전비를 청구한 사안에서, 위 포기각서의 내용은 강행규정에 반하여 무효라고 한 사례
>
> **[판결요지]**
>
> [1] 도시 및 주거환경정비법(이하 '도시정비법'이라 한다) 제36조 제1항 제1문 등에서 정한 세입자에 대한 임시수용시설 제공 등은 주거환경개선사업 및 주택재개발사업의 사업시 행자로 하여금 주거환경개선사업 및 주택재개발사업의 시행으로 철거되는 주택에 거주 하던 세입자에게 거주할 임시수용시설을 제공하거나 주택자금 융자알선 등 임시수용시 설 제공에 상응하는 조치를 취하도록 하여 사업시행기간 동안 세입자의 주거안정을 도모 하기 위한 조치로 볼 수 있는 반면, 공익사업을 위한 토지 등의 취득 및 보상에 관한 법률(이하 '공익사업법'이라 한다) 제78조 제5항, 공익사업을 위한 토지 등의 취득 및 보 상에 관한 법률 시행규칙(이하 '공익사업법 시행규칙'이라 한다) 제54조 제2항 본문의 각 규정에 의하여 공익사업 시행에 따라 이주하는 주거용 건축물의 세입자에게 지급하는 주거이전비는 당해 공익사업 시행지구 안에 거주하는 세입자들의 조기이주를 장려하여 사업추진을 원활하게 하려는 정책적인 목적과 주거이전으로 말미암아 특별한 어려움을 겪게 될 세입자들을 대상으로 하는 사회보장적인 차원에서 지급하는 돈의 성격을 갖는 것으로 볼 수 있는 점, 도시정비법 및 공익사업법 시행규칙 등의 관련 법령에서 임시수 용시설 등 제공과 주거이전비 지급을 사업시행자의 의무사항으로 규정하면서 임시수용 시설 등을 제공받는 자를 주거이전비 지급대상에서 명시적으로 배제하지 않은 점을 비롯 한 위 각 규정의 문언, 내용 및 입법 취지 등을 종합해 보면, 도시정비법에 따라 사업시 행자에게서 임시수용시설을 제공받는 세입자라 하더라도 공익사업법 및 공익사업법 시 행규칙에 따른 주거이전비를 별도로 청구할 수 있다고 보는 것이 타당하다.
>
> [2] 공익사업을 위한 토지 등의 취득 및 보상에 관한 법률은 공익사업에 필요한 토지 등을 협의 또는 수용에 의하여 취득하거나 사용함에 따른 손실의 보상에 관한 사항을 규정함으 로써 공익사업의 효율적인 수행을 통하여 공공복리의 증진과 재산권의 적정한 보호를 도 모함을 목적으로 하고 있고, 위 법에 근거하여 공익사업을 위한 토지 등의 취득 및 보상

에 관한 법률 시행규칙(이하 '공익사업법 시행규칙'이라 한다)에서 정하고 있는 세입자에 대한 주거이전비는 공익사업 시행으로 인하여 생활 근거를 상실하게 되는 세입자를 위하여 사회보장적 차원에서 지급하는 금원으로 보아야 하므로, 사업시행자의 세입자에 대한 주거이전비 지급의무를 정하고 있는 공익사업법 시행규칙 제54조 제2항은 당사자 합의 또는 사업시행자 재량에 의하여 적용을 배제할 수 없는 강행규정이라고 보아야 한다.

[3] 주택재개발사업 정비구역 안에 있는 주거용 건축물에 거주하던 세입자 갑이 주거이전비를 받을 수 있는 권리를 포기한다는 취지의 '이주단지 입주에 따른 주거이전비 포기각서'를 제출한 후 사업시행자가 제공한 임대아파트에 입주한 다음 별도로 주거이전비를 청구한 사안에서, 사업시행자는 주택재개발 사업으로 철거되는 주택에 거주하던 갑에게 임시수용시설 제공 또는 주택자금 융자알선 등 임시수용에 상응하는 조치를 취할 의무를 부담하는 한편, 갑이 공익사업을 위한 토지 등의 취득 및 보상에 관한 법률 시행규칙(이하 '공익사업법 시행규칙'이라 한다) 제54조 제2항에 규정된 주거이전비 지급요건에 해당하는 세입자인 경우, 임시수용시설인 임대아파트에 거주하게 하는 것과 별도로 주거이전비를 지급할 의무가 있고, 갑이 임대아파트에 입주하면서 주거이전비를 포기하는 취지의 포기각서를 제출하였다 하더라도, 포기각서의 내용은 강행규정인 공익사업법 시행규칙 제54조 제2항에 위배되어 무효라고 한 사례

(2) 검토

생각건대, 주거이전비는 생활보상의 일환으로서 국가의 적극적이고 정책적인 배려하에 마련된 제도라는 점, 헌법 제23조와 토지보상법의 입법취지상 피수용자에게 정당한 보상을 해주어야 한다는 점을 고려한다면, 주거이전비에 대하여 규정하고 있는 토지보상법 시행규칙 제54조는 당사자의 합의 또는 사업시행자의 재량으로 배제할 수 없는 강행규정으로 보는 판례의 태도가 타당하다 판단된다.

3. 사안의 경우

사안의 세입자는 토지보상법 시행규칙 제54조의 요건에 충족하는 세입자이며, 해당 규정은 강행규정에 해당하기 때문에 사업시행자가 임의로 적용을 배제할 수 없다고 보는 것이 타당하다. 따라서 세입자는 임시수용시설의 입주권을 받았는지 여부와 관계없이 해당 규정에 따른 주거이전비를 지급받을 수 있다고 보는 것이 타당하다 판단된다.

Ⅳ (물음 3) 주거이전비 법적 성질과 권리구제

1. 주거이전비의 법적 성질

주거이전비의 법적 성질에 대하여 ① 공법상 원인에 의해 침해된 권리로 공법상 권리로 보는 견해와 ② 금전청구에 관한 법률관계로서 사법상의 권리로 보는 견해가 대립한다. 판례는 사업추진을 원활하게 하려는 정책적 목적과 사회보장적인 차원에서 지급되는 금원의 성격을 가지므로 세

입자의 주거이전비 보상청구권은 공법상 권리이고, 공법상 법률관계를 대상으로 하는 행정소송에 의해 다투어야 한다고 판시하였다.

2. 주거이전비의 권리구제

(1) 관련 규정의 검토

> ➷ **토지보상법 제83조(이의의 신청)**
> ① 중앙토지수용위원회의 제34조에 따른 재결에 이의가 있는 자는 중앙토지수용위원회에 이의를 신청할 수 있다.
> ② 지방토지수용위원회의 제34조에 따른 재결에 이의가 있는 자는 해당 지방토지수용위원회를 거쳐 중앙토지수용위원회에 이의를 신청할 수 있다.
> ③ 제1항 및 제2항에 따른 이의의 신청은 재결서의 정본을 받은 날부터 30일 이내에 하여야 한다.
>
> ➷ **토지보상법 제85조(행정소송의 제기)**
> ① 사업시행자, 토지소유자 또는 관계인은 제34조에 따른 재결에 불복할 때에는 재결서를 받은 날부터 90일 이내에, 이의신청을 거쳤을 때에는 이의신청에 대한 재결서를 받은 날부터 60일 이내에 각각 행정소송을 제기할 수 있다. 이 경우 사업시행자는 행정소송을 제기하기 전에 제84조에 따라 늘어난 보상금을 공탁하여야 하며, 보상금을 받을 자는 공탁된 보상금을 소송이 종결될 때까지 수령할 수 없다.
> ② 제1항에 따라 제기하려는 행정소송이 보상금의 증감(增減)에 관한 소송인 경우 그 소송을 제기하는 자가 토지소유자 또는 관계인일 때에는 사업시행자를, 사업시행자일 때에는 토지소유자 또는 관계인을 각각 피고로 한다.

(2) 관련 판례의 태도

판례는 행정소송법 제3조 제2호의 당사자소송에 의하되 재결 후 세입자가 보상금의 증감을 다투는 경우에는 보상금증감청구소송을, 보상금 증감 이외에 대해서는 동법 제85조 제1항의 행정소송으로 구제받을 수 있다고 판시한 바 있다.

> **판례**
>
> ● 대판 2008.5.29, 2007다8129[주거이전비등]
> [판시사항]
> [1] 구 공익사업을 위한 토지 등의 취득 및 보상에 관한 법령에 의하여 주거용 건축물의 세입자에게 인정되는 주거이전비 보상청구권의 법적 성격(=공법상의 권리) 및 그 보상에 관한 분쟁의 쟁송절차(=행정소송)
> [2] 구 공익사업을 위한 토지 등의 취득 및 보상에 관한 법령에 따라 주거용 건축물의 세입자가 주거이전비 보상을 소구하는 경우 그 소송의 형태

[판결요지]

[1] 구 공익사업을 위한 토지 등의 취득 및 보상에 관한 법률(2007.10.17. 법률 제8665호로 개정되기 전의 것) 제2조, 제78조에 의하면, 세입자는 사업시행자가 취득 또는 사용할 토지에 관하여 임대차 등에 의한 권리를 가진 관계인으로서, 같은 법 시행규칙 제54조 제2항 본문에 해당하는 경우에는 주거이전에 필요한 비용을 보상받을 권리가 있다. 그런데 이러한 주거이전비는 당해 공익사업 시행지구 안에 거주하는 세입자들의 조기이주를 장려하여 사업추진을 원활하게 하려는 정책적인 목적과 주거이전으로 인하여 특별한 어려움을 겪게 될 세입자들을 대상으로 하는 사회보장적인 차원에서 지급되는 금원의 성격을 가지므로, 적법하게 시행된 공익사업으로 인하여 이주하게 된 주거용 건축물 세입자의 주거이전비 보상청구권은 공법상의 권리이고, 따라서 그 보상을 둘러싼 쟁송은 민사소송이 아니라 공법상의 법률관계를 대상으로 하는 행정소송에 의하여야 한다.

[2] 구 공익사업을 위한 토지 등의 취득 및 보상에 관한 법률(2007.10.17. 법률 제8665호로 개정되기 전의 것) 제78조 제5항, 제7항, 같은 법 시행규칙 제54조 제2항 본문, 제3항의 각 조문을 종합하여 보면, 세입자의 주거이전비 보상청구권은 그 요건을 충족하는 경우에 당연히 발생하는 것이므로, 주거이전비 보상청구소송은 행정소송법 제3조 제2호에 규정된 당사자소송에 의하여야 한다. 다만, 구 도시 및 주거환경정비법(2007.12.21. 법률 제8785호로 개정되기 전의 것) 제40조 제1항에 의하여 준용되는 구 공익사업을 위한 토지 등의 취득 및 보상에 관한 법률 제2조, 제50조, 제78조, 제85조 등의 각 조문을 종합하여 보면, 세입자의 주거이전비 보상에 관하여 재결이 이루어진 다음 세입자가 보상금의 증감 부분을 다투는 경우에는 같은 법 제85조 제2항에 규정된 행정소송에 따라, 보상금의 증감 이외의 부분을 다투는 경우에는 같은 조 제1항에 규정된 행정소송에 따라 권리구제를 받을 수 있다.

(3) 검토

1) 주거이전비 증액을 요구하는 경우

주거이전비는 손실보상의 일환이며, 토지보상법 제85조 제2항에서도 손실보상금에 대하여 다투는 경우에는 보상금증감청구소송을 제기하도록 규정하고 있다는 점에서, 주거이전비의 증액을 요구하기 위해서는 보상금증감청구소송을 통해 권리구제를 받는 것이 타당하다고 판단된다.

2) 주거이전비 대상자를 제외하는 거부처분

손실보상금과 무관한 보상금의 증감 이외의 부분인 거부처분 등을 다투는 경우에는 토지보상법 제85조 제1항에서 취소소송 등을 제기하도록 규정하고 있기 때문에, 이러한 행정소송을 통해 권리구제를 받도록 하는 판례의 태도가 타당하다고 판단된다.

V (물음 4) 세입자에 대한 주거이전비 지급이 동시이행관계인지 여부

1. 세입자의 부동산 인도와 사업시행자의 주거이전비 지급이 동시이행관계인지

(1) 관련 판례의 태도

사업시행자가 현금청산대상자나 세입자에 대하여 종전의 토지나 건축물의 인도를 구하기 위해서는 토지보상법에 따른 손실보상이 완료되어야 한다. 토지보상법 제78조에서 정한 주거이전비, 이주정착금, 이사비도 토지보상법에 따른 손실보상에 해당하므로, 사업시행자가 정비구역 내 토지 또는 건축물을 인도받기 위해서는 주거이전비를 지급할 것이 요구된다. 관련 판례는 주거이전비 등에 대하여 협의가 성립된다면 세입자의 부동산 인도의무와 사업시행자의 주거이전비 지급의무는 동시이행의 관계에 있게 되며, 재결절차 등에 의하는 경우 주거이전비 등의 지급절차가 선이행되어야 한다고 판시한 바 있다.

> **판례**
>
> ● 대판 2021.6.30, 2019다207813[부동산인도 청구의 소]
>
> **[판시사항]**
> 주택재개발사업의 사업시행자가 현금청산대상자나 세입자로부터 정비구역 내 토지 또는 건축물을 인도받기 위해서는 협의나 재결절차 등에 의하여 결정되는 주거이전비 등도 지급하여야 하는지 여부(적극)
>
> **[판결요지]**
> 구 도시 및 주거환경정비법(2017.2.8. 법률 제14567호로 전부 개정되기 전의 것, 이하 '구 도시정비법'이라 한다) 제49조 제6항은 '관리처분계획의 인가·고시가 있은 때에는 종전의 토지 또는 건축물의 소유자·지상권자·전세권자·임차권자 등 권리자는 제54조의 규정에 의한 이전의 고시가 있은 날까지 종전의 토지 또는 건축물에 대하여 이를 사용하거나 수익할 수 없다. 다만 사업시행자의 동의를 받거나 제40조 및 공익사업을 위한 토지 등의 취득 및 보상에 관한 법률(이하 '토지보상법'이라 한다)에 따른 손실보상이 완료되지 아니한 권리자의 경우에는 그러하지 아니하다.'고 규정하고 있다. 따라서 <u>사업시행자가 현금청산대상자나 세입자에 대해서 종전의 토지나 건축물의 인도를 구하려면 관리처분계획의 인가·고시만으로는 부족하고 구 도시정비법 제49조 제6항 단서에서 정한 토지보상법에 따른 손실보상이 완료되어야 한다.</u>
>
> 구 도시정비법 제49조 제6항 단서의 내용, 개정 경위와 입법 취지를 비롯하여 구 도시정비법 및 토지보상법의 관련 규정들을 종합하여 보면, <u>토지보상법 제78조에서 정한 주거이전비, 이주정착금, 이사비(이하 '주거이전비 등'이라 한다)도 구 도시정비법 제49조 제6항 단서에서 정한 '토지보상법에 따른 손실보상'에 해당한다. 그러므로 주택재개발사업의 사업시행자가 공사에 착수하기 위하여 현금청산대상자나 세입자로부터 정비구역 내 토지 또는 건축물을 인도받기 위해서는 협의나 재결절차 등에 의하여 결정되는 주거이전비 등도 지급할 것이 요</u>

> 구된다. 만일 사업시행자와 현금청산대상자나 세입자 사이에 주거이전비 등에 관한 협의가 성립된다면 사업시행자의 주거이전비 등 지급의무와 현금청산대상자나 세입자의 부동산 인도의무는 동시이행의 관계에 있게 되고, 재결절차 등에 의할 때에는 주거이전비 등의 지급절차가 부동산 인도에 선행되어야 한다.

(2) 검토

토지보상법 제62조는 '사업시행자는 해당 공익사업을 위한 공사에 착수하기 이전에 토지소유자 및 관계인에게 보상액의 전액을 지급하여야 한다'라고 규정하고 있다. 이러한 규정을 종합하여 볼 때, 사업시행자는 사업에 착수하기 위해 부동산을 인도받기 위해서는 손실보상을 완료해야 하므로 세입자에게 주거이전비를 지급해야 할 의무가 있다. 사업시행자의 주거이전비 지급 의무와 세입자의 부동산인도의무는 협의에 의할 때는 동시이행관계로 보며, 재결절차에 의한 경우에는 주거이전비의 지급이 선이행되어야 할 것으로 보인다.

2. 주거이전비를 지급받지 않아 이주하지 않은 세입자에 대하여 벌금을 부과한 것이 합당한지

토지보상법 제95조의2는 법 제43조를 위반하여 토지 또는 물건을 인도하거나 이전하지 않은 자에게 1년 이하의 징역 또는 1천만원 이하의 벌금에 처할 수 있다고 규정하고 있다. 토지소유자 및 관계인의 인도·이전의무는 손실보상이 완료된 경우 발생하는 것으로, 사안의 경우 주거이전비가 지급되지 않았으므로 세입자의 이전 의무는 발생하지 않았으며 이에 따라 이주하지 않은 세입자에게 벌금을 부과하는 것은 합당하지 않다고 판단된다.

Ⅵ 사안의 해결

토지보상법상 주거이전비는 사회보장적인 정책적 차원에서 지급되는 금원이므로, 이는 강행규정으로서 당사자의 합의 또는 사업시행자의 재량으로 배제할 수 없다고 보는 것이 타당하다. 또한, 주거이전비 청구권은 공법상 권리이기 때문에, 이러한 주거이전비에 대하여 불복하는 경우 주거이전비의 증액을 요구하는 경우라면 토지보상법 제85조 제2항에 따른 보상금증감청구소송을, 보상금의 증액 이외의 부분에 대하여 다투는 경우에는 제85조 제1항에 규정되어 있는 행정소송으로 권리구제를 받는 것이 타당하다고 판단된다. 또한, 세입자의 부동산 인도의무와 사업시행자의 주거이전비 지급의무는 협의에 의한 경우 동시이행관계이며, 재결절차에 의한 경우 사업시행자의 주거이전비 지급이 선행되어야 한다.

29절 토지보상법 제77조(영업의 손실 등에 대한 보상)

> **문제**
>
> 과수원을 운영하여 생활해오던 甲은 공부상 지목이 과수원(果)으로 되어 있는 토지상에 식재되어 있던 사과나무가 이미 폐목이 되어 과수농사를 할 수 없는 상태가 되자, 사과나무를 베어내고 인삼밭(田)으로 사용하여 왔다. 또한 甲은 과수원 옆의 지목 대(垈)인 토지에 2층짜리 주택을 허가를 받아 건축하여 살고 있었으나, 인삼농사로 업종을 바꾸면서 2023년 4월 1일부터 1층에 임의로 인삼판매장 시설을 하고 인삼을 판매하기 시작한 동시에, 시설비를 보전하기 위해 허가 없이 3층을 증축하여 乙에게 사무실로 임대하였다(임차인 乙은 2024년 5월 1일에 사업자등록을 하고 사무실을 운영 중이다). 다음 물음에 답하시오. 40점
>
> (1) 2026년 5월 1일 甲의 토지를 대상으로 하는 공익사업이 인정되어 사업시행자가 甲에게 토지 및 건축물의 협의매수를 요청하였지만 甲은 인삼판매장에 대한 영업손실보상을 추가로 요구하면서 이를 거부하고 있으며, 임차인 乙 또한 사무실에 대한 영업손실보상을 요구하고 있다. 甲과 乙의 주장이 타당한지에 대하여 논하시오. 20점
>
> (2) 위 토지 및 건축물에 대한 보상평가 시 고려하여야 할 사항(지목, 이용상황, 보상범위 등)에 대하여 설명하시오. 20점

Ⅰ. 문제제기

Ⅱ. 甲과 乙 주장의 타당성 여부
  1. 영업손실보상의 대상
    (1) 영업손실보상의 의의 및 근거
    (2) 사업인정고시일 등 전부터 적법한 장소에서의 영업
    (3) 인적·물적 시설을 갖추고 계속적으로 행하고 있는 영업
    (4) 관계법령에 의한 허가 등을 받아 그 내용대로 행하고 있는 영업
    (5) 사업인정고시일 등 1년 이전에 사업자등록을 한 무허가건축물 내 임차인의 영업
  2. 甲과 乙 주장의 타당성 검토
    (1) 甲 주장의 타당성
    (2) 乙 주장의 타당

Ⅲ. 토지 및 건축물의 보상평가 시 고려하여야 할 사항
  1. 토지 및 건축물에 대한 보상평가기준
  2. 토지의 보상평가 시 고려하여야 할 사항
    (1) 지목 '과수원'인 토지의 경우
    (2) 지목 '대'인 토지의 경우
  3. 건축물의 보상평가 시 고려하여야 할 사항
    (1) 토지보상법 제75조 및 시행규칙 제33조의 기준
    (2) 사안의 경우

Ⅳ. 문제해결

I 문제제기

사안은 과수원을 운영하던 甲이 인삼밭을 경작하게 됨에 따라 과수원 옆 주택에 인삼판매장 운영 및 불법증축하여 乙에게 사무실로 임대한 경우, 甲과 乙의 손실보상에 관한 문제이다.

1. 물음 (1)에서 甲과 乙은 영업손실보상을 주장하고 있는바, 「공익사업을 위한 토지 등의 취득 및 보상에 관한 법률」(이하 '토지보상법') 제77조 및 동법 시행규칙 제45조를 검토하여 영업손실보상 대상 여부를 판단한다. 특히 사안에서 ① 甲은 주택을 임의로 근린생활시설(인삼판매장)로 운영한바, 허가 없이 한 용도변경이 무허가건축행위에 해당하는지가 문제되며, ② 乙의 경우 무허가건축물 내 임차인의 손실보상 여부가 문제된다.

2. 물음 (2)와 관련하여 ① 지목 과수원인 토지의 이용상황을 '田'으로 보고 평가할 수 있는지와, ② 지목 대인 토지의 이용상황을 주거용으로 볼지, 주상용으로 볼지가 문제되며, ③ 건물의 경우 3층 불법증축부분까지 보상하여야 하는지 관련 규정을 검토하여 살펴본다.

II 甲과 乙 주장의 타당성 여부

1. 영업손실보상의 대상

(1) 영업손실보상의 의의 및 근거

영업손실보상은 사업인정고시일 등 전부터 적법한 장소에서 인적·물적시설을 갖추고 계속적으로 행하고 있는 영업에 대해 공익사업의 시행으로 해당 영업을 폐지 또는 휴업하게 되는 경우에 주어지는 보상으로서, 토지보상법 시행규칙 제45조에 영업손실보상의 대상에 대하여 규정하고 있다.

(2) 사업인정고시일 등 전부터 적법한 장소에서의 영업

사업인정고시일 등 전부터 적법한 장소에서 한 영업이어야 하며, 무허가건축물 등, 불법형질변경토지, 그 밖에 다른 법령에서 물건을 쌓아놓은 행위가 금지되지 않는 장소를 말한다.

(3) 인적·물적시설을 갖추고 계속적으로 행하고 있는 영업

인적·물적시설을 갖춘 계속적 영업이어야 한다고 규정하고 있다. 최근 토지보상법 개정으로 영리목적이 삭제되면서 비영리 사단법인인 학교나 유치원 등도 보상대상이 확대되는 것은 보상의 형평성에 부합된다고 할 것이다.

(4) 관계법령에 의한 허가 등을 받아 그 내용대로 행하고 있는 영업

영업을 행함에 있어서 관계법령에 의한 허가 등을 필요로 하는 경우에는 사업인정고시일 등 전에 허가 등을 받아 그 내용대로 행하고 있는 영업일 때 영업손실보상이 되며 허가 등을 받시 않아도 되는 자유영업의 경우는 허가 등이 없더라도 영업손실보상의 대상이 된다.

(5) 사업인정고시일 등 1년 이전에 사업자등록을 한 무허가건축물 내 임차인의 영업

무허가건축물이라도 임차인이 영업을 하는 경우에는 그 임차인이 사업인정고시일 등 1년 이전부터 사업자등록을 하고 행하고 있는 영업의 경우에는 영업손실보상의 대상이 된다. 단, 이 경우 영업손실보상액 중 영업용 고정자산, 원재료, 제품 및 상품 등의 매각손실액을 제외한 나머지 금액의 합은 1천만원을 초과할 수 없다.

2. 甲과 乙 주장의 타당성 검토

(1) 甲 주장의 타당성

甲은 주택으로 허가받은 건축물을 임의로 근린생활시설(인삼판매장)로 운영하고 있는바, 만약 근린생활시설로 이용하려면 시장 등의 용도변경허가를 득하여야 한다. 따라서 허가 없이 한 용도변경은 무허가건축행위에 해당하므로 상기 영업손실보상 대상요건 중 적법한 장소에서의 영업으로 볼 수 없는바, 甲의 인삼판매장 영업은 요건을 충족하지 않아 영업손실보상 대상이 될 수 없으며, 甲의 주장은 타당하지 않은 것으로 판단된다.

(2) 乙 주장의 타당성

乙의 경우 甲이 허가 없이 3층으로 증축한 부분을 임차하고 있는바, 이 부분은 무허가건축물에 해당한다. 하지만 乙은 무허가건축물 내 임차인으로서 사업인정고시일부터 1년 전부터 사업자등록을 하고 영업 중이었으므로, 상기 요건에 의거 乙에게는 영업보상을 해주어야 하며 乙의 주장은 타당하다. 다만, 보상액 결정에 있어서는 1천만원의 범위 내에서 하여야 할 것이다.

Ⅲ 토지 및 건축물의 보상평가 시 고려하여야 할 사항

1. 토지 및 건축물에 대한 보상평가기준

헌법 제23조 제3항은 정당보상을 천명하고 그의 구체적 입법인 토지보상법은 보상의 방법 등 평가기준을 규정하고 있다. 토지 등은 제70조에, 건축물 등 물건은 제75조에 상세히 규정하고 있다.

2. 토지의 보상평가 시 고려하여야 할 사항

(1) 지목 '과수원(果)'인 토지의 경우

지목 과수원인 토지는 현재 인삼밭으로 이용하고 있는바, 토지보상법 제70조 제2항의 "현실적인 이용상황과 일반적인 이용방법에 의한 객관적 상황을 고려한 평가"에 의할 때 현황을 고려하여 이용상황을 '田'으로 보고 인근의 이용상황인 '전'인 비교표준지를 선정하여 평가해야 할 것이다. 이때 과수원을 인삼밭으로 경작한 것이 불법형질변경인지가 문제되나, 전·답·과수원은 모두 농지법상 농지에 해당하여 서로 전용이 가능한바, 불법형질변경에 해당하지 않는다.

(2) 지목 '대(垈)'인 토지의 경우

지목 대인 토지는 현재 그 지상의 건축물이 1층은 인삼판매장, 2층은 주택, 3층은 사무실로 이용되고 있는바, 그 이용상황을 주상복합용으로 보아야 할지가 문제되나, 상기 검토한 바와 같이 허가 없이 한 용도변경 및 증축은 불법행위에 해당하는바, 평가시 고려하지 말아야 한다. 따라서 지목 대인 토지는 주거용으로 보고 주거용인 비교표준지를 선정하여 평가하여야 할 것이다.

3. 건축물의 보상평가 시 고려하여야 할 사항

(1) 토지보상법 제75조 및 시행규칙 제33조의 기준

토지보상법 제75조에서는 건축물 등은 이전비로 보상하되 일정 경우에는 해당 물건의 가격으로 보상토록 규정한다. 건축물은 법 제25조에 의거 사업인정 이전에 건축된 건축물만을 그 보상대상으로 한다. 그리고 동법 시행규칙 제33조 제2항에 의거 건축물의 가격은 원가법으로 평가하고 주거용과 구분소유 대상 건물은 거래사례비교법에 의하여 평가한다.

(2) 사안의 경우

사안에서 1, 2층 주택부분은 당연히 보상대상이 되나, 허가 없이 건축한 3층 증축부분과 1층 인삼판매장 시설부분이 문제된다. 그러나 토지보상법에는 불법건축물을 보상하지 않는다는 규정이 없고 사업인정고시일 전후 여부만 규정하고 있는 바, 무허가건축부분이라 하더라도 보상의 범위에 포함될 수 있다. 따라서 사안의 경우 사업인정고시일 전에 증축 및 시설한 경우에 해당하는 바, 이를 건축물 보상의 범위에 포함하여 보상하여야 할 것이다. 다만, 그 보상액은 이전이 가능한 부분은 이전비로 보상하고, 이전이 불가하거나 이전비가 과다한 경우에만 건축물의 현재가치로 보상하여야 할 것이다.

Ⅳ   문제해결

1. 사안의 경우 영업손실보상 대상 여부와 관련하여 토지보상법 시행규칙 제45조의 요건에 해당하는지가 문제되나, 甲의 경우는 무허가건축물에서 소유자의 영업에 해당하는바, 보상대상에 해당하지 않으며, 乙의 경우는 무허가건축물에서 임차인의 영업에 해당하는바, 보상대상이 된다. 따라서 甲의 영업손실보상 주장은 타당하지 않으며, 乙에게는 영업손실보상을 해주어야 할 것이다.

2. 상기 甲의 토지 및 건축물의 보상평가와 관련하여, 토지평가 시 지목 과수원인 토지는 현재 인삼밭으로의 이용이 적법한 이용인바, 현황기준하여 '전'으로 보고 평가하여야 하며, 지목 대인 토지는 현재 주상용으로의 이용이 불법인바, 적법한 상황을 상정하여 '주거용 건부지'로 보고 평가하여야 할 것이다. 한편, 건축물의 경우에는 불법건축물이라 하더라도 사업인정고시일 이전에 건축한 것이면 보상대상이 되는바, 사안의 경우는 1, 2층 주택부분뿐 아니라 1층 인삼판매장 및 3층 증축부분까지 보상평가 시 고려하여야 할 것이다.

30절 토지보상법 제77조(영업의 손실 등에 대한 보상)

⌐ 문제 ┐

다음 사례는 공익사업을 위한 토지 등의 취득 및 보상에 관한 법률상 손실보상사례이다. 각각의 물음은 독립된 사례의 질문으로 아래 물음에 답하시오. 30점

(1) 甲과 乙의 부부의 손실보상 사례는 다음과 같다. 물음에 답하시오. 10점

부부인 甲과 乙은 농지에 미나리를 키우며 생계를 유지하고 있었다. 해당 지역에 공익사업이 진행되어 농지와 미나리에 대한 손실보상이 수용재결로 결정되었다. 그런데 사업시행자 경기도지사는 수용재결 전에 부부의 동의를 받지 아니하고 공익사업을 강행하였다. 이에 甲과 乙은 수용재결 전에 이루어진 공사 착수로 인하여 영농을 할 수 없게 된 손실도 보상받아야 한다고 주장하나 경기도지사는 이미 2년분의 영농손실보상금이 지급된 이상 더 이상의 손해배상을 청구할 수 없다고 주장한다. 위의 사실관계를 토대로 농업손실보상의 법적 성질 및 구체적 보상방법에 대하여 설명하고 사업시행자와 피수용자 양 당사자 각 주장의 타당성을 설명하시오.

(2) 다음 사례에 대하여 물음에 답하시오. 10점

① 사업시행자 한국수자원공사는 부산 강서 공원 사업을 위하여 공익사업을 위한 토지 등의 취득 및 보상에 관한 법률(이하 '토지보상법')상 국토교통부장관에게 사업인정을 신청하였고, 2013년 4월 1일 사업인정고시가 되었다. 그런데 농업손실보상 관련하여 보상투기가 만연함으로 국토교통부장관은 농업손실보상에 대하여 평균생산량의 2배를 한도로 하는 토지보상법 시행규칙 제48조 제2항 단서 제1호를 개정하여 실제소득 적용 영농보상금 상한을 설정하여 동법 시행규칙을 개정하였다. 이미 사업인정고시가 된 상태인데 개정 토지보상법 시행규칙 제48조 제2항 단서 제1호가 헌법상 정당보상원칙과 비례의 원칙에 위반되거나 위임입법의 한계를 일탈한 것인지 설명하시오. 5점

② 2013.4.25. 국토교통부령 제5호로 개정된 토지보상법 시행규칙 시행일 전에 사업인정고시가 이루어졌으나 위 시행규칙 시행 후 보상계획의 공고 · 통지가 이루어진 공익사업에 대해서도 영농보상금액의 구체적인 산정방법 · 기준에 관한 위 시행규칙 제48조 제2항 단서 제1호를 적용하도록 규정한 위 시행규칙 부칙(2013.4.25.) 제4조 제1항이 진정소급입법에 해당하는지 여부를 설명하시오. 5점

(3) 丙의 손실보상 사례는 다음과 같다.

丙은 1990년경부터 양평장터에서 토지를 임차하여 앵글과 천막 구조의 가설물을 축조(적법하게 신고하였음)하고 그 내부에 냉장고, 주방용품, 가스통, 탁자, 의자 등을 구비한 후, 영업신고를 하지 않은 채 양평장날인 매달 3일, 8일, 13일, 18일, 23일, 28일(5일장)에 정기적으로 국수와 순댓국, 생고기, 생선회 등을 판매하는 음식점 영업을 해왔

고 영업종료 후 가설물과 냉장고 등 주방용품을 철거하거나 이동하지 아니한 채 그곳에 계속 고정하여 사용·관리하여 왔다. 갑은 장날의 전날에는 음식을 준비하고 장날 당일에는 종일 장사를 하며 그 다음날에는 뒷정리를 하는 등 5일 중 3일 정도는 영업에 전력을 다하였다. 2006.6.26자에 공익사업을 위한 토지 등의 취득 및 보상에 관한 법률상 대상 토지를 포함한 일대가 공익사업을 위해 편입되는 사업인정 고시가 있었다. 이에 사업시행자는 丁은 허가 등 영업손실보상의 제 요건, 특히 물적 시설 및 영업의 계속성을 갖추지 못하였으므로 보상대상에서 제외되어야 한다고 주장한다. 설령 보상대상에 해당된다고 하더라도 실제 영업일수는 5일 중 하루이므로 보상금액도 1/5만 지급되어야 한다고 주장한다. 丙은 영업손실보상금을 수령할 수 있는지 법적 쟁점을 설명하시오. 10점

〈설문 (1)에 대하여〉

I 논점의 정리

해당 사안은 공익사업을 위한 토지 등의 취득 및 보상에 관한 법률(이하 '토지보상법')에서 농업손실보상에 대한 쟁점이다. 손실보상이란 공공필요에 의한 적법한 공권력의 행사로 가하여진 개인의 특별한 재산권침해에 대하여, 행정주체가 사유재산권보장과 평등부담원칙 및 생존권보장차원에서 행하는 조절적인 재산권 전보를 말한다. 이는 재산권보장에 대한 예외적인 조치이므로 이에 대한 검토는 국민의 권리보호와 관련하여 중대한 위치를 차지한다. 이하에서 농업손실보상에 대하여 설명한 후, 피수용자와 사업시행자 양 당사자 주장의 타당성을 검토하기로 한다.

II 농업손실보상의 법적 성질 및 보상방법

1. 농업손실보상의 의의 및 근거규정

농업손실보상이란 공익사업시행지구에 편입되는 농지에 대하여 해당 지역의 단위 경작면적 당 농작물 수입의 2년분을 보상함을 의미한다. 토지보상법 제77조 및 동법 시행규칙 제48조에 근거규정을 두고 있다.

2. 농업손실보상청구권의 법적 성질

(1) 학설

1) 사권설

손실보상청구권은 원인이 되는 공용침해행위와는 별개의 권리이며 기본적으로 금전지급청구권이므로 사법상의 금전지급청구권과 다르지 않다고 본다.

2) 공권설

공권설은 손실보상청구권은 공권력 행사인 공용침해로 인하여 발생한 권리이며 공익성이 고려되어야 하므로 공권으로 보아야 한다.

(2) 판례

'토지보상법 농업손실보상청구권은 공익사업의 시행 등 적법한 공권력의 행사에 의한 재산상의 특별한 희생에 대하여 전체적인 공평부담의 견지에서 공익사업의 주체가 그 손해를 보상하여 주는 손실보상의 일종으로 공법상의 권리임이 분명하므로 그에 관한 쟁송은 민사소송이 아닌 행정소송절차에 의하여야 할 것'이라고 판시한 바 있다(대판 2011.10.13, 2009다43461).

(3) 검토

손실보상은 공법상 원인을 이유로 이루어지고, 개정안에서는 손실보상에 관한 소송을 당사자소송으로 하도록 규정하고 있는 점에 비추어 공권으로 봄이 타당하다고 생각한다.

3. 보상의 기준

헌법 제23조 제3항은 국민의 재산권에 대한 강제적 박탈이나 침해에 대하여 정당한 보상을 규정하고, 판례는 이를 보상의 시기·방법에도 제한이 없는 완전한 보상으로 해석하고 있다. 이러한 정당보상의 실현을 토지보상법상 보상의 기준으로 두고 있다.

4. 구체적 보상 방법 및 내용

(1) 보상의 방법

공익사업지구에 편입되는 농지(농지법 제2조 제1호 가목에 해당되는 토지)에 대하여는 해당 도별 연간 농가평균 단위 경작면적당 농작물조수입의 2년분을 영농손실액으로 지급한다. 다만 국토교통부장관이 고시한 농작물로서 그 실제소득을 증명한 경우에는 농작물조수입 대신에 실제소득으로 보상한다.

(2) 농업손실보상의 대상인 농지의 범위(농업손실보상의 물적 범위)

보상을 함에 있어서는 해당 토지의 지목에 불구하고 실제로 농작물을 경작하는 경우에는 이를 농지로 본다. ① 토지이용계획, 주위환경 등으로 보아 일시적으로 농지로 이용되고 있는 토지, ② 불법으로 점유하여 경작하고 있는 토지, ③ 농민에 해당하지 아니하는 자가 경작하고 있는 토지, ④ 사업인정고시일 등 이후부터 농지로 이용되고 있는 토지, ⑤ 취득보상 이후 사업시행자가 2년 이상 계속하여 경작하도록 허용하는 토지는 농지로 보지 아니한다.

(3) 농업손실보상의 지급대상자(실농보상의 인적범위)

자경농지가 아닌 농지에 대한 영농손실액은 실제의 경작자에게 지급한다. 다만, 해당 농지의 소유자가 해당 지역의 거주하는 농민의 경우에는 소유자와 실제의 경작자가 협의하는 바에 따라 보상하고, 협의가 성립되지 아니할 경우 2분의 1씩 보상한다. 다만 실제소득인정 기준에 따라 보상하는 경우 농지의 소유자에 대한 보상금액은 평균소득기준에 따라 산정한 영농손실액의 50퍼센트를 초과할 수 없다.

(4) 농기구등에 대한 보상

경작지의 3분의 2이상에 해당하는 토지가 공익사업지구에 편입되어 해당지역에서 영농을 계속할 수 없게 된 경우에는 농기구에 대하여 매각손실액으로 평가하여 보상한다.

5. 관련문제(농업손실보상의 간접보상 : 토지보상법 시행규칙 제65조)

경작하고 있는 농지의 3분의 2 이상에 해당하는 면적이 공익사업시행지구에 편입됨으로 인하여 해당 지역에서 영농을 계속할 수 없게 된 농민에 대해서는 공익사업시행지구 밖에서 그가 경작하고 있는 농지에 대하여도 영농손실액을 지급하도록 규정하고 있다.

Ⅲ 피수용자와 사업시행자 양 당사자 주장의 타당성 검토

1. 농업손실보상의 성격

수용대상인 농지의 경작자 등에 대한 2년분의 영농손실보상은 그 농지의 수용으로 인하여 장래에 영농을 계속하지 못하게 되어 생기는 이익 상실 등에 대한 보상을 하기 위한 것이다(대판 2000.2.25, 99다57812). 즉, 농업손실보상은 전업에 소요되는 기간을 고려한 합리적 기대이익의 상실에 대한 보상으로 일실손실의 보상이며, 유기체적인 생활을 종전상태로 회복하는 의미에서 생활보상의 성격도 존재한다.

2. 농업손실보상의 범위

토지보상법에 따른 영농손실보상금은 수용재결에 따라 수용개시일 이후 더 이상 이 사건 토지를 이용하여 영농을 할 수 없게 됨으로 인하여 생기는 손실을 보상하기 위한 것이며, 甲과 乙이 주장하는 손실은 경기도지사가 사전 보상절차 없이 2007년 4월경 불법으로 공사에 착수함으로써 그때부터 수용재결에 의한 수용개시일까지의 기간 동안 미나리를 재배하지 못하게 된 손해에 관한 것으로 이는 수용재결의 대상기간과 사유를 달리하는 것이며, 수용재결에 따라 甲과 乙에게 영농손실보상금을 지급하는 것만으로 위와 같이 불법으로 공사에 착수함으로 인한 손해배상까지 이루어지는 것은 아니라고 할 것이다.

3. 피수용자와 사업시행자 양 당사자 주장의 타당성

(1) 대법원 판례의 태도

공익사업을 위한 공사는 손실보상금을 지급하거나 토지소유자 및 관계인의 승낙을 받지 않고는 미리 착공해서는 아니 되는 것으로, 이는 그 보상권리자가 수용대상에 대하여 가지는 법적 이익과 기존의 생활관계 등을 보호하고자 하는 것이고, 수용대상인 농지의 경작자 등에 대한 2년분의 영농손실보상은 그 농지의 수용으로 인하여 장래에 영농을 계속하지 못하게 되어 생기는 이익 상실 등에 대한 보상을 하기 위한 것이다. 따라서 사업시행자가 토지소유자 및 관계인에게 보상금을 지급하지 아니하고 그 승낙도 받지 아니한 채 미리 공사에 착수하여 영농을 계속할 수 없게 하였다면 이는 토지보상법상 사전보상의 원칙을 위반한 것으로서 위법하다 할 것이므로, 이 경우 사업시행자는 2년분의 영농손실보상금을 지급하는 것과 별도로, 공사의 사전 착공으로 인하여 토지소유자나 관계인이 영농을 할 수 없게 된 때부터 수용개시일까지 입은 손해에 대하여 이를 배상할 책임이 있다(대판 2013.11.14, 2011다27103).

(2) 주장의 타당성 검토

해당 사안에서 사업시행자가 토지소유자 및 관계인에게 보상금을 지급하지 아니하고 그 승낙도 받지 아니한 채 미리 공사에 착수하여 영농을 계속할 수 없게 하였다면 이는 공익사업법상 사전보상의 원칙을 위반한 것으로서 위법하다 할 것이므로, 이 경우 사업시행자는 2년분의 영농손실보상금을 지급하는 것과 별도로, 공사의 사전 착공으로 인하여 토지소유자나 관계인이 영농을 할 수 없게 된 때부터 수용개시일까지 입은 손해에 대하여 이를 배상할 책임이 있다고 할 것이다. 따라서 사업시행자인 경기도지사의 주장은 타당성이 인정되지 않는다.

Ⅳ 사례의 해결

수용대상인 농지의 경작자 등에 대한 2년분의 영농손실보상은 그 농지의 수용으로 인하여 장래에 영농을 계속하지 못하게 되어 생기는 이익 상실 등에 대한 보상을 하기 위한 것이므로, 사업시행자인 경기도지사는 수용개시일 이전에 발생한 甲과 乙의 손해를 전보해줘야 할 것으로 판단된다.

> **판례**
>
> ● 대판 2013.11.14, 2011다27103[손해배상등]
>
> [판시사항]
>
> 사업시행자가 보상금 지급이나 토지소유자 및 관계인의 승낙 없이 공익사업을 위한 공사에 착수하여 영농을 계속할 수 없게 한 경우, 2년분의 영농손실보상금 지급과 별도로 공사의 사전 착공으로 토지소유자나 관계인이 영농을 할 수 없게 된 때부터 수용개시일까지 입은 손해를 배상할 책임이 있는지 여부(적극)
>
> [판결요지]
>
> 구 공익사업을 위한 토지 등의 취득 및 보상에 관한 법률(2011.8.4. 법률 제11017호로 개정되기 전의 것, 이하 '공익사업법'이라 한다) 제40조 제1항, 제62조, 제77조 제2항, 구 공익사업을 위한 토지 등의 취득 및 보상에 관한 법률 시행규칙(2013.4.25. 국토교통부령 제5호로 개정되기 전의 것) 제48조 제1항, 제3항 제5호의 규정들을 종합하여 보면, 공익사업을 위한 공사는 손실보상금을 지급하거나 토지소유자 및 관계인의 승낙을 받지 않고는 미리 착공해서는 아니 되는 것으로, 이는 그 보상권리자가 수용대상에 대하여 가지는 법적 이익과 기존의 생활관계 등을

보호하고자 하는 것이고, 수용대상인 농지의 경작자 등에 대한 2년분의 영농손실보상은 그 농지의 수용으로 인하여 장래에 영농을 계속하지 못하게 되어 생기는 이익 상실 등에 대한 보상을 하기 위한 것이다. 따라서 사업시행자가 토지소유자 및 관계인에게 보상금을 지급하지 아니하고 그 승낙도 받지 아니한 채 미리 공사에 착수하여 영농을 계속할 수 없게 하였다면 이는 공익사업법상 사전보상의 원칙을 위반한 것으로서 위법하다 할 것이므로, 이 경우 사업시행자는 2년분의 영농손실보상금을 지급하는 것과 별도로, 공사의 사전 착공으로 인하여 토지소유자나 관계인이 영농을 할 수 없게 된 때부터 수용개시일까지 입은 손해에 대하여 이를 배상할 책임이 있다.

〈설문 ①에 대하여 : 2013.4.25. 국토교통부령 제5호로 개정된 공익사업을 위한 토지 등의 취득 및 보상에 관한 법률 시행규칙 제48조 제2항 단서 제1호가 헌법상 정당보상원칙, 비례원칙에 위반되거나 위임입법의 한계를 일탈한 것인지 여부(소극)〉

공익사업을 위한 토지 등의 취득 및 보상에 관한 법률 제77조 제4항은 농업손실 보상액의 구체적인 산정 및 평가 방법과 보상기준에 관한 사항을 국토교통부령으로 정하도록 위임하고 있다. 그 위임에 따라 2013.4.25. 국토교통부령 제5호로 개정된 공익사업을 위한 토지 등의 취득 및 보상에 관한 법률 시행규칙(이하 '개정 시행규칙'이라 한다) 제48조 제2항 단서 제1호가 실제소득 적용 영농보상금의 예외로서, 농민이 제출한 입증자료에 따라 산정한 실제소득이 동일 작목별 평균소득의 2배를 초과하는 경우에 해당 작목별 평균생산량의 2배를 판매한 금액을 실제소득으로 간주하도록 규정함으로써 실제소득 적용 영농보상금의 '상한'을 설정하였다.

이와 같은 개정 시행규칙 제48조 제2항 단서 제1호는, 영농보상이 장래의 불확정적인 일실소득을 보상하는 것이자 농민의 생존배려·생계지원을 위한 보상인 점, 실제소득 산정의 어려움 등을 고려하여, 농민이 실농으로 인한 대체생활을 준비하는 기간의 생계를 보장할 수 있는 범위 내에서 실제소득 적용 영농보상금의 '상한'을 설정함으로써 나름대로 합리적인 적정한 보상액의 산정방법을 마련한 것이므로, 헌법상 정당보상원칙, 비례원칙에 위반되거나 위임입법의 한계를 일탈한 것으로는 볼 수 없다(대판 2020.4.29, 2019두32696).

〈설문 ②에 대하여 : 2013.4.25. 국토교통부령 제5호로 개정된 공익사업을 위한 토지 등의 취득 및 보상에 관한 법률 시행규칙 시행일 전에 사업인정고시가 이루어졌으나 위 시행규칙 시행 후 보상계획의 공고·통지가 이루어진 공익사업에 대해서도 영농보상금액의 구체적인 산정방법·기준에 관한 위 시행규칙 제48조 제2항 단서 제1호를 적용하도록 규정한 위 시행규칙 부칙(2013.4.25.) 제4조 제1항이 진정소급입법에 해당하는지 여부(소극)〉

사업인정고시일 전부터 해당 토지를 소유하거나 사용권원을 확보하여 적법하게 농업에 종사해 온 농민은 사업인정고시일 이후에도 수용개시일 전날까지는 해당 토지에서 그간 해온 농업을 계속할 수 있다. 그러나 사업인정고시일 이후에 수용개시일 전날까지 농민이 해당 공익사업의 시행과 무관한 어떤 다른 사유로 경작을 중단한 경우에는 손실보상의 대상에서 제외될 수 있다. 사업인정고시가 이루어졌다는 점만으로 농민이 구체적인 영농보상금 청구권을 확정적으로 취득하였다고는 볼 수 없으며, 보상협의 또는 재결절차를 거쳐 협의 성립 당시 또는 수용재결 당시의 사정을 기준으로 구체적으로 산정되는 것이다.

또한 공익사업을 위한 토지 등의 취득 및 보상에 관한 법률 시행규칙 제48조에 따른 영농보상은 수용개시일 이후 편입농지에서 더 이상 영농을 계속할 수 없게 됨에 따라 발생하는 손실에 대하여 장래의 2년간 일실소득을 예측하여 보상하는 것이므로, 수용재결 당시를 기준으로도 영농보상은 아직 발생하지 않은 장래의 손실에 대하여 보상하는 것이다.

따라서 공익사업을 위한 토지 등의 취득 및 보상에 관한 법률 시행규칙 부칙(2013.4.25.) 제4조 제1항이 영농보상금액의 구체적인 산정방법·기준에 관한 2013.4.25. 국토교통부령 제5호로 개정된 공익사업을 위한 토지 등의 취득 및 보상에 관한 법률 시행규칙(이하 '개정 시행규칙'이라 한다) 제48조 제2항 단서 제1호를 개정 시행규칙 시행일 전에 사업인정고시가 이루어졌으나 개정 시행규칙 시행 후 보상계획의 공고·통지가 이루어진 공익사업에 대해서도 적용하도록 규정한 것은 진정소급입법에 해당하지 않는다(대판 2020.4.29, 2019두32696).

> **판례**
>
> ● 대판 2020.4.29, 2019두32696[손실보상금]
>
> [판시사항]
> [1] 2013.4.25. 국토교통부령 제5호로 개정된 공익사업을 위한 토지 등의 취득 및 보상에 관한 법률 시행규칙 제48조 제2항 단서 제1호가 헌법상 정당보상원칙, 비례원칙에 위반되거나 위임입법의 한계를 일탈한 것인지 여부(소극)
> [2] 2013.4.25. 국토교통부령 제5호로 개정된 공익사업을 위한 토지 등의 취득 및 보상에 관한 법률 시행규칙 시행일 전에 사업인정고시가 이루어졌으나 위 시행규칙 시행 후 보상계획의 공고·통지가 이루어진 공익사업에 대해서도 영농보상금액의 구체적인 산정방법·기준에 관한 위 시행규칙 제48조 제2항 단서 제1호를 적용하도록 규정한 위 시행규칙 부칙(2013.4.25.) 제4조 제1항이 진정소급입법에 해당하는지 여부(소극)
>
> [판결요지]
> [1] 공익사업을 위한 토지 등의 취득 및 보상에 관한 법률 제77조 제4항은 농업손실 보상액의 구체적인 산정 및 평가 방법과 보상기준에 관한 사항을 국토교통부령으로 정하도록 위임하고 있다. 그 위임에 따라 2013.4.25. 국토교통부령 제5호로 개정된 공익사업을 위한 토지 등의 취득 및 보상에 관한 법률 시행규칙(이하 '개정 시행규칙'이라 한다) 제48조 제2항 단서 제1호가 실제소득 적용 영농보상금의 예외로서, 농민이 제출한 입증자료에 따라 산정한 실제소득이 동일 작목별 평균소득의 2배를 초과하는 경우에 해당 작목별 평균생산량의 2배를 판매한 금액을 실제소득으로 간주하도록 규정함으로써 실제소득 적용 영농보상금의 '상한'을 설정하였다.
> 이와 같은 개정 시행규칙 제48조 제2항 단서 제1호는, 영농보상이 장래의 불확정적인 일실소득을 보상하는 것이자 농민의 생존배려·생계지원을 위한 보상인 점, 실제소득 산정의

어려움 등을 고려하여, 농민이 실농으로 인한 대체생활을 준비하는 기간의 생계를 보장할 수 있는 범위 내에서 실제소득 적용 영농보상금의 '상한'을 설정함으로써 나름대로 합리적인 적정한 보상액의 산정방법을 마련한 것이므로, 헌법상 정당보상원칙, 비례원칙에 위반되거나 위임입법의 한계를 일탈한 것으로는 볼 수 없다.

[2] 사업인정고시일 전부터 해당 토지를 소유하거나 사용권원을 확보하여 적법하게 농업에 종사해 온 농민은 사업인정고시일 이후에도 수용개시일 전날까지는 해당 토지에서 그간 해온 농업을 계속할 수 있다. 그러나 사업인정고시일 이후에 수용개시일 전날까지 농민이 해당 공익사업의 시행과 무관한 어떤 다른 사유로 경작을 중단한 경우에는 손실보상의 대상에서 제외될 수 있다. 사업인정고시가 이루어졌다는 점만으로 농민이 구체적인 영농보상금 청구권을 확정적으로 취득하였다고는 볼 수 없으며, 보상협의 또는 재결절차를 거쳐 협의 성립 당시 또는 수용재결 당시의 사정을 기준으로 구체적으로 산정되는 것이다.

또한 공익사업을 위한 토지 등의 취득 및 보상에 관한 법률 시행규칙 제48조에 따른 영농보상은 수용개시일 이후 편입농지에서 더 이상 영농을 계속할 수 없게 됨에 따라 발생하는 손실에 대하여 장래의 2년간 일실소득을 예측하여 보상하는 것이므로, 수용재결 당시를 기준으로도 영농보상은 아직 발생하지 않은 장래의 손실에 대하여 보상하는 것이다.

따라서 공익사업을 위한 토지 등의 취득 및 보상에 관한 법률 시행규칙 부칙(2013.4.25.) 제4조 제1항이 영농보상금액의 구체적인 산정방법 · 기준에 관한 2013.4.25. 국토교통부령 제5호로 개정된 공익사업을 위한 토지 등의 취득 및 보상에 관한 법률 시행규칙(이하 '개정 시행규칙'이라 한다) 제48조 제2항 단서 제1호를 개정 시행규칙 시행일 전에 사업인정고시가 이루어졌으나 개정 시행규칙 시행 후 보상계획의 공고 · 통지가 이루어진 공익사업에 대해서도 적용하도록 규정한 것은 진정소급입법에 해당하지 않는다.

〈설문 (3)에 대하여〉

I 논점의 정리

공익사업의 사업시행자는 공익사업을 위한 토지 등의 취득 및 보상에 관한 법률 및 동법 시행령, 시행규칙(이하 '토지보상법')상 丙의 영업이 허가 등의 제 요건을 갖추지 못하였거나, 물적 설비 및 계속적인 영업이 아니라고 주장하므로 토지보상법상 영업 손실 보상의 제 요건규정을 검토하여 사례를 해결코자 한다.

II 토지보상법령상 영업손실보상의 요건규정 검토

1. 영업손실보상의 의의 및 보상의 성격

영업보상이란 공공사업의 시행에 따라 영업을 폐지 또는 휴업하게 되는 경우에 사업시행자가 장래 예상되는 전업 및 이전에 소요되는 일정한 기간 동안의 영업소득 또는 영업시설 및 재고자산에 대한 손실을 보상하는 것으로서, 합리적 기대이익의 상실이라는 점에서 일실손실의 보상의 성격이 있다.

2. 대상영업(토지보상법 시행규칙 제45조)

영업은 적법한 장소에서 인적·물적 설비를 갖추고 계속적으로 행하고 있는 일체의 경제활동을 의미하며, 영업보상은 허가·신고·면허를 받은 영업으로서 허가의 범위 내에서 영업을 대상으로 한다. 이때 보상계획의 공고, 사업인정 고시 후 행하는 영업은 영업으로 보지 아니한다.

3. 무허가영업 등에 대한 보상(토지보상법 시행규칙 제52조)

"토지보상법 시행규칙 제52조(허가 등을 받지 아니한 영업의 손실보상에 관한 특례) 사업인정고시일 등 전부터 허가 등을 받아야 행할 수 있는 영업을 허가 등이 없이 행하여 온 자가 공익사업의 시행으로 인하여 제45조 제1호 본문에 따른 적법한 장소에서 영업을 계속할 수 없게 된 경우에는 제45조 제2호에 불구하고 「통계법」 제3조 제3호에 따른 통계작성기관이 조사·발표하는 가계조사통계의 도시근로자가구 월평균 가계지출비를 기준으로 산정한 3인 가구 3개월분 가계지출비에 해당하는 금액을 영업손실에 대한 보상금으로 지급하되, 제47조 제1항 제2호에 따른 영업시설·원재료·제품 및 상품의 이전에 소요되는 비용 및 그 이전에 따른 감손상당액(이하 이 조에서 "영업시설 등의 이전비용"이라 한다)은 별도로 보상한다. 다만, 본인 또는 생계를 같이 하는 동일 세대 안의 직계존속·비속 및 배우자가 해당 공익사업으로 다른 영업에 대한 보상을 받은 경우에는 영업시설 등의 이전비용만을 보상하여야 한다.'고 규정하고 있다. 즉 공익사업에 관한 계획의 고시가 있기 전부터 허가·면허·신고 없이 영업을 행하던 자가 공익사업의 시행으로 인하여 폐업하는 경우에는 3인가구 3월분의 가계지출비에 상당한 금액으로 보상한다. 다만, 본인 또는 생계를 같이하는 동일 세대의 직계존·비속 및 배우자가 해당 공공사업으로 어업 기타의 영업에 대한 보상을 받을 경우는 제외한다. 다만, 그 보상액이 이전 휴업보상액을 초과 시에는 이전휴업보상액으로 보상한다.

Ⅲ 丙의 영업이 손실보상 대상인지 여부

1. 허가·신고·면허 등 요건충족 여부

丙은 영업신고를 하지 않은 채 음식점 영업을 해왔으므로, 원칙적으로 영업손실보상의 대상이 아니라고 할 것이다. 다만 토지보상법 시행규칙 제52조에서는 공익사업에 관한 계획의 고시가 있기 전부터 허가·면허·신고 없이 영업을 행하던 자에 대한 보상을 규정하고 있으므로, 丙이 영업신고를 하지 않았다고 해서 보상대상에서 제외되는 것은 아니다.

2. 인적·물적 설비의 충족 여부

丙은 1990년경부터 양평장터에서 토지를 임차하여 앵글과 천막 구조의 가설물을 축조하고 그 내부에 냉장고, 주방용품, 가스통, 탁자, 의자 등을 구비한 후, 가설물과 냉장고 등 주방용품을 철거하거나 이동하지 아니한 채 그곳에 계속 고정하여 사용·관리하여 왔으므로 인적·물적 설비의 요건도 충족된다고 볼 것이다.

3. 영업의 계속성 충족 여부

丙은 매달 3일, 8일, 13일, 18일, 23일, 28일(5일장)에 정기적으로 국수와 순댓국, 생고기, 생선회 등을 판매하는 음식점 영업을 해왔고, 장날의 전날에는 음식을 준비하고 장날 당일에는 종일 장사를 하며 그 다음날에는 뒷정리를 하는 등 5일 중 3일 정도는 영업에 전력을 다하였다. 따라서 5일장의 특성에 비추어 볼 때, 계속적으로 영리를 목적으로 영업을 하였다고 볼 수 있다.

4. 영업보상액을 1/5로 감액해야 하는지 여부

토지보상법 제77조, 동 법 시행규칙 제45조, 제46조, 제47조 및 제52조 등에서는 영업보상과 관련하여 실제 영업일수 만을 적용하라는 규정도 없으며, 丙은 5일장의 특성상 5일 중 하루만을 영업하고 나머지는 영업일을 위한 필수 준비 기간이므로 영업보상액을 1/5로 감액할 이유도 없을 것이다.

Ⅳ 사례의 해결

丙은 토지보상법 시행규칙 제52조의 무허가 영업 등에 대한 보상대상자에 해당하며, 인적·물적 시설을 갖추고 계속적인 영업을 하여왔고, 영업보상액을 1/5로 감액할 근거규정도 없으므로 정당한 보상액을 지급받을 수 있을 것으로 판단된다.

> **판례**
>
> ● 대판 2012.3.15, 2010두26513[토지수용재결처분취소]
>
> **[판시사항]**
> 국민임대주택단지조성사업 예정지구로 지정된 장터에서 토지를 임차하여 앵글과 천막구조의 가설물을 설치하고 영업신고 없이 5일장이 서는 날에 정기적으로 국수와 순댓국 등을 판매하는 음식업을 영위한 갑 등이 구 공익사업을 위한 토지 등의 취득 및 보상에 관한 법률 시행규칙 제52조 제1항에 따른 영업손실보상의 대상이 되는지 문제된 사안에서, 영업의 계속성과 영업시설의 고정성을 인정할 수 있다는 이유로, 갑 등이 위 규정에서 정한 허가 등을 받지 아니한 영업손실보상대상자에 해당한다고 본 원심판단을 정당하다고 한 사례
>
> **[이유]**
> 상고이유를 판단한다.
> 1. 사실오인의 상고이유에 대하여
>   원심판결 이유에 의하면, 원심은 그 채택 증거에 의하여 원고들이 1990년경 이 사건 장터가 개설된 이래 소외인으로부터 각 해당 점유 부분을 전차하여 앵글과 천막 구조의 가설물을 축조하고 그 내부에 냉장고, 주방용품, 가스통, 탁자, 의자 등을 구비한 후, 영업신고를 하지 않은

채 모란장날인 매달 4일, 9일, 14일, 19일, 24일, 29일에 정기적으로 국수와 순댓국, 생고기, 생선회 등을 판매하는 음식점 영업을 하여온 사실을 인정하였다.

기록에 비추어 살펴보면 원심의 위와 같은 조치는 정당한 것으로 수긍할 수 있고, 거기에 논리와 경험의 법칙을 위반하고 자유심증주의의 한계를 벗어난 위법이 없다.

이 부분 상고이유의 주장은 이유 없다.

2. 법령의 해석·적용에 관한 법리오해의 상고이유에 대하여

　가. 원심은, 그 채택 증거에 의하여 인정되는 판시와 같은 사정, 즉 원고들이 1990년경부터 이 사건 장터에서 토지를 임차하여 앵글과 천막 구조의 가설물을 축조하고 매달 4일, 9일, 14일, 19일, 24일, 29일에 정기적으로 각 해당 점포를 운영하여 왔고, 영업종료 후 가설물과 냉장고 등 주방용품을 철거하거나 이동하지 아니한 채 그곳에 계속 고정하여 사용·관리하여 왔던 점, 원고들은 장날의 전날에는 음식을 준비하고 장날 당일에는 종일 장사를 하며 그 다음날에는 뒷정리를 하는 등 5일 중 3일 정도는 이 사건 영업에 전력을 다하였다고 보이는 점 등에 비추어 볼 때, 비록 원고들이 영업을 5일에 한 번씩 하였고 그 장소도 철거가 용이한 가설물이었다고 하더라도 원고들의 상행위의 지속성, 시설물 등의 고정성을 충분히 인정할 수 있으므로, 원고들은 이 사건 장소에서 인적·물적 시설을 갖추고 계속적으로 영리를 목적으로 영업을 하였다고 봄이 상당하다고 판단하였다.

　　관련 법리와 기록에 비추어 살펴보면 원심의 위와 같은 조치는 정당한 것으로 수긍할 수 있고, 거기에 상고이유로 주장하는 바와 같이 영업손실보상의 대상이 될 수 있는 영업의 계속성과 영업시설의 고정성에 관한 법리를 오해하는 등의 위법이 없다.

　　이 부분 상고이유의 주장도 이유 없다.

　나. 구 공익사업을 위한 토지 등의 취득 및 보상에 관한 법률 시행규칙(2007.4.12.건설교통부령 제556호로 개정되기 전의 것, 이하 '시행규칙'이라 한다) 제47조는 '영업의 휴업 등에 대한 손실의 평가'에 대하여 규정하고 있고, 시행규칙 제52조 제1항 본문은 "사업인정고시일 등전부터 허가 등을 받아야 행할 수 있는 영업을 허가 등이 없이 행하여 온 자가 공익사업의 시행으로 인하여 해당 장소에서 영업을 계속할 수 없게 된 경우에는 제45조 제2호의 규정에 불구하고 제54조 제2항 본문의 규정에 의하여 산정한 금액을 영업 손실에 대한 보상금으로 지급하여야 한다."고 규정하고 있으며, 시행규칙 제52조 제2항은 "제1항 본문의 규정에 의한 보상금은 제47조의 규정에 의하여 평가한 금액을 초과하지 못한다."고 규정하고 있다.

　　원심은, 시행규칙 제54조 제2항에 따라 이 사건 사업인정고시일인 2006.6.26. 당시를 기준으로 계산한 3개월분의 주거이전비 액수가 원심판결 별지 보상액란 기재 각 금원이라고 인정하는 한편 원고들이 5일 중 1일만 영업을 하였으므로 그 보상금 액수도 법령에서 정한 금액의 5분의 1이 되어야 한다는 피고의 주장에 대하여, 그와 같이 감액할 수 있는 법령상 근거가 없다는 이유로 이를 배척하였다.

　　관련 법령의 규정 및 기록에 비추어 살펴보면 원심의 위와 같은 조치는 정당한 것으로 수긍할 수 있고, 거기에 상고이유로 주장하는 바와 같이 시행규칙 제52조 제1항의 해석 및 적용에 관한 법리를 오해하는 등의 위법이 없으며, 원고들과 같은 무신고 영업자가 그 영업의 실제 매출액·영업이익을 객관적 자료에 기초하여 스스로 입증하여야 비로소 3개월간의 주거이전비 보상을 받을 수 있는 것은 아니다. 이 부분 상고이유의 주장도 이유 없다.

베타답안

뭔 (물음 1에 대하여)

I. 논점의 정리

사업시행자 경기도지사는 甲과 乙의 경작지에 대한 공사승인을 받지 않은 채 미나리를 수거한 바, 甲과 乙은 수용재결이전에 이루어진 공사로 인한 손실의 보상을 요구하고 있다. 이하에서는 농업손실보상에 대하 자세히 검토하고 양 당사자 주장의 타당성을 논하고자 한다.

II. 양 당사자 주장의 타당성

1. 농업손실보상의 의의 및 취지

농업손실보상이란 공익사업지구에 편입되는 농지에 대하여 해당 지역의 단위 경작면적당 농작물 수입의 2년분을 보상하는 것이다. 이는 합리적 기대이익의 상실에 대한 보상으로 일실손실 보상의 성격으로서 종전상태의 회복 관점에서 제도의 취지가 인정된다.

2. 농업손실보상의 법적 성질

농업손실보상에 대해 법적 성질이 사권인지 공권인지에 견해 대립이 있다. 농업손실보상은 기본적으로 금전지급인바 사권으로 보는 견해와 공익상 침해에 기인한 공권으로 보는 견해가 대립한다. 최근 대법원 판례는 농업손실보상청구권에 대해 적법한 공권력의 행사에 의한 재산상 특별한 희생으로서 공법상 권리라고 판시한 바 있다. 사업시행자수용권설을 근거로 공권으로 봄이 타당하다.

3. 농업손실보상의 구체적 보상방법

사업구역에 편입되는 농지에 대해 연간 농가평균 단위 경작면적당 농작물 수입의 2년분을 보상대상으로 하고, 실제소득을 입증하여 타당한 경우 실제소득을 기준으로 보상금을 지급하게 된다.

4. 관련규정 검토

토지보상법 제61조에서는 공익사업에 필요한 토지 등의 취득 또는 사용으로 인해 토지소유자 및 관계인이 입은 손실을 사업시행자가 보상하도록 규정하고 있다.

III. 사례의 해결

사안의 경우 사업시행자는 토지소유자 및 관계인의 승낙 없이 공사를 개시하였고 그 공사는 공익사업을 위한 것이므로 해당 과정의 손실을 보상할 의무가 있다. 또한 농업손실보상은 해당 사업으로 인한 기대이익의 상실에 근거한 보상인 점을 들어 사업시행자는 공사의 사전 착공으로 인한 손실을 보상해야 한다고 생각한다.

🔖 (물음 2에 대하여)

I. (물음 2-1)

1. 헌법상 정당보상 원칙의 위반 여부

헌법 제23조 제3항에서는 공공의 필요에 의한 재산권의 침해에 대하여 정당한 보상을 지급하도록 규정하고 있는데, 다수 견해는 상기 규정에 대해 재산권의 객관적 가치를 완전히 보상하는 '완전보상'의 의미로 보고 있다. 〈사안의 경우〉 소득의 상한은 농작물의 실제소득으로 가능한 범위까지의 기준을 정하는 것으로 정당보상의 범위에 해당된다고 생각한다.

2. 비례의 원칙 위반 여부

비례의 원칙이란 달성하고자 하는 목적과 수단사이에 합리적인 비례관계가 있어야 함을 의미한다. 〈사안의 경우〉 농업손실보상의 목적이 해당 사업으로 인한 기대이익의 손실보상인 점을 고려할 때, 기대이익의 합리성을 정하는 기준이(2배 상한) 해당 목적에 벗어난다고 보이지 않는다.

3. 구체적 규범통제 위반 여부

구체적 규범통제란 심사의 대상이 된 행정규칙이나 법규명령이 상위법령의 수권 범위 한계 내에 있는지를 심사하는 것이다. 상기 검토한바 헌법상 정당보상 원칙인 제23조 법률의 범위를 벗어나지 않는 바 위임입법의 한계를 벗어나지 않았다고 생각한다.

II. (물음 2-2)

1. 진정소급입법의 원칙 의의

소급입법에는 새로운 입법을 이미 종료된 사실관계나 법률관계에 적용하도록 하는 〈진정소급입법〉과, 현재 진행 중인 사실관계나 법률관계에 적용하는 〈부진정소급입법〉이 있다. 이 중에서 진정소급입법은 개인의 신뢰보호와 법적 안정성을 위해 허용되지 않음이 원칙이다.

2. 사안의 경우

농업손실보상청구권이 사업인정 고시일이 있었다고 해서 인정되는 것이 아닌 점, 청구권의 성격을 고려했을 때 장래기대이익에 대한 상실 보상인바 보상계약 체결일까지 계속해서 농업을 유지해야 함이 타당한 점을 들어, 사업인정 이후에 상기 시행규칙이 시행되고 그것이 보상계획공고일 이전에 시행이라 하더라도 진정소급입법에 해당하지 않는다고 생각한다.

문 (물음 3에 대하여) 10점

I. 논점의 정리

사안의 사업시행자 丁은 丙이 5일장에서 영업을 정기적으로 해왔음에도 불구하고, 공익사업으로 인한 영업손실보상의 대상에 해당되지 않고 보상금도 1/5만 지급되어야 한다고 주장한다. 이하에서는 관련 규정과 판례 태도를 중심으로 丁주장의 타당성을 검토하고자 한다.

II. 법적 쟁점 검토

1. 영업손실보상의 의의 및 취지

영업손실보상이란 해당 공익사업의 시행으로 인해 불가피하게 휴업 또는 폐업을 해야 하는 경우 장래 기대이익에 대하여 영업이익 및 이전비 등을 보상하는 것을 말한다. 일실손실에 대한 보상의 성격이며 재산권의 존속보장의 관점에서 제도의 취지가 인정된다.

2. 영업손실보상의 요건

영업손실보상은 사업인정고시일 등 이전부터 적법한 장소에서 인적·물적 시설을 갖추고 계속적으로 행하는 영업이어야 하고, 허가 등 요건이 필요한 경우 적법한 허가를 받은 영업임을 요건으로 한다. 〈사안의 경우〉 계속적 영업인지의 여부가 문제된다.

3. 관련 판례의 태도

계속영업인지의 기준에 대하여 판례는 5일장임에도 정기적으로 해당 점포를 운영해 온 점, 해당 장소에 고정적으로 사용·관리해 온 점, 영업을 위하여 5일 중 3일은 영업을 위해 전력을 다한 점을 들어 계속적영업으로 봄이 타당하다고 판단하였다.

4. 사안의 경우

관련 판례의 태도에 따라 사안의 丙은 5일장임에도 장날의 영업을 위해 대부분의 시간을 투자해온 점, 적법한 시설에서 사업인정고시일 등 이전부터 행해온 영업임을 고려할 때 영업손실보상의 대상으로 봄이 타당하다. 또한 영업손실보상의 금액은 법에서 정하는 기준인바 사업시행자의 재량으로 1/5로 감액하는 것은 타당하지 않다고 판단된다.

III. 사례의 해결

사안의 경우 판례의 태도를 근거로 丙의 영업손실보상 요건을 만족하므로 영업손실보상금을 수령할 수 있다고 봄이 타당하고, 법정보상평가주의를 근거로 시행규칙 제47조를 기준으로 산정된 보상금은 임의로 감액할 수 없으므로 보상금을 1/5로 감액하여 지급한다는 주장은 타당하지 않다고 생각된다.

31절
- 토지보상법 제77조(영업의 손실 등에 대한 보상)
- 행정법 쟁점 : 소급입법금지의 원칙

문제

다음은 피수용자(원고)와 사업시행자(피고)의 농업손실보상에 대한 주장이다.

1. 원고인 피수용자의 주장

원고는, 다음의 사정을 들어 피고는 원고에게 영농손실보상금을 지급할 의무가 있다고 주장한다.

① 원고는 (지번 2 생략) 토지 중 658.4㎡, (지번 3 생략) 토지 중 2,880㎡ 합계 3,538.4㎡(이하 '이 사건 토지'라 한다) 지상에 비닐하우스를 설치하고 유기농 채소를 재배하여 영농손실보상 요건을 갖추었음에도 피고는 영업손실보상금 11,072,100원 이외에 영농손실보상금 720,821,617원을 지급하지 아니하였다. 따라서 피고는 원고에게 위 720,821,617원에서 기지급한 영업손실보상금 11,072,100원을 제외한 709,449,517원 및 이에 대한 지연손해금을 지급할 의무가 있다.

② 설령, 원고가 무순과 새싹을 재배하는 (지번 2 생략) 토지 중 361.4㎡(이하 '무순 등 재배 토지'라 한다) 부분이 영농손실보상 대상이 아니더라도, 이 사건 토지 중 나머지 토지에 관하여 원고가 지급받을 수 있는 영농손실보상금은 647,199,378원이므로, 피고는 원고에게 기지급한 영업손실보상금 11,072,100원을 제외한 636,127,278원 및 이에 대한 지연손해금을 지급할 의무가 있다.

③ 이 사건 사업의 사업인정고시일은 2012.12.14.이므로, 구 공익사업을 위한 토지 등의 취득 및 보상에 관한 법률 시행규칙 제48조(2013.4.25. 국토교통부령 제5호로 개정되기 전의 것, 이하 '구 시행규칙'이라 한다) 및 구 농작물실제소득인정기준 제5조(2013.7.5. 국토교통부 고시 제2013-401호로 개정되기 전의 것, 이하 '구 소득기준'이라 한다)가 적용되어야 한다.

④ 설령, 이와 달리 공익사업을 위한 토지 등의 취득 및 보상에 관한 법률 시행규칙 제48조(2013.4.25. 국토교통부령 제5호로 개정된 것, 이하 '신 시행규칙'이라 한다) 및 농작물실제소득기준(2013.7.5. 국토해양부고시 제2013-401호로 개정된 것, 이하 '신 소득기준'이라 한다)이 적용된다고 하더라도, 소득률은 경상남도 '시설채소' 평균소득률인 52.2%를 적용하여야 한다.

2. 피고인 사업시행자의 주장

이에 대하여 피고는, 다음과 같은 이유로 원고 주장은 부당하다고 다툰다.

① 원고는 △△△△이라는 상호로 특작물 도·소매업을 행하였던 자이고, 수용재결 과정에서도 영업손실보상 대상자임을 전제로 감정이 이루어졌으므로, 영농손실보상 대상자가 아니라 영업손실보상 대상자에 불과하다.

② 설령, 원고가 영농손실보상 대상자에 해당한다고 하더라도, 아래와 같이 영농손실보상 금액이 잘못 산정되었다.

㉮ 신 시행규칙 및 신 소득기준(이하 '신 시행규칙 등'이라 한다)의 각 부칙에 따르면, 신 시행규칙 등 시행 이후 보상계획 공고가 이루어진 이 사건에는 신 시행규칙 등에 따라 영농손실보상금을 산정하여야 한다.

㉯ 신 소득기준이 적용될 경우 소득률은 경상남도 '특용약용작물' 평균소득률인 47.1% 를 적용해야 한다.

㉰ 원고 주장의 소득은 원고 소유가 아니지만 원고가 경작한 (지번 6 생략) 등 토지의 매출액도 포함되어 있어 부당하게 산정되었을 수 있다.

③ 실제소득금액 산정특례규정(신 소득기준 제6조)을 적용하면 원고의 영농손실보상금액 은 27,604,050원(2012년 경상남도 특용약용작물 평균소득의 2배)이 되어야 한다(위 사례는 대법원 2020.4.29, 2019두32696 판결 사실관계임).

3. 다음 물음에 답하시오. 40점

(1) 위 사례를 통해 헌법상 정당보상 원칙에 대해 설명하고, 해당 사례가 헌법상 정당보상 원칙에 위배되는지, 비례의 원칙에 위반되는지, 위임입법의 한계를 일탈한 것인지에 대하여 설명하시오. 15점

(2) 위 사례에서 농업손실보상의 법적 성질과 권리구제방법론에 대하여 설명하시오. 10점

(3) 2013.4.25. 국토교통부령 제5호로 개정된 공익사업을 위한 토지 등의 취득 및 보상에 관한 법률 시행규칙 시행일 전에 사업인정고시가 이루어졌으나 위 시행규칙 시행 후 보상계획의 공고·통지가 이루어진 공익사업에 대해서도 영농보상금액의 구체적인 산정방법·기준에 관한 위 시행규칙 제48조 제2항 단서 제1호를 적용하도록 규정한 위 시행규칙 부칙(2013.4.25.) 제4조 제1항이 진정소급입법에 해당하는지 여부에 대하여 설명하시오. 10점

Ⅰ. 논점의 정리
Ⅱ. (물음 1) 정당보상 여부 등
  1. 헌법상 정당보상의 원칙
    (1) 관련 규정의 검토
    (2) 학설의 태도
    (3) 판례의 태도
    (4) 검토
  2. 시행규칙 제48조의 위법성 여부
    (1) 정당보상의 원칙 위배 여부
    (2) 비례의 원칙 위반 여부
    (3) 위임입법의 한계 일탈 여부

Ⅲ. (물음 2) 농업손실보상의 의의 및 법적 성질
  1. 농업손실보상의 의의 및 근거규정
  2. 농업손실보상의 법적 성질
    (1) 학설
    (2) 판례
    (3) 검토
  3. 농업손실보상의 권리구제
    (1) 판례의 태도
    (2) 검토

IV. (물음 3) 부진정소급입법 여부
  1. 부진정소급입법의 의미
    (1) 법률불소급의 원칙
    (2) 진정소급입법과 부진정소급입
      법의 의미

  2. 시행규칙 제48조가 진정소급입법에
    해당하는지 여부
    (1) 관련 판례의 태도
    (2) 사안의 경우
V. 사안의 해결

Ⅰ 논점의 정리

해당 사안은 공익사업을 위한 토지 등의 취득 및 보상에 관한 법률(이하 '토지보상법')에서 농업손실보상에 대한 쟁점이다. 손실보상이란 공공필요에 의한 적법한 공권력의 행사로 가하여진 개인의 특별한 재산권침해에 대하여, 행정주체가 사유재산권보장과 평등부담원칙 및 생존권 보장차원에서 행하는 조절적인 재산권 전보를 말한다. 이는 재산권보장에 대한 예외적인 조치이므로 이에 대한 검토는 국민의 권리보호와 관련하여 중대한 위치를 차지한다. 이하에서 농업손실보상에 대하여 설명한 후, 물음에 답하도록 한다.

Ⅱ (물음 1) 정당보상 여부 등

1. 헌법상 정당보상의 원칙

(1) 관련 규정의 검토

  헌법 제23조 제3항

(2) 학설의 태도

  1) 완전보상설

    손실보상은 피침해재산이 가지는 완전한 가치를 보상해야 한다는 견해이다. 이는 다시 ① 손실보상의 목적을 재산권 보장의 실현에 두고 피침해재산 자체의 손실만을 보상하고 부대적 손실은 포함되지 않는다는 견해와 ② 손실보상의 목적을 평등원칙 실현에 두어 침해에 의해 발생되는 손실의 전부를 보상해야 한다는 견해로 구분된다.

  2) 상당보상설

    손실보상은 재산권의 사회적 구속성과 침해행위의 공공성에 비추어 사회국가원리에 바탕을 둔 기준에 따른 정당한 보상이면 족하다는 견해이다. 이는 다시 ① 당시 사회통념에 비추어 객관적으로 타당하면 완전보상을 하회할 수 있다고 보는 견해, ② 완전보상을 원칙으로 하되 합리적 사유가 있을 시에는 완전보상을 상회하거나 하회할 수 있다고 보는 견해로 나누어진다.

3) 절충설

완전한 보상을 요하는 경우와 상당한 보상으로써 충분한 경우로 나누고 있다. 즉, 작은 재산의 침해나 기존의 재산법질서의 범위 안에서의 개별적인 재산권 침해행위는 완전한 보상을 요하지만, 큰 재산의 침해나 기존의 재산법질서를 구성하는 어떤 재산권에 대한 사회적 평가가 변화되어 그 권리관계의 변혁을 목적으로 행하여지는 재산권 침해행위는 상당한 보상을 하면 된다는 것이다.

(3) 판례의 태도

판례는 정당한 보상이란 원칙적으로 피수용재산의 객관적인 재산가치를 완전하게 보상하여야 한다는 완전보상을 뜻하는 것이라 할 것이나, 투기적인 거래에 의하여 형성되는 가격은 정상적인 객관적 재산가치로는 볼 수 없으므로 이를 배제한다고 하여 완전보상의 원칙에 어긋나는 것은 아니라고 판시한 바 있다.

(4) 검토

정당한 보상이란 평등의 원칙 및 국민의 법감정을 고려할 때 완전보상을 의미한다고 보여지며, 헌법의 법률합치적 해석관점에서 정당한 보상의 범위는 재산권의 가치보장, 부대적 손실보상, 생활보상이라 할 것이다.

2. 시행규칙 제48조의 위법성 여부

(1) 정당보상의 원칙 위배 여부

농업손실보상과 관련된 시행규칙 제48조 등 법률조항은 장래 상실되는 영농이익에 대한 구체적인 보상액 산정을 위하여 실제소득인정기준 등 구체적인 방법을 규정하고 있다. 이는 피수용재산의 객관적인 재산가치를 완전하게 보상하기 위해서 실제 손실액 산정을 판단하기 위한 적정한 기준이라 할 수 있으므로, 사례의 법률 규정이 정당한 보상을 지급하여야 한다고 규정하고 있는 헌법 제23조 제3항에 위배되지 않는다고 판단된다.

(2) 비례의 원칙 위반 여부

1) 비례의 원칙의 의의 및 근거

비례의 원칙이라 과잉조치금지의 원칙이라고도 하는데, 행정작용에 있어서 행정목적과 행정수단 사이에는 합리적인 비례관계가 있어야 한다는 원칙을 말한다. 비례의 원칙은 헌법상의 기본권 보장규정, 법치국가원칙, 헌법 제37조 제2항에 근거를 두고 있다. 이는 적합성의 원칙, 필요성의 원칙, 상당성의 원칙이 단계적 심사구조를 이룬다.

2) 사안의 경우

개정 시행규칙 제48조 제2항 단서 제1호는, 영농보상이 장래의 불확정적인 일실소득을 보상하는 것이자 농민의 생존배려·생계지원을 위한 보상인 점, 실제소득 산정의 어려움 등을 고려하여, 농민이 실농으로 인한 대체생활을 준비하는 기간의 생계를 보장할 수 있는 범위 내에서 실제소득 적용 영농보상금의 '상한'을 설정함으로써 나름대로 합리적인 적정한 보상액의 산정방법을 마련하였다고 볼 수 있으므로 비례의 원칙에 위배되었다고 보기 어렵다.

(3) 위임입법의 한계 일탈 여부

시행규칙 제48조 등 관련 법률조항들은 실질적인 영농손실보상액을 산정하기 위하여 실제소득산정기준을 직접 규정하고, 경제상황 등에 대응하기 위하여 보상액 산정 및 평가방법의 구체적이고 기술적인 부분을 국토교통부령에 위임하고 있으며, 법률에서 규정한 내용 이외에 추가적으로 고려해야 할 세부적인 기준이나 요소에 대한 규율내용만을 하위법령에 위임하여 예측이 가능하다는 점에서 포괄위임입법금지원칙에 위배되지 않는다고 판단된다.

판례

● 대판 2020.4.29, 2019두32696

[판시사항]
2013.4.25. 국토교통부령 제5호로 개정된 공익사업을 위한 토지 등의 취득 및 보상에 관한 법률 시행규칙 제48조 제2항 단서 제1호가 헌법상 정당보상원칙, 비례원칙에 위반되거나 위임입법의 한계를 일탈한 것인지 여부(소극)

[판결요지]
공익사업을 위한 토지 등의 취득 및 보상에 관한 법률 제77조 제4항은 농업손실 보상액의 구체적인 산정 및 평가 방법과 보상기준에 관한 사항을 국토교통부령으로 정하도록 위임하고 있다. 그 위임에 따라 2013.4.25. 국토교통부령 제5호로 개정된 공익사업을 위한 토지 등의 취득 및 보상에 관한 법률 시행규칙(이하 '개정 시행규칙'이라 한다) 제48조 제2항 단서 제1호가 실제소득 적용 영농보상금의 예외로서, 농민이 제출한 입증자료에 따라 산정한 실제소득이 동일 작목별 평균소득의 2배를 초과하는 경우에 해당 작목별 평균생산량의 2배를 판매한 금액을 실제소득으로 간주하도록 규정함으로써 실제소득 적용 영농보상금의 '상한'을 설정하였다.
이와 같은 개정 시행규칙 제48조 제2항 단서 제1호는, 영농보상이 장래의 불확정적인 일실소득을 보상하는 것이자 농민의 생존배려·생계지원을 위한 보상인 점, 실제소득 산정의 어려움 등을 고려하여, 농민이 실농으로 인한 대체생활을 준비하는 기간의 생계를 보장할 수 있는 범위 내에서 실제소득 적용 영농보상금의 '상한'을 설정함으로써 나름대로 합리적인 적정한 보상액의 산정방법을 마련한 것이므로, 헌법상 정당보상원칙, 비례원칙에 위반되거나 위임입법의 한계를 일탈한 것으로는 볼 수 없다.

Ⅲ (물음 2) 농업손실보상의 의의 및 법적 성질

1. 농업손실보상의 의의 및 근거규정

농업손실보상이란 공익사업시행지구에 편입되는 농지에 대하여 해당 지역의 단위 경작면적당 농작물 수입의 2년분을 보상함을 의미한다. 토지보상법 제77조 및 동법 시행규칙 제48조에 근거규정을 두고 있다.

2. 농업손실보상 청구권의 법적 성질

(1) 학설

1) 사권설

손실보상청구권은 원인이 되는 공용침해행위와는 별개의 권리이며 기본적으로 금전지급청구권이므로 사법상의 금전지급청구권과 다르지 않다고 본다.

2) 공권설

공권설은 손실보상청구권은 공권력 행사인 공용침해로 인하여 발생한 권리이며 공익성이 고려되어야 하므로 공권으로 보아야 한다고 본다.

(2) 판례

토지보상법상 농업손실보상청구권은 공익사업의 시행 등 적법한 공권력의 행사에 의한 재산상의 특별한 희생에 대하여 전체적인 공용부담의 견지에서 공익사업의 주체가 그 손해를 보상하여 주는 손실보상의 일종으로 공법상의 권리임이 분명하다고 판시한 바 있다.

(3) 검토

생각건대, 손실보상은 공법상 원인을 이유로 이루어지고, 개정안에서는 손실보상에 관한 소송을 당사자소송으로 하도록 규정하고 있는 점에 비추어 공권으로 봄이 타당하다고 생각한다.

3. 농업손실보상의 권리구제

(1) 판례의 태도

판례는 농업손실보상청구권이 공법상 권리임을 전제로 그에 관한 쟁송은 민사소송이 아닌 행정소송절차에 의하여야 할 것이라고 판시한 바 있다.

> 판례
>
> ● 대판 2011.10.13, 2009다43461
>
> [판시사항]
>
> [1] 구 공익사업을 위한 토지 등의 취득 및 보상에 관한 법률 제77조 제2항에서 정한 농업손실보상청구권에 관한 쟁송은 행정소송절차에 의하여야 하는지 여부(적극) 및 공익사업으로 인하여 농업손실을 입게 된 자가 사업시행자에게서 위 규정에 따른 보상을 받기 위해서는 재결절차를 거쳐야 하는지 여부(적극)
>
> [2] 갑 등이 자신들의 농작물 경작지였던 각 토지가 공익사업을 위하여 수용되었음을 이유로 공익사업 시행자를 상대로 구 공익사업을 위한 토지 등의 취득 및 보상에 관한 법률 제77조 제2항에 의하여 농업손실보상을 청구한 사안에서, 갑 등이 재결절차를 거쳤는지를 전혀 심리하지 아니한 채 농업손실보상금 청구를 민사소송절차에 의하여 처리한 원심판결을 파기한 사례

[판결요지]

[1] 구 공익사업을 위한 토지 등의 취득 및 보상에 관한 법률(2007. 10. 17. 법률 제8665호로 개정되기 전의 것, 이하 '구 공익사업법'이라 한다) 제77조 제2항은 "농업의 손실에 대하여는 농지의 단위면적당 소득 등을 참작하여 보상하여야 한다."고 규정하고, 같은 조 제4항은 " 제1항 내지 제3항의 규정에 의한 보상액의 구체적인 산정 및 평가방법과 보상기준은 건설교통부령으로 정한다."고 규정하고 있으며, 이에 따라 구 공익사업을 위한 토지 등의 취득 및 보상에 관한 법률 시행규칙(2007. 4. 12. 건설교통부령 제556호로 개정되기 전의 것)은 농업의 손실에 대한 보상(제48조), 축산업의 손실에 대한 평가(제49조), 잠업의 손실에 대한 평가(제50조)에 관하여 규정하고 있다. 위 규정들에 따른 농업손실보상청구권은 공익사업의 시행 등 적법한 공권력의 행사에 의한 재산상의 특별한 희생에 대하여 전체적인 공평부담의 견지에서 공익사업의 주체가 그 손해를 보상하여 주는 손실보상의 일종으로 공법상의 권리임이 분명하므로 그에 관한 쟁송은 민사소송이 아닌 행정소송절차에 의하여야 할 것이고, 위 규정들과 구 공익사업법 제26조, 제28조, 제30조, 제34조, 제50조, 제61조, 제83조 내지 제85조의 규정 내용 및 입법 취지 등을 종합하여 보면, 공익사업으로 인하여 농업의 손실을 입게 된 자가 사업시행자로부터 구 공익사업법 제77조 제2항에 따라 농업손실에 대한 보상을 받기 위해서는 구 공익사업법 제34조, 제50조 등에 규정된 재결절차를 거친 다음 그 재결에 대하여 불복이 있는 때에 비로소 구 공익사업법 제83조 내지 제85조에 따라 권리구제를 받을 수 있다.

[2] 갑 등이 자신들의 농작물 경작지였던 각 토지가 공익사업을 위하여 수용되었음을 이유로 공익사업 시행자를 상대로 구 공익사업을 위한 토지 등의 취득 및 보상에 관한 법률(2007. 10. 17. 법률 제8665호로 개정되기 전의 것, 이하 '구 공익사업법'이라 한다) 제77조 제2항에 의하여 위 농작물에 대한 농업손실보상을 청구한 사안에서, 원심으로서는 농업손실보상금 청구가 구 공익사업법 제34조, 제50조 등에 규정된 재결절차를 거쳐 같은 법 제83조 내지 제85조에 따른 당사자소송에 의한 것인지를 심리했어야 함에도, 이를 간과하여 갑 등이 재결절차를 거쳤는지를 전혀 심리하지 아니한 채 농업손실보상금 청구를 민사소송절차에 의하여 처리한 원심판결에는 농업손실보상금 청구의 소송형태에 관한 법리오해의 위법이 있다고 한 사례

(2) 검토

생각건대, 농업손실보상청구권은 공법상 권리에 해당하므로, 이에 대한 쟁송절차 역시 사권에 대한 분쟁을 다루는 민사소송이 아닌 공권에 대한 분쟁을 다루는 행정소송절차에 의하여야 할 것이라고 판단된다. 따라서 판례의 태도가 타당하다고 생각한다.

Ⅳ (물음 3) 부진정소급입법 여부

1. 부진정소급입법의 의의

(1) 법률불소급의 원칙

법은 그 시행 이후에 성립하는 사실에 대하여만 효력을 발하고, 과거의 사실에 대하여는 소급 적용될 수 없다는 원칙을 말한다. 일단 유효하게 취득한 권리나 적법하게 성립한 행위를 사후에 제정된 법으로 침해, 박탈 또는 처벌할 수 있다면, 사회의 안정이 깨어지고 국민생활이 불안하게 되므로 기득권의 존중 또는 법적 안정성을 유지하기 위하여 세워진 법률의 기본원칙이다.

(2) 진정소급입법과 부진정소급입법의 의의

1) 진정소급입법

진정소급입법이라 함은 과거에 이미 종료된 사실 또는 법률관계에 대하여 사후에 그 전과 다른 법적 효과를 발생시키는 입법을 의미한다. 이러한 진정소급입법은 원칙적으로 금지되나 예외적으로 소급이 가능하다.

2) 부진정소급입법

부진정소급입법이라 함은 과거의 일정 시점에 개시되었지만 완결되지 않고 진행과정에 있는 상태의 사실 또는 법률관계와 그 법률적인 효과에 장래적으로 개입하는 입법을 의미한다. 진정소급입법과 달리 원칙적으로는 허용된다.

2. 시행규칙 제48조가 진정소급입법에 해당하는지 여부

(1) 관련 판례의 태도

> **판례**
>
> ● 대판 2020.4.29, 2019두32696
>
> [판시사항]
> 2013.4.25. 국토교통부령 제5호로 개정된 공익사업을 위한 토지 등의 취득 및 보상에 관한 법률 시행규칙 시행일 전에 사업인정고시가 이루어졌으나 위 시행규칙 시행 후 보상계획의 공고·통지가 이루어진 공익사업에 대해서도 영농보상금액의 구체적인 산정방법·기준에 관한 위 시행규칙 제48조 제2항 단서 제1호를 적용하도록 규정한 위 시행규칙 부칙 (2013.4.25.) 제4조 제1항이 진정소급입법에 해당하는지 여부(소극)
>
> [판결요지]
> 사업인정고시일 전부터 해당 토지를 소유하거나 사용권원을 확보하여 적법하게 농업에 종사해 온 농민은 사업인정고시일 이후에도 수용개시일 전날까지는 해당 토지에서 그간 해온 농업을 계속할 수 있다. 그러나 사업인정고시일 이후에 수용개시일 전날까지 농민이 해당 공익사업의 시행과 무관한 어떤 다른 사유로 경작을 중단한 경우에는 손실보상의 대상에서 제외

될 수 있다. 사업인정고시가 이루어졌다는 점만으로 농민이 구체적인 영농보상금 청구권을 확정적으로 취득하였다고는 볼 수 없으며, 보상협의 또는 재결절차를 거쳐 협의 성립 당시 또는 수용재결 당시의 사정을 기준으로 구체적으로 산정되는 것이다. 또한 공익사업을 위한 토지 등의 취득 및 보상에 관한 법률 시행규칙 제48조에 따른 영농보상은 수용개시일 이후 편입농지에서 더 이상 영농을 계속할 수 없게 됨에 따라 발생하는 손실에 대하여 장래의 2년 간 일실소득을 예측하여 보상하는 것이므로, 수용재결 당시를 기준으로도 영농보상은 아직 발생하지 않은 장래의 손실에 대하여 보상하는 것이다. 따라서 공익사업을 위한 토지 등의 취득 및 보상에 관한 법률 시행규칙 부칙(2013.4.25.) 제4조 제1항이 영농보상금액의 구체적인 산정방법·기준에 관한 2013.4.25. 국토교통부령 제5호로 개정된 공익사업을 위한 토지 등의 취득 및 보상에 관한 법률 시행규칙(이하 '개정 시행규칙'이라 한다) 제48조 제2항 단서 제1호를 개정 시행규칙 시행일 전에 사업인정고시가 이루어졌으나 개정 시행규칙 시행 후 보상계획의 공고·통지가 이루어진 공익사업에 대해서도 적용하도록 규정한 것은 진정소급입법에 해당하지 않는다.

(2) 사안의 경우

생각건대, 토지보상법 시행규칙 제48조에 따른 영농보상은 수용개시일 이후 편입농지에서 더 이상 영농을 계속할 수 없게 됨에 따라 발생하는 손실에 대하여 장래의 2년간 일실소득을 예측하여 보상하는 것이므로, 수용재결 당시를 기준으로도 영농보상은 아직 발생하지 않은 장래의 손실에 대하여 보상하는 것이라는 점에서도 진정소급입법에 해당하지 않는다고 보는 판례의 태도가 타당하다 판단된다.

Ⅴ 사안의 해결

1. 농업손실보상은 수용대상인 농지의 경작자 등에 대한 장래에 영농을 계속하지 못하게 되어 발생하는 이익상실 등에 대한 보상을 하기 위한 것이므로 역시 정당보상의 원칙에 따라야 한다.

2. 농업손실보상은 공법상 권리로서 재결절차를 거쳐야 한다.

3. 따라서 해당 내용을 검토한 결과 농업손실보상과 관련한 토지보상법 시행규칙 부칙은 헌법상 정당보상 원칙, 비례의 원칙 및 위임입법의 한계를 일탈하지 않았으며, 만일 이에 대해 불복할 경우에는 농업손실보상청구권의 법적 성질 상 행정소송을 제기해야 할 것으로 판단된다.

4. 토지보상법 시행규칙 부칙 적용으로 인한 부분은 진정소급입법에 해당되지 않고, 현재 보상이 진행되는 과정 속에 적용되는 부진정소급입법에 해당된다고 판단된다.

32절 │ 토지보상법 제77조(영업의 손실 등에 대한 보상)

문제

공익사업을 위한 토지 등의 취득 및 보상에 관한 법률(이하 '토지보상법') 시행규칙 제48조 제1항, 제2항에 의하면 실제소득을 입증하는 경작지에 대하여는 그 면적에 단위경작면적당 3년간 실제소득 평균의 2년분을 곱하여 산정한 금액을 영농손실액으로 보상하도록 하고 있는데, 농지를 소유하고 농사를 짓는 甲은 영위한 콩나물재배업(이하 '시설콩나물'이라고 한다)의 단위경작면적당 실제소득은 농작물실제소득인정기준(2013.7.5. 국토교통부 고시 제2013-401호, 이하 '이 사건 기준'이라 한다) 제4조에서 정한 바에 의하여 증명되므로 甲은 토지보상법 시행규칙 제48조 제2항에 따라 영농손실을 보상받아야 한다고 주장하고 있다. 다음 물음에 답하시오. **30점** (아래 문제는 대법원 2023.8.18. 선고 2022두34913 판결을 기초함)

(1) 대법원 2011.10.13. 선고 2009다43461 판결에 따라 토지보상법 제77조 제2항에서 정한 농업손실보상청구권에 관한 쟁송은 행정소송절차에 의하여야 하는지 여부와 공익사업으로 인하여 농업손실을 입게 된 자가 사업시행자에게서 위 규정에 따른 보상을 받기 위해서는 재결절차를 거쳐야 하는지 여부를 설명하시오. **10점**

(2) 토지보상법 제77조 제2항, 같은 법 시행규칙 제48조 제2항 본문에서 정한 '영농손실보상'의 법적 성격을 설명하고, 같은 법 시행규칙 제48조에서 규정한 영농손실보상은 공익사업시행지구 안에서 수용의 대상인 농지를 이용하여 경작을 하는 자가 그 농지의 수용으로 인하여 장래에 영농을 계속하지 못하게 되어 특별한 희생이 생기는 경우 이를 보상하기 위한 것인지 여부를 설명하시오. **10점**

(3) 토지보상법 시행규칙 제48조 제2항 단서 제2호의 '직접 해당 농지의 지력을 이용하지 아니하고 재배 중인 작물을 이전하여 해당 영농을 계속하는 것이 가능하다고 인정하는 작목 및 재배방식'을 규정한 '농작물실제소득인정기준'(국토교통부고시) 제6조 제3항 [별지 2]에 열거되어 있지 아니한 시설콩나물 재배업에 관하여도 같은 시행규칙 제48조 제2항 단서 제2호를 적용할 수 있는지 여부를 설명하시오. **10점**

Ⅰ. 논점의 정리	Ⅲ. (물음2)에 대하여
Ⅱ. (물음1)에 대하여	1. 농업손실보상의 법적 성질
1. 농업손실보상의 의의 및 근거규정	2. 영농손실보상이 장래에 영농을 계
2. 농업손실보상의 성격	속하지 못하게 되어 특별한 희생이
3. 농업손실보상을 받기 위해서 재결절	생기는 경우 이를 보상하기 위한 것
차를 거쳐야 하는지 여부	인지 여부
(1) 관련 판례의 태도	(1) 특별한 희생의 의미 및 판단
(2) 검토	기준
	(2) 관련 판례의 검토
	(3) 검토

> **Tip** 강박사의 TIP(최근 기출문제)
>
> 1. 농업손실보상의 재결전치주의(제32회 문제1)

Ⅰ   논점의 정리

해당 사안은 공익사업을 위한 토지 등의 취득 및 보상에 관한 법률(이하 '토지보상법')에서 농업손실보상에 대한 쟁점이다. 손실보상이란 공공필요에 의한 적법한 공권력의 행사로 가하여진 개인의 특별한 재산권침해에 대하여, 행정주체가 사유재산권보장과 평등부담원칙 및 생존권 보장차원에서 행하는 조절적인 재산권 전보를 말한다. 이는 재산권보장에 대한 예외적인 조치이므로 이에 대한 검토는 국민의 권리보호와 관련하여 중대한 위치를 차지한다. 이하에서 농업손실보상에 대하여 설명한 후, 물음에 답하도록 한다.

Ⅱ   (물음 1)에 대하여

1. 농업손실보상의 의의 및 근거규정

농업손실보상이란 공익사업시행지구에 편입되는 농지에 대하여 당해 지역의 단위 경작 면적당 농작물 수입의 2년분을 보상함을 의미한다. 토지보상법 제77조 및 동법 시행규칙 제48조에 근거규정을 두고 있다.

2. 농업손실보상의 성격

수용대상인 농지의 경작자 등에 대한 2년분의 영농손실보상은 그 농지의 수용으로 인하여 장래에 영농을 계속하지 못하게 되어 생기는 이익 상실 등에 대한 보상을 하기 위한 것이다. 즉, 농업손실보상은 전업에 소요되는 기간을 고려한 합리적 기대이익의 상실에 대한 보상으로 일실손실의 보상이며, 유기체적인 생활을 종전상태로 회복하는 의미에서 생활보상의 성격도 존재한다.

3. 농업손실보상을 받기 위해서 재결절차를 거쳐야 하는지 여부

(1) 관련 판례의 태도

판례는 농업손실에 대한 보상을 받기 위해서는 구 공익사업법 제34조, 제50조 등에 규정된 재결절차를 거친 다음 그 재결에 대하여 불복이 있는 때에 비로소 구 공익사업법 제83조 내지 제85조에 따라 권리구제를 받을 수 있다고 판시한 바 있다.

> 판례
>
> ● 대판 2011.10.13, 2009다43461
>
> [판시사항]
>
> 구 공익사업을 위한 토지 등의 취득 및 보상에 관한 법률 제77조 제2항에서 정한 농업손실보상청구권에 관한 쟁송은 행정소송절차에 의하여야 하는지 여부(적극) 및 공익사업으로 인하여 농업손실을 입게 된 자가 사업시행자에게서 위 규정에 따른 보상을 받기 위해서는 재결절차를 거쳐야 하는지 여부(적극)
>
> [판결요지]
>
> 구 공익사업을 위한 토지 등의 취득 및 보상에 관한 법률(2007.10.17. 법률 제8665호로 개정되기 전의 것, 이하 '구 공익사업법'이라 한다) 제77조 제2항은 "농업의 손실에 대하여는 농지의 단위면적당소득 등을 참작하여 보상하여야 한다."고 규정하고, 같은 조 제4항은 " 제1항 내지 제3항의 규정에 의한 보상액의 구체적인 산정 및 평가방법과 보상기준은 건설교통부령으로 정한다."고 규정하고 있으며, 이에 따라 구 공익사업을 위한 토지 등의 취득 및 보상에 관한 법률 시행규칙(2007.4.12.건설교통부령 제556호로 개정되기 전의 것)은 농업의 손실에 대한 보상(제48조), 축산업의 손실에 대한 평가(제49조), 잠업의 손실에 대한 평가(제50조)에 관하여 규정하고 있다. 위 규정들에 따른 <u>농업손실보상청구권은 공익사업의 시행 등 적법한 공권력의 행사에 의한 재산상의 특별한 희생에 대하여 전체적인 공평부담의 견지에서 공익사업의 주체가 그 손해를 보상하여 주는 손실보상의 일종으로 공법상의 권리임이 분명하므로 그에 관한 쟁송은 민사소송이 아닌 행정소송절차에 의하여야 할 것이고, 위 규정들과 구 공익사업법 제26조, 제28조, 제30조, 제34조, 제50조, 제61조, 제83조 내지 제85조의 규정 내용 및 입법 취지 등을 종합하여 보면, 공익사업으로 인하여 농업의 손실을 입게 된 자가 사업시행자로부터 구 공익사업법 제77조 제2항에 따라 농업손실에 대한 보상을 받기 위해서는 구 공익사업법 제34조, 제50조 등에 규정된 재결절차를 거친 다음 그 재결에 대하여 불복이 있는 때에 비로소 구 공익사업법 제83조 내지 제85조에 따라 권리구제를 받을 수 있다.</u>

(2) 검토

농업손실보상청구권은 공익사업의 시행 등 적법한 공권력의 행사에 의한 재산상의 특별한 희생에 대하여 전체적인 공평부담의 견지에서 공익사업의 주체가 그 손해를 보상하여 주는 손실보상의 일종으로 공법상의 권리임이 분명하므로 그에 관한 쟁송은 민사소송이 아닌 행정소송절차에 의하여야 할 것이다. 또한, 농업손실에 대한 보상을 받기 위해서는 토지보상법 제34조, 제50조 등에 규정된 재결절차를 거친 다음 그 재결에 대하여 불복이 있는 때에 비로소 토지보상법 제83조 내지 제85조에 따라 권리구제를 받을 수 있을 것으로 판단된다.

Ⅲ (물음 2)에 대하여

1. 농업손실보상의 법적 성질

(1) 학설의 대립

손실보상청구권은 원인이 되는 공용침해행위와는 별개의 권리이며 기본적으로 금전지급청구권이므로 사법상의 금전지급청구권과 다르지 않다고 보는 사권설과 손실보상청구권은 공권력 행사인 공용침해로 인하여 발생한 권리이며 공익성이 고려되어야 하므로 공권으로 보아야 한다는 공권설이 대립한다.

(2) 판례의 태도

농업손실보상청구권은 공익사업의 시행 등 적법한 공권력의 행사에 의한 재산상의 특별한 희생에 대하여 전체적인 공평부담의 견지에서 공익사업의 주체가 그 손해를 보상하여 주는 손실보상의 일종으로 공법상의 권리임이 분명하므로 그에 관한 쟁송은 민사소송이 아닌 행정소송 절차에 의하여야 한다(대판 2011.10.13, 2009다43461).

(3) 검토

손실보상은 공법상 원인을 이유로 이루어지고, 개정안에서는 손실보상에 관한 소송을 당사자소송으로 하도록 규정하고 있는 점에 비추어 공권으로 봄이 타당하다고 생각한다.

2. 영농손실보상이 장래에 영농을 계속하지 못하게 되어 특별한 희생이 생기는 경우 이를 보상하기 위한 것인지 여부

(1) 특별한 희생의 의미 및 판단기준

특별한 희생이란 재산권의 사회적 제약(헌법 제23조 제2항)을 넘어서는 손해를 의미하는데 이에 대한 판단에 있어 학설은 인적 범위의 특정 여부로 판단하는 형식적 기준설과, ① 보호가치설, ② 수인한도설, ③ 목적위배설, ④ 사적효용설 등 침해의 성질과 강도에 따라 판단하는 실질적 기준설이 있다. 한편, 대법원은 개발제한구역 지정을 특별한 희생이 아니라 한 바 있으며, 헌법재판소는 개발제한구역 내 예외적인 경우 ① 종래 목적위배, ② 사적효용이 없는 경우 등에 특별한 희생을 인정한 바 있다.

(2) 관련 판례의 검토

판례는 영농보상 역시 공익사업시행지구 안에서 수용의 대상인 농지를 이용하여 경작을 하는 자가 그 농지의 수용으로 인하여 장래에 영농을 계속하지 못하게 되어 특별한 희생이 생기는 경우 이를 보상하기 위한 것이기 때문에, 재산상의 특별한 희생이 생겼다고 할 수 없는 경우에는 손실보상 또한 있을 수 없고, 영농보상이라고 하여 달리 볼 것은 아니라고 판시한 바 있다.

판례

● 대법원 2023.8.18. 선고 2022두34913 판결

[판시사항]

구 공익사업을 위한 토지 등의 취득 및 보상에 관한 법률 제77조 제2항, 같은 법 시행규칙 제48조 제2항 본문에서 정한 '영농손실보상'의 법적 성격 / 같은 법 시행규칙 제48조에서 규정한 영농손실보상은 공익사업시행지구 안에서 수용의 대상인 농지를 이용하여 경작을 하는 자가 그 농지의 수용으로 인하여 장래에 영농을 계속하지 못하게 되어 특별한 희생이 생기는 경우 이를 보상하기 위한 것인지 여부(적극)

[판결요지]

공공필요에 의한 재산권의 수용·사용 또는 제한 및 그에 대한 보상은 법률로써 하되, 정당한 보상을 지급하여야 한다(헌법 제23조 제3항). 구 공익사업을 위한 토지 등의 취득 및 보상에 관한 법률(2020.6.9. 법률 제17453호로 개정되기 전의 것, 이하 '구 토지보상법'이라고 한다) 제77조 소정의 영업의 손실 등에 대한 보상은 위와 같은 헌법상의 정당한 보상 원칙에 따라 공익사업의 시행 등 적법한 공권력의 행사에 의한 재산상의 특별한 희생에 대하여 사유재산권의 보장과 전체적인 공평부담의 견지에서 행하여지는 조절적인 재산적 보상이다. 특히 구 토지보상법 제77조 제2항, 구 공익사업을 위한 토지 등의 취득 및 보상에 관한 법률 시행규칙(2020.12.11. 국토교통부령 제788호로 개정되기 전의 것, 이하 '구 토지보상법 시행규칙'이라고 한다) 제48조 제2항 본문에서 정한 영농손실보상(이하 '영농보상'이라고 한다)은 편입토지 및 지장물에 관한 손실보상과는 별개로 이루어지는 것으로서, 농작물과 농지의 특수성으로 인하여 같은 시행규칙 제46조에서 정한 폐업보상과 구별해서 농지가 공익사업시행지구에 편입되어 공익사업의 시행으로 더 이상 영농을 계속할 수 없게 됨에 따라 발생하는 손실에 대하여 원칙적으로 같은 시행규칙 제46조에서 정한 폐업보상과 마찬가지로 장래의 2년간 일실소득을 보상함으로써, 농민이 대체 농지를 구입하여 영농을 재개하거나 다른 업종으로 전환하는 것을 보장하기 위한 것이다. 즉, 영농보상은 원칙적으로 농민이 기존 농업을 폐지한 후 새로운 직업 활동을 개시하기까지의 준비기간 동안에 농민의 생계를 지원하는 간접보상이자 생활보상으로서의 성격을 가진다.

영농보상은 그 보상금을 통계소득을 적용하여 산정하든, 아니면 해당 농민의 최근 실제소득을 적용하여 산정하든 간에, 모두 장래의 불확정적인 일실소득을 예측하여 보상하는 것으로, 기존에 형성된 재산의 객관적 가치에 대한 '완전한 보상'과는 그 법적 성질을 달리한다.

결국 구 토지보상법 시행규칙 제48조 소정의 영농보상 역시 공익사업시행지구 안에서 수용의 대상인 농지를 이용하여 경작을 하는 자가 그 농지의 수용으로 인하여 장래에 영농을 계속하지 못하게 되어 특별한 희생이 생기는 경우 이를 보상하기 위한 것이기 때문에, 위와 같은 재산상의 특별한 희생이 생겼다고 할 수 없는 경우에는 손실보상 또한 있을 수 없고, 이는 구 토지보상법 시행규칙 제48조 소정의 영농보상이라고 하여 달리 볼 것은 아니다.

(3) 검토

영농손실보상은 편입토지 및 지장물에 대한 보상과는 별개로 이루어지는 것으로서 공익사업에 편입됨으로 인해 더 이상 영농을 계속 할 수 없게 됨에 따라 발생하는 손실에 대해 장래 2년간 일실소득을 보상하여 농민의 생계를 지원하는 간접보상이자 생활보상의 성격을 가진다. 결국 영농보상 역시 공익사업지구 내에서 농지를 이용하여 경작하는 자가 농지의 수용으로 인해 장래 영농을 계속하지 못하게 되어 특별한 희생이 발생하는 경우에 이를 보상하기 위한 것으로, 재산상의 특별한 희생이 생겼다고 볼 수 없는 경우에는 손실보상이 있을 수 없다고 판단된다.

Ⅳ (물음 3)에 대하여

1. 관련 규정의 검토(토지보상법 시행규칙 제48조 제2항)

> ➲ 토지보상법 시행규칙 제48조(농업의 손실에 대한 보상)
> ① 공익사업시행지구에 편입되는 농지(「농지법」 제2조 제1호 가목 및 같은 법 시행령 제2조 제3항 제2호 가목에 해당하는 토지를 말한다. 이하 이 조와 제65조에서 같다)에 대하여는 그 면적에 「통계법」 제3조 제3호에 따른 통계작성기관이 매년 조사·발표하는 농가경제조사통계의 도별 농업총수입 중 농작물수입을 도별 표본농가현황 중 경지면적으로 나누어 산정한 도별 연간 농가평균 단위경작면적당 농작물총수입(서울특별시·인천광역시는 경기도, 대전광역시는 충청남도, 광주광역시는 전라남도, 대구광역시는 경상북도, 부산광역시·울산광역시는 경상남도의 통계를 각각 적용한다)의 직전 3년간 평균의 2년분을 곱하여 산정한 금액을 영농손실액으로 보상한다.
> ② 국토교통부장관이 농림축산식품부장관과의 협의를 거쳐 관보에 고시하는 농작물실제소득인정기준(이하 "농작물실제소득인정기준"이라 한다)에서 정하는 바에 따라 실제소득을 입증하는 자가 경작하는 편입농지에 대해서는 제1항에도 불구하고 그 면적에 단위경작면적당 3년간 실제소득 평균의 2년분을 곱하여 산정한 금액을 영농손실액으로 보상한다. 다만, 다음 각 호의 어느 하나에 해당하는 경우에는 각 호의 구분에 따라 산정한 금액을 영농손실액으로 보상한다.
> 　1. 단위경작면적당 실제소득이 「통계법」 제3조제3호에 따른 통계작성기관이 매년 조사·발표하는 농축산물소득자료집의 작목별 평균소득의 2배를 초과하는 경우: 해당 작목별 단위경작면적당 평균생산량의 2배(단위경작면적당 실제소득이 현저히 높다고 농작물실제소득인정기준에서 따로 배수를 정하고 있는 경우에는 그에 따른다)를 판매한 금액을 단위경작면적당 실제소득으로 보아 이에 2년분을 곱하여 산정한 금액
> 　2. 농작물실제소득인정기준에서 직접 해당 농지의 지력(地力)을 이용하지 아니하고 재배 중인 작물을 이전하여 해당 영농을 계속하는 것이 가능하다고 인정하는 경우: 단위경작면적당 실제소득(제1호의 요건에 해당하는 경우에는 제1호에 따라 결정된 단위경작면적당 실제소득을 말한다)의 4개월분을 곱하여 산정한 금액
> 〈이하 생략〉

2. 관련 판례의 태도

판례는 ① 시설콩나물 재배시설에서 재배하는 콩나물과 '농작물실제소득인정기준' 제6조 제3항 [별지 2]에서 규정하고 있는 작물인 버섯, 화훼, 육묘는 모두 직접 해당 농지의 지력을 이용하지 않고 재배한다는 점에서 상호 간에 본질적인 차이가 없으며, '용기(트레이)에 재배하는 어린묘'와 그 재배방식이 유사하고 ② 열거된 작목이 아니더라도 객관적이고 합리적으로 '직접 해당 농지의 지력을 이용하지 아니하고 재배 중인 작물을 이전하여 해당 영농을 계속하는 것이 가능'하다고 인정된다면 구 토지보상법 시행규칙 제48조 제2항 단서 제2호에 따라 4개월분의 영농손실보상을 인정할 수 있다고 보는 것이 영농손실보상제도의 취지에 부합하는바 시설콩나물 재배업에 관하여도 구 토지보상법 시행규칙 제48조 제2항 단서 제2호를 적용할 수 있다고 봄이 타당하다고 판시한 바 있다.

> **판례**
>
> ● 대법원 2023.8.18. 선고 2022두34913 판결
>
> **[판시사항]**
> 구 공익사업을 위한 토지 등의 취득 및 보상에 관한 법률 시행규칙 제48조 제2항 단서 제2호의 '직접 해당 농지의 지력을 이용하지 아니하고 재배 중인 작물을 이전하여 해당 영농을 계속하는 것이 가능하다고 인정하는 작목 및 재배방식'을 규정한 '농작물실제소득인정기준'(국토교통부고시) 제6조 제3항 [별지 2]에 열거되어 있지 아니한 시설콩나물 재배업에 관하여도 같은 시행규칙 제48조 제2항 단서 제2호를 적용할 수 있는지 여부(적극)
>
> **[판결요지]**
> 관련 법리와 구 공익사업을 위한 토지 등의 취득 및 보상에 관한 법률 시행규칙(2020.12.11. 국토교통부령 제788호로 개정되기 전의 것, 이하 '구 토지보상법 시행규칙'이라고 한다) 제48조 제2항 단서 제2호의 신설 경과 등에 비추어 보면, 국토교통부장관이 농림축산식품부장관과의 협의를 거쳐 관보에 고시하는 '농작물실제소득인정기준' 제6조 제3항 [별지 2]에 열거된 작목 및 재배방식에 시설콩나물 재배업이 포함되어 있지 않더라도 시설콩나물 재배업에 관하여도 구 토지보상법 시행규칙 제48조 제2항 단서 제2호를 적용할 수 있다고 봄이 타당하다. 그 이유는 다음과 같다.
>
> (가) 관련 법령의 내용, 형식 및 취지 등에 비추어 보면, 공공필요에 의한 수용 등으로 인한 손실의 보상은 정당한 보상이어야 하고, 영농손실에 대한 정당한 보상은 수용되는 '농지의 특성과 영농상황' 등 고유의 사정이 반영되어야 한다.
>
> (나) 농지의 지력을 이용한 재배가 아닌 용기에 식재하여 재배되는 콩나물과 같이 용기를 기후 등 자연적 환경이나 교통 등 사회적 환경 등이 유사한 인근의 대체지로 옮겨 생육에 별다른 지장을 초래함이 없이 계속 재배를 할 수 있는 경우에는, 유사한 조건의 인근대체지를 마련할 수 없는 등으로 장래에 영농을 계속하지 못하게 되는 것과 같은 특단의 사정이 없는 이상 휴업보상에 준하는 보상이 필요한 범위를 넘는 특별한 희생이 생겼다고 할 수 없다.

(다) 시설콩나물 재배시설에서 재배하는 콩나물과 '농작물실제소득인정기준' 제6조 제3항 [별지 2]에서 규정하고 있는 작물인 버섯, 화훼, 육묘는 모두 직접 해당 농지의 지력을 이용하지 않고 재배한다는 점에서 상호 간에 본질적인 차이가 없으며, 특히 '용기(트레이)에 재배하는 어린묘'와 그 재배방식이 유사하다.

(라) 시설콩나물 재배방식의 본질은 재배시설이 설치된 토지가 농지인지 여부, 즉 농지의 특성에 있는 것이 아니라 '고정식온실' 등에서 용기에 재배하고, 특별한 사정이 없는 한 그 재배시설 이전이 어렵지 않다는 점에 있다. 본질적으로 같은 재배방식에 대하여 '고정식온실' 등이 농지에 설치되어 있다는 사정만으로 2년간의 일실소득을 인정하는 것은 정당한 보상 원칙에 부합하지 않는다.

(마) 구 토지보상법 시행규칙 제48조 제2항 단서 제2호가 적용되어 실제소득의 4개월분에 해당하는 농업손실보상을 하는 작물에 관하여 규정한 '농작물실제소득인정기준' 제6조 제3항 [별지 2]는 '직접 해당 농지의 지력을 이용하지 아니하고 재배 중인 작물을 이전하여 해당 영농을 계속하는 것이 가능하다고 인정하는 경우'를 예시한 것으로, 거기에 열거된 작목이 아니더라도 객관적이고 합리적으로 '직접 해당 농지의 지력을 이용하지 아니하고 재배 중인 작물을 이전하여 해당 영농을 계속하는 것이 가능'하다고 인정된다면 구 토지보상법 시행규칙 제48조 제2항 단서 제2호에 따라 4개월분의 영농손실보상을 인정할 수 있다고 보는 것이 영농손실보상제도의 취지에 부합한다.

3. 사안의 경우

손실보상은 정당보상이여야 하고 정당보상은 완전보상이여야 하며, 영농손실에 대한 정당한 보상이 되기 위해서는 수용되는 '농지의 특성과 영농상황' 등 고유의 사정이 반영되어야 한다. 따라서 정당보상이 이루어지기 위해서는 '농작물실제소득인정기준' 제6조 제3항 [별지 2]는 '직접 해당 농지의 지력을 이용하지 아니하고 재배 중인 작물을 이전하여 해당 영농을 계속하는 것이 가능하다고 인정하는 경우'를 예시한 것으로 봄이 타당하며, 열거되어 있지 아니한 시설콩나물 재배업에 관하여도 같은 시행규칙 제48조 제2항 단서 제2호를 적용하는 것이 타당하다고 생각된다.

V 사안의 해결

(물음1) 농업손실보상은 공법상 권리로서 재결절차를 거쳐야 하는 재결전치주의가 타당하다고 생각된다.

(물음2) 영농보상 역시 공익사업지구 내에서 농지를 이용하여 경작하는 자가 농지의 수용으로 인해 장래 영농을 계속하지 못하게 되어 특별한 희생이 발생하는 경우에 이를 보상하기 위한 것으로, 재산상의 특별한 희생이 생겼다고 볼 수 없는 경우에는 손실보상을 하지 않는 것이 타당하다고 판단된다.

(물음3) 영농손실에 대한 정당보상이 되기 위해서는 수용되는 농지의 특성과 영농상황 등을 고려해야 하고, 시설콩나물 재배시설에서 재배하는 콩나물과 '농작물실제소득인정기준' 제6조 제3항 [별지 2]에서 규정하고 있는 작물인 버섯, 화훼, 육묘는 모두 직접 해당 농지의 지력을 이용하지 않고 재배한다는 점에서 상호 간에 본질적인 차이가 없으므로 열거되어 있지 아니한 시설콩나물 재배업에 관하여도 같은 시행규칙 제48조 제2항 단서 제2호를 적용할 수 있다고 봄이 타당하다고 생각된다.

33절 토지보상법 제78조(이주대책의 수립 등)

> 문제

한석봉은 2013.6.30. 서대문세무서장에게 상호를 '태평양농원'으로, 사업장소재지를 '서울 은평구 000동 425-1'로 하여 화훼(관엽, 분화)도매업을 영위하는 내용의 사업자등록을 하였다. 한석봉은 2016.8.24. 사업시행자와 사이에 태평양농원의 손실보상금을 60,015,000원으로 정하여 그 시설 등을 이전 및 철거하는 내용의 지장물 등 이전 및 철거계약을 체결하였고, 이에 따라 그 무렵 태평양농원의 시설 등을 스스로 이전하였다. 그 후 한석봉은 사업시행자에게 이 사건 사업과 관련한 생활대책신청을 하였는데, 사업시행자는 2017.6.7. 원고에 대하여 이 사건 대책에 따라 상가용지 16.5㎡ 이하를 공급받을 수 있는 대상자 중 공급순위 3순위 적격자로 선정되었음을 통보하였다(출처: 서울행정법원 2008.3.19. 선고 2007구합 34422 판결[상가용지공급대상자적격처분취소 등]/대법원 2011.10.13. 선고 2008두17905 판결[상가용지공급대상자적격처분취소등]). 다음 물음에 답하시오. 20점

(1) 사업시행자 스스로 공익사업의 원활한 시행을 위하여 생활대책을 수립·실시할 수 있도록 하는 내부규정을 두고 이에 따라 생활대책대상자 선정기준을 마련하여 생활대책을 수립·실시하는 경우, 생활대책대상자 선정기준에 해당하는 자가 자신을 생활대책대상자에서 제외하거나 선정을 거부한 사업시행자를 상대로 항고소송을 제기할 수 있는지 여부를 설명하시오. 10점

(2) 사업시행자가 사업시행으로 생활근거 등을 상실하는 주민들을 위한 주거대책 및 생활대책을 공고함에 따라 화훼도매업을 하던 한석봉이 사업시행자에게 생활대책신청을 하였으나, 사업시행자가 한석봉은 주거대책 및 생활대책에서 정한 '이주대책 기준일 3개월 이전부터 사업자등록을 하고 영업을 계속한 화훼영업자'에 해당하지 않는다는 이유로 화훼용지 공급대상자에서 제외한 사안에서, 한석봉이 동생 명의를 빌려 사업자등록을 하다가 기준일 이후에 자신 명의로 사업자등록을 마쳤다 한다면 생활대책으로 화훼용지 공급대상자가 되는지 여부를 설명하시오. 10점

Ⅰ. 논점의 정리

Ⅱ. (물음1) 생활대책대상자에서 제외하거나 선정이 거부된 경우 항고소송 가능성
  1. 생활보상에 대한 개관
  2. 관련 규정
  3. 관련 판례
  4. 검토

Ⅲ. (물음2) 생활대책으로 화훼용지 공급대상자가 되는지 여부
  1. 법상 이주대책대상자
  2. 관련 판례
  3. 검토

Ⅳ. 사안의 해결

Ⅰ 논점의 정리

공익사업을 위한 토지 등의 취득 및 보상에 관한 법률(이하 '토지보상법')상 손실보상의 범위는 재산권보장을 넘어서 범위가 넓어져 가고 있고, 생활보상은 그러한 일환의 하나라고 볼 수 있다. 이하에서는 생활보상에 대해 설명하고, (물음1) 생활대책대상자에서 제외하거나 선정을 거부된 경우 항고소송 가능성과 (물음2) 사안에서 한석봉이 동생 명의를 빌려 사업자등록을 하다가 기준일 이후에 자신 명의로 사업자등록을 마친 경우 생활대책으로 화훼용지 공급대상자가 되는지 관련 판례를 통해 검토한다.

Ⅱ (물음1) 생활대책대상자에서 제외하거나 선정이 거부된 경우 항고소송 가능성

1. 생활보상에 대한 개관

(1) 생활보상의 의의 및 유형

생활보상이란 적법한 공권력 행사를 원인으로 하는 재산권의 특별한 희생에 대하여 재산권에 대한 금전보상만으로는 메워지지 않는 생활안정을 위한 보상을 의미한다. 구체적으로는 이농비·이어비보상, 이주대책, 간접보상, 주거대책비보상, 특산물보상, 사례금 등이 있다.

(2) 생활보상의 성격

생활보상은 인간다운 생활을 보장하는 성격을 지니며, 수용이 없었던 것과 같은 경제적 상태뿐만 아니라 생활상태를 재현하는 것이라는 전제에 입각하므로 원상회복적 성격을 갖는다. 생활보상은 피수용자 또는 관계인의 생활안정을 위한 성격은 물론 공익사업을 원활하게 시행하기 위한 목적을 갖는다.

2. 관련 규정

(1) 헌법 제23조 제3항

> ➲ 헌법 제23조
> ① 모든 국민의 재산권은 보장된다. 그 내용과 한계는 법률로 정한다.
> ② 재산권의 행사는 공공복리에 적합하도록 하여야 한다.
> ③ 공공필요에 의한 재산권의 수용·사용 또는 제한 및 그에 대한 보상은 법률로써 하되, 정당한 보상을 지급하여야 한다.

(2) 토지보상법 제78조

> ➲ 토지보상법 제78조(이주대책의 수립 등)
> ① 사업시행자는 공익사업의 시행으로 인하여 주거용 건축물을 제공함에 따라 생활의 근거를 상실하게 되는 자(이하 "이주대책대상자"라 한다)를 위하여 대통령령으로 정하는 바에 따라 이주대책을 수립·실시하거나 이주정착금을 지급하여야 한다.

② 사업시행자는 제1항에 따라 이주대책을 수립하려면 미리 관할 지방자치단체의 장과 협의하여야 한다.

③ 국가나 지방자치단체는 이주대책의 실시에 따른 주택지의 조성 및 주택의 건설에 대하여는 「주택도시기금법」에 따른 주택도시기금을 우선적으로 지원하여야 한다.

④ 이주대책의 내용에는 이주정착지(이주대책의 실시로 건설하는 주택단지를 포함한다)에 대한 도로, 급수시설, 배수시설, 그 밖의 공공시설 등 통상적인 수준의 생활기본시설이 포함되어야 하며, 이에 필요한 비용은 사업시행자가 부담한다. 다만, 행정청이 아닌 사업시행자가 이주대책을 수립·실시하는 경우에 지방자치단체는 비용의 일부를 보조할 수 있다.

〈이하 생략〉

(3) 행정소송법 제2조

> **행정소송법 제2조(정의)**
>
> ① 이 법에서 사용하는 용어의 정의는 다음과 같다.
>
> 1. "처분등"이라 함은 행정청이 행하는 구체적 사실에 관한 법집행으로서의 공권력의 행사 또는 그 거부와 그 밖에 이에 준하는 행정작용(이하 "處分"이라 한다) 및 행정심판에 대한 재결을 말한다.
> 2. "부작위"라 함은 행정청이 당사자의 신청에 대하여 상당한 기간내에 일정한 처분을 하여야 할 법률상 의무가 있음에도 불구하고 이를 하지 아니하는 것을 말한다.
>
> ② 이 법을 적용함에 있어서 행정청에는 법령에 의하여 행정권한의 위임 또는 위탁을 받은 행정기관, 공공단체 및 그 기관 또는 사인이 포함된다.

3. 관련 판례

> **판례**
>
> ● 대판 2015.8.27, 2012두26746
>
> **[판시사항]**
> 공익사업의 시행자가 법정 이주대책대상자를 포함하여 그 밖의 이해관계인에게까지 대상자를 넓혀 이주대책 수립 등을 시행할 수 있는지 여부(적극) / 시혜적으로 시행되는 이주대책 수립 등의 경우, 대상자의 범위나 그들에 대한 이주대책 수립 등의 내용을 어떻게 정할 것인지에 관하여 사업시행자에게 폭넓은 재량이 있는지 여부(적극)
>
> **[이유]**
> 이주대책대상자의 범위를 정하고 이주대책대상자에게 시행할 이주대책 수립 등의 내용에 관하여 구체적으로 규정하고 있으므로, 사업시행자는 이처럼 법이 정한 이주대책대상자를 법령이 예정하고 있는 이주대책 수립 등의 대상에서 임의로 제외하여서는 아니 된다. 그렇지만 그 규정 취지가 사업시행자가 시행하는 이주대책 수립 등의 대상자를 법이 정한 이주대책대상자로

한정하는 것은 아니므로, 사업시행자는 해당 공익사업의 성격, 구체적인 경위나 내용, 그 원만한 시행을 위한 필요 등 제반 사정을 고려하여 법이 정한 이주대책대상자를 포함하여 그 밖의 이해관계인에게까지 넓혀 이주대책 수립 등을 시행할 수 있다고 할 것이다.

그런데 사업시행자가 이와 같이 이주대책 수립 등의 시행 범위를 넓힌 경우에, 그 내용은 법이 정한 이주대책대상자에 관한 것과 그 밖의 이해관계인에 관한 것으로 구분되고, 그 밖의 이해관계인에 관한 이주대책 수립 등은 법적 의무가 없는 시혜적인 것으로 보아야 한다. 그리고 시혜적으로 시행되는 이주대책 수립 등의 경우에 그 대상자(이하 '시혜적인 이주대책대상자'라 한다)의 범위나 그들에 대한 이주대책 수립 등의 내용을 어떻게 정할 것인지에 관하여는 사업시행자에게 폭넓은 재량이 있다고 할 것이다. 따라서 피고가 그 이주대책을 위하여 설정한 기준은 형평에 반하는 등 객관적으로 합리적이지 아니하다고 볼 특별한 사정이 없는 한 존중되어야 한다.

판례

● 대판 2014.2.27, 2013두10885[일반분양이주택지결정무효확인]

[판시사항]
공익사업을 위한 토지 등의 취득 및 보상에 관한 법률상의 공익사업시행자가 하는 이주대책대상자 확인·결정의 법적 성질(=행정처분)과 이에 대한 쟁송방법(=항고소송)

[판결요지]
공익사업을 위한 토지 등의 취득 및 보상에 관한 법률상의 공익사업시행자가 하는 이주대책대상자 확인·결정은 구체적인 이주대책상의 수분양권을 부여하는 요건이 되는 행정작용으로서의 처분이지 이를 단순히 절차상의 필요에 따른 사실행위에 불과한 것으로 평가할 수는 없다. 따라서 수분양권의 취득을 희망하는 이주자가 소정의 절차에 따라 이주대책대상자 선정신청을 한 데 대하여 사업시행자가 이주대책대상자가 아니라고 하여 위 확인·결정 등의 처분을 하지 않고 이를 제외시키거나 거부조치한 경우에는, 이주자로서는 사업시행자를 상대로 항고소송에 의하여 제외처분이나 거부처분의 취소를 구할 수 있다. 나아가 이주대책의 종류가 달라 각 그 보장하는 내용에 차등이 있는 경우 이주자의 희망에도 불구하고 사업시행자가 요건 미달 등을 이유로 그중 더 이익이 되는 내용의 이주대책대상자로 선정하지 않았다면 이 또한 이주자의 권리의무에 직접적 변동을 초래하는 행위로서 항고소송의 대상이 된다.

판례

● 관련 판례(대판 2011.10.13, 2008두17905) [상가용지공급대상자적격처분취소등]

[판시사항]
[1] 사업시행자 스스로 공익사업의 원활한 시행을 위하여 생활대책을 수립·실시할 수 있도록 하는 내부규정을 두고 이에 따라 생활대책대상자 선정기준을 마련하여 생활대책을 수립·실시하는 경우, 생활대책대상자 선정기준에 해당하는 자가 자신을 생활대책대상자에서 제외하거나 선정을 거부한 사업시행자를 상대로 항고소송을 제기할 수 있는지 여부(적극)

[판결요지]
[1] 공익사업을 위한 토지 등의 취득 및 보상에 관한 법률은 제78조 제1항에서 "사업시행자는 공익사업의 시행으로 인하여 주거용 건축물을 제공함에 따라 생활의 근거를 상실하게 되는 자(이하 '이주대책대상자'라 한다)를 위하여 대통령령으로 정하는 바에 따라 이주대책을 수립·실시하거나 이주정착금을 지급하여야 한다."고 규정하고 있을 뿐, 생활대책용지의 공급과 같이 공익사업 시행 이전과 같은 경제수준을 유지할 수 있도록 하는 내용의 생활대책에 관한 분명한 근거 규정을 두고 있지는 않으나, 사업시행자 스스로 공익사업의 원활한 시행을 위하여 필요하다고 인정함으로써 생활대책을 수립·실시할 수 있도록 하는 내부규정을 두고 있고 내부규정에 따라 생활대책대상자 선정기준을 마련하여 생활대책을 수립·실시하는 경우에는, 이러한 생활대책 역시 "공공필요에 의한 재산권의 수용·사용 또는 제한 및 그에 대한 보상은 법률로써 하되, 정당한 보상을 지급하여야 한다."고 규정하고 있는 헌법 제23조 제3항에 따른 정당한 보상에 포함되는 것으로 보아야 한다. 따라서 이러한 생활대책대상자 선정기준에 해당하는 자는 사업시행자에게 생활대책대상자 선정 여부의 확인·결정을 신청할 수 있는 권리를 가지는 것이어서, 만일 사업시행자가 그러한 자를 생활대책대상자에서 제외하거나 선정을 거부하면, 이러한 생활대책대상자 선정기준에 해당하는 자는 사업시행자를 상대로 항고소송을 제기할 수 있다고 보는 것이 타당하다.

4. 검토

헌법 제23조 제3항에서는 "공공필요에 의한 재산권의 수용·사용 또는 제한 및 그에 대한 보상은 법률로써 하되, 정당한 보상을 지급하여야 한다."고 규정하고 있다. 생활대책은 헌법 제23조 제3항의 정당보상에 포함되는 것으로 보아야 하므로 이러한 생활대책대상자 선정기준에 해당하는 자는 사업시행자에게 생활대책대상자 선정 여부의 확인·결정을 신청할 수 있는 권리를 가진다. 만일 사업시행자가 그러한 자를 생활대책대상자에서 제외하거나 선정을 거부하면, 이러한 생활대책대상자 선정기준에 해당하는 자는 사업시행자를 상대로 항고소송을 제기할 수 있다고 봄이 타당하다.

Ⅲ (물음2) 생활대책으로 화훼용지 공급대상자가 되는지 여부

1. 법상 이주대책대상자(법 제78조, 영 제40조)

사업시행자는 공익사업 시행으로 주거용 건축물을 제공함에 따라 생활의 근거를 상실하게 되는 자에게 이주대책을 수립·실시해야 하고, 이주대책대상자는 적법한 주거용 건축물에 거주하는 자로 무허가건축물 소유자가 아닐 것, 관계법령에 따른 고시 등이 있은 날부터 계약체결일 또는 수용재결일까지 계속적으로 거주하고 있을 것, 타인 소유 건축물에 거주하는 세입자가 아닐 것이 요구된다.

2. 관련 판례

> **판례**
>
> ● 관련 판례(대판 2011.10.13, 2008두17905) [상가용지공급대상자적격처분취소등]
>
> [판시사항]
>
> [1] 사업시행자 스스로 공익사업의 원활한 시행을 위하여 생활대책을 수립·실시할 수 있도록
> 내부규정을 두고 이에 따라 생활대책대상자 선정기준을 마련하여 생활대책을 수립·실시
> 하는 경우, 생활대책대상자 선정기준에 해당하는 자가 자신을 생활대책대상자에서 제외하
> 거나 선정을 거부한 사업시행자를 상대로 항고소송을 제기할 수 있는지 여부(적극)
>
> [2] 뉴타운개발 사업시행자가 사업시행으로 생활근거 등을 상실하는 주민들을 위한 주거대책
> 및 생활대책을 공고함에 따라 화훼도매업을 하던 甲이 사업시행자에게 생활대책신청을 하
> 였으나 사업시행자가 이를 거부한 사안에서, 위 거부행위가 행정처분에 해당한다고 본 원
> 심판단을 정당하다고 한 사례
>
> [3] 뉴타운개발 사업시행자가 사업시행으로 생활근거 등을 상실하는 주민들을 위한 주거대책
> 및 생활대책을 공고함에 따라 화훼도매업을 하던 甲이 사업시행자에게 생활대책신청을 하
> 였으나, 사업시행자가 甲은 주거대책 및 생활대책에서 정한 '이주대책 기준일 3개월 이전
> 부터 사업자등록을 하고 영업을 계속한 화훼영업자'에 해당하지 않는다는 이유로 화훼용지
> 공급대상자에서 제외한 사안에서, 甲이 동생 명의를 빌려 사업자등록을 하다가 기준일 이
> 후에 자신 명의로 사업자등록을 마쳤다 하더라도 위 대책에서 정한 화훼용지 공급대상자에
> 해당한다고 본 원심판단을 정당하다고 한 사례
>
> [판결요지]
>
> [1] 공익사업을 위한 토지 등의 취득 및 보상에 관한 법률은 제78조 제1항에서 "사업시행자는
> 공익사업의 시행으로 인하여 주거용 건축물을 제공함에 따라 생활의 근거를 상실하게 되는
> 자(이하 '이주대책대상자'라 한다)를 위하여 대통령령으로 정하는 바에 따라 이주대책을 수
> 립·실시하거나 이주정착금을 지급하여야한다."고 규정하고 있을 뿐, 생활대책용지의 공
> 급과 같이 공익사업 시행 이전과 같은 경제수준을 유지할 수 있도록 하는 내용의 생활대책
> 에 관한 분명한 근거 규정을 두고 있지는 않으나, 사업시행자 스스로 공익사업의 원활한
> 시행을 위하여 필요하다고 인정함으로써 생활대책을 수립·실시할 수 있도록 하는 내부규
> 정을 두고 있고 내부규정에 따라 생활대책대상자 선정기준을 마련하여 생활대책을 수립·
> 실시하는 경우에는, 이러한 생활대책 역시 "공공필요에 의한 재산권의 수용·사용 또는 제
> 한 및 그에 대한 보상은 법률로써 하되, 정당한 보상을 지급하여야 한다."고 규정하고 있는
> 헌법 제23조 제3항에 따른 정당한 보상에 포함되는 것으로 보아야 한다. 따라서 이러한
> 생활대책대상자 선정기준에 해당하는 자는 사업시행자에게 생활대책대상자 선정 여부의
> 확인·결정을 신청할 수 있는 권리를 가지는 것이어서, 만일 사업시행자가 그러한 자를
> 생활대책대상자에서 제외하거나 선정을 거부하면, 이러한 생활대책대상자 선정기준에 해
> 당하는 자는 사업시행자를 상대로 항고소송을 제기할 수 있다고 보는 것이 타당하다.

[2] 뉴타운개발 사업시행자가 사업시행으로 생활근거 등을 상실하는 주민들을 위한 주거대책 및 생활대책을 공고함에 따라 화훼도매업을 하던 갑이 사업시행자에게 생활대책신청을 하였으나, 사업시행자가 갑은 위 주거대책 및 생활대책에서 정한 '이주대책 기준일 3개월 이전부터 사업자등록을 하고 영업을 계속한 화훼영업자'에 해당하지 않는다는 이유로 화훼용지 공급대상자에서 제외한 사안에서, 사업시행자의 거부행위가 행정처분에 해당한다고 본 원심판단을 정당하다고 한 사례

[3] 뉴타운개발 사업시행자가 사업시행으로 생활근거 등을 상실하는 주민들을 위한 주거대책 및 생활대책을 공고함에 따라 화훼도매업을 하던 갑이 사업시행자에게 생활대책신청을 하였으나, 사업시행자가 갑은 위 주거대책 및 생활대책에서 정한 '이주대책기준일 3개월 전부터 사업자등록을 하고 영업을 계속한 화훼영업자'에 해당하지 않는다는 이유로 화훼용지 공급대상자에서 제외한 사안에서, 갑이 이주대책기준일 3개월 이전부터 동생 명의를 빌려 사업자등록을 하고 화원 영업을 하다가 기준일 이후에 비로소 사업자등록 명의만을 자신 명의로 바꾸어 종전과 같은 화원 영업을 계속하였더라도 '기준일 3개월 이전부터 사업자등록을 하고 계속 영업을 한 화훼영업자'에 해당한다고 본 원심판단을 정당하다고 한 사례

3. 검토

사업시행자는 생활대책대상자를 '이주대책 기준일 3개월 이전부터 사업자등록을 하고 영업을 계속한 화훼영업자'로 하고 있다. 그러나 사안의 경우 한석봉이 이주대책기준일 3개월 이전부터 동생 명의를 빌려 사업자등록을 하여 화원 영업을 하였고, 기준일 이후에 명의만을 바꾸어 종전과 같은 화원 영업을 유지하였으므로 '기준일 3개월 이전부터 사업자등록을 하고 계속 영업을 한 화훼영업자'에 해당한다고 본 판례의 태도가 타당하다고 생각한다.

Ⅳ 사안의 해결

생활보상에 대한 개별법률 간 내용이 달라 형평성 문제가 존재한다. 예를 들면 토지보상법상 세입자는 이주대책 대상자에서 제외되는 한편 주한미군기지 이전에 따른 평택시 등 지원 등에 관한 특별법에서는 세입자에게도 이주대책 및 생활대책을 수립하도록 규정하고 있다. 이에 개별법률 간 통일적 규정이 요구된다. 또 대부분 세입자를 이주대책 대상자에서 제외하고 있어 실질적인 경제적 약자에 대한 배려가 미흡한 한계가 있으며, 생활보상의 취지에 맞추어 이주자가 종전 생활상태를 유지할 수 있도록 하기 위해서는 주거대책과 더불어 생활대책이 병행될 필요가 있다고 판단된다.

34절 토지보상법 제78조(이주대책의 수립 등)

문제

생활보상으로 이주대책 주장에 대한 사실관계이다. 아래 물음에 답하시오. **30점**

1. 처분의 경위

(1) 원고는 2000.7.26. 고양시 일산서구 대화동 (이하 생략) 지상의 1층 철골조 창고 99㎡(이하 '이 사건 건물'이라 한다)에 관하여 사용승인을 받았다.

(2) 피고는 한국국제전시장 2단계부지 조성사업(이하 '이 사건 사업'이라 한다)의 시행자로서 2007.8.24. 고양시 고시 제2006 – 77호로 원고 소유의 이 사건 건물이 포함된 지역을 이 사건 사업의 사업구역으로 지정고시하고, 고양시 공고 제2006 – 587호로 보상계획을 공고하였다.

(3) 원고와 피고는 이 사건 사업의 시행에 따라 2006.12.20. 이 사건 건물에 대하여 지장물보상계약을 체결하였고, 원고는 지장물 보상금을 수령하였다.

(4) 원고는 피고에게 이 사건 사업구역 내에 편입된 이 사건 건물의 소유자로서 이주대책 대상자로 선정해 줄 것을 신청하였으나, 피고는 이 사건 건물은 농업용 창고로서 허가된 것이고 주거용 주택으로 건축허가를 받은 사실이 없음에도 원고가 주거용 주택으로 용도변경하여 사용한 것이므로 원고는 이주대책 대상자가 아니며 이주대책이 불가능하다는 요지를 회신하는 이 사건 처분을 하였다.

2. 이 당사자들의 주장

(1) **피수용자 원고의 주장**

원고는 이주대책 기준일 이전인 2000.7.6.경부터 현재까지 이 사건 건물에 가족과 함께 거주하였고, 공익사업을 위한 토지 등의 취득 및 보상에 관한 법률(이하 '공익사업법'이라 한다) 제78조 제1항에서 정한 이주대책대상이 되는 '주거용 건축물'은 공부상의 용도에 관계없이 실제로 주거용으로 사용되는 건축물을 의미하는 것이므로 이 사건 건물은 이주대책대상이 되는 주거용 건축물에 해당한다. 따라서 피고의 이 사건 처분은 위법하다.

(2) **사업시행자 피고의 주장**

이 사건 건물은 농업용 창고로 허가된 것임에도 건축법에 의한 허가나 신고 없이 용도를 변경하여 주거용으로 사용된 것으로, 적법한 주거용 건축물이라 할 수 없으므로 공익사업법 제78조 제1항에서 규정한 이주대책대상이 되는 주거용 건축물이라고 할 수 없다.

또한, 사업시행자는 이주대책 대상자 중에서 구체적인 이주대책을 수립·실시해야 할 자를 선정하는 경우 그에 관한 여러 사정 등을 종합하여 합리적인 범위 내에서 공급주택의 수량 및 대상자 결정 등에 관한 재량을 가진다 할 것이므로, 이 사건 처분이 위법하다고 할 수는 없다.

(출처 : 의정부지방법원 2010.3.16, 2009구합2912 판결[이주대책대상자및이주대책보상등의거부처분취소])(관련 판례 : 대법원 2011.6.10, 2010두26216 판결[이주대책대상자및이주대책보상등의거부처분취소])

(1) 생활보상에 대하여 설명하시오. 10점

(2) 공익사업을 위한 토지 등의 취득 및 보상에 관한 법률(이하 '토지보상법')상 이주대책에 대하여 설명하고, 이주대책 전원합의체 판결에서 토지보상법 제78조 제1항과 토지보상법 제78조 제4항은 어떤 성격을 지닌 것인지 여부를 설명하시오. 10점

(3) 위 사례를 통해 토지보상법령상 피수용자는 주거용 용도(단독주택 또는 공동주택)가 아닌 창고시설(농업용)로 건축허가를 받아 건물을 신축하여 건축물대장에도 창고시설(농업용)로 등재한 후, 공부상 주거용이 아닌 건물을 적법절차에 의하지 않고 임의로 주거용으로 용도를 변경하여 소유·사용한 자이므로 이주대책 여부를 법령과 판례에 따라 검토하시오. 10점

Ⅰ. 논점의 정리

Ⅱ. (물음 1) 생활보상에 대한 개관
  1. 생활보상의 의의 및 유형
  2. 생활보상의 성격
  3. 생활보상의 법적 근거
  4. 생활보상의 한계

Ⅲ. (물음 2) 토지보상법 제78조 제1항과 제4항의 강행규정 여부
  1. 토지보상법상 이주대책
    (1) 이주대책의 의의 및 취지
    (2) 이주대책의 수립 및 대상자 요건

  (3) 이주대책의 절차
  (4) 이주대책의 내용
  2. 제78조 제4항의 강행규정 여부
    (1) 관련 판례의 태도
    (2) 검토

Ⅳ. (물음 3) 무허가건축물 등의 이주대책 여부
  1. 무허가건축물 등의 의의
  2. 관련 규정의 검토
  3. 관련 판례의 태도
  4. 검토

Ⅴ. 사안의 해결

I 논점의 정리

손실보상의 범위는 재산권보장을 넘어서 범위가 넓어져 가고 있고, 생활보상은 그러한 일환의 하나라고 볼 수 있다. 이하에서는 생활보상 및 생활보상의 유형으로 이주대책에 대하여 설명한 뒤, 이주대책의 내용을 규정하고 있는 공익사업을 위한 토지 등의 취득 및 보상에 관한 법률(이하 '토지보상법') 제1항 및 동법 제78조 제4항의 강행규정 여부에 대하여 검토한다. 또한 사안과 관련하여 임의로 용도를 변경한 건축물의 소유자가 이주대책 대상자가 될 수 있는지에 대하여도 검토하고자 한다.

II (물음 1) 생활보상에 대한 개관

1. 생활보상의 의의 및 유형

생활보상이란 적법한 공권력 행사를 원인으로 하는 재산권의 특별한 희생에 대하여 재산권에 대한 금전보상만으로는 메워지지 않는 생활안정을 위한 보상을 의미한다. 구체적으로는 이농비·이어비보상, 이주대책, 간접보상, 주거대책비보상, 특산물보상, 사례금 등이 있다.

2. 생활보상의 성격

생활보상은 인간다운 생활을 보장하는 성격을 지니며, 수용이 없었던 것과 같은 경제적 상태뿐만 아니라 생활상태를 재현하는 것이라는 전제에 입각하므로 원상회복적 성격을 갖는다. 생활보상은 피수용자 또는 관계인의 생활안정을 위한 성격은 물론 공익사업을 원활하게 시행하기 위한 목적을 갖는다.

3. 생활보상의 법적 근거

(1) 헌법상 근거

1) 학설

정당보상설(헌법 제23조 제3항)은 생활보상도 정당보상에 포함되는 것으로 보는 견해이며, 생존권설(헌법 제34조)은 인간다운 생활을 할 권리를 규정하고 있는 헌법 제34조에 근거한다는 입장이다. 한편 통일설(헌법 제23조 및 제34조 결합설)은 생활보상을 정당보상에 포함되는 것으로 보면서도 생활보상이 경제적 약자에 대한 생존배려의 관점에서 행해지는 것이므로 헌법 제23조와 제34조에 동시에 근거하는 것으로 본다.

2) 대법원 및 헌법재판소의 입장

① 대법원은 이주대책이 헌법 제23조 재산권 조항과 헌법 제34조 인간다운 생활을 할 권리의 복합적 성격을 갖는 것이라고 보며, ② 헌법재판소는 헌법 제23조 제3항을 생활보상의 헌법적 근거로 보지 않고, 헌법 제34조 제1항을 그 근거로 보는 것으로 보여진다.

3) 검토

정당보상은 재산권 보상뿐만 아니라 생활보상까지 포함하는 것으로 전환되고 있다는 점과 생활보상이 정당보상의 범주를 넘어서서 행해지는 경우가 있다는 점에서 사회보장의 성격을 가지므로 통일설이 타당하다고 판단된다.

(2) 토지보상법상 근거

토지보상법 제78조에서 주거용건축물에 대한 이주대책으로 생활보상을 볼 수 있고, 동법 제78조의2에서 공장부지 제공자에 대한 이주대책으로 생활보상을 볼 수 있으며, 동법 시행규칙 제54조에서 주거이전비 보상을 통해 인간다운 생활을 보장하고, 정책적 배려로서 생활보상의 모습을 찾아볼 수 있다.

4. 생활보상의 한계

생활보상에 대한 개별법률 간 내용이 달라 형평성 문제가 존재한다. 예를 들면 토지보상법상 세입자는 이주대책 대상자에서 제외되는 한편 주한미군기지 이전에 따른 평택시 등 지원 등에 관한 특별법에서는 세입자에게도 이주대책 및 생활대책을 수립하도록 규정하고 있다. 이에 개별법률 간 통일적 규정이 요구된다. 또 대부분 세입자를 이주대책 대상자에서 제외하고 있어 실질적인 경제적 약자에 대한 배려가 미흡한 한계가 있으며, 생활보상의 취지에 맞추어 이주자가 종전 생활 상태를 유지할 수 있도록 하기 위해서는 주거대책과 더불어 생활대책이 병행될 필요가 있다고 판단된다.

Ⅲ (물음 2) 토지보상법 제78조 제1항과 제4항의 강행규정 여부

1. 토지보상법상 이주대책

(1) 이주대책의 의의 및 취지

토지보상법상 이주대책이란 공익사업의 시행으로 인하여 주거용 건축물을 제공함에 따라 생활의 근거를 상실하게 되는 자에 대하여 사업시행자가 대지를 조성하거나 주택을 건설하여 공급하는 것을 말한다. 대법원 다수의견을 생활보상의 일환으로 국가의 적극적이고 정책적인 배려에 의하여 마련된 제도로 보지만, 소수의견은 생활보상의 일환으로 마련된 제도로서 헌법 제23조 제3항이 규정하는 손실보상의 한 형태로 보아야 한다고 한다.

> **판례**
>
> ● 대판 2016.9.28, 2016다20244[부당이득금반환]
>
> [판시사항]
> 공익사업의 시행자가 이주대책대상자들과 체결한 아파트 특별공급계약에서 구 공익사업을 위한 토지 등의 취득 및 보상에 관한 법률 제78조 제4항에 위배하여 생활기본시설 설치비용

을 분양대금에 포함시킨 경우, 이주대책대상자들이 사업시행자에게 이미 지급하였던 분양대금 중 그 부분에 해당하는 금액의 반환을 구하는 부당이득반환청구권의 소멸시효기간 (=10년)

[판결요지]

구 공익사업을 위한 토지 등의 취득 및 보상에 관한 법률(2007.10.17. 법률 제8665호로 개정되기 전의 것, 이하 '구 공익사업법'이라 한다)은 공익사업에 필요한 토지 등을 협의 또는 수용에 의하여 취득하거나 사용함에 따른 손실의 보상에 관한 사항을 규정함으로써 공익사업의 효율적인 수행을 통하여 공공복리의 증진과 재산권의 적정한 보호를 도모함을 목적으로 하고 있고, 위 법에 의한 이주대책은 공익사업의 시행에 필요한 토지 등을 제공함으로 인하여 생활의 근거를 상실하게 되는 이주대책대상자들에게 종전의 생활상태를 원상으로 회복시키면서 동시에 인간다운 생활을 보장하여 주기 위하여 마련된 제도인 점에 비추어, 이주대책의 일환으로 이주대책대상자들에게 아파트를 특별공급하기로 하는 내용의 분양계약은 영리를 목적으로 하는 상행위라고 단정하기 어려울 뿐만 아니라, 사업시행자가 아파트에 관한 특별공급계약에서 강행규정인 구 공익사업법 제78조 제4항에 위배하여 생활기본시설 설치비용을 분양대금에 포함시킴으로써 특별공급계약 중 그 부분이 무효가 되었음을 이유로 이주대책대상자들이 민법의 규정에 따라 사업시행자에게 이미 지급하였던 분양대금 중 그 부분에 해당하는 금액의 반환을 구하는 부당이득반환청구의 경우에도 상거래 관계와 같은 정도로 거래관계를 신속하게 해결할 필요성이 있다고 볼 수 없으므로 위 부당이득반환청구권에는 상법 제64조가 적용되지 아니하고, 소멸시효기간은 민법 제162조 제1항에 따라 10년으로 보아야 한다.

(2) 이주대책의 수립 및 대상자 요건

1) 이주대책의 수립 요건

토지보상법 제78조(이주대책의 수립 등), 동법 시행규칙 제53조(이주정착금 등)

2) 이주대책의 대상자 요건

① 주거용 건축물을 제공하는 경우

허가를 받거나 신고를 하고 건축 또는 용도변경을 하여야 하는 주거용 건축물일 것, 1989.1.24 이전 무허가 및 무신고 주거용 건축물일 것, 해당 건축물의 소유자일 것, 해당 건축물에 공익사업을 위한 관계법령에 의한 고시 등이 있은 날부터 계약체결일 또는 수용재결일까지 계속하여 거주하고 있는 자일 것, 다만 질병으로 인한 요양, 징집으로 인한 입영, 공무, 취학, 해당 공익사업지구 내 타인이 소유하고 있는 건축물에의 거주, 그 밖에 이에 준하는 부득이한 사유로 인하여 거주하지 아니한 경우에는 그러하지 아니한다고 규정하고 있다.

② 공장부지 제공자의 경우

사업시행자는 토지보상법령상으로 정하는 공익사업의 시행으로 인하여 공장부지가 협의 양도되거나 수용됨에 따라 더 이상 해당 지역에서 공장을 가동할 수 없게 된 자가 희망하는 경우 '산업입지 및 개발에 관한 법률'에 따라 지정, 개발된 인근 산업단지에의 입주 등 대통령령으로 정하는 이주대책에 관한 계획을 수립하여야 한다.

판례

● 대판 2009.2.26, 2007두13340[이주대책대상자제외처분취소]

[판시사항]

[1] 공익사업을 위한 토지 등의 취득 및 보상에 관한 법률 시행령 제40조 제3항 제2호의 '공익사업을 위한 관계 법령에 의한 고시 등이 있은 날' 당시 주거용 건물이 아니었던 건물이 그 후 주거용으로 용도 변경된 경우, 이주대책대상이 되는 주거용 건축물인지 여부(소극)

[2] 공익사업을 위한 토지 등의 취득 및 보상에 관한 법률 시행령 제40조 제3항 제2호의 '공익사업을 위한 관계 법령에 의한 고시 등이 있은 날에 주민 등에 대한 공람공고일도 포함되는지 여부(한정 적극)

[3] 군인아파트의 관리실 용도로 신축되어 택지개발예정지구지정 공람공고일 당시까지도 관리실로 사용하다가 그 후에 주거용으로 개조한 건물은 이주대책대상이 되는 주거용 건축물에 해당하지 않는다고 한 사례

[판결요지]

[1] 공익사업을 위한 토지 등의 취득 및 보상에 관한 법률 제78조 제1항, 공익사업을 위한 토지 등의 취득 및 보상에 관한 법률 시행령 제40조 제3항 제2호 규정의 문언, 내용 및 입법 취지 등을 종합하여 보면, 위 법 제78조 제1항에 정한 이주대책의 대상이 되는 주거용 건축물이란 위 시행령 제40조 제3항 제2호의 '공익사업을 위한 관계 법령에 의한 고시 등이 있은 날' 당시 건축물의 용도가 주거용인 건물을 의미한다고 해석되므로, 그 당시 주거용 건물이 아니었던 건물이 그 이후에 주거용으로 용도 변경된 경우에는 건축허가를 받았는지 여부에 상관없이 수용재결 내지 협의계약 체결 당시 주거용으로 사용된 건물이라 할지라도 이주대책대상이 되는 주거용 건축물이 될 수 없다.

[2] 이주대책기준일이 되는 공익사업을 위한 토지 등의 취득 및 보상에 관한 법률 시행령 제40조 제3항 제2호의 '공익사업을 위한 관계 법령에 의한 고시 등이 있은 날'에는 토지수용 절차에 공익사업을 위한 토지 등의 취득 및 보상에 관한 법률을 준용하도록 한 관계 법률에서 사업인정의 고시 외에 주민 등에 대한 공람공고를 예정하고 있는 경우에는 사업인정의 고시일뿐만 아니라 공람공고일도 포함될 수 있다.

[3] 군인아파트의 관리실 용도로 신축되어 택지개발예정지구지정 공람공고일 당시까지도 관리실로 사용하다가 그 후에 주거용으로 개조한 건물은 이주대책대상이 되는 주거용 건축물에 해당하지 않는다고 한 사례

> **판례**

● 대판 1999.8.20, 98두17043[단독주택용지공급거부처분취소]

[판시사항]

[1] 사업시행자가 공공용지의 취득 및 손실보상에 관한 특례법 제8조 제1항에 기한 특별분양 신청을 거부한 행위가 항고소송의 대상이 되는 행정처분인지 여부(적극)

[2] 공공용지의 취득 및 손실보상에 관한 특례법 제8조 제1항 소정의 이주대책업무가 종결되 고 그 공공사업을 완료하여 사업지구 내에 더 이상 분양할 이주대책용 단독택지가 없는 경우에도 이주대책대상자 선정신청을 거부한 행정처분의 취소를 구할 법률상 이익이 있 는지 여부(적극)

[3] 취소소송에서 행정청의 처분사유의 추가·변경 시한(=사실심 변론종결 시)

[4] 공공용지의 취득 및 손실보상에 관한 특례법 소정의 이주대책 대상자로서의 가옥 소유자 는 실질적인 처분권을 가진 자를 의미하는지 여부(적극)

[판결요지]

[1] 공공용지의 취득 및 손실보상에 관한 특례법 제8조 제1항이 사업시행자로 하여금 공공 사업의 시행에 필요한 토지 등을 제공함으로 인하여 생활근거를 상실하게 되는 자에게 이주대책을 수립 실시하도록 하고 있는바, <u>택지개발촉진법에 따른 사업시행을 위하여 토 지 등을 제공한 자에 대한 이주대책을 세우는 경우 위 이주대책은 공공사업에 협력한 자에게 특별공급의 기회를 요구할 수 있는 법적인 이익을 부여하고 있는 것이라고 할 것이므로 그들에게는 특별공급신청권이 인정되며, 따라서 사업시행자가 위 조항에 해당 함을 이유로 특별분양을 요구하는 자에게 이를 거부하는 행위는 비록 이를 민원회신이라 는 형식을 통하여 하였더라도, 항고소송의 대상이 되는 거부처분이라고 할 것이다.</u>

[2] 공공용지의 취득 및 손실보상에 관한 특례법 제8조 제1항에 의하면 사업시행자는 이주 대책의 수립, 실시의무가 있고, 그 의무이행에 따른 이주대책계획을 수립하여 공고하였 다면, 이주대책대상자라고 하면서 선정신청을 한 자에 대해 대상자가 아니라는 이유로 거부한 행정처분에 대하여 그 취소를 구하는 것은 이주대책대상자라는 확인을 받는 의미 도 함께 있는 것이며, 사업시행자가 하는 확인, 결정은 이주대책상의 택지분양권이나 아 파트 입주권 등을 받을 수 있는 구체적인 권리를 취득하기 위한 요건에 해당하므로 현실 적으로 이미 수립, 실시한 이주대책업무가 종결되었고, 그 사업을 완료하여 이 사건 사 업지구 내에 더 이상 분양할 이주대책용 단독택지가 없다 하더라도 보상금청구권 등의 권리를 확정하는 법률상의 이익은 여전히 남아 있는 것이므로 그러한 사정만으로 이 거 부처분의 취소를 구할 법률상 이익이 없다고 할 것은 아니다.

[3] 행정청은 기본적 사실관계의 동일성이 있다고 인정되는 한도 내에서만 다른 처분사유를 추가, 변경할 수 있다고 할 것이나 <u>이는 사실심 변론종결 시까지만 허용된다.</u>

[4] <u>공공용지의 취득 및 손실보상에 관한 특례법 제5조 제1항, 제5항 및 제8조 제1항의 각 규정 취지에 비추어 가옥 소유자는 대외적인 소유권을 가진 자를 의미하는 것이 아니라 실질적인 처분권을 가진 자를 의미하는 것으로 봄이 상당하고, 또한 건물등기부등본 이 외의 다른 신빙성 있는 자료에 의하여 그와 같은 실질적인 처분권이 있음의 입증을 배제 하는 것도 아니라고 할 것이다.</u>

판례

● 대판 2019.7.25, 2017다278668 판결[부당이득금]

[판시사항]

[1] 구 공익사업을 위한 토지 등의 취득 및 보상에 관한 법률 제78조 제1항에서 정한 이주대책대상자에 해당하기 위해서는 같은 법 제4조 각 호의 어느 하나에 해당하는 공익사업의 시행으로 인하여 주거용 건축물을 제공함에 따라 생활의 근거를 상실하게 되어야 하는지 여부(적극)

[2] 갑 지방자치단체가 시범아파트를 철거한 부지를 기존의 근린공원에 추가로 편입시키는 내용의 '근린공원 조성사업'을 추진함에 따라 도시계획시설사업의 실시계획이 인가·고시되었고, 을 등이 소유한 각 시범아파트 호실이 수용대상으로 정해지자 갑 지방자치단체가 을 등과 공공용지 협의취득계약을 체결하여 해당 호실에 관한 소유권을 취득한 사안에서, '근린공원 조성사업'이 구 공익사업을 위한 토지 등의 취득 및 보상에 관한 법률 제4조 제7호의 공익사업에 포함된다고 볼 여지가 많은데도, 이와 달리 본 원심판단에 법리오해 등의 잘못이 있다고 한 사례

[판결요지]

[1] 구 공익사업을 위한 토지 등의 취득 및 보상에 관한 법률(2007.10.17. 법률 제8665호로 개정되기 전의 것, 이하 '구 토지보상법'이라 한다) 제78조 제1항은 "사업시행자는 공익사업의 시행으로 인하여 주거용 건축물을 제공함에 따라 생활의 근거를 상실하게 되는 자(이하 '이주대책대상자'라 한다)를 위하여 대통령령이 정하는 바에 따라 이주대책을 수립·실시하거나 이주정착금을 지급하여야 한다."라고 규정하고, 같은 조 제4항 본문은 "이주대책의 내용에는 이주정착지에 대한 도로·급수시설·배수시설 그 밖의 공공시설 등 당해 지역조건에 따른 생활기본시설이 포함되어야 하며, 이에 필요한 비용은 사업시행자의 부담으로 한다."라고 규정하고 있다. 그리고 구 토지보상법 제2조 제2호는 "공익사업이라 함은 제4조 각 호의 1에 해당하는 사업을 말한다."라고 정의하고 있고, 제4조는 제1호 내지 제6호에서 국방·군사에 관한 사업 등 구체적인 공익사업의 종류나 내용을 열거한 다음, 제7호에서 "그 밖에 다른 법률에 의하여 토지 등을 수용 또는 사용할 수 있는 사업"이라고 규정하고 있다. 위와 같은 각 규정의 내용을 종합하면, 이주대책대상자에 해당하기 위해서는 구 토지보상법 제4조 각 호의 어느 하나에 해당하는 공익사업의 시행으로 인하여 주거용 건축물을 제공함에 따라 생활의 근거를 상실하게 되어야 한다.

[2] 갑 지방자치단체가 시범아파트를 철거한 부지를 기존의 근린공원에 추가로 편입시키는 내용의 '근린공원 조성사업'을 추진함에 따라 도시계획시설사업의 실시계획이 인가·고시되었고, 을 등이 소유한 각 시범아파트 호실이 수용대상으로 정해지자 갑 지방자치단체가 을 등과 공공용지 협의취득계약을 체결하여 해당 호실에 관한 소유권을 취득한 사안에서, 도시계획시설사업 실시계획의 인가에 따른 고시가 있으면 도시계획시설사업의 시행자는 사업에 필요한 토지 등을 수용 및 사용할 수 있게 되고, 을 등이 각 아파트 호실을 제공한 계기가 된 '근린공원 조성사업' 역시 구 국토의 계획 및 이용에 관한 법률(2007.1.26. 법률 제8283호로 개정되기 전의 것)에 따라 사업시행자에게 수용권한이 부여

된 도시계획시설사업으로 추진되었으므로, 이는 적어도 구 공익사업을 위한 토지 등의 취득 및 보상에 관한 법률(2007.10.17. 법률 제8665호로 개정되기 전의 것) 제4조 제7호의 공익사업, 즉 '그 밖에 다른 법률에 의하여 토지 등을 수용 또는 사용할 수 있는 사업'에 포함된다고 볼 여지가 많은데도, 이와 달리 본 원심판단에 법리오해 등의 잘못이 있다고 한 사례

(3) 이주대책의 절차

사업시행자가 이주대책계획을 수립하려면 미리 관할 지방자치단체장과 협의를 해야 하며, 이주대책대상자 들에게 관련된 사항을 통지하여야 한다. 통지받은 이주대책 대상자가 분양신청을 하면 사업시행자가 분양여부에 대한 확인 및 결정을 거쳐 대상자에게 분양을 실시하는 절차를 거친다.

(4) 이주대책의 내용

이주정착지에 대한 도로, 급수 및 배수시설, 그 밖의 공공시설 등 통상적인 수준의 생활기본시설이 포함되어야 한다. 이때, 필요한 비용은 사업시행자가 부담하되 행정청이 아닌 사업시행자가 수립 및 실시하는 경우에는 지방자치단체가 비용의 일부를 보조할 수 있다. 판례는 사업시행자가 이주대책기준을 정하여 대책을 수립, 실시해야 할 자를 선정하여 그들에게 공급할 택지나 주택의 내용이나 수량을 정할 수 있고 이를 정하는데 재량을 가진다고 판시한 바 있다.

판례

● 대판 2009.3.12, 2008두12610[입주권확인]

[판시사항]

[1] 도시개발사업의 사업시행자가 이주대책기준을 정하여 이주대책대상자 가운데 이주대책을 수립·실시하여야 할 자를 선정하여 그들에게 공급할 택지 등을 정하는 데 재량을 가지는지 여부(적극)

[2] 도시개발사업의 사업시행자가 보상계획공고일을 기준으로 이주대책대상자를 정한 후, 협의계약 체결일 또는 수용재결일까지 당해 주택에 계속 거주하였는지 여부 등을 고려하여 이주대책을 수립·실시하여야 할 자를 선정하여 그들에게 공급할 아파트의 종류, 면적을 정한 이주대책기준을 근거로 한 입주권 공급대상자 결정처분에 재량권을 일탈·남용한 위법이 없다고 한 사례

[판결요지]

[1] 구 도시개발법(2007.4.11.법률 제8376호로 개정되기 전의 것) 제23조, 공익사업을 위한 토지 등의 취득 및 보상에 관한 법률 제78조 제1항, 같은 법 시행령 제40조 제3항 제2호의 문언, 내용 및 입법 취지 등을 종합하여 보면, 위 시행령 제40조 제3항 제2호에서 말하

는 '공익사업을 위한 관계 법령에 의한 고시 등이 있은 날'은 이주대책대상자와 아닌 자를 정하는 기준이지만, 나아가 사업시행자가 이주대책대상자 중에서 이주대책을 수립·실시하여야 할 자와 이주정착금을 지급하여야 할 자를 정하는 기준이 되는 것은 아니므로, 사업시행자는 이주대책기준을 정하여 이주대책대상자 중에서 이주대책을 수립·실시하여야 할 자를 선정하여 그들에게 공급할 택지 또는 주택의 내용이나 수량을 정할 수 있고, 이를 정하는 데 재량을 가지므로, 이를 위해 사업시행자가 설정한 기준은 그것이 객관적으로 합리적이 아니라거나 타당하지 않다고 볼 만한 다른 특별한 사정이 없는 한 존중되어야 한다.

[2] 도시개발사업의 사업시행자가 보상계획공고일을 기준으로 이주대책대상자를 정한 후, 협의계약 체결일 또는 수용재결일까지 당해 주택에 계속 거주하였는지 여부 등을 고려하여 이주대책을 수립·실시하여야 할 자를 선정하여 그들에게 공급할 아파트의 종류, 면적을 정한 이주대책기준을 근거로 한 입주권 공급대상자 결정처분에 재량권을 일탈·남용한 위법이 없다고 한 사례

2. 제78조 제4항의 강행규정 여부

(1) 관련 판례의 태도

> **판례**
>
> ● 대판 2019.3.28, 2015다49804[부당이득금]
>
> **[판시사항]**
>
> [1] 공익사업의 시행자가 이주대책대상자와 체결한 택지에 관한 특별공급계약에서 구 공익사업을 위한 토지 등의 취득 및 보상에 관한 법률 제78조 제4항에 규정된 생활기본시설 설치비용을 분양대금에 포함시킨 경우, 그 부분이 강행법규에 위배되어 무효인지 여부 (적극)
>
> [2] 공익사업의 시행자가 택지조성원가에서 일정한 금액을 할인하여 이주자택지의 분양대금을 정한 경우, 분양대금에 생활기본시설 설치비용이 포함되었는지와 포함된 범위를 판단하는 기준 및 이때 '택지조성원가에서 생활기본시설 설치비용을 공제한 금액'의 산정 방식 / 이주자택지의 분양대금에 포함된 생활기본시설 설치비용 상당의 부당이득액을 산정하는 경우, 사업시행자가 이주자택지 분양대금 결정의 기초로 삼은 택지조성원가를 산정할 때 실제 적용한 총사업면적과 사업비, 유상공급면적을 그대로 기준으로 삼아야 하는지 여부(적극)
>
> [3] 공익사업의 시행자가 이주대책대상자에게 생활기본시설로서 제공하여야 하는 도로에 '주택단지 안의 도로를 해당 주택단지 밖에 있는 동종의 도로에 연결시키는 도로'가 포함되는지 여부(적극) 및 '사업시행자가 공익사업지구 안에 설치하는 도로로서 해당 사업지구 안의 주택단지 등의 입구와 사업지구 밖에 있는 도로를 연결하는 기능을 담당하는 도로'가 포함되는지 여부(원칙적 적극)

[4] 한국토지공사가 시행한 택지개발사업의 사업부지 중 기존 도로 부분과 수도 부분을 포함한 국공유지가 한국토지공사에 무상으로 귀속된 경우, 생활기본시설 용지비의 산정 방식이 문제 된 사안에서, 무상귀속부지 중 전체 공공시설 설치면적에 대한 생활기본시설 설치면적의 비율에 해당하는 면적을 제외하고 생활기본시설의 용지비를 산정한 원심판단에 법리오해의 잘못이 있다고 한 사례

[판결요지]

[1] 이주대책대상자와 공익사업의 시행자 사이에 체결된 택지에 관한 특별공급계약에서 구 공익사업을 위한 토지 등의 취득 및 보상에 관한 법률(2007.10.17. 법률 제8665호로 개정되기 전의 것, 이하 '구 토지보상법'이라 한다) 제78조 제4항에 규정된 생활기본시설 설치비용을 분양대금에 포함시킴으로써 이주대책대상자가 생활기본시설 설치비용까지 사업시행자에게 지급하게 되었다면, 특별공급계약 중 생활기본시설 설치비용을 분양대금에 포함시킨 부분은 강행법규인 구 토지보상법 제78조 제4항에 위배되어 무효이다.

[2] 공익사업의 시행자가 택지조성원가에서 일정한 금액을 할인하여 이주자택지의 분양대금을 정한 경우에는 분양대금이 '택지조성원가에서 생활기본시설 설치비용을 공제한 금액'을 초과하는지 등 그 상호관계를 통하여 분양대금에 생활기본시설 설치비용이 포함되었는지와 포함된 범위를 판단하여야 한다. 이때 구 공익사업을 위한 토지 등의 취득 및 보상에 관한 법률(2007.10.17. 법률 제8665호로 개정되기 전의 것, 이하 '구 토지보상법'이라 한다) 제78조 제4항은 사업시행자가 이주대책대상자에게 생활기본시설 설치비용을 전가하는 것만을 금지할 뿐 적극적으로 이주대책대상자에게 부담시킬 수 있는 비용이나 그로부터 받을 수 있는 분양대금의 내역에 관하여는 규정하지 아니하고 있으므로, 사업시행자가 실제 이주자택지의 분양대금 결정의 기초로 삼았던 택지조성원가 가운데 생활기본시설 설치비용에 해당하는 항목을 가려내어 이를 빼내는 방식으로 '택지조성원가에서 생활기본시설 설치비용을 공제한 금액'을 산정하여야 하고, 이와 달리 이주대책대상자에게 부담시킬 수 있는 택지조성원가를 새롭게 산정하여 이를 기초로 할 것은 아니다. 그리고 이주자택지의 분양대금 결정의 기초로 삼은 택지조성원가를 산정할 때 도시지원시설을 제외할 것인지 또는 도시지원시설 감보면적을 유상공급면적에서 제외할 것인지에 관하여 다투는 것도 이러한 택지조성원가 산정의 정당성을 다투는 것에 불과하기 때문에 이주대책대상자에 대한 생활기본시설 설치비용의 전가 여부와는 관련성이 있다고 할 수 없고, 이로 인하여 사업시행자가 구 토지보상법 제78조 제4항을 위반하게 된다고 볼 수도 없다. 따라서 이주자택지의 분양대금에 포함된 생활기본시설 설치비용 상당의 부당이득액을 산정함에 있어서는 사업시행자가 이주자택지 분양대금 결정의 기초로 삼은 택지조성원가를 산정할 때 실제 적용한 총사업면적과 사업비, 유상공급면적을 그대로 기준으로 삼아야 한다.

[3] 공익사업의 시행자가 이주대책대상자에게 생활기본시설로서 제공하여야 하는 도로에는 길이나 폭에 불구하고 구 주택법(2009.2.3. 법률 제9405호로 개정되기 전의 것) 제2조 제8호에서 정하고 있는 간선시설에 해당하는 도로, 즉 주택단지 안의 도로를 해당 주택단지 밖에 있는 동종의 도로에 연결시키는 도로가 포함됨은 물론, 사업시행자가 공익사업지구

안에 설치하는 도로로서 해당 사업지구 안의 주택단지 등의 입구와 사업지구 밖에 있는 도로를 연결하는 기능을 담당하는 도로도 특별한 사정이 없는 한 사업지구 내 주택단지 등의 기능 달성 및 전체 주민들의 통행을 위한 필수적인 시설로서 이에 포함된다.

[4] 한국토지공사가 시행한 택지개발사업의 사업부지 중 기존 도로 부분과 수도 부분을 포함한 국공유지가 한국토지공사에게 무상으로 귀속된 경우, 생활기본시설 용지비의 산정 방식이 문제 된 사안에서, 한국토지공사가 이주대책대상자들에게 반환하여야 할 부당이득액은 이주자택지의 분양대금에 포함된 생활기본시설에 관한 비용 상당액이므로, 그 구성요소의 하나인 생활기본시설 용지비는 분양대금 산정의 기초가 된 총용지비에 포함된 전체 토지의 면적에 대한 생활기본시설이 차지하는 면적의 비율에 총용지비를 곱하는 방식으로 산출하여야 하고, 사업부지 중 한국토지공사에게 무상귀속된 부분이 있을 경우에는 무상귀속 부분의 면적도 생활기본시설의 용지비 산정에 포함시켜야 하는데도, 무상귀속부지 중 전체 공공시설 설치면적에 대한 생활기본시설 설치면적의 비율에 해당하는 면적을 제외하고 생활기본시설의 용지비를 산정한 원심판단에 법리오해의 잘못이 있다고 한 사례

(2) 검토

생각건대, 생활보상의 일환으로서 이주대책의 취지상 종전의 생활상태를 원상으로 회복하기 위한 것이라는 점과 피수용자에게 정당한 보상을 주기 위한 토지보상법 및 헌법 제23조 제3항의 취지상 토지보상법 제78조 제4항을 당사자의 합의 또는 사업시행자의 재량으로 배제할 수 없는 강행규정으로 보는 판례의 태도가 타당하다 판단된다.

Ⅳ (물음 3) 무허가건축물등의 이주대책 여부

1. 무허가건축물 등의 의의

무허가건축물 등이란 허가를 받거나 신고를 하고 건축 또는 용도변경을 하여야 하는 건축물을 허가를 받지 아니하거나 신고를 하지 아니하고 건축 또는 용도변경을 한 건축물을 의미한다. 다만, 판례는 사용승인을 받지 않은 건축물에 대해서는 무허가건축물 등에 해당하지 않는다고 판시하였다.

> **판례**
>
> ● 대판 2013.8.23, 2012두24900[이주자택지공급대상제외처분취소]
>
> **[판시사항]**
>
> 관할 행정청으로부터 건축허가를 받아 택지개발사업구역 안에 있는 토지 위에 주택을 신축하였으나 사용승인을 받지 않은 주택의 소유자 갑이 한국토지주택공사에 이주자택지 공급대상자 선정신청을 하였는데 위 주택이 사용승인을 받지 않았다는 이유로 한국토지주택공사가 이주자

택지 공급대상자 제외 통보를 한 사안에서, 위 처분이 위법하다고 본 원심판단을 정당하다고 한 사례

[판결요지]

관할 행정청으로부터 건축허가를 받아 택지개발사업구역 안에 있는 토지 위에 주택을 신축하였으나 사용승인을 받지 않은 주택의 소유자 갑이 사업 시행자인 한국토지주택공사에 이주자택지 공급대상자 선정신청을 하였는데 위 주택이 사용승인을 받지 않았다는 이유로 한국토지주택공사가 이주자택지 공급대상자 제외 통보를 한 사안에서, 공공사업의 시행에 따라 생활의 근거를 상실하게 되는 이주자들에 대하여는 가급적 이주대책의 혜택을 받을 수 있도록 하는 것이 공익사업을 위한 토지 등의 취득 및 보상에 관한 법률이 규정하고 있는 이주대책 제도의 취지에 부합하는 점, 구 공익사업을 위한 토지 등의 취득 및 보상에 관한 법률 시행령 (2011.12.28. 대통령령 제23425호로 개정되기 전의 것, 이하 '구 공익사업법 시행령'이라 한다) 제40조 제3항 제1호는 무허가건축물 또는 무신고건축물의 경우를 이주대책대상에서 제외하고 있을 뿐 사용승인을 받지 않은 건축물에 대하여는 아무런 규정을 두고 있지 않은 점, 건축법은 무허가건축물 또는 무신고건축물과 사용승인을 받지 않은 건축물을 요건과 효과 등에서 구별하고 있고, 허가와 사용승인은 법적 성질이 다른 점 등의 사정을 고려하여 볼 때, 건축허가를 받아 건축되었으나 사용승인을 받지 못한 건축물의 소유자는 그 건축물이 건축허가와 전혀 다르게 건축되어 실질적으로는 건축허가를 받은 것으로 볼 수 없는 경우가 아니라면 구 공익사업법 시행령 제40조 제3항 제1호에서 정한 무허가건축물의 소유자에 해당하지 않는다는 이유로 갑을 이주대책대상자에서 제외한 위 처분이 위법하다고 본 원심판단을 정당하다고 한 사례

2. 관련 규정의 검토

토지보상법 시행령 제40조(이주대책의 수립·실시)

3. 관련 판례의 태도

판례

● 대판 2011.6.10, 2010두26216[이주대책대상자및이주대책보상등의거부처분취소]

[판시사항]

[1] 공익사업을 위한 토지 등의 취득 및 보상에 관한 법률 시행령 제40조 제3항 제1호의 '허가를 받거나 신고를 하고 건축하여야 하는 건축물을 허가를 받지 아니하거나 신고를 하지 아니하고 건축한 건축물의 소유자'에, 주거용 아닌 다른 용도로 이미 허가를 받거나 신고를 한 건축물을 적법한 절차 없이 임의로 주거용으로 용도를 변경하여 사용하는 자도 포함되는지 여부(적극)

[2] 한국국제전시장 2단계부지 조성사업 시행자인 고양시장이, 사업 지구 안에 편입된 1층 철골조 창고 건물의 소유자 갑의 이주대책 대상자 선정 신청에 대하여 이주대책 대상자가 아니어서 이주대책이 불가능하다는 요지의 회신을 함으로써 거부처분을 한 사안에서, 갑은 공익사업을 위한 토지 등의 취득 및 보상에 관한 법률에서 정한 이주대책대상자에서 제외되는 것으로 보아야 함에도 이와 달리 판단한 원심판결에 법리를 오해한 위법이 있다고 한 사례

[판결요지]

[1] 공익사업을 위한 토지 등의 취득 및 보상에 관한 법률(이하 '공익사업법'이라 한다)에 의한 이주대책제도는, 공익사업 시행으로 생활근거를 상실하게 되는 자에게 종전의 생활상태를 원상으로 회복시키면서 동시에 인간다운 생활을 보장하여 주기 위한 이른바 생활보상의 일환으로 국가의 적극적이고 정책적인 배려에 의하여 마련된 제도로서 건물 및 부속물에 대한 손실보상 외에는 별도의 보상이 이루어지지 않는 주거용 건축물의 철거에 따른 생활보상적 측면이 있다는 점을 비롯하여, 공익사업법 제78조 제1항, 공익사업법 시행령 제40조 제3항 제1호 각 규정의 문언, 내용 및 입법 취지 등을 종합하여 보면, 주거용 용도가 아닌 다른 용도로 이미 허가를 받거나 신고를 한 건축물을 소유한 자라 하더라도 이주대책기준일 당시를 기준으로 공부상 주거용 용도가 아닌 건축물을 허가를 받거나 신고를 하는 등 적법한 절차에 의하지 않고 임의로 주거용으로 용도를 변경하여 사용하는 자는, 공익사업법 시행령 제40조 제3항 제1호의 '허가를 받거나 신고를 하고 건축하여야 하는 건축물을 허가를 받지 아니하거나 신고를 하지 아니하고 건축한 건축물의 소유자'에 포함되는 것으로 해석하는 것이 타당하다.

[2] 한국국제전시장 2단계부지 조성사업 시행자인 고양시장이, 사업 지구 안에 편입된 1층 철골조 창고 건물의 소유자인 갑의 이주대책 대상자 선정 신청에 대하여 이주대책 대상자가 아니어서 이주대책이 불가능하다는 요지의 회신을 함으로써 거부처분을 한 사안에서, 갑은 주거용 용도(단독주택 또는 공동주택)가 아닌 창고시설(농업용)로 건축허가를 받아 건물을 신축하여 건축물대장에도 창고시설(농업용)로 등재한 후, 공부상 주거용이 아닌 건물을 적법절차에 의하지 않고 임의로 주거용으로 용도를 변경하여 소유·사용한 자이므로, 공익사업을 위한 토지 등의 취득 및 보상에 관한 법률 시행령 제40조 제3항 제1호에 규정된 '허가를 받거나 신고를 하고 건축하여야 하는 건축물을 허가를 받지 아니하거나 신고를 하지 아니하고 건축한 건축물의 소유자'에 해당하여 공익사업을 위한 토지 등의 취득 및 보상에 관한 법률에서 정한 이주대책대상자에서 제외되어야 함에도, 이와 달리 판단한 원심판결에 법리를 오해한 위법이 있다고 한 사례

4. 검토

생각건대, 관련 규정에서 무허가건축물 등에 임의로 용도변경한 건축물을 포함하도록 규정하고 있으며 정당보상의 관점에서도 관련 법령을 위반한 채 건축을 한 건축물의 소유자에 대해 이주대책을 실시하는 것은 타당하지 않다. 따라서 사안에서 피수용자는 이주대책대상자에서 제외되는 것이 타당하다고 판단된다.

V 사안의 해결

이주대책은 주거용 건축물을 제공함으로써 생활의 근거가 상실된 경우, 이를 회복시켜주는 생활보상의 일환으로 이주정착지 조성 및 이주정착금 지급의 방법이 규정되어 있다. 다만, 이주정착지의 조성 및 특별공급으로 공급되는 수분양권의 가치가 이주정착금의 금원을 크게 상회하여 형평성 논란이 야기될 수 있다. 따라서 이주정착금을 상향 조정하는 등의 개선을 통하여 이주대책 방법간 균형을 도모하여야 할 것이다.

35절
- 토지보상법 제78조(이주대책의 수립 등)
- 행정법 쟁점 : 처분사유의 추가·변경

문제

「공익사업을 위한 토지 등의 취득 및 보상에 관한 법률」(이하 '토지보상법'이라 함)상 사업인정을 받은 공익사업으로 인하여 주택소유자 甲은 사업시행자인 한국철도시설공단 乙(사업인정 이후에 공무수탁사인으로 행정절차법상 행정청의 지위를 가짐)에게 사업인정 이후 협의절차를 통해 자신이 거주하고 있던 주거용 건축물을 제공하여 생활의 근거를 상실하게 되었다고 주장하면서 토지보상법 제78조 제1항에 근거하여 이주대책공고에 따라 이주대책 대상자 신청을 하였다. 이에 대해 사업시행자 乙은 "위 공익사업은 선형사업으로서 철도건설에 꼭 필요한 최소한의 토지만 보상하므로 사실상 이주택지공급이 불가능하고 이주대책대상자 중 이주정착지에 이주를 희망하는 자의 가구수가 7호(戶)에 그치는 등 위 공익사업은 토지보상법 시행령 제40조상에서 규정하고 있는 이주대책을 수립하여야 하는 사유에 해당되지 아니한다"는 이유를 들어 주택소유자 甲의 이주대책대상자 신청에 대한 위와 같은 이주대책대상자 확인·결정을 하였다. 다음 물음에 답하시오. 40점

(1) 생활보상을 설명하고, 토지보상법상 구체적으로 이주대책과 이주대책대상자 제외 요건에 대하여 설명하시오. 10점

(2) ① 토지보상법상의 공익 사업시행자가 하는 이주대책대상자 확인·결정의 법적 성질과 이에 대한 행정소송 방법에 대하여 대법원 2014.2.27. 선고 2013두10885 판결[일반분양이주택지결정무효확인])을 토대로 설명하시오. ② 또한 대법원 2021.1.14. 선고 2020두50324 판결[이주대책대상자제외처분취소]에서 이주대책 대상자 제외 거부 처분 1차 결정은 처분으로 보고, 2차 결정은 처분으로 보지 않아 중앙행정심판위원회에서 각하 결정을 하였다. 수익적 행정처분을 구하는 신청에 대한 거부처분이 있은 후 당사자가 새로운 신청을 하는 취지로 다시 신청을 하였으나 행정청이 이를 다시 거절한 경우, 새로운 거부처분으로 볼 수 있는지 해당 판례를 토대로 설명하시오. 20점

(3) 만약 주택소유자 甲이 거부처분 취소소송을 제기하였다면, 사업시행자로 행정청인 乙은 그 소송 계속 중에 처분의 적법성을 유지하기 위해 "甲은 주거용 건축물에 계약체결일까지 계속하여 거주하고 있지 아니하였을 뿐만 아니라 이주정착지로의 이주를 포기하고 이주정착금을 받은 자에 해당하므로 토지보상법 시행령 제40조상에 따라 이주대책을 수립할 필요가 없다"는 사유를 추가·변경할 수 있는지를 검토하시오. 10점

■ 참조조문

〈공익사업을 위한 토지 등의 취득 및 보상에 관한 법률〉
제78조(이주대책의 수립 등)
① 사업시행자는 공익사업의 시행으로 인하여 주거용 건축물을 제공함에 따라 생활의

근거를 상실하게 되는 자(이하 '이주대책대상자'라 한다)를 위하여 대통령령으로 정하는 바에 따라 이주대책을 수립·실시하거나 이주정착금을 지급하여야 한다.

② 사업시행자는 제1항에 따라 이주대책을 수립하려면 미리 관할 지방자치단체의 장과 협의하여야 한다.

③ 국가나 지방자치단체는 이주대책의 실시에 따른 주택지의 조성 및 주택의 건설에 대하여는 「주택도시기금법」에 따른 주택도시기금을 우선적으로 지원하여야 한다.

④ 이주대책의 내용에는 이주정착지(이주대책의 실시로 건설하는 주택단지를 포함한다)에 대한 도로, 급수시설, 배수시설, 그 밖의 공공시설 등 통상적인 수준의 생활기본시설이 포함되어야 하며, 이에 필요한 비용은 사업시행자가 부담한다. 다만, 행정청이 아닌 사업시행자가 이주대책을 수립·실시하는 경우에 지방자치단체는 비용의 일부를 보조할 수 있다.

⑤ 제1항에 따라 이주대책의 실시에 따른 주택지 또는 주택을 공급받기로 결정된 권리는 소유권이전등기를 마칠 때까지 전매(매매, 증여, 그 밖에 권리의 변동을 수반하는 모든 행위를 포함하되, 상속은 제외한다)할 수 없으며, 이를 위반하거나 해당 공익사업과 관련하여 다음 각 호의 어느 하나에 해당하는 경우에 사업시행자는 이주대책의 실시가 아닌 이주정착금으로 지급하여야 한다.
  1. 제93조, 제96조 및 제97조 제2호의 어느 하나에 해당하는 위반행위를 한 경우
  2. 「공공주택 특별법」 제57조 제1항 및 제58조 제1항 제1호의 어느 하나에 해당하는 위반행위를 한 경우
  3. 「한국토지주택공사법」 제28조의 위반행위를 한 경우

⑥ 주거용 건물의 거주자에 대하여는 주거 이전에 필요한 비용과 가재도구 등 동산의 운반에 필요한 비용을 산정하여 보상하여야 한다.

⑦ 공익사업의 시행으로 인하여 영위하던 농업·어업을 계속할 수 없게 되어 다른 지역으로 이주하는 농민·어민이 받을 보상금이 없거나 그 총액이 국토교통부령으로 정하는 금액에 미치지 못하는 경우에는 그 금액 또는 그 차액을 보상하여야 한다.

⑧ 사업시행자는 해당 공익사업이 시행되는 지역에 거주하고 있는 「국민기초생활 보장법」 제2조 제1호·제11호에 따른 수급권자 및 차상위계층이 취업을 희망하는 경우에는 그 공익사업과 관련된 업무에 우선적으로 고용할 수 있으며, 이들의 취업 알선을 위하여 노력하여야 한다.

⑨ 제4항에 따른 생활기본시설에 필요한 비용의 기준은 대통령령으로 정한다.

⑩ 제5항 및 제6항에 따른 보상에 대하여는 국토교통부령으로 정하는 기준에 따른다.

〈공익사업을 위한 토지 등의 취득 및 보상에 관한 법률 시행령〉
제40조(이주대책의 수립·실시)

① 사업시행자가 법 제78조 제1항에 따른 이주대책(이하 "이주대책"이라 한다)을 수립하려는 경우에는 미리 그 내용을 같은 항에 따른 이주대책대상자(이하 "이주대책대상자"라 한다)에게 통지하여야 한다.

② 이주대책은 국토교통부령으로 정하는 부득이한 사유가 있는 경우를 제외하고는 이주 대책대상자 중 이주정착지에 이주를 희망하는 자의 가구 수가 10호(戶) 이상인 경우 에 수립·실시한다. 다만, 사업시행자가 「택지개발촉진법」 또는 「주택법」 등 관계 법 령에 따라 이주대책대상자에게 택지 또는 주택을 공급한 경우(사업시행자의 알선에 의하여 공급한 경우를 포함한다)에는 이주대책을 수립·실시한 것으로 본다.

③ 법 제4조 제6호 및 제7호에 따른 사업(이하 이 조에서 "부수사업"이라 한다)의 사업 시행자는 다음 각 호의 요건을 모두 갖춘 경우 부수사업의 원인이 되는 법 제4조 제1 호부터 제5호까지의 규정에 따른 사업(이하 이 조에서 "주된사업"이라 한다)의 이주 대책에 부수사업의 이주대책을 포함하여 수립·실시하여 줄 것을 주된사업의 사업시 행자에게 요청할 수 있다. 이 경우 부수사업 이주대책대상자의 이주대책을 위한 비용 은 부수사업의 사업시행자가 부담한다.

1. 부수사업의 사업시행자가 법 제78조 제1항 및 이 조 제2항 본문에 따라 이주대책 을 수립·실시하여야 하는 경우에 해당하지 아니할 것

2. 주된사업의 이주대책 수립이 완료되지 아니하였을 것

④ 제3항 각 호 외의 부분 전단에 따라 이주대책의 수립·실시 요청을 받은 주된사업의 사업시행자는 법 제78조 제1항 및 이 조 제2항 본문에 따라 이주대책을 수립·실시하 여야 하는 경우에 해당하지 아니하는 등 부득이한 사유가 없으면 이에 협조하여야 한다.

⑤ 다음 각 호의 어느 하나에 해당하는 자는 이주대책대상자에서 제외한다.

1. 허가를 받거나 신고를 하고 건축 또는 용도변경을 하여야 하는 건축물을 허가를 받지 아니하거나 신고를 하지 아니하고 건축 또는 용도변경을 한 건축물의 소유자

2. 해당 건축물에 공익사업을 위한 관계 법령에 따른 고시 등이 있은 날부터 계약체 결일 또는 수용재결일까지 계속하여 거주하고 있지 아니한 건축물의 소유자. 다 만, 다음 각 목의 어느 하나에 해당하는 사유로 거주하고 있지 아니한 경우에는 그러하지 아니하다.

가. 질병으로 인한 요양

나. 징집으로 인한 입영

다. 공무

라. 취학

마. 해당 공익사업지구 내 타인이 소유하고 있는 건축물에의 거주

바. 그 밖에 가목부터 라목까지에 준하는 부득이한 사유

3. 타인이 소유하고 있는 건축물에 거주하는 세입자. 다만, 해당 공익사업지구에 주 거용 건축물을 소유한 자로서 타인이 소유하고 있는 건축물에 거주하는 세입자는 제외한다.

⑥ 제2항 본문에 따른 이주정착지 안의 택지 또는 주택을 취득하거나 같은 항 단서에 따른 택지 또는 주택을 취득하는 데 드는 비용은 이주대책대상자의 희망에 따라 그가 지급받을 보상금과 상계(相計)할 수 있다.

Ⅰ 논점의 정리

종래의 대물적 보상제도는 손실보상의 적법요건보다는 보상에 중점을 둔 재산권의 가치보장 또는 보상보장을 중시하는 것이었으나, 오늘날에는 재산권 그 자체 내지는 그의 존속보장을 중시하고 있다. 따라서 손실보상은 대물적 보상에 의한 재산상태의 확보만으로는 부족하며, 적어도 수용이 없었던 것과 같은 생활재건의 확보를 내용으로 하는 재산권의 존속보장으로서의 생활보상이어야 하는 것이다. 이하에서는 공익사업을 위한 토지등의 취득 및 보상에 관한 법률(이하 '토지보상법')상 생활보상과 이주대책의 쟁점에 대해서 묻고 있는바 이주대책에 대한 요건, 이주대책 1차 결정과 2차 결정의 처분성을 살피고 처분사유의 추가·변경 가능여부를 검토한다.

II (물음1)에 대하여

1. 생활보상

(1) 생활보상의 의의 및 유형

생활보상이란 적법한 공권력 행사를 원인으로 하는 재산권의 특별한 희생에 대하여 재산권에 대한 금전보상만으로는 메워지지 않는 생활안정을 위한 보상을 의미한다. 구체적으로는 이농비·이어비보상, 이주대책, 간접보상, 주거대책비보상, 특산물보상, 사례금 등이 있다.

(2) 생활보상의 성격

생활보상은 인간다운 생활을 보장하는 성격을 지니며, 수용이 없었던 것과 같은 경제적 상태뿐만 아니라 생활상태를 재현하는 것이라는 전제에 입각하므로 원상회복적 성격을 갖는다. 생활보상은 피수용자 또는 관계인의 생활안정을 위한 성격은 물론 공익사업을 원활하게 시행하기 위한 목적을 갖는다.

(3) 생활보상의 법적 근거

1) 헌법상 근거

① 학설

정당보상설(헌법 제23조 제3항)은 생활보상도 정당보상에 포함되는 것으로 보는 견해이며, 생존권설(헌법 제34조)은 인간다운 생활을 할 권리를 규정하고 있는 헌법 제34조에 근거한다는 입장이다. 한편 통일설(헌법 제23조 및 제34조 결합설)은 생활보상을 정당보상에 포함되는 것으로 보면서도 생활보상이 경제적 약자에 대한 생존배려의 관점에서 행해지는 것이므로 헌법 제23조와 제34조에 동시에 근거하는 것으로 본다.

② 대법원 및 헌법재판소의 입장

(ⅰ) 대법원은 이주대책이 헌법 제23조 재산권 조항과 헌법 제34조 인간다운 생활을 할 권리의 복합적 성격을 갖는 것이라고 보며, (ⅱ) 헌법재판소는 헌법 제23조 제3항을 생활보상의 헌법적 근거로 보지 않고, 헌법 제34조 제1항을 그 근거로 보는 것으로 보인다.

③ 검토

정당보상은 재산권 보상뿐만 아니라 생활보상까지 포함하는 것으로 전환되고 있다는 점과 생활보상이 정당보상의 범주를 넘어서서 행해지는 경우가 있다는 점에서 사회보장의 성격을 가지므로 통일설이 타당하다고 판단된다.

2) 토지보상법상 근거

토지보상법 제78조에서 주거용건축물에 대한 이주대책으로 생활보상을 볼 수 있고, 동법 제78조의2에서 공장부지 제공자에 대한 이주대책으로 생활보상을 볼 수 있으며, 동법 시행규칙 제54조에서 주거이전비 보상을 통해 인간다운 생활을 보장하고, 정책적 배려로서 생활보상의 모습을 찾아볼 수 있다.

(4) 생활보상의 한계

생활보상에 대한 개별법률 간 내용이 달라 형평성 문제가 존재한다. 예를 들면 토지보상법상 세입자는 이주대책 대상자에서 제외되는 한편 주한미군기지 이전에 따른 평택시 등 지원 등에 관한 특별법에서는 세입자에게도 이주대책 및 생활대책을 수립하도록 규정하고 있다. 이에 개별법률 간 통일적 규정이 요구된다. 또 대부분 세입자를 이주대책 대상자에서 제외하고 있어 실질적인 경제적 약자에 대한 배려가 미흡한 한계가 있으며, 생활보상의 취지에 맞추어 이주자가 종전 생활상태를 유지할 수 있도록 하기 위해서는 주거대책과 더불어 생활대책이 병행될 필요가 있다고 판단된다.

2. 이주대책

(1) 이주대책 의의 및 취지(토지보상법 제78조 및 동법 제78조의2)

이주대책이란 공익사업의 시행으로 인하여 주거용 건축물을 제공함에 따라 생활의 근거를 상실하게 되는 자에게 이주할 택지나 주택을 공급하는 것이다. 토지보상법 제78조 제1항의 이주대책에 대하여 대법원의 다수의견은 생활보상의 일환으로 국가의 적극적이고 정책적인 배려에 의하여 마련된 제도로 보지만, 대법원의 소수의견은 생활보상의 일환으로 마련된 제도로서, 헌법 제23조 제3항이 규정하는 손실보상의 한 형태라고 보아야 한다고 주장한다. 재산권 보상으로는 부족한 생활안정을 위한 보상이라 할 수 있다. 개정된 토지보상법에서는 이주대책의 대상자를 주거용 건축물 제공자에서 공장부지 제공자까지 확대하여 국민의 권리구제를 두텁게 하고 있다.

(2) 이주대책의 법적 근거

① 헌법적 근거로 헌법재판소는 생활보호차원의 시혜적 조치라고 한다. 생각건대 생활보상의 근거는 생존권 보장인 점과, 손실보상의 근거는 헌법 제23조 제3항이므로, 헌법 제23조와 헌법 제34조가 결합하여 근거로 보는 것이 타당하다. ② 개별법적 근거로 토지보상법 제78조에서는 주거용 건축물을 제공한 자에 대한 이주대책을 규정하고 있으며, 제78조의2에서는 공장용 부지를 제공한 자에 대한 입주대책을 규정하고 있다. 그 밖에 각 개별법에서 사업의 특수성을 고려한 내용의 이주대책을 규정하고 있다.

(3) 이주대책의 법적 성격

① 이주대책은 생활보호 차원의 시혜적인 조치로서 정책배려로 마련된 제도이다. 따라서 생활보상의 성격을 가지며, 판례도 이주대책을 생활보상의 일환으로 보고 있다. ② 또한, 사업시행자의 이주대책 수립·실시의무를 규정하고 있는 토지보상법 제78조 제1항과 이주대책의 내용을 정하고 있는 같은 조 제4항 본문은 당사자의 합의 또는 사업시행자의 재량에 의하여 적용을 배제할 수 없는 강행규정이다.

> **판례**
>
> ● 대법원 2011.6.23. 선고 2007다63089 · 63096 전원합의체 판결[채무부존재확인 · 채무부존재확인]
>
> **[판시사항]**
>
> [3] 사업시행자의 이주대책 수립 · 실시의무를 정하고 있는 구 공익사업을 위한 토지 등의 취득 및 보상에 관한 법률 제78조 제1항과 이주대책의 내용을 정하고 있는 같은 조 제4항 본문이 강행법규인지 여부(적극)
>
> **[판결요지]**
>
> [3] 구 공익사업을 위한 토지 등의 취득 및 보상에 관한 법률(2007.10.17. 법률 제8665호로 개정되기 전의 것, 이하 '구 공익사업법'이라 한다)은 공익사업에 필요한 토지 등을 협의 또는 수용에 의하여 취득하거나 사용함에 따른 손실 보상에 관한 사항을 규정함으로써 공익사업의 효율적인 수행을 통하여 공공복리의 증진과 재산권의 적정한 보호를 도모함을 목적으로 하고 있고, <u>위 법에 의한 이주대책은 공익사업의 시행에 필요한 토지 등을 제공함으로 인하여 생활의 근거를 상실하게 되는 이주대책대상자들에게 종전 생활상태를 원상으로 회복시키면서 동시에 인간다운 생활을 보장하여 주기 위하여 마련된 제도이므로, 사업시행자의 이주대책 수립 · 실시의무를 정하고 있는 구 공익사업법 제78조 제1항은 물론 이주대책의 내용에 관하여 규정하고 있는 같은 조 제4항 본문 역시 당사자의 합의 또는 사업시행자의 재량에 의하여 적용을 배제할 수 없는 강행법규이다.</u>

(4) 이주대책 수립요건

주거용 건축물의 제공자(이주대책대상자)의 이주대책은 부득이한 사유가 있는 경우를 제외하고는 이주대책대상자 중 이주정착지에 이주를 희망하는 자가 10호 이상인 경우에 수립 · 실시한다(동 시행령 제40조 제2항). 한편, 사업시행자가 택지개발촉진법 또는 주택법 등 관계법령에 의해 이주대책대상자에게 택지 또는 주택을 공급한 경우에는 이주대책을 수립한 것으로 본다(법 시행령 제40조 제2항 단서). 공장의 경우는 공익사업시행지역 내에서 공장부지를 제공하여 해당 지역에서 공장을 더 이상 가동할 수 없는 자가 희망하는 경우에 이주대책을 수립하여야 한다.

(5) 이주대책대상자와 제외대상자(동법 시행령 제40조 제5항)

토지보상법 제78조에서는 공익사업의 시행으로 인하여 주거용 건축물을 제공함에 따라 생활의 근거를 상실하게 되는 자를 대상으로 하며 ① 무허가건축물 소유자, ② 공익사업고시 등이 있은 날부터 계약체결일 또는 수용재결일까지 계속하여 거주하고 있지 아니한 자, ③ 타인소유 건축물에 거주하는 세입자는 대상자에서 제외한다(법 시행령 제40조 제5항). 토지보상법 제78조의2에서는 공장의 이주대책 수립 등에 대하여 '사업시행자는 대통령령으로 정하는 공익사업의 시행으로 인하여 공장부지가 협의 양도되거나 수용됨에 따라 더 이상 해당 지역에서

공장(「산업집적활성화 및 공장설립에 관한 법률」 제2조 제1호에 따른 공장을 말한다)을 가동
할 수 없게 된 자가 희망하는 경우 「산업입지 및 개발에 관한 법률」에 따라 지정·개발된 인근
산업단지에 입주하게 하는 등 대통령령으로 정하는 이주대책에 관한 계획을 수립하여야 한다.'
고 규정하여 공장부지를 제공한 자도 이주대책대상자로 확대하고 있다.

Ⅲ (물음2)에 대하여

1. 이주대책대상자 확인·결정의 법적 성질과 쟁송방법

(1) 이주대책대상자 확인·결정의 법적 성질

1) 종전 판례 다수견해

대법원 다수의견은 이주대책은 절차적 권리라고 보며, 사업시행자가 확인·결정이 있어야
만 비로소 구체적인 수분양권이 발생하게 된다고 판시한다. 따라서 확인결정행위는 재량행
위로서 형성적 행정처분의 성격을 갖는 것이다.

2) 최근의 전원합의체 판결

최근 전원합의체 판결은 토지보상법 제78조 제1항의 이주대책 수립의무 및 동조 제4항의
생활기본시설 설치의무를 당사자의 합의 또는 사업시행자의 재량에 의하여 적용을 배제할
수 없는 '강행법규'라고 판시하여 종전 대법원 판결을 변경하였다. 이에 따라 사실상 이주대
책대상자에게 실체적 권리를 부여한 측면이 있다고 할 것이다. 다만 이주대책대상자가 실체
적 권리가 있다고 하더라도 이주대책대상자로서 이주대책 공고에 따라 이주대책대상자 신
청을 하고 사업시행자가 확인·결정함으로써 구체적인 내용이 확정된다는 방법론 측면에서
2단계 구조로 판단해 보면 될 것이다(예를 들어 감정평가사 시험에 합격하면 감정평가사 자격
은 취득하지만, 감정평가서에 서명, 날인하여 감정평가서를 발송하려면 1년간 수습을 거쳐 감정평가
사자격에 등록되어야만 감정평가업무를 직접적으로 할 수 있다. 이와 같이 이주대책대상자로서 실체
적 권리는 가지고 있더라도, 이주대책대상자 신청을 하고 사업시행자가 확인·결정함으로써 비로소
그 구체적인 권리가 실현된다고 이해하면 될 것이다).

(2) 쟁송방법

1) 행정소송가능성

① 이주대책대상자 확인·결정의 처분성

이주대책 대법원 판례가 변경됨에 따라 사업시행자는 일정한 요건이 되는 경우 반드시
이주대책 수립·실시의무를 부담하고, 이주대책의 수립에 따라 피수용자들에게는 실체
적 권리가 생겼다고 볼 수 있다. 공익사업을 위한 토지 등의 취득 및 보상에 관한 법률
상의 공익사업시행자가 하는 이주대책대상자 확인·결정은 구체적인 이주대상의 수
분양권을 부여하는 요건이 되는 행정작용으로서의 처분이지 이를 단순히 절차상의 필
요에 따른 사실행위에 불과한 것으로 평가할 수는 없다.

② **항고소송 제기가능성**

사업시행자가 이주대책대상자가 아니라고 하여 확인·결정 등의 처분을 하지 않고 이를 제외시키거나, 거부처분하는 경우 이주대책대상자로서는 사업시행자를 상대로 항고소송에 의하여 제외처분이나 거부처분의 취소를 구할 수 있다. 즉, 사안에 따라 취소소송 또는 무효등확인소송의 제기가 가능할 것이라고 판단된다. 나아가 이주대책의 종류가 달라 각 그 보장하는 내용에 차등이 있는 경우 이주자의 희망에도 불구하고 사업시행자가 요건 미달 등을 이유로 그중 더 이익이 되는 내용의 이주대책대상자로 선정하지 않았다면 이 또한 이주자의 권리의무에 직접적 변동을 초래하는 행위로서 항고소송의 대상이 된다.

> **판례**
>
> ● **대판 2014.2.27, 2013두10885[일반분양이주택지결정무효확인]**
>
> 이주대책대상자 확인·결정의 법적 성질(=행정처분)과 이에 대한 쟁송방법(=항고소송)
>
> **[판시사항]**
>
> 공익사업을 위한 토지 등의 취득 및 보상에 관한 법률상의 공익사업시행자가 하는 이주대책대상자 확인·결정의 법적 성질(=행정처분)과 이에 대한 쟁송방법(=항고소송)
>
> **[판결요지]**
>
> 공익사업을 위한 토지 등의 취득 및 보상에 관한 법률상의 공익사업시행자가 하는 이주대책대상자 확인·결정은 구체적인 이주대책상의 수분양권을 부여하는 요건이 되는 행정작용으로서의 처분이지 이를 단순히 절차상의 필요에 따른 사실행위에 불과한 것으로 평가할 수는 없다. 따라서 수분양권의 취득을 희망하는 이주자가 소정의 절차에 따라 이주대책대상자 선정신청을 한 데 대하여 사업시행자가 이주대책대상자가 아니라고 하여 위 확인·결정 등의 처분을 하지 않고 이를 제외시키거나 거부조치한 경우에는, 이주자로서는 사업시행자를 상대로 항고소송에 의하여 제외처분이나 거부처분의 취소를 구할 수 있다. 나아가 이주대책의 종류가 달라 각 그 보장하는 내용에 차등이 있는 경우 이주자의 희망에도 불구하고 사업시행자가 요건 미달 등을 이유로 그중 더 이익이 되는 내용의 이주대책대상자로 선정하지 않았다면 이 또한 이주자의 권리의무에 직접적 변동을 초래하는 행위로서 항고소송의 대상이 된다.

2) 공법상 당사자소송 제기가능성

신청기간을 도과하였거나 사업시행자가 미리 수분양권을 부정하거나 이주대책에 따른 분양절차가 종료된 경우 및 기타 확인판결을 얻음으로써 분쟁이 해결되고 권리구제가 가능한 경우 등에 해당한다면 당사자소송으로 수분양권 또는 그 법률상 지위의 확인을 구할 수 있다고 판단된다.

관계법령이나 행정청이 사전에 공표한 처분기준에 신청기간을 제한하는 특별한 규정이 없는 이상 재신청을 불허할 법적 근거가 없으며, 설령 신청기간을 제한하는 특별한 규정이 있다 하더라도 재신청이 신청기간을 도과하였는지 여부는 본안에서 재신청에 대한 거부처분이 적법한가를 판단하는 단계에서 고려할 요소이지, 소송요건 심사단계에서 고려할 요소가 아니다.

(2) 행정절차법 제26조는 행정청이 처분을 할 때에는 당사자에게 그 처분에 관하여 행정심판 및 행정소송을 제기할 수 있는지 여부, 그 밖에 불복을 할 수 있는지 여부, 청구절차 및 청구기간, 그 밖에 필요한 사항을 알려야 한다고 규정하고 있다. 이 사건에서 피고 공사가 원고에게 2차 결정을 통보하면서 '2차 결정에 대하여 이의가 있는 경우 2차 결정 통보일부터 90일 이내에 행정심판이나 취소소송을 제기할 수 있다'는 취지의 불복방법 안내를 하였던 점을 보면, 피고 공사 스스로도 2차 결정이 행정절차법과 행정소송법이 적용되는 처분에 해당한다고 인식하고 있었음을 알 수 있고, 그 상대방인 원고로서도 2차 결정이 행정쟁송의 대상인 처분이라고 인식하였을 수밖에 없다고 보인다. 이와 같이 불복방법을 안내한 피고 공사가 이 사건 소가 제기되자 '처분성'이 인정되지 않는다고 본안전항변을 하는 것은 신의성실원칙(행정절차법 제4조)에도 어긋난다(대법원 2020. 4. 9. 선고 2019두61137 판결 참조).

원심이 원용한 대법원 2012. 11. 15. 선고 2010두8676 판결은, 행정청이 구「민원사무처리에 관한 법률」(2015. 8. 11. 법률 제13459호로 전부 개정되기 전의 것) 제18조에 근거한 '이의신청'에 대하여 기각결정을 하였을 뿐이고 기각결정에 대하여 행정쟁송을 제기할 수 있다는 불복방법 안내를 하지는 않았던 사안에 관한 것이므로[해당 사안에 적용되는 구「민원사무처리에 관한 법률 시행령」(2012. 12. 20. 대통령령 제24235호로 전부 개정되기 전의 것) 제29조 제3항은 행정기관의 장이 법 제18조 제2항에 따라 이의신청에 대한 결과를 통지하는 때에는 결정 이유, 원래의 거부처분에 대한 불복방법 및 불복절차를 구체적으로 명시하여야 한다고 규정하고 있었다], 이 사건 사안에 원용하기에는 적절하지 않다.

다. 그런데도 원심은, 2차 결정이 1차 결정과 별도로 행정쟁송의 대상이 되는 처분에 해당하지 않는다고 판단하였다. 이러한 원심 판단에는 행정소송의 대상인 처분에 관한 법리를 오해하여 판결에 영향을 미친 잘못이 있다. 이를 지적하는 상고이유 주장은 이유 있다.

(대법원 2021. 1. 14. 선고 2020두50324 판결 [이주대책대상자제외처분취소])

(2) 검토

수익적 행정처분을 구하는 신청에 대한 거부처분은 당사자의 신청에 대하여 관할 행정청이 이를 거절하는 의사를 대외적으로 명백히 표시함으로써 성립된다. 이주대책 대상자 1차결정으로 이주대책 거부처분이 있은 후 당사자가 다시 신청을 한 경우에는 신청의 제목 여하에 불구하고 그 내용이 새로운 신청을 하는 취지라면 관할 행정청이 이를 다시 이주대책 대상자 2차 결정으로 거절하는 것은 새로운 거부처분이라고 봄이 타당하다고 판단된다.

Ⅳ (물음3)에 대하여

1. 처분사유 추가·변경의 의의, 취지 및 구별개념

처분사유 추가·변경이란 처분행정청이 취소소송 도중 처분 당시 이유제시 과정에서 그 처분이 유로서 주장하지 않았던 새로운 처분사유를 추가하거나 변경함으로써, 해당 처분의 적법성을 확보하는 행위를 말한다.

하자의 치유는 처분 시의 하자를 사후보완하는 것인 데 반하여, 처분사유의 추가·변경은 처분 시에 하자 있는 처분을 전제로 하지 않으며 처분 시에 이미 존재하던 사실 등을 주장하는 것인 점에서 하자의 치유와 구별된다. 또한 하자의 치유는 처분의 하자론이라는 행정작용법의 문제이고, 처분사유의 추가·변경은 소송의 심리에 관한 소송법상의 문제이다.

2. 처분사유 추가·변경이 가능한지 여부(인정여부)

(1) 학설 및 판례의 태도

행정경제 및 소송경제의 효율적 측면에서 긍정하는 견해와 방어권 보장 및 이유제시절차를 고려하여 부정하는 견해, 법률적합성의 원칙상 원칙적으로 부정하나, 구체적인 사안에 따라 제한적으로 긍정될 수 있다고 보는 견해가 대립하고 있다. 판례는 실질적 법치주의와 행정처분의 상대방인 국민의 신뢰보호견지에서 기본적 사실관계의 동일성이 인정되는 경우에 제한적으로 긍정하고 있다.

(2) 소결

행정처분의 취소를 구하는 항고소송에 있어서는 실질적 법치주의와 행정처분의 상대방인 국민에 대한 신뢰보호라는 견지에서 처분청은 당초 처분의 근거로 삼은 사유와 기본적 사실관계에 있어서 동일성이 있다고 인정되지 않는 별개의 사실을 들어 처분사유로 주장함은 허용되지 아니하나, 당초 처분의 근거로 삼은 사유와 기본적 사실관계에 있어서 동일성이 있다고 인정되는 한도 내에서는 다른 사유를 추가하거나 변경할 수 있다.

3. 처분사유 추가·변경의 요건

(1) 처분 당시 객관적으로 존재하였던 사실일 것

위법판단의 기준 시에 관하여 처분시설을 취하는 경우 위법성 판단은 처분 시를 기준으로 하므로 추가사유나 변경사유는 처분 시에 객관적으로 존재하던 사유이어야 한다. 처분 이후에 발생한 새로운 사실적·법적 사유를 추가·변경할 수는 없다. 단, 판결시설 또는 절충설을 취하는 경우에는 피고인 처분청은 소송계속 중 처분 이후의 사실적·법적 상황을 주장할 수 있게 된다.

(2) 기본적 사실관계의 동일성이 유지될 것

판례는 기본적 사실관계의 동일성을 판단하는 기준에 관하여 법률적으로 평가하기 이전에 사회적 사실관계, 즉 일반적으로는 시간적, 장소적 근접성, 행위의 태양, 결과 등 제반사정을 종합적으로 고려한다. 일반적으로 판례는 처분의 근거법령만을 추가·변경하거나 당초 처분 사유를 구체화하는 경우 기본적 사실관계의 동일성을 인정하며 그 판단기준에 대해서는 처분 사유의 내용이 공통되는지 여부와 취지를 기준으로 판단하는 것으로 보인다.

> **판례**
>
> [판결요지]
> 행정처분의 취소를 구하는 항고소송에서, 처분청은 당초 처분의 근거로 삼은 사유와 기본적 사실관계가 동일성이 있다고 인정되는 한도 내에서만 다른 사유를 추가 혹은 변경할 수 있고, **여기서 기본적 사실관계의 동일성 유무는 처분사유를 법률적으로 평가하기 이전의 구체적인 사실에 착안하여 그 기초인 사회적 사실관계가 기본적인 점에서 동일한지 여부에 따라 결정되며, 추가 또는 변경된 사유가 처분 당시에 그 사유를 명기하지 않았을 뿐 이미 존재하고 있었고 당사자도 그 사실을 알고 있었다 하여 당초의 처분사유와 동일성이 있는 것이라고 할 수는 없다.**
> (출처 : 대법원 2009.11.26. 선고 2009두15586 판결[수의사국가시험합격무효취소] 〉 종합법률정보 판례)

(3) 재량행위의 경우

재량행위의 경우에 고려사항의 변경은 새로운 처분을 의미하는 것이라는 견해가 있으나, 재량행위에서 처분이유를 사후에 변경하는 경우에도, 분쟁대상인 행정행위가 본질적으로 변경되지 않음을 전제로 하는 것이므로 재량행위에서도 인정함이 타당하다.

4. 판례를 통한 사안의 해결

> **판례**
>
> [판결요지]
> **기록에 의하면, 피고가 2009.10.8. 원고들에게 보낸 이주대책수립요구에 대한 회신(갑 제1호증)에는 원심이 이 사건 처분사유로 인정한 것 이외에도 "이주대책수립을 요구해 오신 사람 중에서 상당수(7인, 수용재결 중 3인)가 이미 계약을 체결한 후 보상금을 수령하신 상태에서 이주정착지를 요구하는 것은 실효성이 없는 것으로 판단되며"라고 기재되어 있는 것을 알 수 있는데, 거기에는 이주대책대상자 중에서 이주정착금을 지급받은 자들은 이주대책의 수립·실시를 요구할 수 없으므로 전체 신청자 19명 중에서 이들을 제외하면 이주대책 수립 요구를 위한 10명에 미달하게 된다는 의미를 내포하고 있다고 볼 수 있다.**
> 그렇다면 이 사건 처분사유에는 '이주대책을 수립·실시하지 못할 부득이한 사유에 해당한다.'는 점 이외에도 '이주대책대상자 중 이주정착지에 이주를 희망하는 자가 10호에 미치지 못한다.'는 점도 포함하고 있다고 할 수 있으므로 원심으로서는 이주대책대상자 중 10호 이상이 이주정착지에 이주를 희망하고 있는지, 그에 따라 피고가 이주대책을 수립·실시하여야 할 의무가 있는지 등을 심리하여 이 사건 처분의 적법 여부를 판단하였어야 옳다.

> 그럼에도 피고가 이 사건 소송에서 주장한 '이주대책대상자 중 이주정착지에 이주를 희망하는 자가 10호에 미치지 못한다.'는 사유에 관한 심리·판단을 생략한 채, 단지 공익사업법 시행령 제40조 및 공익사업법 시행규칙 제53조에서 정한 '부득이한 사유'에 해당하지 않는다는 이유만을 들어 이 사건 처분이 위법하다고 판단한 원심판결에는 처분사유의 추가·변경에 관한 법리를 오해하여 필요한 심리를 다하지 아니함으로써 판결에 영향을 미친 위법이 있다고 할 것이다. 이 점을 지적하는 상고이유 주장은 이유 있다.
>
> (출처 : 대법원 2013.8.22. 선고 2011두28301 판결 [이주대책대상자거부처분취소] 〉 종합법률정보 판례)

V 사안의 해결

정당보상을 실현하기 위한 토지보상법제의 발전은 국민들의 권익의식의 확대와도 밀접한 관련을 가지고 있다. 최근 용산 참사와 관련하여 그동안 보상대상에서 제외되었던 권리금의 논쟁도 그렇고, 주거용 세입자와 상가세입자의 이주대책의 개념의 변화도 시대상을 반영한 것이라고 보인다. 다만, 재산권에 기초한 보상은 재산권에 대한 정당보상과 아울러 그 기초생활에 대한 생활보상도 매우 중요한 의미를 지닌다고 할 수 있을 것이다. 입법정책적인 고려가 이루어져야 할 것이며, 국민적인 공감대가 형성되어야 할 부분이기도 하다. 최근 전원합의체 판결은 토지보상법 제78조 제1항, 제4항을 강행법규라고 판시했고, 이에 따라 이주대책대상자는 개인적 공권이 인정되므로 이주대책대상자 확인·결정은 항고소송 또는 당사자소송에 의해 다툴 수 있다. 소송 도중에 乙이 주장하는 처분사유 추가·변경은 기본적 사실관계의 동일성이 인정되어야 하는데 해당 사안의 거부처분과 처분사유 추가·변경 건은 이주대책에 대한 부득이한 사유에 해당된다고 볼 수 있어 처분사유 추가·변경이 인정된다고 판단된다.

■ 관련 기출문제

제28회 2번 – 이주민지원규정의 법적 성질, 이주대책의 강행규정, 이주대책의 행정쟁송방법

도지사 A는 "X국가산업단지 내 국도 대체우회도로개설사업"(이하 '이 사건 개발사업'이라 함)의 실시계획을 승인·고시하고, 사업시행자로 B시의 시장을 지정하였다. B시의 시장은 이 사건 개발사업을 시행함에 있어 사업시행으로 인하여 건물이 철거되는 이주대상자를 위한 이주대책을 수립하면서 훈령의 형식으로 'B시 이주민지원규정'을 마련하였다. 위 지원규정에서는 ① 이주대책대상자 선정과 관련하여, 「공익사업을 위한 토지 등의 취득 및 보상에 관한 법률」 및 그 시행령이 정하고 있는 이주대책대상자 요건 외에 '전세대원이 사업구역 내 주택 외 무주택'이라는 요건을 추가적으로 규정하는 한편, ② B시의 이주택지 지급 대상에 관하여, 과거 건축물양성화 기준일 이전 건물의 거주자의 경우 소지가(조성되지 아니한 상태에서의 토지가격) 분양대상자로, 기준일 이후 건물의 거주자의 경우 일반우선 분양대상자로 구분하고 있는 바, 소지가 분양대상자의 경우 1세대당 상업용지 3평을 일반분양가로 추가 분양하도록 하고, 일반우선분양대상자의 경우 1세대 1필지 이주택지를 일반분양가로 우선 분양할 수 있도록 하고 있다.B시의 시장은 이주대책을 실시하면서 이 사건 개발사업 구역 내에 거주하는 甲과 乙에 대하여, 甲은 공익사업을 위한 토지 등의 취득 및 보상에 관한 법령이 정한 이주대책대상자에 해당됨에도 위 ①에서 정하는 요건을 이유로 이주대책대상자에서 배제하는 부적격 통보를 하였고, 소지가 분양대상자로 신청한 乙에 대해서는 위 지원규정을 적용하여 소지가 분양대상이 아닌 일반우선분양대상자로 선정하고, 이를 공고하였다. 다음 물음에 답하시오. 30점

(1) 甲은 'B시 이주민지원규정'에서 정한 추가적 요건을 이유로 자신을 이주대책대상자에서 배제한 것은 위법하다고 주장한다. 甲의 주장이 타당한지에 관하여 설명하시오. 15점

(2) 乙은 자신을 소지가 분양대상자가 아닌 일반우선 분양대상자로 선정한 것은 위법하다고 보아 이를 소송으로 다투려고 한다. 乙이 제기하여야 하는 소송의 형식을 설명하시오. 15점

제29회 2번 - 징계처분 취소소송 계속 중 처분사유 추가·변경

甲은 2014.3.경 감정평가사 자격을 취득한 후, 2015.9.2.부터 2017.8.3.까지 '乙 감정평가법인'의 소속 감정평가사였다. 또한 甲은 2015.7.7.부터 2017.4.30.까지 '수산업협동조합 중앙회(이하 '수협'이라 함)'에서 상근계약직으로 근무하였다. 관할 행정청인 국토교통부장관 A는 甲이 위와 같이 수협에 근무하면서 일정기간 동안 동시에 乙 감정평가법인에 등록하여 소속을 유지하는 방법으로 감정평가사 자격증을 대여하거나 부당하게 행사했다고 봄이 상당하여, 「감정평가 및 감정평가사에 관한 법률」(이하 '감정평가법'이라 함) 제27조가 규정하는 명의대여 등의 금지 또는 자격증 부당행사 금지에 위반하였다는 것을 이유로 징계처분을 내리고자 한다. 다음 물음에 답하시오. 30점

(1) 국토교통부장관 A가 甲에 대하여 위와 같은 사유로 감정평가법령상의 징계를 하고자 하는 경우, 징계절차에 관하여 설명하시오. 20점

(2) 위 징계절차를 거쳐 국토교통부장관 A는 甲에 대하여 3개월간의 업무정지 징계처분을 하였고, 甲은 해당 처분이 위법하다고 보고 관할법원에 취소소송을 제기하였다. 이 취소소송의 계속 중 국토교통부장관 A는 해당 징계처분의 사유로 감정평가법 제27조의 위반사유 이외에, 징계처분 당시 甲이 국토교통부장관에게 등록을 하지 아니하고 감정평가업무를 수행하였다는 동법 제17조의 위반사유를 추가하는 것이 허용되는가? 10점

제27회 1번 - 이주대책 거부사유 소송 도중 처분사유 추가·변경

「공익사업을 위한 토지 등의 취득 및 보상에 관한 법률」(이하 '토지보상법'이라 함)의 적용을 받는 공익사업으로 인하여 甲은 사업시행자인 한국도시철도공단 乙에게 협의절차를 통해 자신이 거주하고 있던 주거용 건축물을 제공하여 생활의 근거를 상실하게 되었다고 주장하면서 토지보상법 제78조 제1항에 따른 이주대책의 수립을 신청하였다. 이에 대해 乙은 "위 공익사업은 선형사업으로서 철도건설에 꼭 필요한 최소한의 토지만 보상하므로 사실상 이주택지공급이 불가능하고 이주대책대상자 중 이주정착지에 이주를 희망하는 자의 가구수가 7호(戶)에 그치는 등 위 공익사업은 토지보상법 시행령 제40조 제2항에서 규정하고 있는 이주대책을 수립하여야 하는 사유에 해당되지 아니한다"는 이유를 들어 甲의 신청을 거부하였다. 다음 물음에 답하시오. 40점

(1) 乙이 甲에 대한 거부처분을 하기에 앞서 행정절차법상 사전통지와 이유제시를 하지 아니한 경우 그 거부처분은 위법한가? 20점

(2) 만약 甲이 거부처분 취소소송을 제기하였다면, 乙은 그 소송 계속 중에 처분의 적법성을 유지하기 위해 "甲은 주거용 건축물에 계약체결일까지 계속하여 거주하고 있지 아니하였을 뿐만 아니라 이주정착지로의 이주를 포기하고 이주정착금을 받은 자에 해당하므로 토지보상법 시행령 제40조 제2항에 따라 이주대책을 수립할 필요가 없다"는 사유를 추가·변경할 수 있는가? 20점

36절 │ 토지보상법 제78조(이주대책의 수립 등)

─── 문제 ───

2010년대 초 무렵 주거환경이 열악한 영등포구에 뉴타운을 지정하면서 서울특별시는 가칭 "태인뉴타운개발공사(甲)"를 설립하고 본격적인 뉴타운 계획을 수립하였다. 뉴타운사업에서 가장 문제시될 소지가 있는 것이 이주대책이라는 점에 주안점을 둔 태인뉴타운 개발공사 甲은 이주대책에 관련된 「공익사업을 위한 토지 등의 취득 및 보상에 관한 법률」 제78조 및 동법 시행령 제40조(이하 '토지보상법')를 검토한 결과 이주대책 수립에 대해서만 규정하고 명확한 이주대책기준일 및 그 대상에 대해서는 특별한 규정을 두고 있지 않다는 것을 발견하고, 별도의 이주대책기준일을 2022년 11월 20일로 정하고 2022년 11월 25일 조선일보에 공고하였다. 영등포 뉴타운지역에서 2022년 12월 25일 크리스마스에 결혼을 올린 감정평가사 乙은 방2칸이지만 영등포뉴타운 지역에 신접살림을 얻어 2023년 1월 20일 주민등록을 전입하고, 혼인신고까지 하면서 행복한 신혼을 보내고 있었다. 그러던 중 이 지역에 뉴타운 보상계획공고가 2025년 6월 5일 발표되고 본격적인 보상작업에 돌입되었다. 감정평가사 乙은 보상계획공고 후 자진해서 협의계약(사업시행자와 협의로 계약체결)으로 뉴타운사업에 적극 협조하였고, 계속 소유권이전시까지 거주(자진이주)하였으며, 전세대원인 부인 및 쌍둥이 아이들과 함께 사업지역 내 살고 있었고, 방2칸짜리 주택소유 이외에는 다른 주택은 없었으며, 주택취득소유권 이전등기시점은 2022년 12월 24일이었다. 그런데 이주대책대상자인 줄 알고 부푼 꿈에 젖어 있던 감정평가사 乙은 태인뉴타운개발공사로부터 이주대책대상자가 아니라며 2025년 8월 28일에 "이주대책 부적격" 서면 통보를 받아 충격에 쓰러지고 말았다. 본 사안을 통해서 다음의 질문에 답하시오. 40점

(1) 토지보상법상 이주대책에 대하여 설명하시오.

(2) 이주대책기준이 되는 날에 대해서 2008두12610 대법원 판례를 통해 보상계획공고일이 이주대책기준일에 해당되는지를 검토하시오.

(3) 감정평가사 乙은 이주대책대상자가 되는지 토지보상법 시행령 제40조 및 2008두12610 대법원 판례를 통해서 설명하시오.

〈설문(1)에 대하여 : 토지보상법상 이주대책〉

Ⅰ. 서

Ⅱ. 이주대책의 성격 및 법적 근거
　1. 이주대책의 성격
　2. 법적 근거

Ⅲ. 이주대책의 대상과 요건
　1. 이주대책의 대상사업

　2. 이주대책의 대상자
　3. 이주대책의 수립요건

Ⅳ. 이주대책의 내용
　1. 국민주택기금의 우선적 지원
　2. 이주정착지에 대한 생활기본시설
　3. 주거이전에 필요한 비용 등
　4. 농·어민 등의 보상차액 지급
　5. 공익사업시행 거주민에 대한 취업알선

〈설문 (1)에 대하여 : 토지보상법상 이주대책〉

I 서

공용수용에 대한 조절적 보상인 손실보상의 내용 중 생활재건조치라 함은 공공사업의 시행으로 인하여 생활근거를 상실한 자에게 보상금이 생활재건을 위하여 유효하게 쓰이도록 하는 제반 조치로서 이주대책, 대체지의 알선, 직업훈련 등이 있으며 「공익사업을 위한 토지 등의 취득 및 보상에 관한 법률」(이하 '토지보상법')은 제78조에서 주거용 건축물 제공자 등의 이주대책 수립 및 제78조의2에서 공장에 대한 이주대책의 수립 등을 규정하고 있다.

주거용 건축물 제공자의 이주대책이라 함은 공익사업의 시행에 필요한 주거용 건축물을 제공함으로 인하여 생활근거를 상실하게 되는 이주민을 정착시키기 위하여 사업시행자가 택지 등을 조성하여 이주민에게 분양하든지 이주정착금을 지급하는 것을 의미한다. 또한 토지보상법 제78조의2를 신설하여 공장부지 등을 제공하는 자에 대한 이주대책에 관한 계획수립을 명시적으로 인정하여 토지보상법상 이주대책은 주거용 건축물 제공자와 공장부지 제공자로 볼 수 있는바, 이하에서 구체적으로 상술하기로 한다.

Ⅱ 이주대책의 성격 및 법적 근거

1. 이주대책의 성격

이주대책은 재산권 침해에 대한 보상만으로는 메꾸어지지 않는 생활권 침해에 대한 보상으로, 이주자들에 대해 종전 생활상태를 원상으로 회복시키고 인간다운 생활을 보장해 주기 위한 생활 보상으로 보는 것이 일반적이다.

2. 법적 근거

생활보상의 근거를 헌법 제34조의 인간다운 생활을 할 권리에서 찾기도 하고 제23조의 정당보상 과 제34조를 통합하여 근거로 보기도 하는데 생활보상은 정당보상의 범위에 포함된다고 봄이 타 당시 되는바, 통합설을 근거로 봄이 타당하다고 할 것이다. 어느 견해에 의하든 생활보상의 일환 인 이주대책이 헌법적 근거를 가짐은 동일하며, 토지보상법을 기준하여 동법 제78조, 제78조의2 및 동법 시행령 제40조, 동법 시행규칙 제53조에서는 이주대책 수립을 규정하고 있다.

Ⅲ 이주대책의 대상과 요건

1. 이주대책의 대상사업

과거에는 댐건설 등에서만 이주대책이 수립되었으나 최근에는 공업단지, 주택단지개발사업으로 까지 확대되어 대부분의 대규모 사업에 인정되고 있다(법 제4조 제7호, 법 제78조 및 제78조의2).

2. 이주대책의 대상자

토지보상법 제78조에서는 공익사업의 시행으로 인하여 주거용 건축물을 제공함에 따라 생활의 근거를 상실하게 되는 자를 대상으로 하며 ① 무허가건축물 소유자, ② 공익사업고시 등이 있은 날부터 계약체결일 또는 수용재결일까지 계속하여 거주하고 있지 아니한 자, ③ 타인소유 건축물 에 거주하는 세입자는 대상자에서 제외한다(법 시행령 제40조 제5항).

토지보상법 제78조의2에서는 공장의 이주대책 수립 등에 대하여 '사업시행자는 대통령령으로 정 하는 공익사업의 시행으로 인하여 공장부지가 협의 양도되거나 수용됨에 따라 더 이상 해당 지역 에서 공장(「산업집적활성화 및 공장설립에 관한 법률」 제2조 제1호에 따른 공장을 말한다)을 가동할 수 없게 된 자가 희망하는 경우 「산업입지 및 개발에 관한 법률」에 따라 지정·개발된 인근 산업단 지에 입주하게 하는 등 대통령령으로 정하는 이주대책에 관한 계획을 수립하여야 한다.'고 규정 하여 공장부지를 제공한 자도 이주대책대상자로 확대하고 있다.

3. 이주대책의 수립요건

주거용 건축물의 제공자(이주대책대상자)의 이주대책은 부득이한 사유가 있는 경우를 제외하고는 이주대책대상자 중 이주정착지에 이주를 희망하는 자가 10호 이상인 경우에 수립·실시한다(동 시행령 제40조 제2항). 한편, 사업시행자가 택지개발촉진법 또는 주택법 등 관계법령에 의해 이주대책대상자에게 택지 또는 주택을 공급한 경우에는 이주대책을 수립한 것으로 본다(법 시행령 제40조 제2항 단서). 공장의 경우는 공익사업시행지역 내에서 공장부지를 제공하여 해당 지역에서 공장을 더 이상 가동할 수 없는 자가 희망하는 경우에 이주대책을 수립하여야 한다.

Ⅳ 이주대책의 내용

1. 국민주택기금의 우선적 지원

국가나 지방자치단체는 이주대책의 실시에 따른 주택지의 조성 및 주택의 건설에 대하여는 「주택도시기금법」에 따른 주택도시기금을 우선적으로 지원하여야 한다(법 제78조 제3항).

2. 이주정착지에 대한 생활기본시설

이주대책의 내용에는 이주정착지(이주대책의 실시로 건설하는 주택단지를 포함한다)에 대한 도로, 급수시설, 배수시설, 그 밖의 공공시설 등 통상적인 수준의 생활기본시설이 포함되어야 하며, 이에 필요한 비용은 사업시행자가 부담한다. 다만, 행정청이 아닌 사업시행자가 이주대책을 수립·실시하는 경우에 지방자치단체는 비용의 일부를 보조할 수 있다(법 제78조 제4항). 제4항에 따른 생활기본시설에 필요한 비용의 기준은 대통령령으로 정한다(법 제78조 제9항).

(1) 생활기본시설의 범위 등 "통상적인 수준의 생활기본시설"

통상적인 수준의 생활기본시설은 다음 각 호의 시설로 한다(법 시행령 제41조의2).
① 도로(가로등·교통신호기를 포함한다)
② 상수도 및 하수처리시설
③ 전기시설
④ 통신시설
⑤ 가스시설

(2) 사업시행자가 부담하는 생활기본시설에 필요한 비용

사업시행자가 부담하는 비용은 법 제78조 제9항에 따라 다음 각 호의 산식에 의하여 산정한다.
① 택지를 공급하는 경우
사업시행자가 부담하는 비용 = 해당 공익사업지구 안에 설치하는 제1항에 따른 생활기본시설의 설치비용 × (해당 이주대책대상자에게 유상으로 공급하는 택지면적 ÷ 해당 공익사업지구에서 유상으로 공급하는 용지의 총면적)
② 주택을 공급하는 경우
사업시행자가 부담하는 비용 = 해당 공익사업지구 안에 설치하는 제1항에 따른 생활기본시설의 설치비용 × (해당 이주대책대상자에게 유상으로 공급하는 주택의 대지면적 ÷ 해당 공익사업지구에서 유상으로 공급하는 용지의 총면적)

(3) 해당 공익사업지구 안에 설치하는 제1항에 따른 생활기본시설의 설치비용

해당 생활기본시설을 설치하는 데 소요되는 공사비, 용지비 및 해당 생활기본시설의 설치와 관련하여 법령에 의하여 부담하는 각종 부담금으로 한다.

3. 주거이전에 필요한 비용 등

주거용 건물의 거주자에 대하여는 주거이전에 필요한 비용과 가재도구 등 동산의 운반에 필요한 비용을 산정하여 보상하여야 한다(법 제78조 제6항).

4. 농·어민 등의 보상차액 지급

공익사업의 시행으로 인하여 영위하던 농업·어업을 계속할 수 없게 되어 다른 지역으로 이주하는 농민·어민이 받을 보상금이 없거나 그 총액이 국토교통부령으로 정하는 금액에 미치지 못하는 경우에는 그 금액 또는 그 차액을 보상하여야 한다(법 제78조 제7항).

5. 공익사업시행 거주민에 대한 취업알선

사업시행자는 해당 공익사업이 시행되는 지역에 거주하고 있는 「국민기초생활 보장법」 제2조 제1호·제11호에 따른 수급권자 및 차상위계층이 취업을 희망하는 경우에는 그 공익사업과 관련된 업무에 우선적으로 고용할 수 있으며, 이들의 취업알선을 위하여 노력하여야 한다(법 제78조 제8항).

6. 이주정착금의 지급

사업시행자는 ① 이주대책을 수립·실시하지 아니하는 경우, ② 이주대책대상자가 이주정착지가 아닌 다른 지역으로 이주하려는 경우 이주대책대상자에게 국토교통부령으로 정하는 바에 따라 이주정착금을 지급하여야 한다(법 시행령 제41조).

7. 주거용 건축물 이외 공장에 대한 이주대책 수립 등

사업시행자는 대통령령으로 정하는 공익사업의 시행으로 인하여 공장부지가 협의 양도되거나 수용됨에 따라 더 이상 해당 지역에서 공장(「산업집적활성화 및 공장설립에 관한 법률」 제2조 제1호에 따른 공장을 말한다)을 가동할 수 없게 된 자가 희망하는 경우 「산업입지 및 개발에 관한 법률」에 따라 지정·개발된 인근 산업단지에 입주하게 하는 등 대통령령으로 정하는 이주대책에 관한 계획을 수립하여야 한다(법 제78조의2).

(1) 공장에 대한 이주대책에 관한 계획의 수립 등

토지보상법 제78조의2에서 "대통령령으로 정하는 공익사업"이란 다음 각 호의 사업을 말한다(법 시행령 제41조의3).
① 「택지개발촉진법」에 따른 택지개발사업
② 「산업입지 및 개발에 관한 법률」에 따른 산업단지개발사업
③ 「물류시설의 개발 및 운영에 관한 법률」에 따른 물류단지개발사업
④ 「관광진흥법」에 따른 관광단지조성사업

⑤ 「도시개발법」에 따른 도시개발사업

⑥ 「공공주택특별법」에 따른 공공주택사업

(2) 공장의 이주대책에 관한 계획

공장의 이주대책에 관한 계획에는 해당 공익사업 지역의 여건을 고려하여 다음 각 호의 내용이 포함되어야 한다(법 시행령 제41조의3).

① 해당 공익사업지역 인근 지역에 「산업입지 및 개발에 관한 법률」에 따라 지정·개발된 산업단지(이하 "산업단지"라 한다)가 있는 경우 해당 산업단지의 우선 분양 알선

② 해당 공익사업지역 인근 지역에 해당 사업시행자가 공장이주대책을 위한 별도의 산업단지를 조성하는 경우 그 산업단지의 조성 및 입주계획

③ 해당 공익사업지역에 조성되는 공장용지의 우선 분양

④ 그 밖에 원활한 공장이주대책을 위한 행정적 지원방안

Ⅴ 이주대책의 절차

1. 이주대책대상자에게 통지

사업시행자가 이주대책을 수립하려는 경우에는 미리 그 내용을 같은 항에 따른 이주대책대상자에게 통지하여야 한다(법 시행령 제40조 제1항).

2. 지방자치단체의 장과 협의

사업시행자는 제1항에 따라 이주대책을 수립하려면 미리 관할 지방자치단체의 장과 협의하여야 한다(법 제78조 제2항).

Ⅵ 수분양권의 법적 성질(수분양권의 발생시기) 및 이주대책에 대한 쟁송

1. 개설

수분양권이란 이주대책을 수립·실시하는 경우 사업시행자로부터 택지나 아파트를 분양받을 수 있는 권리이며 수분양권의 성질에 따라 ① 사업시행자의 확인·결정행위의 법적 성질, ② 권리구제 수단에 차이가 있다.

2. 법적 성질에 대한 종전 판례 견해와 최근의 대법원 판례

(1) 절차적 권리로 보는 견해(종전 전원합의체 다수의견)

판례의 다수의견은 수분양권을 이주희망자가 신청을 하고 사업시행자가 이를 받아들여 이주대책대상자로 확인·결정되었을 때 비로소 발생하는 절차적 권리로 보았으며 사업시행자의 확인·결정은 수분양권 취득의 요건이며, 행정작용으로서 공법상 처분이라고 보았다.

(2) 실체적 권리로 보는 견해(종전 전원합의체 소수의견)

판례의 소수의견은 수분양권은 법률의 규정에 의해 직접 발생하는 실체적 권리로서 사업시행자의 확인·결정은 이주자가 이미 취득하고 있는 수분양권을 구체화시켜 주는 절차상의 이행처분에 불과하다고 본다. 즉, 수분양권은 이주대책 수립 이전에는 추상적 권리로 존재하며 이주대책 수립에 의해 구체적 권리로 전환된다고 본다.

(3) 새로운 최근의 대법원 판례(대판 2011.6.23, 2007다63089·63096 전원합의체[채무부존재확인·채무부존재확인])

공익사업법 제78조 제1항은 위와 같이 사업시행자의 이주대책 수립·실시의무를 정하고 있고, 같은 법 시행령(2008.2.29. 대통령령 제20722호로 개정되기 전의 것, 이하 '(구)공익사업법 시행령'이라 한다) 제40조 제2항은 "이주대책은 국토교통부령으로 정하는 부득이한 사유가 있는 경우를 제외하고는 이주대책대상자 중 이주정착지에 이주를 희망하는 자의 가구 수가 10호 이상인 경우에 수립·실시한다. 다만 사업시행자가 택지개발촉진법 또는 주택법 등 관계 법령에 따라 이주대책대상자에게 택지 또는 주택을 공급한 경우(사업시행자의 알선에 의하여 공급한 경우를 포함한다)에는 이주대책을 수립·실시한 것으로 본다."고 규정하고 있으며, 한편 (구)공익사업법 제78조 제4항 본문은 "이주대책의 내용에는 이주정착지에 대한 도로·급수시설·배수시설 그 밖의 공공시설 등 해당 지역조건에 따른 생활기본시설이 포함되어야 하며, 이에 필요한 비용은 사업시행자의 부담으로 한다."고 규정하고 있다. 위 각 규정을 종합하면 사업시행자가 (구)공익사업법 시행령 제40조 제2항 단서에 따라 택지개발촉진법 또는 주택법 등 관계 법령에 의하여 이주대책대상자들에게 택지 또는 주택을 공급(이하 '특별공급'이라 한다)하는 것도 (구)공익사업법 제78조 제1항의 위임에 근거하여 사업시행자가 선택할 수 있는 이주대책의 한 방법이므로, 특별공급의 경우에도 이주정착지를 제공하는 경우와 마찬가지로 사업시행자의 부담으로 같은 조 제4항이 정한 생활기본시설을 설치하여 이주대책대상자들에게 제공하여야 한다고 봄이 상당하고, 이주대책대상자들이 특별공급을 통해 취득하는 택지나 주택의 시가가 그 공급가액을 상회하여 그들에게 시세차익을 얻을 기회나 가능성이 주어진다고 하여 달리 볼 것은 아니다. 그리고 (구)공익사업법은 공익사업에 필요한 토지 등을 협의 또는 수용에 의하여 취득하거나 사용함에 따른 손실의 보상에 관한 사항을 규정함으로써 공익사업의 효율적인 수행을 통하여 공공복리의 증진과 재산권의 적정한 보호를 도모함을 목적으로 하고 있고, 위 법에 의한 이주대책은 공익사업의 시행에 필요한 토지 등을 제공함으로 인하여 생활의 근거를 상실하게 되는 이주대책대상자들에게 종전의 생활상태를 원상으로 회복시키면서 동시에 인간다운 생활을 보장하여 주기 위하여 마련된 제도이므로, 사업시행자의 이주대책 수립·실시의무를 정하고 있는 (구)공익사업법 제78조 제1항은 물론 그 이주대책의 내용에 관하여 규정하고 있는 같은 법 제78조 제4항 본문 역시 당사자의 합의 또는 사업시행자의 재량에 의하여 그 적용을 배제할 수 없는 강행법규이다.

(4) 검토

종전 대법원 전원합의체 판례의 다수견해는 수분양권을 사업시행자의 확인·결정에 의해 비로소 발생하는 절차적 권리로 보고 있는데 이 경우 공익사업의 신속한 시행에 보다 유리한 측면이 있다고 보이는 측면이 있다. 종전의 전원합의체 소수견해가 실체적 권리라고 보았는데, 최근의 대법원 2011.6.23, 2007다63089·63096 전원합의체 판결에서는 "사업시행자의 이주대책 수립·실시의무를 정하고 있는 토지보상법 제78조 제1항은 물론 그 이주대책의 내용에 관하여 규정하고 있는 같은 법 제78조 제4항 본문 역시 당사자의 합의 또는 사업시행자의 재량에 의하여 그 적용을 배제할 수 없는 강행법규이다."라고 판시함으로써 토지보상법령상 이주대책 요건을 충족한 경우에는 실체적 권리로써 강행규정이라고 할 것이다.

3. 이주대책에 대한 쟁송

(1) 이주대책을 종전의 전합의체 판결과 같이 절차적 권리로 보는 경우

종전의 대법원 전원합의체 판례의 다수의견은 수분양권을 이주희망자가 신청을 하고 사업시행자가 이를 받아들여 이주대책대상자로 확인·결정되었을 때 비로소 발생하는 절차적 권리로 보았으며, 사업시행자의 확인·결정은 수분양권 취득의 요건이며, 행정작용으로서 공법상 처분이라고 보았다. 이 견해의 토지보상법령상 법적 요건을 충족하지 않은 경우에 사업시행자의 재량으로 이주대책을 실시하는 경우에는 유효한 구제수단이 될 수 있을 것이다.

(2) 이주대책을 최근 전원합의체 판결과 같이 강행법규로 볼 경우

최근의 대법원 2011.6.23, 2007다63089·63096 전원합의체 판결에서는 "사업시행자의 이주대책 수립·실시의무를 정하고 있는 토지보상법 제78조 제1항은 물론 그 이주대책의 내용에 관하여 규정하고 있는 같은 법 제78조 제4항 본문 역시 당사자의 합의 또는 사업시행자의 재량에 의하여 그 적용을 배제할 수 없는 강행법규이다."라고 판시함으로써 토지보상법령상 이주대책 요건을 충족한 경우에는 실체적 권리로써 사업시행자가 이주대책 의무를 이행하지 않는 것은 강행법규 위반으로 위법하게 된다. 이주대책의 하나의 방법으로 수분양권을 받는 경우에 피수용자가 토지보상법령상 이주대책대상자 요건을 충족한다면 반드시 이주대책으로 수분양권을 주어야 하는 것이다. 따라서 종전의 수분양권 발생시기에 관한 논의는 최근 대법원 판결이 나옴으로써 토지보상법령상 요건을 충족하는 경우에는 논의의 실익이 없지만, 법적 요건을 충족하지 않은 상태에서 사업시행자가 정책적으로 이주대책을 실시하는 경우라면 종전의 절차적 권리로써 수분양권 확인결정을 해주어야만 피수용자는 수분양권을 갖게 되는 것이다.

VII 결(문제점 및 과제)

1. 토지보상법 이외 개별법 등 운용상 통일성 결여

토지보상법 외에 이주대책은 여러 개별법에 규정되어 있으나 그 내용이 상이하며, 어떤 경우는 토지보상법을 준용한다는 식의 입법의 형태로 되어있어 다른 개별 사업 등의 보상의 형평성 문제로 대상자들의 민원의 소지가 있는 바, 법제의 통일적 정비가 요구된다.

2. 공장의 이주대책에 대한 공장부지의 확보문제

공장의 이주대책의 경우에는 「산업입지 및 개발에 관한 법률」상 지정 · 개발된 산업단지에의 입주등 대통령령으로 정하는 이주단지 확보가 전제되어야 하는바, 이에 대한 현실적인 문제 등도 해결과제라 할 것이다.

3. 세입자 보호 미흡 및 현실적 이주정착금의 지급

토지보상법령에서는 세입자를 이주대책대상자에서 제외하고는 있는바, 실질적으로 건축물 소유자보다 경제적 약자인 세입자의 경우 생활상실에 대한 회복이 더 어려운 점을 입법시에 간과한 측면이 있다고 보인다. 또한 이주정착금의 경우도 현실적인 부동산 시장상황과는 동떨어진 과소 금액이 지급되어 이주정착지 조성 등과 형평성의 문제도 있을 수 있는바, 이러한 점 등을 종합적으로 고려하여 이주대책이 행해져야 할 것이다.

〈설문 (2)에 대하여 : 이주대책기준이 되는 날 및 이주대책기준일에 포함되는지 여부〉

I 태인뉴타운개발공사의 이주대책기준일 2022년 11월 20일의 타당성

공익사업을 위한 토지 등의 취득 및 보상에 관한 법률(이하 '토지보상법') 제78조 제1항 및 동법 시행령 제40조 제3항 제2호에 의하면 사업시행자는 공익사업으로 인하여 주거용 건축물을 제공함에 따라 생활의 근거를 상실하게 되는 자를 위하여 토지보상법 시행령이 정하는 바에 따라 이주대책을 수립 실시하거나 이주정착금을 지급하여야 하나, 해당 건축물에 공익사업을 위한 관계법령에 의한 고시등이 있은 날부터 계약체결일 또는 수용재결일까지 계속하여 거주하고 있지 아니한 건축물의 소유자는 원칙적으로 이주대책대상자에서 제외하도록 되어 있다. 위 토지보상법령 규정의 문언, 내용 및 입법취지 등을 종합하여 보면, 토지보상법 시행령 제40조 제5항 제2호에서 말하는 "공익사업을 위한 관계법령에 의한 고시 등이 있은 날"은 이주대책대상자와 아닌 자를 정하는 기준이라고 할 것이지만, 나아가 사업시행자가 이주대책대상자 중에서 이주대책을 수립 · 실시하여야 할 자와 이주정착금을 지급하여야 할 자를 정하는 기준이 되는 것은 아니므로, 사업시행자는 이주대책기준을 정하는 이주대책대상자 중에서 이주대책을 수립 · 실시하여야 할 자를 선정하여 그들에게 공급할 택지 또는 주택의 내용이나 수량을 정할 수 있고, 이를 정하는

데 재량을 가지므로 이를 위해 사업시행자가 설정한 기준은 그것이 객관적으로 합리적이 아니라 거나 타당하지 않다고 볼 만한 다른 특별한 사정이 없는 한 존중되어야 할 것이다.

다만, 대법원 2008두12610 판결에서 이주대책기준일을 2022년 11월 20일로 정한 것은 토지보상법 시행령 제40조 제5항 제2호에서 말하는 "공익사업을 위한 관계법령에 의한 고시 등이 있은 날"은 보상계획공고일이 이주대책기준일이라고 할 수 있다고 판시하고 있으며 이에 대한 대법원 판례의 해석이 타당하다고 보인다.

Ⅲ 2022년 12월 24일 소유권이전 및 계속 거주한 감정평가사 乙의 경우

따라서 태인뉴타운개발공사가 이주대책기준일을 2022년 11월 20일로 정하였다 하더라도, 이는 이주대책 기준일이 될 수 없고, 대법원 판례에 따라 토지보상법 시행령 제40조 제5항 제2호에서 말하는 "공익사업을 위한 관계법령에 의한 고시 등이 있은 날"은 보상계획공고일인바, 2025년 6월 5일 보상계획공고가 있었던 시점 이전부터 계속하여 거주한바, 감정평가사 乙은 이주대책에 포함되는 것이 타당하다고 보인다.

〈설문 (3)에 대하여 : 이주대책대상자인지 여부〉

Ⅰ 이주대책대상자의 요건에 대한 검토

본 사건에서 이주대책기준은 이주대책기준일인 2012년 11월 25일을 기준으로 이주대책대상자와 아닌 자를 정한 것이 아니라 보상계획공고일(2014년 6월 5일)을 기준으로 그 이전에 사업구역 내에 주택을 취득한 사람들을 일단 이주대책대상자로 정한 다음, 협의계약과 자진 이주 여부, 협의 계약체결일 또는 수용재결일까지 해당 주택에 계속 거주하였는지 여부, 전세대원이 사업구역 내 주택 외에 무주택자인지 여부, 주택취득시점이 이 사건 이주대책기준일 전후인지 여부 등을 고려하여 이주대책대상자 중 이주대책을 수립·실시하여야 할 자를 선정하고, 그들에게 공급할 아파트의 종류 및 면적을 정하는 것이 타당하다고 대법원 판례는 판시하고 있다.

Ⅱ 감정평가사 乙이 토지보상법령 및 2008두12610 대판의 요건에 해당되는지 여부

감정평가사 乙은 2022년 12월 24일 살고 있는 주택을 취득하였고, 결혼 후 보상계획 공고일까지 전세대원인 부인 및 쌍둥이 아이들과 거주하고 있었으며, 자진해서 협의에 응하였고, 토지보상법 제78조에도 주거용 건축물을 제공한 자에게 이주대책을 실시토록 규정하고 있으며, 본 사업구역 내 주택 이외에는 다른 주택은 갖고 있지도 않다. 따라서 태인뉴타운개발공사의 이주대책 부적격 통보는 거부처분으로서 처분성이 긍정되고, 따라서 감정평가사 乙에 대한 이주대책 부적격통보에 대한 거부처분 취소쟁송을 통한 권리구제가 가능하고 그 위법성도 인정된다고 판단된다.

37절 | 토지보상법 제78조(이주대책의 수립 등)

> **문제**
>
> 최근 공익사업을 위한 토지 등의 취득 및 보상에 관한 법률(이하 '토지보상법')상 영업보상의 대상에 대한 대법원 2010두11641 판결과 주거이전비 대법원 2007다8129 판결, 동법 제78조 제4항(이주대책) 대법원 2010다43498 판결에 기초하여 다음 물음에 답하시오.
> 40점
>
> (1) 토지보상법상 '적법한 장소에서 인적·물적 시설을 갖추고 계속적으로 행하고 있는 영업'에 해당하는지 여부의 판단기준시기(대판 2010두11641)에 대해 설명하시오.
>
> (2) 토지보상법상 주거이전비의 보상청구권의 법적 성질은 무엇이며, 그 보상에 관한 분쟁의 쟁송절차는 무엇인지 설명하시오.
>
> (3) 토지보상법상 세입자의 주거이전비 보상에 관하여 재결이 이루어진 다음 세입자가 보상금의 증감 부분을 다투는 경우에는 토지보상법의 행정쟁송의 방법은 무엇인지 설명하시오.
>
> (4) 토지보상법 소정의 이주대책의 제도적 취지를 설명하시오.
>
> (5) 토지보상법 소정의 이주대책으로서 이주정착지에 택지를 조성하거나 주택을 건설하여 공급하는 경우, 이주정착지에 대한 공공시설 등의 설치비용을 당사자들의 합의로 이주자들에게 부담시킬 수 있는지 여부를 논하시오.

□ 대판 2010.9.9, 2010두11641[영업손실보상거부처분취소]

[판시사항]

영업손실의 보상대상인 영업을 정한 공익사업을 위한 토지 등의 취득 및 보상에 관한 법률 시행규칙 제45조 제1호에서 말하는 '적법한 장소에서 인적·물적 시설을 갖추고 계속적으로 행하고 있는 영업'에 해당하는지 여부의 판단기준시기

[판결요지]

공익사업을 위한 토지 등의 취득 및 보상에 관한 법률 제67조 제1항은 공익사업의 시행으로 인한 손실보상액의 산정은 협의에 의한 경우에는 협의 성립 당시의 가격을, 재결에 의한 경우에는 수용 또는 사용의 재결 당시의 가격을 기준으로 한다고 규정하므로, 위 법 제77조 제4항의 위임에 따라 영업손실의 보상대상인 영업을 정한 같은 법 시행규칙 제45조 제1호에서 말하는 '적법한 장소(무허가건축물 등, 불법형질변경토지, 그 밖에 다른 법령에서 물건을 쌓아놓는 행위가 금지되는 장소가 아닌 곳을 말한다)에서 인적·물적 시설을 갖추고 계속적으로 행하고 있는 영업'에 해당하는지 여부는 협의성립, 수용재결 또는 사용재결 당시를 기준으로 판단하여야 한다.

[참조조문]

공익사업을 위한 토지 등의 취득 및 보상에 관한 법률 제77조 제4항, 공익사업을 위한 토지 등의 취득 및 보상에 관한 법률 시행규칙 제45조 제1호

□ 대판 2008.5.29, 2007다8129[주거이전비등]

[판시사항]

[1] (구)공익사업을 위한 토지 등의 취득 및 보상에 관한 법령에 의하여 주거용 건축물의 세입자에게 인정되는 주거이전비 보상청구권의 법적 성격(=공법상의 권리) 및 그 보상에 관한 분쟁의 쟁송절차(=행정소송)

[2] (구)공익사업을 위한 토지 등의 취득 및 보상에 관한 법령에 따라 주거용 건축물의 세입자가 주거이전비 보상을 소구하는 경우 그 소송의 형태

[판결요지]

[1] (구)공익사업을 위한 토지 등의 취득 및 보상에 관한 법률(2007.10.17. 법률 제8665호로 개정되기 전의 것) 제2조, 제78조에 의하면, 세입자는 사업시행자가 취득 또는 사용할 토지에 관하여 임대차 등에 의한 권리를 가진 관계인으로서, 같은 법 시행규칙 제54조 제2항 본문에 해당하는 경우에는 주거이전에 필요한 비용을 보상받을 권리가 있다. 그런데 이러한 주거이전비는 해당 공익사업 시행지구 안에 거주하는 세입자들의 조기이주를 장려하여 사업추진을 원활하게 하려는 정책적인 목적과 주거이전으로 인하여 특별한 어려움을 겪게 될 세입자들을 대상으로 하는 사회보장적인 차원에서 지급되는 금원의 성격을 가지므로, 적법하게 시행된 공익사업으로 인하여 이주하게 된 주거용 건축물 세입자의 주거이전비 보상청구권은 공법상의 권리이고, 따라서 그 보상을 둘러싼 쟁송은 민사소송이 아니라 공법상의 법률관계를 대상으로 하는 행정소송에 의하여야 한다.

[2] (구)공익사업을 위한 토지 등의 취득 및 보상에 관한 법률(2007.10.17. 법률 제8665호로 개정되기 전의 것) 제78조 제5항, 제7항, 같은 법 시행규칙 제54조 제2항 본문, 제3항의 각 조문을 종합하여 보면, 세입자의 주거이전비 보상청구권은 그 요건을 충족하는 경우에 당연히 발생하는 것이므로, 주거이전비 보상청구소송은 행정소송법 제3조 제2호에 규정된 당사자소송에 의하여야 한다. 다만, (구)도시 및 주거환경정비법(2007.12.21. 법률 제8785호로 개정되기 전의 것) 제40조 제1항에 의하여 준용되는 (구)공익사업을 위한 토지 등의 취득 및 보상에 관한 법률 제2조, 제50조, 제78조, 제85조 등의 각 조문을 종합하여 보면, 세입자의 주거이전비 보상에 관하여 재결이 이루어진 다음 세입자가 보상금의 증감부분을 다투는 경우에는 같은 법 제85조 제2항에 규정된 행정소송에 따라, 보상금의 증감 이외의 부분을 다투는 경우에는 같은 조 제1항에 규정된 행정소송에 따라 권리구제를 받을 수 있다.

[참조조문]

[1] (구)공익사업을 위한 토지 등의 취득 및 보상에 관한 법률(2007.10.17. 법률 제8665호로 개정되기 전의 것) 제2조, 제78조, (구)공익사업을 위한 토지 등의 취득 및 보상에 관한 법률 시행규칙(2008.3.14. 건설교통부령 제4호로 개정되기 전의 것) 제54조 제2항

[2] (구)공익사업을 위한 토지 등의 취득 및 보상에 관한 법률(2007.10.17. 법률 제8665호로 개정되기 전의 것) 제2조, 제50조, 제78조, 제85조, (구)공익사업을 위한 토지 등의 취득 및 보상에 관한 법률 시행규칙(2008.3.14. 건설교통부령 제4호로 개정되기 전의 것) 제54 조, 행정소송법 제3조 제2호

I 영업보상의 대상 판례평석(대판 2010.9.9, 2010두11641)

1. 설문 (1) '적법한 장소에서 인적 · 물적 시설을 갖추고 계속적으로 행하고 있는 영업'에 해당하는 지 여부의 판단기준시기

공익사업을 위한 토지 등의 취득 및 보상에 관한 법률 제67조 제1항은 공익사업의 시행으로 인한 손실보상액의 산정은 협의에 의한 경우에는 협의 성립 당시의 가격을, 재결에 의한 경우에는 수용 또는 사용의 재결 당시의 가격을 기준으로 한다고 규정하므로, 위 법 제77조 제4항의 위임에 따라 영업손실의 보상대상인 영업을 정한 같은 법 시행규칙 제45조 제1호에서 말하는 '적법한 장소(무허가건축물 등, 불법형질변경토지, 그 밖에 다른 법령에서 물건을 쌓아놓는 행위가 금지되는 장소가 아닌 곳을 말한다)에서 인적 · 물적 시설을 갖추고 계속적으로 행하고 있는 영업'에 해당하는지 여부는 협의성립, 수용재결 또는 사용재결 당시를 기준으로 판단하여야 한다고 판시하고 있다. 이는 보상 투기를 방지하고 정당한 보상의 실현을 위한 조치로 평가된다. 다만, 토지보상법령이 일정한 장소에서 적법한 장소로 법령을 개정하면서 고의적이 아니라 불가피하게 건축물 등을 용도변경하는 등의 불측의 피해를 입을 당사자들에게 있어서는 법적용의 유연성을 발휘하여 합목적적으로 판단하는 것이 타당하다고 생각된다.

II 주거이전비 판례평석(대판 2008.5.29, 2007다8129 판결)

1. 설문 (2) 주거이전비의 보상청구권은 공법상 권리이고, 그 보상에 관한 분쟁의 쟁송절차는 행정 소송절차에 의하여야 한다.

본 판례의 사건번호를 보면 2007다8129로 이는 민사사건의 판결이다. 주거이전비는 토지보상법상 공법상 권리이고, 이에 대한 다툼은 당사자소송이 타당하다. 즉, 주거이전비는 해당 공익사업 시행지구 안에 거주하는 세입자들의 조기이주를 장려하여 사업추진을 원활하게 하려는 정책적인 목적과 주거이전으로 인하여 특별한 어려움을 겪게 될 세입자들을 대상으로 하는 사회보장적인 차원에서 지급되는 금원의 성격을 가지므로, 적법하게 시행된 공익사업으로 인하여 이주하게 된 주거용 건축물 세입자의 주거이전비 보상청구권은 공법상의 권리이고, 따라서 그 보상을 둘러싼 쟁송은 민사소송이 아니라 공법상의 법률관계를 대상으로 하는 행정소송에 의하여야 한다는 대법원 판례가 타당하다고 할 것이다.

2. 설문 (3) 세입자의 주거이전비 보상에 관하여 재결이 이루어진 다음 세입자가 보상금의 증감부분을 다투는 경우에는 같은 법 제85조 제2항에 규정된 행정소송에 따라, 그 이외 재결부분은 토지보상법 제85조 제1항의 취소소송에 의한다.

토지보상법은 공익사업을 진행함에 있어서 국민의 재산권을 보호하는 손실보상의 일반법적 지위에 있는 법률이다. 또한 (구)도정법 제40조에서 토지보상법을 준용하고 있으므로 이에 대한 권리구제는 토지보상법 제85조에 따라 보상금에 관련된 내용은 토지보상법 제85조 제2항에 따라 보증소에 의하여야 하고, 보상금 이외의 재결사항은 토지보상법 제85조 제1항에 따라 판단하는 것이 타당하다고 볼 수 있다.

이는 그간의 애매했던 손실보상에 대한 권리구제의 길을 통일적으로 정리함으로써 토지보상법의 위상을 높이고 국민의 재산권 보호의 최후의 보루로서 토지보상법의 중요성을 강조한 판결로서 향후 대법원의 공익사업에 따른 손실보상 관련 권리구제 판결에서 중요한 기준과 잣대가 되리라 생각된다.

Ⅲ 토지보상법 제78조 제4항 판례평석(대판 2011.2.24, 2010다43498)

이주대책의 본래의 취지가 이주대책대상자들에 대하여 종전의 생활상태를 원상으로 회복시키면서 동시에 인간다운 생활을 보장하여 주기 위한 이른바 생활보상의 일환으로 국가의 적극적이고 정책적인 배려이고, 공익사업법 제78조 제4항은 사업시행자가 이주대책대상자들을 위한 이주대책으로서 이주정착지에 택지를 조성하거나 주택을 건설하여 공급하는 경우 그 이주정착지에 대한 도로, 급수 및 배수시설 기타 공공시설 등 해당 지역조건에 따른 생활기본시설이 설치되어 있어야 하고, 또한 그 공공시설 등의 설치비용은 사업시행자가 부담하는 것으로서 이를 이주대책대상자들에게 전가할 수 없으며, 당사자의 합의로도 그 적용을 배제할 수 없는 강행법규에 해당하고, 그 공급하는 택지의 분양가격 결정을 위한 택지조성원가의 구체적인 산정은 공익사업법령에 특별한 규정이 없는 이상 택지공급의 직접적인 근거가 되는 택지개발촉진법령에 의하여야 한다고 봄이 상당하다고 할 것이다.

1. 설문 (4) (구)공익사업을 위한 토지 등의 취득 및 보상에 관한 법률 소정의 이주대책의 제도적 취지

(구)공익사업을 위한 토지 등의 취득 및 보상에 관한 법률(2007.10.17. 법률 제8665호로 개정되기 전의 것, 이하 '공익사업법'이라고 한다) 제78조 제1항과 같은 조 제4항의 취지를 종합하여 보면, 공익사업법에 의한 이주대책은 공익사업의 시행에 필요한 토지 등을 제공함으로 인하여 생활의 근거를 상실하게 되는 이주대책대상자들을 위하여 사업시행자가 '기본적인 생활시설이 포함된' 택지를 조성하거나 그 지상에 주택을 건설하여 이주대책대상자들에게 이를 '그 투입비용 원가만의 부담하에' 개별 공급하는 것으로서, 그 본래의 취지가 이주대책대상자들에 대하여 종전의 생활상태를 원상회복시키면서 동시에 인간다운 생활을 보장하여 주기 위한 이른바 생활보상의 일환으로 국가의 적극적이고 정책적인 배려에 의하여 마련된 제도이다.

2. 설문 (5) 토지보상법 소정의 이주대책으로서 이주정착지에 택지를 조성하거나 주택을 건설하여 공급하는 경우, 이주정착지에 대한 공공시설 등의 설치비용을 당사자들의 합의로 이주자들에게 부담시킬 수 있는지 여부(소극)

이와 같은 이주대책의 제도적 취지에 비추어 볼 때, 공익사업법 제78조 제4항은 사업시행자가 이주대책대상자들을 위한 이주대책으로서 이주정착지에 택지를 조성하거나 주택을 건설하여 공급하는 경우 그 이주정착지에 대한 도로, 급수 및 배수시설 기타 공공시설 등 해당 지역조건에 따른 생활기본시설이 설치되어 있어야 하고, 또한 그 공공시설 등의 설치비용은 사업시행자가 부담하는 것으로서 이를 이주대책대상자들에게 전가할 수 없으며, 이주대책대상자들에게는, 다만 분양받을 택지의 용지비 및 조성비 등과 같은 택지조성원가, 주택을 공급하는 경우 그 건축원가만을 부담시킬 수 있는 것으로 해석함이 상당하고, 위 규정은 그 취지에 비추어 볼 때 당사자의 합의로도 그 적용을 배제할 수 없는 강행법규에 해당한다고 봄이 상당하다.

※ 참고 쟁점 : 이주정착지 조성에 갈음하여 택지개발촉진법에 의하여 이주대책대상자에게 택지를 공급하는 경우, 그 택지의 분양가격 결정을 위한 택지조성원가의 구체적인 산정을 택지개발촉진법령에 의하여야 하는지 여부(적극)

별도의 이주정착지 조성에 갈음하여 택지개발촉진법에 의하여 이주대책대상자에게 택지를 공급하는 경우도 공익사업법 제78조 제1항 소정의 이주대책의 하나인 이상 공익사업법 제78조 제4항의 규정은 이 경우에도 마찬가지로 적용된다고 할 것이나, 그 공급하는 택지의 분양가격 결정을 위한 택지조성원가의 구체적인 산정은 공익사업법령에 특별한 규정이 없는 이상 택지공급의 직접적인 근거가 되는 택지개발촉진법령에 의하여야 한다고 봄이 상당하다.

38절
- 토지보상법 제78조(이주대책의 수립 등)
- 행정법 쟁점 : 행정규칙의 법규성 논의

문제

국토교통부장관 A는 "X국가산업단지 내 국도 대체우회도로개설 사업"(이하 '이 사건 개발 사업'이라 함)의 실시계획을 승인·고시하고, 사업시행자로 B시의 시장을 지정하였다. B시의 시장은 이사건 개발사업을 시행함에 있어 사업시행으로 인하여 건물이 철거되는 이주 대책대상자를 위한 이주대책을 수립하면서 관계규정이 없거나 애매하여 국토교통부장관에 게 요청하여 국토교통부장관은 국토교통부 훈령의 형식으로 "이주민 지원규정"을 제정하였다. 위 지원규정에서는 ① 이주대책대상자 선정과 관련하여, 「공익사업을 위한 토지 등 의 취득 및 보상에 관한 법률」 및 그 시행령이 정하고 있는 이주대책대상자 요건 외에 '전세대원이 사업구역 내 주택 외 무주택'이라는 요건을 추가적으로 규정하는 한편, ② B시의 이주대책 지급 대상에 관하여, 과거 건축물양성화 기준일 이전 건물의 거주자의 경우 소지 가(조성되지 아니한 상태에서의 토지가격) 분양대상자로, 기준일 이후 건물의 거주자의 경우 1세대 당 사업용지 3평을 일반분양가로 추가 분양하도록 하고, 일반 우선 분양대상자의 경우 1세대 1필지 이주택지를 일반분양가로 우선분양할 수 있도록 하고 있다. B시의 시장은 이주대책을 실시하면서 이 사건 개발사업 구역 내에 거주하는 甲과 乙에 대하여, 甲은 공익사업을 위한 토지 등의 취득 및 보상에 관한 법령이 정한 이주대책대상자에 해당됨에 도 위 ①에서 정하는 요건을 이유로 이주대책대상자에서 배제하는 부적격 통보를 하였고, 소지가 분양대상자로 신청한 乙에 대해서는 위 지원규정을 적용하여 소지가 분양대상이 아닌 일반 우선 분양대상자로 선정하고, 이를 공고하였다. 다음 물음에 답하시오(다만 이주 민지원규정인 국토교통부 훈령은 상위법령에 아무런 위임규정이 없고, 순수하게 행정청의 업무처리 지침을 위한 것이다). 30점

(1) 甲은 국토교통부 훈령인 "이주민지원규정"에서 정한 추가적 요건을 이유로 자신을 이 주대책대상자에서 배제한 것은 위법하다고 주장한다. 甲의 주장이 타당한지에 관하여 설명하시오. 15점

(2) 乙은 자신을 소지가 분양대상자가 아닌 일반우선 분양대상자로 선정한 것은 위법하다 고 보아 이를 소송으로 다투려고 한다. 乙이 제기하는 소송의 형식을 설명하시오(대판 2014.2.27, 2013두10885 [일반분양이주택지결정무효확인] - 소지대상자 확인결정 과 일반우선분양대상자 확인 결정에 대한 해당 사건번호와 연관하여 논의함). 15점

Ⅰ. 논점의 정리	2. 이주대책 대상자 요건
Ⅱ. (물음 1)	3. 이주민지원규정에 의한 대상자 배제 의 위법성
1. 이주대책 의의 및 취지	(1) 이주민지원규정의 법적 성질

Ⅰ 논점의 정리

공익사업을 위한 토지 등의 취득 및 보상에 관한 법률(이하 '토지보상법')상 (물음 1)에서는 B시 이주민지원규정에서 정한 추가적 요건을 이유로 자신을 이주대책 대상자에서 배제한 것은 위법하다는 甲의 주장의 타당성을 판단하기 위해 이주대책 관련 일반론을 개관한 후 甲이 토지보상법령상 이주대책대상자임에도 추가요건을 이유로 대상자에서 배제한 것이 위법하다는 甲 주장이 타당한지에 관하여 검토해 보도록 한다. (물음 2)의 해결을 위해 이주대책대상자 확인·결정의 법적 성질에 대하여 관련 판례를 검토한 후, 乙이 고려할 수 있는 소송의 형식을 판단하고자 한다.

Ⅱ (물음 1)

1. 이주대책 의의 및 취지(법 제78조)

이주대책이란 공익사업 시행으로 인하여 주거용 건축물을 제공함에 따라 생활의 근거를 상실한 자에게 사업시행자가 택지를 조성하거나 주택을 건설·공급하는 것을 말한다. 판례는 생활보상의 일환으로 국가의 적극적이고 정책적인 배려에 의해 마련된 제도로 보고 있다.

2. 이주대책대상자 요건(법 제78조, 영 제40조)

사업시행자는 공익사업 시행으로 주거용 건축물을 제공함에 따라 생활의 근거를 상실하게 되는 자에게 이주대책을 수립·실시해야 하고, 이주대책대상자는 적법한 주거용 건축물에 거주하는 자로 무허가건축물 소유자가 아닐 것, 관계법령에 따른 고시 등이 있은 날부터 계약체결일 또는 수용재결일까지 계속적으로 거주하고 있을 것, 타인 소유 건축물에 거주하는 세입자가 아닐 것이 요구된다.

3. 이주민지원규정에 의한 대상자 배제의 위법성

(1) 이주민지원규정의 법적 성질

'이주민지원규정'은 훈령의 형식으로서 행정조직 내부 사무처리기준으로서 제정된 일반적·추상적 규범인 행정규칙에 해당한다. 판례는 행정규칙은 행정청 내부 사무처리규정으로 대외적 구속력이 없다고 판시하였다. 이에 따라 '이주민지원규정'은 대외적 구속력이 없다고 판단된다.

(2) 사업시행자의 재량 여부

판례는 이주대책 내용 및 대상자를 결정함에 있어 사업시행자는 재량을 가지며, 객관적으로 합리적인 경우 재량이 인정된다는 입장을 취하되, 이주대책 대상자의 범위를 확대하는 기준을 수립하여 실시하는 것은 허용되는 것으로 판시한다. 따라서 범위를 확대하는 것은 가능하나, 축소하는 기준은 형평에 어긋나는 것이라고 판단된다.

(3) 사안 규정의 위법성 여부

사안의 이주민지원규정은 훈령의 형식으로 행정규칙에 해당하여 대외적 구속력이 부정된다. 또한, 사업시행자가 이주대책 내용 결정에 대해 재량권을 갖고 있으나, 이주대책대상자의 범위를 축소시키는 것으로서, 객관적 합리성 및 타당성이 결여되어 위법한 것이라고 판단된다.

4. 甲주장의 타당성 여부

甲은 토지보상법령상 요건을 충족함에도 불구하고, 대외적 구속력이 부정되는 이주민지원규정상 추가 요건에 의해 이주대책대상자에서 배제되었고, 위 규정은 비록 사업시행자가 내용 결정에 재량권을 가지나, 이주대책대상자의 범위를 축소시키는 데 있어 객관적 합리성 및 타당성이 결여되는 것으로 판단된다. 따라서 甲의 주장은 타당성이 있다고 생각된다.

Ⅲ (물음 2)

1. 이주대책대상자 확인·결정의 법적 성질

(1) 종전 판례 다수견해

대법원 다수의견은 사업시행자가 확인·결정이 있어야만 비로소 구체적인 수분양권이 발생하게 된다고 판시한다. 따라서 확인·결정행위는 재량행위로서 형성적 행정처분의 성격을 갖는 것이다.

(2) 최근의 전원합의체 판결

최근 전원합의체 판결은 토지보상법 제78조 제1항의 이주대책 수립의무 및 제4항의 생활기본시설 설치의무를 당사자의 합의 또는 사업시행자의 재량에 의하여 적용을 배제할 수 없는 '강행법규'라고 판시하여 종전 판결을 변경하였다. 이에 따라 사실상 이주대책대상자에게 실체적 권리를 부여한 측면이 있다고 할 것이다.

2. 乙이 제기할 수 있는 소송의 형식

(1) 항고소송 가능성

① 확인결정의 처분성 및 기속행위 여부

이주대책 대법원 판례가 변경됨에 따라 사업시행자는 일정한 요건이 되는 경우 반드시 이주대책 수립·실시의무를 부담하고, 이주대책의 수립에 따라 피수용자들에게는 실체적 권리가 생겼다고 볼 수 있다. 따라서 확인·결정처분은 확인·이행처분이며, 기속행위라고 판단된다. 소지 분양대상자인지 일반 우선분양대상자인지 여부를 확인 결정하는 것은 판례에 따라 처분성이 인정된다고 할 것이다.

② 항고소송 제기가능성

사안에서 본인이 일반우선 분양대상자가 아닌 소지가 분양대상자라는 乙의 주장이 맞다면, 소지분양대상자 확인결정을 해야 하는데 일반 우선 분양대상자로 결정했다면 乙은 취소소송 또는 무효등확인소송을 제기하여 권리구제를 받을 수 있을 것으로 판단된다.

(2) 공법상 당사자소송 제기가능성

사안에서 乙의 주장이 타당하다면, 신청기간을 도과하였거나 사업시행자가 미리 수분양권을 부정하거나 이주대책에 따른 분양절차가 종료된 경우 등에 해당한다면 당사자소송으로 소지분양대상자로 소지분양자로서 그 법률상 지위의 확인을 구할 수 있다고 판단된다.

Ⅳ 사안의 해결

甲은 토지보상법상 요건을 충족하나 이주민지원규정상 추가적 요건에 의해 이주대책대상자에서 배제되었다. 이주민지원규정의 내용에 대하여 사업시행자의 재량권은 인정된다고 봄이 판례의 입장이나, 법상 인정되는 이주대책대상자의 범위를 축소시키는 것은 객관적 합리성 및 타당성이 결여된다고 보이므로 甲의 주장은 타당성이 있다.

최근 전원합의체 판결에 따를 때, 토지보상법 제78조 제1항, 제4항의 강행법규성을 인정한바 있다. 이는 이주대책대상자에게 실체권 권리를 부여한 것으로 乙이 일반우선 분양대상자가 아닌 소지가 분양대상자가 맞는데 일반 우선분양대상자로 확인 결정하였다면. 이는 처분성이 인정되어 乙은 취소소송 또는 무효등확인소송을 제기하여 권리구제를 받을 수 있다고 생각된다. 또한, 신청기간을 도과하였거나 분양절차가 종료된 경우 당사자소송으로 소지분양대상자에 대한 법률상 지위의 확인을 구할 수 있다고 생각한다.

39절 토지보상법 제79조(그 밖의 토지에 관한 비용보상 등)

문제

수도권의 맑은물 공급과 전력을 위한 댐으로 북한강수계에는 화천댐, 평화의 댐, 소양댐, 춘천댐, 의암댐, 그리고 남한강수계에는 충주댐, 횡성댐, 또한 남한강과 북한강이 합쳐진 이후 댐은 청평댐, 팔당댐이 있다. 그런데 남한강의 팔당댐 취수장 부족사태로 한국수자원공사는 경기도 A군에 팔당상류댐을 건설하기로 하였다. 경기도 A군에 사는 甲은 한국수자원공사가 시행하는 댐공사로 인해 수몰될 지역 밖에 과수원을 소유하고 있다. 댐공사가 시작되어 甲의 과수원에 이르는 농로가 차단됨으로써 영농상 큰 불편이 발생하였고, 그에 따라 甲은 과일생산에 큰 결손을 입었다. 甲은 영농상의 손실이 댐공사에 기인하였다는 이유로 한국수자원공사에 대하여 적절한 권리구제수단을 모색하고자 한다. 가능한 구제수단과 그 성공 여부를 논하시오. 40점

Ⅰ. 논점의 정리
Ⅱ. 甲의 권리구제수단으로서의 손실보상청구권 성립 여부
  1. 개설
  2. 공공필요에 의한 재산권의 적법한 침해인지 여부
    (1) 공공필요에 의한 재산권의 적법한 침해가 발생한 경우일 것
    (2) 사안의 경우
  3. 특별한 희생이 발생하였는지 여부
    (1) 학설
    (2) 대법원 판례 및 헌법재판소 결정
    (3) 검토 및 사안의 경우
  4. 사안의 적용
Ⅲ. 甲의 손실보상청구권 행사가능 여부
  1. 보상규정이 존재하는지
    (1) 공익사업시행지구 밖의 보상에 대한 근거규정

    (2) 공익사업시행지구 밖의 농경지 등에 대한 보상 여부
    (3) 공익사업시행지구 밖의 농업손실에 대한 보상 여부
    (4) 소결
  2. 간접손실보상 규정 흠결에 대한 검토
    (1) 학설
    (2) 대법원 판례
    (3) 사안의 검토
  3. 수용적 침해이론 및 조정보상법리 도입가능성
    (1) 수용적 침해이론의 의의
    (2) 조정보상법리의 의의
    (3) 도입가능성 검토
  4. 판례의 태도
  5. 사안의 적용
Ⅳ. 사례의 해결

> **Tip** 간접보상 및 간접침해보상은 제11회 간접보상의 이론적 근거, 실제유형과 보상의 한계 20점, 간접침해에 대한 구제수단 20점 으로 기출되었고, 손실보상 파트에서 아직까지 중요하면서도 전면

적으로 등장하지 않은 논제가 간접보상이다. 손실보상의 중요내용으로서 관심 있게 잘 정리해 두기 바란다.

☐ 대판 1998.1.20, 95다29161[보상금]

[판시사항]

[1] (구)토지수용법 제51조, 제57조의2, (구)공공용지의 취득 및 손실보상에 관한 특례법 시행규칙 제23조의5, 제23조의6 등이 하구둑 공사로 입은 간접손실에 관한 구체적인 손실보상청구권 행사의 근거법규가 될 수 있는지 여부(소극)

[2] 하구둑 공사의 시행으로 인하여 참게 축양업자가 입은 간접손실의 손실보상청구권 행사를 부인한 사례

[3] 손실보상의무 있는 사업자가 손실보상 절차를 이행하지 아니하고 수용목적물의 소유자 또는 관계인의 동의를 얻지도 아니한 채 공공사업을 시행한 경우, 불법행위의 성립 여부(한정 소극) 및 그 수용목적물 소유자 및 관계인의 권리구제방법

[판결요지]

[1] 공공사업의 시행으로 손실을 입은 자는 사업시행자와 사이에 손실보상에 관한 협의를 이루지 못한 이상 (구)공공용지의 취득 및 손실보상에 관한 특례법 시행규칙 제23조의5, 제23조의6 등의 간접보상에 관한 규정들에 근거하여 곧바로 사업시행자에게 간접손실에 관한 구체적인 생활유지보상청구권을 행사할 수 없고, <u>(구)토지수용법 제51조가 규정하고 있는 '영업상의 손실'이란 수용의 대상이 된 토지·건물 등을 이용하여 영업을 하다가 그 토지·건물 등이 수용됨으로 인하여 영업을 할 수 없거나 제한을 받게 됨으로 인하여 생기는 직접적인 손실, 즉 수용손실을 말하는 것일 뿐이고 공공사업의 시행 결과 그 공공사업의 시행이 기업지 밖에 미치는 간접손실을 말하는 것은 아니므로, 그 영업상의 손실에 대한 보상액을 산정함에 있어 같은 법 제57조의2에 따라 (구)공공용지의 취득 및 손실보상에 관한 특례법 시행규칙 제23조의5, 제23조의6 등의 간접보상에 관한 규정들을 준용할 수 없고, 따라서 (구)토지수용법 제51조에 근거하여 간접손실에 대한 손실보상청구권이 발생한다고도 할 수 없다.</u>

[2] 참게 축양업자가 참게 축양업을 계속할 수 없게 되고 그 소유의 참게 축양장시설이 기능을 상실하게 된 손해를 입은 원인은, 하구둑 공사의 시행 결과 공유수면의 지류에서 용수를 끌어 쓸 수 없게 된 것이 아니라, 금강 유역 어민들이 참게를 더 이상 채포할 수 없게 되고 임진강을 제외한 전국의 다른 하천에서도 참게가 잘 잡히지 않게 되었기 때문이므로, 참게 축양업자가 입게 된 그와 같은 손해는 공공사업의 기업지 밖에서 일어난 간접손실에 불과하여, 참게 축양업자가 (구)토지수용법 또는 (구)공공용지의 취득 및 손실보상에 관한 특례법 시행규칙의 간접보상의 관련규정에 근거하여 곧바로 공공사업의 시행자에게 손실보상청구권을 가진다고 할 수는 없으며, 나아가, 참게 축양업자가 입은 위 간접손실은 그 발생을 예견하기가 어렵고 그 손실의 범위도 쉽게 확정할 수 없으므로 위 특례법 시행규칙의 간접보상에 관한 규정을 준용 또는 유추적용하여 사업시행자에 대하여 그 손실보상청구권을 인정할 수도 없다고 한 사례

[3] 손실보상의무가 있는 공공사업의 시행자가 그 손실보상절차를 이행하지 아니하고 수용목적물의 소유자 또는 관계인으로부터 동의를 얻지도 아니한 채 공공사업을 시행하였다고 하더라도, 수용목적물에 대하여 실질적이고 현실적인 침해를 가하지 않는 한 곧바로 그 공공사업의 시행이 위법하여 그 소유자나 관계인들에게 불법행위가 된다고 할 수는 없고, 수용목적물의 소유자 또는 관계인은 관계법령에 손실보상에 관하여 관할 토지수용위원회에 재결신청 등의 불복절차에 관한 규정이 있으면 그 규정에 따라서, 이에 관한 아무런 규정이 없으면 사업시행자를 상대로 민사소송으로 그 손실보상금을 청구할 수 있다.

I 논점의 정리

1. 사안은 취수 확보를 위한 댐공사로 인하여 농로가 차단되고 그로 인하여 영농에 곤란을 겪어 과수생산에 피해를 입은 甲의 권리구제수단과 성공 여부를 묻고 있다.

2. 甲에게 적절한 권리구제수단은 손실보상을 청구하는 것이다. 따라서 손실보상청구권의 성립요건을 충족하는지를 살펴보아야 할 것이다.

3. 甲의 권리구제 성공 여부와 관련하여서는 甲이 손실보상을 청구할 수 있는 법적 근거가 있는 지 찾아보고, 없는 경우의 해결책에 대하여 검토하여 사안을 해결하도록 한다.

II 甲의 권리구제수단으로서의 손실보상청구권 성립 여부

1. 개설

행정상 손실보상이란, 공공필요에 의한 적법한 공권력 행사로 인하여 특정 개인의 재산권에 가하여진 특별한 희생에 대하여 사유재산권 보장과 공평부담의 견지에서 행정주체가 행하는 조절적 재산전보를 말한다. 손실보상청구권의 성립요건은 헌법 제23조 제3항에서 찾을 수 있는 바, 동 규정은 '공공필요에 의한 재산권의 수용·사용 또는 제한 및 그에 대한 보상은 법률로써 하되, 정당한 보상을 지급하여야 한다.'고 규정하고 있다. 따라서 손실보상청구권이 성립하기 위해서는 첫째, 공공필요를 도모하기 위해서 사인의 재산권을 적법한 수단으로 침해하였어야 하며, 둘째, 사인에게 특별한 희생이 발생하였어야 한다.

2. 공공필요에 의한 재산권의 적법한 침해인지 여부

(1) 공공필요에 의한 재산권의 적법한 침해가 발생한 경우일 것

손실보상은 위법한 작용을 원인으로 하는 손해배상과는 구별된다. 또한 재산권 침해에 대한 전보수단이다. 따라서 손실보상청구권이 성립하기 위해서는 공공필요가 있는 행정작용이어야 하고, 해당 행정작용을 위한 법률이 존재하여야 하며, 침해되는 법익은 재산권이어야 한다.

(2) 사안의 경우

사안에서 한국수자원공사가 시행하는 댐공사는 공공필요가 인정되며, 적법한 공사시행으로 판단된다. 또한 甲에게 발생한 손해는 과일생산의 손해로서 재산권에 대한 침해이므로 상기의 요건을 모두 충족한다.

3. 특별한 희생이 발생하였는지 여부

(1) 학설

공행정작용으로 인한 손실이 보상을 요하는 특별희생인지 수인한도 내의 사회적 제약인지의 구별과 관련하여 첫째, 평등의 원칙을 형식적으로 해석하여 재산권에 대한 침해가 일반적인지 개별적인지를 형식적 기준으로 판단하는 형식적 기준설, 둘째, 재산권 침해의 본질과 강도를 기준으로 판단하는 실질적 기준설, 셋째, 양자를 절충한 절충설이 있다.

(2) 대법원 판례 및 헌법재판소 결정

이에 대한 과거 대법원 입장은 개발제한구역을 정하고 있는 (구)도시계획법 제21조의 위헌심 판제청사건에서 개발제한구역 내 토지에 대한 공용제한에 대하여 "개발제한구역 안에 있는 토지소유자의 불이익은 명백하지만 이로 인한 토지소유자의 불이익은 공공복리를 위하여 감수하지 아니하면 안 될 정도의 것"이라 하여 특별한 희생은 아니라고 판시하였다. 헌법재판소는 (구)도시계획법 제21조에 대한 위헌소원사건에서 개발제한구역지정으로 발생되는 재산권의 제약을 ① 토지를 종래 목적으로도 사용할 수 없거나(목적위배설), 실질적으로 토지의 사용, 수익의 길이 없는 경우(사적 효용설)에는 수인한계를 넘는 것(수인한도설)이므로 특별희생에 해당하고 ② 지가의 하락이나 개발가능성의 소멸로 인한 재산권의 제약은 사회적 제약이라고 한다.

(3) 검토 및 사안의 경우

생각건대 형식적 기준설과 실질적 기준설은 일면 타당성을 지니므로 양 설을 종합적으로 고려하여 개별적·구체적으로 판단하건대 형식적 기준설에 따라 특정인 또는 특정집단에 대하여 생긴 손실에 대해서 보상해 주되, 이 경우에도 실질적 기준설에 비추어 재산권에 대한 침해가 종래 인정되어 오던 재산권의 목적에 위배되거나(목적위배설), 개인의 주관적인 이용목적 내지 효용가치를 불가능하게 만드는 정도(사적효용설)이어서 수인한도를 넘어선 경우로 판단되면(수인한도설) 이는 보상을 요하는 특별희생이라고 본다.

사안에서 甲이 입은 손실은 형식적 기준설에 의할 때 甲에게 특별하게 부여되는 침해로 볼 수 있다. 또한 실질적 기준설에 의할 때에도 과수원의 경영 자체가 어려워졌기 때문에 재산권 제한의 정도가 매우 크다고 할 수 있다. 따라서 甲은 특별한 희생을 입었다고 판단된다.

4. 사안의 적용

甲이 받은 손실은 공공필요에 의한 재산권의 적법한 침해이며, 사회적 제약이 아닌 특별한 희생으로 판단되는바, 보상규정의 존재를 손실보상의 요건으로 보지 않는 견해에 의할 때 甲에게는 손실보상청구권이 성립한다고 볼 수 있다. 다만, 손실보상청구권의 행사가능 여부와 관련하여, 보상규정이 존재하는지를 살핀 후, 보상규정이 존재하지 않을 경우 해결방법을 검토하여야 할 것이다.

Ⅲ 甲의 손실보상청구권 행사가능 여부

1. 보상규정이 존재하는지

(1) 공익사업시행지구 밖의 보상에 대한 근거규정

손실보상에 관한 일반적인 지위에 있는 토지보상법은 주로 공익사업시행지구 내에서의 보상을 주로 규정하고 있다. 다만, 동법 제79조 제2항에서는 "공익사업이 시행되는 지역 밖에 있는 토지 등이 공익사업의 시행으로 인하여 본래의 기능을 다할 수 없게 되는 경우에는 국토교통부령으로 정하는 바에 따라 그 손실을 보상하여야 한다."고 규정하고 있고, 동규정의 위임을 받아 동법 시행규칙 제59조 내지 제65조는 공익사업시행지구 밖의 보상에 대하여 규정을 두고 있다.

(2) 공익사업시행지구 밖의 농경지 등에 대한 보상 여부

토지보상법 시행규칙 제59조는 공익사업시행지구 밖의 농지가 공익사업시행으로 인하여 교통이 두절되거나 경작이 불가능하게 된 경우에 보상할 수 있다고 규정하고 있다. 그러나 사안의 경우는 교통이 두절되거나, 경작 자체가 불가능한 것은 아니라고 판단되므로 본 규정의 적용은 어렵다.

(3) 공익사업시행지구 밖의 농업손실에 대한 보상 여부

토지보상법 시행규칙 제65조는 공익사업시행지구 밖의 농업손실에 대한 보상으로 농지의 2/3 이상이 공익사업시행지구에 편입된 경우에, 해당 지역에서 더 이상 영농을 계속할 수 없게 된 농민에 대해서는 공익사업시행지구 밖의 농지에 대하여도 영농손실액을 보상한다고 규정하고 있다. 그러나 사안의 경우는 과수원이 2/3 이상 편입되지 아니하였으므로 본 규정의 적용은 어렵다.

(4) 소결

甲은 공익사업인 댐공사로 인하여 과일생산에 큰 결손을 입었으며 이는 특별한 희생으로 판단된다. 그러나 甲이 손실보상을 청구할 수 있는 근거법규가 존재하지 아니한다. 따라서 공공필요가 있어서 국민의 재산권에 특별한 희생을 끼친 경우에는 정당한 보상을 지급하라고 하는 헌법 제23조 제3항의 규정을 어떻게 보아야 하는지가 문제되며, 독일의 이론 및 우리 판례의 태도에 대한 검토가 요구된다.

2. 간접손실보상 규정 흠결에 대한 검토

(1) 학설

① 보상부정설

토지보상법 시행규칙 제59조 이하의 간접보상규정을 제한적 열거규정으로 보고, 동 규정에 의해 간접보상의 문제가 전부 해결된 것으로 보며 동 규정에 규정하지 않은 간접손실은 보상의 대상이 되지 않는다고 보는 견해이다.

② 유추적용설

구법하에서 대법원은 간접손실에 대한 보상규정이 없는 경우 기존의 (구)공공용지의 취득 및 손실보상에 관한 특례법상의 보상규정을 유추적용하여 보상할 수 있다고 보았다.

③ 헌법 제23조 제3항 직접적용설

손실보상에 관하여 헌법 제23조 제3항의 직접효력을 인정하고, 간접손실도 제23조 제3항의 손실보상의 범위에 포함된다고 본다면 보상규정이 없는 간접손실에 대하여는 헌법 제23조 제3항에 근거하여 보상청구권이 인정된다고 볼 수 있다.

④ 평등원칙 및 재산권보장규정근거설

공적부담 앞의 평등원칙 및 재산권 보장규정이 손실보상의 직접적 근거가 될 수 있다면 간접손실도 헌법상 평등원칙 및 재산권 보장규정에 근거하여 보상해 주어야 한다.

⑤ 수용적 침해이론

간접손실을 수용적 침해로 보고 독일법상의 수용적 침해이론을 적용하여 구제해 주어야 한다는 견해이다.

⑥ 손해배상설

간접손실에 대하여 명문의 규정이 없는 경우에는 손해배상을 청구해야 한다는 견해이다.

(2) 대법원 판례

판례는 (구)토지수용법하에서 간접손실을 헌법 제23조 제3항에 규정한 손실보상의 대상이 된다고 보고, (구)공공용지의 취득 및 손실보상에 관한 특례법 시행규칙상의 각 간접손실보상규정을 유추적용하여 그에 관한 보상을 인정하는 것이 타당하다고 보았다. 즉, 판례는 손실이 발생하리라는 것을 쉽게 예견할 수 있고, 손실의 범위도 구체적으로 특정할 수 있는 경우에 한하여 유추적용할 수 있다고 하였다(대판 1999.12.24, 98다57419).

(3) 사안의 검토

해당 사안에서는 대법원 판례와 같이 손실이 발생가능하고, 그 손실의 범위를 특정할 수 있다면 관계 규정을 유추적용해 보상하는 것이 타당하다고 판단된다.

3. 수용적 침해이론 및 조정보상법리 도입가능성

(1) 수용적 침해이론의 의의

수용적 침해이론은 적법한 침해작용으로 인하여 비전형적이고, 비의도적인 침해에 대하여 보상을 인정하는 이론이다. 이는 손실보상과 손해배상의 흠결을 메우기 위한 이론으로 유용성이 크다. 다만, 침해발생이 비의도적이라는 점에서 전통적 행정상 손실보상과 구별된다.

(2) 조정보상법리의 의의

조정보상의 법리는 적법하고 비의도적인 수용적 침해이지만 예견이 가능할 때 수용적 침해보상의 전반적인 손실보상의 인정이 어렵다면 예견이 가능한 부분에 한해서는 손실보상으로 해결하자는 독일의 이론이다. 예견이 가능하므로 처음부터 보상규정을 둘 수 있다는 점에서 통상 예측이 불가능한 수용적 침해행위와 구별된다.

(3) 도입가능성 검토

이와 같은 이론들은 보상규정이 없는 비의욕적 침해에 대한 해결의 방안이나, 이들은 프로이센 일반란트법상 희생보상청구권이라는 일종의 관습법에 근거하는바, 관습법이 없는 우리나라에 적용하기에는 무리가 있다고 본다.

4. 판례의 태도

> **판례**
>
> ● 대법원 2019.11.28. 선고 2018두227 판결
>
> [1] 모든 국민의 재산권은 보장되고, 공공필요에 의한 재산권의 수용 등에 대하여는 정당한 보상을 지급하여야 하는 것이 헌법의 대원칙이고(헌법 제23조), 법률도 그런 취지에서 공익사업의 시행 결과 공익사업의 시행이 공익사업시행지구 밖에 미치는 간접손실 등에 대한 보상의 기준 등에 관하여 상세한 규정을 마련해 두거나 하위법령에 세부사항을 정하도록 위임하고 있다.
>
> 이러한 공익사업시행지구 밖의 영업손실은 공익사업의 시행과 동시에 발생하는 경우도 있지만, 공익사업에 따른 공공시설의 설치공사 또는 설치된 공공시설의 가동·운영으로 발생하는 경우도 있어 그 발생원인과 발생시점이 다양하므로, 공익사업시행지구 밖의 영업자가 발생한 영업상 손실의 내용을 구체적으로 특정하여 주장하지 않으면 사업시행자로서는 영업손실보상금 지급의무의 존부와 범위를 구체적으로 알기 어려운 특성이 있다. 공익사업을 위한 토지 등의 취득 및 보상에 관한 법률 제79조 제2항에 따른 손실보상의 기한을 사업완료일부터 1년 이내로 제한하면서도 영업자의 청구에 따라 보상이 이루어지도록 규정한 것[공익사업을 위한 토지 등의 취득 및 보상에 관한 법률 시행규칙(이하 '시행규칙'이라 한다) 제64조 제1항]이나 손실보상의 요건으로서 공익사업시행지구 밖에서 발생하는 영업손실의 발생원인에 관하여 별다른 제한 없이 '그 밖의 부득이한 사유'라는 추상적인 일반조항을 규정한 것(시행규칙 제64조 제1항 제2호)은 간접손실로서 영업손실의 이러한 특성을 고려한 결과이다.
>
> 위와 같은 공익사업시행지구 밖 영업손실보상의 특성과 헌법이 정한 '정당한 보상의 원칙'에 비추어 보면, 공익사업시행지구 밖 영업손실보상의 요건인 '공익사업의 시행으로 인한 그 밖의 부득이한 사유로 일정 기간 동안 휴업이 불가피한 경우'란 공익사업의 시행 또는 시행 당시 발생한 사유로 휴업이 불가피한 경우만을 의미하는 것이 아니라 공익사업의 시행 결과, 즉 그 공익사업의 시행으로 설치되는 시설의 형태·구조·사용 등에 기인하여 휴업이 불가피한 경우도 포함된다고 해석함이 타당하다.
>
> [2] 공익사업을 위한 토지 등의 취득 및 보상에 관한 법률(이하 '토지보상법'이라 한다) 제79조 제2항(그 밖의 토지에 관한 비용보상 등)에 따른 손실보상과 환경정책기본법 제44조 제1항(환경오염의 피해에 대한 무과실책임)에 따른 손해배상은 근거 규정과 요건·효과를 달

리하는 것으로서, 각 요건이 충족되면 성립하는 별개의 청구권이다. 다만 손실보상청구권에는 이미 '손해 전보'라는 요소가 포함되어 있어 실질적으로 같은 내용의 손해에 관하여 양자의 청구권을 동시에 행사할 수 있다고 본다면 이중배상의 문제가 발생하므로, 실질적으로 같은 내용의 손해에 관하여 양자의 청구권이 동시에 성립하더라도 영업자는 어느 하나만을 선택적으로 행사할 수 있을 뿐이고, 양자의 청구권을 동시에 행사할 수는 없다. 또한 '해당 사업의 사업완료일로부터 1년'이라는 손실보상 청구기간(토지보상법 제79조 제5항, 제73조 제2항)이 도과하여 손실보상청구권을 더 이상 행사할 수 없는 경우에도 손해배상의 요건이 충족되는 이상 여전히 손해배상청구는 가능하다.

[3] 공익사업을 위한 토지 등의 취득 및 보상에 관한 법률(이하 '토지보상법'이라 한다) 제26조, 제28조, 제30조, 제34조, 제50조, 제61조, 제79조, 제80조, 제83조 내지 제85조의 규정 내용과 입법 취지 등을 종합하면, 공익사업으로 인하여 공익사업시행지구 밖에서 영업을 휴업하는 자가 사업시행자로부터 공익사업을 위한 토지 등의 취득 및 보상에 관한 법률 시행규칙 제47조 제1항에 따라 영업손실에 대한 보상을 받기 위해서는, 토지보상법 제34조, 제50조 등에 규정된 재결절차를 거친 다음 그 재결에 대하여 불복이 있는 때에 비로소 토지보상법 제83조 내지 제85조에 따라 권리구제를 받을 수 있을 뿐이다. 이러한 재결절차를 거치지 않은 채 곧바로 사업시행자를 상대로 손실보상을 청구하는 것은 허용되지 않는다.

[4] 어떤 보상항목이 공익사업을 위한 토지 등의 취득 및 보상에 관한 법령상 손실보상대상에 해당함에도 관할 토지수용위원회가 사실을 오인하거나 법리를 오해함으로써 손실보상대상에 해당하지 않는다고 잘못된 내용의 재결을 한 경우에는, 피보상자는 관할 토지수용위원회를 상대로 그 재결에 대한 취소소송을 제기할 것이 아니라, 사업시행자를 상대로 공익사업을 위한 토지 등의 취득 및 보상에 관한 법률 제85조 제2항에 따른 보상금증감소송을 제기하여야 한다.

최근 대법원 2018두227 판결에서는 토지보상법 제79조 제2항을 확대해석하고, 종전에 물리적 기술적 손실과 사회적 경제적 손실을 구분하지 않고, 공익사업시행지구 밖의 잠업사에 대한 소음 진동으로 인한 영업손실에 대하여 적극적으로 손실보상하도록 하였다. 손실보상의 제척기간 안에 있으면 손실보상하고, 그 제척기간을 경과하였지만 손해배상 요건을 충족하면 손해배상하도록 판시하고 있다.

5. 사안의 적용

(1) 甲이 손실보상을 청구할 수 있는 근거규정으로 토지보상법은 적용되기 어렵다고 사료된다.

(2) 특별한 희생이 발생하였으나 간접 손실 보상규정이 없는 경우, 판례에 따라 관계 규정을 유추적용하여 보상하는 것이 타당하다고 판단된다.

(3) 독일에서 논의되는 수용적 침해이론 및 조정보상의 법리 등은 그를 인정할 수 있는 관습법이 우리나라에는 존재하지 아니하므로, 도입이 어렵다고 판단된다.

(4) 이러한 상황에서 판례의 태도와 같이 유추적용하여 해결할 수 있다고 본다. 甲의 손실은 농로가 차단됨으로 인하여 그 발생을 예견할 수 있고, 손실의 범위도 농업손실에 준하여 판단할 수 있기 때문에 쉽게 확정할 수 있다고 판단된다. 따라서 헌법상 재산권 보장규정 및 토지보상법 및 동법시행규칙의 관련규정을 유추적용하여 손실보상청구권을 인정할 수 있을 것이다. 최근 대법원 2018두227 판결과 같이 토지보상법 제79조 제2항을 확대 해석하여 간접손실보상에 대하여 적극적으로 보상하는 것이 타당하다고 생각한다.

Ⅳ 사례의 해결

1. 甲의 권리구제수단으로서 손실보상을 검토하건대, 甲이 받은 손실은 공공필요에 의한 재산권에 대한 적법한 침해이며, 특별한 희생으로 판단되어 손실보상청구권이 성립한다.

2. 손실보상청구권 행사의 성공 여부와 관련하여, 甲에게 특별한 희생이 발생하였다고 인정되나 甲이 그 희생에 대한 간접손실 보상을 청구할 수 있는 근거규정이 없다. 이러한 경우에도 대법원 2018두227 판결과 토지보상법 제79조 제2항을 확대해석과 관계 규정을 유추적용하여 보상하는 것이 타당하다고 보인다. 또한 현실적인 해결을 위해서 손실발생이 예견가능하고, 손실의 범위도 특정할 수 있는 경우에 손실보상청구권을 인정하는 판례의 태도 역시 좋은 참고가 될 수 있다고 사료된다.

3. 손실보상청구권 행사방법과 관련하여, 甲이 한국수자원공사에 대하여 가지는 손실보상청구권은 공권으로 보아 보상청구를 거부하거나 보상금액에 대한 다툼이 있을 경우에는 공법상 당사자소송으로 해결하여야 한다고 본다. 또한, 판례도 하천구역에 편입되는 토지의 손실보상청구권과 토지보상법 시행규칙 제57조에 따른 사업폐지로 인한 손실보상청구권을 공권으로 보는 바, 판례에 따르더라도 甲은 한국수자원공사를 상대로 행정소송을 제기하여 손실보상금 지급청구를 할 수 있을 것이다.

> **베타답안**
>
> **문** 40점
>
> ### Ⅰ. 논점의 정리
>
> 공익사업지역 밖의 인근 주민 甲은 이미 수용절차가 종료되어 댐공사가 시작한 시점에서 존속보장을 위한 권리구제 가능성은 없어보이므로 가치보장으로서 권리구제수단을 모색한다.
>
> (1) 간접손실보상청구 가능성을 검토한다. 우선 간접손실보상이 헌법 제23조 제3항의 손실보상에 포함되는지 검토하고 포함된다면 손실보상요건을 검토한다. 특히 특별희생 여부를 검토하고 특별희생이 있다면 사안의 사회적·경제적 손실에 대한 토지보상법의 보상규정 존부를 검토한다. 토지보상법상 사안에 대한 보상규정이 없

다면 그 해결방안이 문제된다. 헌법 제23조 제3항에 직접 근거하여 손실보상청구가 가능하다면 당사자소송 제기가 가능한지 검토한다.

(2) 기타 권리구제수단으로 손해배상청구와 시민고충처리위원회에 민원제기 등을 살펴본다.

II. 甲이 간접손실보상청구가 가능한지 여부

1. 간접손실 및 간접손실보상의 의의

공익사업으로 인하여 사업시행지 밖의 재산권자에게 가해지는 손실 중 공익사업으로 인하여 필연적으로 발생하는 손실이 간접손실이며, 이 손실에 대한 보상이 간접손실보상이다.

2. 간접손실보상이 헌법 제23조 제3항의 손실보상에 포함되는지 여부

전통적인 손실보상의 개념에 포함되지 않는 간접손실보상이 헌법 제23조 제3항에 근거하는 것인지에 대하여 견해가 대립한다. 손해배상설, 결과책임설이 있으나 헌법 제23조 제3항을 손실보상에 관한 일반적 규정으로 보면 간접손실보상을 헌법 제23조 제3항의 손실보상에 포함된다고 봄이 타당하고 이는 다수설과 판례의 태도이다.

3. 간접손실보상청구권의 요건

(1) 문제제기

상기와 같이 헌법 제23조 제3항의 손실보상에 포함된다고 본다면 손실보상의 일반적인 요건을 충족할 필요가 있다.

(2) 보상대상이 되는 간접손실이 있는지 여부

① 공공의 필요에 의한 재산권의 적법한 침해이고,

② 재산권 침해가 비의도적이지만 甲에게는 중대하고 수인한도를 넘는 것이 예견 가능하므로 직접적인 관련성이 있다. 문제는 특별희생 여부이다.

(3) 특별한 희생 여부

① 학설의 대립

㉠ 침해행위가 일반적인 것인지 개별적인지 등 형식적 기준에 의하여 판단하는 형식적기준설, ㉡ 공용침해의 본질성 및 강도를 기준으로 구별하는 실질적 기준설이 있다.

② 판례의 태도 : 대법원은 개발제한구역지정에 의한 제한은 공공복리에 적합한 합리적인 제한으로 특별희생이 아니라고 판시하였으며 헌법재판소는 토지를 종래 목적으로도 사용할 수 없거나 실질적으로 토지 사용·수익의 길이 없는 경우에는 보상을 요하는 사회적 제약으로 보았다.

③ 검토 및 사안의 적용 : 형식설과 실질설 모두 일면 타당하여 종합적으로 고려하여야 한다. 농로가 차단되고 과일생산에 큰 결손을 입은 것은 甲에게 특별히 부여된

침해이고 농로가 차단됨으로서 과수원 재배목적으로 사용할 수 없게 되고 실질적으로 사용수익이 불가능하여 수인한도를 넘어선다고 볼 수 있어 甲은 특별한 희생이 발생하였다. 상기 모든 요건이 충족하였으므로 간접손실에 해당하나 이에 대한 보상규정이 존재하는지가 문제된다.

(4) 보상규정의 존부

토지보상법 제79조 제2항에서는 시행규칙 제59조 내지 제65조에 위임하여 유형화하였고 이하 사안에서 문제되는 동법 시행규칙 제59조, 제65조를 검토한다.

① 공익사업지구 밖의 농경지 등에 대한 보상 여부 : 시행규칙 제59조에서 "교통이 두절되거나 경작이 불가능해야 한다고 규정"하는데 甲의 과수원이 과일생산에 큰 결손을 입었다고 하더라도 경작이 불가능하다고는 볼 수 없어 보상규정이 되지 못한다.

② 공익사업지구 밖의 농업손실에 대한 보상 여부 : 시행규칙 제65조에서는 "농지의 2/3 이상이 편입"되어야 하는데 농로가 차단된 것 외에는 농지는 편입되지 않았으므로 보상규정이 되지 못한다.

③ 법 제79조 제4항을 일반적 근거조항으로 볼 수 있는지 : 개괄적 수권조항설, 일반적 근거조항설이 있으나 일반근거조항설은 토지보상법 제79조 제4항의 입법취지를 지나치게 확장해석하였다는 점, 포괄적 위임금지의 관점에서 타당하지 않으므로 '개괄수권조항설'이 타당하고 동조를 직접 간접손실보상규정으로 보기는 어려울 것이다. 따라서 '개괄수권조항설'에 의하면 사안은 보상규정이 흠결된 경우에 해당한다.

(5) 보상규정이 없는 경우 간접손실의 보상근거

① 문제점 : 보상규정이 없는 경우에도 간접보상을 받을 수 있는지에 대하여 문제된다. 학설 및 판례의 검토를 통해 사례를 해결하도록 한다.

② 학설의 태도 : ㉠ 보상부정설, ㉡ 헌법 제23조 제3항 직접적용설, ㉢ 토지보상법 시행규칙 유추적용설, ㉣ 평등원칙 및 재산권보장규정근거설, ㉤ 수용적 침해이론, ㉥ 손해배상설이 대립된다.

③ 판례의 태도 : (구)토지수용법하에서 간접손실보상 명문규정이 없더라도 그 손해가 발생하리라는 것을 쉽게 예견할 수 있고, 손실의 범위도 구체적으로 특정할 수 있는 경우 (구)공특법 시행규칙의 관련규정을 유추적용하여 손실보상을 인정하고 있다.

④ 판례의 비판 및 검토, 사안의 적용 : 판례는 간접손실의 성질상 예측이 어렵다는 점을 고려할 때 지나치게 보상청구의 가능성을 제한한다고 판단된다. 비의도적이지만 특별한 희생이 발행하였다면 개별법에 명문규정이 없더라도 헌법 제23조 제3항에 직접 근거하여 손실보상청구를 인용함이 타당하다. 사안에서 甲은 헌법 제23조 제3항에 의거 간접손실보상청구를 할 수 있다.

4. 직접효력설에 의할 때 공법상 당사자소송 제기 가능성

판례에 따를 때 하천법에 의한 손실보상청구권의 확인을 구하는 소송은 당사자소송에 의하여야 한다고 판시한다. 헌법 제23조 제3항에 직접 근거하여 손실보상청구권의 확인을 위한 공법상 당사자소송절차에 의할 수 있다.

III. 기타 권리구제수단

1. 환경분쟁조정위원회의 분쟁조정

공사 중 진동소음 등의 환경침해에 대한 손실이 있는 경우 환경분쟁조정을 통하여 보상을 받을 수 있다고 본다. 환경분쟁조정제도는 행정기관이 가지고 있는 전문성과 절차의 신속성을 충분히 활용하여 환경분쟁을 간편하고 신속·공정하게 해결하기 위해 마련된 제도이다. 이에 불복하는 경우 국가배상청구권의 법적 성질에 따라 공법상 당사자소송, 민사소송의 제기가 가능하다. 환경분쟁 조정법상 환경피해는 간접침해의 유형 중에서 물리적·기술적 침해에 해당한다. 사안은 사회적·경제적 침해는 분쟁조정을 통한 손실보상이 어려울 수 있다.

2. 손해배상청구 가능성

국가배상법상 제5조의 공공의 영조물책임에 의한 손해배상을 통해 권리구제가 가능하다. 위법성 판단기준은 통상의 수인한도를 넘는지 여부로 판단할 수 있다.

3. 시민고충처리위원회에 민원제기

위법부당한 행정처분에 대한 시정권고가 가능하나 이는 직접적인 집행력이 없기 때문에 직접적인 간접침해에 대한 권리구제수단으로는 불완전하다.

IV. 사안의 해결

(1) 간접손실보상은 헌법 제23조 제3항의 손실보상에 포함되어 손실보상의 일반요건을 충족해야 한다.

(2) 甲에게는 특별희생이 발생하였지만 토지보상법에 근거규정이 없으므로 헌법 제23조 제3항을 직접 근거하여 손실보상청구가 가능하다. 이는 공법상 당사자소송에 의해 확인이 가능하다.

(3) 기타 권리구제수단으로 시민고충처리위원회의 시정권고·개선권고, 국가배상법상 제5조의 공공영조물책임에 의한 손해배상, 민사소송으로 방해배제청구권에 기한 공사금지가처분신청 등을 생각해 볼 수 있다.

40절 토지보상법 제79조(그 밖의 토지에 관한 비용보상 등)

문제

부산항만 건설이 진행되는 시기에 항만주변지역의 수산업협동조합 甲은 수산물인 김 위탁판매장을 운영하면서 위탁판매수수료를 지급받아 왔고, 그 운영에 대하여는 법령에 의해 그 대상지역에서의 독점적 지위가 부여되어 있었다. 그런데, 부산항만 건설을 위한 공유수면매립사업의 시행으로 그 사업대상지역에서 어업활동을 하던 일부 조합원들의 조업이 불가능하게 되어 배후지의 60%가 줄었고, 위탁판매장에서의 위탁판매사업이 축소되어 위탁판매수수료가 종전보다 60%가 줄어 40%가 되었다. 40점

(1) 부산항만 주변지역의 수산업협동조합 甲이 김 위탁판매수수료 수입의 감소로 입은 손실은 헌법 제23조 제3항의 손실보상에 포함되는지와 그 손실보상의 법적 성질을 설명하시오.

(2) 부산항만 주변지역의 수산업협동조합 甲은 현행법상 손실보상을 받을 수 있는지를 검토하시오. 손실보상을 받을 수 있다고 보는 견해에 입각하는 경우에 그 손실보상의 법적 근거를 함께 설명하시오.

I. 설문 (1)의 해결	II. 설문 (2)의 해결

1. 논점의 정리
2. 간접손실보상(토지보상법 제79조)
  (1) 간접손실 및 간접손실보상(사업시행지외 손실보상)의 개념
  (2) 간접손실의 외연
3. 헌법 제23조 제3항의 손실보상에 간접손실보상이 포함되는지 여부
  (1) 부정설
  (2) 긍정설
  (3) 판례
  (4) 검토
4. 간접손실 보상의 법적 성질
  (1) 학설
  (2) 판례
  (3) 소결
5. 사안의 해결
	1. 문제의 소재
	2. 보상의 대상이 되는 간접손실인지 여부
	  (1) 간접손실보상의 요건
	  (2) 사안에의 적용
	3. 보상에 관한 명시적 규정이 없는 경우의 간접손실의 보상
	  (1) 현행 "토지보상법"상 간접손실보상
	  (2) 명시적인 보상규정의 흠결
	  (3) 보상규정이 결여된 간접손실의 보상근거
	4. 사례의 해결

I   설문 (1)의 해결

1. 논점의 정리

수산업협동조합 甲이 김 위탁판매수수료 수입의 감소로 입은 손실이 간접손실인지 여부와 헌법 제23조 제3항의 손실보상에 포함되는지 여부가 문제된다.

2. 간접손실보상(토지보상법 제79조)

(1) 간접손실 및 간접손실보상(사업시행지외 손실보상)의 개념

간접손실이라 함은 공익사업으로 인하여 사업시행지 밖의 재산권자에게 가해지는 손실 중 공익사업으로 인하여 필연적으로 발생하는 손실을 말한다. 공익사업으로 인하여 우연히 발생하는 손해의 전보는 손해배상의 문제로 보는 것이 타당하다. 간접손실보상이라 함은 간접손실에 대한 보상을 말한다. 간접손실보상은 사업시행지외 손실보상, 사업손실보상 또는 제3자보상이라고도 한다. 간접손실의 보상은 사업시행지 밖의 토지소유자가 입는 손실의 보상이므로 사업시행지 내의 토지소유자가 입는 부대적 손실의 보상과는 구별하여야 한다.

(2) 간접손실의 외연

간접손실이 공익사업으로 인한 토지취득으로 인한 손실을 포함한다는 점에는 의견이 일치하고 있으나, 공익사업의 시행상 공사로 인한 손실 또는 공익사업 완성 후 시설의 운영으로 인한 손실도 포함하는지에 관하여 견해가 나뉘고 있다. 간접손실은 수용적 침해의 일부에 해당한다고 보는 것이 타당하다. 즉, 수용적 침해가 간접손실보다 넓은 개념이다. 수용적 침해는 간접손실뿐만 아니라 기타 적법한 행정작용의 결과 발생한 의도되지 않은 침해 전체를 의미한다.

3. 헌법 제23조 제3항의 손실보상에 간접손실보상이 포함되는지 여부

간접손실보상의 법적 근거를 헌법 제23조 제3항으로 볼 수 있는지에 관하여 논의가 있다.

(1) 부정설

이 견해는 헌법 제23조 제3항은 공용침해로 인하여 재산권자에게 직접적으로 발생한 손실만을 보상하는 것으로 규정하고 있다고 보며 간접손실보상은 규율대상으로 하지 않는다고 본다.

(2) 긍정설

간접손실도 적법한 공용침해에 의해 필연적으로 발생한 손실이므로 손실보상의 개념에 포함시키고, 헌법 제23조 제3항의 손실보상에도 포함시키는 것이 타당하다.

(3) 판례

판례는 간접손실을 헌법 제23조 제3항에서 규정한 손실보상의 대상이 된다고 보고 있다(대판 1999.10.8, 99다27231).

(4) 검토

간접손실도 적법한 공용침해로 인하여 예견되는 통상의 손실이고, 헌법 제23조 제3항을 손실보상에 관한 일반적 규정으로 보는 것이 타당하므로 간접손실보상을 헌법 제23조 제3항의 손실보상에 포함시키는 것이 타당하다.

4. 간접손실 보상의 법적 성질

(1) 학설

간접손실보상도 사경제주체로 행하는 사법상 법률관계로 사법상 권리로 보는 견해가 있고, 공공필요에 의한 재산권의 적법한 침해로 보아 이는 공법상 권리로 보는 견해가 대립하고 있다.

(2) 판례

판례는 공익사업으로 인한 손실보상청구권은 공공필요에 의한 재산권의 적법한 침해에 공평부담 견지에서 공적주체가 손실을 전보해 주는 공법상의 권리로 보고 있다.

(3) 소결

결국 토지보상법 제79조 제2항에서는 "공익사업지구 밖에 있는 토지 등이 공익사업의 시행으로 인하여 본래의 기능을 다할 수 없게 되는 경우에는 시행규칙에 따라 손실을 보상해야 한다고 규정하고 있다."라고 규정함으로 공익사업으로 야기된 손실에 대한 보상이라는 점에서 판례와 같이 공적주체가 손해를 전보해 주는 공법상 권리로 보는 것이 타당하다고 보인다.

5. 사안의 해결

수산업협동조합 甲이 김 위탁판매수수료 수입의 감소로 입은 손실은 항만건설을 위한 공유수면매립사업의 시행으로 필연적으로 발생한 손실이고, 사업시행지 밖의 제3자에게 발생한 손실이므로 간접손실이라고 볼 수 있다. 간접손실도 적법한 공용침해로 인하여 예견되는 통상의 손실이고, 헌법 제23조 제3항을 손실보상에 관한 일반규정으로 보는 것이 타당하므로 간접손실인 수산업협동조합 甲이 김 위탁판매수수료 수입의 감소로 입은 손실은 헌법 제23조 제3항의 손실보상에 포함시키는 것이 타당하다.

Ⅱ 설문 (2)의 해결

1. 문제의 소재

甲이 김 위탁판매수수료 수입의 감소로 입은 손실이 보상의 대상이 되는 간접손실인지 여부, 즉 간접손실보상의 요건에 해당하는지가 문제된다. 또한, 현행 공익사업을 위한 토지 등의 취득 및 보상에 관한 법률상 간접손실보상의 법적 근거가 있는지를 논하고, 보상에 관한 명시적 규정이 없는 경우에 간접손실의 보상이 가능한지, 가능하다면 그 법적 근거가 무엇인지를 검토하여야 한다.

2. 보상의 대상이 되는 간접손실인지 여부

(1) 간접손실보상의 요건

간접손실보상이 인정되기 위해서는 간접손실이 발생하여야 하고, 해당 간접손실이 특별한 희생이 되어야 한다.

① 간접손실의 존재

간접손실이 되기 위해서는 ㉠ 공익사업의 시행으로 사업시행지 이외의 토지소유자(제3자)가 입은 손실이어야 하고, ㉡ 그 손실이 공익사업의 시행으로 인하여 발생하리라는 것이 예견되어야 하고, ㉢ 그 손실의 범위가 구체적으로 특정될 수 있어야 한다(대판 1999.12.24, 98다57419).

② 특별한 희생의 발생

간접손실이 손실보상의 대상이 되기 위해서는 해당 간접손실이 특별한 희생에 해당하여야 한다. 간접손실이 재산권에 내재하는 사회적 제약에 속하는 경우에는 보상의 대상이 되지 않는다. 특별한 희생과 재산권에 내재하는 사회적 제약의 구별기준에 관하여 형식적 기준설과 실질적 기준설이 대립하고 있고, 실질적 기준설은 침해의 본질성 및 강도를 기준으로 구별하는데, 이에는 보호가치의 유무로 판단하는 ㉠ 보호가치설, 침해가 보상없이 수인가능한지 여부에 따라 판단하는 ㉡ 수인한도설, 재산권이 제한된 상태에서도 합당한 사적인 이용이 가능한지의 여부에 따라 판단하는 ㉢ 사적효용설, 재산권의 침해가 종래 이용목적과 기능에 위배되는지를 기준으로 하는 ㉣ 목적위배설, 상황에 비추어 재산권의 주체가 예상할 수 있는 제한인지의 여부를 기준으로 하는 ㉤ 상황구속설 등이 있다.

우리나라의 통설은 형식적 기준설과 각 실질적 기준설이 일면의 타당성만을 갖는다고 보고, 형식적 기준설과 실질적 기준설을 종합하여 특별한 희생과 사회적 제약을 구별하여야 한다고 본다.

(2) 사안에의 적용(사안의 경우 요건충족 여부)

수산업협동조합 甲이 김 위탁판매수수료 수입의 감소로 입은 손실은 항만건설을 위한 공유수면 매립사업의 시행으로 필연적으로 발생한 손실이고, 사업시행지 밖의 제3자에게 발생한 손실이며 그 손실의 범위가 구체적으로 특정될 수 있으므로 간접손실이 존재한다. 그리고 사안의 경우 수산업협동조합 甲이 김 위탁판매수수료 수입의 감소로 입은 손실은 김 위탁판매가 법령에 의해 그 대상지역에서의 독점적 지위가 부여되어 있었다는 점에서 보호가치가 있다고 보이고, 판매수수료의 60%가 줄어들어 甲이 수인해야 할 재산권에 대한 제한의 한계를 넘어선 것이라고 보아야 하므로 특별한 희생이라고 볼 수 있다. 따라서 수산업협동조합 甲이 김 위탁판매수수료 수입이 종전보다 60% 줄어 입은 손실은 보상되어야 하는 간접손실이라고 보아야 한다.

3. 보상에 관한 명시적 규정이 없는 경우의 간접손실의 보상

(1) 현행 "토지보상법"상 간접손실보상

토지보상법 제79조 제2항은 "공익사업이 시행되는 지역 밖에 있는 토지 등이 공익사업의 시행으로 인하여 본래의 기능을 다할 수 없게 되는 경우에는 국토교통부령으로 정하는 바에 따라 그 손실을 보상하여야 한다."라고 간접손실보상의 원칙을 규정하며 간접손실보상의 기준, 내용 및 절차 등을 국토교통부령에 위임하고 있다. 이에 따라 동법 시행규칙 제59조 이하에서 간접보상을 유형화하여 열거·규정하고 있다. 공익사업시행지구 밖의 대지 등에 대한 보상(동법 시행규칙 제59조), 공익사업시행지구 밖의 건축물에 대한 보상(제60조), 소수잔존자에 대한 보상(제61조), 공익사업시행지구 밖의 공작물 등에 대한 보상(제62조), 공익사업시행지구 밖의 어업의 피해에 대한 보상(제63조), 공익사업시행지구 밖의 영업손실에 대한 보상(제64조), 공익사업시행지구 밖의 농업의 손실에 대한 보상(제65조)이 그것이다. 또한, 토지보상법 제79조 제1항은 간접손실인 공사비용의 보상을 규정하고 있다.

(2) 명시적인 보상규정의 흠결

토지보상법 시행규칙 제64조 제1항은 공익사업시행지구 밖의 영업손실에 대하여 "영업손실의 보상대상이 되는 영업을 하고 있는 자가 공익사업의 시행으로 인하여 배후지의 3분의 2 이상이 상실되어 그 장소에서 영업을 계속할 수 없는 경우 및 진출입로의 단절, 그 밖의 부득이한 사유로 인하여 일정한 기간 동안 휴업하는 것이 불가피한 경우"에 간접손실보상을 하는 것으로 규정하고 있다.

사안에서 甲의 영업의 배후지의 60%가 줄어 토지보상법 시행규칙상 보상기준인 배후지의 3분의 2(67%) 미만으로 줄었다. 따라서 甲이 입은 손실은 토지보상법 시행규칙 제64조 제1항에 의한 보상의 대상이 되지 않는다.

토지보상법 제79조 제4항은 "제1항부터 제3항까지에서 규정한 사항 외에 공익사업의 시행으로 인하여 발생하는 손실의 보상 등에 대하여는 국토교통부령으로 정하는 기준에 따른다."라고 규정하고 있는데, 이 규정을 기타 손실의 보상에 관한 개괄수권조항으로 볼 것인지 아니면 기타 손실의 보상에 관한 일반근거조항이라고 볼 것인지에 관하여 견해가 대립한다.

① 개괄수권조항설

토지보상법 제79조 제4항은 공익사업의 시행으로 인하여 발생하는 손실 중 보상하여야 하는 손실이지만 법률에 규정되지 못한 경우에 대한 개괄수권조항일 뿐 법령에 규정되지 않은 직접 또는 간접의 손실에 대한 보상의 직접적인 근거가 될 수 없다는 견해이다. 이 견해에 의하면 보상하여야 하는 손실은 국토교통부령에서 규정하지 않은 경우 보상규정이 없는 것이 된다.

② 일반근거조항설

토지보상법 제79조 제4항을 기타 손실의 보상에 관한 일반근거조항으로 해석하는 견해이다. 이 견해에 의하면 보상하여야 하는 손실을 국토교통부령에서 규정하지 않은 경우에도 토지보상법상 보상절차 및 불복절차를 통하여 손실보상을 받을 수 있다. 생각건대, 특별한 희생이 발생하였음에도 손실보상을 해주지 않는 것은 위헌이므로 토지보상법 제79조 제4항을 손실보상의 일반근거조항으로 보는 것이 타당하다. 따라서 甲은 토지보상법 제79조 제4항에 근거하여 손실보상을 받을 수 있다. 다만, 개괄수권조항설에 의하면 사례에서 보상규정이 흠결된 경우에 해당한다.

(3) 보상규정이 결여된 간접손실의 보상근거

보상규정이 없는 간접손실의 보상 여부 및 보상근거가 없는 간접손실의 보상근거에 관하여 다음과 같이 견해가 대립하고 있다.

1) 학설의 논의

① 보상부정설

토지보상법 제59조 이하의 간접보상규정을 제한적 열거규정으로 보고 동 규정에 의해 간접보상의 문제가 전부 해결된 것으로 보며 동 규정에서 규정하지 않은 간접손실은 보상의 대상이 되지 않는다고 보는 견해이다. 이 견해에 대하여 동법 시행규칙의 간접손실에 대한 보상규정이 간접보상을 망라하고 있다고 볼 수 없고, 간접손실을 보상하지 않는 것은 재산권 보장 규정과 평등원칙에 반하므로 위헌이라는 비판이 가능하다.

② 유추적용설

이 견해는 보상규정이 결여된 간접손실에 대하여 헌법 제23조 제3항 및 토지보상법령상의 간접손실보상에 관한 규정을 유추적용하여 그 손실보상을 청구할 수 있다고 본다.

③ 헌법 제23조 제3항의 직접적용설

이 견해는 손실보상에 관하여 헌법 제23조 제3항의 직접효력을 인정하고, 간접손실도 제23조 제3항의 손실보상의 범위에 포함된다고 본다면 보상규정이 없는 간접손실에 대하여는 헌법 제23조 제3항에 근거하여 보상청구권이 인정된다고 보는 견해이다.

④ 평등원칙 및 재산권보장규정근거설

이 견해는 간접손실도 공익사업이 직접 원인이 되어 발생한 손실이라고 볼 수 있으므로 직접손실과 달리 볼 이유는 없다고 보며 보상규정이 흠결된 경우 간접손실도 헌법상 평등원칙 및 재산권 보장규정에 근거하여 보상해 주어야 한다고 본다.

⑤ 수용적 침해이론

간접손실을 수용적 침해로 보고 독일법상 수용적 침해이론을 적용하여 구제해 주어야 한다는 견해이다. 그러나 독일법상의 수용적 침해이론은 독일 관습법상의 희생보상청구권에 근거하는 것인데, 우리나라에는 그러한 관습상 권리가 존재하지 아니하므로 독일법상의 수용적 침해이론을 간접손실에 대한 손실보상의 법적 근거로 볼 수 없다. 또한, 우리나라의 실정법은 독일과 달리 간접손실보상을 인정하고 있으므로 간접손실을 인정하지 않고 수용적 침해로 보는 것은 타당하지 않다.

⑥ 손해배상설

간접손실에 대하여 명문의 규정이 없는 경우에는 손해배상을 청구하여야 한다는 견해이다. 그러나 간접손실은 위법한 손해가 아니고, 만일 보상규정을 두지 않고 간접손실을 야기한 것이 위법이라고 하더라도 과실을 인정하기 어려워 손해배상을 인정하기 어렵다는 문제가 있다.

2) 판례의 태도

판례

● 대법원 2019.11.28. 선고 2018두227 판결 [보상금]

[판결요지]

[1] 모든 국민의 재산권은 보장되고, 공공필요에 의한 재산권의 수용 등에 대하여는 정당한 보상을 지급하여야 하는 것이 헌법의 대원칙이고(헌법 제23조), 법률도 그런 취지에서 공익사업의 시행 결과 공익사업의 시행이 공익사업시행지구 밖에 미치는 간접손실 등에 대한 보상의 기준 등에 관하여 상세한 규정을 마련해 두거나 하위법령에 세부사항을 정하도록 위임하고 있다.

이러한 공익사업시행지구 밖의 영업손실은 공익사업의 시행과 동시에 발생하는 경우도 있지만, 공익사업에 따른 공공시설의 설치공사 또는 설치된 공공시설의 가동·운영으로 발생하는 경우도 있어 그 발생원인과 발생시점이 다양하므로, 공익사업시행지구 밖의 영업자가 발생한 영업상 손실의 내용을 구체적으로 특정하여 주장하지 않으면 사업시행자로서는 영업손실보상금 지급의무의 존부와 범위를 구체적으로 알기 어려운 특성이 있다. 공익사업을 위한 토지 등의 취득 및 보상에 관한 법률 제79조 제2항에 따른 손실보상의 기한을 사업완료일부터 1년 이내로 제한하면서도 영업자의 청구에 따라 보상이 이루어지도록 규정한 것[공익사업을 위한 토지 등의 취득 및 보상에 관한 법률 시행규칙(이하 '시행규칙'이라 한다) 제64조 제1항]이나 손실보상의 요건으로서 공익사업시행지구 밖에서 발생하는 영업손실의 발생원인에 관하여 별다른 제한 없이 '그 밖의 부득이한 사유'라는 추상적인 일반조항을 규정한 것(시행규칙 제64조 제1항 제2호)은 간접손실로서 영업손실의 이러한 특성을 고려한 결과이다.

위와 같은 공익사업시행지구 밖 영업손실보상의 특성과 헌법이 정한 '정당한 보상의 원칙'에 비추어 보면, 공익사업시행지구 밖 영업손실보상의 요건인 '공익사업의 시행으로 인한 그 밖의 부득이한 사유로 일정 기간 동안 휴업이 불가피한 경우'란 공익사업의 시행 또는 시행 당시 발생한 사유로 휴업이 불가피한 경우만을 의미하는 것이 아니라 공익사업의 시행 결과, 즉 그 공익사업의 시행으로 설치되는 시설의 형태·구조·사용 등에 기인하여 휴업이 불가피한 경우도 포함된다고 해석함이 타당하다.

[2] 공익사업을 위한 토지 등의 취득 및 보상에 관한 법률(이하 '토지보상법'이라 한다) 제79조 제2항(그 밖의 토지에 관한 비용보상 등)에 따른 손실보상과 환경정책기본법 제44조 제1항(환경오염의 피해에 대한 무과실책임)에 따른 손해배상은 근거 규정과 요건·효과를 달리하는 것으로서, 각 요건이 충족되면 성립하는 별개의 청구권이다. 다

만 손실보상청구권에는 이미 '손해 전보'라는 요소가 포함되어 있어 실질적으로 같은 내용의 손해에 관하여 양자의 청구권을 동시에 행사할 수 있다고 본다면 이중배상의 문제가 발생하므로, 실질적으로 같은 내용의 손해에 관하여 양자의 청구권이 동시에 성립하더라도 영업자는 어느 하나만을 선택적으로 행사할 수 있을 뿐이고, 양자의 청구권을 동시에 행사할 수는 없다. 또한 '해당 사업의 사업완료일로부터 1년'이라는 손실보상 청구기간(토지보상법 제79조 제5항, 제73조 제2항)이 도과하여 손실보상 청구권을 더 이상 행사할 수 없는 경우에도 손해배상의 요건이 충족되는 이상 여전히 손해배상청구는 가능하다.

[3] 공익사업을 위한 토지 등의 취득 및 보상에 관한 법률(이하 '토지보상법'이라 한다) 제26조, 제28조, 제30조, 제34조, 제50조, 제61조, 제79조, 제80조, 제83조 내지 제85조의 규정 내용과 입법 취지 등을 종합하면, 공익사업으로 인하여 공익사업시행지구 밖에서 영업을 휴업하는 자가 사업시행자로부터 공익사업을 위한 토지 등의 취득 및 보상에 관한 법률 시행규칙 제47조 제1항에 따라 영업손실에 대한 보상을 받기 위해서는, 토지보상법 제34조, 제50조 등에 규정된 재결절차를 거친 다음 그 재결에 대하여 불복이 있는 때에 비로소 토지보상법 제83조 내지 제85조에 따라 권리구제를 받을 수 있을 뿐이다. 이러한 재결절차를 거치지 않은 채 곧바로 사업시행자를 상대로 손실보상을 청구하는 것은 허용되지 않는다.

[4] 어떤 보상항목이 공익사업을 위한 토지 등의 취득 및 보상에 관한 법령상 손실보상 대상에 해당함에도 관할 토지수용위원회가 사실을 오인하거나 법리를 오해함으로써 손실보상대상에 해당하지 않는다고 잘못된 내용의 재결을 한 경우에는, 피보상자는 관할 토지수용위원회를 상대로 그 재결에 대한 취소소송을 제기할 것이 아니라, 사업시행자를 상대로 공익사업을 위한 토지 등의 취득 및 보상에 관한 법률 제85조 제2항에 따른 보상금증감소송을 제기하여야 한다.

● 대법원 1999.10.8. 선고 99다27231 판결[손해배상(기)]

[판결요지]

[1] 공공사업의 시행 결과 그 공공사업의 시행이 기업지 밖에 미치는 간접손실에 관하여 그 피해자와 사업시행자 사이에 협의가 이루어지지 아니하고 그 보상에 관한 명문의 근거 법령이 없는 경우라고 하더라도, 헌법 제23조 제3항은 "공공필요에 의한 재산권의 수용·사용 또는 제한 및 그에 대한 보상은 법률로써 하되, 정당한 보상을 지급하여야 한다."고 규정하고 있고, 이에 따라 국민의 재산권을 침해하는 행위 그 자체는 반드시 형식적 법률에 근거하여야 하며, 토지수용법 등의 개별 법률에서 공익사업에 필요한 재산권 침해의 근거와 아울러 그로 인한 손실보상 규정을 두고 있는 점, 공공용지의 취득 및 손실보상에 관한 특례법 제3조 제1항은 "공공사업을 위한 토지 등의 취득 또는 사용으로 인하여 토지 등의 소유자가 입은 손실은 사업시행자가 이를 보상하여야 한다."고 규정하고, 같은법 시행규칙 제23조의2 내지 7에서 공공사업시행지구 밖에 위치한 영업과 공작물 등에 대한 간접손실에 대하여도 일정한

조건하에서 이를 보상하도록 규정하고 있는 점에 비추어, 공공사업의 시행으로 인하여 그러한 손실이 발생하리라는 것을 쉽게 예견할 수 있고 그 손실의 범위도 구체적으로 이를 특정할 수 있는 경우라면 그 손실의 보상에 관하여 공공용지의 취득 및 손실보상에 관한 특례법 시행규칙의 관련 규정 등을 유추적용할 수 있다고 해석함이 상당하다.

[2] 수산업협동조합이 수산물 위탁판매장을 운영하면서 위탁판매 수수료를 지급받아 왔고, 그 운영에 대하여는 구 수산자원보호령(1991.3.28. 대통령령 제13333호로 개정되기 전의 것) 제21조 제1항에 의하여 그 대상지역에서의 독점적 지위가 부여되어 있었는데, 공유수면매립사업의 시행으로 그 사업대상지역에서 어업활동을 하던 조합원들의 조업이 불가능하게 되어 일부 위탁판매장에서의 위탁판매사업을 중단하게 된 경우, 그로 인해 수산업협동조합이 상실하게 된 위탁판매수수료 수입은 사업시행자의 매립사업으로 인한 직접적인 영업손실이 아니고 간접적인 영업손실이라고 하더라도 피침해자인 수산업협동조합이 공공의 이익을 위하여 당연히 수인하여야 할 재산권에 대한 제한의 범위를 넘어 수산업협동조합의 위탁판매사업으로 얻고 있는 영업상의 재산이익을 본질적으로 침해하는 특별한 희생에 해당하고, 사업시행자는 공유수면매립면허 고시 당시 그 매립사업으로 인하여 위와 같은 영업손실이 발생한다는 것을 상당히 확실하게 예측할 수 있었고 그 손실의 범위도 구체적으로 확정할 수 있으므로, 위 위탁판매수수료 수입손실은 헌법 제23조 제3항에 규정한 손실보상의 대상이 되고, 그 손실에 관하여 구 공유수면매립법(1997.4.10. 법률 제5335호로 개정되기 전의 것) 또는 그 밖의 법령에 직접적인 보상규정이 없더라도 공공용지의 취득 및 손실보상에 관한 특례법 시행규칙상의 각 규정을 유추적용하여 그에 관한 보상을 인정하는 것이 타당하다.

[3] 어업권의 취소 등으로 인한 손실보상액을 산출함에 있어서 판매수수료를 어업경영에 필요한 경비에 포함시켜 공제하도록 한 수산업법 시행령 제62조의 의미는 판매수수료를 지급하는 측의 입장에서 그 성격을 경비로 보아 그 보상액 산정 시에 이를 공제한다는 것에 불과하고, 보상을 받을 자가 판매수수료를 수입으로 하고 있는 경우에는 그와 같이 해석할 수는 없다.

4. 사례의 해결

종전에 학계에서 토지보상법 제79조 제4항의 법적 근거에 대한 논란이 있었으나 최근 대법원 2018두227 판결을 통해서 토지보상법 제79조 제2항을 확대 해석하여 보상을 적극적으로 하는 것이 타당하다고 판단된다. 다만 종전 판례와 같이 관계 규정에 애매하여 보상을 받을 수 없다면 관계 규정을 유추적용하여 보상할 수 있다고 보는 것이 타당하다고 보인다.

41절
- 토지보상법 제79조(그 밖의 토지에 관한 비용보상 등)
- 행정법 쟁점 : 행정규칙의 법규성 여부

문제

국토교통부장관은 전국을 철도로 90분 이내에 연결하기 위한 기본계획을 수립하였다. 이 계획에 기초하여 C공단 C이사장은 A지역과 B지역을 연결하는 철도건설사업에 대하여 「공익사업을 위한 토지 등의 취득 및 보상에 관한 법률」(이하 "토지보상법") 제20조에 따른 국토교통부장관의 사업인정을 받았다. P는 B – 3공구 지역에 임야 3,000제곱미터를 소유하고 장뇌삼을 경작하고 있으며, 터널은 P소유 임야의 한 가운데를 통과한다. C공단의 C이사장은 국토교통부장관이 제정한 K지침에 따라 P에 대하여 "구분지상권"에 해당하는 보상으로 900만원(제곱미터당 3,000원 기준)의 보상금을 책정하고 협의를 요구하였다. P는 장뇌삼 경작임야에 터널이 건설되고 기차가 지나다닐 경우 농사가 불가능하다고 판단하여 C이사장의 협의를 거부하였다. **40점**

(1) P는 본인 소유 토지의 전체를 C이사장이 수용하여야 한다고 주장한다. 보상에 관하여 2인 이상의 감정평가법인등을 통해 보상 복수평가를 하지 아니하고, 국토교통부 지침에 따라 보상액을 결정한 사업시행자 C이사장의 결정이 타당한지를 검토하시오. 토지보상법에서는 수직적 의미의 잔여지 법리가 없으므로 간접손실보상 관점에서 사업인정의 범위를 넘는 전체 토지를 수용해 달라는 피수용자 P의 주장이 타당한지, 특별한 희생 관점에서 검토하시오. **20점**

(2) 토지보상법상 P가 주장할 수 있는 권리와 이를 관철시키기 위한 토지보상법상의 권리구제수단에 관하여 논술하시오. **20점**

Ⅰ. (물음 1) 보상에 관한 각 당사자 주장의 타당성 판단
　1. 논점의 정리
　2. C이사장 결정의 타당성
　　(1) 관련 규정의 검토
　　(2) 국토교통부 K지침이 행정규칙 인지 여부
　　(3) 행정규칙의 대외적 구속력 인정 여부
　　(4) 사안의 경우
　3. P 주장의 타당성
　　(1) 토지보상법 제79조 제2항
　　(2) 간접손실보상의 가능성
　　　① 의의 및 요건

　　　② 특별한 희생의 발생 여부
　　　③ 보상규정의 존재 여부
　　(3) 제79조 제2항의 일반근거조항 여부
　　(4) 간접손실보상 관련 판례의 태도
　　(5) 소결

Ⅱ. (물음 2) P가 주장 가능한 권리와 토지보상법상의 권리구제수단
　1. 논점의 정리
　2. 토지소유자 P가 주장할 수 있는 권리
　　(1) 손실보상청구권
　　(2) 재결신청권
　　(3) 쟁송제기권

Ⅰ (물음 1) 보상에 관한 각 당사자 주장의 타당성 판단

1. 논점의 정리

토지보상법상 지하공간 사용에 따른 토지소유자의 손실에 대한 보상이 문제 된다. 먼저 ① 2인 이상의 복수평가를 결하고 국토교통부 지침에 따라 보상액을 결정한 사업시행자의 보상액 결정의 타당성을 살펴본 후, ② 간접손실보상으로서 토지 전체의 수용을 주장하는 피수용자의 주장의 타당성을 특별한 희생의 관점에서 살펴본다.

2. C이사장 결정의 타당성

(1) 관련 규정의 검토(토지보상법 제68조)

사업시행자는 토지 등에 대한 보상액을 산정하려는 경우에는 감정평가법인등 3인(감정평가법인등을 추천하지 아니하는 경우에는 2인)을 선정하여 토지 등의 평가를 의뢰하여야 한다고 규정하고 있다. 또한 일정한 요건을 갖춘 경우 감정평가법인등을 선정함에 있어 토지소유자가 요청하는 경우에는 소유자 추천으로 감정평가법인등 1인을 더 선정할 수 있다.

(2) 국토교통부 K지침이 행정규칙인지 여부

행정규칙이란 행정조직내부에서의 행정의 사무처리기준으로서 제정된 일반적 및 추상적 규범을 말한다. 실무에서의 훈령, 통첩, 예규 등이 행정규칙에 해당한다. K지침은 국토교통부장관이 보상과 관련된 내부적인 사무처리기준을 정한 것으로 볼 수 있으므로 행정규칙으로 볼 수 있다.

(3) 행정규칙의 대외적 구속력 인정 여부

1) 학설 및 판례

① 법규성을 부정하는 비법규설, ② 법규성을 인정하는 법규설, ③ 자기구속법리를 매개로 법규성을 인정할 수 있다는 준법규설이 대립된다. 판례는 원칙적으로는 행정규칙의 법규성을 인정하지 않는 입장이다. 다만, 훈령에 규정된 청문을 거치지 않은 것은 위법하다고 본 판례가 예외적으로 존재한다.

2) 검토

생각건대, 행정규칙의 법규성을 인정하는 것은 법률의 법규창조력에 반하며, 자기구속법리를 매개로 하는 경우에도 규칙 자체에는 법규성이 없다고 보는 것이 타당하므로 비법규설이 타당하다고 판단된다.

(4) 사안의 경우

사안에서 국토부 K지침은 보상과 관련된 내부적인 사무처리기준(행정규칙)이므로 판례의 일반적인 태도에 비추어 볼 때 K 지침의 법규성은 인정되지 않는다고 판단된다. 따라서 이를 기초로 보상금액을 산정한 C이사장의 주장은 타당성이 없다고 판단된다.

3. P 주장의 타당성

(1) 토지보상법 제79조 제2항

토지보상법 제79조 제2항은 "공익사업이 시행되는 지역 밖에 있는 토지 등이 공익사업의 시행으로 인하여 본래의 기능을 다할 수 없게 되는 경우에는 국토교통부령으로 정하는 바에 따라 그 손실을 보상하여야 한다."고 규정하고 있는바, 이는 통상 간접손실보상을 규정한 것으로 판단된다. 따라서 이하에서는 간접손실보상의 요건을 살펴보고, P의 간접손실보상 주장이 타당한지 검토한다.

(2) 간접손실보상의 가능성

① 의의 및 요건

간접손실보상이란 공공필요에 의한 적법한 공권력행사로 국민의 재산권에 가해진 특별한 희생에 대하여 재산권 보장과 공평부담의 견지에서 행정주체가 행하는 조절적 재산전보를 말한다. 헌법적 근거로 헌법 제23조 제3항과 제34조를 들 수 있으며, 토지보상법은 제74조, 제79조 제2항 및 동법 시행규칙 제59조 내지 제65조 등에서 규정하고 있다. 요건으로는 ① 공공필요, ② 공권력 행사로 인한 재산권 침해, ③ 침해의 적법성, ④ 특별한 희생, ⑤ 보상규정의 존재가 있다. 사안에서는 공익사업시행지구 밖의 간접손실로 토지소유자의 재산권이 침해되었으므로 특별한 희생과 보상규정의 여부가 문제 된다.

② 특별한 희생의 발생 여부

특별한 희생이란 재산권의 사회적 제약(헌법 제23조 제2항)을 넘어서는 손해를 의미하는데 이에 대한 판단에 있어 학설은 인적 범위의 특정 여부로 판단하는 '형식적 기준설'과, ㉠ 보호가치설, ㉡ 수인한도설, ㉢ 목적위배설, ㉣ 사적효용설 등 침해의 성질과 강도에 따라 판단하는 '실질적 기준설'이 있다. 생각건대, 특별한 희생의 판단은 상기 기준을 복합적으로 적용하여 개별·구체적 사안별로 판단함이 타당하다고 여겨진다. 사안의 경우 P는 터널통과로 인하여 장뇌삼 경작임야를 종래의 목적대로 사용할 수 없고 그에 따른 사적 효용의 감소가 예상되는바, 특별한 희생에 해당한다고 볼 수 있을 것이다.

③ 보상규정의 존재 여부

토지보상법 제79조 제2항의 규정에 의해 동법 시행규칙 제59조~제65조에 구체적인 보상규정이 마련되어 있으며, 사안과 관련하여서는 시행규칙 제59조에 해당 여부가 문제된다. 동 조항은 "공익사업시행지구 밖의 대지, 건축물, 분묘 또는 농지가 공익사업의 시행으로 인하여 교통이 두절되거나 경작이 불가능하게 된 경우에는 그 소유자의 청구에 의하여 이를 공익사업시행지구에 편입된 것으로 보아 보상하여야 한다."고 규정하고 있다. 사안의 경우 공익사업의 시행으로 인하여 사업시행지구 밖 임야의 경작이 불가능하게 된 것은 사실이나, 임야는 대지 또는 분묘, 농지에 해당되지 않는바, 직접 해당 규정의 적용은 어렵다고 판단된다.

(3) 토지보상법 제79조 제2항 및 제4항의 일반근거조항 여부

개별보상규정의 요건에 해당하지 않는 경우 토지보상법 제79조 제2항 및 제4항의 규정을 공익사업지역 밖에서 발생한 손실에 대한 일반근거조항으로 볼 수 있는지에 대하여 견해가 대립한다. 긍정설은 동 규정이 보상하여야 하지만 법률에 규정되지 못한 경우를 대비한 규정으로서 일반근거조항으로 보아야 하며, 이 경우 국토교통부령에 규정되어 있지 않는 경우에도 토지보상법상의 보상절차 및 불복절차를 통하여 보상을 받을 수 있다고 한다. 반면 부정설은 동 규정이 개괄수권조항에 불가한바, 국토교통부령에 규정되지 않은 손실은 보상규정이 없는 경우의 손실로 보아야 한다고 한다. 생각건대 헌법상 재산권 보상규정 및 평등원칙의 입장에서 동 규정을 일반근거조항으로 보는 것이 타당하다고 여겨진다.

(4) 간접손실보상 관련 판례의 태도

대법원은 공익사업으로 인한 간접손실이 발생한 경우에 ① 공익사업의 시행으로 인하여 그러한 손해가 발생하리라는 것을 쉽게 예견할 수 있고, ② 손실의 범위도 구체적으로 특정할 수 있는 경우 (구)공특법 시행규칙상의 관련규정을 유추적용하여 손실보상을 인정하고 있다.

(5) 소결

P의 토지는 비록 임야이기는 하나 장뇌삼 경작을 통하여 효용을 얻고 있는 토지이며, 공익사업의 시행으로 인하여 종래 목적대로 사용할 수 없는 특별한 희생이 발생한다고 볼 수 있다는 점에서 토지보상법 시행규칙 제59조의 공익사업시행지구 밖 대지, 농지 등에 대한 손실보상의 경우와 유사한 권익침해에 해당한다고 볼 수 있다. 따라서 이 경우 상위법률인 토지보상법 제79조 제2항을 일반근거조항으로 보아서 이에 근거하여 손실보상을 하거나, 이를 일반근거조항으로 볼 수 없을 경우 동법 시행규칙 제59조의 유추적용을 통하여 보상이 인정되어야 한다고 판단된다. 따라서 해당 사업시행지구 밖의 임야 전체에 대하여 공익사업시행지구에 포함시켜 수용하여야 한다는 P의 주장은 타당성이 있다고 판단된다.

Ⅱ (물음 2) P가 주장 가능한 권리와 토지보상법상의 권리구제수단

1. 논점의 정리

앞서 살펴본 바, 토지소유자 P가 입은 손실에 대해 공익사업시행지구 밖의 손실에 대한 보상(이하 '간접손실보상')의 법리를 적용함을 전제로 할 때, P가 주장할 수 있는 권리와 토지보상법상 권리구제수단을 알아본다.

2. 토지보상법상 P가 주장할 수 있는 권리

(1) 손실보상청구권

상기와 같이 토지보상법 제79조 제2항을 일반근거조항으로 보아 손실보상을 인정할 경우 P는 이 규정에 근거한 손실보상청구권이 발생하게 된다. 손실보상청구권의 법적 성질과 관련하여 공권인지 사권인지 견해의 대립이 있으나, 공권력 행사의 결과로서의 손실보상이라는 점에서 공권으로 보는 것이 타당하다 여겨진다.

(2) 재결신청권

토지보상법 제80조는 제79조 제1항·제2항의 비용, 손실 또는 토지취득에 대한 보상은 사업시행자와 손실을 입은 자가 협의하여 결정하고, 협의불성립 시에는 관할 토지수용위원회에 재결을 신청하도록 하고 있다. 따라서 사안의 P는 본인 토지 전체의 수용을 사업시행자에게 청구하여 협의하고, 협의가 불성립될 경우 토지수용위원회에 재결을 신청할 수 있는 재결신청권이 있다고 할 수 있다.

(3) 쟁송제기권

토지소유자는 토지수용위원회의 재결에 불복하는 경우 수용의 당사자로서 토지보상법 제83조의 이의신청, 제85조의 행정소송을 제기할 수 있다.

3. 토지소유자 P의 주장을 관철시키기 위한 권리구제수단

(1) 개설

상기와 같이 토지보상법 제80조에 의하여 재결신청을 함으로써, 토지소유자는 간접손실보상청구권을 행사하게 된다. 다만, 재결에서 손실보상청구가 거부되었을 경우, 이에 대한 권리구제 수단이 문제되는바 이하 살펴본다.

(2) 토지보상법 제80조 재결에 대한 권리구제수단

① 제80조 재결의 성격

토지보상법 제80조의 재결은 제79조 제1·2항의 비용, 손실 또는 토지취득에 대한 재결인바, 그중 사안과 같이 제79조 제2항의 경우에는 공익사업시행지구 밖 토지 등을 해당 사업지구에 포함하는 것으로 보아 보상하는 것에 대한 재결이므로, 이는 공용수용의 보통절차인 수용재결과 동일한 것으로 볼 수 있을 것이다. 즉, 수용 여부에 대한 결정과 보상 여부에 대한 결정을 모두 하는 것으로 당사자의 권리·의무에 영향을 미치는 처분이라 할 수 있다.

② 권리구제수단

따라서 제80조 재결에서 거부결정이 내려진 경우, 이는 수용재결에 대한 불복으로서 토지보상법 제83조 내지 제85조의 이의신청과 행정소송으로 다툴 수 있을 것이다. 이때 토지수용위원회의 수용재결 거부(기각재결)에 대하여도 보상금증액청구소송으로 다툴 수 있는지가 문제된다. 최근 대법원은 잔여지수용청구를 받아들이지 않은 토지수용위원회의 재결에 대하여 토지소유자가 불복하여 제기하는 소송은 위 법 제85조 제2항에 규정되어 있는 '보상금의 증감에 관한 소송'에 해당하여 사업시행자를 피고로 하여야 한다고 판시하여 토지수용위원회의 거부재결에 대한 불복수단으로 보상금증감청구소송을 인정하였다. 따라서 사업시행지구 밖 토지의 포함 여부는 결국 보상금액의 다과의 문제인바, 행정소송 중 보상금증감청구소송으로도 다툴 수 있을 것으로 판단된다.

판례

● 대판 2010.8.19, 2008두822[토지수용이의재결처분취소등]

[판시사항]

[1] 구 '공익사업을 위한 토지 등의 취득 및 보상에 관한 법률' 제74조 제1항에 의한 잔여지 수용청구를 받아들이지 않은 토지수용위원회의 재결에 대하여 토지소유자가 불복하여 제기하는 소송의 성질 및 그 상대방

[2] 구 '공익사업을 위한 토지 등의 취득 및 보상에 관한 법률' 제74조 제1항의 잔여지 수용청구권 행사기간의 법적 성질(=제척기간) 및 잔여지 수용청구 의사표시의 상대방(=관할 토지수용위원회)

[3] 토지소유자가 자신의 토지에 숙박시설을 신축하기 위해 부지를 조성하던 중 그 토지의 일부가 익산–장수 간 고속도로 건설공사에 편입되자 사업시행자에게 부지조성비용 등의 보상을 청구한 사안에서, 부지조성비용이 별도의 보상대상으로 인정되지 않는다면 토지소유자에게 잔여지의 가격 감소로 인한 손실보상을 구하는 취지인지 여부에 관하여 의견을 진술할 기회를 부여하고 그 당부를 심리·판단하였어야 함에도, 이러한 조치를 취하지 않은 원심판결에 석명의무를 다하지 않아 심리를 제대로 하지 않은 위법이 있다고 한 사례

[판결요지]

[1] 구 '공익사업을 위한 토지 등의 취득 및 보상에 관한 법률'(2007.10.17. 법률 제8665호로 개정되기 전의 것) 제74조 제1항에 규정되어 있는 잔여지 수용청구권은 손실보상의 일환으로 토지소유자에게 부여되는 권리로서 그 요건을 구비한 때에는 잔여지를 수용하는 토지수용위원회의 재결이 없더라도 그 청구에 의하여 수용의 효과가 발생하는 형성권적 성질을 가지므로, 잔여지 수용청구를 받아들이지 않은 토지수용위원회의 재결에 대하여 토지소유자가 불복하여 제기하는 소송은 위 법 제85조 제2항에 규정되어 있는 '보상금의 증감에 관한 소송'에 해당하여 사업시행자를 피고로 하여야 한다.

[2] 구 '공익사업을 위한 토지 등의 취득 및 보상에 관한 법률'(2007.10.17. 법률 제8665호로 개정되기 전의 것) 제74조 제1항에 의하면, 잔여지 수용청구는 사업시행자와 사이에 매수에 관한 협의가 성립되지 아니한 경우 일단의 토지의 일부에 대한 관할 토지수용위원회의 수용재결이 있기 전까지 관할 토지수용위원회에 하여야 하고, 잔여지 수용청구권의 행사기간은 제척기간으로서, 토지소유자가 그 행사기간 내에 잔여지 수용청구권을 행사하지 아니하면 그 권리가 소멸한다. 또한 위 조항의 문언 내용 등에 비추어 볼 때, 잔여지 수용청구의 의사표시는 관할 토지수용위원회에 하여야 하는 것으로서, 관할 토지수용위원회가 사업시행자에게 잔여지 수용청구의 의사표시를 수령할 권한을 부여하였다고 인정할 만한 사정이 없는 한, 사업시행자에게 한 잔여지 매수청구의 의사표시를 관할 토지수용위원회에 한 잔여지 수용청구의 의사표시로 볼 수는 없다.

[3] 토지소유자가 자신의 토지에 숙박시설을 신축하기 위해 부지를 조성하던 중 그 토지의 일부가 익산−장수 간 고속도로 건설공사에 편입되자 사업시행자에게 부지조성비용 등의 보상을 청구한 사안에서, 잔여지에 지출된 부지조성비용은 그 토지의 가치를 증대시킨 한도 내에서 잔여지의 감소로 인한 손실보상액을 산정할 때 반영되는 것일 뿐, 별도의 보상대상이 아니므로, 잔여지에 지출된 부지조성비용이 별도의 보상대상으로 인정되지 않는다면 토지소유자에게 잔여지의 가격 감소로 인한 손실보상을 구하는 취지인지 여부에 관하여 의견을 진술할 기회를 부여하고 그 당부를 심리·판단하였어야 함에도, 이러한 조치를 취하지 않은 원심판결에 석명의무를 다하지 않아 심리를 제대로 하지 않아 위법하다.

4. 소결

토지소유자 P는 간접손실보상청구권이 발생하며 이의 청구를 위하여 토지보상법 제80조에 의한 재결신청권을 행사할 수 있을 것이다. 이때 재결에서 거부결정이 내려진 경우 제83조 및 제85조의 재결불복을 통하여 자신의 권리를 관철시킬 수 있을 것으로 보인다.

■ 해당 문제에 대한 별도의 문제 분석과 예시목차

1. 공익사업 : 철도 건설 사업(P소유 토지 한가운데로 터널로 철도 통과)

2. 공익사업의 당사자
   - C공단 C이사장
   - P 임야 3,000제곱미터 소유자

3. 공익사업(공용수용의 절차)의 진행상황 : 사업인정 후

4. 구분지상권 보상액 책정 후 협의 요구 : 국토교통부장관이 제정한 지침에 따라 책정

5. P의 주장 : 경작임야에 터널이 건설되고 기차가 지나다닐 경우 농사가 불가능하다고 판단하여 협의를 거부

〈설문 (1)〉 P는 본인 소유 토지 전체를 C이사장이 수용하여야 한다고 주장함.
　　　　　 쟁점 1 : 보상에 관한 C이사장의 결정
　　　　　 쟁점 2 : P의 주장 내용의 정당성을 판단

〈설문 (2)〉 쟁점 1 : 토지보상법상 P가 주장할 수 있는 권리
　　　　　 쟁점 2 : 토지보상법의 권리구제수단에 관하여 논술

〈설문 (1) 보상에 관한 사업시행자의 결정과 토지소유자의 주장 정당성 판단〉

Ⅰ. 쟁점의 정리

Ⅱ. 보상에 관한 C이사장의 결정

1. 토지보상법의 보상평가의 근거 : 토지보상법 제68조에 의한 복수평가원칙

2. 국토교통부 지침의 법적 성질 : 행정규칙의 성질

3. 사업시행자의 보상 책정의 부당성 검토

- 토지보상법 제68조 제1항 단서 국토교통부령이 정하는 기준에 따라 직접 보상액을 산정한 것도 아니고 법규성이 없는 국토교통부 지침에 따라 구분지상권을 보상액을 책정한 결정은 피수용자를 위한 정당보상의 관점에서 타당성이 인정되지 않는다고 보임.

Ⅲ. 토지소유자 주장의 정당성

1. 사업인정 범위를 넘는 토지소유자의 주장

- 최초 사업시행자의 사업인정은 철도건설을 위한 터널로서 피수용자 토지의 지하공간 일부를 필요로 하는 공익성의 범위 내로서 과도한 주장으로 판단

2. 전체 토지수용을 위한 특별한 희생의 범위에 대한 판단

- 전체 토지가 공용수용의 요건에 해당되는지 여부
- 형식설, 실질설 등 기준에 따른 특별한 희생적 판단
- 종래 목적에 사용이 불가능하다든지, 사적 효용이 감소된다든지의 구체적인 논거 제시

3. 토지소유자의 전체 토지수용(공용수용)의 주장은 타당성이 결여된다고 보임.

Ⅳ. 소결

〈설문 (2) 토지보상법상 P 주장의 권리와 권리구제수단〉

Ⅰ. 쟁점의 정리

Ⅱ. 토지보상법상 P가 주장할 수 있는 권리

1. 처음부터 사업인정 자체가 잘못되었다는 주장을 할 수 있는 권리
- 토지보상법에는 별도 규정이 없지만 일반 행정쟁송법에 따른 행정쟁송제기권

2. 정당보상에 부합되는 손실보상청구권
- 정당보상에 부합되지 않는바 재평가 등을 주장하여 다시 협의진행 요구

3. 협의 불성립의 효과로써 재결신청청구권 행사

4. 공용수용의 보통절차가 종결 시(재결 시)에 이의신청권 및 행정소송(보증소 포함)제기권

Ⅲ. 이를 관철키 위한 토지보상법상 권리구제수단

1. 사업인정에 대한 주장은 행정쟁송법에 따라 권리구제

2. 사업인정 후 재평가 등에 의해 협의 완료시에는 협의에 대한 다툼
- 판례는 민사소송, 다수 견해는 공법상 당사자소송

3. 재결신청청구권에 해태에 따른 가산금 지급청구
- 향후 보증소로 문제해결

4. 재결이 있은 후의 권리구제
- 이의신청(토지보상법 제83조)
- 취소소송(토지보상법 제85조 제1항), 무효등확인소송
- 보상금증감청구소송(토지보상법 제85조 제2항)

Ⅳ. 소결

42절 토지보상법 제79조(그 밖의 토지에 관한 비용보상 등)

문제

다음 대법원 판례를 읽고 설문에 답하시오. 50점

■ 대판 2013.6.14, 2010다9658 – 연륙교 건설사건

[판결요지]

[1] 면허를 받아 도선사업을 영위하던 甲 농협협동조합이 연륙교 건설 때문에 항로권을 상실하였다며 연륙교 건설사업을 시행한 지방자치단체를 상대로 (구)공공용지의 취득 및 손실보상에 관한 특례법 시행규칙 제23조, 제23조의6 등을 유추적용하여 손실보상할 것을 구한 사안에서, 위 항로권은 도선사업의 영업권과 별도로 손실보상의 대상이 되는 권리가 아니라고 본 원심판단을 정당하다고 한 사례

[2] (구)공공용지의 취득 및 손실보상에 관한 특례법 시행규칙 제23조의5에서 정한 '배후지'의 의미 및 공공사업시행지구 밖에서 영업을 영위하던 사업자에게 공공사업 시행 후에도 그 영업의 고객이 소재하는 지역이 그대로 남아 있는 상태에서 고객이 공공사업 시행으로 설치된 시설 등을 이용하고 사업자가 제공하는 시설이나 용역은 이용하지 않게 되었다는 사정이 '배후지 상실'에 해당하는지 여부(소극)

[3] 공공사업의 시행으로 손해를 입었다고 주장하는 자가 보상받을 권리를 가졌는지 판단하는 기준 시점(=공공사업 시행 당시)

[판결요지]

[1] 면허를 받아 도선사업을 영위하던 甲 농협협동조합이 연륙교 건설 때문에 항로권을 상실하였다며 연륙교 건설사업을 시행한 지방자치단체를 상대로 (구)공공용지의 취득 및 손실보상에 관한 특례법 시행규칙(2002.12.31. 건설교통부령 제344호 공익사업을 위한 토지 등의 취득 및 보상에 관한 법률 시행규칙 부칙 제2조로 폐지) 제23조, 제23조의6 등을 유추적용하여 손실보상할 것을 구한 사안에서, 항로권은 (구)공공용지의 취득 및 손실보상에 관한 특례법(2002.2.4.법률 제6656호 공익사업을 위한 토지 등의 취득 및 보상에 관한 법률 부칙 제2조로 폐지) 등 관계법령에서 간접손실의 대상으로 규정하고 있지 않고, 항로권의 간접손실에 대해 유추적용할 만한 규정도 찾아볼 수 없으므로, 위 항로권은 도선사업의 영업권 범위에 포함하여 손실보상 여부를 논할 수 있을 뿐 이를 손실보상의 대상이 되는 별도의 권리라고 할 수 없다고 본 원심판단을 정당하다고 한 사례

[2] (구)공공용지의 취득 및 손실보상에 관한 특례법 시행규칙(2002.12.31. 건설교통부령 제344호 공익사업을 위한 토지 등의 취득 및 보상에 관한 법률 시행규칙 부칙 제2조로 폐지) 제23조의5는 "공공사업시행지구 밖에서 관계법령에 의하여 면허 또는 허가 등을 받거나 신고를 하고 영업을 하고 있는 자가 공공사업의 시행으로 인하여 그 배후지의 3분의 2 이상이 상실되어 영업을 할 수 없는 경우에는 제24조 및 제25조의 규정에 의하여 그 손실액을 평가하여 보상한다."고 규정하고 있다. 여기서 '배후

지'란 '해당 영업의 고객이 소재하는 지역'을 의미한다고 풀이되고, 공공사업시행지구 밖에서 영업을 영위하여 오던 사업자에게 공공사업의 시행 후에도 해당 영업의 고객이 소재하는 지역이 그대로 남아 있는 상태에서 그 고객이 공공사업의 시행으로 설치된 시설 등을 이용하고 사업자가 제공하는 시설이나 용역 등은 이용하지 않게 되었다는 사정은 여기서 말하는 '배후지의 상실'에 해당한다고 볼 수 없다.

[3] 손실보상은 공공사업의 시행과 같이 적법한 공권력의 행사로 가하여진 재산상의 특별한 희생에 대하여 전체적인 공평부담의 견지에서 인정되는 것이므로, 공공사업의 시행으로 손해를 입었다고 주장하는 자가 보상을 받을 권리를 가졌는지는 해당 공공사업의 시행 당시를 기준으로 판단하여야 한다.

농업협동조합 甲은 국토교통부장관으로부터 면허를 받아 육지에서 섬까지 사람을 운송하는 도선사업을 운영하고 있었으나, 최근 연륙교 건설사업에 따라 육지와 섬을 연결하는 연륙교가 개통됨에 따라 대부분 연륙교를 통하여 이동하게 되자 영업상황이 악화되어 도선사업을 폐업해야 할 상황에 처하게 되었다. 이에 甲은 이러한 막대한 영업상의 손실에 대하여,「공익사업을 위한 토지 등의 취득 및 보상에 관한 법률」(이하 '토지보상법') 제79조 제2항 및 제4항을 근거로 손실보상을 하여줄 것을 청구하였다. 이하 물음에 답하시오.

(1) 간접보상에 대해 설명하시오. [10점]

(2) 토지보상법상 손실보상의 요건을 설명하고, 토지보상법 제79조 제2항 및 제4항을 甲의 영업상 손실의 보상에 대한 일반적 근거규정으로 본다면, 甲은 손실보상을 받을 수 있는지, 받을 수 있다면 어떠한 절차에 의하는지 논하시오. [20점]

(3) 토지보상법 제79조 제2항 및 제4항을 甲의 영업상 손실의 보상에 대한 일반적 근거규정으로 보지 않는다면, 甲은 손실보상을 받을 수 있는지 논하시오. [20점]

Ⅰ. 논점의 정리

Ⅱ. 간접손실보상 개관
  1. 간접보상의 의의 및 근거
  2. 간접보상의 성질(헌법 제23조 제3항의 영역인지)
    (1) 견해의 대립
    (2) 검토 및 판례

Ⅲ. 손실보상요건 충족 여부
  1. 개설
  2. 특별한 희생 발생 여부
    (1) 판단기준에 관한 학설 및 판례
    (2) 검토 및 사안적용
  3. 보상규정의 존재

  (1) 토지보상법 제79조 제2항, 제4항의 검토
  (2) 일반적 근거규정인지 여부

Ⅳ. 설문 (1) 일반적 근거규정인 경우 손실보상 가능성 및 절차
  1. 甲의 손실보상 가능성
  2. 제79조 제2항에 근거하는 경우 손실보상절차
  3. 제79조 제4항에 근거하는 경우 손실보상절차

Ⅴ. 설문 (2) 일반적 근거규정이 아닌 경우 손실보상가능성
  1. 문제점

Ⅰ 논점의 정리

사안은 연륙교 건설 후 개통됨에 따라 이용객의 급감으로 영업상 손실을 입은 농업협동조합 甲이 손실보상청구한 경우의 인용가능성 문제이다.

1. 甲의 도선사업은 사업시행지 밖 영업이므로, 이의 보상은 간접손실보상에 해당되는바, 그 근거 및 성질 등을 알아본다.

2. 간접손실보상이 헌법 제23조 제3항에 근거하여 인정된다면, 그 요건충족 여부를 특별한 희생 및 보상법률 존재 여부 등을 중심으로 판단한다.

3. 설문 (1)에서 토지보상법 제79조 제2항 및 제4항을 일반적 근거규정으로 보면 이에 따라 손실보상을 받을 수 있는바, 동법 제80조의 손실보상절차 및 불복방법에 대하여 검토한다.

4. 설문 (2)에서는 상기 조항을 일반적 근거규정으로 볼 수 없는바, 시행규칙상 보상규정이 존재하는지 살펴보고, 보상법률규정 흠결된 경우라면 간접보상이 가능한지 관련 학설·판례를 들어 논하고 甲의 손실보상 가능성을 살핀다.

Ⅱ 간접손실보상 개관

1. 간접보상의 의의 및 근거

사업시행지 밖에서 해당 공익사업으로 인해 입는 손실을 '간접손실'이라 하며, 이에 대한 보상의 법리를 간접손실보상이라 한다. 이론적으로는 사유재산권 보장과 특별한 희생에 따른 공평부담 원칙상 인정되며, 법적 근거로는 「공익사업을 위한 토지 등의 취득 및 보상에 관한 법률」(이하 '토지보상법') 제74조 및 제79조, 동법 시행규칙 제59조 내지 제65조가 있다.

2. 간접보상의 성질(헌법 제23조 제3항의 영역인지)

(1) 견해의 대립

종전에는 헌법 제23조 제3항의 손실보상에는 해당 사업으로 인한 직접적 손실만 해당된다고 보았으나, 최근 특별한 희생과 공평부담원칙에 의거 간접손실도 포함된다는 견해가 유력히 제기된다.

(2) 검토 및 판례

간접손실도 해당 사업에 의해 야기된 것이며, 해당 사업의 침해는 헌법 제23조 제3항의 공용침해인바, 특별한 희생이 발생하였다면 그 침해에 의한 손실보상도 당연히 헌법 제23조 제3항에 해당된다 할 것이다. 판례 또한 간접손실을 헌법 제23조 제3항상의 손실보상의 대상이 된다고 판시한 바 있다.

Ⅲ 손실보상요건 충족 여부

1. 개설

간접손실보상도 헌법 제23조 제3항상의 손실보상인바 ① 적법한 공행정작용에 의한 침해여야 하며, 사안과 관련하여서는, ② 특별한 희생인지 여부와, ③ 간접보상규정의 존재 여부가 문제된다.

2. 특별한 희생 발생 여부

(1) 판단기준에 관한 학설 및 판례

특별한 희생이란 재산권의 사회적 제약(헌법 제23조 제2항)을 넘어서는 손해를 의미하는데 이에 대한 판단에 있어 학설은 인적 범위의 특정 여부로 판단하는 형식적 기준설과, ① 보호가치설, ② 수인한도설, ③ 목적위배설, ④ 사적효용설 등 침해의 성질과 강도에 따라 판단하는 실질적 기준설이 있다. 한편, 대법원은 개발제한구역 지정을 특별한 희생이 아니라 한 바 있으며, 헌법재판소는 개발제한구역 내 예외적인 경우 ① 종래 목적위배, ② 사적효용이 없는 경우 등에 특별한 희생을 인정한 바 있다.

(2) 검토 및 사안적용

생각건대, 특별한 희생의 판단은 상기 기준을 복합적으로 적용하여 개별·구체적 사안별로 판단함이 타당하다 여겨진다. 사안의 경우 甲은 연륙교가 개통됨에 의하여 고객이 급감하여 막대한 영업상 손실을 입었는바, 사적효용 감소로 특별한 희생에 해당된다고 여겨진다.

3. 보상규정의 존재

(1) 토지보상법 제79조 제2항, 제4항의 검토

토지보상법 제79조 제2항은 공익사업지역 밖에 있는 토지 등이 공익사업의 시행으로 인하여 본래의 기능을 다할 수 없게 되는 경우 국토교통부령으로 정하는 바에 따라 그 손실을 보상하여야 한다고 규정하고 있으며, 동조 제4항은 제1항부터 제3항까지 규정한 사항 이외에 공익사업의 시행으로 인하여 발생하는 손실의 보상 등에 대하여는 국토교통부령으로 정하는 기준에 의한다고 규정하고 있다.

(2) 일반적 근거규정인지 여부

상기 규정은 공익사업지역 밖에서 발생한 손실에 대한 일반근거조항으로 볼 수 있는지에 대하여 견해가 대립한다. 긍정설은 동 규정이 보상하여야 하지만 법률에 규정되지 못한 경우를 대비한 규정으로서 일반근거조항으로 보아야 하며, 이 경우 국토교통부령에 규정되어 있지 않은 경우에도 토지보상법상의 보상절차 및 불복절차를 통하여 보상을 받을 수 있다고 한다. 반면 부정설은 동 규정이 개괄수권조항에 불가한바, 국토교통부령에 규정되지 않은 손실은 보상규정없는 경우의 손실로 보아야 한다고 한다. 생각건대 헌법상 재산권 보상규정 및 평등원칙의 입장에서 동 규정을 일반근거조항으로 보는 것이 타당하다고 여겨진다. 다만, 이하에서는 설문과 같이 이를 구분하여 살펴보기로 한다.

Ⅳ 설문 (1) 일반적 근거규정인 경우 손실보상 가능성 및 절차

1. 甲의 손실보상 가능성

토지보상법 제79조 제2항 및 제4항을 간접손실보상에 대한 일반적 규정으로 본다면 사안의 甲은 간접손실을 입은 자로서 동 조항을 근거로 손실보상을 청구할 수 있을 것이다. 이 경우 손실보상 절차는 제79조 제2항의 근거로 하는 경우와, 제79조 제4항을 근거로 하는 경우가 다른바, 각각 살펴본다.

2. 토지보상법 제79조 제2항을 근거하는 경우 손실보상절차

토지보상법 제80조는 제79조 제1항, 제2항의 비용, 손실 또는 토지취득에 대한 보상은 사업시행자와 손실을 입은 자가 협의하여 결정하고, 협의불성립 시에는 관할 토지수용위원회에 재결을 신청하도록 하고 있다. 이때 제80조 재결은 공익사업시행지구 밖의 토지 등을 해당 사업구역에 포함된 것으로 보아 손실보상하는 경우의 재결이므로, 일반적인 수용재결과 같은 성격을 가진다고 할 수 있다. 따라서 재결에 대한 불복은 동법 제83조 내지 제85조에 의거 이의신청 및 행정소송에 의하여야 할 것으로 판단된다.

3. 토지보상법 제79조 제4항을 근거하는 경우 손실보상절차

토지보상법 제79조 제4항의 경우에는 토지보상법상 별도의 손실보상절차가 규정되어 있지 않은바, 손실보상청구권의 법적 성질에 따라 공법상 당사자소송 또는 민사소송으로 손실보상을 청구할 수 있을 것이다. 다만 해당 규정으로 논리를 간다면 이는 간접손실보상 규정 흠결의 논리로 해서 대법원 99다27231 판결이나 최근 대법원 2018두227 판결의 논리를 적용한다면 관계 규정을 유추적용하거나 토지보상법 제79조 제2항을 확대 적용해서 보상을 한다는 논리가 간다면 당사자 권익보호를 위해서는 합리적인 방안으로 평가된다.

V 설문 (2) 일반적 근거규정이 아닌 경우 손실보상가능성

1. 문제점

상기 조항을 간접손실보상에 대한 일반적 규정으로 보지 않는다면 사안에서 甲의 영업손실이 토지보상법 시행규칙 제64조에 해당하는지 여부를 검토하여 보상규정 존재 여부를 판단하여야 한다.

2. 보상규정 존재 여부

토지보상법 시행규칙 제64조는 공익사업지역 밖 영업으로서 해당 사업으로 인하여 ① 배후지의 2/3 이상이 상실되어 영업이 곤란한 경우와 ② 진출입로의 단절, 그 밖의 부득이한 사유로 인하여 일정기간 휴업하는 것이 불가피한 경우에 그 손실을 해당 사업에 편입된 영업손실보상으로 본다고 규정하고 있다. 그러나 사안의 경우 도선을 이용하던 고객들이 소재하는 지역이 수용된 것이 아니어서 배후지의 상실로 보기는 어렵고, 진출입로의 단절 등에도 해당되지 않는바, 동 규정에 의한 손실보상은 불가하다 판단된다. 따라서 보상규정이 흠결된 경우인바, 이 경우에도 간접보상이 가능한지 살펴보기로 한다.

3. 보상규정이 흠결된 경우 간접손실보상 가능성

(1) 문제점

사안의 영업손실은 특별한 희생에 해당되어 간접손실보상의 대상이 되나, 보상에 관한 형식적 법률이 부재한바, 이때에도 간접보상이 가능한지 관련 학설·판례를 검토한다.

(2) 학설

① 헌법 제23조 제3항의 직접 또는 확대적용 견해

상기와 같이 간접보상을 헌법 제23조 제3항의 영역으로 보는 한 이의 직접 효력을 근거로 손실보상이 가능하며, 종전처럼 손실보상의 영역 외로 본다면 헌법 제23조 제3항의 확대적용으로 보상이 가능하다는 견해이다.

② 헌법 제23조 제3항 및 토지보상법 규정의 유추적용에 의한 보상

보상규정이 결여된 간접손실에 대하여 헌법 제23조 제3항 및 토지보상법령상의 간접손실보상에 관한 규정을 유추적용하여 그 손실보상을 청구할 수 있다는 견해이다.

③ 평등의 원칙 및 재산권 보상규정에 근거한 보상

간접손실도 공익사업이 직접적 원인이 되어 발생한 손실이라 볼 수 있어 직접손실과 달리 볼 이유가 없는바, 헌법상 평등의 원칙 및 재산권 보장규정이 손실보상의 직접적 근거가 될 수 있다면 간접손실도 이에 근거하여 보상해야 한다는 견해이다.

④ 수용적 침해이론의 도입에 의한 보상

간접손실을 수용적 침해로 보고 독일법상 수용적 침해이론을 적용하여 구제해 주어야 한다는 견해이다.

(3) 판례의 태도

대법원은 공익사업으로 인한 간접손실이 발생한 경우에 ① 공익사업의 시행으로 인하여 그러한 손해가 발생하리라는 것을 쉽게 예견할 수 있고, ② 손실의 범위도 구체적으로 특정할 수 있는 경우 (구)공공용지의 취득 및 손실보상에 관한 특례법 시행규칙상의 관련규정을 유추적용하여 손실보상을 인정하고 있다. 참고로 금강유역의 참게축양업자의 손실보상청구소송에서는 손실의 발생 예견이 어렵고 손실범위도 특정되지 않는다는 이유로 그 손실의 보상을 부정한 바 있다.

(4) 검토 및 사안의 적용

판례는 유추적용의 요건으로 손실의 예측가능성과 범위의 확정성을 요구하는바, 간접손실의 성질상 예측이 어렵다는 점 등을 고려할 때 지나치게 보상청구의 가능성을 제한한다고 판단된다. 간접손실보상도 특별한 희생이 발생한 이상 보상규정이 없다 해서 보상가능성을 일거에 부정할 수는 없다 할 것이다. 따라서 상기의 학설 및 유추적용을 인정한 판례 등을 종합 검토하여, 손실보상을 인정하는 법리를 이끌어냄이 타당하다 여겨진다. 특히 사안과 관련하여 해당 공익사업의 시행으로 인한 손실이 아니고, 연륙도의 건설 후 개통됨에 따른 손실로서 이는 예측이 어려운 손실인바, 독일의 수용적 침해이론을 검토할 필요가 있다.

(5) 독일의 수용적 침해이론에 대한 검토

① 의의 및 요건

적법한 행정작용의 부수적 결과로서 의도되지 않은 비정형적 침해의 경우에도 보상해 주자는 이론이 독일의 수용적 침해이론이다. 그 요건에 있어서 일반적인 손실보상과 달리 침해 발생이 비의도적이고 부수적인 것이라는 점에서 주목된다.

② 조정보상법리와의 관계(수용적 침해이론의 변천)

조정보상법리는 적법하고 비의도적인 수용적 침해이더라도 예견가능한 경우 보상입법을 통하여 보상을 인정하여 주자는 이론으로 독일의 자갈채취판결에 의해 등장한 이론이다. 이 이론으로 인하여 예측가능한 비정형적 침해에 대하여는 조정보상법리에 의한 보상이 가능하나, 예측불가능한 영역에 있어서는 여전히 수용적 침해이론에 의한 보상이 의미를 지니고 있다.

③ 우리나라에의 도입가능성

수용적 침해이론의 도입에 대해 독일과 같은 관습법의 부재로 인해 부인하는 견해가 있으나, 우리 헌법 제23조는 독일 기본법과 그 구조가 다르다는 점에서 그 법리를 도입하는 것은 가능하다고 보이며, 특히 예측불가능한 손실발생의 경우와 같이 현존하는 권리구제의 사각지대를 위해서라도 수용적 침해보상을 인정함이 타당하다고 여겨진다.

④ 사안의 경우

수용적 침해보상이론을 인정한다면 사안의 경우와 같이 '예측불가능한' 손실에 대해서 좋은 해결방안을 제시하여 줄 수 있는바, 그 도입의 의의 또한 크다 여겨진다.

Ⅵ 사례의 해결

1. 연륙도의 건설 후 개통에 따른 甲의 손실은 공익사업 시행의 결과(사실행위)에 의한 것으로 이로 인해 특별한 희생이 발생하였다 볼 수 있는바, 간접손실에 해당한다.

2. 토지보상법 제79조 제2항 및 제4항을 간접손실보상의 일반근거조항으로 본다면 甲은 동법 제80조에 따라 협의 및 재결신청의 절차를 통하여 손실보상을 받을 수 있거나, 공법상 당사자소송 등으로 손실보상을 청구할 수 있을 것이다.

3. 상기 규정을 일반근거조항으로 보지 않는다면 해당 간접손실보상의 근거규정이 없으나, 이때에도 학설·판례의 다양한 검토를 통해 보상가능성을 인정함이 타당하며, 이와 관련하여 독일의 수용적 침해이론은 도입의의가 크다 할 것이다.

4. 사안과 같은 간접손실보상에 대하여 재산권 보장규정 및 평등원칙에 입각하여 토지보상법 규정을 일반근거조항으로 보는 것이 타당하며, 이를 일반근거조항으로 보지 못하는 경우에도 시행규칙에 세부규정을 마련하는 등 장기적으로는 입법적 해결이 바람직하다 여겨진다.

43절
- 토지보상법 제83조(이의의 신청)
- 행정법 쟁점 : 법령보충적 행정규칙의 법규성 논의

> **문제**
>
> A군에 사는 甲은 국토의 계획 및 이용에 관한 법률에 따라 지정된 개발제한구역 내에 과수원을 경영하고 있다. 甲은 영농의 편의를 위해 동 과수원 토지 내에 작은 소로(小路)를 개설하고, 종종 이웃 주민의 통행에도 제공해 왔다. A군은 甲의 과수원 부지가 속한 일단의 토지에 폐기물처리장을 건설하고자 하는 乙을 폐기물관리법에 따라 폐기물처리장 건설사업자로 지정하면서 동 처리장건설사업실시계획을 승인하였다. 甲과 乙 간에 甲 토지에 대한 협의매수가 성립되지 않아 乙은 甲 토지에 대한 수용재결을 신청하고, 관할 지방토지수용위원회의 수용재결을 받았다. 동 수용재결에서는 "사실상의 사도(私道)의 부지는 인근 토지에 대한 평가액의 3분의 1 이내로 평가한다."고 규정하고 있는 공익사업을 위한 토지 등의 취득 및 보상에 관한 법률 시행규칙(이하 "토지보상법 시행규칙") 제26조 제1항 제2호의 규정에 따라, 甲의 토지를 인근 토지가에 비하여 3분의 1의 가격으로 평가하였다. 이 수용재결에 대하여 이의가 있는 甲은 적절한 권리구제수단을 강구하고자 한다. 다음의 물음에 답하시오. 50점
>
> (1) 토지보상액에 불복하고자 하는 甲의 행정쟁송상 권리구제수단을 설명하시오. 20점
>
> (2) 甲이 제기한 쟁송에서 피고 측은 甲의 토지에 대한 보상액이 낮게 평가된 것은 토지보상법 시행규칙 제26조 제1항 제2호의 규정에 의한 것으로서 적법하다고 주장한다. 피고의 주장에 대해 해당 규정이 법령보충적 행정규칙인지 여부에 대하여 법적으로 판단하시오. 15점
>
> (3) 甲은 토지보상법 시행규칙 제26조 제1항 제2호의 규정은 헌법 제23조상의 재산권 보장 및 정당보상원칙을 위배하여 위헌적인 것이라고 주장한다. 甲의 주장을 관철할 수 있는 법적 수단을 설명하시오. 15점

Ⅰ. 문제제기

Ⅱ. 관련 행정작용의 검토
  1. 수용재결의 의의
  2. 법적 성질

Ⅲ. 설문 (1) 토지보상액에 대한 행정쟁송 수단
  1. 개설
  2. 이의신청(토지보상법 제83조)
    (1) 의의 및 법적 성질
    (2) 이의신청의 제기

    (3) 이의재결의 효력
  3. 보상금증감청구소송(토지보상법 제85조)
    (1) 의의 및 취지
    (2) 형식적 당사자소송
    (3) 소송의 성질
    (4) 소송의 제기

Ⅳ. 설문 (2) 피고의 주장에 대한 법적 판단
  1. 개설
  2. 법령보충적 행정규칙의 법규성 여부

Ⅰ 문제제기

사안은 甲 소유의 도로부지를 1/3로 평가한 수용재결에 대하여 甲이 불복하는 경우의 甲과 사업시행자 乙 사이의 법적 판단 및 불복수단을 묻고 있다.

1. 설문 (1)은 재결에서 결정된 토지보상액에 대한 불복방안을 묻는바, 「공익사업을 위한 토지 등의 취득 및 보상에 관한 법률」(이하 '토지보상법')은 공익사업의 원활한 시행을 위해 재결의 신속한 확정을 도모하고자 행정심판법 및 행정소송법에 대한 특례를 인정하고 있는 점을 고려하여, 토지보상법상 이의신청 및 보상금증감청구소송에 관하여 검토한다.

2. 설문 (2)에서 사업시행자 乙은 甲의 사실상 사도부지에 대한 평가가 토지보상법 시행규칙 제26조 1/3 이내로 보상평가규정하고 있는바, 토지보상법 시행규칙 제22조가 법령보충적 행정규칙이라고 대법원 판례가 판시하고 있는데, 동법 시행규칙 제26조 규정도 법규성이 있는지 여부를 살펴 적법성 여부를 검토하기로 한다.

3. 설문 (3)은 乙의 주장에 대하여 甲이 토지보상법 시행규칙 규정의 위헌성을 주장하는바, 동 규정을 법규명령으로 볼 경우 관철시킬 수 있는 법적 수단으로 구체적 규범통제와 추상적 규범통제를 검토한다.

Ⅱ 관련 행정작용의 검토

1. 수용재결의 의의

수용재결이란 공용수용의 종국적 절차로서, 사업시행자가 보상금을 지급·공탁할 것을 조건으로 토지 등의 권리를 취득하고 피수용자는 그 권리를 상실하게 하는 것을 내용으로 하는 형성적 행정행위이다.

2. 법적 성질

재결은 당사자의 권리·의무에 변화를 가져오는바, 구체적 사실에 관한 법집행으로서 처분에 해당하며, 사업시행자에게 부여된 수용권의 구체적인 내용을 확정하고 그 실행을 완성시키는 형성적 행정행위이다. 또한 시심적 당사자쟁송의 성격과, 복효적 행정행위의 성격이 있으며, 재결신청의 형식상 하자가 없는 한 재결해야 하는바, 기속행위의 성질을 갖는다.

Ⅲ 설문(1) 토지보상액에 대한 행정쟁송수단

1. 개설

사안은 토지보상액에 불복하는 경우인바, 이에 대한 행정쟁송수단은 토지보상법에 규정되어 있으므로 이에 따라 이의신청(제83조)과 보상금증액청구소송(제85조)을 제기할 수 있다.

2. 이의신청(토지보상법 제83조)

(1) 의의 및 법적 성질

이의신청이란 관할 토지수용위원회의 수용재결에 대하여 이의가 있는 자가 중앙토지수용위원회에 이의를 제기하는 것으로, 특별법에 의한 행정심판의 성질을 갖고 있다(판례).

(2) 이의신청의 제기

관할 토지수용위원회를 경유하여 중앙토지수용위원회에 이의를 제기하며 공익수용행정을 신속하게 종결하기 위하여 이의신청은 재결서의 정본을 받은 날부터 30일 이내에 하여야 한다. 토지보상법은 사안의 전문성·특수성을 살리기 위해 이의신청청구기간의 특례를 두고 있으며 판례 또한 기간특례규정이 위헌이 아니라고 한 바 있다. 이의신청의 제기시 중앙토지수용위원회는 심리·재결하여야 하며, 예외적인 경우를 제외하고는 집행부정지원칙이 적용된다(법 제88조).

(3) 이의재결의 효력

이의재결 시 행정행위로서 공정력, 불가변력 등의 효력이 발생하고, 재결서 정본을 받은 날부터 30일 이내에 사업시행자는 증액된 보상금을 지급·공탁하여야 한다. 그러나 판례는 증액보상금을 지급·공탁하지 않더라도 이의재결이 실효되는 것은 아니라고 한다. 이의재결이 확정된 경우 토지보상법은 피수용자의 권익보호 차원에서 민사소송법상 확정판결의 효력을 부여하였으나(법 제86조 제1항), 행정기관의 결정과 판결의 효력을 동일하게 규정한 것은 권력분립의 원칙에 위배되며 위헌의 소지가 있다는 비판도 제기된다.

3. 보상금증감청구소송(토지보상법 제85조)

(1) 의의 및 취지

보상금증감청구소송은 보상금에 대한 이해당사자인 사업시행자와 토지소유자 및 관계인이 보상금의 증감을 소송의 제기를 통해 직접 다툴 수 있도록 하는 당사자소송이다. 이는 종래 보상재결부분에만 불복하는 경우에도 재결 자체의 취소를 다툴 수밖에 없어 권리구제가 매우 우회적이었던 것을 시정하여 분쟁의 일회적 해결을 도모하기 위한 제도적 취지가 있다.

(2) 형식적 당사자소송

형식적 당사자소송이란, 처분 등의 효력을 다투지 않고 직접 그 처분 등을 원인으로 하는 법률관계에 대하여 그 법률관계의 일방당사자를 피고로 하여 제기하는 소송을 말한다. 보상금증감청구소송은 (구)토지수용법과 달리 토지수용위원회를 피고로 하지 않고, 사업시행자와 피수용자를 당사자로 하면서도 처분청의 행정행위의 내용인 손실보상액을 다투는 의미를 갖고 있으므로 형식적 당사자소송으로서의 성질을 갖는다.

(3) 소송의 성질

소송의 성질에 대하여 정당보상액을 확인하고 이의 급부를 명하는 확인·급부설과 수용재결을 취소함으로써 정당한 손실보상청구권을 형성한다는 형성소송설이 있다. 생각건대, 재결의 취소 없이 손실 보상금의 증감 및 지급을 명하는 일회적 권리구제의 취지가 있는 바 확인·급부설의 입장이 타당하다고 판단된다.

(4) 소송의 제기

사업시행자와 피수용자가 당사자가 되어 수용재결의 보상금액의 증감부분을 대상으로 재결서 정본을 받은 날부터 90일 이내에, 이의신청을 거친 경우에는 이의신청에 대한 재결서를 받은 날부터 60일 이내에 제소하여야 한다. 판례에 의해 ① 가산금 및 잔여지수용부분에 대한 불복도 심리에 포함되고, ② 보상항목 간의 유용도 허용된다. ③ 입증책임은 소송의 성질상 민사소송의 법률요건분배설에 의하고, 법원이 직접 결정한 보상금에 대하여, ④ 토지수용위원회의 별도처분 없이 소송당사자는 판결 결과에 따라 이행하여야 하며, ⑤ 항고소송에서의 법정이율에 의한 가산지급 또한 준용된다고 본다.

Ⅳ 설문(2) 피고의 주장에 대한 법적 판단

1. 개설

사안에서 피고는 甲에 대한 보상액이 토지보상법 시행규칙 규정에 따른 것으로 적법하다고 주장하는바, 토지보상법 시행규칙 제26조의 1/3 이내 규정이 법규성이 인정된다면 피고 주장이 일응 타당성이 인정되겠으나, 만약이 법규성이 없다면 갑의 주장이 타당하다고 볼 수 있다. 따라서 해당 내용에 대하여 법령에 명문의 규정이 없는 학설과 최근 판례의 태도를 검토하여 고찰하여 보고 자 한다.

2. 법령보충적 행정규칙의 법규성 여부

(1) 학설

① 형식설(행정규칙설)은 행정규칙의 형식으로 이는 행정청 내부만을 구속하는 것이지 외부의 구속력이 있는 것이 아니며, 본 규정은 법규성이 없고 행정규칙으로 보아야 한다는 견해이다.

② 실질설(법규명령설)은 실질적으로 법의 내용을 보충함으로써 개인에게 직접적인 영향을 미치는 법규명령으로 보아야 한다는 견해이다.

③ 규범구체화설은 행정규칙과는 달리 상위규범을 구체화하는 내용의 행정규칙이므로 법규성을 긍정해야 한다는 견해이다.

④ 위헌무효설은 헌법에 명시된 법규명령은 대통령령, 총리령, 부령만을 인정하고 있으므로 행정규칙 형식의 법규명령은 헌법에 위반되어 무효라고 보는 견해이다.

⑤ 법규명령의 효력을 갖는 행정규칙설은 법규와 같은 효력을 인정하더라도 행정규칙의 형식으로 제정되어 있으므로 법적 성질은 행정규칙이라고 보는 견해이다.

(2) 판례

종전 (구)공공용지의 취득 및 손실보상에 관한 특례법 제6조의2의 규정은 '감정평가법인등이 가격평가를 함에 있어 준수하여야 할 원칙과 기준을 정한 행정규칙에 해당한다 할 것이므로 상위법령의 위임이 있어야 하는 것은 아니다'라고 하여 그 형식이 부령인 때에는 행정규칙으로 보았다. 그러나 최근의 대법원 2012.3.29, 2011다104253 판결[손해배상(기)등]은 "공익사업을 위한 토지 등의 취득 및 보상에 관한 법률(이하 '공익사업법'이라 한다) 제68조 제3항은 협의취득의 보상액 산정에 관한 구체적 기준을 시행규칙에 위임하고 있고, 위임범위 내에서 공익사업을 위한 토지 등의 취득 및 보상에 관한 법률 시행규칙 제22조는 토지에 건축물 등이 있는 경우에는 건축물 등이 없는 상태를 상정하여 토지를 평가하도록 규정하고 있는데, 이는 비록 행정규칙의 형식이나 공익사업법의 내용이 될 사항을 구체적으로 정하여 내용을 보충하는 기능을 갖는 것이므로, 공익사업법 규정과 결합하여 대외적인 구속력을 가진다."라고 판시함으로써 토지보상법 시행규칙 제22조를 법령보충적 행정규칙이라고 판시하고 있다.

(3) 검토

최근의 대법원 2012.3.29, 2011다104253 판결은 토지보상법 시행규칙 제22조는 토지에 건축물 등이 있는 경우에는 건축물 등이 없는 상태를 상정하여 토지를 평가하도록 규정하고 있는데, 이는 비록 행정규칙의 형식이나 공익사업법의 내용이 될 사항을 구체적으로 정하여 내용을 보충하는 기능을 갖는 것이므로, 공익사업법 규정과 결합하여 대외적인 구속력이 있다고 판시함으로써 토지보상법 시행규칙 제26조의 1/3 이내의 보상평가 규정도 대법원 판례와 같이 법령보충적 행정규칙으로 법규성이 있는 것으로 보는 것이 타당하다고 판단된다.

3. 사안의 경우

상기와 같이 토지보상법 시행규칙 제26조 1/3 이내의 평가 규정은 최근 대법원 판례에서와 같이 토지보상법 시행규칙 제22조가 법령보충적 행정규칙으로 보고 있는바, 동 규정도 상위법령과 결합하여 대외적 구속력이 인정되는 것으로 법규성이 있다고 보는 것이 타당하다고 판단된다. 따라서 사안에서 토지소유자 甲의 토지가 토지보상법 시행규칙 제26조상의 사실상 사도의 요건을 충족한 것이라면 사업시행자 乙이 동 규정에 의하여 인근토지평가액의 1/3 이내로 보상평가한 것은 법규정에 부합하여 타당하다고 할 수 있다. 다만 대법원 판례에서는 비록 법규성이 인정된다고 하더라도 "사도법에 의한 사도 외의 도로의 부지는 이를 인근토지에 대한 평가금액의 3분의 1 이내로 평가하도록 규정함으로써, 개설 당시 토지소유자가 자기 토지의 편익을 위하여 스스로 설치한 것이 아닌 사실상의 도로까지도 인근토지에 대한 평가금액의 3분의 1 이내로 평가하도록 규정하고 있으나, 헌법 제23조 제1항, 제3항, 공공용지의 취득 및 손실보상에 관한 특례법 제4조 제1항 내지 제4항, 같은 법 시행령 제2조의10 제1항, 제2항, 같은 법 시행규칙 제6조 제7항 등의 규정에 비추어 볼 때, 도로의 개설 경위, 목적, 주위환경, 인접토지의 획지면적, 소유관계, 이용상황 등 제반 사정에 비추어, 해당 토지소유자가 자기 토지의 편익을 위하여 스스로 설치한 도로 등 인근토지에 비하여 낮은 가격으로 평가하여도 될 만한 사정이 있지 아니한 사도법에 의한 사도 외의 도로부지는 위 규정에도 불구하고 인근토지에 대한 평가금액의 3분의 1 이내로 평가하여서는 아니 된다(대판 1997.7.22, 96누13675)"라고 판시하고 있는바, 인근 토지에 비하여 낮은 가격으로 평가하여도 될 만한 객관적인 사정이 인정되는지의 여부는 개별·구체적으로 따져서 그 해당 여부를 판단하여야 할 것이다.

Ⅴ 설문(3) 甲 주장을 관철할 수 있는 법적 수단

1. 개설

설문 (2)와 같이 피고 乙이 토지보상법 시행규칙에 따른 평가이므로 적법을 주장하자, 甲은 동 규정이 헌법 제23조에 위반한 위헌인 규정이므로 이에 따른 평가도 위법함을 주장하고자 한다. 따라서 재결처분의 근거규정인 토지보상법 시행규칙의 위헌성이 검토되어야 하는 바, 재결처분에 대한 이의신청과 행정소송 및 그 외 헌법소원의 수단에서 위헌주장 가능성을 살펴보도록 한다.

2. 이의신청 시 위헌주장

행정심판법 제59조에는 중앙행정심판위원회가 심판청구를 심리·재결 시 처분의 근거가 되는 명령이 법령의 근거가 없거나 상위법령에 위배되거나 국민에게 과도한 부담을 주는 등 크게 불합리하면 관계 행정기관에 요청하여 그 명령 등의 개정·폐지 등 시정조치를 할 수 있다고 규정되어 있는 바, 사안에서 수용재결에 대한 이의신청은 특별행정심판으로 볼 수 있어 甲은 이의신청 시 법규명령의 위헌성을 주장하여 심리·재결 시 반영되도록 관철할 수 있을 것이다.

3. 행정소송(구체적 규범통제)

(1) 헌법 제107조 제2항

우리 헌법은 동 규정에서 "명령·규칙 또는 처분이 헌법이나 법률에 위반되는지 여부가 재판의 전제가 된 경우에는 대법원은 이를 최종적으로 심사할 권한을 가진다."고 규정하고 있는 바, 甲은 수용재결을 행정소송으로 다투면서 그 위법사유로 근거법인 법규명령의 위헌성을 들어 자신의 주장을 관철시킬 수 있을 것이라 판단된다.

(2) 위헌, 위법인 법규명령의 효력

판례 및 일부견해는 법원에서 법규명령의 위헌·위법이 확인되면 일반적으로 무효가 된다고 주장하나, 다수견해는 이 경우 해당 사건에 한해 효력이 배제될 뿐, 별도 폐지되기 전까지는 유효하다고 주장한다. 생각건대, 위법한 법규명령을 무효로 보면 법의 공백상태가 초래된다는 점에서 다수견해가 타당하다 여겨진다. 행정소송법 제6조에서는 대법원 판결에 의하여 명령의 위헌성이 확정된 경우에는 행정안전부장관에게 통보하여 이를 관보에 게재하도록 하고 있는 바, 이후에 행정청이 다시 해당 법규명령을 적용하여 처분하면 안 되며 만약 처분했다 하더라도 무효의 위법을 지닌다고 봄이 타당할 것이다. 또한 행정기관은 위헌성이 확정된 동 규정을 폐지하는 것이 바람직하다고 생각한다.

4. 법규명령에 대한 헌법소원

헌법 제107조에서 법규명령에 대한 통제를 대법원이 하도록 규정하고 있으므로 이와 관련하여 별도로 법규명령에 대한 헌법소원이 가능한지 논란이 있으나 헌법소원이 기본권 보장제도로서의 기능을 한다는 점에서 별도로 법규명령에 대한 헌법소원도 인정함이 타당하다 여겨지며, 이 경우 헌법소원의 보충성에 위배되지 않는 한 사안의 甲은 헌법소원을 제기하여 시행규칙 규정의 위헌성 주장을 관철할 수 있을 것이다.

5. 기타 법적 수단

그 밖에 비교적 실효성이 떨어질 수는 있으나, 국토교통부나 감사원, 국민권익위원회 등에 민원을 제기하는 방법이나 청원 등의 방법으로도 甲은 자신의 주장이 관철되도록 시도할 수 있으리라 여겨진다.

Ⅵ 사례의 해결

1. 사안은 실질적 법치주의와 관련한 피수용자 甲의 권리구제방법에 대한 것으로서, 甲은 일단 보상액에 대하여 불복하는 경우 토지보상법상 이의신청과 행정소송(보상금증감청구소송)으로 다툴 수 있을 것이다.

2. 설문 (2)와 같이 사업시행자 乙이 해당 보상액 산정은 토지보상법 시행규칙 제26조 1/3 이내 보상평가 규정에 대하여 최근 대법원 판례에서와 같이 토지보상법 시행규칙 제22조가 법령보충적 행정규칙으로써 상위법령과 결합하여 대외적 구속력이 인정되는바, 법규성이 있는 것으로 낮게 보상하는 것이 일면 타당성이 있을 수 있다. 다만 해당 사실상의 사도에 대하여 도로의 개설경위, 목적, 주위환경, 인접토지의 획지면적, 소유관계, 이용상황 등 제반 사정에 비추어, 해당 토지소유자가 자기 토지의 편익을 위하여 스스로 설치한 도로이거나 타인의 통행을 배제할 수 없는 토지 등 인근토지에 비하여 낮은 가격으로 평가하여도 될 만한 사정이 있지 아니한 사도법에 의한 사도 외의 사실상의 사도부지는 토지보상법 시행규칙 제26조 규정에도 불구하고 인근토지에 대한 평가금액의 3분의 1 이내로 평가하여서는 아니 된다고 대법원 판례가 보고 있는 만큼, 인근토지에 비하여 낮은 가격으로 평가하여도 될 만한 객관적인 사정이 인정되는지의 여부는 개별·구체적으로 따져서 그 해당 여부를 판단하여야 할 것이다.

3. 따라서 설문 (3)에서 볼 수 있는 바와 같이 甲은 토지보상법 시행규칙 요건 해당 여부를 다투고자 하는 것이 아니라 해당 요건에는 해당하나 그 보상기준을 규정하고 있는 시행규칙 규정 자체의 위헌성을 주장하고자 하는바, 이 경우에는 설문 (1)의 불복수단으로 다투면서 그 근거가 된 법규명령의 위헌을 함께 주장하는 방법으로 구체적 규범통제를 도모하여야 할 것이며, 제한적이긴 하지만 그 밖에 헌법소원이나 민원제기 등의 방법으로도 자신의 주장이 관철되도록 도모할 수 있을 것이다.

44절
- 토지보상법 제85조(행정소송의 제기)
- 행정법 쟁점 : 행정소송법 제19조(취소소송의 대상)(원처분주의 논의)

문제

다음 사례의 물음에 답하시오. 40점

(1) 공익사업을 위한 토지등의 취득 및 보상에 관한 법률에 따라 골프연습장을 하기 위하여 사업시행자 甲은 많은 악조건에서도 사업인정을 받아 공익사업을 추진코자 하였다. 그러나 위 사실관계를 볼 때 사업시행자 甲이 임대차로 확보한 토지에 대하여 학교법인 乙이 해당 사건 토지 인도 및 그 지상건물 철거소송을 제기하였고, 이에 대하여 甲은 이 사건 토지에 대한 협의매수를 시도하다가 여의치 않자 2025.11.26. 중앙토지수용위원회에 대하여 이 사건 토지에 대한 수용재결을 신청하여 중앙토지수용위원회의 재결까지 받았다. 사업인정기관이 공익사업을 위한 토지 등의 취득 및 보상에 관한 법률상의 사업인정을 하기 위한 요건이 무엇이며, 사업시행자가 사업인정을 받은 후 그 사업이 공용수용을 할 만한 공익성을 상실하거나 사업인정에 관련된 자들의 이익이 현저히 비례의 원칙에 어긋나게 된 경우 또는 사업시행자가 해당 공익사업을 수행할 의사나 능력을 상실한 경우, 그 사업인정에 터잡아 수용권을 행사할 수 있는지 여부에 대하여 설명하시오. 20점 (해당 문제는 대법원 2011.1.27. 선고 2009두1051 판결을 기초로 함)

(2) 해당 사업의 토지를 소유하고 있는 학교법인 乙은 억울한 나머지 중앙토지수용위원회의 수용재결에 대하여 이의신청을 하였고, 그 이의신청의 결과인 이의재결을 받았다. 현실적으로 해당 토지소유자인 학교법인 乙은 해당 수용사건 토지가 지적불부합지로서 토지 자체의 특정이 어려워 토지수용 자체가 불가능하다는 이유로 이 사건 토지를 수용한 중앙토지수용위원회의 수용재결과 이의재결의 취소를 모두 구하고자 한다. 학교법인 乙등 토지소유자가 수용재결에 불복하여 이의신청을 거친 후 취소소송을 제기하는 경우 피고적격 및 소송대상은 무엇인지 설명하시오. 20점

〈설문 (1)에 대하여〉

Ⅰ. 논점의 정리

Ⅱ. 사업인정기관이 공익사업을 위한 토지 등의 취득 및 보상에 관한 법률상의 사업인정을 하기 위한 요건
   1. 공용수용은 헌법상의 재산권 보장의 요청상 불가피한 최소침해성
   2. 공용수용에서 사업인정의 의의 및 취지
   3. 사업인정을 해주기 위한 요건

   4. 해당 사안이 사업인정을 해주어야 하는지 여부

Ⅲ. 수용권 남용에 해당되는지 여부
   1. 공익사업 수행능력과 의사가 없는 경우 수용권 설정
   2. 공익성이 상실된 사업에까지 수용권을 유지하는 것에 대한 수용권 남용

Ⅳ. 결

〈설문 (2)에 대하여〉

Ⅰ. 논점의 정리

〈설문 (1)에 대하여〉

Ⅰ 논점의 정리

해당 사안은 사업인정기관이 공익사업을 위한 토지 등의 취득 및 보상에 관한 법률상의 사업인정을 하기 위한 요건이 무엇이며, 사업시행자가 사업인정을 받은 후 그 사업이 공용수용을 할 만한 공익성을 상실하거나 사업인정에 관련된 자들의 이익이 현저히 비례의 원칙에 어긋나게 된 경우 또는 사업시행자가 해당 공익사업을 수행할 의사나 능력을 상실한 경우, 그 사업인정에 터잡아 수용권을 행사할 수 있는지 여부에 대한 고찰을 묻는 문제이다. 이를 해결하기 위해 사업인정기관이 공익사업을 위한 토지 등의 취득 및 보상에 관한 법률상의 사업인정을 하기 위한 요건을 검토하고, 수용권 남용에 해당되는지 여부에 대하여 비례의 원칙에 입각하여 문제를 해결코자 한다.

Ⅱ 사업인정기관이 공익사업을 위한 토지 등의 취득 및 보상에 관한 법률상의 사업인정을 하기 위한 요건

1. 공용수용은 헌법상의 재산권 보장의 요청상 불가피한 최소침해성

헌법 제23조는 "① 모든 국민의 재산권은 보장된다. 그 내용과 한계는 법률로 정한다. ② 재산권의 행사는 공공복리에 적합하도록 하여야 한다. ③ 공공필요에 의한 재산권의 수용·사용 또는 제한 및 그에 대한 보상은 법률로써 하되, 정당한 보상을 지급하여야 한다."라고 규정하고 있다. 이 규정의 근본취지는 우리 헌법이 사유재산제도의 보장이라는 기조 위에서 원칙적으로 모든 국민의 구체적 재산권의 자유로운 이용·수익·처분을 보장하면서 공공필요에 의한 재산권의 수용·사용 또는 제한은 헌법이 규정하는 요건을 갖춘 경우에만 예외적으로 허용한다는 것으로 해석된다. 이와 같은 우리 헌법의 재산권 보장에 관한 규정의 근본취지에 비추어 볼 때, 공공필요에 의한 재산권의 공권력적, 강제적 박탈을 의미하는 공용수용은 헌법상의 재산권 보장의 요청상 불가피한 최소한에 그쳐야 한다.

2. 공용수용에서 사업인정의 의의 및 취지

공익사업을 위한 토지 등의 취득 및 보상에 관한 법률(이하 '토지보상법')상 사업인정이라 함은 공익사업을 토지 등을 수용 또는 사용할 사업으로 결정하는 것으로서 공익사업의 시행자에게 그 후 일정한 절차를 거칠 것을 조건으로 일정한 내용의 수용권을 설정하여 주는 형성행위이므로, 해당 사업이 외형상 토지 등을 수용 또는 사용할 수 있는 사업에 해당한다고 하더라도 사업인정 기관으로서는 그 사업이 공용수용을 할 만한 공익성이 있는지의 여부와 공익성이 있는 경우에도 그 사업의 내용과 방법에 관하여 사업인정에 관련된 자들의 이익을 공익과 사익 사이에서는 물론, 공익 상호 간 및 사익 상호 간에도 정당하게 비교·교량하여야 하고, 그 비교·교량은 비례의 원칙에 적합하도록 하여야 한다.

3. 사업인정을 해주기 위한 요건

일본 토지수용법에서 사업인정의 요건은 다음과 같다. 사업인정청은 신청된 사업이 다음의 각 호의 4가지 모든 요건에 해당될 때에만 사업인정을 행할 수 있다.

① 사업이 <u>법 제3조(공익사업) 각 호의 1에 규정한 사업일 것</u>

② 기업자가 <u>해당 사업을 수행할 충분한 의사와 능력을 가진 자일 것</u>

③ 사업이 토지의 적정하고도 <u>합리적인 이용에 기여하는 것일 것</u>

　해당 토지가 그 사업에 이용됨으로써 얻게 되는 공공의 이익과 해당 토지가 그 사업에 이용됨으로써 잃게 되는 사적 내지 공공의 이익을 비교·형량하여 전자가 후자에 우월하다고 인정되어야 한다. 이는 해당 사업계획의 내용, 그 사업에 의해서 얻게 되는 <u>공공의 이익</u>, 수용토지의 현재 이용상황, 그 토지가 갖는 사적 내지 <u>공공적 가치</u> 등에 대해서 <u>종합적인 판단에 의해서 인정되어야</u> 한다.

④ 사업이 토지를 수용 또는 사용할 공익상 필요가 있는 것일 것

　해당 사업에 대하여 1호에서 3호까지의 요건판단에서 고려된 사항 이외의 사항에 대해서 광범위하게 ⓐ 수용·사용이라는 취득수단을 취할 필요성, ⓑ 그 필요성이 공익목적에 합치 여부의 관점에서 판단을 추가하여야 한다는 의미로서, 사업을 조기에 시행할 필요성이 인정되어야 하고, 수용토지의 범위는 그 사업계획에 필요한 범위 내이고 합리적이라고 인정되어야 한다(공익적합성).

우리나라 토지보상법제와 판례를 통한 사업인정의 요건은 다음과 같다.

> ① 토지보상법 제4조에 해당하는 공익사업이어야 한다.
> ② 공공필요(공공성)가 인정되어야 한다.
> ③ 비례의 원칙에 의한 공공성 판단이 선행되어야 한다.
> ④ 사업시행자의 공익사업 수행능력과 의사(2009두1051)가 있어야 한다.

4. 해당 사안이 사업인정을 해주어야 하는지 여부

위 일본의 토지수용법상 사업인정을 해주기 위한 요건뿐만 아니라 이를 수용한 우리나라의 경우에도 사업인정의 요건이 매우 중시되고 있다. 해당 공익사업을 수행하여 공익을 실현할 의사나 능력이 없는 자에게 타인의 재산권을 공권력적·강제적으로 박탈할 수 있는 수용권을 설정하여 줄 수는 없으므로, 사업시행자에게 해당 공익사업을 수행할 의사와 능력이 있어야 한다는 것도 사업인정의 한 요건이라고 보아야 한다(대판 2011.1.27, 2009두1051)고 대법원은 판시하고 있다. 따라서 사안에서 해당 사업시행자는 재정상황이 악화되어 이 사업을 수행할 능력이 없고, 또한 강제경매절차가 진행되었으며, 현재 골프연습장은 일부 철거된 채 영업을 하지 못하고 있는 상태이고, 학교법인 입장에서 주변에 학교들이 존재하고 있어 학교부지 등 교육목적으로 사용될 수 있는 것으로 보아 해당 사업의 경우에는 사업시행자가 공익사업을 행할 의사와 능력이 부족한 것으로 판단된다.

Ⅲ 수용권 남용에 해당되는지 여부

1. 공익사업 수행능력과 의사가 없는 경우 수용권 설정

최근에 사업시행자의 공익사업의 포기사태가 많은 상황에서 사업시행자의 공익사업의 수행능력과 그 의지는 매우 현실성이 있는 논지라 할 것이다.

해당 공익사업을 수행하여 공익을 실현할 의사나 능력이 없는 자에게 타인의 재산권을 공권력적·강제적으로 박탈할 수 있는 수용권을 설정하여 줄 수는 없으므로, 사업시행자에게 해당 공익사업을 수행할 의사와 능력이 있어야 한다는 것도 사업인정의 한 요건이라고 보아야 한다고 적시한 것은 오히려 당연한 귀결이라 할 것이다. 지금까지 공적 본위의 행정 재판에서 국민 전체적인 시각에서 해당 문제를 접근한 것은 그동안 국민들의 권리의식이 많이 고양되었다는 것을 보여주는 역설이라고 할 것이다.

2. 공익성이 상실된 사업에까지 수용권을 유지하는 것에 대한 수용권 남용

판례에서 주지한 바와 같이 공용수용은 헌법상의 재산권 보장의 요청상 불가피한 최소한도에 그쳐야 하고, 헌법 제23조의 근본취지에 비추어 볼 때도 사업시행자가 사업인정을 받은 후 그 사업이 공용수용을 할 만한 공익성을 상실하거나 사업인정에 관련된 자들의 이익이 현저히 비례의 원칙에 어긋나게 된 경우 또는 사업시행자가 해당 공익사업을 수행할 의사나 능력을 상실하였음에도 여전히 그 사업인정에 기하여 수용권을 행사하는 것은 수용권의 공익 목적에 반하는 수용권의 남용에 해당하여 허용되지 않는다고 본 것은 수용권 자체가 국민의 재산권에 미치는 영향을 고려해 볼 때 더 이상의 공익성이 소멸된다면 수용권을 유지할 필요도 없을 뿐만 아니라 그 수용권 자체가 수용지역 토지소유자 등에게는 심리적인 압박요인이기도 한 측면을 고려할 때 법익의 균형성 관점에서도 이에서 벗어날 수 있도록 한 재판부의 결단은 매우 시사하는 바가 크다고 할 것이다. 수용권은 국민 모두의 공익이라는 관점에서 유지되어야 하고, 그 수용권의 행사로 말미암아 다수 국민의 공공복리가 증대되는 관점으로 생각하여 보아도 공익성이 상실된 사업에까지 수용권을 유지하는 것은 공적주체에게 지나친 행정력의 배려로밖에는 생각할 수 없는바, 이에 대한 수용권 남용을 적시한 것은 높이 평가되는 부분이라고 할 것이다.

Ⅳ 결

토지보상법의 규정에 의한 사업인정처분이라 함은 공익사업을 토지 등을 수용 또는 사용할 사업으로 결정하는 것으로서(법 제2조 제7호) 단순한 확인행위가 아니라 형성행위이므로, 해당 사업이 외형상 토지 등을 수용 또는 사용할 수 있는 사업에 해당된다 하더라도 행정주체로서는 그 사업이 공용수용을 할 만한 공익성이 있는지의 여부와 공익성이 있는 경우에도 그 사업의 내용과 방법에 대하여 사업인정처분에 관련된 자들의 이익을 공익과 사익 간에서는 물론, 공익 상호 간 및 사익 상호 간에도 정당하게 비교·교량하여야 하고, 그 비교·교량은 비례의 원칙에 적합하도록 하여야 할 것이다(대판 2005.4.29, 2004두14670). 즉 공용수용은 헌법상의 재산권 보장의 요청상 불가피한 최소한에 그쳐야 한다는 헌법 제23조의 근본취지에 비추어 볼 때, 사업시행자가 사업인정을 받은 후 그 사업이 공용수용을 할 만한 공익성을 상실하거나 사업인정에 관련된 자들의 이익이 현저히 비례의 원칙에 어긋나게 된 경우 또는 사업시행자가 해당 공익사업을 수행할 의사나 능력을 상실하였음에도 여전히 그 사업인정에 기하여 수용권을 행사하는 것은 수용권의 공익 목적에 반하는 수용권의 남용에 해당하여 허용되지 않는다고 할 것이다. 따라서 사업시행자 갑에게 행한 사업인정은 사업인정의 요건을 충족하지 않은 것으로서 수용권 남용에 해당된다고 판단된다.

〈설문 (2)에 대하여〉

I 논점의 정리

해당 사안은 종전의 (구)토지수용법 제75조의2에서 제1항에서 "이의신청의 재결에 대하여 불복이 있을 때에는 재결서가 송달된 날부터 1월 이내에 행정소송을 제기할 수 있다. 다만, 기업자는 행정소송을 제기하기 전에 제75조 제1항의 규정에 의하여 이의신청에 대한 재결에서 정한 보상금을 공탁하여야 한다. 이 경우, 토지소유자 등은 공탁된 보상금을 소송종결 시까지 수령할 수 없다."라고 규정함으로써 재결주의를 취한 듯한 규정을 두고 있었다.

그러나 통합 법안이 되면서 토지보상법 제85조 제1항에서 "사업시행자, 토지소유자 또는 관계인은 제34조에 따른 재결에 불복할 때에는 재결서를 받은 날부터 90일 이내에, 이의신청을 거쳤을 때에는 이의신청에 대한 재결서를 받은 날부터 60일 이내에 각각 행정소송을 제기할 수 있다. 이 경우 사업시행자는 행정소송을 제기하기 전에 제84조에 따라 늘어난 보상금을 공탁하여야 하며, 보상금을 받을 자는 공탁된 보상금을 소송이 종결될 때까지 수령할 수 없다."라고 규정함으로써 원처분주의를 취하고 있는바, 이하에서 원처분주의와 재결주의를 논하고, 토지보상법령과 판례를 검토하여 사안을 해결코자 한다.

II 원처분주의와 재결주의 논의

1. 논의의 전제

원처분과 재결은 모두 공권력 작용인 행정행위로서 항고소송의 대상이 될 수 있다(행정소송법 제19조, 제2조 제1항 제1호). 그러나 판결의 모순·저촉이나 소송경제를 고려하여 소송의 대상을 제한할 필요가 있다. 이에 대한 입법주의로 원처분주의와 재결주의가 있다.

2. 원처분주의

행정소송법 제19조는 취소소송은 처분등을 대상으로 한다. 다만 재결에 대한 취소소송은 재결 자체에 고유한 위법이 있음을 이유로 하는 경우에 한한다(행정소송법 제19조 단서). 따라서 취소소송은 원칙적으로 원처분을 대상으로 하는데, 이를 원처분주의라 한다. 원처분주의와 재결주의 중 어느 것을 택할 것인가는 입법정책의 문제이다.

3. 재결주의

재결주의란 재결만을 취소소송의 대상으로 하여 재결의 위법뿐만 아니라 원처분의 위법도 주장할 수 있다는 입장이다. 재결주의는 재결만이 소의 대상이 되므로 필연적으로 행정심판 필요적 전치주의에 해당한다고 볼 수 있다. 재결주의는 개별법률에서 원처분주의의 예외로서 인정하는 경우 재결을 소송의 대상으로 삼을 수 있다.

4. 우리 행정소송법제의 경우

행정소송법 제19조, 제38조에서는 원처분과 재결 모두에 대해 항고소송을 제기할 수 있지만, 재결에 대한 소송은 재결 자체의 고유한 위법이 있는 경우에 한한다고 규정하여 원처분주의를 채택하고 있다. 그러나 개별법상 재결주의가 채택되어 있는 경우가 있다.

5. 원처분주의 위반의 효과

(1) 문제점

재결 자체의 고유한 위법이 없음에도 재결에 대해 취소소송을 제기한 경우 소송상 처리에 관해 견해 대립이 있다.

(2) 학설의 대립

행정소송법 제19조 단서를 소극적 소송요건으로 보아 각하판결을 해야 한다는 견해, 재결 자체의 위법 여부는 본안판단사항이기 때문에 기각판결을 해야 한다는 견해가 있다.

(3) 판례

판례는 재결 자체에 고유한 위법이 없는 경우에는 원처분의 당부와는 상관없이 해당 재결취소소송은 이를 기각하여야 한다고 판시하고 있다.

(4) 검토

재결 자체의 위법 여부는 본안판단사항이므로 기각 판결해야 한다는 견해가 타당하다고 생각된다.

Ⅲ 해당 취소소송에서 피고적격 및 소송대상

1. 종전 토지수용법제하에서 재결주의 판례

(1) 종전 토지수용법 제75조의2 규정

제75조의2(이의신청에 대한 재결의 효력)
① 이의신청의 재결에 대하여 불복이 있을 때에는 재결서가 송달된 날부터 1개월 이내에 행정소송을 제기할 수 있다. 다만, 기업자는 행정소송을 제기하기 전에 제75조 제1항의 규정에 의하여 이의신청에 대한 재결에서 정한 보상금을 공탁하여야 한다. 이 경우, 토지소유자 등은 공탁된 보상금을 소송종결 시까지 수령할 수 없다.
② 제1항의 규정에 의하여 제기하고자 하는 행정소송이 보상금의 증감에 관한 소송인 때에는, 해당 소송을 제기하는 자가 토지소유자 또는 관계인인 경우에는 재결청 외에 기업자를, 기업자인 경우에는 재결청 외에 토지소유자 또는 관계인을 각각 피고로 한다.

③ 제1항의 기간 내에 소송이 제기되지 아니하거나 기타 사유로 제75조의 규정에 의한 이의
신청에 대한 재결이 확정되었을 때에는 민사소송법상의 확정판결이 있은 것으로 보며 재결
정본은 집행력 있는 판결정본과 동일한 효력을 가진다.

④ 이의신청에 대한 재결이 확정된 때에는 토지소유자·관계인 또는 기업자는 관할 토지수용
위원회에 대하여 재결확정증명서를 청구할 수 있다.

(2) 종전 규정에 의한 대법원 판례

토지수용법과 같이 재결전치주의를 정하면서 원처분인 수용재결에 대한 취소소송을 인정하지
아니하고 재결인 이의재결에 대한 취소소송만을 인정하고 있는 경우에는 재결을 거치지 아니
하고 원처분인 수용재결취소의 소를 제기할 수 없는 것이며 행정소송법 제18조는 적용되지
아니하고, 따라서 수용재결처분이 무효인 경우에는 재결 그 자체에 대한 무효확인을 소구할
수 있지만, 토지수용에 관한 취소소송은 중앙토지수용위원회의 이의재결에 대하여 불복이 있
을 때에 제기할 수 있고 수용재결은 취소소송의 대상으로 삼을 수 없으며, 이의재결에 대한
행정소송에서는 이의재결 자체의 고유한 위법사유뿐 아니라 이의신청사유로 삼지 않은 수용
재결의 하자도 주장할 수 있다(대판 2001.5.8, 2001두1468).

2. 현행 토지보상법 규정과 원처분주의 판례

(1) 현행 토지보상법 제85조 행정소송의 제기

제85조(행정소송의 제기)

① 사업시행자, 토지소유자 또는 관계인은 제34조에 따른 재결에 불복할 때에는 재결서를 받
은 날부터 90일 이내에, 이의신청을 거쳤을 때에는 이의신청에 대한 재결서를 받은 날부터
60일 이내에 각각 행정소송을 제기할 수 있다. 이 경우 사업시행자는 행정소송을 제기하기
전에 제84조에 따라 늘어난 보상금을 공탁하여야 하며, 보상금을 받을 자는 공탁된 보상금
을 소송이 종결될 때까지 수령할 수 없다.

② 제1항에 따라 제기하려는 행정소송이 보상금의 증감(增減)에 관한 소송인 경우 그 소송을
제기하는 자가 토지소유자 또는 관계인일 때에는 사업시행자를, 사업시행자일 때에는 토지
소유자 또는 관계인을 각각 피고로 한다.

(2) 현행 규정에 의한 원처분주의 판례

공익사업을 위한 토지 등의 취득 및 보상에 관한 법률 제85조 제1항 전문의 문언 내용과 같은
법 제83조, 제85조가 중앙토지수용위원회에 대한 이의신청을 임의적 절차로 규정하고 있는
점, 행정소송법 제19조 단서가 행정심판에 대한 재결은 재결 자체에 고유한 위법이 있음을
이유로 하는 경우에 한하여 취소소송의 대상으로 삼을 수 있도록 규정하고 있는 점 등을 종합
하여 보면, 수용재결에 불복하여 취소소송을 제기하는 때에는 이의신청을 거친 경우에도 수용
재결을 한 중앙토지수용위원회 또는 지방토지수용위원회를 피고로 하여 수용재결의 취소를 구

하여야 하고, 다만 이의신청에 대한 재결 자체에 고유한 위법이 있음을 이유로 하는 경우에는 그 이의재결을 한 중앙토지수용위원회를 피고로 하여 이의재결의 취소를 구할 수 있다고 보아야 한다(대판 2010.1.28, 2008두1504).

3. 해당 취소소송에서 피고적격 및 소송대상

토지보상법 제85조 제1항 전문은 사업시행자·토지소유자 또는 관계인은 중앙토지수용위원회 또는 지방토지수용위원회의 수용재결에 대하여 불복이 있는 때에는 재결서를 받은 날부터 90일 이내에, 이의신청을 거친 때에는 이의신청에 대한 재결서를 받은 날부터 60일 이내에 각각 행정소송을 제기할 수 있다고 규정하고 있다.

위와 같은 토지보상법 제85조 제1항 전문의 문언 내용과 공익사업법 제83조, 제85조가 중앙토지수용위원회에 대한 이의신청을 임의적 절차로 규정하고 있는 점, 행정소송법 제19조 단서가 행정심판에 대한 재결은 재결 자체에 고유한 위법이 있음을 이유로 하는 경우에 한하여 취소소송의 대상으로 삼을 수 있도록 규정하고 있는 점 등을 종합하여 보면, 수용재결에 불복하여 취소소송을 제기하는 때에는 이의신청을 거친 경우에도 수용재결을 한 중앙토지수용위원회 또는 지방토지수용위원회를 피고로 하여 수용재결의 취소를 구하여야 하고, 다만 이의신청에 대한 재결 자체에 고유한 위법이 있음을 이유로 하는 경우에는 그 이의재결을 한 중앙토지수용위원회를 피고로 하여 이의재결의 취소를 구할 수 있다고 보아야 한다.

Ⅳ 결

1. 토지보상법 제85조의 제정 입법취지

본 대법원 판례는 (구)토지수용법과 공특법 통합법안의 입법취지를 잘 반영한 것으로 평가된다. 그동안 재결주의에 대한 판례가 유지됨으로 인해서 원처분주의에 대한 입법에 대해서 논란이 많았으나, 대법원이 토지수용재결에 대하여 원처분주의로 해석한 것은 토지수용 법률관계의 복잡성과 아울러 권리구제의 실효성 확보를 위한 결단이라 보인다.

2. 해당 취소소송의 대상 및 피고적격에 대한 평가

수용재결에 불복하여 중앙토지수용위원회의 이의재결을 거친 경우 수용재결 자체의 취소를 구하는 항고소송은 이의재결을 한 중앙토지수용위원회만이 피고적격이 있다는 이유로 수용재결을 한 피고 중앙토지수용위원회를 상대로 수용재결의 취소를 구하는 부분의 소를 각하한 원심의 판단에는 수용재결에 불복하여 취소소송을 제기하는 경우의 소송대상 및 피고적격에 관한 법리를 오해하여 판결 결과에 영향을 미친 위법이 있고 이 점을 지적하는 상고취지는 이유 있다고 판시하고 있다. 따라서 소송의 대상은 원 행정작용인 수용재결을 대상으로 하여야 하며 피고는 원 행정작용을 한 관할 토지수용위원회라고 할 것이다. 예를 들어 서울시 관악구의 도로사업인 경우에는 서울지방토지수용위원회의 수용재결에 대해서 행정소송의 대상은 원 수용재결이며, 피고는 서울지방토지수용위원회가 된다. 그런데 국책사업이거나 두 개의 광역시에 걸쳐서 행하는 공익사업의 수용재결은 중앙토지수용위원회가 행하므로 소송의 대상은 국책사업등의 원 수용재결이고 피고는 중앙토지수용위원회가 관할 토지수용위원회이므로 피고적격이 있다고 할 것이다.

판례

● 해당 문제 쟁점 판례

① 대판 2011.1.27, 2009두1051

[판시사항]

[1] 사업인정기관이 공익사업을 위한 토지 등의 취득 및 보상에 관한 법률상의 사업인정을 하기 위한 요건

[2] 사업시행자가 사업인정을 받은 후 그 사업이 공용수용을 할 만한 공익성을 상실하거나 사업인정에 관련된 자들의 이익이 현저히 비례의 원칙에 어긋나게 된 경우 또는 사업시행자가 해당 공익사업을 수행할 의사나 능력을 상실한 경우, 그 사업인정에 터잡아 수용권을 행사할 수 있는지 여부(소극)

[판결요지]

[1] 사업인정이란 공익사업을 토지 등을 수용 또는 사용할 사업으로 결정하는 것으로서 공익사업의 시행자에게 그 후 일정한 절차를 거칠 것을 조건으로 일정한 내용의 수용권을 설정하여 주는 형성행위이므로, 해당 사업이 외형상 토지 등을 수용 또는 사용할 수 있는 사업에 해당한다고 하더라도 사업인정기관으로서는 그 사업이 공용수용을 할 만한 공익성이 있는지의 여부와 공익성이 있는 경우에도 그 사업의 내용과 방법에 관하여 사업인정에 관련된 자들의 이익을 공익과 사익 사이에서는 물론, 공익 상호 간 및 사익 상호 간에도 정당하게 비교·교량하여야 하고, 그 비교·교량은 비례의 원칙에 적합하도록 하여야 한다. 그뿐만 아니라 해당 공익사업을 수행하여 공익을 실현할 의사나 능력이 없는 자에게 타인의 재산권을 공권력적·강제적으로 박탈할 수 있는 수용권을 설정하여 줄 수는 없으므로, 사업시행자에게 해당 공익사업을 수행할 의사와 능력이 있어야 한다는 것도 사업인정의 한 요건이라고 보아야 한다.

[2] 공용수용은 헌법상의 재산권 보장의 요청상 불가피한 최소한에 그쳐야 한다는 헌법 제23조의 근본취지에 비추어 볼 때, 사업시행자가 사업인정을 받은 후 그 사업이 공용수용을 할 만한 공익성을 상실하거나 사업인정에 관련된 자들의 이익이 현저히 비례의 원칙에 어긋나게 된 경우 또는 사업시행자가 해당 공익사업을 수행할 의사나 능력을 상실하였음에도 여전히 그 사업인정에 기하여 수용권을 행사하는 것은 수용권의 공익 목적에 반하는 수용권의 남용에 해당하여 허용되지 않는다.

② 대판 2010.1.28, 2008두1504[수용재결취소등]

[판시사항]

토지소유자 등이 수용재결에 불복하여 이의신청을 거친 후 취소소송을 제기하는 경우 피고적격(=수용재결을 한 토지수용위원회) 및 소송대상(=수용재결)

[판결요지]

공익사업을 위한 토지 등의 취득 및 보상에 관한 법률 제85조 제1항 전문의 문언 내용과 같은 법 제83조, 제85조가 중앙토지수용위원회에 대한 이의신청을 임의적 절차로 규정하고 있는 점, 행정소송법 제19조 단서가 행정심판에 대한 재결은 재결 자체에 고유한 위법이 있음을 이유로 하는 경우에 한하여 취소소송의 대상으로 삼을 수 있도록 규정하고 있는 점 등을 종합하여 보면, 수용재결에 불복하여 취소소송을 제기하는 때에는 이의신청을 거친 경우에도 수용재결을 한 중앙토지수용위원회 또는 지방토지수용위원회를 피고로 하여 수용재결의 취소를 구하여야 하고, 다만 이의신청에 대한 재결 자체에 고유한 위법이 있음을 이유로 하는 경우에는 그 이의 재결을 한 중앙토지수용위원회를 피고로 하여 이의재결의 취소를 구할 수 있다고 보아야 한다.

[참조조문]

공익사업을 위한 토지 등의 취득 및 보상에 관한 법률 제83조, 제84조, 제85조 제1항, 행정소송법 제19조

45절 │ 토지보상법 제85조(행정소송의 제기)

> **문제**
>
> 사업시행자 서울특별시장은 경인고속도로 신월IC 도로 확장 공사를 위하여 신월동 부근 甲 자원산업주식회사의 부지와 진입로인 도로를 수용하게 되었다. 그 진입도로에 대해서 사업시행자는 사실상 사도라고 하면서 보상금액을 인근 토지평가액의 1/3 이내 수준으로 보상하려고 한다. 해당 진입도로는 불특정 다수의 일반 차량이 도로 부분을 통행하거나 甲 이 이를 허용하였다고 볼 수 없는 토지이고, 폐기물 운반차량이 통행하기 곤란할 정도로 좁고 통행로로 이용되지 않는점, 도로 연결지점에 말뚝을 박아 소형 차량 조차도 통행할 수 없는 점에서 사실상 사도인지 논란이 되고 있다. 다음 물음에 답하시오. 40점 (해당 문제는 대법원 2013.6.13. 선고 2011두7007 판결에 기초함)
>
> (1) 50억 수용재결에 의한 토지보상액에 대해 불복하고자 하는 甲 자원산업주식회사는 행 정쟁송상 권리구제 수단을 설명하시오. 20점
>
> (2) 공익사업을 위한 토지 등의 취득 및 보상에 관한 법률 시행규칙 제26조 제1항 제2호 에 의하여 '사실상의 사도'의 부지로 보고 인근 토지평가액의 3분의 1 이내로 보상액을 평가하기 위한 요건에 대해서 설명하시오. 5점
>
> (3) 공익사업을 위한 토지 등의 취득 및 보상에 관한 법률 시행규칙 제26조 제2항 제1호 에서 규정한 '도로개설 당시의 토지소유자가 자기 토지의 편익을 위하여 스스로 설치 한 도로'에 해당하는지 판단하는 기준에 대하여 설명하시오. 5점
>
> (4) 공익사업을 위한 토지 등의 취득 및 보상에 관한 법률 시행규칙 제26조 제2항 제2호 가 규정한 '토지소유자가 그 의사에 의하여 타인의 통행을 제한할 수 없는 도로'의 의미 및 그에 해당하는지 판단하는 기준에 대하여 설명하시오. 5점
>
> (5) 위 지문의 이 사건 도로에 대한 사실관계를 토대로 설문 3과 설문 4에 대하여 '도로개 설 당시의 토지소유자가 자기 토지의 편익을 위하여 스스로 설치한 도로'인지, '토지소 유자가 그 의사에 의하여 타인의 통행을 제한할 수 없는 도로'인지 구체적으로 설명하 시오. 5점
>
> 〈설문 (1) 행정쟁송상 권리구제수단〉
>
> Ⅰ. 논점의 정리
>
> Ⅱ. 토지보상액 불복으로서 특별법상 행정 심판 이의신청(법 제83조)
>
> 1. 공용수용의 법리와 불복 규정 적용
>
> 2. 이의신청의 의의(법 제83조 및 제84조)(특별법상 행정심판)
>
> 3. 이의신청의 요건 및 효과(처분청 경 유주의, 기간특례 등)
>
> 4. 이의재결(법 제84조) 및 이의 재결의 효력(법 제86조)
>
> Ⅲ. 보상금증감청구소송(법 제85조 제2항) (형식적 당사자소송)
>
> 1. 보상금증감청구소송의 개념

〈설문 (1) 행정쟁송상 권리구제수단〉

Ⅰ 논점의 정리

해당 논제는 甲 자원산업주식회사를 둘러싼 인근토지의 보상에 대한 쟁점으로 주로 사실상 사도에 대한 쟁점이다. 공익사업을 위한 토지 등의 취득 및 보상에 관한 법률(이하 '토지보상법') 시행규칙 제26조 규정이 사실상 사도의 주요한 법적 근거이다. 특히 甲 자원산업주식회사는 자신의 토지가 수용된 것을 다투는 것이 아니라 수용재결에 의한 50억 토지보상액에 대해서만 불복하는 것이다. 따라서 甲 자원산업주식회사는 이의신청 또는 보상금증액청구소송을 제기할 수 있다. 이의신청은 보상금증감청구소송의 필요적 전치절차는 아니며, 아래에서 토지보상액 불복에 대한 구체적인 쟁점을 논술하고자 한다.

Ⅱ 토지보상액 불복으로서 특별법상 행정심판 이의신청(법 제83조)

1. 공용수용의 법리와 불복 규정 적용

공용수용이란, 공익사업을 위해 특정 개인의 재산권을 법률의 힘에 의해 토지보상법에 근거하여 강제적으로 취득하는 것으로 재산권보장에 대한 중대한 예외적 조치이며, 그 종국적 절차인 재결은 협의 불성립 또는 협의불능의 경우에 사업인정을 통하여 사업시행자에게 부여된 수용권의 구체적인 내용을 결정하고 그 실행을 완성시키는 형성적 행정처분이다. 이러한 재결은 재산권 박탈을 의미하는 '수용재결'과 수용재결의 효과로서 보상금을 결정하는 '보상재결'로 구성되며, 사업시행자에게 보상금 지급을 조건으로 토지소유권을 취득하게 하고, 토지소유자 등에게는 그 권리를 상실시키는 형성적 행정행위로 작용하기 때문에 피수용자가 재결의 취소 또는 변경을 구할 수 있음은 법치주의원리상 당연하다고 볼 수 있다. 토지보상법은 재결에 대한 불복절차로서 이의신청(공익사업을 위한 토지 등의 취득 및 보상에 관한 법률(이하 '토지보상법') 제83조(특별법상 행정심판) 및 동법 제84조와 동법 제85조(행정소송)에 대한 규정을 두고 있다. 이에 대한 불복절차에 관하여 토지보상법에 규정이 있는 경우를 제외하고는 행정심판법과 행정소송법이 적용될 것이다.

2. 이의신청의 의의(법 제83조 및 제84조)(특별법상 행정심판)

이의신청이란, 토지수용위원회의 위법 또는 부당한 재결처분으로 인하여 권리 또는 이익을 침해당한 자가 중앙토지수용위원회에 그 처분의 취소·변경을 구하는 쟁송을 말한다. 토지수용위원회의 재결은 수용재결과 보상재결로 분리되는데, 이 중 어느 한 부분만에 대하여 불복이 있는 경우에도 토지수용위원회의 재결 자체가 이의신청의 대상이 된다. 이는 토지보상법에서 별도의 행정심판절차를 규율한 것으로 특별법상 행정심판의 성격을 지닌다.

3. 이의신청의 요건 및 효과(처분청 경유주의, 기간특례 등)

① 양 당사자는 재결서 정본을 받은 날부터 30일 이내에 처분청을 경유하여 중앙토지수용위원회에 이의를 신청할 수 있다. 판례는 30일의 기간은 수용의 신속을 기하기 위한 것으로 합당하다고 한다.

② 이의신청은 사업의 진행 및 토지의 사용·수용을 정지시키지 아니하며(보상법 제88조) 행정쟁송법에 의한 집행정지 규정이 적용될 것이다.

4. 이의재결(법 제84조) 및 이의 재결의 효력(법 제86조)

① 재결이 위법, 부당하다고 인정하는 때에는 재결의 전부 또는 일부를 취소하거나 보상액을 변경할 수 있다.

② 이의재결이 확정된 경우에는 민사소송법상의 확정판결이 있는 것으로 본다. 즉, 사업시행자가 이의재결에서 증액재결한 보상금의 지급을 이행하지 않는 경우 피수용자는 확정판결의 효력을 바탕으로 재결확정증명서를 받아 강제집행할 수 있게 된다.

Ⅲ 보상금증감청구소송(법 제85조 제2항)(형식적 당사자소송)

1. 보상금증감청구소송의 개념

토지수용위원회의 보상재결에 대하여 토지소유자 및 관계인은 보상금의 증액을 청구하는 소송을 제기할 수 있고 사업시행자는 보상금의 감액을 청구하는 소송을 제기할 수 있다. 이를 보상금증감청구소송이라 한다. 이는 보상금만에 대한 소송을 인정함으로써 분쟁의 일회적 해결·소송경제·권리구제의 신속성·실효성 확보를 도모함에 제도적 취지가 인정된다.

2. 소송의 성질

(1) 형식적 당사자소송

보상금증감청구소송은 기본적으로 보상금액을 다투는 소송이며 소송을 제기함에 있어 재결청을 피고로 하는 것이 아니라 그 법률관계의 일방 당사자를 피고로 하는 소송에 해당하게 되므로 순수한 의미의 형식적 당사자소송이라 할 것이다.

(2) 형성소송인지, 확인·급부소송인지

형성소송인지, 확인·급부소송인지 견해의 대립이 있으나, 보상금증감청구소송은 재결청을 제외한 보상당사자만을 피고로 규정하고 있으므로 보상재결의 최소·변경 없이 헌법상 정당보상조항(헌법 제23조 제3항)에 의하여 당연히 발생·확정되는 정당보상액을 확인하고, 부족액의 급부를 구하는 확인·급부소송이 타당하다고 생각한다.

3. 소송의 대상

형식적 당사자소송의 대상은 법률관계이다. 따라서 보상금증감청구소송은 관할 토지수용위원회가 행한 재결로 형성된 법률관계인 보상금의 증감에 관한 것을 소송의 대상으로 삼아야 한다.

4. 보상금증액청구소송의 제기요건(기간특례, 원처분주의 등)

① 토지보상법 제85조에서는 소의 대상으로 제34조 재결을 규정하고 있으므로 원처분을 소의 대상으로 하고, ② (종전 규정은 재결서정본 송달일부터 60일 또는 30일(이의재결시) 이내에) 개정된 토지보상법 제85조에서는 재결서 정본을 송달 받은 날부터 90일, 이의재결서를 송달받은 날부터 60일로 개정됨(2019.7.1.자 시행), ③ 양 당사자는 각각을 피고로 하여, ④ 관할법원 소를 제기할 수 있다.

5. 심리범위

① 손실보상의 지급방법(채권보상 여부 포함), ② 손실보상액의 범위, 보상액과 관련한 보상 면적 및 ③ 지연손해금, 잔여지수용 여부, 보상항목 간 유용도 심리범위에 해당한다고 본다(판례).

6. 판결의 효력

보상금증감소송에서 법원은 스스로 보상액의 증감을 결정할 수 있고 토지수용위원회는 별도의 처분을 할 필요가 없다. 법원의 판결이 있게 되면 기판력, 형성력, 기속력이 발생하고, 소의 각하・기각 또는 취하의 효과로서 법정이율의 가산지급(법 제87조)은 당사자소송에 있어서도 적용되는 것으로 보아야 할 것이다.

7. 관련문제(청구의 병합)

수용 자체에 대하여 불복이 있을 뿐만 아니라 보상금액에도 불복이 있는 경우에는 수용재결의 취소소송과 보상금증액청구소송을 별도로 제기할 수 있다. 그런데, 토지소유자는 우선 수용 자체를 다투고 만일 이것이 받아들여지지 않는 경우에는 보상금액의 증액을 청구할 필요가 있을 것이다. 이 경우에 수용재결에 대한 취소소송에서 보상금증액청구소송을 예비적으로 병합하여 제기할 수 있는가 하는 것이 문제된다. 분쟁의 일회적 해결을 위한다는 점에서 청구의 병합을 인정함이 타당하다.

Ⅳ 사안의 해결(권리구제수단)

甲 자원산업주식회사는 관할 지방토지수용위원회의 재결에 의해 결정된 50억 토지보상액에 대해서 중앙토지수용위원회에게 이의신청을 제기하거나, 이를 제기함이 없이 행정소송으로 형식적 당사자소송인 보상금증액청구소송을 제기하여 권리구제를 받을 수 있을 것으로 판단된다.

〈설문 (2) '사실상의 사도'의 부지로 보고 인근 토지평가액의 3분의 1 이내로 보상액을 평가하기 위한 요건〉

1. 토지보상법 시행규칙 제26조 규정과 대법원 판례의 태도

공익사업을 위하여 취득하는 토지에 대한 보상액은 재결 등 가격시점 당시의 현실적인 이용상황, 즉 현황을 기준으로 보상하여야 하고, 이 원칙에 따른 구체적인 보상액의 산정 및 평가방법은 투자비용, 예상수익 및 거래가격 등을 고려하여 국토교통부령으로 정하도록 위임되어 있다['공익사업을 위한 토지 등의 취득 및 보상에 관한 법률'(이하 '토지보상법'이라 한다) 제70조 제2항, 제6항]. 그에 따라 토지보상법 시행규칙(이하 '규칙'이라 한다)은 도로부지 중 '사실상의 사도'의 부지는 인근토지의 평가액의 3분의 1 이내로 평가하도록 규정하면서, 여기서 '사실상의 사도'라 함은 '사도법에 의한 사도 외의 도로(국토의 계획 및 이용에 관한 법률에 의한 도시관리계획에 의하여 도로로 결정된 후부터 도로로 사용되고 있는 것을 제외한다)'로서 다음 각 호의 1에 해당하는 도로를 말한다고 하고, 제1호에서는 '도로개설 당시의 토지소유자가 자기 토지의 편익을 위하여 스스로 설치한 도로'를, 제2호에서는 '토지소유자가 그 의사에 의하여 타인의 통행을 제한할 수 없는 도로'를, 제3호에서는 '건축법 제45조의 규정에 의하여 건축허가권자가 그 위치를 지정・공고한 도로'를, 제4호에서는

'도로개설 당시의 토지소유자가 대지 또는 공장용지 등을 조성하기 위하여 설치한 도로'를 규정하고 있다(이하 위 각 호는 제1호, 제2호 등으로 줄여 쓴다).

그리고 이 경우 보상액 평가의 기준이 되는 '인근토지'는 해당 도로부지가 도로로 이용되지 아니하였을 경우에 예상되는 표준적인 이용상황과 유사한 토지로서 해당 토지와 가까운 토지를 말한다(규칙 제26조 제4항). 한편 사도법이 적용되는 사도는 도로법에 의한 도로 등에 연결되는 도로로서 관할 지방자치단체장의 허가를 받아 설치한 도로를 가리키는 것으로 규정되어 있다(사도법 제2조, 제4조).

2. 사실상 사도 평가요건 검토

"사실상의 사도"라 함은 개설 당시의 토지소유자가 자기토지의 편익을 위하여 스스로 설치한 도로(새마을사업으로 설치한 도로를 제외한다)로서 도시계획으로 결정된 도로가 아닌 것을 말하되, 이때 자기토지의 편익을 위하여 토지소유자가 스스로 설치하였는지 여부는 인접토지의 획지면적, 소유관계, 이용상태 등이나 개설경위, 목적, 주위환경 등에 의하여 객관적으로 판단하여야 할 것이므로, 도시계획(도로)의 결정이 없는 상태에서 불특정 다수인의 통행에 장기간 제공되어 자연발생적으로 사실상 도로화된 경우에도 사실상의 사도에 해당하고(대판 1993.5.25, 92누17259 참조), 도시계획으로 결정된 도로라 하더라도 그 이전에 사도법에 의한 사도 또는 사실상의 사도가 설치된 후에 도시계획결정이 이루어진 경우 등에도 거기에 해당하며, 다만 토지의 일부가 일정기간 불특정 다수인의 통행에 제공되거나 사실상 사도로 사용되고 있더라도 토지소유자가 소유권을 행사하여 그 통행을 금지시킬 수 있는 상태에 있는 토지는 거기에 해당하지 아니한다(대판 1995.6.13, 94누14650).

위와 같은 여러 규정과 판례들을 종합하여 보면, 위 규칙에 의하여 '사실상의 사도'의 부지로 보고 인근토지 평가액의 3분의 1 이내로 보상액을 평가하려면, 도로법에 의한 일반 도로 등에 연결되어 일반의 통행에 제공되는 등으로 사도법에 의한 사도에 준하는 실질을 갖추고 있어야 하고, 나아가 위 규칙 제1호 내지 제4호 중 어느 하나에 해당하여야 할 것이다(대법원 1995.6.13, 94누14650 판결 등은 위 규칙 제1호처럼 토지소유자가 자기 토지의 편익을 위하여 스스로 설치한 사실상의 사도라도 토지소유자가 소유권을 행사하여 그 통행을 금지시킬 수 있는 상태에 있는 토지는 위와 같이 보상액을 감액 평가할 대상에 해당하지 아니한다고 하여, 위 규칙 제1호의 사유가 있는 경우에도 제2호의 요건까지 갖추어야 사실상의 사도에 해당한다는 취지로 판시하였으나, 이는 '사실상의 사도'에 관한 법률 규정이 달랐던 '공공용지의 취득 및 손실보상에 관한 특례법'이 시행될 당시의 사건에 관한 것이므로 토지보상법이 시행된 이후의 보상액 평가에는 적용되지 아니한다고 할 것이다).

한편 토지보상법과 그 규칙이 사실상의 사도에 대하여 인근토지에 대한 평가액보다 감액 평가한 금액을 보상액으로 규정한 것은 헌법 제23조 제3항이 규정한 정당한 보상의 원칙 등에 비추어 함부로 확장할 것은 아니고 입법 취지 등을 감안하여 제한적으로 새겨야 할 것이다.

〈설문 (3) '도로개설 당시의 토지소유자가 자기 토지의 편익을 위하여 스스로 설치한 도로'에 해당
하는지 판단하는 기준〉

공익사업을 위한 토지 등의 취득 및 보상에 관한 법률 시행규칙 제26조 제2항 제1호에서 규정한
'도로개설 당시의 토지소유자가 자기 토지의 편익을 위하여 스스로 설치한 도로'에 해당한다고 하려
면, 토지소유자가 자기 소유 토지 중 일부에 도로를 설치한 결과 도로 부지로 제공된 부분으로 인하
여 나머지 부분 토지의 편익이 증진되는 등으로 그 부분의 가치가 상승됨으로써 도로부지로 제공된
부분의 가치를 낮게 평가하여 보상하더라도 전체적으로 정당보상의 원칙에 어긋나지 않는다고 볼
만한 객관적인 사유가 있다고 인정되어야 하고, 이는 도로개설 경위와 목적, 주위환경, 인접토지의
획지 면적, 소유관계 및 이용상태 등 제반 사정을 종합적으로 고려하여 판단할 것이다.

〈설문 (4) '토지소유자가 그 의사에 의하여 타인의 통행을 제한할 수 없는 도로'의 의미 및 그에
해당하는지 판단하는 기준〉

공익사업을 위한 토지 등의 취득 및 보상에 관한 법률 시행규칙 제26조 제2항 제2호가 규정한
'토지소유자가 그 의사에 의하여 타인의 통행을 제한할 수 없는 도로'는 사유지가 종전부터 자연
발생적으로 또는 도로예정지로 편입되어 있는 등으로 일반 공중의 교통에 공용되고 있고 그 이용
상황이 고착되어 있어, 도로부지로 이용되지 아니하였을 경우에 예상되는 표준적인 이용상태로
원상회복하는 것이 법률상 허용되지 아니하거나 사실상 현저히 곤란한 정도에 이른 경우를 의미
한다고 할 것이다. 이때 어느 토지가 불특정 다수인의 통행에 장기간 제공되어 왔고 이를 소유자
가 용인하여 왔다는 사정이 있다는 것만으로 언제나 도로로서의 이용상황이 고착되었다고 볼 것
은 아니고, 이는 해당 토지가 도로로 이용되게 된 경위, 일반의 통행에 제공된 기간, 도로로 이용
되고 있는 토지의 면적 등과 더불어 그 도로가 주위 토지로 통하는 유일한 통로인지 여부 등 주변
상황과 해당 토지의 도로로서의 역할과 기능 등을 종합하여 원래의 지목 등에 따른 표준적인 이
용상태로 회복하는 것이 용이한지 여부 등을 가려서 판단해야 할 것이다.

〈설문 (5) 설문 (3)과 설문 (4)에 대한 고찰〉

1. 자기의 편익을 위하여 스스로 설치한 도로인지, 타인의 통행을 제한할 수 없는 도로인지 여부에
대한 판단 사실관계 포섭

이 사건 도로 부분은 관할관청이 고속도로변 미관을 이유로 건축선 안쪽으로 3m 이상 정도의
간격을 두고 펜스를 설치하도록 함에 따라 펜스 바깥 부분이 도로의 형상을 갖추게 되고 실제
도로로 이용되고 있기도 하나, ① 펜스 안쪽의 폐기물집하장에서 공로에 출입하는 데는 이 사건
도로 부분을 통하지 아니하더라도 아무런 지장이 없는 점, ② 이 사건 도로 부분의 동쪽으로는
좁은 비포장 농로를 통하여 공로와 연결되나, 1990년대 후반에 이르러 인근 주민들이 그 진입로
에 장애물을 설치하는 등으로 폐기물 운반차량은 그 방향으로 통행하는 것이 불가능하게 된 점,
③ 甲 자원산업주식회사는 이 사건 도로 부분을 주차공간 등으로 사용하다가 2003년경 인근 업

체에서 통행로로 사용하는 것을 허락하였을 뿐 달리 일반의 통행에 제공하지는 아니한 점 등을 알 수 있다.

이러한 사실관계를 앞서 본 법리에 비추어 보면, 이 사건 도로가 개설된 것은 갑 자원산업주식회사가 미관지구 등 행정적 규제에 따라 폐기물집하장의 운영을 위한 허가요건을 갖추기 위하여 건축선으로부터 이격거리를 두고 펜스를 설치한 데 따른 것이므로 甲 자원산업주식회사 스스로 개설한 경우에는 해당한다 할 것이지만, 그 도로가 개설됨으로써 펜스 안쪽 나머지 토지의 편익이 증진되어 그 가치를 증가시켰다고 보기는 어렵다 할 것이다.

2. 사안의 해결

따라서 이는 위 토지보상법 시행규칙 제26조 제1호가 규정한 자기의 편익을 위하여 스스로 설치한 '사실상의 사도'에 해당한다고 볼 수 없다. 또한, 이 사건 도로 부분이 도로로 사용된 기간이 비교적 단기간이고 일반의 통행에 제공되었다고 볼 수 없으므로 도로로의 이용상황이 고착화되어 원래 지목에 따른 이용상태로 원상회복하는 것이 현저히 곤란한 경우에는 해당하지 아니한다 할 것이어서 위 규칙 제2호 소정의 사실상의 도로에도 해당한다고 볼 수 없다고 판단된다.

46절
- 토지보상법 제85조(행정소송의 제기)
- 행정법 쟁점 : 하자의 승계

문제

성남시는 판교공원 조성사업을 위해 경기도 성남시 분당구 운중동 일대의 토지가 필요하여 토지소유자인 甲과 협의하였으나 협의가 결렬되었다. 이에 성남시는 재결을 신청하였으며 관할 토지수용위원회는 2025년 1월 20일 해당 토지수용에 관한 재결(보상금 : 7억원)을 하였고, 이후 甲이 재결에 대해 이의신청을 하여 관할 토지수용위원회는 2025년 6월 20일 이의재결(보상금 : 8억 5천만원)을 하였다. 40점

(1) 甲이 보상금증액청구소송을 제기하는 경우 동 소송의 성질 및 소송의 대상에 대하여 설명하시오. 15점

(2) 甲은 이의재결에서 보상금액의 산정기준 시점을 수용재결일이 아닌 이의재결일을 기준으로 평가하였고, 또한 보상액산정의 기준이 되는 표준지공시지가에 위법성이 있음을 이유로 이의재결에서 정한 보상금액도 정당보상액에 미달한다고 보아 보상금증액청구소송을 제기하였다. 甲 주장이 타당한지 그 법리에 대하여 설명하시오. 25점

I. 논점의 정리
II. 설문 (1) 보상금증액청구소송의 성질 및 소송의 대상
  1. 의의 및 취지
  2. 소송의 성질
    (1) 형식적 당사자소송
    (2) 형성소송인지, 확인·급부소송인지
  3. 소송의 대상
III. 설문 (2) 甲 주장의 타당성
  1. 논점의 정리
  2. 이의재결에서 보상금 산정의 기준 시점
    (1) 관련규정의 검토(토지보상법 제67조 제1항)

    (2) 판례
    (3) 사안의 경우
  3. 보상금증액청구소송에서 표준지공시지가의 위법을 주장할 수 있는지 여부
    (1) 논점의 정리
    (2) 하자승계의 의의 및 논의 배경
    (3) 하자승계 논의의 전제
    (4) 하자승계 해결논의
      ① 학설
        ㉠ 전통적 견해(하자승계론)
        ㉡ 구속력이론
      ② 판례
      ③ 소결
      ④ 사안의 경우
  4. 甲 주장의 타당성
IV. 사례의 해결

I 논점의 정리

1. 설문 (1)에서는 보상금증액청구소송의 성질과 관련하여 형식적 당사자소송인지 여부 및 확인·급부소송인지, 형성소송인지 검토하고, 소송의 대상과 관련하여 당사자소송에서 원처분·재결주의가 적용되는지 살펴본다.

2. 설문 (2)에서는 이의재결에서 보상금액의 산정기준이 되는 가격시점을 토지보상법의 규정을 통해 검토하고, 보상금증액청구소송에서 표준지공시지가의 위법성을 주장할 수 있는지 여부, 즉 하자승계가 가능한지 여부를 검토하여 甲 주장의 타당성을 검토한다.

II 설문 (1) 보상금증액청구소송의 성질 및 소송의 대상

1. 의의 및 취지

보상금증액청구소송이란 보상금액에 대하여 불복이 있는 경우 제기하는 소송으로서, 분쟁의 일회적인 해결을 도모하는 데 목적이 있다. 한편, 종전에는 피고에 토지수용위원회를 규정하여 그 소송의 유형이나 형태 등에 논란이 존재하였으나 토지보상법은 피고에서 토지수용위원회를 제외하여 소송유형에 관한 불필요한 논쟁을 해결하였다.

2. 소송의 성질

(1) 형식적 당사자소송

형식적 당사자소송이란 행정청의 처분 등을 원인으로 하는 법률관계에 관한 소송으로 실질적으로 처분 등의 효력을 다투면서 처분청을 피고로 하지 않고 법률관계의 일방 당사자를 피고로 하여 제기하는 소송을 말한다. 보상금증감청구소송은 수용재결을 원인으로 한 법률관계에 관한 소송으로서 실질적으로는 수용재결의 내용을 다투면서도 그 법률관계의 한쪽 당사자를 피고로 하는 소송이므로 전형적인 형식적 당사자소송에 해당한다.

(2) 형성소송인지, 확인·급부소송인지

① 수용재결의 처분성 또는 공정력을 강조하여 해당 소송은 법원이 손실보상에 관한 수용재결을 취소하고, 구체적인 손실보상청구권을 형성하는 형성소송으로 보는 견해, ② 손실보상에 관한 소의 궁극적 목적은 수용재결의 취소가 아니라 당사자 사이에 정당보상액을 확인하거나 부족액을 급부하게 하는 것이므로 확인·급부소송으로 보는 견해가 있다. 생각건대, 형식적 당사자소송은 궁극적으로 법률관계를 다툰다는 점, 해당 소송의 입법취지는 법원이 정당보상액을 확인하고 그 이행을 명하는 데 있다는 점을 볼 때 확인·급부소송설이 타당하다고 본다.

3. 소송의 대상

보상금증감청구소송의 대상은 법률관계 자체(구체적으로는 보상금액)를 소송의 대상으로 삼아야한다. 즉 보상금증감청구소송은 취소소송과 달리 그 소송 대상을 원처분주의 또는 재결주의로 해석할 것이 아니라, 관할 토지수용위원회 또는 중앙토지수용위원회가 행한 재결로 형성된 법률관계인 보상금 증감에 관한 것으로 보는 것이 타당하다고 본다.

Ⅲ 설문 (2) 甲 주장의 타당성

1. 논점의 정리

甲 주장의 타당성을 검토하기 위해서 먼저, 이의재결에서 보상금액 산정시 가격시점에 대하여토지보상법의 규정을 살펴 판단하고, 보상금증액청구소송에서 표준지공시지가의 위법을 주장할수 있는지 여부, 즉 하자승계가 가능한지 문제된다.

2. 이의재결에서 보상금 산정의 기준시점

(1) 관련규정의 검토(토지보상법 제67조 제1항)

토지보상법 제67조 제1항에서는 "보상액의 산정은 협의에 의한 경우에는 협의 성립 당시의가격을, 재결에 의한 경우에는 수용 또는 사용의 재결 당시의 가격을 기준으로 한다."고 규정하여 보상액의 가격시점을 협의 성립 당시와 재결 당시로 하고 있다.

(2) 판례

이에 대해 대법원은 "토지 등을 수용함으로 인하여 그 소유자에게 보상하여야 할 손실액은 수용재결 당시의 가격을 기준으로 하여 산정하여야 할 것이고, 이와 달리 이의재결일을 그 평가기준일로 하여 보상액을 산정하여야 한다는 상고이유는 받아들일 수 없다."고 판시하였다(대판 2008.8.21, 2007두13845).

(3) 사안의 경우

토지보상법 제67조 제1항의 규정 및 판례의 태도를 볼 때, 이의재결에서 보상금 산정의 기준이 되는 가격시점은 수용재결일로 보는 것이 타당하다. 따라서 사안에서 이의재결일을 기준으로 해야 한다는 甲의 주장은 타당하지 않다.

3. 보상금증액청구소송에서 표준지공시지가의 위법을 주장할 수 있는지 여부

(1) 논점의 정리

사안에서 甲은 보상금증액을 청구하면서 보상액 산정의 기준이 되는 표준지공시지가의 위법성을 주장하고 있는바, 당사자소송에서 하자승계의 논의가 가능한지 등에 대해 최근의 판례를중심으로 검토한다.

(2) 하자승계의 의의 및 논의 배경

둘 이상의 행정행위가 연속적으로 행해지는 경우에 선행행위의 하자를 이유로 후행행위를 다툴 수 있는가의 문제를 말한다. 이는 법적안정성의 요청과 행정의 법률적합성에 의한 국민의 권리구제에 대한 조화의 문제이다.

(3) 하자승계 논의의 전제

하자승계에 관한 논의가 특별히 문제되는 행위는 ① 선행·후행행위가 모두 행정처분이라야 하며, ② 선행행위는 당연무효가 아닌 취소사유인 하자가 존재하나, 후행행위는 적법하여야 한다. ③ 선행행위에 불가쟁력이 발생하여야 한다. 사안의 경우 표준지공시지가와 재결은 처분성이 인정되나, 기타의 요건은 사실관계가 명확하게 제시되지 않아 논의의 전제요건을 충족하고 있는 것으로 본다.

(4) 하자승계 해결논의

① 학설

- ㉠ **전통적 견해(하자승계론)** : 행정행위의 하자의 문제는 행정행위마다 독립적으로 판단되어야 한다는 전제하에, 선행행위와 후행행위가 일련의 절차를 구성하면서 하나의 효과를 목적으로 하는 경우에는 예외적으로 선행행위의 위법성이 후행행위에 승계된다고 한다.
- ㉡ **구속력이론** : 쟁송기간이 도과한 선행행위에 실질적 존속력이 발생하여 그 효력이나 법적상태는 일정한계 내에서 후행행위를 구속하므로 후행행위단계에서는 다른 주장을 할 수 없다고 한다. 그 한계로 ⓐ 대인적, ⓑ 대물적, ⓒ 시간적 한계 그리고 추가적으로 예측가능성과 수인가능성을 든다.

② 판례

원칙적으로 "하자승계론"의 입장에서 체납처분 각 절차, 대집행 각 절차의 하자승계를 긍정하고, 사업인정과 수용재결, 과세처분과 체납처분 등에서는 하자승계를 부정하였다. 다만, 해당 사안과 관련하여 표준지공시지가 결정은 이를 기초로 한 수용재결 등과는 별개의 독립된 처분으로서 서로 독립하여 별개의 법률효과를 목적으로 하지만, 수인가능성과 국민의 재판받을 권리를 보장한 헌법이념을 고려하여 수용보상금의 증액을 구하는 소송에서도 선행처분으로서 그 수용대상토지 가격산정의 기초가 된 비교표준지공시지가 결정의 위법을 독립한 사유로 주장할 수 있다고 판시하였다.

③ 소결

전통적 견해는 일정한 기준을 제시하여 긍정적이나, 지나치게 형식을 강조하여 구체적 타당성을 확보하지 못한다는 비판이 있다. 그러나 구속력이론은 ㉠ 구속력을 판결의 기판력에서 차용하고, ㉡ 대물적 한계를 너무 넓게 인정하며, ㉢ 추가적 한계는 특유한 논리가 아니라는 비판이 제기된다. 따라서 법적안정성과 국민의 권리보호문제의 조화를 위해 구속력이론도 일면 타당하지만, 일정한 기준을 제시한 전통적 견해를 기준으로 보충적으로 예측가능성 및 수인가능성을 고려함이 타당하다고 생각된다.

④ 사안의 경우

표준지공시지가 결정과 수용재결 등은 별개의 효과를 목적으로 하지만 예측 및 수인가능성을 고려할 때 하자승계를 인정하는 것이 타당하다고 사료된다. 따라서 보상금증액청구소송에서 표준지공시지가의 위법을 주장할 수 있으므로 甲의 주장은 타당하다.

4. 甲 주장의 타당성

① 이의재결의 경우 토지보상법 제67조 제1항 및 판례 등을 검토할 때 수용재결일이 가격시점이므로 甲의 주장은 타당성이 없으나, ② 보상금증액청구소송에서 표준지공시지가 결정의 위법성을 주장하는 것은 타당성이 인정된다.

Ⅳ 사례의 해결

1. 보상금증액청구소송은 형식적 당사자소송으로서 확인·급부소송으로서의 성질을 가지며, 수용재결에서 정한 보상금이 소송의 대상이 된다.

2. 이의재결 평가 시 가격시점은 수용재결일이므로 이의재결 당시를 기준으로 해야 한다는 甲의 주장은 타당하지 않다.

3. 표준지공시지가와 수용재결 등은 법률효과의 동일성이 인정되지 아니하나, 예측가능성 및 수인가능성 등을 고려할 때 하자승계를 인정하는 것이 국민의 재산권 보장측면에서 타당하므로 甲의 주장은 타당하다.

47절
- 토지보상법 제85조(행정소송의 제기)
- 행정법 쟁점 : 행정소송법 제19조(취소소송의 대상)(원처분주의 논의)

문제

대법원 판례는 "공익사업을 위한 토지 등의 취득 및 보상에 관한 법률(이하 '토지보상법') 제85조 제1항 전문의 문언 내용과 같은 법 제83조, 제85조가 중앙토지수용위원회에 대한 이의신청을 임의적 절차로 규정하고 있는 점, 행정소송법 제19조 단서가 행정심판에 대한 재결은 재결 자체에 고유한 위법이 있음을 이유로 하는 경우에 한하여 취소소송의 대상으로 삼을 수 있도록 규정하고 있는 점 등을 종합하여 보면, 수용재결에 불복하여 취소소송을 제기하는 때에는 이의신청을 거친 경우에도 수용재결을 한 중앙토지수용위원회 또는 지방토지수용위원회를 피고로 하여 수용재결의 취소를 구하여야 하고, 다만 이의신청에 대한 재결 자체에 고유한 위법이 있음을 이유로 하는 경우에는 그 이의재결을 한 중앙토지수용위원회를 피고로 하여 이의재결의 취소를 구할 수 있다고 보아야 한다(대법원 2010.1.28, 2008두1504 판결[수용재결취소등])."라고 적시하고 있다. 위 판례를 토대로 다음 물음에 답하시오. 30점 기출 5-50점, 7-50점, 11-30점, 17-20점, 34-40점

(1) 토지보상법상 수용결정의 자체에 대한 불복에 대하여 설명하시오. 10점

(2) 원처분주의·재결주의에 대하여 설명하시오. 10점

(3) 과거의 대법원 2001.5.8, 2001두1468 판결에서 "(구)토지수용법과 같이 재결전치주의를 정하면서 원처분인 수용재결에 대한 취소소송을 인정하지 아니하고 재결인 이의재결에 대한 취소소송만을 인정하고 있는 경우에는 재결을 거치지 아니하고 원처분인 수용재결취소의 소를 제기할 수 없는 것이며 행정소송법 제18조는 적용되지 아니하고, 따라서 수용재결처분이 무효인 경우에는 재결 그 자체에 대한 무효확인을 소구할 수 있지만, 토지수용에 관한 취소소송은 중앙토지수용위원회의 이의재결에 대하여 불복이 있을 때에 제기할 수 있고 수용재결은 취소소송의 대상으로 삼을 수 없으며, 이의재결에 대한 행정소송에서는 이의재결 자체의 고유한 위법사유뿐 아니라 이의신청사유로 삼지 않은 수용재결의 하자도 주장할 수 있다."고 적시하였다. 이 과거 판례와 비교하여 설문의 최근 대법원 판례를 논평하시오. 10점

⟨설문 (1) 수용결정 자체에 대한 불복⟩	Ⅲ. 이의신청
Ⅰ. 서	1. 의의 및 성격
Ⅱ. 재결의 개관	2. 이의신청의 제기 및 효과
1. 재결의 의의 및 법적 성질	3. 이의재결
2. 재결의 내용	4. 이의재결의 효력
3. 재결의 위법성	Ⅳ. 재결에 대한 취소소송
	1. 의의

〈설문 (1) 수용결정 자체에 대한 불복〉

Ⅰ 서

공용수용은 특정한 공익사업을 위하여 타인의 재산권을 강제적으로 취득하는 것으로, 토지보상법은 일정한 절차를 거쳐 당사자 간의 이해관계를 적절히 조절할 수 있도록 엄격한 절차를 법정하고 있다. 재결은 이러한 공용수용의 종국적 절차로서 사업시행자에게 부여된 수용권의 구체적 내용을 결정하고 그 실행을 완성시키는 형성적 행정행위이다.

따라서 강제취득절차로서 수용재결이 위법·부당한 경우에는 피수용자는 행정심판과 행정소송을 제기하여 다툴 수 있음은 당연하다. 그러나 토지보상법은 공익사업의 원활한 수행과 피수용자의 권리구제의 신속을 도모하기 위해 법 제83조 내지 제85조에서 이의신청과 행정소송에 관한 명시적인 규정을 두어 일반법인 행정쟁송법에 대한 특례를 규정하고 있다. 따라서 토지보상법에 규정이 없는 사항에 대해서는 행정심판법 제4조 제2항 및 행정소송법 제8조 제1항에 의거 일반법인 행정심판법 및 행정소송법이 적용된다.

Ⅱ 재결의 개관

1. 재결의 의의 및 법적 성질

재결이란 사업인정의 고시가 있은 후 협의불성립 또는 불능의 경우 사업시행자가 보상금을 지급·공탁할 것을 전제로 토지 등의 권리를 취득하고 피수용자는 그 권리를 상실하게 하는 것을 내용으로 하는 형성적 행정행위이다.

2. 재결의 내용

토지수용위원회의 재결사항은 ① 수용 또는 사용할 토지의 구역 및 사용방법, ② 손실의 보상, ③ 수용 또는 사용의 개시일과 기간, ④ 그 밖에 이 법 및 다른 법률에서 규정한 사항 등으로서, 수용재결과 보상재결로 구분할 수 있다. 이러한 재결의 내용으로 인해 권리구제방법도 수용재결 자체에 대한 다툼과 보상금액에 대한 다툼으로 구분된다.

3. 재결의 위법성

수용재결의 적법요건을 갖추지 못하면 재결의 위법성을 구성하는데, 재결의 위법성 사유로서 ① 수용재결에 대해서 관할 위반, 절차누락, 신청주장된 범위 이외의 재결 등이 있으며, ② 보상금액이 정당보상액과의 차이에 따른 사유가 있을 수 있다.

Ⅲ 이의신청

1. 의의 및 성격

이의신청이란 관할 토지수용위원회의 위법·부당한 재결에 의해 권익을 침해당한 자가 중앙토지수용위원회에 그 취소 또는 변경을 구하는 것이다. 이는 토지보상법에 특례를 규정하고 있는 특별법상 행정심판으로 볼 수 있다. 따라서 토지보상법에 의하는 것 이외에는 행정심판법 제4조 제2항에 의해 행정심판법이 준용된다.

2. 이의신청의 제기 및 효과

위법·부당한 재결에 대하여 이의가 있는 자는 재결서 정본을 받은 날부터 30일 이내에 중앙토지수용위원회에 서면으로 신청해야 하며, 처분청을 경유하여야 한다. 제소기간을 단축한 것은 수용행정의 특수성과 전문성을 살리기 위한 것으로 합헌적 규정이며, 이의신청이 있는 경우 중앙토지수용위원회는 심리, 재결할 의무를 부담하며 사업의 진행 및 토지의 수용 또는 사용을 정지시키지 아니한다(토지보상법 제88조).

3. 이의재결

이의신청에 대한 심리는 비공개주의, 서면주의, 직권주의를 원칙으로 하며, 중앙토지수용위원회는 재결이 위법 또는 부당하다고 인정하는 때에는 그 재결의 전부 또는 일부를 취소하거나 보상액을 변경할 수 있다.

4. 이의재결의 효력

이의재결에 의해 보상금이 증액된 경우 사업시행자는 재결의 취소 또는 변경의 재결서 정본을 받은 날부터 30일 이내에 보상금을 받을 자에게 그 증액된 보상금을 지급하거나 공탁하여야 한다. 이의재결이 확정된 때에는 민사소송법상의 확정판결이 있은 것으로 보며, 재결서 정본은 집행력 있는 판결의 정본과 동일한 효력을 가지며, 사업시행자·토지소유자 또는 관계인은 토지수용위원회에 재결확정증명서의 교부를 청구할 수 있다.

Ⅳ 재결에 대한 취소소송

1. 의의

취소소송이란, 행정청의 위법한 처분 등의 취소 또는 변경을 구하는 소송을 말한다. 공용수용에 있어서는 관할 토지수용위원회의 재결 또는 중앙토지수용위원회의 이의재결이 위법함을 전제로 하여 그 재결의 취소 또는 변경을 구하는 소송을 말한다. 토지보상법이 정하는 특례사항 이외에는 행정소송법이 적용된다.

2. 취소소송의 제기요건

취소소송이 적법하기 위해서는 관할 토지수용위원회의 위법한 재결에 대해 이의가 있는 자가 권리보호의 필요가 있는 경우에 관할 토지수용위원회를 피고로 재결서를 받은 날부터 90일 또는 이의재결서를 받은 날부터 60일 이내에 피고의 소재지를 관할하는 행정법원에 소장으로 제기하여야 한다.

(구)토지수용법에서는 소송의 대상과 관련하여 재결주의를 규정한 것인지에 대해 논란이 있었으나, 개정 토지보상법 제85조 제1항은 "제34조의 규정에 의한 재결에 대하여 불복이 있는 때에는 재결서를 받은 날부터 90일 이내에, 이의신청을 거친 때에는 이의재결서를 받은 날부터 60일 이내~"라고 규정하여 논란의 여지없이 원처분주의로 개정되었다. 또한 동조는 이의신청을 임의절차로 명확히 하였다.

> **판례**
>
> ● **원처분주의 대법원 판례**
>
> **[판시사항]**
>
> 토지소유자 등이 수용재결에 불복하여 이의신청을 거친 후 취소소송을 제기하는 경우 피고적격(=수용재결을 한 토지수용위원회) 및 소송대상(=수용재결)
>
> **[판결요지]**
>
> 공익사업을 위한 토지 등의 취득 및 보상에 관한 법률 제85조 제1항 전문의 문언 내용과 같은 법 제83조, 제85조가 중앙토지수용위원회에 대한 이의신청을 임의적 절차로 규정하고 있는 점, 행정소송법 제19조 단서가 행정심판에 대한 재결은 재결 자체에 고유한 위법이 있음을 이유로 하는 경우에 한하여 취소소송의 대상으로 삼을 수 있도록 규정하고 있는 점 등을 종합하여 보면, 수용재결에 불복하여 취소소송을 제기하는 때에는 이의신청을 거친 경우에도 수용재결을 한 중앙토지수용위원회 또는 지방토지수용위원회를 피고로 하여 수용재결의 취

소를 구하여야 하고, 다만 이의신청에 대한 재결 자체에 고유한 위법이 있음을 이유로 하는 경우에는 그 이의재결을 한 중앙토지수용위원회를 피고로 하여 이의재결의 취소를 구할 수 있다고 보아야 한다(대판 2010.1.28, 2008두1504).

3. 취소소송의 제기효과

"행정소송의 제기는 사업의 진행 및 토지의 수용 또는 사용을 정지시키지 아니한다(토지보상법 제88조)."고 규정하여 집행부정지를 원칙으로 하고 있으며(처분에 대한 효과), 법원은 심리·판결할 구속을 받고, 당사자는 동일한 사건에 대하여 중복하여 소를 제기하지 못한다(법원 등에 대한 효과).

4. 심리 및 판결

심리의 내용은 요건심리와 본안심리로 구분되며, 심리의 방식은 행정소송법의 심리규정이 그대로 적용된다. 판결은 각하, 기각, 인용, 사정판결이 가능하며, 위법성의 판단시점 및 판결의 효력은 행정소송법이 그대로 적용된다. 토지보상법 제87조에서는 "사업시행자가 제기한 소송이 각하·기각 또는 취하된 경우 사업시행자는 재결서 정본을 받은 날 또는 이의신청을 거친 경우에는 이의재결서 정본을 받은 날부터 판결일 또는 취하일까지 기간에 대하여 소송촉진 등에 관한 특례법 제3조의 규정에 의한 법정이율을 적용하여 산정한 금액을 보상금에 가산하여 지급하여야 한다."고 규정하고 있다.

Ⅴ 재결에 대한 무효등확인소송

1. 의의

무효등확인소송이란 처분 등의 효력유무 또는 존재 여부를 확인하는 소송이다. 무효인 처분도 처분의 외관이 존재하여 집행될 수 있으므로 무효임을 공적으로 확인받을 필요가 있는바 여기에 무효등확인소송이 인정되는 실익이 있다.

2. 취소소송에 관한 사항의 적용

소송을 제기할 수 있는 자는 사업시행자와 토지소유자 및 관계인이며, 재결청이 피고가 된다. 관할법원은 원칙적으로 피고의 소재지를 관할하는 행정법원이 된다. 소송이 각하, 기각 또는 취하된 경우에는 재결이 확정되고 사업시행자가 소송을 제기한 경우로서 소송이 각하, 기각 또는 취하된 경우에는 가산금을 지급하여야 한다.

3. 이의신청전치 및 제소기간의 적용배제

무효등확인소송에서는 개별법에서 이의신청전치를 규정하고 있는 경우에도 적용이 없고, 제소기간의 제한도 적용이 없다. 재결의 위법사유가 중대·명백한 것인 때에는 법원이 심사하기 전에 중앙토지수용위원회가 심리·판단할 필요가 없다고 할 것이기 때문이다. 그리고 무효인 재결은 처음부터 효력이 없는 것이므로, 법률관계의 조속한 확정의 요청에 기한 제소기간의 제한규정도 적용이 없다고 볼 것이다.

〈설문 (2) 원처분주의·재결주의〉

I 원처분주의와 재결주의의 의의

1. 논의의 전제

원처분과 재결은 모두 공권력 작용인 행정행위로서 항고소송의 대상이 될 수 있다(행정소송법 제19조, 제2조 제1항 제1호). 그러나 판결의 모순·저촉이나 소송경제를 고려하여 소송의 대상을 제한할 필요가 있다. 이에 대한 입법주의로 원처분주의와 재결주의가 있다.

2. 개념

(1) 원처분주의

원처분주의는 원처분에 대하여 소송을 제기하고, 행정심판에 대해서는 재결에 대한 고유한 하자인 경우에만 소송을 제기할 수 있다는 것이다. 즉 원처분과 재결에 대하여 다같이 소를 제기할 수 있지만, 원처분의 위법은 원처분에 대한 항고소송에서만 주장할 수 있고, 재결에 대한 항고소송에서는 원처분의 하자가 아닌 재결 자체의 고유한 하자에 대해서만 주장할 수 있도록 하는 제도를 말한다.

(2) 재결주의

재결주의는 행정심판에 재결에 대해서만 소송을 제기 할 수 있고, 원처분은 소송을 제기할 수 없지만 원처분의 위법은 주장할 수 있다는 것이다. 즉 원처분에 대해서는 제소 자체가 허용되지 않고 재결에 대해서만 항고소송의 대상으로 인정하되, 재결에 대한 항고소송에서 재결 자체의 위법뿐만 아니라 원처분의 위법도 주장할 수 있도록 하는 제도를 말한다.

3. 우리 법제의 경우

행정소송법 제19조, 제38조에서는 원처분과 재결 모두에 대해 항고소송을 제기할 수 있지만, 재결에 대한 소송은 재결 자체의 고유한 위법이 있는 경우에 한한다고 규정하여 원처분주의를 채택하고 있다. 그러나 개별법상 재결주의가 채택되어 있는 경우가 있다.

II 재결 자체의 고유한 위법의 의미

1. 의의

행정심판 재결의 하자, 즉 재결 자체에 존재하는 주체·형식·절차·내용상의 하자를 의미한다.

2. 주체의 하자

행정심판위원회의 권한이나 구성(행정심판법 제6조, 제7조 등)에 관한 하자를 말한다.

3. 형식의 하자

재결기간(행정심판법 제45조), 서면주의에 의한 재결방식(행정심판법 제46조)을 위반한 경우를 말한다.

4. 절차의 하자

구술심리(행정심판법 제40조), 기일소환, 공개심리 규정을 위반한 경우를 말한다.

5. 내용의 하자

(1) 각하재결 : 고유한 하자 존재

행정심판청구의 요건을 갖추었음에도 각하한 경우에는 본안심리를 받을 권리를 박탈한 것이므로 재결에 고유한 하자가 있는 경우로 취소소송을 제기할 수 있다(대판 2001.7.17, 99두2970). 다만, 이러한 경우에는 원처분에 대해 바로 소송을 제기할 수 있기 때문에 각하재결에 대한 취소소송을 제기할 실익은 별로 없다.

(2) 기각재결 : 고유한 하자 부존재

원처분과 동일한 이유로 원처분을 유지하는 기각재결에는 고유한 하자가 존재하지 않는다. 원처분의 하자와 동일한 하자를 주장하는 것이기 때문이다(대판 1994.8.24, 93누5673).

(3) 인용재결 : 고유한 하자 존재

〈설문 (3) 최근 대법원 판례평석〉

과거에는 이의재결에 대하여 불복이 있는 경우 중앙토지수용위원회의 이의재결에 대한 행정소송을 제기할 수 있다고 판시하였는데, 최근 대법원 판례는 "공익사업을 위한 토지 등의 취득 및 보상에 관한 법률 제85조 제1항 전문의 문언 내용과 같은 법 제83조, 제85조가 중앙토지수용위원회에 대한 이의신청을 임의적 절차로 규정하고 있는 점, 행정소송법 제19조 단서가 행정심판에 대한 재결은 재결 자체에 고유한 위법이 있음을 이유로 하는 경우에 한하여 취소소송의 대상으로 삼을 수 있도록 규정하고 있는 점 등을 종합하여 보면, 수용재결에 불복하여 취소소송을 제기하는 때에는 이의신청을 거친 경우에도 수용재결을 한 중앙토지수용위원회 또는 지방토지수용위원회를 피고로 하여 수용재결의 취소를 구하여야 하고, 다만 이의신청에 대한 재결 자체에 고유한 위법이 있음을 이유로 하는 경우에는 그 이의재결을 한 중앙토지수용위원회를 피고로 하여 이의재결의 취소를 구할 수 있다고 보아야 한다."고 적시하고 있는바 그동안의 원처분주의에 대한 논란이 많았는데, 토지보상법제에서 원처분주의에 대한 본 판례가 출현하여, 본 판결은 원처분주의로 정리되었다고 볼 수 있겠다.

베타답안

문 30점

〈설문 (1) 수용결정 자체의 불복〉

Ⅰ. 서(재결의 의의 및 불복규정)

재결은 공용수용의 종국적 절차로서 사업시행자에게 부여된 수용권의 구체적 내용을 결정하고 그 실행을 완성시키는 형성적 행정행위이다. 토지보상법은 공익사업의 원활한 수행과 피수용자의 권리구제의 신속을 도모하기 위해 이의신청 등을 규정하고 그 외는 행정쟁송법을 따른다.

Ⅱ. 재결의 개관

1. 재결의 법적 성질

사업인정 후 협의불성립, 불능의 경우 사업시행자가 보상금을 지급·공탁할 것을 전제로 토지 등의 권리를 취득하고 피수용자는 그 권리를 상실하게 하는 것을 내용으로 하는 형성적 행정행위이다.

2. 재결의 내용 및 위법성

토지보상법 제50조에서 수용재결과 보상재결로 구분한다. 위법사유로서 ① 수용재결에 대한 관할 위반, 절차누락, 불고불리, ② 보상금액이 정당보상액과의 차이에 따른 사유가 있을 수 있다.

Ⅲ. 불복수단

1. 이의신청

관할 토지수용위원회의 위법·부당한 재결에 의해 권익을 침해당한 자가 중앙토지수용위원회에 그 취소 또는 변경을 구하는 것으로 특별행정심판이다. 재결서 정본을 받은 날부터 30일 이내에 중앙토지수용위원회에 처분청을 경유하여 신청한다. 법 제88조에 의거 사업의 진행 등은 정지되지 않는다.

2. 취소소송

관할 토지수용위원회, 중앙토지수용위원회의 재결이 위법함을 전제로 하여 그 재결의 취소 또는 변경을 구하는 소송을 말한다. 토지수용위원회를 피고로 재결서를 받은 날부터 90일 이내 또는 이의재결서를 받은 날부터 60일 이내에 소제기가 가능하다. (구)토지수용법에서는 재결주의인지 불분명하였으나 토지보상법 제85조 제1항의 문언에 의해 원처분주의로 개정되었다.

3. 무효등확인소송(판례가 인정)

토지보상법 제85조 제1항에 규정은 없으나 판례는 무효등확인소송도 포함된다고 보았다.

〈설문 (2) 원처분주의 재결주의〉

Ⅰ. 원처분주의와 재결주의의 의의

1. 논점의 정리

원처분과 재결 모두 소의 대상이 될 수 있으나 판결의 모순저촉방지, 소송경제를 위하여 입법주의에 의해 결정되므로 토지보상법의 태도를 살펴보기로 한다.

2. 원처분주의 재결주의 개념

원처분주의는 원처분에 대해서만 소송을 제기하고 재결에 대해서는 고유한 하자가 있은 경우에만 소송을 제기하는 것을 말한다. 재결주의는 행정심판의 재결만 소송의 대상으로 삼되, 원처분의 위법을 주장할 수 있는 제도이다.

3. 행정소송법과 토지보상법의 태도

행정소송법 제19조, 제38조에서는 원처분주의를 취하고 토지보상법 제85조에서는 문언상 원처분주의를 채택하고 있다.

Ⅱ. 재결 자체의 고유한 위법의 의미

1. 주체, 형식, 절차의 하자

① 행정심판위원회의 권한이나 구성에 관한 주체의 하자, ② 재결기간, 서면주의 위반인 형식하자, ③ 구술심리, 공개심리규정 위반인 절차하자가 있다.

2. 내용상 하자

(1) 각하재결

판례는 행정심판청구의 요건을 갖추었음에도 각하한 경우에는 본안심리를 받을 권리를 박탈한 것이므로 재결의 고유한 위법이 있다고 판시하였다.

(2) 기각재결

원처분과 동일한 이유로 원처분을 유지하는 기각재결에는 고유한 하자가 존재하지 않는다고 판시하는데 이는 원처분의 하자와 동일한 하자를 주장하는 것이기 때문이다. 다만, 사정재결은 재결의 고유한 위법이 있다고 할 수 있다.

(3) 인용재결

인용재결은 재결 자체의 고유한 위법이 있다고 볼 수 있다. 인용재결이 제3자효 행정행위인 경우 당초 처분의 상대방은 인용재결에 의하여 비로소 권익을 침해받으므로 행정소송법 제19조의 본문적용인지 단서적용인지가 견해 대립되나 원처분과 다른 재결이 발령되어 재결 자체에 고유한 위법이 있다고 보는 판례의 입장이 타당하다.

3. 재결 자체에 고유한 위법이 없는 경우 법원판결

제19조 단서를 소극적 소송요건으로 보아 각하하여야 한다는 견해가 있으나 재결도 처

분이므로 위법은 본안판단문제로 보아 기각하여야 한다는 견해가 타당하며 판례의 입장이다.

〈설문 (3) 최근 대법원 판례평석〉

Ⅰ. (구)토지수용법과 과거 대법원 판례의 입장

1. (구)토지수용법 제75조의2 제1항 견해대립

① 동 조항이 이의신청의 재결에 대하여 불복이 있는 때에는 소송을 제기할 수 있다고 규정하여 재결주의설, ② 이의재결만을 항고소송대상으로 규정하지 않았다는 점에서 원처분주의설이 있다.

2. 과거 판례

과거에는 이의재결에 대하여 불복이 있는 경우 중앙토지수용위원회의 이의재결에 대한 행정소송을 제기할 수 있다고 판시하였다.

Ⅱ. 개정 토지보상법의 태도 및 판례

1. 토지보상법

토지보상법 제85조의 표현으로 보아 이의재결을 거치지 않고도 국민의 권리구제가 가능하도록 원처분주의설에 따라 개정한 것으로 볼 수 있다.

2. 최근 대법원 판례

토지보상법 제85조 제1항 전문의 문언내용과 같은 법 제83조, 제85조가 중앙토지수용위원회에 대한 이의신청을 임의적 절차로 규정하고 있는 점, 행정소송법 제19조 단서가 행정심판에 대한 재결은 재결 자체에 고유한 위법이 있을 이유로 하는 경우에 한하여 취소소송의 대상으로 삼을 수 있도록 규정한 점을 종합하여 보면, 수용재결에 불복하여 취소소송을 제기하는 때는 이의신청을 거친 경우에도 수용재결을 한 중앙토지수용위원회 또는 지방토지수용위원회를 피고로 하여 수용재결의 취소를 구하여야 하고 이의재결에 고유한 위법이 있음을 이유로 하는 경우에는 중앙토지수용위원회를 피고로, 이의재결을 대상으로 한다고 판시하였다.

3. 판례평석

그동안 원처분주의에 대한 논란이 많았는데 토지보상법제에서 원처분주의에 대한 본 판례가 출현하여 본 판결은 원처분주의로 정리되었다.

48절 토지보상법 제85조(행정소송의 제기)

문제

대법원 판례는 "표준지공시지가 결정은 이를 기초로 한 수용재결 등과는 별개의 독립된 처분으로서 서로 독립하여 별개의 법률효과를 목적으로 하지만, 표준지공시지가는 이를 인근 토지의 소유자나 기타 이해관계인에게 개별적으로 고지하도록 되어 있는 것이 아니어서 인근 토지의 소유자 등이 표준지공시지가 결정 내용을 알고 있었다고 전제하기가 곤란할 뿐만 아니라, 결정된 표준지공시지가가 공시될 당시 보상금 산정의 기준이 되는 표준지의 인근 토지를 함께 공시하는 것이 아니어서 인근 토지소유자는 보상금 산정의 기준이 되는 표준지가 어느 토지인지를 알 수 없으므로, 인근 토지소유자가 표준지의 공시지가가 확정되기 전에 이를 다투는 것은 불가능하다. 더욱이 장차 어떠한 수용재결 등 구체적인 불이익이 현실적으로 나타나게 되었을 경우에 비로소 권리구제의 길을 찾는 것이 우리 국민의 권리의식임을 감안하여 볼 때, 인근 토지소유자 등으로 하여금 결정된 표준지공시지가를 기초로 하여 장차 토지보상 등이 이루어질 것에 대비하여 항상 토지의 가격을 주시하고 표준지공시지가 결정이 잘못된 경우 정해진 시정절차를 통하여 이를 시정하도록 요구하는 것은 부당하게 높은 주의의무를 지우는 것이고, 위법한 표준지공시지가 결정에 대하여 그 정해진 시정절차를 통하여 시정하도록 요구하지 않았다는 이유로 위법한 표준지공시지가를 기초로 한 수용재결 등 후행 행정처분에서 표준지공시지가 결정의 위법을 주장할 수 없도록 하는 것은 수인한도를 넘는 불이익을 강요하는 것으로서 국민의 재산권과 재판받을 권리를 보장한 헌법의 이념에도 부합하는 것이 아니다. 따라서 표준지공시지가 결정이 위법한 경우에는 그 자체를 행정소송의 대상이 되는 행정처분으로 보아 그 위법 여부를 다툴 수 있음은 물론, 수용보상금의 증액을 구하는 소송에서도 선행처분으로서 그 수용대상토지 가격 산정의 기초가 된 비교표준지공시지가 결정의 위법을 독립한 사유로 주장할 수 있다."(대판 2008.8.21, 2007두13845[토지보상금])라고 판시하고 있다. 위 대법원 판례를 토대로 다음 물음에 답하시오. 30점 기출 3-50점, 10-30점, 21-기본내용 포함

(1) 「공익사업을 위한 토지 등의 취득 및 보상에 관한 법률」상 수용재결 중 손실보상금에 대한 불복수단인 보상금증감청구소송에 대하여 논하시오. 20점

(2) 본 판례에서 원고의 이의재결일이 가격시점이 되어야 한다는 주장과 표준지공시지가가 낮아 보상금이 낮다고 주장한 내용의 문제점에 대해서 논하시오. 10점

〈설문 (1) 수용재결 중 손실보상금에 대한 불복 : 보상금증감청구소송〉

Ⅰ 의의 및 취지

보상금증감청구소송은 보상금에 대한 직접적인 이해당사자인 사업시행자와 토지소유자 및 관계인이 보상금의 증감을 소송의 제기를 통해 직접 다툴 수 있도록 하는 당사자소송이다. 이는 종래의 취소소송을 통한 권리구제의 우회성을 시정하여 분쟁의 일회적 해결을 도모하고자 함에 그 제도적 취지가 있다.

Ⅱ 소송의 성질

1. 형식적 당사자소송

형식적 당사자소송이란 행정청의 처분 등을 원인으로 하는 법률관계에 관한 소송으로 실질적으로 처분 등의 효력을 다투면서 처분청을 피고로 하지 않고 법률관계의 일방당사자를 피고로 하여 제기하는 소송을 말한다. 보상금증감청구소송은 수용재결을 원인으로 한 법률관계에 관한 소송으로서 실질적으로는 수용재결의 내용을 다투면서도 그 법률관계의 한쪽 당사자를 피고로 하는 소송이므로 전형적인 형식적 당사자소송에 해당한다.

(구)토지수용법에서는 이를 전형적인 형식적 당사자소송으로 보기에는 무리가 있어 논란이 되었지만, 토지보상법에서는 재결청을 피고에서 제외함으로써 이를 해결하였다.

2. 형성소송인지 확인·급부소송인지

이는 구체적 손실보상청구권의 발생근거를 어떻게 볼 것인가의 문제로서 헌법 제23조 제3항의 법적 효력에 관한 해석 및 토지수용위원회의 재결의 처분성 문제와 관련이 있다.

(1) 형성소송설

보상금의 결정은 재결에 의해 행해지는 것이므로 구체적 보상청구권은 재결에 의해 형성되는 것이고, 보상금증감청구소송에서 법원이 재결을 취소하고 정당한 보상액을 확정하는 것도 구체적인 손실보상청구권을 형성하는 것으로 보아야 하므로 보상금증감청구소송은 형성소송이라고 보는 견해이다.

(2) 확인·급부소송설

확인·급부소송설은 수용 등의 보상원인이 있으면 손실보상청구권은 실체법규에 보상에 관한 규정이 있는가 없는가에 관계없이 헌법규정에 의하여 당연히 발생한다고 해석하고, 재결의 손실보상 부분은 그것을 확인하는 데 지나지 않기 때문에 행정소송에 있어서 당사자는 재결의 취소 또는 변경을 구할 필요 없이 바로 보상액의 증액분에 대한 지급청구 또는 과불분에 대한 반환청구를 구하면 된다고 한다. 따라서 실체법상 그 실현에 관한 절차규정이 없는 경우 통상의 소송절차에 의하여 그 실현을 구할 수 있고, 보상에 관한 절차규정이 있는 경우 이는 청구권 그 자체의 창설·형성을 위한 절차가 아니라 그 액수의 확인·급부를 구하는 수단이라는 것이다.

(3) 검토

형식적 당사자소송은 궁극적으로 법률관계를 다툰다는 점, 해당 소송의 입법취지는 법원이 정당보상액을 확인하고 그 이행을 명하는 데 있다는 점을 볼 때 확인·급부소송설이 타당하다고 생각된다. 보상원인이 있으면 손실보상청구권은 실체법규에 보상에 관한 규정이 있는가 없는가에 관계없이 헌법규정에 의하여 당연히 발생하므로 수용자는 정당보상을 지급해야 할 것이다. 다만, 토지보상법상 보상재결은 보상에 대한 권리를 가격시점에 있어 구체화하는 작용으로 처분성은 긍정될 수 있으나, 일단 가격시점에 있어 재결에 의해 구체화된 보상금이 헌법 제23조 제3항에 의해 구체화될 보상금에 미달된 경우 보상금증감청구소송은 그 급부를 확인하고, 그 이행을 구하는 소로 이해되어야 할 것이다.

Ⅲ 소송의 제기요건

1. 소송의 대상

토지보상법 제85조 제2항에서 규정하고 있는 소송은 토지수용위원회가 행한 재결 가운데 보상금의 증감에 관한 것만을 대상으로 한다. 그러나 이의재결로 형성된 보상금에 불복하여 보상금증감청구소송을 제기하는 경우 소송의 대상을 무엇으로 하여야 하는가 문제된다. 이에 대해서는 ① 취소소송의 경우와 마찬가지로 원처분주의를 취하여 토지수용위원회가 재결에서 정한 보상금을 소송대상으로 보는 견해, ② 재결주의를 취하여 이의재결에서 정한 보상금을 소송의 대상으로 보는 견해가 있다. 생각건대, 보상금증감청구소송은 취소소송과 달리 그 소송대상을 원처분주의 또는 재결주의로 해석할 것이 아니라, 관할 토지수용위원회 또는 중앙토지수용위원회가 행한 재결로 형성된 법률관계인 보상금 증감에 관한 것으로 보는 것이 타당하다고 보인다. 따라서 소송대상은 관할 토지수용위원회의 재결에서 정한 보상금 그 자체가 대상이 되고, 중앙토지수용위원회의 이의재결에서 정한 보상금에 불복할 경우는 이의재결에서 정한 보상금이 대상이 되는 것으로 보아야 할 것이다.

2. 당사자적격

손실보상금에 관한 법률관계의 당사자인 피수용자와 사업시행자에게 당사자적격이 인정된다. 즉, 보상금증액청구소송에서는 피수용자가 원고이고, 사업시행자가 피고가 된다. 반면에 보상금감액청구소송에서는 사업시행자가 원고이고, 피수용자가 피고가 된다.

3. 제소기간

당사자소송은 원칙적으로 제소기간의 제한이 없으나, 토지보상법 제85조 제1항 취소소송의 제소기간을 보상금증감청구소송에 적용하고 있다, 즉, 보상금증감청구소송의 제소기간은 재결서를 받은 날부터 90일 이내에, 이의신청을 거친 때에는 이의신청에 대한 재결서를 받은 날부터 60일 이내이다.

4. 재판관할

형식적 당사자소송의 제1심 관할법원은 피고의 소재지를 관할하는 행정법원이다. 그러나 국가 또는 공공단체가 피고인 경우에는 관계 행정청의 소재지를 피고의 소재지로 보며, 토지의 수용에 있어서는 그 토지의 소재지를 관할하는 행정법원에 소송을 제기할 수 있다.

Ⅳ 심리 및 판결

1. 심리의 범위

보상금 증감에 관한 소송은 구체적으로 어느 범위까지를 포함하는 것인지가 문제이다. 토지보상법은 보상금의 증감에 관한 소송이 구체적으로 무엇을 의미하는지에 관하여 규정하지 않아 해석상 논란이 될 수 있기 때문이다. 이와 관련하여 확장수용청구가 손실보상에 관한 사항에 해당하는가에 대하여 견해의 대립이 있다.

(1) 긍정설

확장수용청구는 토지수용위원회의 재결사항 가운데 토지 등의 수용 또는 사용에 영향을 미친다. 따라서 단순한 손실의 문제라고 말할 수 없는 점도 있지만 그 실질은 피수용자의 이익을 고려한 손실보상이고, 수용위원회의 재결사항을 부정한다기보다는 그 내용을 부가하는 청구이기 때문에 재결취소의 소로 하기보다도 손실보상에 관한 소로서 구성하는 것이 타당하다고 한다. 또한 손실의 범위와 보상의 금액은 밀접한 관련을 지닌다. 보상금증감청구소송은 보상금에 관한 다툼을 신속히 종결하려는 것뿐만 아니라 실질적 당사자인 사업시행자나 소유자 등을 소송당사자로 하게 하여 소송을 원만히 수행하도록 하는 데 있다. 따라서 손실의 범위에 따라 보상금의 액수에 증감이 있을 수 있으므로 보상금의 증감에 관한 소송 속에 보상의 원인인 손실의 범위결정에 관한 다툼까지도 포함하는 것이라고 해석하고 있다.

(2) 부정설

잔여지수용은 재결에 의해 수용하는 토지의 구역이고 수용 시에 특히 인정한 경우를 제외하고 잔여지상의 제3자 권리가 소멸되며, 재결은 보상금 등의 지불이 일정 시까지 행해지지 않을 때 실효되는 점 등에 비추어 볼 때 본래 수용과 같아 단순한 보상의 문제로 할 수 없다고 한다. 따라서 보상의 원인이 되는 확장수용은 손실보상에 관한 소에 의할 것이 아니라 수용위원회의 재결을 다투는 방법에 의하는 것이 타당하다고 한다.

(3) 검토

보상금 증감에 관한 소송이란 보상금액에 대한 다툼에 한정하는 것인지, 아니면 보상금액의 다툼은 물론 보상의 원인인 손실의 범위결정에 관한 다툼까지도 포함하는 것인지에 대하여 의문이 제기될 수 있다. 보상금의 증감에 관한 소송이 구체적으로 어느 범위까지 다툴 수 있는가에 대하여 논란이 있지만, 보상금액을 다투는 것이기 때문에 보상대상에 대한 평가만을 의미하는 것으로 보아야 할 것이다. 토지보상법 제85조 제2항의 문언만으로 판단할 때 소송의 범위는 보상금액상의 다툼을 의미하는 것으로 보는 것이 타당하다고 생각된다.

2. 보상액의 항목 상호 간 유용문제

손실보상금액에 관한 항목 간 유용이 허용되는지가 의문일 수 있다. 항목 간 유용이 허용되면 각 항목별로 손실보상금액을 비교·합산하여서 결정하는 것이 아니고 항목별 보상금액의 총합을 상호 비교하여 결정하게 된다. 대법원도 행정소송의 대상이 된 물건 중 일부 항목에 관한 보상액은 과소하고 다른 항목의 보상액은 과다한 경우에는 그 항목 상호 간의 유용을 허용하여 과다부분과 과소부분을 합산하여 보상금액을 결정하여야 한다고 판시한 바 있다.

3. 입증책임

당사자소송에 있어서 입증책임은 민사소송법상의 일반원칙에 의하여 분배된다고 보는 것이 일반적이다. 통설·판례는 법률요건분배설을 취하고 있다. 판례는 손실보상증액청구의 소에 있어서 그 이의재결에서 정한 손실보상금액보다 정당한 손실보상금액이 더 많다는 점에 대한 입증책임은 원고에게 있다고 한다.

4. 지연이자의 발생범위

보상금증감청구소송에서 정한 보상액과 재결에서 정한 보상액과의 차액의 지연이자에 대해 판례는 "기업자의 손실보상 지급의무는 수용시기로부터 발생하고 행정소송에서 정한 보상액과의 차액 역시 손실보상의 일부이므로, 이 차액이 수용의 시기에 지급되지 않은 이상 이에 대하여 지연손해금이 발생한다."고 한다.

〈설문 (2) 가격시점과 보상금이 낮은 이유〉

I 대법원 판례 전문

1. 가격시점에 대하여

토지 등을 수용함으로 인하여 그 소유자에게 보상하여야 할 손실액은 수용재결 당시의 가격을 기준으로 하여 산정하여야 할 것이고(대판 1991.12.24, 91누308, 대판 1992.9.25, 91누13250 등 참조), 이와 달리 이의재결일을 그 평가기준일로 하여 보상액을 산정하여야 한다는 상고이유는 받아들일 수 없다.

2. 표준지공시지가 결정의 위법성에 대하여

표준지공시지가 결정은 이를 기초로 한 수용재결 등과는 별개의 독립된 처분으로서 서로 독립하여 별개의 법률효과를 목적으로 하는 것이나, 표준지공시지가는 이를 인근 토지의 소유자나 기타 이해관계인에게 개별적으로 고지하도록 되어 있는 것이 아니어서 인근 토지의 소유자 등이 표준지공시지가 결정 내용을 알고 있었다고 전제하기가 곤란할 뿐만 아니라 결정된 표준지공시지가가 공시될 당시 보상금 산정의 기준이 되는 표준지의 인근 토지를 함께 공시하는 것이 아니어서 인근 토지소유자는 보상금 산정의 기준이 되는 표준지가 어느 토지인지를 알 수 없으므로(더욱이 표준지공시지가가 공시된 이후 자기 토지가 수용되리라는 것을 알 수도 없다) 인근 토지소유자가 표준지의 공시지가가 확정되기 전에 이를 다투는 것은 불가능하다. 더욱이 장차 어떠한 수용재결 등 구체적인 불이익이 현실적으로 나타나게 되었을 경우에 비로소 권리구제의 길을 찾는 것이 우리 국민의 권리의식임을 감안하여 볼 때 인근 토지소유자 등으로 하여금 결정된 표준지공시지가를 기초로 하여 장차 토지보상 등이 이루어질 것에 대비하여 항상 토지의 가격을 주시하고 표준지공시지가 결정이 잘못된 경우 정해진 시정절차를 통하여 이를 시정하도록 요구하는 것은 부당하게 높은 주의의무를 지우는 것이라 아니할 수 없고, 위법한 표준지공시지가 결정에 대하여 그 정해진 시정절차를 통하여 시정하도록 요구하지 아니하였다는 이유로 위법한 표준지공시지가를 기초로 한 수용재결 등 후행 행정처분에서 표준지공시지가 결정의 위법을 주장할 수 없도록 하는 것은 수인한도를 넘는 불이익을 강요하는 것으로서 국민의 재산권과 재판받을 권리를 보장한 헌법의 이념에도 부합하는 것이 아니라고 할 것이다. 따라서 표준지공시지가 결정에 위법이 있는 경우에는 그 자체를 행정소송의 대상이 되는 행정처분으로 보아 그 위법 여부를 다툴 수 있음은 물론, 수용보상금의 증액을 구하는 소송에서도 선행처분으로서 그 수용대상토지 가격 산정의 기초가 된 비교표준지공시지가 결정의 위법을 독립된 사유로 주장할 수 있다.

그런데 기록에 의하면, 원고는 원심에 이르기까지 표준지공시지가가 낮게 책정되었다고만 주장하였을 뿐 이 사건 비교표준지공시지가 결정의 하자의 승계를 인정하지 않는다면 수인한도를 넘는 불이익이 있다거나 이 사건 비교표준지공시지가의 구체적인 위법사유에 대하여 아무런 주장도 하지 않고 있는데다가 이와 같은 사유를 인정할만한 증거도 없는 사실을 알 수 있는바, 원심이 이유는 다르지만 원고의 이 사건 청구를 배척한 결론은 결과적으로 정당하고, 거기에 상고이유와 같은 심리미진의 위법이 없다.

3. 결론

그러므로 상고를 기각하고, 상고비용은 패소한 원고가 부담하기로 하여, 관여 대법관의 일치된 의견으로 주문과 같이 판결한다(대판 2008.8.21, 2007두13845[토지보상금]).

Ⅱ 판례 논평

1. 가격시점에 대하여

토지보상법상 제67조에서 가격시점은 협의 당시 또는 재결 당시로 규정하고 있는바, 수용재결이 있는 경우에는 수용재결이 가격시점으로 법문에서 정하고 있다. 따라서 이의재결일을 가격시점으로 주장하는 원고의 주장은 타당성이 결여된다고 보인다. 또한 이의재결일을 중심으로 가격시점을 정할 경우 수용재결 당시의 이해당사자 간에 형평의 문제가 야기되는 측면은 고려해야 할 것이다.

2. 보상금이 낮은 이유

비교표준지공시지가 낮아 보상금이 낮다고 주장하는 것은 타당하지 않다고 생각된다. 비교표준지의 선정이 잘못되었거나, 기타사항의 참작이 잘못되었든지, 구체적인 이유를 적시하여야 하나, 단순히 표준지공시지가의 가격이 낮아 보상금이 낮다고 주장하는 것은 합리적인 주장이라고 볼 수 없다고 생각된다.

문 30점

〈설문 (1) 보상금증감청구소송〉

Ⅰ. 의의 및 취지

보상금증감청구소송은 보상금에 대한 직접적인 이해당사자인 사업시행자와 토지소유자 및 관계인이 보상금의 증감을 소송의 제기를 통해 직접 다툴 수 있도록 하는 당사자소송이다. 이는 종래의 취소소송을 통한 권리구제의 우회성을 시정하여 분쟁의 일회적 해결을 하고자 한 취지이다.

Ⅱ. 소송의 성질

1. 형식적 당사자소송

형식적 당사자소송은 행정청의 처분 등을 원인으로 하는 법률관계에 관한 소송으로 실질적으로 처분 등의 효력을 다투면서 처분청을 피고로 하지 않고 법률관계의 일방당사자를 피고로 제기하는 소송을 말한다. 보상금증감청구소송은 수용재결을 원인으로 한 법률관계에 관한 소송으로서 실질적으로 수용재결의 내용을 다투면서도 그 법률관계의 한쪽 당사자를 피고로 하는 소송이므로 전형적인 형식적 당사자소송에 해당한다.

2. 형성소송인지 확인·급부소송인지

(1) 문제점

손실보상청구권의 발생근거를 어떻게 볼 것인가의 문제로 헌법 제23조 제3항의 법적 효력 및 토지수용위원회의 재결의 처분성 문제와 관련된다.

(2) 학설

① 재결에 의하여 손실보상청구권이 인정된다는 형성소송설, ② 헌법에 의해 손실보상청구권이 인정되고 재결의 손실보상부분은 그것을 확인하는 것으로 보는 확인급부소송설이 대립한다.

(3) 검토

궁극적으로 법률관계를 다투는 점, 해당 소송의 입법취지는 법원이 정당보상액을 확인하고 그 이행을 명하는 확인급부소송설이 타당할 것으로 보인다.

Ⅲ. 소송의 제기요건

1. 소송의 대상

보상금증감청구소송의 소송의 대상은 법률관계에 관한 소송으로서, 소송대상은 관할 토지수용위원회의 재결에서 정한 보상금 그 자체가 대상이 되고, 중앙토지수용위원회의 이의재결에서 정한 보상금에 불복할 경우는 이의재결에서 정한 보상금이 대상이 되는 것으로 보아야 할 것이다.

2. 당사자적격

피수용자가 원고이면 사업시행자가 피고이고 사업시행자가 원고이면 피수용자가 피고가 된다.

3. 제소기간

취소소송의 제소기간을 적용하여 재결서를 받은 날부터 90일 이내에, 이의신청을 거친 때에는 이의신청에 대한 재결서를 받은 날부터 60일 이내이다.

4. 재판관할

피고소재지 관할 행정법원이 관할이나 국가 또는 공공단체가 피고인 경우 관계청의 소재지를, 토지수용은 토지소재지를 관할하는 행정법원에 제기한다.

Ⅳ. 심리 및 판결

1. 심리의 범위

보상금액에 대한 다툼에 한정할 것인지 보상금액의 다툼과 범위결정도 다툴 수 있는지가 의문이다. 견해대립은 있으나 보상금증감청구소송은 보상대상에 대한 평가만을 의미한다고 본다.

2. 보상액의 항목 상호 간 유용문제

항목별 보상금액의 총합을 상호 비교하여 결정하게 되고 대법원도 행정소송의 대상이 된 물건 중 일부 항목에 관한 보상액은 과소하고 다른 항목보상액은 과다한 경우에 그 항목 간 유용을 허용하였다.

3. 입증책임

통설은 법률요건분배설을 취하고 있다. 판례는 손실보상증액청구의 소에 있어서 그 이의재결에서 정한 손실보상금액보다 정당한 손실보상금액이 더 많다는 점에 대한 입증책임은 원고에 있다고 한다.

4. 지연이자의 발생범위

판례는 기업자의 손실보상 지급의무는 수용시기로부터 발생하고 행정소송에서 정한 보상액과의 차액 역시 손실보상의 일부이므로 이 차액이 수용의 시기에 지급되지 않으면 지연손해금이 발생한다고 한다.

〈설문 (2) 가격시점과 보상금이 낮은 이유〉

Ⅰ. 이의재결일이 가격시점이라는 주장의 문제점

1. 토지보상법 제67조 제1항

협의에 의한 경우에는 협의 성립 당시의 가격을, 재결에 의한 경우에는 수용 또는 사용의 재결 당시의 가격을 기준으로 한다고 규정한다.

2. 판례

토지 등을 수용함으로 인하여 그 소유자에게 보상하여야 할 손실액은 수용재결 당시의 가격을 기준으로 하여 산정하여야 할 것이라고 한다.

3. 검토

토지보상법, 판례의 태도에 비추어 협의 당시, 재결 당시를 가격시점으로 보아야 하고 이의재결일을 가격시점으로 주장하는 원고주장은 타당하지 않다.

Ⅱ. 표준지공시지가가 낮아 보상금이 낮다는 주장

1. 문제점

원고의 주장은 ① 처분성이 있는 표준지공시지가의 위법을, ② 수용재결에서 주장하면서, ③ 보상금이 낮다는 것이므로 각각에 대해 검토한다.

2. 표준지공시지가의 처분성 인정 여부

판례는 이의신청을 거쳐 행정소송을 거쳐야 한다고 하여 처분성을 간접적으로 긍정하였다. 법적 성질에 대해 견해대립이 있으나 보상액 산정의 기준이 되므로 처분성을 긍정함이 타당하다고 본다.

3. 수용재결에서 표준지공시지가의 위법주장 가능성

하자승계의 전제조건이 충족된다는 전제하에 판례는 표준지공시지가와 수용재결은 별개의 법률효과를 목적으로 하지만 하자승계를 인정하지 아니함이 국민의 재산권 보장과 헌법상 재판을 받을 권리에 대한 침해가 됨을 이유로 예외적으로 하자승계를 긍정하였다.

4. 표준지공시지가가 낮아 보상금이 낮다는 주장

비교표준공시지가가 낮아 보상금이 낮다고 주장하는 것은 타당하지 않다. 비교표준지의 선정이 잘못되었거나 기타사항의 참작이 잘못되었든지, 구체적인 이유를 적시하여야 하나, 단순히 표준지공시지가의 가격이 낮아 보상금이 낮다고 주장하는 것은 합리적인 주장이라고 볼 수 없다.

49절
- 토지보상법 제85조(행정소송의 제기)
- 행정법 쟁점 : 행정소송법 제12조(원고적격)

문제

국토교통부장관은 2013.11.18 사업시행자를 'A공사'로, 사업시행자를 'X시 일대 8,958,000㎡로, 사업시행기간을 '2013.11부터 2017.12까지'로 하는 '00공구사업'에 대해서 「공익사업을 위한 토지 등의 취득 및 보상에 관한 법률」에 따른 사업인정을 고시하였고, 사업시행기간은 이후 '2020.12까지'로 연장되었다. 甲은 ㉮토지 78,373㎡와 ㉯토지 2,334㎡를 소유하고 있는데, ㉮토지의 전부와 ㉯토지의 일부가 사업시행지에 포함되어 있다. 종래 甲은 ㉮토지에서 하우스 딸기농사를 지어 왔고, ㉯토지에서는 농작물직거래판매장을 운영하여 왔다. 甲과 A공사는 사업시행지내의 토지에 대해 「공익사업을 위한 토지 등의 취득 및 보상에 관한 법률」(이하 '토지보상법')에 따른 협의 매수를 하기 위한 협의를 시작하였다. 다음 물음에 답하시오(아래의 물음은 각 별개의 상황임). 40점

(1) 협의 과정에서 일부 지장물에 관하여 협의가 이루어지지 않아 甲이 A공사에게 재결신청을 청구했으나 A공사(사업시행자)가 재결신청청구를 거부하거나 재결신청 자체를 하지 않는 경우 甲의 불복방법에 관하여 검토하시오. 15점

(2) 위 해당 토지 등에 대하여 100억원의 수용재결이 있었다. 수용재결에서 정한 보상금에 대하여 토지보상법 제85조 제2항에 따른 보상금의 증액청구소송을 제기함에 있어서 토지보상법에 따른 토지소유자 또는 관계인(이하 '토지소유자 등'이라 한다)의 사업시행자에 대한 손실보상금 채권에 관하여 압류 및 추심명령이 있더라도, 추심채권자가 보상금 증액 청구의 소송을 제기할 수 없고, 채무자인 토지소유자 등이 보상금 증액 청구의 소송을 제기하고 그 소송을 수행할 당사자적격을 상실하지 않는다고 본 최근 대법원 판례(대법원 2018두67 판결)와 변경 전 대법원(대법원 2013두9526 판결) 판례를 논평하시오. 15점

(3) 만약 위 수용재결 결정 자체에 불복(토지보상법 제85조 제1항) 하였는데 향후 대법원에서 수용재결 취소 판결이 행해졌다면 사업시행자는 다시 수용재결을 신청할 수 있는지를 검토하시오. 만약 사업시행자가 수용재결을 다시 신청하지 않아 해당 공익사업이 폐지 고시되었다면 이미 협의를 통해 사업시행자에게 소유권을 넘긴 피수용자들은 환매권을 행사하여 소유권을 취득할 수 있는지 여부를 검토하시오. 10점

(물음 1)에 대하여

Ⅰ. 논점의 정리

Ⅱ. 재결신청청구제도
  1. 재결신청청구의 의의 및 요건
    (1) 재결신청청구의 의의 및 취지
    (2) 재결신청청구의 요건
  2. 재결신청청구 거부 시 거부가 처분이 되기 위한 요건
  3. 재결신청청구 부작위 시 부작위의 요건

Ⅲ. 甲의 불복방법

(물음 1에 대하여)

Ⅰ 논점의 정리

지장물에 대한 협의가 이루어지지 않아 甲이 A공사에게 재결신청을 청구하였으나 A공사가 재결신청을 하지 않은 경우, 이러한 A공사의 행위가 거부처분인지, 부작위인지 여부를 검토하고, 이에 대한 甲의 불복방법에 대해 검토한다.

Ⅱ 재결신청청구제도

1. 재결신청청구의 의의 및 요건

(1) 재결신청청구의 의의 및 취지

재결신청청구권은 사업인정 후 협의불성립의 경우에 피수용자가 사업시행자에게 재결신청을 조속히 할 것을 요청할 수 있는 권리를 말한다. '공익사업을 위한 토지 등의 취득 및 보상에 관한 법률(이하 '토지보상법')' 제30조에서 재결신청의 청구에 대하여 규정을 두고 있다. 사업시행자는 사업인정 고시 후 1년 이내에 언제든지 재결을 신청할 수 있는 반면에 토지소유자 및 관계인은 재결신청권이 없으므로, 수용을 둘러싼 법률관계의 조속한 확정을 바라는 토지소유자 및 관계인의 이익을 보호하고 수용당사자간의 공평을 기하기 위한 것이다.

(2) 재결신청청구의 요건

① 토지소유자 등은 협의기간 만료일부터 재결신청기간 만료일 내에 청구가능하다. ② 청구사유는 협의 불성립, 불능뿐만 아니라 판례는 협의대상에서 제외한 경우도 포함한다고 판시하였다.

2. 재결신청청구 거부 시 거부가 처분이 되기 위한 요건

판례는 ① 공권력의 행사로서의 처분이어야 하고, ② 신청인의 권리·의무에 직접 영향을 미쳐야 하며, ③ 신청인에게 법규상, 조리상 신청권이 인정되어야 한다고 판시하였다.

3. 재결신청청구 부작위 시 부작위의 요건

부작위는 ① 처분에 대한 당사자의 신청이 있을 것, ② 행정청에게 일정한 처분을 할 법률상 의무가 있을 것, ③ 상당한 기간 동안 행정청이 아무런 처분도 하지 않을 것을 요건으로 한다.

Ⅲ 甲의 불복방법

1. 거부처분 취소소송으로 불복

A공사가 재결신청을 거부한 것은 공권력 행사에 대한 거부로서, 재결의 조속한 확정을 바라는 토지소유자의 권리의무에 직접적인 영향을 미치며, 토지소유자는 재결신청청구권의 행사가 가능한 바, A공사의 재결신청청구의 거부는 처분에 해당한다. 또한 甲은 거부처분의 직접 상대방으로 그 거부처분의 취소를 구할 법률상 이익이 있다. 소송요건 등 다른 소송요건은 사안에서 구체적으로 검토할 근거가 없으므로 충족된 것으로 보면, 거부처분취소소송의 제기를 통해 권리구제를 받을 수 있다.

2. 부작위위법확인소송으로 불복

甲은 A공사에게 재결신청청구권에 기하여 재결신청을 청구하였으나, A공사가 아무런 처분을 하지 않고 있는 바, 이는 부작위에 해당한다. 또한 甲은 부작위 처분의 직접 상대방으로 부작위의 위법을 다툴 법률상 이익이 있다. 따라서 甲은 부작위위법확인소송을 통해 권리구제를 받을 수 있다.

Ⅳ 사안의 해결

[판결요지]

공익사업을 위한 토지 등의 취득 및 보상에 관한 법률 제28조, 제30조에 따르면, 편입토지 보상, 지장물 보상, 영업·농업 보상에 관해서는 사업시행자만이 재결을 신청할 수 있고 토지소유자와 관계인은 사업시행자에게 재결신청을 청구하도록 규정하고 있으므로, 토지소유자나 관계인의 재결신청 청구에도 사업시행자가 재결신청을 하지 않을 때 토지소유자나 관계인은 사업시행자를 상대로 거부처분 취소소송 또는 부작위 위법확인소송의 방법으로 다투어야 한다.

(대판 2019.8.29, 2018두57865 [수용재결신청청구거부처분취소])

(물음 2에 대하여)

Ⅰ 논점의 정리

일반적으로 금전채권에 대한 압류·추심명령이 있는 경우, 채무자는 그 대상채권의 이행을 구할 추심권을 상실하고 추심권은 압류채권자에게 인정되므로, 압류·추심명령의 효력이 발생한 이후에는 채무자는 그 대상채권이 이행의 소를 제기할 당사자적격을 상실한다. 이와 관련하여 수용재결에서 정한 보상금에 대해 보상금증액청구소송을 제기함에 있어 토지소유자 등의 사업시행자에 대한 손실보상금 채권에 관한 압류 및 추심명령이 있는 경우 채무자인 토지소유자 등이 보상금의 증액을 구하는 소송을 제기하고 그 소송을 수행할 당사자적격을 상실하는지에 대하여 최근 판례와 변경 전 판례를 중심으로 살펴보고자 한다.

Ⅱ 관련 법령의 검토

1. 행정소송법 제12조

> ❧ 행정소송법 제12조(원고적격)
> 취소소송은 처분등의 취소를 구할 법률상 이익이 있는 자가 제기할 수 있다. 처분등의 효과가 기간의 경과, 처분등의 집행 그 밖의 사유로 인하여 소멸된 뒤에도 그 처분등의 취소로 인하여 회복되는 법률상 이익이 있는 자의 경우에는 또한 같다.

2. 토지보상법 제85조 제2항

> ❧ 토지보상법 제85조(행정소송의 제기)
> ① 사업시행자, 토지소유자 또는 관계인은 제34조에 따른 재결에 불복할 때에는 재결서를 받은 날부터 90일 이내에, 이의신청을 거쳤을 때에는 이의신청에 대한 재결서를 받은 날부터 60일 이내에 각각 행정소송을 제기할 수 있다. 이 경우 사업시행자는 행정소송을 제기하기 전에 제84조에 따라 늘어난 보상금을 공탁하여야 하며, 보상금을 받을 자는 공탁된 보상금을 소송이 종결될 때까지 수령할 수 없다.
> ② 제1항에 따라 제기하려는 행정소송이 보상금의 증감(增減)에 관한 소송인 경우 그 소송을 제기하는 자가 토지소유자 또는 관계인일 때에는 사업시행자를, 사업시행자일 때에는 토지소유자 또는 관계인을 각각 피고로 한다.

Ⅲ 관련 판례의 태도

1. 최근 판례의 태도(대법원 2018두67 판결)

손실보상금 증액 청구 소송은 실질적으로 재결을 다투는 항고소송인데 손실보상금 채권에 관하여 압류 및 추심명령이 있더라도 추심채권자가 재결을 다툴 지위까지 취득하였다고 볼 수 없다. 토지수용위원회의 재결을 거쳐 이루어지는 손실보상금 채권은 관계법령상 손실보상의 요건에 해당한다는 것만으로 바로 존부 및 범위가 확정되지 않고, 토지보상법에서 정한 바에 따라 토지수용위원회의 재결 또는 행정소송 절차를 거쳐야 비로소 확정된다. 따라서 토지보상법상 손실보상금 채권에 관하여 압류 및 추심명령이 있더라도, 채무자인 토지소유자가 손실보상금 증액 청구의 소를 제기하고 그 소송을 수행할 당사자적격을 상실하지 않는다고 보는 것이 최근 변경된 전원합의체 판결의 내용이다.

> **판례**
>
> ● **대판 2022.11.24, 2018두67 전원합의체 판결 [손실보상금]**
>
> **[판시사항]**
> 공익사업을 위한 토지 등의 취득 및 보상에 관한 법률에 따른 토지소유자 또는 관계인의 사업시행자에 대한 손실보상금 채권에 관하여 압류 및 추심명령이 있는 경우, 채무자인 토지소유자 등이 보상금의 증액을 구하는 소를 제기하고 그 소송을 수행할 당사자적격을 상실하는지 여부(소극)
>
> **[판결요지]**
> 공익사업을 위한 토지 등의 취득 및 보상에 관한 법률(이하 '토지보상법'이라 한다) 제85조 제2항에 따른 보상금의 증액을 구하는 소(이하 '보상금 증액 청구의 소'라 한다)의 성질, 토지보상법상 손실보상금 채권의 존부 및 범위를 확정하는 절차 등을 종합하면, 토지보상법에 따른 토지소유자 또는 관계인(이하 '토지소유자 등'이라 한다)의 사업시행자에 대한 손실보상금 채권에 관하여 압류 및 추심명령이 있더라도, 추심채권자가 보상금 증액 청구의 소를 제기할 수 없고, 채무자인 토지소유자 등이 보상금 증액 청구의 소를 제기하고 그 소송을 수행할 당사자적격을 상실하지 않는다고 보아야 한다. 그 상세한 이유는 다음과 같다.
>
> ① 토지보상법 제85조 제2항은 토지소유자 등이 보상금 증액 청구의 소를 제기할 때에는 사업시행자를 피고로 한다고 규정하고 있다. 위 규정에 따른 보상금 증액 청구의 소는 토지소유자 등이 사업시행자를 상대로 제기하는 당사자소송의 형식을 취하고 있지만, 토지수용위원회의 재결 중 보상금 산정에 관한 부분에 불복하여 그 증액을 구하는 소이므로 실질적으로는 재결을 다투는 항고소송의 성질을 가진다.
>
> 행정소송법 제12조 전문은 "취소소송은 처분 등의 취소를 구할 법률상 이익이 있는 자가 제기할 수 있다."라고 규정하고 있다. 앞서 본 바와 같이 보상금 증액 청구의 소는 항고소송의 성질을 가지므로, 토지소유자 등에 대하여 금전채권을 가지고 있는 제3자는 재결에 대하여 간접적이거나 사실적·경제적 이해관계를 가질 뿐 재결을 다툴 법률상의 이익이 있다고 할 수 없어 직접 또는 토지소유자 등을 대위하여 보상금 증액 청구의 소를 제기할 수 없고, 토지소유자 등의 손실보상금 채권에 관하여 압류 및 추심명령이 있더라도 추심채권자가 재결을 다툴 지위까지 취득하였다고 볼 수는 없다.
>
> ② 토지보상법 등 관계 법령에 따라 토지수용위원회의 재결을 거쳐 이루어지는 손실보상금 채권은 관계 법령상 손실보상의 요건에 해당한다는 것만으로 바로 존부 및 범위가 확정된다고 볼 수 없다. 토지소유자 등이 사업시행자로부터 손실보상을 받기 위해서는 사업

시행자와 협의가 이루어지지 않으면 토지보상법 제34조, 제50조 등에 규정된 재결절차를 거친 뒤에 그 재결에 대하여 불복이 있는 때에 비로소 토지보상법 제83조 내지 제85조에 따라 이의신청 또는 행정소송을 제기할 수 있을 뿐이고, 이러한 절차를 거치지 않은 채 곧바로 사업시행자를 상대로 손실보상을 청구하는 것은 허용되지 않는다.

이와 같이 손실보상금 채권은 토지보상법에서 정한 절차로서 관할 토지수용위원회의 재결 또는 행정소송 절차를 거쳐야 비로소 구체적인 권리의 존부 및 범위가 확정된다. 아울러 토지보상법령은 토지소유자 등으로 하여금 위와 같은 손실보상금 채권의 확정을 위한 절차를 진행하도록 정하고 있다. 따라서 사업인정고시 이후 위와 같은 절차를 거쳐 장래 확정될 손실보상금 채권에 관하여 채권자가 압류 및 추심명령을 받을 수는 있지만, 그 압류 및 추심명령이 있다고 하여 추심채권자가 위와 같은 손실보상금 채권의 확정을 위한 절차에 참여할 자격까지 취득한다고 볼 수는 없다.

③ 요컨대, 토지소유자 등이 토지보상법 제85조 제2항에 따라 보상금 증액 청구의 소를 제기한 경우, 그 손실보상금 채권에 관하여 압류 및 추심명령이 있다고 하더라도 추심채권자가 그 절차에 참여할 자격을 취득하는 것은 아니므로, 보상금 증액 청구의 소를 제기한 토지소유자 등의 지위에 영향을 미친다고 볼 수 없다. 따라서 보상금 증액 청구의 소의 청구채권에 관하여 압류 및 추심명령이 있더라도 토지소유자 등이 그 소송을 수행할 당사자적격을 상실한다고 볼 것은 아니다.

2. 변경 전 판례의 태도(대법원 2013두9526 판결)

변경 전 판례는 보상금증액청구소송의 경우에도 일반적인 민사소송과 같은 법리를 적용하여 토지보상법 상 압류 및 추심명령이 있는 경우 채무자(토지소유자 등)이 청구 소를 제기할 당사자적격을 상실한다고 판시하였다. 토지보상법상 손실보상금 채권에 관하여 압류 및 추심명령이 있는 경우 채무자가 보상금 증액 청구의 소를 제기할 당사자적격을 상실하고 그 보상금 증액소송 계속 중 추심채권자가 압류 및 추심명령 신청의 취하 등에 따라 추심권능을 상실하게 되면 채무자는 당사자적격을 회복한다는 취지로 판시한 바 있으나, 이는 최근 전원합의체 판결을 통해 견해가 변경되었다.

> **판례**
>
> ● 대판 2013.11.14, 2013두9526[보상금증액]
>
> 이유
>
> 상고이유를 판단하기에 앞서 직권으로 본다.
>
> 채권에 대한 압류 및 추심명령이 있으면 제3채무자에 대한 이행의 소는 추심채권자만 제기할 수 있고 채무자는 피압류채권에 대한 이행소송을 제기할 당사자적격을 상실하나, 채무자의 이행소송 계속 중에 추심채권자가 압류 및 추심명령 신청의 취하 등에 따라 추심권능을 상실

하게 되면 채무자는 당사자적격을 회복한다. 이러한 사정은 직권조사사항으로서 당사자가 주장하지 않더라도 법원이 직권으로 조사하여 판단하여야 하고, 사실심 변론종결 이후에 당사자적격 등 소송요건이 흠결되거나 그 흠결이 치유된 경우 상고심에서도 이를 참작하여야 한다(대법원 2010.11.25. 선고 2010다64877 판결 등 참조). 원심판결 이유에 의하면, 원심은 B가 의정부지방법원 2012타채893호로 이 사건 손실보상금 증액 채권 중 6,500만원 부분(이하 '이 사건 계쟁채권'이라고 한다)에 관하여 채권압류 및 추심명령을 받음으로써 원고는 피고에 대하여 피압류채권인 이 사건 계쟁채권의 지급을 구하는 소를 제기할 당사자적격을 상실하였다는 이유로 이 사건 소 중 이 사건 계쟁채권 부분을 각하하였다. 그런데 기록에 의하면, B가 원심판결 선고 후인 2013.10.8. 의정부지방법원에 위 채권압류 및 추심명령에 대한 채권압류 해제 및 추심 포기 신청서를 제출한 사실을 알 수 있다.

앞에서 본 법리와 위 사실관계에 의하면, 채권압류 및 추심명령에 대한 해제 등으로 원고는 이 사건 계쟁채권의 지급을 구하는 소를 제기할 수 있는 당사자적격을 회복하였으므로, 원고에게 당사자적격이 없음을 이유로 이 사건 계쟁채권 부분을 각하한 원심판결은 더 이상 유지될 수 없게 되었다.

그러므로 상고이유에 대한 판단을 생략한 채 원심판결 중 이 사건 계쟁채권에 관한 원고 패소 부분을 파기하고 이 부분 사건을 다시 심리·판단하게 하기 위하여 원심법원에 환송하기로 하여 관여대법관의 일치된 의견으로 주문과 같이 판결한다.

3. 소결

대법원은 이번 전원합의체 판결을 통하여, 손실보상금 증액 청구 소송의 성질, 손실보상금 채권의 존부 및 범위 확정 절차 등의 특수성을 고려할 때, 일반적인 채권의 이행청구의 소송과 달리 손실보상금 증액 청구 소송에서는 압류 및 추심명령으로 인해 토지소유자 등의 당사자적격이 상실되지 않는다고 판단하고 전원일치 의견으로 종래의 판례를 변경하였다. 이에 토지보상금이 압류가 걸리더라도 토지소유자 등은 보상금증액청구소송을 제기할 수 있게 되었다. 토지소유자가 본인의 보상금에 대해 불만족하더라도 보상금채권에 대한 압류 및 추심명령으로 토지소유자가 보상금을 더 이상 다툴 수 없게 된다면 토지소유자 입장에서는 보상금(변제액)을 증액시킬 기회조차 상실하는 것으로 가혹하다. 이번 전원합의체 판결을 통하여 손실보상금 증액 청구 소송의 당사자적격에 관한 법리를 명확히 하고 토지소유자 등의 정당한 보상받을 지위를 실질적으로 강화하였다는 데 그 판결의 의의가 있다고 생각한다.

(물음 3에 대하여)

I 논점의 정리

(물음 2)에서와 같이 재결신청의 하자 등으로 수용재결이 취소된 경우, 다시 수용재결을 신청할 수 있는지를 검토하고, 환매권의 행사요건 검토여부를 통해 피수용자들의 소유권 취득 여부를 검토한다.

II 수용재결이 취소된 경우 다시 수용재결을 신청할 수 있는지 여부

1. 관련 판례의 검토

판례는 재결신청의 기각재결이 확정되었더라도 기업자는 재결신청기간의 제한규정 등에 저촉되지 아니하는 한 다시 재결신청을 할 수 있고 토지수용위원회도 이에 근거하여 다시 수용재결을 할 수 있다고 판시하였다.

> **판례**
>
> ● 대판 1992.10.27, 91누11100[토지수용재결처분취소]
>
> **[판시사항]**
> 수용재결신청을 기각하는 재결이 확정된 경우 기업자가 다시 수용재결신청을 할 수 있는지 여부(적극) 및 토지수용위원회는 이에 근거하여 다시 수용재결을 할 수 있는지 여부(적극)
>
> **[판결요지]**
> 수용재결신청을 기각한 재결의 효력에 관하여는 확정된 이의재결의 효력에 관한 토지수용법 제75조의2 제3항이 적용되거나 준용된다고 볼 수 없고, 기업자의 수용재결신청을 기각하는 재결이 확정되었다 하더라도 기업자는 수용재결신청기간의 제한규정 등에 저촉되지 아니하는 한 다시 수용재결신청을 할 수 있고 토지수용위원회도 이에 근거하여 다시 수용재결을 할 수 있다.

2. 사안의 경우

① 토지보상법상 취소판결 후 재결신청을 금지하는 규정이 없고 ② 판결의 기속력은 개개의 구체적 위법사유에 미치므로 하자를 보완하여 다시 수용재결을 하는 것은 기속력에 반하지 않으며 ③ 상기 판례입장에 비추어 사업시행자는 취소판결 후에도 다시 재결신청을 할 수 있다고 봄이 타당하다.

Ⅲ 환매권 행사 가능 여부

1. 환매권의 의의 및 법적 성질

(1) 환매권의 의의 및 취지

토지보상법상 환매권이라 함은 수용의 목적물인 토지가 공익사업의 폐지변경 기타의 사유로 인해 필요 없게 되거나, 수용 후 오랫동안 그 공익사업에 현실적으로 이용되지 아니할 경우에, 수용 당시의 토지소유자 또는 그 포괄승계인이 원칙적으로 보상금에 상당하는 금액을 지급하고 수용의 목적물을 다시 취득할 수 있는 권리를 말한다. 이는 재산권의 존속보장 및 토지소유자의 소유권에 대한 감정존중을 도모한다.

(2) 환매권의 법적 성질

환매는 ① 사업시행자가 사인과 평등한 지위에 있으며(주체), ② 그 목적은 주로 또는 전적으로 사인의 이익을 위한 것이므로(이익) 그 법률관계는 사법관계로 보아야 하고 이러한 법률관계에서 사인이 가지는 환매권도 사권이라고 본다(판례). 그러나 최근에는 공법상 원인에 의해 발생한 권리로 공권으로 보는 유력한 견해도 존재한다.

2. 환매권의 행사요건

① 사업의 폐지 · 변경 또는 그 밖의 사유로 취득한 토지의 전부 또는 일부가 필요 없게 된 경우 그 고시일 또는 사업완료일로부터 10년 이내, ② 취득일로부터 5년 이내에 취득한 토지 전부를 해당 사업에 이용하지 아니한 경우 취득일로부터 6년 이내에 환매권을 행사할 수 있다.

3. 사안의 해결

사업시행자가 수용재결을 다시 신청하지 않아 해당 공익사업이 폐지 · 고시되었다면 사업의 폐지 · 변경으로 취득한 토지의 전부 또는 일부가 필요 없게 된 경우 피수용자들은 관계 법률에 따라 사업이 폐지 · 변경된 날 또는 제24조에 따른 사업의 폐지 · 변경 고시가 있는 날부터 10년 이내에 그 토지에 대하여 받은 보상금 상당하는 금액을 사업시행자에게 지급하고 그 토지를 환매할 수 있다고 판단된다.

50절 | 토지보상법 제89조(대집행)

문제

한국토지주택공사는 보금자리주택특별법에 의한 보금자리주택건설공사계획을 세우고 그 사업을 국토교통부장관에게 사업인정신청을 하여 「공익사업을 위한 토지 등의 취득 및 보상에 관한 법률」(이하 '토지보상법')에 근거하여 사업인정을 받았다(사업인정고시일 2024.5.1.). 그에 따라 한국토지주택공사는 토지소유자 甲 등과 협의하였으나 이에 응하지 아니하여 결국 토지보상법이 정하는 바에 따라 2025.3.1. 관할 토지수용위원회의 수용재결에 의하여 해당 토지를 수용하였다. 그러나 甲 등은 이러한 절차에 의하여 자신들의 토지가 수용된 것은 자신들의 의사에 반하는 것으로서 이에 응할 수 없다고 하면서 자신들의 토지 인도를 신체로써 점유를 수반하며 완강히 거부하고 있다. 40점

(1) 이 경우 사업시행자인 한국토지주택공사가 甲 등 소유토지에 대한 명도의무의 이행을 확보할 수 있는 수단은 무엇인지를 토지보상법에 근거하여 설명하시오. 20점

(2) 본 보금자리주택사업은 국책사업으로 국가가 甲 등에게 강구해야 할 노력에 대한 법적 근거와 그 내용을 설명하시오. 10점

(3) 만일 한국토지주택공사가 수용의 개시일인 2025.4.15.까지 재결에서 정한 보상금을 공탁하지 아니한 경우라면 해당 수용절차의 효력은 어떻게 되는지 토지보상법에 근거하여 설명하시오. 10점

Ⅰ. 논점의 정리

Ⅱ. 명도의무이행 확보를 위한 수단
　1. 문제점
　2. 대행
　　(1) 규정내용
　　(2) 사안의 적용
　3. 대집행
　　(1) 문제점
　　(2) 대집행의 요건
　　(3) 토지 등 인도 거부 시 대집행 가능성
　4. 사안의 적용
　5. 실효성 확보를 위한 방안

Ⅲ. 인권침해 방지노력과 그 내용
　1. 인권침해 방지규정의 신설
　2. 인권침해 방지노력의 내용
　3. 소결

Ⅳ. 보상금 공탁을 하지 않은 경우 해당 수용 절차의 효력
　1. 문제점
　2. 재결의 효력
　　(1) 토지보상법 제42조의 규정
　　(2) 사안의 검토
　3. 재결신청 및 사업인정의 효력
　　(1) 판례의 태도
　　(2) 사안의 검토
　4. 사안의 적용

Ⅴ. 사례의 해결

I   논점의 정리

설문은 「공익사업을 위한 토지 등의 취득 및 보상에 관한 법률」(이하 '토지보상법')상 협의불성립에 따라 관할 토지수용위원회의 수용재결 후 토지소유자가 수용, 사용할 물건의 인도·이전 거부시의 실효성 확보수단과 수용재결에서 정한 보상금을 지급·공탁하지 않은 경우 수용절차의 효과에 관하여 묻고 있다. 공용수용이란 공익사업을 위하여 타인의 특정한 재산권을 법률의 힘에 의해 강제적으로 취득하는 제도로서, 소유자 등의 의무이행을 기다리지 않고 사업시행자는 수용의 개시일에 대물적 효과로써 재산권의 원시취득을 목적으로 한다. 따라서 인도·이전의무의 이행 여부에 관계없이 수용의 개시일이 도래하면 보상금의 지급·공탁으로 사업시행자가 권리를 취득하지만 설문 (1)과 같이 토지소유자 甲 등이 점유를 풀어 사업시행자에게 인도하지 아니하는 경우 사실상 공무수행에 차질이 있게 된다.

설문 (1)은 ① 토지보상법 제44조, 제89조가 행정대집행법의 특례로 대체적 작위의무가 아닌 경우에도 행정대집행의 근거규정으로 볼 수 있는지, ② 이러한 수단 외에 가능한 방법이 무엇인지 검토가 요구된다.

설문 (2)에서는 토지보상법 제89조 제3항에서 국가 등의 인권침해 방지노력규정과 그 규정으로 인하여 강구하여야 할 내용은 무엇인지 고찰하여 본다.

설문 (3)은 토지보상법 제42조와 관련하여 수용의 개시일까지 보상금을 지급 또는 공탁하지 않은 경우 수용재결 및 수용절차의 효과가 문제되는바, 이하 판례의 태도를 중심으로 살펴보고자 한다.

II   명도의무이행 확보를 위한 수단

1. 문제점

토지보상법 제43조는 수용 또는 사용의 개시일까지 해당 토지나 물건을 사업시행자에게 인도 또는 이전하여야 한다고 규정하고, 이의 실효성 확보를 위해 제44조(대행)와 제89조(대집행)를 두고 있는데, 신체의 점유로써 하는 명도의 거부는 비대체적 작위의무인바, 대집행의 특례로서 대행, 대집행이 가능한지가 문제된다.

2. 대행

(1) 규정내용

대행에 대하여 토지보상법 제44조는 ① 토지나 물건을 인도·이전할 자가 고의나 과실 없이 그 의무를 이행할 수 없거나, ② 사업시행자가 과실 없이 토지나 물건을 인도·이전하여야 할 의무가 있는 자를 알 수 없는 경우 시·군·구청장은 사업시행자의 청구에 의해 토지물건의 인도·이전을 대행하여야 한다고 규정하고 있다.

(2) 사안의 적용

설문에서는 토지소유자 甲 등이 인도를 거부하고 있으므로, 토지보상법 제44조 대행의 요건인 고의 또는 과실이 없는 경우로 볼 수 없으며, 사업시행자인 한국토지주택공사가 토지소유자 甲 등을 과실 없이 모르는 경우로도 볼 수 없는 바, 토지소유자 甲 등이 토지를 인도거부시에는 토지보상법 제44조의 대행은 명도의무이행을 위한 실효성 확보수단이 되기 어렵다고 판단된다.

3. 대집행

(1) 문제점

대집행이란 대체적 작위의무를 그 의무자가 이행하지 않을 때, 해당 행정청이 그 의무를 스스로 행하거나 제3자로 하여금 이를 행하게 함으로써 의무의 이행이 있는 것과 같은 상태를 실현시킨 후 그 비용을 의무자로부터 징수하는 행위를 말한다.

사안처럼 토지 등의 인도를 신체의 점유로써 거부하는 경우 이를 실력으로 배제할 수 있는가가 문제된다. 이는 대집행의 대상이 되는 의무는 대체적 작위의무임이 원칙이나, 토지 등의 인도의무는 성질상 비대체적 작위의무이기 때문이다. 즉, 토지보상법 제89조의 "의무"에 행정대집행법상 대체적 작위의무가 아닌 비대체적 작위의무도 포함되는지가 문제된다.

(2) 대집행의 요건

① 토지보상법상 요건

토지보상법 제89조에 의하면 ① 이 법에 따른 의무를 이행하지 아니하거나 ② 인도·이전을 기간 내에 완료하기 어려운 경우 또는 ③ 의무자로 하여금 이행하게 함이 심히 공익을 해한다고 인정될 경우 대집행할 수 있다고 규정하고 있다.

② 행정대집행법상 요건

행정대집행법 제2조는 ① 대체적 작위의무의 불이행시 ② 다른 수단으로 그 이행 확보가 곤란한 경우 또는 ③ 그 불이행을 방치함이 심히 공익을 해할 것으로 인정될 때에는 대집행을 할 수 있다고 규정하고 있다.

(3) 토지 등 인도 거부 시 대집행 가능성

① 긍정하는 견해

집행을 부정하는 것은 명도의무의 불이행에 대한 대집행을 명문으로 규정하고 있는 토지보상법 제89조를 전적으로 무의미하게 하는 것으로서 토지보상법 제89조 규정은 합리적 또는 목적론적 해석을 통하여 토지소유자가 그 토지의 명도의무를 이행하지 아니하는 경우에 제3자인 시장, 구청장 등의 행위에 의하여 본인이 인도한 것과 같은 법적 효과를 발생시키는 것을 인정한 데에 그 실질적 취지가 있는 것이고, 그 실현수단으로서 반드시 실력에 의한 점유의 강제적 배제를 그 내용으로 하는 것은 아니라 할 것이므로 대집행을 긍정하는 입장이다.

② 부정하는 견해

명도는 토지나 건물로부터 존치물건을 반출하고 사람을 퇴거시켜 그것을 타인에게 인도하는 것을 말한다. 이러한 토지나 건물의 명도의무의 강제는 실력으로 해당 토지의 점유를 배제하는 것을 의미하며, 이러한 강제수단은 대체적 작위의무의 강제수단인 대집행이 아니라 직접강제에 해당하므로 대집행이 불가능하다고 본다.

③ 판례

[1] 행정대집행법상 대집행의 대상이 되는 대체적 작위의무는 공법상 의무이어야 할 것인데, 구 공공용지의 취득 및 손실보상에 관한 특례법(2002.2.4. 법률 제6656호 공익사업을 위한 토지 등의 취득 및 보상에 관한 법률 부칙 제2조로 폐지)에 따른 토지 등의 협의취득은 공공사업에 필요한 토지 등을 그 소유자와의 협의에 의하여 취득하는 것으로서 공공기관이 사경제주체로서 행하는 사법상 매매 내지 사법상 계약의 실질을 가지는 것이므로, 그 협의취득 시 건물소유자가 매매대상 건물에 대한 철거의무를 부담하겠다는 취지의 약정을 하였다고 하더라도 이러한 철거의무는 공법상의 의무가 될 수 없고, 이 경우에도 행정대집행법을 준용하여 대집행을 허용하는 별도의 규정이 없는 한 위와 같은 철거의무는 행정대집행법에 의한 대집행의 대상이 되지 않는다.

[2] 구 공공용지의 취득 및 손실보상에 관한 특례법(2002.2.4. 법률 제6656호 공익사업을 위한 토지 등의 취득 및 보상에 관한 법률 부칙 제2조로 폐지)에 의한 협의취득 시 건물소유자가 협의취득대상 건물에 대하여 약정한 철거의무는 공법상 의무가 아닐 뿐만 아니라, 공익사업을 위한 토지 등의 취득 및 보상에 관한 법률 제89조에서 정한 행정대집행법의 대상이 되는 '이 법 또는 이 법에 의한 처분으로 인한 의무'에도 해당하지 아니하므로 위 철거의무에 대한 강제적 이행은 행정대집행법상 대집행의 방법으로 실현할 수 없다(대판 2006.10.13, 2006두7096[건물철거대집행계고처분취소]).

④ 검토

생각건대 당사자가 신체로써 토지 등 인도의무는 비대체적 작위의무로 대집행의 개념상 인정되기 어려울 것이다. 즉, 토지보상법 제89조는 단지 의무라고만 규정하여 법치행정의 원리상 명확한 법적 근거 없이 침익적 작용인 대집행을 비대체적 작위의무까지 확대적용하는 것은 국민의 권익보호 측면에 있어 문제가 있다고 판단된다.

4. 사안의 적용

사안은 토지소유자가 자신의 의사에 반해 수용재결이 이루어졌다고 주장하면서 인도를 거부하고 있는바, 토지소유자 자신이 고의로 거부하고 있다고 할 수 있으므로 제44조 규정은 적용되기 어렵다고 본다. 또한 토지보상법 제89조도 상기 논의한 바와 같이 대체적 작위의무만을 대상으로 하고 행정대집행법의 특례가 아니므로 설문 (1)과 같이 신체로써 점유하는 비대체적 작위의무인 경우에는 실효성 확보수단이 될 수 없다 할 것이다. 결국 현행 토지보상법 규정으로는 설문 (1)과 같이 신체로써 점유하여 인도를 거부하는 경우 효과적인 해결책이 없는바, 입법적으로 해결할 수밖에 없다고 본다.

5. 실효성 확보를 위한 방안

상기 논의한 바와 같이 토지보상법 제44조와 제89조는 토지의 인도와 같은 비대체적 작위의무의 경우에는 무의미하고, 간접적인 강제수단에 불과하며 현실적으로 대집행이 어려워 의무이행을 확보하기 어려운 문제점이 있어 실효성 확보를 위한 직접강제의 도입 필요성이 제기된다. 다만, 이때는 과잉금지원칙에 의한 목적과 수단의 정당한 형량을 통해 직접강제의 법적 근거를 마련하고 최소침해의 원칙상 최후의 수단으로 제한적으로 사용하여 의무이행 확보를 통한 공익사업의 원활한 수행과 침해되는 사익 간의 조화를 이루어야 할 것이다. 최근 행정기본법 제30조 제1항 제3호에서 "행정청은 행정목적을 달성하기 위하여 필요한 경우에는 법률로 정하는 바에 따라 필요한 최소한의 범위에서 의무자가 행정상 의무를 이행하지 아니하는 경우 행정청이 의무자의 신체나 재산에 실력을 행사하여 그 행정상 의무의 이행이 있었던 것과 같은 상태를 실현하는 것", 즉 직접강제를 규정하고 있어 앞으로의 직접강제의 이행여부에 대하여 현장의 법리해석이 주목된다.

> ❯ 행정기본법 제30조(행정상 강제)
> ① 행정청은 행정목적을 달성하기 위하여 필요한 경우에는 법률로 정하는 바에 따라 필요한 최소한의 범위에서 다음 각 호의 어느 하나에 해당하는 조치를 할 수 있다.
>   1. 행정대집행: 의무자가 행정상 의무(법령등에서 직접 부과하거나 행정청이 법령등에 따라 부과한 의무를 말한다. 이하 이 절에서 같다)로서 타인이 대신하여 행할 수 있는 의무를 이행하지 아니하는 경우 법률로 정하는 다른 수단으로는 그 이행을 확보하기 곤란하고 그 불이행을 방치하면 공익을 크게 해칠 것으로 인정될 때에 행정청이 의무자가 하여야 할 행위를 스스로 하거나 제3자에게 하게 하고 그 비용을 의무자로부터 징수하는 것
>   2. 이행강제금의 부과: 의무자가 행정상 의무를 이행하지 아니하는 경우 행정청이 적절한 이행기간을 부여하고, 그 기한까지 행정상 의무를 이행하지 아니하면 금전급부의무를 부과하는 것
>   3. 직접강제: 의무자가 행정상 의무를 이행하지 아니하는 경우 행정청이 의무자의 신체나 재산에 실력을 행사하여 그 행정상 의무의 이행이 있었던 것과 같은 상태를 실현하는 것
>   4. 강제징수: 의무자가 행정상 의무 중 금전급부의무를 이행하지 아니하는 경우 행정청이 의무자의 재산에 실력을 행사하여 그 행정상 의무가 실현된 것과 같은 상태를 실현하는 것
>   5. 즉시강제: 현재의 급박한 행정상의 장해를 제거하기 위한 경우로서 다음 각 목의 어느 하나에 해당하는 경우에 행정청이 곧바로 국민의 신체 또는 재산에 실력을 행사하여 행정목적을 달성하는 것
>   가. 행정청이 미리 행정상 의무 이행을 명할 시간적 여유가 없는 경우
>   나. 그 성질상 행정상 의무의 이행을 명하는 것만으로는 행정목적 달성이 곤란한 경우

> ② 행정상 강제 조치에 관하여 이 법에서 정한 사항 외에 필요한 사항은 따로 법률로 정한다.
> ③ 형사(刑事), 행형(行刑) 및 보안처분 관계 법령에 따라 행하는 사항이나 외국인의 출입국·난민인정·귀화·국적회복에 관한 사항에 관하여는 이 절을 적용하지 아니한다.

Ⅲ 인권침해 방지노력과 그 내용

1. 인권침해 방지규정의 신설

토지보상법 제89조 제3항에서 "사업시행자가 제1항에 따라 대집행을 신청하거나 제2항에 따라 직접 대집행을 하려는 경우에는 국가나 지방자치단체는 의무를 이행하여야 할 자를 보호하기 위하여 노력하여야 한다."라고 규정을 두어 공익사업현장에서 인권침해 방지를 위한 노력을 강구하도록 법령을 정비하였다.

2. 인권침해 방지노력의 내용

용산참사 재발방지와 물리적 충돌예방을 위해 재개발사업지구 내 철거민에 대한 주거권 보호와 강제퇴거 관련 법조항을 선진국의 인권보호규정 수준에 맞춰 보완·수정할 필요성이 있다는 지적이 나왔다.[17]

국회 입법조사처는 '강제철거에서의 주거권 보호를 위한 입법적 개선방향'이란 보고서에서 전국적으로 추진되는 재개발사업과 관련, 철거민의 주거권 보장과 함께 물리적 충돌가능성을 원천적으로 차단하기 위한 입법적 대응방안 마련이 시급하다고 지적했다. 본 보고서는 유엔 인권규약 및 세계인권선언 등에서 주거권과 강제퇴거 관련 국제인권기준을 구체적으로 비교·분석하고 각국 개발사업 시 강제퇴거 관련 입법례를 검토한 후 주거권 보호와 물리적 충돌을 방지하기 위해서는 '행정대집행법'에 따른 행정대집행 절차와 '민사집행법'을 통한 명도소송절차, '경비업법' 관련 규정의 개선·보완이 필요하다고 강조했다. 또한 동 보고서는 강제적 퇴거 및 철거집행은 공익과 사익의 조화가 필수적으로 요청되는 부분이면서도 집행 시 인권침해가 발생하지 않도록 과정을 보다 엄격하게 규정하는 제도적 보장이 요청된다고 밝혔다. 동 보고서는 "우리나라도 주거권 및 강제퇴거 관련 법 규정을 국제인권기준을 참조해 입법적으로 보완·정비해야 할 필요가 있다."면서 "국제인권기준을 반영한 개선방향은 결국 강제퇴거 또는 철거를 위해선 사전조치를 보다 엄격하게 규정하고 강제퇴거는 최후 수단으로 선택할 수 있도록 제한해야 한다."고 덧붙였다.

보고서는 구체적인 입법 개선방향으로 △행정대집행에서의 자기 집행과 타자 집행요건을 구체화해 법에 명시할 것과, △명도소송절차와 관련해 민사집행법상 집행관의 강제력 사용에 대한 구체적인 기준 마련, △강제철거 시 사업시행자든 거주민이든 어떠한 경우에도 폭력이 허용될 수 없음을 명시하는 방안 등을 강구할 것을 제안했다.

---

17) 국회 입법조사처, 파이낸셜뉴스, 2009.2.23. 정인홍 기자

이와 함께 '경비업법'과 관련, 용역업체들이 경비업법에 정한 교육과 훈련 · 자격을 갖추지 않은 무자격 경비요원들을 동원하지 못하도록 하는 방안을 모색할 필요가 있다고 제시했다.

3. 소결

위 내용은 의원입법으로 국회를 통과한 바, "본 개정안의 제안취지와 주요내용은, 강제철거로 인한 인권침해를 방지하기 위하여, 국가 및 지방자치단체로 하여금 대집행 시 철거의무자 등의 보호를 위하여 노력하도록 규정하는 것으로서, 향후 용산참사와 같은 일이 재발되지 않기를 바란다.[18]"고 해당 의원은 밝히고 있다.

Ⅳ 보상금 공탁을 하지 않는 경우 해당 수용절차의 효력

1. 문제점

보상금의 공탁이란 재결에서 정한 보상금을 일정한 요건에 해당하는 경우 관할 공탁소에 보상금을 공탁함으로써 보상금의 지급에 갈음하는 것을 말한다. 토지보상법이 공탁제도를 두는 이유는 보상금의 미지급으로 인한 재결의 실효를 방지하고, 사전보상의 원칙을 관철하며, 공탁을 통해 채무의 소멸과 함께 공익사업을 신속하게 진행하며, 담보물권자의 권익보호를 도모하기 위해 인정된다. 그러나 설문에서처럼 한국토지주택공사가 수용의 개시일인 2019.4.15.일까지 재결에서 정한 보상금을 공탁하지 아니한 경우라면 수용의 효과가 발생하지 않는바, 보상금의 미공탁 시 토지보상법 제42조와 관련하여 수용절차의 효력이 문제된다.

2. 재결의 효력

(1) 토지보상법 제42조의 규정(재결의 실효)

토지보상법 제42조는 제1항은 "① 사업시행자가 수용 또는 사용의 개시일까지 관할 토지수용위원회가 재결한 보상금을 지급하거나 공탁하지 아니하였을 때에는 해당 토지수용위원회의 재결은 효력을 상실한다."고, 제2항 및 제3항에는 "사업시행자는 제1항의 규정에 의하여 재결의 효력이 상실됨으로 인하여 토지소유자 또는 관계인이 입은 손실을 보상하여야 하며, 제9조 제5항부터 제7항까지의 규정을 준용한다."고 명문으로 규정하고 있다.

(2) 사안의 검토

설문에서 한국토지주택공사는 수용의 개시일인 2025.4.15.까지 관할 토지수용위원회가 정한 보상금을 공탁하지 않고 있으므로 토지보상법 제42조 규정에 의해 해당 수용재결의 효력은 상실된다. 이와 관련 대법원은 "기업자가 수용시기까지 관할 토지수용위원회가 재결한 보상금을 지불 또는 공탁하지 아니하였을 때에는 그 재결은 효력을 상실하는 것이므로, 기업자가 수용시기 후에 보상금을 지급하더라도 그 토지의 소유권을 취득하는 것이 아니다."고 판시하였다.

---

18) 강창일 국회의원 보도자료

한편 재결의 실효로 인하여 甲 등이 손실을 입고 있다면 한국토지주택공사는 그에 대하여 보상해야 하며, 甲 등은 손실이 있음을 안 날부터 1년이 지나거나 있은 날부터 3년이 지나면 손실보상을 청구할 수 없으므로 그 기간 이내에 청구해야 한다.

3. 재결신청 및 사업인정의 효력

(1) 판례의 태도

수용의 개시일까지 보상금을 공탁하지 않으면 재결의 효력은 상실된다. 재결과 재결신청은 운명을 같이 하므로 재결효력이 상실되면 재결신청의 효력도 상실한다는 것이 판례의 태도이다. 그러나 재결의 무효와는 달리 재결의 실효는 장래를 향하여 효력이 소멸하는 것이므로 사업인정에는 영향을 주지 않지만, 재결의 실효로 토지보상법 제28조 제1항의 규정에 의한 재결신청 기간 이내에 재결을 신청한 것이 아니 되는 경우라면 사업인정도 실효된다고 보았다.

(2) 사안의 검토

설문에서는 한국토지주택공사가 2025.4.15.까지 재결에서 정한 보상금을 공탁하지 아니하였으므로 토지보상법 제42조 규정에 의해 재결의 효력은 상실되고 대법원 입장을 따를 경우 해당 재결신청도 효력이 상실된다. 그러나 사업인정고시일이 2024.5.1.인 바, 사업시행자인 한국토지주택공사는 토지보상법 제28조 제1항의 규정에 의거 사업인정고시일부터 1년 이내인 현시점에서 재결신청을 또다시 할 수 있다고 판단된다.

4. 사안의 적용

해당 사안의 경우 사업인정고시일이 2024.5.1.이고 수용재결에서 정한 수용의 개시일이 2025.4.15.인 바, 2025.4.15.까지 보상금을 공탁하지 아니하였다면 토지보상법 제42조에 의거 재결이 실효되고 재결신청도 효력이 없는 것이 되지만 재결의 실효는 장래를 향하여 효력이 소멸되므로 판례에 따르면 사업인정고시일부터 1년 이내에는 다시 재결신청을 할 수 있는 것이 된다.

Ⅴ 사례의 해결

(1) 설문 (1)의 경우에 한국토지주택공사는 토지소유자 甲 등이 토지·물건의 인도거부 시 토지·물건의 인도는 명도로 비대체적 작위의무이며 제3자가 대신할 수 없는바, 토지보상법 제44조, 제89조에 의한 대행, 대집행에 의해 직접 실력행사할 수 없다고 보인다. 따라서 그 실효성 확보를 위한 직접강제의 도입 여부가 문제되지만 직접강제는 국민의 재산권 침해에 심각한 우려를 줄 수 있는바, 일반법으로 만들 수는 없다고 판단되며, 개별법에 그 근거규정을 두는 경우에도 과잉금지원칙에 의한 목적과 수단의 정당한 형량이 요구된다 할 것이다.

(2) 인권침해 방지노력의 규정 신설은 국민의 권익을 보호하고 공익사업현장에서 국민의 인권의 중요성을 적시함과 아울러 사람 중심의 공익사업 진행이라는 원칙을 입법에 적시한 것은 높이 평가되는 부분이라 할 것이다.

(3) 설문 (3)의 경우에 한국토지주택공사가 수용의 개시일까지 재결에서 정한 보상금을 공탁하지 아니하였는바, 토지보상법 제42조에 의해 재결이 실효되고, 판례에 따라 재결신청도 효력이 상실한다. 그러나 사업인정고시일부터 1년이 경과하지 아니하였는바, 한국토지주택공사는 토지보상법 제28조 제1항에 의거 재결신청을 할 수 있을 것으로 판단된다. 단, 재결의 실효로 인한 토지소유자 甲 등의 손실에 대해서는 보상하여야 한다고 보인다.

(4) 본 사안은 서울시 용산 4구역의 재개발사업에서 주거용 세입자들의 이주대책과 밀접한 관련이 있고, 가난한 이주자들의 생존권과 맞물려 오갈 데 없는 서민들에게 있어서 대집행의 문제는 결국 생존투쟁의 문제와 깊이 연관되어 있다. 최근 연구자료에 의하면 토지 등의 인도거부의 70%~80%의 경우는 모두 이주대책 등의 생활보상의 불만이 대부분으로 추산되고 있다. 도시 및 주거환경정비법이 토지보상법을 준용하고 있는 실정에서, 대집행부분에 대한 현실적인 입법정비와 아울러 주거세입자의 이주대책과 상가세입자 등의 권리금의 보장 등에 대한 총체적인 연구가 필요하다고 할 것이다.

베타답안

 40점

I. 논점의 정리

(1) 설문 (1)은 토지보상법 제44조, 제89조가 행정대집행법의 특례로서 대체적 작위의무가 아닌 경우에도 행정대집행의 근거규정으로 볼 수 있는지, 이러한 수단 외에 무엇이 있는지 검토한다.

(2) 설문 (2)에서는 토지보상법 제89조 제3항이 신설되어 국가 등의 인권침해 방지노력규정과 그 규정으로 인하여 강구하여야 할 내용은 무엇인지 고찰하고자 한다.

(3) 설문 (3)에서 토지보상법 제42조와 관련하여 수용개시일까지 보상금을 지급 또는 공탁하지 않은 경우 수용재결 및 수용절차의 효과가 문제되므로 판례를 중심으로 살펴보고자 한다.

II. 설문 (1) 명도의무이행 확보를 위한 수단

1. 문제점

토지보상법 제43조에 토지 또는 물건의 인도·이전의무를 규정하고 그 실효성을 위해 대행·대집행을 인정한다.

2. 대행 가능성(토지보상법 제44조)

(1) 규정내용

① 토지·물건을 인도·이전할 자가 고의나 과실 없이 그 의무를 이행할 수 없거나 ② 사업시행자가 과실 없이 토지나 물건을 인도·이전할 자를 알 수 없는 경우 시장·군수·구청장은 사업시행자의 청구에 의하여 토지 또는 물건의 인도·이전을 대행하여야 한다.

(2) 사안의 적용

토지소유자 甲 등이 인도를 거부하고 있으므로 토지보상법 제44조 대행의 요건인 고의 또는 과실이 없는 경우로 볼 수 없으며, 사업시행자인 한국토지주택공사가 토지소유자 甲 등을 과실 없이 모르는 경우로 볼 수 없는 바, 토지보상법 제44조 대행은 실효적 수단이 되기 어렵다고 판단된다.

3. 대집행

(1) 문제점

토지보상법 제89조의 "의무"에 행정대집행법상 대체적 작위의무가 아닌 비대체적 작위의무성격인 토지·물건의 명도의무가 포함되는지가 문제된다.

(2) 대집행의 의의

대체적 작위의무를 그 의무자가 이행하지 않을 때 해당 행정청이 그 의무를 스스로 행하거나 제3자로 하여금 이를 행하게 함으로써 의무의 이행이 있은 것과 같은 상태를 실현시킨 후 그 비용을 의무자로부터 징수하는 행위를 말한다.

(3) 대집행의 요건

① 토지보상법 제89조의 요건

이법에 따른 의무를 이행하지 아니하거나, 인도·이전을 기간 내에 완료할 가망이 없는 경우 또는 의무자로 하여금 이행하게 함이 심히 공익을 해한다고 인정될 경우 대집행할 수 있다.

② 행정대집행법상 요건

행정대집행법 제2조는 대체적 작위의무의 불이행시 다른 수단으로 그 이행 확보가 곤란한 경우 또는 그 불이행을 방치함이 심히 공익을 해할 것으로 인정될 때에는 대집행을 할 수 있다.

③ 토지 등 인도거부 시 대집행 가능성

㉠ 학설

ⓐ 토지보상법 제89조를 합목적론적 해석을 하여 긍정하는 견해, ⓑ 토지·건물의 명도의무는 실력으로 점유배제하는 것으로 직접강제에 해당하여 부정하는 견해가 있다.

㉡ 판례 : 도시공원시설인 매점점유자의 점유배제 및 점유 이전은 대체적 작위의무가 아니므로 부정하였고, 최근의 철거의무 약정을 하였다고 하여도 그 명도의무는 대집행의 대상이 되는 것이 아니라고 판시하였다.

㉢ 검토 : 법치행정의 원리상 명확한 근거 없이 확대적용함은 국민의 권익보호 측면에서 문제가 있으므로 부정설이 타당하다고 판단된다.

4. 실효성 확보를 위한 방안

토지인도·이전거부 시 토지보상법 제44조, 제89조에 의해 효과적이지 못하다. 토지보상법 제95조의2(1년 이하 징역/1천만원 이하 벌금) 벌칙도 간접적인 강제수단에 불과하므로 입법적으로 직접강제의 도입이 필요하다. 이때는 과잉금지원칙에 의한 목적과 수단의 정당성, 최소침해의 원칙상 최후의 수단으로 제한적으로 사용하여야 한다.

Ⅲ. 설문 (2) 인권침해 방지노력과 그 내용

1. 인권침해 방지규정의 신설(법 제89조 제3항)

사업시행자가 대집행을 신청하거나 직접 대집행을 하고자 하는 경우에는 국가 또는 지방자치단체는 의무를 이행하여야 할 자의 보호를 위하여 노력을 강구하도록 법령을 정비하였다.

2. 신설조항의 취지(인권침해 방지규정의 신설)

용산참사와 관련해 피당사자의 보호를 위한 적법한 수단의 확보의 필요성이 증가한 점, 물리적 충돌을 방지할 목적 및 최근의 인권보장의 강조추세를 반영하기 위한 것으로 판단된다.

3. 인권침해 방지노력의 내용

(1) 사전적 권리구제 강화

철거민들과의 물리적 충돌 및 관계개선을 위해서 대집행이 이뤄지기 앞서 의견교환과 사전조율작업이 중요하다고 생각한다. 이를 통해 강제퇴거 등의 물리적 행사를 최소화하는 것이 바람직한 것으로 보인다.

(2) 대집행과정에서 관리·감독

대집행을 행하는 과정에 있어서도 피당사자의 침해를 최소화하기 위해서 관리·감독을 철저히 행하며 폭력이 허용되지 않도록 적법한 절차에 의해서 행해지게끔 노력하여야 한다고 생각한다.

(3) 용역업체 선정에 있어서 엄격화

용역업체 등이 경비업법에 의한 정식교육과 전문자격을 갖춘 자에 행하여 선정되도록 하여 피당사자의 인권침해 방지를 위해 노력하여야 한다.

4. 대집행 주체의 명확화와 명도소송 관련

자기집행과 타자집행의 요건을 명시하고 민사집행법상 집행관의 강제력 사용에 대한 구체적인 기준을 마련하여야 한다.

Ⅳ. 보상금 공탁을 하지 않은 경우 해당 수용절차효력

1. 공탁의 의의와 정당한 공탁 시 효과

보상금의 공탁이란 재결에서 정한 보상금을 일정한 요건에 해당하는 경우 관할 공탁소에 보상금을 공탁함으로써 보상금의 지급에 갈음하는 것이다. 사안에서 한국토지주택공사가 수용의 개시일인 2025년 4월 15일까지 보상금 미공탁 시 수용효과가 발생하지 않는바, 수용절차효력이 문제된다.

2. 미공탁시 재결의 효력

(1) 토지보상법 제42조의 재결의 실효규정 적용

사업시행자가 수용 또는 사용의 개시일까지 관할 토지수용위원회가 재결한 보상금을 지급 또는 공탁하지 아니한 때에는 해당 토지수용위원회의 재결은 그 효력을 상실한다. 사안에서 2025.4.15.까지 관할 토지수용위원회가 정한 보상금을 공탁하지 않고 있으므로 재결은 실효된다.

(2) 재결실효 후 보상금 지급공탁 시 효과(판례)

사업시행자가 수용시기까지 보상금을 지불 또는 공탁하지 아니하였을 때에는 재결은 효력을 상실하는 것이므로 사업시행자가 수용시기 후에 보상금을 지급하더라도 소유권을 취득하지 않는다.

(3) 재결실효에 따른 손실보상청구 가능성

동법 제42조 제2항, 제3항에 의거 甲 등이 손실을 입고 있다면 한국토지주택공사는 그에 대하여 보상하여야 하며 甲 등은 손실이 있음을 안 날부터 1년이 지나거나 있은 날부터 3년이 지나면 손실보상을 청구할 수 없으므로 그 기간 내 청구한다.

3. 재결신청 및 사업인정의 효력

재결과 재결신청은 운명을 같이 하므로 재결효력이 상실되면 재결신청의 효력도 상실한다. 재결실효는 장래효이므로 사업인정에는 영향이 없고 토지보상법 제23조에 의거 동법 제28조의 재결신청이 없다면 사업인정도 실효된다. 사안에서 판례에 따를 때 재결신청도 실효되고 한국토지주택공사는 재결신청을 사업인정고시일부터 1년 이내인 현시점에서 다시 신청할 수 있다.

Ⅴ. 사례의 해결

(1) 설문 (1)에서 토지소유자 甲 등이 토지·물건의 인도거부 시 대행, 대집행에 의해 직접 행사는 불가능하여 직접강제의 도입이 필요하다.

(2) 설문 (2)에서 인권침해 방지노력조항의 신설은 국민 인권의 중요성과 사람 중심의 공익사업진행이라는 입법적 적시라는 점에서 높이 평가된다.

(3) 설문 (3)에서 수용개시일까지 보상금 미공탁 시 재결과 재결신청은 실효되고, 사업인정고시일부터 1년이 경과하지 않아서 재결신청은 가능하다.

51절 토지보상법 제89조(대집행)

문제

한국도로공사(甲)는 서울 – 경기도 외곽 제3순환(국책사업) 고속도로확장 공사를 진행하면서 건물의 소유자인 乙과「공익사업을 위한 토지 등의 취득 및 보상에 관한 법률」상 협의를 진행하였으나, 乙은 보상협의를 거부하였고, 이에 한국도로공사 甲은 사업인정을 받은 이후 중앙토지수용위원회에 재결을 신청하였다. 이에 따라 중앙토지수용위원회는 해당 건물이 이전이 곤란하거나 이전으로 인하여 종래의 목적대로 사용할 수 없는 경우에 해당한다는 이유로 손실보상금을 해당 물건의 가격으로 결정하면서, 그 인도이전의 기한을 2025.3.10.으로 정하였다. 그런데 한국도로공사 甲은 경기도지사에게 대집행을 신청하였고, 경기도지사는 서울 – 경기도 외곽 제3순환 고속도로공사 일정이 촉박하다는 이유로「공익사업을 위한 토지 등의 취득 및 보상에 관한 법률」제89조상 "기간 내에 완료하기 어려운 경우"임을 내세워 乙에게 2025.2.2.대집행 계고서를 발송하여 2025.2.8.까지 해당 건물을 자진 철거할 것을 요구하고, 2025.2.8.현재 대집행 영장(일시 2025.2.10.15:30 물건 반출 및 건물철거를 내용으로 함)을 첨부하여 대집행 통지를 하였다. 다음 물음에 답하시오. 40점

(1) 이러한 대집행 사건에 대하여 건물소유자의 철거의무가 토지보상법상 반드시 철거해야 하는 의무인지, 기한 내 완료하기 어려운 상황인지 여부를 검토하고, 행정청인 경기도지사의 건물소유자 乙에 대한 계고처분을 취소소송으로 다투려고 하는 바, 그 인용가능성을 검토하시오. 10점

(2) 행정청 경기도지사의 대집행 영장에 의거 그 실행이 2025.2.10. 예정되어 있는 바, ① 대집행 실행 전, ② 대집행 실행 당시, ③ 대집행 실행 후에 있어서 건물소유자 乙의 권리구제를 검토하시오. 20점

(3) 만약 행정청인 경기도지사의 대집행이 실행되자 건물소유자 乙이 철거현장을 막고 방해하는 경우 실력으로 한국도로공사 甲은 그 저항을 배제할 수 있는지를 검토하시오. 10점

■ 참고규정

[행정대집행법]

제2조(대집행과 그 비용징수)

법률(법률의 위임에 의한 명령, 지방자치단체의 조례를 포함한다. 이하 같다)에 의하여 직접명령되었거나 또는 법률에 의거한 행정청의 명령에 의한 행위로서 타인이 대신하여 행할 수 있는 행위를 의무자가 이행하지 아니하는 경우 다른 수단으로써 그 이행을 확보하기 곤란하고 또한 그 불이행을 방치함이 심히 공익을 해할 것으로 인정될 때에는 당해 행정청은 스스로 의무자가 하여야 할 행위를 하거나 또는 제삼자로 하여금 이를 하게 하여 그 비용을 의무자로부터 징수할 수 있다.

[공익사업을 위한 토지 등의 취득 및 보상에 관한 법률]

제89조(대집행)

① 이 법 또는 이 법에 따른 처분으로 인한 의무를 이행하여야 할 자가 그 정하여진 기간 이내에 의무를 이행하지 아니하거나 완료하기 어려운 경우 또는 그로 하여금 그 의무를 이행하게 하는 것이 현저히 공익을 해친다고 인정되는 사유가 있는 경우에는 사업시행자는 시·도지사나 시장·군수 또는 구청장에게 「행정대집행법」에서 정하는 바에 따라 대집행을 신청할 수 있다. 이 경우 신청을 받은 시·도지사나 시장·군수 또는 구청장은 정당한 사유가 없으면 이에 따라야 한다.

② 사업시행자가 국가나 지방자치단체인 경우에는 제1항에도 불구하고 「행정대집행법」에서 정하는 바에 따라 직접 대집행을 할 수 있다.

③ 사업시행자가 제1항에 따라 대집행을 신청하거나 제2항에 따라 직접 대집행을 하려는 경우에는 국가나 지방자치단체는 의무를 이행하여야 할 자를 보호하기 위하여 노력하여야 한다.

Ⅰ. 논점의 정리

Ⅱ. 관련 행정작용(대집행)의 법적 성질
　1. 행정대집행의 의의
　2. 대집행의 계고 등 절차
　3. 대집행 실행과 처분성

Ⅲ. 설문 (1) 계고처분 취소소송의 인용가능성
　1. 취소소송의 충족 여부
　2. 계고 처분 취소소송의 인용가능성
　　(1) 대집행의 요건(행정대집행법 제2조 및 토지보상법 제89조)
　　(2) 철거의무가 토지보상법상의 의무인지 여부
　　(3) 기한 내 완료하기 어려운 경우인지 여부
　　(4) 위법성 정도 및 인용가능성

Ⅳ. 설문 (2) 대집행 실행에 대한 권리구제
　1. 대집행 실행 前

　　(1) 예방적 금지소송의 가능성
　　(2) 가처분의 인정 여부
　　(3) 금지소송(당사자소송)의 가능성
　2. 대집행 실행 당시
　　(1) 항고쟁송의 인용가능성
　　(2) 집행정지의 신청
　3. 대집행 실행 後
　　(1) 국가배상청구
　　(2) 결과제거청구권의 행사가능성

Ⅴ. 설문 (3) 대집행 실행 방해 시 실력행사 가능성
　1. 실력행사가 대집행의 일부인지
　　(1) 견해의 대립
　　(2) 검토
　2. 직접강제의 도입가능성
　3. 사안의 적용

Ⅵ. 사례의 해결

I 논점의 정리

사안은 한국도로공사(甲)의 서울－경기도 외곽 제3순환 고속 도로확장공사 공익사업 구역에 편입된 건물소유자 乙에 대하여, 사업시행자 甲이 수용재결이 있은 후 「공익사업을 위한 토지 등의 취득 및 보상에 관한 법률」(이하 '토지보상법')에 의거 대집행 절차를 실행하는 경우 이에 대한 건물소유자 乙의 권리구제를 묻고 있다.

① 먼저 대집행법 및 토지보상법상 대집행 절차 중 계고 및 대집행 실행의 법적 성질을 살펴보고,

② 설문 (1)에서 건물소유자 乙이 제기한 취소소송이 적법한지 검토하고, 계고의 위법성과 관련하여 사안이 행정대집행법 제2조 및 토지보상법 제89조의 대집행의 요건에 해당하는 경우인지 살펴 위법 여부를 판단한다.

③ 설문 (2)의 경우 대집행 실행 전에는 예방적 금지소송, 실행 중에는 항고쟁송 및 집행정지, 실행 후에는 국가배상청구권 등을 중심으로 그 가능성을 검토한다.

④ 설문 (3)에서 을이 대집행 실행에 대해 저항하는 경우 실력행사가 대집행의 일부로서 인정되는가에 대한 견해의 대립을 살펴보고, 부정될 경우 입법을 통한 직접강제의 도입가능성을 검토해 보고자 한다.

II 관련 행정작용(대집행)의 법적 성질

1. 행정대집행의 의의

대체적 작위의무(作爲義務)의 불이행이 있을 때 행정관청이 의무자가 행할 의무를 스스로 행하거나 또는 제3자로 하여금 이를 행하게 하고 그 비용을 의무자로부터 징수하는 일 또는 그 제도. 대집행은 타인이 대신하여 행할 수 있는 의무(例 무허가건축물의 철거의무 등)의 불이행을 원인으로 하는 외에 다른 수단으로는 그 의무의 이행을 확보하기 곤란하고, 또한 그 불이행을 방치하는 것이 상당한 공익을 해한다고 인정될 때에 한한다. 행정상 강제집행의 일반적 수단이며, 일반법으로 행정대집행법이 제정되어 있다. 대집행을 행할 수 있는 권한은 의무를 과한 해당 행정관청에게 있다.

2. 대집행의 계고 등 절차

대집행의 절차는 계고(戒告)·대집행영장에 의한 통지·대집행·비용징수의 4단계가 있다. 첫째, 대집행을 하려면 그에 앞서 상당한 이행기한을 정하여 그 기한까지 이행하지 않을 때는 대집행을 한다는 뜻을 미리 문서로써 계고하여야 한다.

둘째, 의무자가 계고를 받고도 지정된 기한까지 그 의무를 이행하지 않을 때는 해당 행정관청은 대집행영장으로써 대집행을 할 시기, 대집행을 시키기 위하여 파견하는 집행책임자의 성명과 대집행에 요하는 비용의 개산(概算)에 의한 견적비를 의무자에게 통지하여야 한다. 셋째, 의무자가

지정된 기한까지 의무를 이행하지 않을 때는 전술한 대집행영장에 의한 통지를 받고 이행하는 경우를 제외하고는 해당 행정관청은 스스로 의무자가 할 행위를 하거나 또는 제3자로 하여금 그 행위를 하게 한다. 넷째, 대집행에 소요된 일체의 비용은 의무자로부터 징수한다. 대집행비용에 대하여 행정관청은 사무비의 소속에 따라 국세에 다음가는 순위의 선취득권을 가진다. 대집행에 관하여 불복하는 자는 해당 행정관청 또는 직접 상급행정관청에 행정심판을 제기할 수 있다.

3. 대집행 실행과 처분성

대집행 실행은 물리력을 행사하는 권력적 사실행위에 해당한다. 이러한 권력적 사실행위는 수인하명을 내포하는 것으로 판단되는바, 합성행위로서 권력적 사실행위의 성질을 가지며 따라서 처분성을 인정함이 타당하다. 헌법재판소 역시 권력적 사실행위의 처분성을 인정한바 있다.

Ⅲ 설문 (1) 계고처분 취소소송의 인용가능성

1. 취소소송의 충족 여부

사안에서 대집행의 주체인 행정청(경기도지사)이 건물소유자 乙에 대한 계고처분은 건물소유자 乙의 입장에서는 직접 상대방으로서 당사자의 권리·의무에 직접영향을 미치는 것으로서 행정소송법 제12조의 "법률상 이익이 있는 자"에 해당하여 원고적격이 인정되고, 계고가 처분으로서 대상적격이 충족되며, 계고가 있음을 안 날부터 90일 이내인 바 소송요건은 충족된다.

2. 계고 처분 취소소송의 인용가능성

(1) 대집행의 요건(행정대집행법 제2조 및 토지보상법 제89조)

대집행법 제2조에서 "법률(法律의 委任에 依한 命令, 地方自治團體의 條例를 包含한다. 以下 같다)에 의하여 직접명령되었거나 또는 법률에 의거한 행정청의 명령에 의한 행위로서 타인이 대신하여 행할 수 있는 행위를 의무자가 이행하지 아니하는 경우 다른 수단으로써 그 이행을 확보하기 곤란하고 또한 그 불이행을 방치함이 심히 공익을 해할 것으로 인정될 때에는 해당 행정청은 스스로 의무자가 하여야 할 행위를 하거나 또는 제삼자로 하여금 이를 하게 하여 그 비용을 의무자로부터 징수할 수 있다."라고 규정하고 있다.

토지보상법 제89조는 제1항에서는 "이 법 또는 이 법에 따른 처분으로 인한 의무를 이행하여야 할 자가 그 정하여진 기간 이내에 의무를 이행하지 아니하거나 완료하기 어려운 경우 또는 그로 하여금 그 의무를 이행하게 하는 것이 현저히 공익을 해친다고 인정되는 사유가 있는 경우에는 사업시행자는 시·도지사나 시장·군수 또는 구청장에게 「행정대집행법」에서 정하는 바에 따라 대집행을 신청할 수 있다. 이 경우 신청을 받은 시·도지사나 시장·군수 또는 구청장은 정당한 사유가 없으면 이에 따라야 한다."라고 규정하고 있다.

즉 토지보상법상 대집행이 가능하기 위해서는 행정대집행법의 요건을 기본적으로 충족하는 범위에서 ① 대체적 작위 의무의 존재, ② 의무 불이행 등이 있을 것, ③ 다른 수단으로 이행 확보 곤란할 것, ④ 의무의 불이행을 방치함이 심히 공익을 해할 경우, ⑤ 토지보상법상 특별한 규정으로 "정하여진 기간 이내에 의무를 이행하지 아니하거나 완료하기 어려운 경우" 등을 충족하여야 한다. 최근 행정기본법 제30조 제1항 제1호에서 행정대집행을 규정하고 있어 향후 행정법 관계에서 대집행 여부가 주목된다.

> **행정기본법 제30조(행정상 강제)**
> ① 행정청은 행정목적을 달성하기 위하여 필요한 경우에는 법률로 정하는 바에 따라 필요한 최소한의 범위에서 다음 각 호의 어느 하나에 해당하는 조치를 할 수 있다.
> 1. 행정대집행: 의무자가 행정상 의무(법령등에서 직접 부과하거나 행정청이 법령등에 따라 부과한 의무를 말한다. 이하 이 절에서 같다)로서 타인이 대신하여 행할 수 있는 의무를 이행하지 아니하는 경우 법률로 정하는 다른 수단으로는 그 이행을 확보하기 곤란하고 그 불이행을 방치하면 공익을 크게 해칠 것으로 인정될 때에 행정청이 의무자가 하여야 할 행위를 스스로 하거나 제3자에게 하게 하고 그 비용을 의무자로부터 징수하는 것

(2) 철거의무가 토지보상법상의 의무인지 여부

토지보상법 제75조상 건축물의 이전이 곤란한 경우 그 물건의 가격으로 보상할 수 있다고 하였는 바, 판례에 의하면 그 물건의 가격에 그 건물의 철거비를 포함시키거나 공제하여서는 안 되며 사업시행자가 철거비를 부담하여 철거한다고 하고 있다.

따라서 사안의 건물소유자 乙은 사업시행자에 대하여 해당 건물을 철거할 의무가 없고 단지 이를 비워주기만 하면 되므로, 철거의무는 토지보상법상 '이 법 또는 이 법에 의한 처분으로 인한 의무'가 아니다. 따라서 상기한 대집행 요건을 충족하지 않는다.

(3) 기한 내 완료하기 어려운 경우인지 여부

토지보상법 제89조상 기한 내 완료하기 어려운 경우란, 그 의무의 내용과 이미 이루어진 이행의 정도 및 이행의 의사 등에 비추어 해당 의무자가 그 기한 내에 의무이행을 완료하지 못할 것이 명백하다고 인정되는 경우를 말한다. 사안의 경우 건물소유자 乙은 수용재결에서 정한 기한인 2025.3.10.까지만 해당 건물을 비워주면 되므로, 사업시행자 甲이 공사 일정이 촉박함을 들어 현재 시점에서 기한 내 완료가 어렵다고 단정 지을 수는 없다고 판단된다. 따라서 이 또한 대집행 요건을 충족하지 않는다.

(4) 위법성 정도 및 인용가능성

상기와 같이 대집행 요건을 충족하지 않는 바, 해당 계고처분은 위법하며 그 위법성 정도는 하자가 중대하나 명백하다고 보기 어려워 취소사유로 본다. 따라서 건물소유자 乙은 계고처분에 대한 취소소송에서 인용 받을 수 있다고 판단된다.

Ⅳ 설문 (2) 대집행 실행에 대한 권리구제

1. 대집행 실행 前

(1) 예방적 금지소송의 가능성

예방적 금지소송이란 장래 예정된 처분으로 인하여 권익침해를 당할 것이 임박한 경우에 그 처분을 금지하는 소송을 말한다. 예방적 금지 소송은 명문의 규정이 없어 이의 인정 여부와 관련하여 학설은 부정설, 긍정설, 절충설이 대립하나, 판례는 준공처분의 부작위를 구하는 청구는 허용되지 않는다하여 부정하는 입장에 있다.

생각건대, 현행법상 명문의 규정은 없으나 국민의 재판 청구권 보장 취지에 비추어 국민의 권익구제 및 행정청의 처분권 존중이라는 요청을 조화할 수 있는 절충설의 입장이 타당하다 여겨지며, 이와 관련하여 행정소송법 개정 논의에서는 예방적 금지소송을 명문으로 규정하여 국민의 권리 구제를 도모하고 있는바 바람직하다 여겨진다. 사안의 경우에는 대집행 실행의 처분성이 인정되어 이에 대한 취소쟁송 및 집행정지를 통해 권리구제가 가능한바 예방적 금지소송이 인정되기는 어려울 것이다.

(2) 가처분의 인정 여부

가처분의 인정 여부에 대해 견해의 대립이 있으나 가구제로서 본안 판결의 범위를 넘을 수 없고 사안에서는 예방적 금지소송이 인정되지 않는바 가처분을 통한 권리구제는 부정된다.

(3) 금지소송(당사자소송)의 가능성

권력적 사실행위의 처분성을 부정하는 견해에서는 당사자소송으로 권력적 사실행위에 대한 이행 소송 및 금지소송을 인정하여야 한다고 본다. 이 견해에 의하면 갑은 대집행실행의 금지를 구하는 소송을 당사자소송으로 제기하여 권리구제를 받을 수 있다. 그리고 이 경우에는 가처분이 인정될 수 있을 것이다.

2. 대집행 실행 당시

(1) 항고쟁송의 인용가능성

전술한 바와 같이 권력적 사실행위인 대집행 실행은 처분이며, 건물소유자 乙은 행정행위의 상대방으로 원고 적격이 인정되며 기타 요건은 별도의 문제가 없다고 보인다. 따라서 위법성의 정도에 따라 취소소송 또는 무효등 확인 소송의 인용가능성이 있다. 다만 소송 중 대집행이 실행이 종결되면 〈소의 이익〉이 없어지게 되며 이러한 경우에는 각하판결이 내려진다.

(2) 집행정지의 신청

집행정지신청이 인용되기 위해서는 ① 적법한 본안소송의 계속, ② 처분 등의 존재, ③ 회복하기 어려운 손해 예방의 필요, ④ 긴급한 필요, ⑤ 공공복리에 중대한 영향을 미칠 우려가 없어야 하며, 판례는 본안 소송의 이유 없음이 명백하지 않을 것을 요구한다. 사안에서 본안청구의 이유 없음이 명백하지 않고, 대집행이 실행되면 회복할 수 없는 손해가 발생되므로 집행정지의 신청이 인용될 수 있다. 다만 도로개설사업이 즉시 시행되어야 하는 경우에는 공공복리상 집행정지가 인정되지 않을 수도 있다.

3. 대집행 실행 後

(1) 국가배상청구

철거반원이 공무원이 아닌 경우에도 국가배상법상 공무원에 해당한다. 대집행의 실행이 위법하고 공무원에게 과실 역시 인정될 수 있다. 위법한 대집행의 실행으로 을이 일시적으로 주거를 상실함으로써 받는 물질적, 정신적 손해가 있고, 을의 건축물 내에 있는 생활용품들이 파괴된 경우 이로 인하여 을은 손해를 입을 수 있다. 따라서 이러한 한도 내에서 건물소유자 乙은 국가 배상을 받을 수 있다.

(2) 결과제거청구권의 행사가능성

건물이 이미 철거된바 원상회복은 불가능하므로 공법상 결과제거 청구권은 인정되기 어려울 것이다.

V 설문 (3) 대집행 실행 방해 시 실력행사가능성

1. 실력행사가 대집행의 일부인지

(1) 견해의 대립

대집행 실행을 위해 필요한 한도 내에서 실력으로 저항을 배제하는 것은 명문 근거가 없는 경우에도 대집행에 수반하는 기능으로 인정하여야 한다는 〈긍정설〉과, 신체에 대한 물리력 행사는 대집행에 포함한다고 볼 수 없어 별도의 법률상 근거가 필요하다고 보는 〈부정설〉이 대립한다.

(2) 검토

신체에 대한 물리력의 행사는 대집행이라고 볼 수 없으며 직접강제의 대상이 되는 바, 별도로 명문규정이 있어야 한다고 본다. 다만, 실무에서는 저항하는 자를 경찰로 하여금 공무집행방해죄의 현행법으로 체포하게 한 후 대집행(건물의 철거)를 행하는 경우가 있다.

2. 직접강제의 도입가능성

직접강제란 의무자의 의무불이행시 직접적으로 의무자의 신체 또는 재산에 실력을 가함으로써 행정상 필요한 상태를 실현하는 작용을 말한다. 직접강제는 비대체적 작위의무도 그 대상으로 할 수 있어 효과적인 실효성확보수단이 될 수 있으므로, 엄격한 요건 및 절차를 법정하여 직접강제를 도입하는 대안도 신중히 고려하여야 할 것이다. 그 밖에 새로운 수단으로서 공급거부 등의 도입도 검토할 수 있을 것이다.

3. 사안의 적용

사안에서 乙이 대집행 실행에 저항하는 경우 실력행사로 이를 배제하는 것은 비대체적 작위의무에 해당하는 바, 현행 토지보상법상 이에 대한 근거가 없으므로 한국도로공사 甲은 실력행사를 할 수 없을 것이다.

Ⅵ 사례의 해결

① 설문 (1)에서 건물소유자 乙에게 건물에 대한 물건의 가격으로 손실보상 해주었는바, 건물소유자 乙에게는 건물의 이전 또는 철거의무가 없으며, 건물소유자 乙이 수용재결에서 정한 기한 내에 건물을 인도해줄 수 없다고 보기도 어렵기 때문에, 대집행의 요건을 불충족한 계고처분은 위법하여 이에 대한 건물소유자 乙의 취소소송은 인용될 수 있을 것으로 보인다.

② 설문 (2)에서 대집행 실행 전에는 현행 쟁송법상 예방적 금지소송 또는 가처분 등의 인정이 어려우므로, 대집행 실행에 대한 집행정지(절차의 속행정지)를 신청하는 것이 유효한 권리구제 수단이 될 수 있으며, 취소소송을 통해 실익을 도모할 수 있고, 대집행 실행 후에는 손해배상 청구가 가능하다.

③ 설문 (3)에서 건물소유자 乙의 저항에 대한 실력행사는 직접강제에 해당하는바 인정되기 어려우며, 다만 엄격한 요건 하에 직접강제에 대한 명문규정을 두는 것도 최근 대집행을 둘러싼 문제를 해결할 수 있도록 입법적인 노력이 행해지고 있다. 그러나 현실적으로 직접강제가 어려워 실무에서는 명도소송을 제기해 강제집행을 하는 것이 일반적인 명도방법이기도 하다.

52절 토지보상법 제91조(환매권)

서울시는 관악구 일대의 부지에 대해 서울시청 청사를 건립하기로 하고, 사업구역 내의 甲 소유 토지 및 위 지상에 건물을 소유하고 있는 지상권자 乙의 건물을 사업인정을 받은 후 수용재결에 의하여 2023년 3월 1일자로 취득하였다. 서울시는 취득한 토지 및 건물의 전부를 이용하지 않고 있다가 청사 건축에 대한 여론이 좋지 않자 2024년 5월 1일자로 이를 백지화하였고, 해당날짜에 공익사업에 대한 폐지고시를 하였다. 동 부지는 SH공사의 주택 건설사업부지로 변환되었다(주택건설사업은 「공익사업을 위한 토지 등의 취득 및 보상에 관한 법률」 제4조 제5호에 해당하는 사업이다). 다음 물음에 답하시오. 40점 (다만 2021.8.10. 개정 시행되는 토지보상법 제91조 제1항 적용을 전제하여 문제를 풀 것)

(1) 2024년 5월 1일자로 서울시청사 해당 공익사업 폐지 고시하였다면 甲과 乙은 2026년 8월 31일 현재 원래 자신의 소유였던 토지 및 건물을 되찾을 수 있는가?

(2) 만약 서울시가 해당 토지 및 건물을 취득한 시점이 2023년 3월 1일이 아니라 2016년 5월 1일이라고 할 경우에도 2024년 5월 1일자 폐지 고시하였는데 서울시장이 환매권의 통지를 결했다면 2026년 8월 31일 현재 기존 토지소유자 甲은 서울시에 대하여 불법행위를 이유로 손해배상을 청구할 수 있는가?

Ⅰ. 논점의 정리

Ⅱ. 환매권의 개관
1. 의의 및 취지(토지보상법 제91조)
2. 법적 근거
3. 환매의 당사자 및 목적물

Ⅲ. 설문 (1) 甲과 乙의 환매권 행사가능성
1. 개설
2. 환매권자 및 목적물 인정 여부
   (1) 위헌이라는 견해
   (2) 헌법재판소의 태도(합헌)
   (3) 검토 및 사안의 적용
3. 甲의 환매권 행사요건 충족 여부
   (1) 행사요건의 의미
   (2) 행사요건 및 제척기간
   (3) 사안의 경우
4. 공익사업변환에 따른 甲의 환매권 행사제한 여부

   (1) 공익사업변환특칙의 의의 및 취지
   (2) 변환특칙에 따른 환매권 제한의 요건
   (3) 변환특칙의 위헌성 및 사업시행자 변경 시에도 인정되는지 여부
   (4) 사안의 경우
5. 사안의 적용

Ⅳ. 환매권의 미통지 시 甲의 손해배상청구 가능성
1. 개설
2. 환매권 통지의 취지
3. 환매권 통지 없이 제척기간 도과한 경우 불법행위 성립 여부
   (1) 판례 및 비판견해
   (2) 검토 및 사안적용
4. 불법행위로 인한 손해배상액

Ⅴ. 사례의 해결

I 논점의 정리

사안은 甲과 乙 소유의 토지 및 건물을 청사건립 목적으로 수용취득한 서울시가 해당 사업을 백지화하고 주택건설사업으로 변환한 경우, 甲과 乙의 권리구제로서 환매권 행사 및 손해배상청구 가능성을 묻고 있다.

1. 먼저 환매권의 의의 및 취지, 법적 근거, 목적물 등을 개관하고,

2. 설문 (1) 관련하여 乙이 건물을 환매할 수 있는지 헌법재판소의 태도와 함께 검토하고, 환매권 행사요건 및 제척기간을 검토하여 충족 여부를 판단한다. 또한 행사요건의 제한으로서 공익사업변환특칙이 적용되는지 판단하여 甲과 乙의 환매권 행사가능성을 논한다.

3. 설문 (2) 관련하여 서울시의 환매권 미통지로 제척기간이 경과한 경우 甲이 불법행위를 이유로 손해배상 청구가 가능한지 판례의 태도와 함께 논하기로 한다.

II 환매권의 개관

1. 의의 및 취지(토지보상법 제91조)

환매권이란 공익사업에 필요하여 취득한 토지에 대하여 일정한 요건이 충족될 경우 원토지소유자가 그 토지소유권을 되찾을 수 있는 권리로서, 판례에 의하면 원토지소유자의 감정 존중, 형평의 원리와 헌법상 재산권의 존속보장을 근거로 인정된다.

2. 법적 근거

환매권은 재산권의 본질적 부분에 해당된다고 보는 헌법상 권리설과, 정당보상을 근거로 별도의 개별법적 근거를 요한다는 법률상 권리설이 있으며, 후자가 판례 및 다수설의 입장이다. 사안과 같은 공용수용의 경우에는 「공익사업을 위한 토지 등의 취득 및 보상에 관한 법률」(이하 '토지보상법') 제91조에 그 근거를 두고 있어 문제되지 않는다.

3. 환매의 당사자 및 목적물

토지보상법 제91조 제1항은 환매권자를 토지소유자 및 그 포괄승계인으로 정의하고, 환매의 목적물은 토지에 한해 인정되는 것으로 규정하고 있다.

III 설문 (1) 甲과 乙의 환매권 행사가능성

1. 개설

甲과 乙의 환매권 행사가 가능하기 위해서는 환매권자 및 목적물(토지보상법 제91조 제1항), 행사요건 및 제척기간(동조 제1항·제2항), 공익사업변환특칙의 제한(동조 제6항) 요건을 살펴 충족되어야 하는바, 각각 검토하기로 한다.

2. 환매권자 및 목적물 인정 여부

(1) 위헌이라는 견해

토지보상법 제91조 제1항이 환매권자 및 목적물을 토지에 한정한 것에 대하여 환매권을 헌법상 권리로 보아 재산권의 본질적 부분의 침해로 위헌이고, 법률상 권리로 보더라도 입법재량상 비례원칙 및 평등원칙의 위반으로 위헌이라는 견해가 제기된다.

(2) 헌법재판소의 태도(합헌)

반면, 최근 헌법재판소는 토지는 보상이 이루어져도 감정손실 등의 특수한 애착이 있기 때문에 이에 대한 환매권만을 인정하고 건물 등의 기타 재산권에 대한 환매권을 부정한 것이 위헌이 아니라고 한 바 있다.

(3) 검토 및 사안의 적용

헌법 제23조 제3항의 정당보상의 취지를 볼 때, 정당보상에서 더 나아가 인정되는 환매권은 당사자 및 목적물의 특수성을 고려하여 제한적으로 인정할 수도 있다고 여겨진다. 특히, 토지는 지리적, 환경적 특정성이 있어 그에 대한 원소유자의 감정을 존중하여 특별히 환매권을 인정할 필요가 있는 것이다. 따라서 토지보상법 제91조 제1항은 위헌이 아니며, 동 조항에 비추어 볼 때 사안의 乙은 환매권자가 아니어서 건물을 환매할 수 없고, 토지소유자인 甲의 환매권 행사가능성만이 문제된다.

3. 甲의 환매권 행사요건 충족 여부

(1) 행사요건의 의미

토지보상법 제91조 제1항·제2항에 요건이 규정되어 있으며, 재결의 효과로 수용의 개시일에 환매권이 이미 성립한다는 점에서 동 조항은 환매권의 성립요건이 아닌 행사요건으로 본다.

(2) 행사요건 및 제척기간

① 사업의 폐지·변경으로 취득한 토지의 전부 또는 일부가 필요 없게 된 경우(폐지고시일로부터 10년 이내에 행사)(토지보상법 제91조 제1항)

> 💡 **토지보상법 제91조(환매권)**
> ① 공익사업의 폐지·변경 또는 그 밖의 사유로 취득한 토지의 전부 또는 일부가 필요 없게 된 경우 토지의 협의취득일 또는 수용의 개시일(이하 이 조에서 "취득일"이라 한다) 당시의 토지소유자 또는 그 포괄승계인(이하 "환매권자"라 한다)은 다음 각 호의 구분에 따른 날부터 10년 이내에 그 토지에 대하여 받은 보상금에 상당하는 금액을 사업시행자에게 지급하고 그 토지를 환매할 수 있다.
>   1. 사업의 폐지·변경으로 취득한 토지의 전부 또는 일부가 필요 없게 된 경우: 관계 법률에 따라 사업이 폐지·변경된 날 또는 제24조에 따른 사업의 폐지·변경 고시가 있는 날
>   2. 그 밖의 사유로 취득한 토지의 전부 또는 일부가 필요 없게 된 경우: 사업완료일

② 일정기간 경과토록 전부가 이용되지 않는 경우(동법 동조 제2항)

취득일부터 5년이 경과하도록 토지 전부를 이용하지 않는 경우, 취득일부터 6년 이내에 환매권 행사가 가능하다.

③ 상기 요건 및 제척기간의 관계

판례는 상기 ①, ②의 요건은 상호 독립된 것으로서 하나의 요건에 해당되지 않더라도 다른 요건이 충족되면 행사가 가능하며, 제척기간 중 더 짧은 기간이 경과하였어도 환매권이 소멸하지 않는다고 하여 각각 별개의 요건으로 보았다.

(3) 사안의 경우

본 사안에서 취득일부터 5년이 경과토록 토지 전부를 이용하지 않았으나, 현재 취득일부터 6년이 경과한 시점이어서 제2항에 따른 행사는 불가하다. 그러나 토지보상법 제91조 제1항의 요건이 개정되어 공익사업 폐지고시일로부터 10년 이내에 환매권을 행사하면 될 것으로 판단된다. 다만, 이후 해당 토지가 주택건설사업부지로 변환된바, 공익사업변환특칙에 의해 행사가 제한되는지는 문제된다.

4. 공익사업변환에 따른 甲의 환매권 행사제한 여부

(1) 공익사업변환특칙의 의의 및 취지

토지보상법 제91조 제6항은 공익사업변환 시 환매권 행사를 제한하는 규정을 두고 있는바, 이는 환매 후 다시 수용하는 행정의 무용한 절차 반복을 피하기 위함에 그 취지가 있다.

(2) 변환특칙에 따른 환매권 제한의 요건

사업인정을 받은 국가, 지방자치단체 또는 공공기관 등이 사업인정을 받아 토지를 취득한 후 토지보상법 제4조 제1호 내지 제5호의 다른 사업으로 변경 시, 환매권 행사기간은 관보에 이를 고시한 날부터 새로이 기산한다.

(3) 변환특칙의 위헌성 및 사업시행자 변경 시에도 인정되는지 여부

헌법재판소는 변환특칙이 공익사업의 원활한 시행이라는 입법목적에 부합하고, 공익성이 큰 사업으로 한정하는바, 위헌이 아니라고 하였으나, 공익사업 변경과정에서 적법성 확보절차 및 환매권자 참여가 배제된다는 점에서 위헌이라는 비판도 있다. 다만 최근의 판례에 의하면 사업시행자 변경은 꼭 공공기관일 필요는 없고 공익성이 있는 사업시행자가 하면 된다고 판시하고 있다. 최근 토지보상법 개정으로 변환특칙의 공익사업 범위가 기존의 제1호~제4호에서 제5호까지 확장된 것은 위헌성을 완화하기 위한 것으로 바람직한 것이라 여겨진다.

(4) 사안의 경우

본 사안은 지방자치단체인 서울시가 변경한 것이지만 변경사업인 주택건설사업은 토지보상법 제4조 제5호의 사업인바, 변환특칙의 요건에 해당되어 환매권 행사가 제한될 것이다.

5. 사안의 적용

토지소유자 甲은 환매권자이고, 환매권 행사요건 및 제척기간을 충족하나, 변환특칙에 따른 제한에도 해당되어 자신의 토지를 되찾을 수 없다고 여겨진다. 또한 건물소유자인 乙의 경우에는 헌법재판소 결정의 취지상 환매권자로 볼 수 없으므로 자신의 건물을 되찾을 수 없을 것으로 판단된다.

Ⅳ 환매권의 미통지 시 甲의 손해배상청구 가능성

1. 개설

토지보상법 제92조는 환매요건 충족 시 사업시행자의 통지의무를 규정하고 있다. 따라서 이러한 통지의무 위반으로 토지소유자가 알지 못하여, 제척기간 경과로 환매권이 소멸한 경우 사업시행자인 서울시의 불법행위를 구성하는지가 문제된다.

2. 환매권 통지의 취지

판례는 환매권 통지규정이 단순히 선언적인 것이 아니라 사업시행자의 법적인 의무라고 하였는바, 이는 헌법상 재산권 존속보장에 이론적 근거를 둔 환매권의 취지에 비추어 타당하다 할 것이다.

3. 환매권 통지 없이 제척기간 도과한 경우 불법행위 성립 여부

(1) 판례 및 비판견해

이에 대해 판례는 사업시행자가 통지하지 아니하여 제척기간이 도과한 것이므로 불법행위를 구성한다고 한다. 반면, 이를 비판하는 견해는 통지가 환매요건이 아님에도 제3자에게의 처분과 같은 적극적인 환매권 침해행위도 없이 모든 책임을 사업시행자에게 부담시키는 것은 부당하다고 한다.

(2) 검토 및 사안 적용

환매권의 통지가 사업시행자의 법적인 의무라고 보는 한, 이를 위반한 것은 불법행위로 보아야 하며, 토지소유자 입장에서는 환매권 통지가 없으면 그 행사가능성을 알기 어려운 점에 비추어 보더라도 불법행위를 인정함이 타당하다. 사안의 甲의 경우 사업시행자의 통지가 있었다면 환매권을 바로 행사할 수 있었을 것이나, 통지 없이 행사기간이 경과되어 행사할 수 없었는바, 불법행위를 이유로 서울시에 대하여 손해배상청구가 가능할 것이다.

4. 불법행위로 인한 손해배상액

판례에 의하면 불법행위로 인한 손해배상액은 환매권 상실 당시 토지의 시가에서 환매권자가 환매권 행사시 지급해야 할 금액을 공제한 금액이라고 하였는바, 사안의 서울시는 상기에 해당하는 금액을 손해배상액으로 지급해야 할 것이다.

V 사례의 해결

1. 토지보상법상 환매권은 헌법상 재산권 존속보장 및 피수용자 감정존중의 취지에서 인정되며, 토지보상법 제91조 및 제92조에 근거를 두고 있다.

2. 사안의 乙은 헌법재판소의 태도에 비추어볼 때 환매권자라 볼 수 없어 건물의 환매가 불가하며, 토지소유자 甲은 환매권 행사요건은 충족하나 변환특칙의 제한에 의하여 환매권 행사가 제한된다.

3. 서울시가 환매권 통지를 하지 않고 제척기간이 경과하여 환매권 소멸되었다면 환매권의 취지상 서울시의 불법행위가 인정된다 여겨지며, 따라서 甲은 손해배상을 청구할 수 있을 것이다.

53절 토지보상법 제91조(환매권)

문제

국방부장관은 최근 북한의 핵폭탄 사건으로 국가안보의 중요성을 인식하고 서해 5도에 군부대 사격장 시설의 확장 설치를 위하여, 서해 5도중 연평도의 甲소유의 토지에 대하여는 사업인정고시 전인(사업인정고시일 2013.10.4) 2013.3.4에 협의취득의 형식으로 乙소유의 토지에 대하여는 사업인정고시 후인 2013.12.4에 수용재결을 통하여 이를 취득하여 사격장을 설치 · 운영하여 오다가, 2020.4.5 이를 다른 지역으로 이전하고 위 토지를 아무런 사용계획 없이 방치하고 있다. 2021.4.30. 현재 사업시행자는 필요 없게 되어 해당 공익사업 폐지고시를 하게 되었다. 다음 물음에 답하시오. 40점 (다만 2021.8.10. 개정 시행되는 토지보상법 제91조 제1항 적용을 전제하여 문제를 풀 것)

(1) 甲, 乙은 각각 과거 자신의 소유였던 토지를 되찾을 수 있는지, 가능하다면 그 요건과 절차 등을 설명하시오. 10점

(2) 2020.11.26, 2019헌바131 결정에서 토지보상법 제91조 제1항 10년 적용부분에서 헌법불합치 결정이 되었다. 10년 부분에 대한 헌법불합치 결정에 대하여 논평하시오. 15점

(3) 만약, 이 토지들에 대하여 A시장이 공영주차장 설치장소로 도시관리계획 변경결정을 한 실태라면 甲과 乙이 이 토지를 되찾을 수 있는지는 논하시오. 15점 (도시관리계획 변경 결정으로 [국토의 계획 및 이용에 관한 법률]상 실시계획고시가 있어 사업인정이 의제된 것으로 본다.)

Ⅰ. 논점의 정리

Ⅱ. (물음 1)
1. 환매권의 의의 및 성질
   (1) 환매권의 의의
   (2) 환매권의 법적 성질
2. 환매권의 내용
   (1) 주체
   (2) 요건
   (3) 행사기간
   (4) 행사방법 및 절차
3. 소결

Ⅲ. (물음 2)
1. 관련 규정의 검토
   (1) 헌법 제23조 및 제37조의 규정

   (2) 소결
      1) 헌법 제23조 포함 여부
      2) 헌법 제37조 위반 여부
   (3) 소결
2. 과잉금지원칙의 위반 여부
   (1) 과잉금지원칙의 의의 및 요건
   (2) 관련 판례의 태도
   (3) 소결
      1) 법익의 균형성 위반 여부
      2) 제한의 최소성 위반 여부

Ⅳ. (물음 3)
1. 환매권 행사제한 규정 적용 여부
   (1) 토지보상법 제91조 제6항
   (2) 소결

```
2. 사업주체가 변경되는 경우도 포함되          (1) 판례
   는지 여부                                 (2) 검토
   (1) 문제점                               (3) 소결
   (2) 판례                          V. 사안의 해결
   (3) 검토                            1. (물음 1)의 경우
   (4) 소결                            2. (물음 2)의 경우
3. '공익사업의 변환' 규정이 사업인정          3. (물음 3)의 경우
   전 협의취득에도 적용되는지 여부
```

Ⅰ 논점의 정리

(물음 1)은 '공익사업을 위한 토지 등의 취득 및 보상에 관한 법률(이하 '토지보상법')'상 환매권의 의의, 성질, 요건, 절차 등을 묻고 있으며, (물음 2)는 최근 환매권 기간에 관한 헌법 불합치결정에 대하여 묻고 있다. (물음 3)은 토지보상법 제91조 제6항의 공익사업변환으로 인한 환매권 기산특례규정이 사업주체가 변경된 경우에도 적용되는지와 이와 같은 조항이 사업인정 전 협의취득의 경우에도 준용되는 성질의 것인지를 묻고 있다. 이하에서는 토지보상법 규정과 함께 학설과 판례를 중심으로 사안을 구체적으로 검토하기로 한다.

Ⅱ (물음 1)

1. 환매권의 의의 및 성질

(1) 환매권의 의의

환매권이란 공용수용의 목적물이 공익사업의 폐지 또는 변경으로 인하여 불필요하게 되거나 또는 현실적으로 수용의 목적이 되었던 공익사업에 공용되고 있지 아니한 경우에, 피수용자가 일정한 요건하에 다시 원소유권을 회복할 수 있는 권리를 말한다. 이는 토지보상법 제91조에 근거한다.

(2) 환매권의 법적 성질

환매는 ① 사업시행자가 사인과 평등한 지위에 있으며(주체), ② 그 목적은 주로 또는 전적으로 사인의 이익을 위한 것이므로(이익) 그 법률관계는 사법관계로 보아야 하고 이러한 법률관계에서 사인이 가지는 환매권도 사권이라고 본다(판례). 그러나 최근에는 공법상 원인에 의해 발생한 권리로 공권으로 보는 유력한 견해도 존재한다.

2. 환매권의 내용

(1) 주체

환매권자는 수용 당시의 토지소유자 또는 포괄승계인이다.

(2) 요건

> **토지보상법 제91조(환매권)**
> ① 공익사업의 폐지·변경 또는 그 밖의 사유로 취득한 토지의 전부 또는 일부가 필요 없게 된 경우 토지의 협의취득일 또는 수용의 개시일(이하 이 조에서 "취득일"이라 한다) 당시의 토지소유자 또는 그 포괄승계인(이하 "환매권자"라 한다)은 다음 각 호의 구분에 따른 날부터 10년 이내에 그 토지에 대하여 받은 보상금에 상당하는 금액을 사업시행자에게 지급하고 그 토지를 환매할 수 있다.
> 1. 사업의 폐지·변경으로 취득한 토지의 전부 또는 일부가 필요 없게 된 경우: 관계 법률에 따라 사업이 폐지·변경된 날 또는 제24조에 따른 사업의 폐지·변경 고시가 있는 날
> 2. 그 밖의 사유로 취득한 토지의 전부 또는 일부가 필요 없게 된 경우: 사업완료일
> ② 취득일부터 5년 이내에 취득한 토지의 전부를 해당 사업에 이용하지 아니하였을 때에는 제1항을 준용한다. 이 경우 환매권은 취득일부터 6년 이내에 행사하여야 한다.

> **판례**
>
> ● 대판 2010.9.30, 2010다30782[소유권이전등기]
>
> [판시사항]
> [1] 환매권에 관하여 규정한 '공익사업을 위한 토지 등의 취득 및 보상에 관한 법률' 제91조 제1항에 정한 '당해 사업'의 의미 및 협의취득 또는 수용된 토지가 필요 없게 되었는지 여부의 판단기준
> [2] '공익사업을 위한 토지 등의 취득 및 보상에 관한 법률' 제91조 제1항에 정한 환매권 행사기간의 의미
> [3] '공익사업을 위한 토지 등의 취득 및 보상에 관한 법률' 제91조 제6항에 정한 공익사업의 변환이 인정되는 경우, 환매권 행사가 제한되는지 여부(적극)
> [4] '공익사업을 위한 토지 등의 취득 및 보상에 관한 법률' 제91조 제6항에 정한 공익사업의 변환은 새로운 공익사업에 관해서도 같은 법 제20조 제1항의 규정에 의해 사업인정을 받거나 위 규정에 따른 사업인정을 받은 것으로 의제되는 경우에만 인정할 수 있는지 여부(적극)
> [5] 공익사업을 위해 협의취득하거나 수용한 토지가 변경된 사업의 사업시행자 아닌 제3자에게 처분된 경우에도 '공익사업의 변환'을 인정할 수 있는지 여부(소극)

[6] 지방자치단체가 도시관리계획상 초등학교 건립사업을 위하여 학교용지를 협의취득하였
으나 위 학교용지 인근에서 아파트 건설사업을 하던 주택건설사업 시행자와 그 아파트
단지 내에 들어설 새 초등학교 부지와 위 학교용지를 교환하고 위 학교용지에 중학교를
건립하는 것으로 도시관리계획을 변경한 사안에서, 위 학교용지에 관한 환매권 행사를
인정한 사례

[판결요지]

[1] 환매권에 관하여 규정한 '공익사업을 위한 토지 등의 취득 및 보상에 관한 법률'(이하 '공
익사업법'이라고 한다) 제91조 제1항에서 말하는 '당해 사업'이란 토지의 협의취득 또는
수용의 목적이 된 구체적인 특정의 공익사업으로서 공익사업법 제20조 제1항에 의한 사
업인정을 받을 때 구체적으로 특정된 공익사업을 말하고, '국토의 계획 및 이용에 관한
법률' 제88조, 제96조 제2항에 의해 도시계획시설사업에 관한 실시계획의 인가를 공익사
업법 제20조 제1항의 사업인정으로 보게 되는 경우에는 그 실시계획의 인가를 받을 때
구체적으로 특정된 공익사업이 바로 공익사업법 제91조 제1항에 정한 협의취득 또는 수
용의 목적이 된 당해 사업에 해당한다. 또 위 규정에 정한 당해 사업의 '폐지·변경'이란
당해 사업을 아예 그만두거나 다른 사업으로 바꾸는 것을 말하고, 취득한 토지의 전부
또는 일부가 '필요 없게 된 때'란 사업시행자가 취득한 토지의 전부 또는 일부가 그 취득
목적 사업을 위하여 사용할 필요 자체가 없어진 경우를 말하며, 협의취득 또는 수용된
토지가 필요 없게 되었는지 여부는 사업시행자의 주관적인 의사를 표준으로 할 것이 아
니라 당해 사업의 목적과 내용, 협의취득의 경위와 범위, 당해 토지와 사업의 관계, 용도
등 제반 사정에 비추어 객관적·합리적으로 판단하여야 한다.

[2] '공익사업을 위한 토지 등의 취득 및 보상에 관한 법률' 제91조 제1항에서 환매권의 행사
요건으로 정한 "당해 토지의 전부 또는 일부가 필요 없게 된 때로부터 1년 또는 그 취득
일로부터 10년 이내에 그 토지를 환매할 수 있다"라는 규정의 의미는 취득일로부터 10년
이내에 그 토지가 필요 없게 된 경우에는 그때로부터 1년 이내에 환매권을 행사할 수
있으며, 또 필요 없게 된 때로부터 1년이 지났더라도 취득일로부터 10년이 지나지 않았
다면 환매권자는 적법하게 환매권을 행사할 수 있다는 의미로 해석함이 옳다.

[3] 공익사업의 변환을 인정한 입법 취지 등에 비추어 볼 때, '공익사업을 위한 토지 등의
취득 및 보상에 관한 법률' 제91조 제6항은 사업인정을 받은 당해 공익사업의 폐지·변
경으로 인하여 협의취득하거나 수용한 토지가 필요 없게 된 때라도 위 규정에 의하여
공익사업의 변환이 허용되는 다른 공익사업으로 변경되는 경우에는 당해 토지의 원소유
자 또는 그 포괄승계인에게 환매권이 발생하지 않는다는 취지를 규정한 것이라고 보아
야 하고, 위 조항에서 정한 "제1항 및 제2항의 규정에 의한 환매권 행사기간은 관보에
당해 공익사업의 변경을 고시한 날로부터 기산한다."는 의미는 새로 변경된 공익사업을
기준으로 다시 환매권 행사의 요건을 갖추지 못하는 한 환매권을 행사할 수 없고 환매권
행사요건을 갖추어 제1항 및 제2항에 정한 환매권을 행사할 수 있는 경우에 그 환매권
행사기간은 당해 공익사업의 변경을 관보에 고시한 날로부터 기산한다는 의미로 해석해
야 한다.

[4] '공익사업을 위한 토지 등의 취득 및 보상에 관한 법률' 제91조 제6항에 정한 공익사업의 변환은 같은 법 제20조 제1항의 규정에 의한 사업인정을 받은 공익사업이 일정한 범위 내의 공익성이 높은 다른 공익사업으로 변경된 경우에 한하여 환매권의 행사를 제한하는 것이므로, 적어도 새로운 공익사업에 관해서도 같은 법 제20조 제1항의 규정에 의해 사업인정을 받거나 또는 위 규정에 따른 사업인정을 받은 것으로 의제하는 다른 법률의 규정에 의해 사업인정을 받은 것으로 볼 수 있는 경우에만 공익사업의 변환에 의한 환매권 행사의 제한을 인정할 수 있다.

[5] 공익사업의 원활한 시행을 위한 무익한 절차의 반복 방지라는 '공익사업의 변환'을 인정한 입법 취지에 비추어 볼 때, 만약 사업시행자가 협의취득하거나 수용한 당해 토지를 제3자에게 처분해 버린 경우에는 어차피 변경된 사업시행자는 그 사업의 시행을 위하여 제3자로부터 토지를 재취득해야 하는 절차를 새로 거쳐야 하는 관계로 위와 같은 공익사업의 변환을 인정할 필요성도 없게 되므로, 공익사업의 변환을 인정하기 위해서는 적어도 변경된 사업의 사업시행자가 당해 토지를 소유하고 있어야 한다. 나아가 공익사업을 위해 협의취득하거나 수용한 토지가 제3자에게 처분된 경우에는 특별한 사정이 없는 한 그 토지는 당해 공익사업에는 필요 없게 된 것이라고 보아야 하고, 변경된 공익사업에 관해서도 마찬가지이므로, 그 토지가 변경된 사업의 사업시행자 아닌 제3자에게 처분된 경우에는 공익사업의 변환을 인정할 여지도 없다.

[6] 지방자치단체가 도시관리계획상 초등학교 건립사업을 위하여 학교용지를 협의취득하였으나 위 학교용지 인근에서 아파트 건설사업을 하던 주택건설사업 시행자와 그 아파트 단지 내에 들어설 새 초등학교 부지와 위 학교용지를 교환하고 위 학교용지에 중학교를 건립하는 것으로 도시관리계획을 변경한 사안에서, 위 학교용지에 대한 협의취득의 목적이 된 당해 사업인 '초등학교 건립사업'의 폐지·변경으로 위 토지는 당해 사업에 필요 없게 되었고, 나아가 '중학교 건립사업'에 관하여 사업인정을 받지 않았을 뿐만 아니라 위 학교용지가 중학교 건립사업의 시행자 아닌 제3자에게 처분되었으므로 공익사업의 변환도 인정할 수 없다는 이유로 위 학교용지에 관한 환매권 행사를 인정한 사례

(3) 행사기간

■ 공익사업의 폐지·변경 또는 그 밖의 사유로 취득한 토지의 전부 또는 일부가 필요 없게 된 경우 토지의 협의취득일 또는 수용의 개시일(이하 이 조에서 "취득일"이라 한다) 당시의 토지소유자 또는 그 포괄승계인(이하 "환매권자"라 한다)은 다음 각 호의 구분에 따른 날부터 10년 이내에 그 토지에 대하여 받은 보상금에 상당하는 금액을 사업시행자에게 지급하고 그 토지를 환매할 수 있다.

1. 사업의 폐지·변경으로 취득한 토지의 전부 또는 일부가 필요 없게 된 경우: 관계 법률에 따라 사업이 폐지·변경된 날 또는 제24조에 따른 사업의 폐지·변경 고시가 있는 날
2. 그 밖의 사유로 취득한 토지의 전부 또는 일부가 필요 없게 된 경우: 사업완료일

(4) 행사방법 및 절차

환매권을 행사할 때에는 보상금 상당액을 사업시행자에게 지급하고 환매의 의사를 표명해야 한다. 토지의 가격이 취득일 당시에 비하여 현저히 변동된 경우 사업시행자 미 환매권자는 환매금액에 대하여 서로 협의하되 협의가 성립되지 아니하는 때에는 그 금액의 증감을 법원에 청구할 수 있다. 또한 보상금 상당액의 지급은 선이행 의무이므로 대금을 지급하거나 공탁하지 아니하고서는 무조건 또는 상환으로 소유권이전등기를 구하는 것은 허용되지 아니한다. 환매권자가 제척기간 내에 환매대금을 지급하여 환매권을 행사하면 상대방의 의사와 상관없이 환매가 성립한다. 이때 별도의 행위 없이 소유권이 이전하는지에 관하여는 견해가 나뉜다.

판례

● 대판

[판시사항]

가. 산업기지개발구역의 일부 지역을 주거지역으로 변경하여 이주민에게 공급할 아파트를 건립하게 하였다고 하여 그 토지가 산업기지개발사업에 필요 없게 된 것인지 여부

나. 공공용지의 취득 및 손실보상에 관한 특례법 제9조 및 토지수용법 제71조에 의한 환매권 행사에 있어서 환매대금 상당의 지급이 선이행의무인지 여부

다. 공공용지의 취득 및 손실보상에 관한 특례법 제9조 제2항 및 토지수용법 제71조 제2항에 의한 환매권의 행사기간을 각 조 제1항의 환매권의 행사기간보다 짧게 규정한 것이 위헌인지 여부

[판결요지]

가. 산업기지개발구역 중 일부 지역을 주거지역으로 변경한 것이 이주민들의 이주대책 요구에 응하여 이주택지를 조성할 필요가 있게 되었기 때문이었으며, 또한 그 변경은 실시계획의 변경 승인을 받아 이루어진 것이라면 한국수자원공사가 그 일부 지역을 주거지역으로 변경하고 그 부분에 주택지를 조성하여 이주민에게 공급할 아파트를 건립하게 한 것은 산업기지개발사업의 기본계획과 실시계획에 의한 것으로 위 사업에 포함되는 사업의 하나인 구 산업기지개발촉진법 제2조 제2항 제2호, 제7호 소정의 주택지조성사업에 해당하므로 위와 같은 사유가 있다고 하여 산업기지개발사업이 폐지 또는 변경되었다거나 그 토지가 위 개발사업에 필요 없게 되었다고 할 수 없다.

나. 공공용지의 취득 및 손실보상에 관한 특례법 제9조 및 토지수용법 제71조에 의한 환매권의 경우 환매대금의 선이행을 명문으로 규정하고 있으므로 환매대금 상당을 지급하거나 공탁하지 아니한 경우는 환매로 인한 소유권이전등기청구는 물론 환매대금의 지급과 상환으로 소유권이전등기를 구할 수 없다.

다. 공공용지의 취득 및 손실보상에 관한 특례법 제9조 제2항 및 토지수용법 제71조 제2항에 의한 환매권의 경우는 협의취득일로부터 6년 이내에 행사하여야 하는 것이며, 위 각 조항에 의한 환매권에 대하여 공공용지의 취득 및 손실보상에 관한 특례법 제9조 제1항 및 토지수용법 제71조 제1항에 의한 환매권과 달리 제척기간을 짧게 규정하고 있다고 하여 위 규정들이 재산권 보장에 관한 헌법규정에 위반되지 않는다.

> **판례**
>
> ● 대판 1992.6.23, 92다7832[소유권이전등기]
>
> [판시사항]
>
> 가. 공공용지의 취득 및 손실보상에 관한 특례법 제9조에 의한 환매권의 행사방법
>
> 나. 위 "가"항의 경우 토지 등의 가격이 취득 당시에 비하여 현저히 변경되었을 때라도 환매권을 행사하기 위하여는 수령한 보상금 상당의 금액을 미리 지급하여야 하는지 여부와 민사소송절차에서 법원이 환매대금액을 증감할 수 있는지 여부(소극)
>
> [판결요지]
>
> 가. 공공용지의 취득 및 손실보상에 관한 특례법 제9조에 의한 환매는 환매기간 내에 환매의 요건이 발생하면 환매권자가 수령한 보상금 상당의 금액을 미리 지급하고 일방적으로 환매의 의사표시를 함으로써 사업시행자의 의사 여하에 관계없이 환매가 성립한다.
>
> 나. 위 "가"항의 경우 토지 등의 가격이 취득 당시에 비하여 현저히 변경되었을 때라도 위 특례법 제9조 제3항에 의하여 당사자 간에 금액에 대한 협의가 성립되었거나 토지수용위원회의 확정재결에 의하여 그 금액이 결정되지 않는 한 그 가격이 현저히 등귀된 경우나 하락한 경우이거나를 묻지 않고 환매권을 행사하기 위하여서는 수령한 보상금 상당의 금액을 미리 지급하여야 하고 또한 이로써 족한 것이며 위 특례법 제9조에 의한 환매권의 행사에는 토지수용법 제71조 제5항의 규정이 준용되거나 유추적용된다고 할 수 없어 민사소송절차에서 법원이 환매대금액을 증감할 수는 없다.

3. 소결

사안의 甲과 乙은 협의취득 또는 수용된 토지의 원소유자로서, 해당 토지가 현재 사용되지 아니하고 방치되어 있으며, 사격연습장의 이전으로 인해 더 이상 사용의 필요성도 없고 해당 공익사업의 폐지 고시일로부터 10년 이내인바 비록 공물폐지는 없었으나 환매권을 행사할 수 있다 볼 것이다. 따라서 甲과 乙은 위에서 본 절차에 따라 이를 행사하면 사안의 토지를 되찾을 수 있다.

Ⅲ (물음 2)

1. 관련 규정의 검토

(1) 헌법 제23조 및 제37조의 규정

(2) 소결

1) 헌법 제23조 포함 여부

우리 헌법은 국민의 재산권 보장을 원칙으로 하고 예외적으로 공공필요 등 헌법상 요건을 갖춘 경우 토지수용 등을 인정하고 있다. 따라서 토지수용 등 절차를 종료하였다고 하더라도 공익사업에 해당 토지가 필요 없게 된 경우에는 토지수용 등의 헌법상 정당성이 장래를 향하여 소멸한 것이므로, 이러한 경우 종전 토지소유자가 소유권을 회복할 수 있는 권리인 환매권은 헌법이 보장하는 재산권의 내용에 포함되는 권리이다.

2) 헌법 제37조 위반 여부

토지보상법 제91조는 '취득일로부터 10년 이내'로 환매권의 발생기간을 제한하고 있는데, 이러한 제한은 환매권의 구체적 행사를 위한 내용을 정한 것이라기보다는 환매권 발생 여부 자체를 정하는 것이어서 사실상 원소유자의 환매권을 배제하는 결과를 초래할 수 있으므로, 헌법 제37조 제2항에서 정한 기본권 제한입법의 한계를 준수하고 있는지 살펴보고자 한다.

2. 과잉금지원칙의 위반 여부

(1) 과잉금지원칙의 의의 및 요건

과잉금지 원칙은 기본권을 제한하는 입법은 입법목적의 정당성과 그 목적달성을 위한 방법의 적정성, 입법으로 인한 피해의 최소성, 그리고 그 입법에 의해 보호하려는 공익과 침해되는 사익의 균형성을 모두 갖추어야 한다는 것이고 이를 준수하지 않은 법률 내지 법률조항은 기본권제한의 입법적 한계를 벗어난 것으로서 헌법에 위배된다. 환매권의 발생기간을 제한한 것은 사업시행자의 지위나 이해관계인들의 토지이용에 관한 법률관계 안정, 토지의 사회경제적 이용 효율 제고, 사회일반에 돌아가야 할 개발이익이 원소유자에게 귀속되는 불합리 방지 등을 위한 것인데, 그 입법목적은 정당하고 이와 같은 제한은 입법목적 달성을 위한 유효적절한 방법이라 할 수 있다.

(2) 관련 판례의 태도

헌법재판소는 2020년 11월 26일 재판관 의견으로, 환매권의 발생기간을 제한한 공익사업을 위한 토지 등의 취득 및 보상에 관한 법률(2011.8.4.법률 제11017호로 개정된 것) 제91조 제1항 중 '토지의 협의취득일 또는 수용의 개시일부터 10년 이내에' 부분이 헌법에 합치되지 아니한다는 결정을 선고한 바 있다.

(3) 소결

1) 법익의 균형성 위반 여부

이 사건 법률조항으로 제한되는 사익은 헌법상 재산권인 환매권의 발생 제한이고, 이 사건 법률조항으로 환매권이 발생하지 않는 경우에는 환매권 통지의무도 발생하지 않기 때문에 환매권 상실에 따른 손해배상도 받지 못하게 되므로, 사익 제한 정도가 상당히 크다. 그런데 10년 전후로 토지가 필요 없게 되는 것은 취득한 토지가 공익목적으로 실제 사용되지 못한 경우가 대부분이다. 토지보상법은 부동산등기부상 협의취득이나 토지수용의 등기원인 기재가 있는 경우 환매권의 대항력을 인정하고 있어 공익사업에 참여하는 이해관계인들은 환매권이 발생할 수 있음을 충분히 알 수 있다. 토지보상법은 이미 환매대금증감소송을 인정하여 해당 공익사업에 따른 개발이익이 원소유자에게 귀속되는 것을 차단하고 있다. 따라서 이 사건 법률조항이 추구하고자 하는 공익은 원소유자의 사익침해 정도를 정당화할 정도로 크다고 보기 어려우므로, 법익의 균형성을 충족하지 못한다.

2) 제한의 최소성 위반 여부

토지보상법 제91조상의 환매권 발생기간 '10년'을 예외 없이 유지하게 되면 토지수용 등의 원인이 된 공익사업의 폐지 등으로 공공필요가 소멸하였음에도 단지 10년이 경과하였다는 사정만으로 환매권이 배제되는 결과가 초래될 수 있다. 다른 나라의 입법례에 비추어 보아도 발생기간을 제한하지 않거나 더 길게 규정하면서 행사기간 제한 또는 토지에 현저한 변경이 있을 때 환매거절권을 부여하는 등 보다 덜 침해적인 방법으로 입법목적을 달성하고 있다. 따라서 이 사건 법률조항은 침해의 최소성 원칙에 어긋나며, 헌법에 위반된 것으로 판단된다.

다만 이러한 헌법불합치결정에 대하여 국회에서는 조속히 입법을 정비(개정 2021.8.10.)하여 다음과 같은 법령을 정비하였다.

> **토지보상법 제91조(환매권)**
> ① 공익사업의 폐지·변경 또는 그 밖의 사유로 취득한 토지의 전부 또는 일부가 필요 없게 된 경우 토지의 협의취득일 또는 수용의 개시일(이하 이 조에서 "취득일"이라 한다) 당시의 토지소유자 또는 그 포괄승계인(이하 "환매권자"라 한다)은 다음 각 호의 구분에 따른 날부터 10년 이내에 그 토지에 대하여 받은 보상금에 상당하는 금액을 사업시행자에게 지급하고 그 토지를 환매할 수 있다.
> 1. 사업의 폐지·변경으로 취득한 토지의 전부 또는 일부가 필요 없게 된 경우: 관계 법률에 따라 사업이 폐지·변경된 날 또는 제24조에 따른 사업의 폐지·변경 고시가 있는 날
> 2. 그 밖의 사유로 취득한 토지의 전부 또는 일부가 필요 없게 된 경우: 사업완료일

Ⅳ (물음 3)

1. 환매권 행사제한 규정 적용 여부

(1) 토지보상법 제91조 제6항

(2) 소결

동항이 적용되는 것은 공익사업의 변환, 즉 처음 수용의 목적이었던 공익사업(사격장)이 아닌 다른 공익사업(주차장)을 위해 해당 토지를 사용하게 된 경우이다. 전자의 공익사업에는 제한이 없으나 후자의 공익사업은 토지보상법 제4조 제1호 내지 제5호의 공익사업에 한정된다. 사안의 경우 A시장이 행하는 주차장사업은 제4조 제2호에 해당하는 지방자치단체의 사업으로 기산특례규정에 적용될 여지가 있다. 다만, 본 건의 경우 사업주체가 국방부장관에서 A시장으로 변경되어 사업주체가 변경된 경우에도 기산특례규정이 적용되는지의 검토가 요구되며 그 결과에 따라 환매권 행사 여부가 결정될 것이다.

2. 사업주체가 변경되는 경우도 포함되는지 여부

(1) 문제점

동항은 공익사업의 변환 시에 환매권이 부인됨을 규정하고 있으나 이때의 변경이 사업주체의 동일성은 전제로 하고 있는가에 대하여 해석이 달라질 수 있으므로 검토가 요구된다.

(2) 판례

> **판례**
>
> ● 대판 1994.1.25, 93다11760 · 11777 · 11784[소유권이전등기]
>
> **[판시사항]**
>
> 가. 토지수용법 제71조 제1항 소정의 환매권발생요건인 "사업의 폐지·변경기타의 사유로 인하여 수용한 토지의 전부 또는 일부가 필요 없게 된 때"의 의미
>
> 나. 같은 법 제71조 제7항 소정의 공익사업의 변환은 사업주체가 동일한 경우에만 인정되는지 여부
>
> **[판결요지]**
>
> 가. 수용되거나 협의취득된 토지의 환매권에 관하여 규정한 토지수용법 제71조 제1항과 공공용지의 취득 및 손실보상에 관한 특례법 제9조 제1항 소정의 "사업(또는 당해 공공사업)의 폐지 변경 기타의 사유로 인하여 수용한(또는 취득한) 토지의 전부 또는 일부가 필요 없게 된(또는 되었을) 때"라 함은 수용 또는 협의취득의 목적이 된 구체적인 특정의 공익사업이 폐지되거나 변경되는 등의 사유로 인하여 당해 토지가 더 이상 그 공익사업에 직접 이용될 필요가 없어졌다고 볼 만한 객관적인 사정이 발생한 경우를 말하는 것이므로, 당해 토지의 취득목적사업인 공익사업의 내용이 변경됨에 따라 새로이 필요하게 된 다른 토지 등을 취득하기 위하여 당해 토지를 활용하는 것이, 당초 당해 토지를 수용하거나 협의취득한 목적을 궁극적으로 달성하는 데 필요하다고 하더라도, 이와 같은 사정만으로는 당해 토지에 대한 환매권의 발생에 아무런 영향도 미칠 수 없다.
>
> 나. 이른바 "공익사업의 변환"이 국가·지방자치단체 또는 정부투자기관이 사업인정을 받아 토지를 협의취득 또는 수용한 경우에 한하여, 그것도 사업인정을 받은 공익사업이 공익성의 정도가 높은 토지수용법 제3조 제1호 내지 제4호에 규정된 다른 공익사업으로 변경된 경우에만 허용되도록 규정하고 있는 토지수용법 제71조 제7항 등 관계법령의 규정내용이나 그 입법이유 등으로 미루어 볼 때, 같은 법 제71조 제7항 소정의 "공익사업의 변환"이 국가·지방자치단체 또는 정부투자기관 등 기업자(또는 사업시행자)가 동일한 경우에만 허용되는 것으로 해석되지는 않는다.

(3) 검토

학설 중에는 환매권제도의 취지상 판례와 같은 해석은 확장해석이고 이는 공평의 원칙에 반한다고 보는 견해도 유력하다. 그러나 법이 사업주체의 동일성을 요구하고 있지 아니하고, 사업주체가 같은 경우와 다른 경우를 달리 취급할 아무런 이유가 없으므로 판례의 태도가 타당하다. 최근 대법원 판례는 "토지보상법 제91조 제6항에서 정한 공익사업의 변환은 변경된 공익사업의 시행자가 국가, 자방자치단체 또는 공공기관의 운영에 관한 법률 제4조에 따른 공공기관 중 대통령령으로 정하는 공공기관이어야 할 필요는 없다."고 판시하고 있다.

(4) 소결

사안에서는 새로운 사업인정이 있었고 그 목적이 공영주차장으로 토지보상법 제4조 제2호에 해당하는 공익사업이므로 비록 사업주체가 국방부장관에서 A시장으로 변경되었으나, '공익사업의 변환'에 해당한다고 보아 수용재결에 의해 토지를 수용당한 乙에게는 환매권이 발생하지 아니하며, 乙은 문제의 토지를 찾을 수 없다. 다만, 甲의 경우에는 사업인정 전 협의취득의 방법에 의하여 기산특례 규정이 사업인정 전 취득의 경우에도 적용되는지 검토가 이루어진 후 최종 행사가능성이 달라질 수 있다.

3. '공익사업의 변환' 규정이 사업인정 전 협의취득에도 적용되는지 여부

(1) 판례

> **판례**
>
> ● 대판 1994.5.24, 93다51218[소유권이전등기말소등]
>
> [판시사항]
> 가. 토지수용법 제71조 제7항의 규정이 공공용지의 취득 및 손실보상에 관한 특례법 제9조 제1항에 의한 환매요건에 유추적용될 수 있는지 여부
>
> [판결요지]
> 가. 공공용지의 취득 및 손실보상에 관한 특례법과 토지수용법은 모두 공공복리의 증진과 사유재산권과의 합리적 조절을 도모하려는 데 그 목적이 있고, 그 각 환매권의 입법이유와 규정취지 등에 비추어 볼 때 토지수용법 제71조 제7항의 규정은 그 성질에 반하지 않는 한 이를 위 특례법 제9조 제1항에 의한 환매요건에 관하여도 유추적용할 수 있으므로 그 범위 안에서 환매권행사가 제한된다.
> (★ 과거에는 유추적용할 수 있다고 하였으나, 지금은 법령이 정비되어 "사업인정을 받아"로 바뀌어 종전 사업이 사업인정을 받지 못한 경우에는 환매권행사 제한되지 않는다.)

● 대판 2015.8.19, 2014다201391[소유권이전등기]

[판결요지]

공익사업을 위한 토지 등의 취득 및 보상에 관한 법률(이하 '토지보상법'이라고 한다) 제91조 제6항 전문은 당초의 공익사업이 공익성의 정도가 높은 다른 공익사업으로 변경되고 그 다른 공익사업을 위하여 토지를 계속 이용할 필요가 있을 경우에는, 환매권의 행사를 인정한 다음 다시 협의취득이나 수용 등의 방법으로 그 토지를 취득하는 번거로운 절차를 되풀이하지 않게 하기 위하여 이른바 '공익사업의 변환'을 인정함으로써 환매권의 행사를 제한하려는 것이다. 토지보상법 제91조 제6항 전문 중 '해당 공익사업이 제4조 제1호부터 제5호까지에 규정된 다른 공익사업으로 변경된 경우' 부분에는 별도의 사업주체에 관한 규정이 없음에도 그 앞부분의 사업시행 주체에 관한 규정이 뒷부분에도 그대로 적용된다고 해석하는 것은 문리해석에 부합하지 않는다.

토지보상법 제91조 제6항의 입법 취지와 문언, 1981.12.31. 구 토지수용법(2002.2.4. 법률 제6656호로 제정된 토지보상법 부칙 제2조에 의하여 폐지)의 개정을 통해 처음 마련된 공익사업변환 제도는 기존에 공익사업을 위해 수용된 토지를 그 후의 사정변경으로 다른 공익사업을 위해 전용할 필요가 있는 경우에는 환매권을 제한함으로써 무용한 수용절차의 반복을 피하자는 데 주안점을 두었을 뿐 변경된 공익사업의 사업주체에 관하여는 큰 의미를 두지 않았던 점, 민간기업이 관계 법률에 따라 허가·인가·승인·지정 등을 받아 시행하는 도로, 철도, 항만, 공항 등의 건설사업의 경우 공익성이 매우 높은 사업임에도 사업시행자가 민간기업이라는 이유만으로 공익사업의 변환을 인정하지 않는다면 공익사업변환 제도를 마련한 취지가 무색해지는 점, 공익사업의 변환이 일단 토지보상법 제91조 제6항에 정한 '국가·지방자치단체 또는 공공기관의 운영에 관한 법률 제4조에 따른 공공기관 중 대통령령으로 정하는 공공기관'(이하 '국가·지방자치단체 또는 일정한 공공기관'이라고 한다)이 협의취득 또는 수용한 토지를 대상으로 하고, 변경된 공익사업이 공익성이 높은 토지보상법 제4조 제1~5호에 규정된 사업인 경우에 한하여 허용되므로 공익사업변환 제도의 남용을 막을 수 있는 점을 종합해 보면, 변경된 공익사업이 토지보상법 제4조 제1~5호에 정한 공익사업에 해당하면 공익사업의 변환이 인정되는 것이지, 변경된 공익사업의 시행자가 국가·지방자치단체 또는 일정한 공공기관일 필요까지는 없다.

(2) 검토

전체적으로는 토지보상법상 환매권도 위에서 본 바와 같이 사권이므로 양자는 그 성질이 같다는 점, 법 규정의 취지가 사업인정 전 협의취득에 대해 제한을 두고자 한 취지라고 해석하기 어렵다는 점을 고려하면 사업인정 전 협의취득의 경우에도 기산특례규정이 적용된다고 보는 것이 타당할 것이나(종전 판례는 공특법상 협의취득의 경우에도 이를 유추적용하여 환매권 행사를 제한한다고 판시하고 있었음)토지보상법이 개정되면서 "사업인정을 받아"라고 규정하고 있어 사업인정 전 협의의 경우에는 환매권 행사가 제한되지 않는다. 즉 사업인정 전 협의의 경우에는 환매권 행사가 제한되지 않는다고 보는 것이 타당하다.

최근 대법원 2010.9.30, 2010다30782 판결에서 "적어도 새로운 공익사업에 관해서도 토지보상법 제20조 제1항의 규정에 의해 사업인정을 받거나 또는 위 규정에 따른 사업인정을 받은 것으로 의제하는 다른 법률의 규정에 의해 사업인정을 받은 것으로 볼 수 있는 경우에만 공익사업의 변환에 의한 환매권 행사의 제한을 인정할 수 있다"라고 판시함으로써 사업인정 전 협의의 경우에도 환매권 행사제한이 되지 않음으로써 환매권 행사가 가능하리라 판단된다. 즉 사업에 적극적으로 협조한 토지소유자에게 환매권 행사를 제한하는 것은 가혹한 것이라고 본 것이라 생각된다.

(3) 소결

위와 같이 본다면 甲의 경우 토지보상법 제91조 "사업인정의 받아"라고 규정하고 있어 사업인정 전 협의취득의 경우에는 환매권 행사가 제한되지 않는다고 볼 것이다. 최근의 대법원 판례의 해석으로 볼 때 사업인정 전인 경우에는 환매권 행사제한 적용이 어렵다고 판시하고 있는바, 환매권 행사가 가능하리라 판단된다.

Ⅴ 사안의 해결

1. (물음 1)의 경우

甲과 乙은 환매권 행사요건을 충족한다 할 것이므로 환매권을 취득하여 소정의 절차에 따라 이를 행사하면 토지를 회복할 수 있다고 판단된다.

2. (물음 2)의 경우

토지보상법 제91조 상의 환매권 행사기간 규정은 헌법 제37조 규정을 위반한 것으로 위헌에 해당한다 판단된다. 또한 국회에서 헌법불합치 결정에 대하여 즉각적인 개정을 통하여 피수용자에게 유리하도록 법령을 정비한 것은 매우 높이 평가된다고 할 것이다.

3. (물음 3)의 경우

乙은 환매권 행사에 있어 환매권 행사제한의 기산특례규정이 적용된다 할 것이므로 환매권 행사가 불가능하다고 판단되고, 甲의 경우는 사업인정 전의 협의취득인바, 법령의 기준으로 볼 때 "사업인정을 받아"라고 규정하고 있어 환매권 행사 제한은 적용되지 않는다고 볼 것이며, 최근의 판례를 볼 때도 환매권 행사제한이 되지 않는다고 보이는바, 환매권 행사가 가능하다고 판단된다.

54절 │ 토지보상법 제91조(환매권)

문제

대법원 판례는 "공익사업을 위한 토지 등의 취득 및 보상에 관한 법률 제91조 제6항에 정한 공익사업의 변환은 같은 법 제20조 제1항의 규정에 의한 사업인정을 받은 공익사업이 일정한 범위 내의 공익성이 높은 다른 공익사업으로 변경된 경우에 한하여 환매권의 행사를 제한하는 것이므로, 적어도 새로운 공익사업에 관해서도 같은 법 제20조 제1항의 규정에 의해 사업인정을 받거나 또는 위 규정에 따른 사업인정을 받은 것으로 의제하는 다른 법률의 규정에 의해 사업인정을 받은 것으로 볼 수 있는 경우에만 공익사업의 변환에 의한 환매권 행사의 제한을 인정할 수 있다. 공익사업의 원활한 시행을 위한 무익한 절차의 반복방지라는 '공익사업의 변환'을 인정한 입법취지에 비추어 볼 때, 만약 사업시행자가 협의취득하거나 수용한 해당 토지를 제3자에게 처분해 버린 경우에는 어차피 변경된 사업시행자는 그 사업의 시행을 위하여 제3자로부터 토지를 재취득해야 하는 절차를 새로 거쳐야 하는 관계로 위와 같은 공익사업의 변환을 인정할 필요성도 없게 되므로, 공익사업의 변환을 인정하기 위해서는 적어도 변경된 사업의 사업시행자가 해당 토지를 소유하고 있어야 한다. 나아가 공익사업을 위해 협의취득하거나 수용한 토지가 제3자에게 처분된 경우에는 특별한 사정이 없는 한 그 토지는 해당 공익사업에는 필요 없게 된 것이라고 보아야 하고, 변경된 공익사업에 관해서도 마찬가지이므로, 그 토지가 변경된 사업의 사업시행자 아닌 제3자에게 처분된 경우에는 공익사업의 변환을 인정할 여지도 없다."(대판 2010.9.30, 2010다30782[소유권이전등기])라고 판시하고 있는바 아래의 물음에 답하시오. 40점

기출 1-10점, 13-20점, 19-40점

(1) 환매권의 의의 및 취지와 근거 및 법적 성질에 대하여 논하시오. 10점

(2) 환매의 요건 및 절차에 대하여 논하시오. 10점

(3) 위의 대법원 판례 소고를 통해서 공익사업의 변환 및 환매권 행사제한에 대하여 논하시오. 20점

Ⅰ. 서 1. 환매권의 의의 2. 환매권의 취지 Ⅱ. 환매권의 근거 및 법적 성질 1. 환매권의 근거 (1) 이론상 근거 (2) 법적 근거 2. 환매권의 법적 성질 (1) 학설	(2) 판례 (3) 검토 Ⅲ. 환매의 요건 및 절차 1. 환매의 요건 (1) 환매권자 (2) 환매의 목적물 (3) 환매권의 행사요건 (4) 환매권의 행사기간 (5) 환매금액

Ⅰ 서

1. 환매권의 의의

환매권이란 공용수용의 목적물이 사업폐지 등의 사유로 공익사업에 불필요하게 되었거나 해당 공익사업에 이용되지 아니하는 경우에 그 목적물의 원래의 소유자 또는 그 포괄승계인이 일정한 대가를 지급하고 그 목적물의 소유권을 다시 취득할 수 있는 권리를 말한다.

2. 환매권의 취지

환매권은 더 이상의 공익성이 소멸된 경우 사업시행자가 취득한 토지를 원소유자에게 돌려주는 제도로서 감정의 존중과 공평의 원칙에 따라 피수용자의 재산권의 존속보장을 도모하기 위한 취지이다.

이하에서는 이러한 환매권의 근거와 법적 성질에 대하여 학설과 판례를 살펴보고 환매의 요건과 절차에 대하여 검토하며, 아울러 공익사업을 위한 토지 등의 취득 및 보상에 관한 법률(이하 '토지보상법') 제91조 제6항에서 인정되고 있는 공익사업의 변환제도가 환매권의 행사를 부당하게 제한하는 것은 아닌지에 대해서도 살펴보기로 한다.

Ⅱ 환매권의 근거 및 법적 성질

1. 환매권의 근거

(1) 이론상 근거

① 다수설

환매권의 이론적 근거를 피수용자의 감정의 존중과 수용당사자 간의 공평성에서 찾는 견해이다. 즉, 피수용자는 자기의 의사에 반하여 권리를 침해당하기 때문에 피수용자가 보상금을 받았다고 하여 그의 감정은 보상되는 것은 아니므로 수용이 필요 없게 된 경우에 수용물을 피수용자에게 돌려주는 것이 당연하다는 것이다.

② 소수설

재산권의 존속보장을 근거로 내세우는 견해이다. 즉, 공공필요를 위하여 재산권의 존속보장이 희생되었다면 공공필요가 없어지게 된 경우에는 재산권의 존속보장을 회복시켜 주는 환매권을 인정하여야 한다는 것이다.

③ 판례

대법원은 다수설과 같이 환매권을 원소유자의 감정의 충족과 공평의 원칙에 근거한 제도로 보고 있다. 즉, 대법원은 "(구)공공용지의 취득 및 손실보상에 관한 특례법이 환매권을 인정하고 있는 입법취지는 토지 등의 원소유자가 사업시행자로부터 토지 등의 대가로 정당한 손실보상을 받았다고 하더라도 원래 자신의 자발적인 의사에 따라서 그 토지 등의 소유권을 상실하는 것이 아니어서 그 토지 등을 더 이상 해당 공공사업에 이용할 필요가 없게 된 때에는 원소유자의 의사에 따라 그 토지 등의 소유권을 회복시켜 주는 것이 원소유자의 감정을 충족시키고 동시에 공평의 원칙에 부합한다는 데에 있는 것이며, 이러한 입법취지에 비추어 볼 때 특례법상의 환매권은 제3자에게 양도할 수 없다."고 판시하고 있다.

반면, 헌법재판소는 환매권을 헌법 제23조 제1항의 재산권 보장으로부터 도출되는 것으로 이해하고 있다. 즉, 헌법재판소는 "공공수용된 토지 등에 대한 환매권은 헌법상의 재산권 보장으로부터 도출되는 것으로서 헌법이 보장하는 재산권의 내용에 포함되는 권리인데, 징발매매는 피징발자가 국방부장관의 매수통지에 응하지 않더라도 결국 국방부장관의 매수결정에 의하여 일방적으로 성립되는 것이어서 그 매매라는 법형식과는 관계없이 실질적으로 헌법 제23조 제3항에 의한 공공수용에 해당하는 것이므로 징발재산 정리에 관한 특별조치법 제20조 제1항에 의한 환매권도 헌법 제23조 제1항이 보장하는 재산권의 내용에 포함되는 권리라고 보아야 할 것이다."라고 판시한 바 있다.

④ 검토

재산권은 단순한 경제적 자유에 그치는 것이 아니라 인간의 생존 및 정신적 치유의 기초가 된다는 특성이 있는 데다가, 토지의 경우 우리나라에서는 보상액이 실제의 가격에 미치지 못하는 경우가 대부분이므로 환매권을 행사하여 토지에 대한 개인적 유용성과 임의적 처분권을 회복하는 것은 중대한 이익의 회복이라는 의미를 가진다고 보인다. 따라서 재산권을 보장하기 위해서는 대가의 지급, 즉 가치보장(보상)으로 만족해서는 안되고, 재산권의 존속 보장을 우선시하여야 하는데, 피수용자에게 환매권을 인정하는 것은 재산권의 존속보장의 사상에 합치되는 것으로 소수설이 타당하다고 생각된다. 그러나 재산권의 존속보장에서 환매권이 인정된다고 하더라도 이는 어디까지나 헌법상 용인되는 재산권의 한계 내의 보장일 뿐이므로 공익과의 조정을 통하여 그 구체적인 보장의 내용이 결정될 수 있다는 점 역시 당연하다고 할 것이다.

(2) 법적 근거

① 다수설 및 대법원의 태도

다수설은 법률의 규정에 의하여서만 인정되는 권리로 이해하고 있다. 대법원도 다수설과 같이 "입법자가 법령을 제정하지 않고 있거나 이미 제정된 법령이 소멸하였다고 하여 피수용자가 곧바로 헌법상 재산권 보상규정을 근거로 하여 국가나 기업자를 상대로 수용목적이 소멸한 토지의 소유권 이전을 청구할 수 있는 것은 아니라고 보아야 할 것이며, 피수용자의 토지가 위헌인 법률에 의하여 수용되었다고 하여 달리 볼 것도 아니다."라고 판시하고 있다.

② 헌법재판소의 태도

헌법재판소는 환매권은 헌법상의 재산권 보장으로부터 도출되는 것으로서 헌법이 보장하는 재산권의 내용에 포함되는 권리로 보고 있다. 즉, 헌법재판소는 "(구)토지수용법 제71조 소정의 환매권은 헌법상의 재산권 보장규정으로부터 도출되는 것으로서 헌법이 보장하는 재산권의 내용에 포함하는 권리이며, 피수용자가 손실보상을 받고 소유권의 박탈을 수인할 의무는 그 재산권의 목적물이 공공사업에 이용되는 것을 전제로 하기 때문에 위 헌법상 권리는 피수용자가 수용 당시 이미 정당한 손실보상을 받았다는 사실로 말미암아 부정되지 않는다."고 판시하고 있다.

③ 검토

개별법에서 재산권의 내용이 구체화되지 않은 경우에 헌법조항이 직접 적용되기 위해서는 재산권에 대한 본질적인 침해가 있어야 하는데, 재산권의 수용에 대하여 손실보상이 지급된 상황에서 환매권을 인정하지 않는 것이 재산권에 대한 본질적인 침해라고 볼 수 없을 것이다. 헌법상의 재산권 보장에 환매의 이념이 내포되어 있다고 보더라도, 재산권 보장으로부터 바로 행사 가능한 환매권이 도출된다고 볼 수 없다. 결론적으로 다수설 및 대법원의 입장이 타당하다고 생각된다.

2. 환매권의 법적 성질

(1) 학설

① 공권설

환매권은 공법적 원인에 의하여 야기된 법적 상태를 원상으로 회복하는 수단이므로 공법상 권리라고 보는 입장이다. 즉, 환매권을 사업시행자라고 하는 공권력 주체에 대하여 사인이 가지는 공법상의 권리로 보기에 이 입장에 의하면 환매권에 관한 소송은 행정소송(공법상 당사자소송)의 대상이 된다.

② 사권설

환매권은 환매권자의 청구에 의해 행정청이 수용을 해제하는 것이 아니고 환매권자가 자신의 개인적 이익을 위하여 행사하는 권리이므로 사권이라고 보는 견해이다. 이 입장에 의하면 환매권에 관한 소송은 민사소송의 대상이 된다.

(2) 판례

대법원은 "징발재산 정리에 관한 특별조치법 제20조 소정의 환매권은 일종의 형성권으로서 그 존속기간은 제척기간으로 봐야 할 것이며, 위 환매권은 재판상이든 그 기간 내에 행사하면 이로써 매매의 효력이 생기고 위 매매는 같은 조 제1항에 적힌 환매권자와 국가 간의 사법상의 매매라 할 것이다."라고 판시하여 환매권을 사법상 권리로 파악하고 있다. 헌법재판소도 환매권의 법적 성질에 대하여 사권설을 취하고 있다.

(3) 검토

환매권자의 행사에 의하여 발생하는 환매권자와 사업시행자 사이의 법률관계에서 사업시행자가 공권력의 담당자로서 참가하고 있다고 보기는 어렵다고 생각된다. 또한 그 법률관계는 환매권자의 사익의 실현을 목적으로 한다. 따라서 환매권에 의하여 발생하는 법률관계는 사법관계이며, 법률관계의 발생원인이 되는 환매권 역시 사권으로 보아야 할 것이다.

Ⅲ 환매의 요건 및 절차

1. 환매의 요건

(1) 환매권자

환매권자는 협의취득일 또는 수용 당시의 토지소유자 또는 그의 포괄승계인(자연인의 상속인 또는 합병 후의 새로운 법인)이다(토지보상법 제91조 제1항). 따라서 지상권자나 기타 소유권자가 아닌 다른 권리자는 환매권자가 될 수 없다. 환매권자가 행사하는 환매권은 수용의 시기에 법률상 당연히 성립하고 취득된다. 환매권은 원칙적으로 양도될 수 없고 환매권 양도계약을 체결하였다 하더라도 직접 환매권을 행사할 수 없으며, 다만 환매권자가 환매한 토지를 양도받을 수 있을 뿐이라고 판시하고 있다.

(2) 환매의 목적물

환매의 목적물은 토지소유권이다(토지보상법 제91조 제1항). 수용된 토지의 일부도 환매의 목적물이 될 수 없다. 토지 이외의 물건, 예컨대 건물, 입목, 토석이나 용익물건 등 토지소유권 이외의 권리는 환매의 대상이 되지 아니한다. 이에 대하여 환매권이 헌법상 재산권 보장으로부터 도출되는 헌법상 권리로 보는 입장에서, 오직 토지소유권에 한해서만 환매권을 인정하는 것은 위헌이 아닌가 하는 문제제기가 있었으나, 헌법재판소는 이를 합헌으로 결정하였다.

(3) 환매권의 행사요건

> 💡 **토지보상법 제91조(환매권)**
> ① 공익사업의 폐지·변경 또는 그 밖의 사유로 취득한 토지의 전부 또는 일부가 필요 없게 된 경우 토지의 협의취득일 또는 수용의 개시일(이하 이 조에서 "취득일"이라 한다) 당시의 토지소유자 또는 그 포괄승계인(이하 "환매권자"라 한다)은 다음 각 호의 구분에 따른 날부터 10년 이내에 그 토지에 대하여 받은 보상금에 상당하는 금액을 사업시행자에게 지급하고 그 토지를 환매할 수 있다.
> 1. 사업의 폐지·변경으로 취득한 토지의 전부 또는 일부가 필요 없게 된 경우: 관계 법률에 따라 사업이 폐지·변경된 날 또는 제24조에 따른 사업의 폐지·변경 고시가 있는 날
> 2. 그 밖의 사유로 취득한 토지의 전부 또는 일부가 필요 없게 된 경우: 사업완료일
> ② 취득일부터 5년 이내에 취득한 토지의 전부를 해당 사업에 이용하지 아니하였을 때에는 제1항을 준용한다. 이 경우 환매권은 취득일부터 6년 이내에 행사하여야 한다.

(4) 환매권의 행사기간

환매의 행사요건인 토지보상법 제91조 제1항이 충족하면 공익사업의 폐지고시일등부터 10년 이내에 그 토지에 대하여 받은 보상금에 상당하는 금액을 사업시행자에게 지급하고 그 토지를 환매할 수 있다. 또한 토지보상법 제91조 제2항에서는 취득일부터 5년 이내에 취득한 토지의 전부를 해당 사업에 이용하지 아니하였을 때에는 제1항을 준용한다. 이 경우 환매권은 취득일부터 6년 이내에 행사하여야 한다.

이 기간은 제척기간이다. 그러나 ②의 기간이 경과되었다고 하더라도 ①의 기간에 의하여 환매권이 제한을 받는 것은 아니다.

(5) 환매금액

환매금액은 원칙적으로 해당 토지에 대하여 지급받은 보상금에 상당한 금액이다(토지보상법 제91조 제1항). 보상금에 상당한 금액이란 토지소유자가 사업시행자로부터 지급받은 보상금을 의미하여 여기에 환매권 행사 당시까지의 법정이자를 가산한 금액을 말하는 것은 아니다. 다만, 토지의 가격이 수용 당시에 비하여 현저히 변경되었을 때에는 사업시행자 또는 환매권자는 서로 협의하되, 협의가 성립하지 아니하면 그 금액의 증감을 법원에 청구할 수 있다(토지보상법 제91조 제4항).

(6) 환매권의 대항력

환매권은 부동산등기법이 정하는 바에 의하여 수용의 등기가 되었을 때에는 제3자에게 대항할 수 있다(토지보상법 제91조 제5항). 즉, 환매의 목적물(토지)이 제3자에게 이전된 경우에 환매권자는 제3자에 대하여 환매권을 행사할 수 있다(물권적 효력).

2. 환매의 절차

환매할 토지가 생겼을 때에는 사업시행자는 지체 없이 이를 환매권자에게 통지하여야 한다. 다만 사업시행자가 과실 없이 환매권자를 알 수 없을 때에는 대통령령으로 정하는 바에 따라 공고하여야 한다(토지보상법 제92조 제1항). 환매권의 통지, 공고의 의무는 법적 의무이다. 따라서 환매의 통지나 공고를 하지 아니함으로써 환매권을 상실시키는 것은 불법행위에 해당한다. 이 경우 통지 · 공고는 환매권자에게 단순이 최고하는 것에 지나지 않는다. 따라서 사업시행자의 통지가 없더라도 환매권자는 환매권을 행사할 수 있다. 환매권자는 이러한 통지를 받은 날 또는 공고를 한 날부터 6개월이 지난 후에는 위에서 본 환매권 행사기간의 경과 여부를 불문하고 환매권을 행사하지 못한다(토지보상법 제92조 제2항).

Ⅳ 공익사업의 변환과 환매권의 제한

1. 의의

공익사업의 변환이라 함은 공익사업을 위하여 토지를 협의취득 또는 수용한 후 그 공익사업이 다른 공익사업으로 변경된 경우, 별도의 협의취득 또는 수용 없이 해당 협의취득 또는 수용된 토지를 변경된 다른 공익사업에 이용하도록 하는 제도를 말한다.

2. 필요성

공익사업의 변환은 환매권에 대한 실질적인 제한이 되므로 원칙적으로는 인정될 수 없는 것이다. 그러나 공익사업이 다른 공익사업으로 변경된 경우 해당 토지를 일단 환매권자에게 되돌려 주었다가 다시 일정한 절차를 거쳐 협의취득 또는 수용하는 것은 무용한 절차를 반복하는 것이 되므로 비경제적이다. 따라서 비판적인 입장이 없는 것이 아니지만 공익사업의 변환은 이러한 현실적인 필요성 때문에 인정된다고 보는 것이 일반적인 입장이다. 헌법재판소도 공익사업의 변환으로 인하여 환매권 행사가 제한되더라도 합헌이라고 판시한 바 있다.

3. 요건

수용주체가 국가, 지방자치단체 또는 공공기관(공공기관의 운영에 관한 법률 제4조 내지 제6조에 의함)인 경우에 한한다. 판례는 원래의 사업시행자와 변환되는 다른 공익사업의 시행자가 동일할 필요는 없다는 입장이다. 이에 대해서는 이러한 해석을 적용하면 수용 시와 공익사업의 변환 시 사이에 토지가격의 변동이 있을 경우 그 차익을 원래의 사업시행자가 차지하는 것은 불합리하므로 사업시행자가 변동되는 경우에는 변환을 허용하지 말아야 한다는 견해가 제시되고 있다. 토지보상법 제91조 제6항이 공익을 위한 인정요건의 강화를 전제로 공익사업의 변환을 인정하고 있는 점을 감안할 때 판례의 입장이 타당하다고 생각된다. 또한 공익사업의 변환이 인정되기 위해서는 사업인정을 받은 공익사업이 공익성의 정도가 높은 토지보상법 제4조 제1호 내지 제5호에 규정된 다른 공익사업으로 변경된 경우에 한한다.

4. 효과

공익사업의 변환이 인정되는 경우에는 원래의 공익사업의 폐지·변경으로 협의취득 또는 수용한 토지가 원래의 공익사업에 필요 없게 된 때에도 환매권을 행사할 수 없다. 해당 토지에 대한 환매권 행사기간은 해당 공익사업의 변경을 관보에 고시한 날부터 다시 기산한다. 국가, 지방자치단체 또는 공공기관(공공기관의 운영에 관한 법률 제4조 내지 제6조에 의함)은 공익사업의 변경사실을 대통령령으로 정하는 바에 따라 환매권자에게 통지하여야 한다.

5. 소결

생각건대, 토지보상법 제91조 제6항의 문언상 공익사업의 변환을 사업시행자가 동일한 경우로 명백히 한정하고 있지 않으며, 수용에서 중요한 것은 사업의 공익성이지 그 주체가 아니라는 점 등에 비추어 대법원의 해석이 일견 타당하다고 할 수 있다. 한편 사업시행자가 동일하지 않는 경우에 공익사업의 변환이 허용된다고 하더라도 변경 전·후의 사업시행자가 모두 국가, 지방자치단체 또는 공공기관이어야 하는지, 아니면 변경 후의 사업시행자가 누구인지는 아무런 제한이 없는 것인지가 문제된다. 법문상 변경 전의 사업시행자가 국가, 지방자치단체 또는 공공기관일 것을 규정하고 변경 후의 사업에 대하여는 공익성의 정도가 높은 사업에 해당할 것을 요구할 뿐 이므로 변경 후의 사업시행자가 누구인지에 대하여는 제한하고 있지 않은 것으로 해석된다.

또한, 공익사업의 변환을 인정하기 위하여 공익사업의 변경고시를 하는 것 이외에 아무런 절차규정을 두고 있지 않은 것은 공익사업의 추진이라는 행정편의만을 고려하고 제도의 남용을 방지하는 장치를 마련하는 데 있어서는 부족하다는 문제가 있다고 생각된다.

Ⅴ 결

이상에서는 공익사업의 변환을 포함한 환매권에 관련된 제반 문제를 살펴보았는데 이를 정리하면 다음과 같다.

첫째, 환매권의 이론적 근거는 재산권의 존속보장에서 찾는 것이 타당하다. 헌법상의 재산권을 보장하기 위해서는 가치보장(보상)으로 만족해서는 안 되고, 재산권의 존속보장을 우선시하여야 하는데, 환매권의 인정은 이러한 재산권 존속보장의 사상에 합치되기 때문이다.

둘째, 환매권은 개별법률에 정함이 있는 때에 인정된다고 보아야 할 것이다. 환매권에 재산권 보장의 이념이 포함되어 있다 하더라도 손실보상이 지급된 상황에서 환매권을 인정하지 않는 것이 헌법이 보장하는 재산권에 대한 본질적인 침해라고 볼 수 없기 때문이다.

셋째, 환매권의 법적 성질은 사권이라고 보아야 할 것이다. 환매권으로 인정한 법률관계는 환매 권자의 사익의 실현을 목적으로 하기 때문이다.

넷째, 공익사업의 변환에서 사업시행자가 다른 경우에는 환매권의 제한을 인정할 것인가와 관련하여 토지보상법 제91조 제6항의 문언상 공익사업의 변환을 사업시행자와 동일한 경우로 한정하고 있지 않으며, 수용에서 중요한 것은 사업의 주체가 아니라 공익성이라는 점에서 변환 전후의 사업시행자가 동일할 필요가 없다고 보는 대법원의 입장이 타당하다고 생각된다.

베타답안

 40점

Ⅰ. 서(환매권의 의의 및 취지)

환매권이란 공용수용의 목적물이 사업폐지 등의 사유로 공익사업에 불필요하게 되었거나 해당 공익사업에 이용되지 아니하는 경우 그 목적물의 원래의 소유자 또는 그 포괄승계인이 일정한 대가를 지급하고 그 목적물의 소유권을 다시 취득할 수 있는 권리를 말한다. 환매권은 더 이상 공익성이 소멸된 경우 사업시행자가 취득한 토지를 원소유자에게 돌려주는 제도로서 감정의 존중과 공평의 원칙에 따라 피수용자의 재산권의 존속보장을 도모하기 위한 취지이다. 이하에 규정, 학설, 판례에 의하여 각 물음을 검토한다.

Ⅱ. 설문 (1) 환매권의 근거 및 법적 성질

1. 환매권의 근거

(1) 이론상 근거

① 학설

ⓖ 토지소유자의 감정의 존중에서 찾는 견해, ⓛ 공평의 원칙에서 찾는 견해, ⓒ 재산권의 존속보장에서 찾는 견해, ⓔ 입법정책적으로 인정되는 제도로 보는 견해가 대립한다.

② **판례** : 대법원은 환매권을 원소유권자와 사업시행자 간의 공평원칙에 따라 인정되는 제도로 보고 헌법재판소는 재산권 보장조항으로부터 도출되는 것으로 환매권을 헌법이 보장하는 권리로 보았다.

③ **검토** : 재산권을 보장하기 위해서는 가치보장으로는 만족해서는 안되고 재산권의 존속보장을 우선시하여야 하는데 환매권을 인정하는 것은 재산권의 존속보장 사상에 합치된다고 생각한다.

(2) 법적 근거

① 다수설과 대법원은 법률에 의해서만 인정된다고 보고, ② 헌법재판소는 헌법상 재산권보장으로부터 도출되는 것으로 보고 있다. 생각건대, 재산권에 대한 본질적인 침해가 있어야 헌법이 직접 적용되는데 수용함에 있어 손실보상금이 지급된 상황에서 환매권을 인정하지 않는 것이 재산권의 본질적인 침해라고 볼 수 없어 다수설과 대법원의 입장이 타당하다고 보인다.

2. 환매권의 법적 성질

(1) 형성권성

환매권 행사요건을 충족하면 환매금액을 사업시행자에게 지급하고 일방적으로 환매 의사를 표시함으로써 사업시행자의 동의와 무관하게 행사가 가능하다.

(2) 공권인지 여부

① 환매권자가 자기이익을 위한다는 점에서 사권설, ② 공법적 수단에 의해 창설된 권리를 회복하는 제도로서 공권설이 있다. 생각건대, 사업시행자가 공권력 담당자에 해당하지 않고 환매권자 사익을 위한다는 점에서 사법상 권리라고 생각한다.

III. 설문 (2) 환매의 요건 및 절차

1. 환매의 요건

(1) 환매권자 및 상대방(토지보상법 제91조 제1항)

협의취득일 또는 수용 당시의 토지소유자 또는 포괄승계인이 환매권자이다. 상대방은 사업시행자, 사업시행자로부터 토지의 소유권을 승계취득한 현재의 소유자, 즉 제3자 도 수용등기시 상대방이 된다.

(2) 환매의 목적물(동법 제91조 제1항)

토지소유권에 한정되고 이렇게 한정한 것이 위헌이라는 견해가 있으나 재산권의 적합 한 사회적 제약에 해당하여 위헌이라고 볼 수 없다고 생각한다.

(3) 환매권 행사요건(동법 제91조 제1, 2항)

> **제91조(환매권)**
> ① 공익사업의 폐지·변경 또는 그 밖의 사유로 취득한 토지의 전부 또는 일부가 필요 없게 된 경우 토지의 협의취득일 또는 수용의 개시일(이하 이 조에서 "취득일"이라 한다) 당시의 토지소유자 또는 그 포괄승계인(이하 "환매권자"라 한다)은 다음 각 호의 구분에 따른 날부터 10년 이내에 그 토지에 대하여 받은 보상금에 상당하는 금액을 사업시행자에게 지급하고 그 토지를 환매할 수 있다.
> 　1. 사업의 폐지·변경으로 취득한 토지의 전부 또는 일부가 필요 없게 된 경우 : 관계 법률에 따라 사업이 폐지·변경된 날 또는 제24조에 따른 사업의 폐지· 변경 고시가 있는 날
> 　2. 그 밖의 사유로 취득한 토지의 전부 또는 일부가 필요 없게 된 경우 : 사업완료일
> ② 취득일부터 5년 이내에 취득한 토지의 전부를 해당 사업에 이용하지 아니하였을 때에는 제1항을 준용한다. 이 경우 환매권은 취득일부터 6년 이내에 행사하여야 한다.

(4) 환매권 행사기간

환매의 행사요건인 토지보상법 제91조 제1항이 충족하면 공익사업의 폐지고시일등부터 10년 이내에 그 토지에 대하여 받은 보상금에 상당하는 금액을 사업시행자에게 지급하고 그 토지를 환매할 수 있다. 또한 토지보상법 제91조 제2항에서는 취득일부터 5년 이내에 취득한 토지의 전부를 해당 사업에 이용하지 아니하였을 때에는 제1항을 준용한다. 이 경우 환매권은 취득일부터 6년 이내에 행사하여야 한다. 토지보상법 제91조 제1항과 동조 제2항 중에 환매권자 유리한 규정을 적용하면 된다.

2. 환매절차(토지보상법 제92조 제1항, 제2항)

환매토지가 있으면 사업시행자는 환매권자에게 통지하여야 하고 과실 없이 환매권자를 알지 못하면 공고하여야 한다. 이는 법률상 의무로 위반 시 불법행위에 해당한다. 사업시행자의 통지가 없다하더라도 환매권 행사가 가능하고 6개월 경과 시 행사하지 못한다.

IV. 설문 (3) 공익사업의 변환과 환매권의 제한

1. 의의(토지보상법 제91조 제6항)

공익사업의 변환이란 공익사업을 위하여 토지를 협의취득 또는 수용한 후 그 공익사업이 다른 공익사업으로 변경된 경우, 별도의 협의취득 또는 수용 없이 해당 협의취득 또는 수용된 토지를 변경된 다른 공익사업에 이용하도록 하는 제도이다.

2. 공익사업의 변환에 대한 위헌론

(1) 학설

① 헌법상 인정되는 환매권제도를 실질적으로 폐지하게 된다는 점에서 헌법상 평등원칙에 위배된다는 위헌설, ② 입법목적이 정당하고 사업시행자를 제한하여 수단이 적절하고 환매권을 제한한다는 점에서 과잉금지원칙에 위배되지 않는 합헌설이 있다.

(2) 판례 및 검토

재산권의 본질적인 침해라거나 기본권 제한에 있어 과잉금지원칙을 위배한다고 볼 수 없으므로 헌법 제23조 제1항 및 제37조 제2항에 위배되지 아니한다고 한다. 생각건대 공익사업의 원활한 수행, 재산권을 과도하게 침해된다고 볼 수 없어 합헌으로 본다.

3. 공익사업의 변환요건

① 원사업주체가 국가 지방자치단체 또는 공공기관이어야 하고, ② 변경되는 협의취득 또는 수용한 후 사업인정을 받은 공익사업이 토지보상법 제4조 제1호 내지 제5호에 해당하여야 한다. 그러나 토지보상법 제91조 제6항에서는 ① 사업주체 변경, ② 사업인정 전 협의취득의 환매권, ③ 새로운 공익사업도 사업인정을 받아야 하는지에 대하여 규정이 없으므로 학설과 판례가 대립한다.

4. 사업주체가 변경된 경우 동조 적용가능성

학설은 ① 사업시행자의 동일성 여부는 인정요건에 해당하지 않는다는 긍정설과 ② 공익사업의 본래의 취지를 확대할 수 있어서 부정하는 견해가 대립한다. 판례는 공익사업변환이 국가, 지방자치단체, 공공기관 등 사업시행자가 동일한 경우에만 허용되는 것으로 해석되지 않는다고 하여 긍정설 입장이다. 생각건대 공익사업변환의 법률규정 이외의 요건으로 확대하는 것은 타당하지 않다고 보인다.

5. 사업인정전 협의취득의 환매권에 동조 적용가능성

학설은 ① 인정이유 및 행사요건에 있어서 사업인정 후 협의와 큰 차이가 없어서 적용 긍정설 ② 동조에서 사업인정을 받은 사업이 변경되는 경우를 규정하고 있어 적용부정설이 대립한다. 생각건대 공익사업의 변환은 환매권을 사실상 폐지하는 제도이므로 법에 명확한 규정이 없는 이상 확대적용하여서는 아니 될 것이다.

6. 새로운 공익사업이 사업인정을 받아야 하는지

법에서는 종전 사업에 대해서는 사업인정을 받아야 한다고 규정하나 변환된 공익사업에 대해서는 사업인정을 받아야 하는지에 관한 규정이 없다. 최근 판례에서는 새로운 공익사업에 대해 사업인정 혹은 사업인정의제 되어야만 공익사업변환 특례가 적용된다고 판시한 바 있다.

7. 효과

공익사업의 변환이 인정되는 경우 원래의 공익사업의 폐지변경으로 협의취득 또는 수용한 토지가 원래의 공익사업에 필요 없게 된 때에도 환매권을 행사할 수 없다. 해당 토지에 대한 환매권 행사기간은 해당 공익사업의 변경을 관보에 고시한 날부터 다시 기산한다. 국가 지방자치단체 공공기관은 변경사실을 환매권자에게 통지하여야 한다.

8. 소결

생각건대 공익사업의 변환을 인정하기 위하여 공익사업의 변경고시를 하는 것 이외에 아무런 절차규정을 두고 있지 않은 것은 공익사업의 추진이라는 행정편의만을 고려하고 제도의 남용을 방지하는 장치를 마련하는 데 있어서는 부족한 문제가 있다.

V. 결

1. 환매권의 이론적 근거는 재산권의 존속보장에서 찾는 것이 타당하다고 보인다. 헌법상의 재산권을 보장하기 위해서는 가치보장으로 만족해서는 안되고 재산권의 존속보장을 우선시하여야 하는데 환매권 인정은 이러한 재산권의 존속보장의 사상에 합치되기 때문이다.
2. 환매권은 환매권자의 사익을 실현하는 사권이고 공익사업변환에 대해 토지보상법 제91조 제6항 외에 명문의 규정에 없는 요건은 인정하지 않는 것이 국민의 재산권 보장차원에서 타당할 것으로 생각한다.

55절 | 토지보상법 제91조(환매권)

문제

최근 공익사업을 위한 토지 등의 취득 및 보상에 관한 법률(이하 '토지보상법')상 환매권에 대한 대법원 2010다30782 판결에 기초하여 다음 물음에 답하시오. **40점**

(1) 토지보상법 제91조에서 '해당 사업'의 의미 및 협의취득 또는 수용된 토지가 필요 없게 되었는지 여부의 판단기준을 설명하시오.

(2) 토지보상법 제91조 제1항에 정한 환매권 행사기간의 의미를 설명하시오.

(3) 토지보상법 제91조 제6항에 정한 공익사업의 변환이 인정되는 경우, 환매권 행사가 제한되는지 여부를 설명하시오.

(4) 공익사업의 변환은 새로운 공익사업에 관해서도 사업인정을 받거나 위 규정에 따른 사업인정을 받은 것으로 의제되는 경우에만 인정되는지에 대해 논하시오.

(5) 공익사업의 변경된 사업의 사업시행자 아닌 제3자에게 처분된 경우에도 '공익사업의 변환'을 인정할 수 있는지 여부를 논하시오.

Ⅰ 환매권 판례평석(대판 2010.9.30, 2010다30782)

1. '해당 사업'의 의미 및 협의취득 또는 수용된 토지가 필요 없게 되었는지 여부의 판단기준 : 설문 (1)

토지보상법 제91조 제1항에서 말하는 '해당 사업'이란 토지의 협의취득 또는 수용의 목적이 된 구체적인 특정의 공익사업으로 보고 있다. 즉, 공익사업의 목적물로써 특정된 공익사업으로 보고 있는 것은 토지보상법 제4조 공익사업의 입법취지를 보더라도 타당한 해석으로 보인다.

해당 사업의 '폐지·변경'이란 해당 사업을 아예 그만두거나 다른 사업으로 바꾸는 것을 말하고, 취득한 토지의 전부 또는 일부가 '필요 없게 된 때'란 사업시행자가 취득한 토지의 전부 또는 일부가 그 취득목적사업을 위하여 사용할 필요 자체가 없어진 경우를 말하며, 협의취득 또는 수용된 토지가 필요 없게 되었는지 여부는 사업시행자의 주관적인 의사를 표준으로 할 것이 아니라 해당 사업의 목적과 내용, 협의취득의 경위와 범위, 해당 토지와 사업의 관계, 용도 등 제반 사정에 비추어 객관적·합리적으로 판단하도록 하는 것은 공익사업 자체가 많은 이해관계의 중심에 있으므로 단편적인 판단으로 공익사업의 폐지·변경을 판단할 수 없고 객관적이고 공정한 시각에서 판단되어야 함으로 적시하고 있는 것으로 이에 대한 해석은 높이 평가된다고 할 수 있다.

2. 제91조 제1항에 정한 환매권 행사기간의 의미 : 설문 (2)

> ↪ **토지보상법 제91조(환매권)**
> ① 공익사업의 폐지·변경 또는 그 밖의 사유로 취득한 토지의 전부 또는 일부가 필요 없게
> 된 경우 토지의 협의취득일 또는 수용의 개시일(이하 이 조에서 "취득일"이라 한다) 당시의
> 토지소유자 또는 그 포괄승계인(이하 "환매권자"라 한다)은 다음 각 호의 구분에 따른 날부
> 터 10년 이내에 그 토지에 대하여 받은 보상금에 상당하는 금액을 사업시행자에게 지급하
> 고 그 토지를 환매할 수 있다.
> 1. 사업의 폐지·변경으로 취득한 토지의 전부 또는 일부가 필요 없게 된 경우: 관계
>   법률에 따라 사업이 폐지·변경된 날 또는 제24조에 따른 사업의 폐지·변경 고시
>   가 있는 날
> 2. 그 밖의 사유로 취득한 토지의 전부 또는 일부가 필요 없게 된 경우: 사업완료일

3. 제91조 제6항에 정한 공익사업의 변환이 인정되는 경우, 환매권 행사가 제한되는지 여부 : 설문 (3)

토지보상법 제91조 제6항은 사업인정을 받은 해당 공익사업의 폐지·변경으로 인하여 협의취득
하거나 수용한 토지가 필요 없게 된 때라도 위 규정에 의하여 공익사업의 변환이 허용되는 다른
공익사업으로 변경되는 경우에는 해당 토지의 원소유자 또는 그 포괄승계인에게 환매권이 발생하
지 않는다는 취지를 규정한 것이라고 보아야 하고, 위 조항에서 정한 "제1항 및 제2항의 규정에
의한 환매권 행사기간은 관보에 해당 공익사업의 변경을 고시한 날부터 기산한다."는 의미는 새
로 변경된 공익사업을 기준으로 다시 환매권 행사의 요건을 갖추지 못하는 한 환매권을 행사할
수 없고 환매권 행사요건을 갖추어 제1항 및 제2항에 정한 환매권을 행사할 수 있는 경우에 그
환매권 행사기간은 해당 공익사업의 변경을 관보에 고시한 날부터 기산한다는 의미로 해석함으로
써 새로 변경된 공익사업을 기준으로 토지보상법 제91조 제1항 및 제2항의 요건을 갖추어야 환
매권 행사가 가능하고, 그 기산점도 관보에 고시한 날부터 하도록 명확히 함으로써 논란을 불식
시킨 부분은 높이 평가된다.

4. 공익사업의 변환은 새로운 공익사업에 관해서도 사업인정을 받거나 위 규정에 따른 사업인정을 받은 것으로 의제되는 경우에만 인정되는지 : 설문 (4)

제91조 제6항에 정한 공익사업의 변환은 같은 법 제20조 제1항의 규정에 의한 사업인정을 받은
공익사업이 일정한 범위 내의 공익성이 높은 다른 공익사업으로 변경된 경우에 한하여 환매권의
행사를 제한하는 것이므로, 적어도 새로운 공익사업에 관해서도 같은 법 제20조 제1항의 규정에
의해 사업인정을 받거나 또는 위 규정에 따른 사업인정을 받은 것으로 의제하는 다른 법률의 규
정에 의해 사업인정을 받은 것으로 볼 수 있는 경우에만 공익사업의 변환에 의한 환매권 행사의
제한을 인정할 수 있다고 판시한 것은 과거 (구)토지수용법의 입법취지가 어느 정도 반영된 부분
이라고 할 것이다. (구)공특법에서는 이러한 규정이 없었지만 (구)토지수용법 "제71조 제7항에서

는 ~~사업인정을 받아~~, 사업인정을 받은 공익사업~~이라고…"라고 규정하고 있어서 새로운 공익사업의 경우에 사업인정을 받도록 명시하고 있었던 점을 감안하면 지금의 토지보상법은 공법으로써 (구)토지수용법 자체가 공법이라는 측면에서 이에 따른 법해석은 타당하다고 볼 수 있다. 다만, (구)공특법에 경우에는 사법의 영역이다 보니 이러한 규정 자체가 존재하지 않은 것이다. 따라서 새로운 공익사업에 대한 사업인정을 받거나 사업인정의제가 되는 경우에만 공익사업의 변환을 인정하는 것이 타당하다고 생각된다.

➷ **(구)토지수용법[시행 1999.2.8] [법률 제5909호, 1999.2.8, 일부개정]**

제71조(환매권)

① 사업인정 후 협의취득일 또는 수용일부터 10년 이내에 사업의 폐지·변경 기타의 사유로 인하여 수용한 토지의 전부 또는 일부가 필요 없게 된 때에는 그 협의취득일 또는 수용 당시의 토지소유자 또는 그 포괄승계인(이하 "환매권자"라 한다)은 그 필요 없게 된 때부터 1년, 그 협의취득일 또는 수용일부터 10년 이내에 해당 토지 및 토지에 관한 소유권 이외의 권리에 대하여 지급받은 보상금에 상당한 금액을 기업자에게 지급하고 그 토지를 환매할 수 있다.

② 제1항의 규정은 사업인정 후 협의취득일 또는 수용일부터 5년을 경과하여도 수용한 토지의 전부를 사업에 이용하지 아니하였을 때에 이를 준용한다.

③ 제2항의 규정에 의한 환매권은 사업인정 후 협의취득일 또는 수용일부터 6년 이내에 이를 행사하여야 한다.

④ 제48조 제1항의 규정에 의하여 수용한 잔여지에 대하여는 그 잔여지에 접속된 부분이 필요 없게 된 경우가 아니면 이를 환매할 수 없다.

⑤ 토지의 가격이 수용당시에 비하여 현저히 변경되었을 때에는 기업자 또는 환매권자는 그 금액의 증감을 법원에 청구할 수 있다.

⑥ 제1항 내지 제5항의 규정에 의한 환매권은 부동산등기법의 정하는 바에 의하여 수용의 등기가 되었을 때에는 제삼자에게 대항할 수 있다.

⑦ 국가·지방자치단체 또는 정부투자기관이 사업인정을 받아 토지를 협의취득 또는 수용한 후, 사업인정을 받은 공익사업이 제3조 제1호 내지 제4호에 규정된 다른 공익사업으로 변경된 경우에는, 해당 토지에 대한 제1항 및 제2항의 규정에 의한 기간은 해당 공익사업의 변경을 관보에 고시한 날부터 기산한다.

제72조(환매권의 소멸)

① 제71조 제1항 및 제2항의 규정에 의하여 환매할 토지가 생겼을 때에는 기업자는 지체 없이 이를 환매권자에게 통지하여야 한다. 다만, 기업자가 과실 없이 환매권자를 알 수 없을 때에는 대통령령의 정하는 바에 의하여 이를 공고하여야 한다.

② 환매권자는 제1항의 규정에 의한 통지를 받은 날 또는 공고의 날부터 6월을 경과한 후에는 제71조 제1항 및 제2항의 규정에 불구하고 환매권을 행사하지 못한다.

● (구)공공용지의 취득 및 손실보상에 관한 특례법[시행 1999.2.8] [법률 제5906호, 1999.2.8, 일부개정]

제9조(환매권)

① 토지 등의 취득일부터 10년 이내에 해당 공공사업의 폐지·변경 기타의 사유로 인하여 취득한 토지 등의 전부 또는 일부가 필요 없게 되었을 때에는 취득당시의 토지 등의 소유자 또는 그 포괄승계인(이하 "환매권자"라 한다)은 필요 없게 된 때부터 1년 또는 취득일부터 10년 이내에 토지 등에 대하여 지급한 보상금의 상당금액을 사업시행자에게 지급하고 그 토지 등을 매수할 수 있다.

② 제1항의 규정은 취득일부터 5년을 경과하여도 취득한 토지 등의 전부를 공공사업에 이용하지 아니하였을 때에 이를 준용하며, 이 경우의 환매권은 취득일부터 6년 이내에 이를 행사하여야 한다.

③ 토지 등의 가격이 취득 당시에 비하여 현저히 변경되었을 때에 사업시행자 또는 환매권자는 그 금액에 대하여 협의를 하여야 하며, 그 협의가 성립되지 아니할 때에는 대통령령이 정하는 바에 따라 그 토지 등의 소재지를 관할하는 토지수용위원회에 재결을 신청할 수 있다.

④ 이 조에 의한 환매권은 부동산등기법이 정하는 바에 의하여 등기가 되었을 때에는 제3자에게 대항할 수 있다.

⑤ (구)토지수용법 제72조의 규정은 제1항 및 제2항의 규정에 의한 환매권에 대하여 이를 준용한다.

5. 변경된 사업의 사업시행자 아닌 제3자에게 처분된 경우에도 '공익사업의 변환'을 인정할 수 있는지 여부 : 설문 (5)

공익사업의 원활한 시행을 위한 무익한 절차의 반복 방지라는 '공익사업의 변환'을 인정한 입법취지에 비추어 볼 때, 만약 사업시행자가 협의취득하거나 수용한 해당 토지를 제3자에게 처분해 버린 경우에는 어차피 변경된 사업시행자는 그 사업의 시행을 위하여 제3자로부터 토지를 재취득해야 하는 절차를 새로 거쳐야 하는 관계로 위와 같은 공익사업의 변환을 인정할 필요성도 없게 되므로, 공익사업의 변환을 인정하기 위해서는 적어도 변경된 사업의 사업시행자가 해당 토지를 소유하고 있어야 한다. 나아가 공익사업을 위해 협의취득하거나 수용한 토지가 제3자에게 처분된 경우에는 특별한 사정이 없는 한 그 토지는 해당 공익사업에는 필요 없게 된 것이라고 보아야 하고, 변경된 공익사업에 관해서도 마찬가지이므로, 그 토지가 변경된 사업의 사업시행자 아닌 제3자에게 처분된 경우에는 공익사업의 변환을 인정할 여지도 없다고 판시하고 있다. 이는 특정 공익사업을 진행하기 위해서 취득하였다가 제3자에게 처분을 하였다면 이는 해당 공익사업은 더 이상 필요 없게 된 것이라고 볼 수 있고, 해당 공익사업이 사실상 폐지되었다고 보는 것이 타당하다고 볼 수 있다. 따라서 특별한 사정이 없는 한 제3자에게 처분된 토지에까지 공익사업변환을 인정하는 것은 위헌의 소지가 높다고 볼 수 있고, 해당 판례는 이러한 점을 고려하여 차라리 환매권을 인정하고 재취득의 절차를 밟도록 하는 것이 토지수용법제의 법익 균형에도 타당하다고 볼 수 있다.

6. 학교용지에 관한 환매권 행사를 인정

지방자치단체가 도시관리계획상 초등학교 건립사업을 위하여 학교용지를 협의취득하였으나 위 학교용지 인근에서 아파트건설사업을 하던 주택건설사업 시행자와 그 아파트단지 내에 들어설 새 초등학교 부지와 위 학교용지를 교환하고 위 학교용지에 중학교를 건립하는 것으로 도시관리 계획을 변경한 사안에서, 위 학교용지에 대한 협의취득의 목적이 된 해당 사업인 '초등학교 건립 사업'의 폐지·변경으로 위 토지는 해당 사업에 필요 없게 되었고, 나아가 '중학교 건립사업'에 관하여 사업인정을 받지 않았을 뿐만 아니라 위 학교용지가 중학교 건립사업의 시행자 아닌 제 3자에게 처분되었으므로 공익사업의 변환도 인정할 수 없다는 이유로 위 학교용지에 관한 환매권 행사를 인정한다고 판시하고 있다. 이는 공익사업에 대한 도시관리계획의 변경뿐만 아니라 새로 운 공익사업에 대해서 공익성을 특정하여 사업인정을 받아 공익사업으로써의 필요성이 공적주체 에 의해서 명시적으로 인정되지 않는 상황에서는 그 상황만 가지고 환매권 행사제한을 하는 것은 국민의 재산권에 미치는 영향이 중대한 바, 환매권 행사제한을 인정하지 않고 환매권 행사를 인 정하도록 하는 것은 토지보상법의 입법취지에 맞는 판시라고 할 수 있겠다.

56절 도시관리계획 결정과 권리구제
(행정법 쟁점 : 행정계획, 계획재량과 형량명령이론)

> **문제**
>
> 서울시장은 도시의 무질서한 개발과 급증하는 쓰레기문제를 해결하기 위해 시 외곽 일정지역을 주거지역에서 자연녹지지역으로 변경하고, 그중 일부는 개발제한구역으로 지정하는 도시관리계획변경 결정을 하였고, 나머지 지역에는 쓰레기처리시설을 설치하였다. 이에 이 지역 내 토지소유자인 甲의 권리구제와 관련하여 다음 물음에 답하시오. 50점
>
> (1) 해당 개발제한구역 내 토지소유자 甲은 해당 용도지역변경 및 개발제한구역 지정으로 인하여 지가가 대폭 하락되어 막대한 손해를 입게 되었다. 이에 대한 甲의 권리구제를 논하시오(단, 도시관리계획 결정이 위법한 경우와 적법한 경우를 모두 고려하시오). 40점
>
> (2) 이후에 지역 내 심각한 민원 및 시 외곽 주택수요 증가로 인하여 서울시장은 해당 지역을 다시 주거지역으로 변경하였으나, 쓰레기처리시설은 계속 존치하였고 이에 인근 토지소유자 甲은 악취 등으로 주거생활에 심각한 권익침해를 받고 있다. 이 경우 甲의 권리구제를 논하시오(참고로, 「국토의 계획 및 이용에 관한 법률」상 주거지역에는 쓰레기처리시설을 설치할 수 없다). 10점

Ⅰ. 문제제기
Ⅱ. 관련 행정작용의 검토
  1. 개발제한구역 지정의 의의 및 효과
  2. 도시관리계획 변경의 법적 성질
    (1) 학설 및 판례
    (2) 검토
  3. 쓰레기처리시설 설치행위의 법적 성질
Ⅲ. 설문 (1) 도시관리계획 변경결정이 위법할 경우 甲의 권리구제
  1. 개설
  2. 항고소송의 제기
    (1) 소제기 요건의 검토
    (2) 위법성 판단
  3. 손해배상청구 가능성
  4. 계획존속청구권 행사가능성

Ⅳ. 설문 (1) 도시관리계획 변경결정이 적법할 경우 甲의 권리구제
  1. 개설
  2. 경계·분리이론 및 헌법재판소 결정의 검토
  3. 특별한 희생의 발생 여부
  4. 보상규정 흠결 시 손실보상청구 가능성
Ⅴ. 설문 (2) 쓰레기처리시설 존치에 대한 권리구제
  1. 개설
  2. 결과제거청구권 행사가능성
    (1) 의의 및 근거
    (2) 요건 및 한계
    (3) 사안의 적용
  3. 손해배상청구 가능성
Ⅵ. 문제해결

Ⅰ 문제제기

사안은 서울시장의 용도지역 변경 및 개발제한구역 지정 등 도시관리계획 변경결정과 쓰레기처리시설 설치로 인하여 침해를 받게 된 토지소유자 甲의 권리구제에 대하여 묻고 있다.

1. 먼저 개발제한구역의 의의와 도시관리계획 변경결정 및 쓰레기처리시설 설치의 법적 성질을 검토하고,

2. 해당 도시관리계획 변경이 위법할 경우 甲의 권리구제와 관련하여 항고소송, 손해배상청구, 계획존속청구권의 가능성을 검토한다.

3. 해당 도시관리계획 변경이 적법할 경우에는 손실보상청구가 가능한지 헌법재판소의 태도, 손실보상 요건으로서 특별한 희생 및 보상규정이 없는 경우 청구가능성을 논한다.

4. 설문 (2)의 경우 위법한 쓰레기처리시설의 존치로 인해 甲의 권익이 침해되고 있는바, 공법상 결과제거청구가 가능한지 검토하여 사안을 해결하고자 한다.

Ⅱ 관련 행정작용의 검토

1. 개발제한구역 지정의 의의 및 효과

개발제한구역은 도시의 무질서한 확산 방지, 도시주변 자연환경보호를 위해 국토교통부장관이 지정하는 것으로, 이의 지정은 강학상 공용제한에 해당한다. 그 효과로 구역 내 건축물의 건축, 토지형질변경 등이 제한된다.

2. 도시관리계획 결정의 법적 성질

(1) 학설 및 판례

도시관리계획 결정의 법적 성질과 관련하여 학설은 입법행위설, 행정행위설, 복수성질설, 독자성설 등이 대립하며, 판례는 행위제한을 가져오는바, 개별·구체적인 처분이라고 본 바 있다.

(2) 검토

개발제한구역 지정 등 도시관리계획 결정으로 행위제한이 가해져 구체적으로 권익의 침해를 가져오는바, 구속적 행정계획에 해당하며, 개별적으로 특정되지는 않으나 일정범위에 가해지는바, 일반처분으로서 처분성이 있다 여겨진다.

3. 쓰레기처리시설 설치행위의 법적 성질

쓰레기처리시설 설치는 행정주체가 공익목적을 위해 일정한 급부행위를 하는 것으로서 관리작용에 해당된다. 따라서 설치행위 자체는 비권력적 사실행위인바, 항고쟁송의 대상이 되지 않는다.

Ⅲ 설문 (1) 도시관리계획 변경결정이 위법할 경우 甲의 권리구제

1. 개설

사안의 도시관리계획 변경결정의 위법을 전제할 경우 甲은 항고소송 및 손해배상청구 등이 가능할 것이며, 이때 위법성은 해당 도시관리계획 결정이 행정계획인바, 계획재량과 형량명령의 법리를 검토하여 판단하여야 한다.

2. 항고소송의 제기

(1) 소제기 요건의 검토

항고소송이 가능하려면 원고적격, 대상적격, 제소기간, 관할법원 등의 소송요건이 충족되어야 한다. 사안의 도시관리계획 결정은 처분성이 있는바, 대상적격이 인정되며, 甲은 법률상 이익이 침해된 자로 원고적격 등이 인정되어 본안판단이 가능하다.

(2) 위법성 판단

> ➲ **행정절차법 제40조의4(행정계획)**
> 행정청은 행정청이 수립하는 계획 중 국민의 권리·의무에 직접 영향을 미치는 계획을 수립하거나 변경·폐지할 때에는 관련된 여러 이익을 정당하게 형량하여야 한다.

① **계획재량의 의의 및 성격**

계획재량이란 행정계획에 있어서 일반재량보다 폭넓은 형성의 자유가 인정되는 것을 말하며, 이는 일반재량권과는 양적 또는 질적 차이가 있는바, 특수한 한계이론이 적용된다.

② **통제규범으로서 형량명령이론**

계획재량의 한계에는 목적의 적법성, 수단의 적합성, 절차의 적법성, 이익형량의 원칙이 적용되는데 이 중 관계이익의 정당한 형량을 요구하는 형량명령이론이 문제된다. 형량의 하자에는 ㉠ 형량을 전혀 하지 않은 경우, ㉡ 형량을 함에 있어 반드시 고려하여야 할 특정이익을 전혀 고려하지 않은 경우(형량흠결), ㉢ 형량에 있어 특정한 사실이나 이익 등에 대한 평가를 현저히 그르친 경우(오형량과 평가과오) 등이 있다. 따라서 이러한 형량의 하자가 있는 경우 해당 행정계획은 위법한 것이 된다.

③ **판례의 태도**

대법원은 행정주체가 계획을 입안하는 경우 관련 이익을 정당하게 비교·교량하여야 하는 제한이 있는 것이고, 그러한 제한에 따르지 아니한 행정계획결정은 재량권을 일탈·남용한 것으로 위법하다고 판시하여 계획재량과 형량명령이론을 간접적으로 인정한 바 있다.

판례

㉠ 원지동 추모공원사건(행정계획의 의미 및 행정주체의 행정계획결정에 관한 재량의 한계)

행정계획이라 함은 행정에 관한 전문적·기술적 판단을 기초로 하여 도시의 건설·정비·개량 등과 같은 특정한 행정목표를 달성하기 위하여 서로 관련되는 행정수단을 종합·조정함으로써 장래의 일정한 시점에 있어서 일정한 질서를 실현하기 위한 활동기준으로 설정된 것으로서, 관계 법령에는 추상적인 행정목표와 절차만이 규정되어 있을 뿐 행정계획의 내용에 관하여는 별다른 규정을 두고 있지 아니하므로 행정주체는 구체적인 행정계획을 입안·결정함에 있어서 비교적 광범위한 형성의 자유를 가지는 것이지만, 행정주체가 가지는 이와 같은 형성의 자유는 무제한적인 것이 아니라 그 행정계획에 관련되는 자들의 이익을 공익과 사익 사이에서는 물론이고 공익 상호 간과 사익 상호 간에도 정당하게 비교·교량하여야 한다는 제한이 있으므로, 행정주체가 행정계획을 입안·결정함에 있어서 이익형량을 전혀 행하지 아니하거나 이익형량의 고려 대상에 마땅히 포함시켜야 할 사항을 누락한 경우 또는 이익형량을 하였으나 정당성과 객관성이 결여된 경우에는 그 행정계획결정은 형량에 하자가 있어 위법하게 된다(대판 2007.4.12, 2005두1893).

㉡ 울산도시계획시설(학교)결정취소(행정계획의 의미 및 행정주체의 행정계획결정에 관한 재량의 한계)

행정계획이라 함은 행정에 관한 전문적·기술적 판단을 기초로 하여 도시의 건설·정비·개량 등과 같은 특정한 행정목표를 달성하기 위하여 서로 관련되는 행정수단을 종합·조정함으로써 장래의 일정한 시점에 있어서 일정한 질서를 실현하기 위한 활동기준으로 설정된 것으로서, 구 도시계획법 등 관계 법령에는 추상적인 행정목표와 절차만이 규정되어 있을 뿐 행정계획의 내용에 대하여는 별다른 규정을 두고 있지 아니하므로 행정주체는 구체적인 행정계획을 입안·결정함에 있어서 비교적 광범위한 형성의 자유를 가진다고 할 것이지만, 행정주체가 가지는 이와 같은 형성의 자유는 무제한적인 것이 아니라 그 행정계획에 관련되는 자들의 이익을 공익과 사익 사이에서는 물론이고 공익 상호 간과 사익 상호 간에도 정당하게 비교·교량하여야 한다는 제한이 있는 것이고(대법원 1996.11.29. 선고 96누8567 판결 참조), 따라서 행정주체가 행정계획을 입안·결정함에 있어서 이익형량을 전혀 행하지 아니하거나 이익형량의 고려 대상에 마땅히 포함시켜야 할 사항을 누락한 경우 또는 이익형량을 하였으나 정당성과 객관성이 결여된 경우에는 그 행정계획결정은 형량에 하자가 있어 위법하다. 대학시설을 유치하기 위한 광역시의 도시계획시설결정이 지역의 교육여건 개선 등의 공익과 지역 내의 토지나 건물 소유자들이 입게 되는 권리행사 제한 등의 사익의 이익형량에 정당성과 객관성을 결여한 하자가 있어 위법하다고 한 사례(대판 2006.9.8, 2003두5426)

④ 사안의 적용(사정판결의 가능성)

해당 도시관리계획 결정은 근거법인 국토의 계획 및 이용에 관한 법률에 적합하며, 공익목표실현에 적절한 수단이고, 절차 또한 적법한 것으로 판단된다. 다만, 형량의 하자에 있어서 토지소유자들의 사익침해가 개발억제의 공익보다 더 크다면 위법성이 인정될 수 있으나, 다수의 이해관계가 얽혀있는 행정계획의 특성상 위법하다 하더라도 법원은 사정판결을 내릴 가능성이 큰 바 甲의 청구는 기각될 것이다. 최근 행정절차법 제40조의4에서 "행정청은 행정청이 수립하는 계획 중 국민의 권리·의무에 직접 영향을 미치는 계획을 수립하거나 변경·폐지할 때에는 관련된 여러 이익을 정당하게 형량하여야 한다."라고 규정함으로써 형량명령 법제화를 하였다.

3. 손해배상청구 가능성

행정상 손해배상책임이 성립하기 위해서는 공무원이 직무를 집행하면서 고의 또는 과실로 위법하게 타인에게 손해를 가하였어야 한다. 사안의 경우 위법성이 인정되거나 사정판결이 내려지게 되면, 甲은 이에 근거하여 손해배상청구가 가능할 것이라 판단된다.

4. 계획존속청구권 행사가능성

계획존속청구권이란 행정계획의 변경 또는 폐지에 대하여 계획의 존속을 주장하는 권리를 말하며, 이는 행정계획분야에 있어서 신뢰보호의 원칙의 적용례라고 할 수 있다. 계획존속청구권은 공익목적을 달성하기 위한 행정계획의 변경 필요성과 관계국민의 신뢰보호가치와의 조화를 위해 요구되는 권리이다. 그러나 일반적으로 공익이 더 큰바, 인정되기 어려우며 예외적으로 신뢰보호의 사익이 더 큰 경우에는 인정될 수 있을 것이다. 다만, 판례는 법적 근거가 없다는 이유로 이를 부정하고 있다. 사안의 경우 또한 甲의 신뢰이익보다는 도시관리계획 변경의 공익이 크다고 보이는바, 계획존속청구권의 인정은 어렵다고 보인다.

Ⅳ 설문 (1) 도시관리계획 변경결정이 적법할 경우 甲의 권리구제

1. 개설

해당 도시관리계획 변경이 적법할 경우 甲은 자신의 재산적 손실에 대하여 손실보상을 청구할 수 있는지 문제된다. 손실보상이란 공공필요에 의해 개인의 재산권에 발생한 특별한 희생을 전보해주는 것으로서 헌법 제23조 제3항에 의해 인정되며, 이의 청구가능성을 위해서는 학문상 경계·분리이론의 검토에 따라 그 요건이 충족되어야 한다.

2. 경계·분리이론 및 헌법재판소 결정의 검토

재산권의 내재적 제약과 공용침해의 구별에 있어 경계이론은 침해의 질과 정도로 판단하나, 분리이론은 입법의 형식과 목적에 의해 구분한다. 특히 헌법재판소의 89헌마214 판결은 분리이론을 취한 것으로 보이는바, 이는 독일의 기본법 제14조에 따른 것으로 우리 헌법 제23조 제3항과 그 규정이 다른바, 비판여지가 있다. 따라서 이하 경계이론의 입장에서 공용제한을 헌법 제23조 제3항에 포함되는 것으로 보고 논하기로 한다.

3. 특별한 희생의 발생 여부

(1) 판단기준에 관한 논의

해당 재산권 제한이 사회적 제약을 넘는 특별한 희생인지와 관련하여 학설은 대상자의 특정성 여부로 판단하는 형식설과, 보호가치설, 수인한도설, 사적효용설, 목적위배설 등으로 판단하는 실질설이 있다. 또한 대법원은 개발제한구역 지정이 재산권의 내재적 제약에 불과하다 하였고, 헌법재판소는 예외적인 경우에 특별한 희생을 인정하였다.

(2) 검토 및 사안의 적용

특별한 희생의 판단은 상기 기준들을 복수 적용하여 해당 침해행위의 목적, 태양, 침해정도 등에 따라 개별·구체적으로 판단함이 타당하다. 사안의 경우 甲은 지가 하락되어 사적효용이 감소하였는바, 특별한 희생이 발생하였다 할 것이다.

4. 보상규정 흠결 시 손실보상청구 가능성

(1) 문제점

해당 사안에서 용도지역 변경의 경우 국토의 계획 및 이용에 관한 법률상 보상규정이 없으며, 개발제한구역 지정의 경우에도 개발제한구역의 지정 및 관리에 관한 특별조치법상 매수청구 제도가 있으나 동 제도는 침해의 완화규정에 불과하고 경계이론의 관점에서 보상규정이라 볼 수 없는 바, 그 흠결 시 논의가 필요하다.

(2) 학설 및 판례

학설은 헌법 제23조 제3항의 직접 근거로 손실보상청구가 가능하다는 직접효력설, 관계규정의 유추를 통해 인정하는 유추적용설, 보상규정의 흠결은 위헌·무효인바, 손해배상으로 해결하여야 한다는 위헌무효설, 그밖에 보상입법부작위위헌설 등이 있다. 대법원은 시대에 따라 달리보고 있으며, 헌법재판소는 개발제한구역 지정 시 보상규정의 흠결에 대해 헌법불합치 결정을 내린 바 있다.

(3) 검토 및 사안의 적용

이론상 입법적 보완이 타당한 것으로 보이나, 현실적인 권리구제를 위해서는 헌법규정의 합목적적 해석을 통해 직접 손실보상청구를 인정하는 법리구성이 필요하다고 여겨진다. 따라서 甲은 이 경우 헌법 제23조 제3항을 통한 손실보상청구가 가능할 것이며 이때 보상기준은 지가저락설에 의해 판단함이 타당하다.

Ⅴ 설문 (2) 쓰레기처리시설 존치에 대한 甲의 권리구제

1. 개설

사안에서 국토교통부장관은 해당 지역을 주거지역에서 자연녹지지역으로 변경하여 적법하게 쓰레기처리시설을 설치하였으나, 이를 다시 주거지역으로 환원하면서 동 시설을 그대로 존치한 바, 그 위법성이 문제된다. 다만 이 경우 상기 검토한 바와 같이 쓰레기처리시설 설치는 사실행위에 불과한바, 이를 항고소송으로 다투기는 어려우며, 결과제거청구권의 행사가 가능한지 문제된다.

2. 결과제거청구권 행사가능성

(1) 의의 및 근거

공법상 결과제거청구권이란 공행정작용으로 인하여 야기된 위법한 상태로 인하여 자신의 권익을 침해받고 있는 자가 행정주체에 대하여 그 위법상태를 제거하여 침해 이전의 원래의 상태를 회복시켜 줄 것을 청구하는 권리를 말한다. 이는 법치행정의 원리 및 기본권 규정, 민법상 소유권 방해배제청구권 등의 유추적용을 통해 인정된다. 다만 대법원은 아직 이를 인정하지 않고 있다.

(2) 요건 및 한계

결과제거청구권이 발생하기 위해서는 ① 행정주체의 공행정작용에 의한 침해가 있어야 하고, 이는 관리작용도 해당된다. ② 재산권 이외에도 명예, 신용 등 개인의 법적 이익이 침해되며, ③ 위법한 상태가 존재하고 사실심 변론종결 시까지 계속되어야 한다. 또한 결과제거청구가 가능하기 위해서는 결과제거가 ① 사실상 가능하고, ② 법적으로 허용된 것이어야 하며, 의무자인 행정주체에게 있어, ③ 결과제거의 비용 등을 고려한 기대가능성이 있어야 한다.

(3) 사안의 적용

사안의 甲은 서울시의 관리작용인 쓰레기처리시설 설치가 해당 용도지역의 변경으로 위법하게 되어 이로 인해 생활이익의 침해를 받고 있는바, 결과제거청구권이 발생할 수 있을 것이다. 그 행사가능성에 있어서 서울시의 쓰레기처리시설 이전비용을 고려하여 판단하여야 하며, 공권인바, 이를 공법상 당사자소송으로 다투어야 할 것이다. 다만 판례에 따르면 그 행사가 부정되는바, 민사상 방법을 모색해야 할 것이다.

3. 손해배상청구 가능성

결과제거청구에 의해 권리구제가 가능한 경우에는 손해배상청구가 인정되지 아니하나, 피해가 완전히 구제되지 않는 경우 그 부분에 대해 손해배상청구를 추가로 청구할 수 있다. 사안의 甲도 결과제거청구가 인정되지 않거나 부족한 경우에는 손해배상청구가 가능하다고 여겨진다.

Ⅵ 문제해결

1. 해당 도시관리계획 변경결정은 그 처분성이 인정되는바, 甲은 이의 위법을 전제로 항고쟁송 제기, 손해배상청구, 계획보장청구 등이 가능할 것이다. 그러나 행정계획에는 계획재량이라는 폭넓은 재량이 인정되어 위법성 인정에 어려움이 있다.

2. 해당 도시관리계획 변경결정을 적법하다고 볼 경우 甲은 경계이론의 입장에 따라 특별희생이 발생한 것으로 보이는바, 보상규정이 없는 경우 직접효력설 또는 유추적용설에 의해 손실보상청구가 가능하다.

3. 쓰레기처리시설 설치는 관리작용인바, 이의 위법을 항고소송으로 다툴 수는 없으며 甲은 위법한 상태의 제거를 위해 결과제거청구권을 청구하고 보충적으로 손해배상청구도 가능할 것이다.

57절 | 보상규정 결여 시 손실보상 등

문제

甲은 경기도의 일정지역에서 20년 이상 제조업을 운영하여 왔다. 경기도지사는 (가칭)청정 자연보호구역의 지정 및 관리에 관한 법률을 근거로 甲의 공장이 포함되는 A지역 일대를 청정자연보호구역으로 지정하였다. 그 결과 A지역 내의 모든 제조업자들은 법령상 강화된 폐수배출허용기준을 준수하여야 한다. 이에 대하여 甲은 변경된 기준을 준수하는 것이 기술적으로 어려울 뿐만 아니라 수질정화시설을 갖추는 데 과도한 비용이 소요되므로 이는 재산권의 수용에 해당하는 것으로 손실보상이 주어져야 한다고 주장한다. 40점

(1) 사례와 같은 甲재산권의 규제에 대한 보상규정이 위 법률에 결여되어 있는 경우 甲 주장의 타당성을 검토하시오. 20점

(2) 사례와 같은 재산권 침해논란을 입법적으로 해결할 필요가 있는 경우 도입할 수 있는 현금보상이나 채권보상 이외의 보상방법 및 기타손실을 완화할 수 있는 제도에 관하여 검토하시오. 20점

물음1) 20점	물음2) 20점
Ⅰ. 논점의 정리	Ⅰ. 입법적 해결의 근본적 목적(취지)
Ⅱ. 손실보상의 의의 및 요건(특별한 희생인지 여부)	Ⅱ. 현금보상이나 채권보상 이외의 보상방법
1. 손실보상의 의의 및 요건	1. 대토보상의 현실적 필요성(법 제63조 개정)
2. 특별한 희생인지 여부(소결)	2. 공사비등의 보상
Ⅲ. 보상규정이 결여된 경우(헌법 제23조 제3항의 효력논의)	3. 검토
1. 문제점	Ⅲ. 기타 손실을 완화할 수 있는 제도
2. 학설 및 판례의 태도	1. 현행 법령의 문제점
3. 소결	2. 개특법상 매수청구권제도
Ⅳ. 甲 주장의 타당성	3. 기타 세금 감면, 규제완화 등
	Ⅳ. 소결

물음1) 20점 (청정자연보호구역 지정 및 관리에 관한 법률에 의한 침해)

Ⅰ 논점의 정리

설문에서 甲은 20년간 제조업 공장을 운영하여 오던 중 재산권 규제에 대하여 손실보상을 주장하는 바, ① 손실보상의 의의 및 요건(특별한 희생)을 검토하고, ② 재산권 규제에 대한 보상규정이 위 법률에 결여된 경우, 甲 주장의 타당성을 89헌마214 헌법재판소 결정에서 제시한 논거를 토대로 논하기로 한다.

Ⅱ 손실보상의 의의 및 요건(특별한 희생인지 여부)

1. 손실보상의 의의 및 요건

손실보상이란 행정기관이 적법한 공권력 행사로 인하여 개인의 재산권에 의도된 특별한 희생에 대하여 사유재산권 보장과 평등부담의 차원에서 행하는 조절적 재산적 보상을 말한다. ① 설문에 서는 공공필요에 의한 재산권의 의도적 침해로서 ② 위 법률에 근거한다. ③ 특별한 희생여부가 문제시 되며, ④ 보상규정의 존재는 후술하기로 하고, 이하 특별한 희생을 고찰한다.

2. 특별한 희생인지 여부(소결)

특별한 희생은 인적 범위가 특정되고, 침해의 강도등이 수인한도를 넘는 경우이여야만 한다. 설문에서 甲은 A도의 일정지역에서 20년 이상 제조 공장을 운영하던 중, 청정자연보호구역으로 지정되면서 폐수 배출 허용기준을 준수하여야 하는데, 기술적인 어려움이 존재한다. 또한 수질정화시설을 갖추는데 과도한 비용이 소요되는 바 甲으로서는 이를 현실적으로 감당하기 어려운 것으로 보이고, 침해의 강도를 고려할 때도 개인으로써 수인한도를 넘는 것으로써 특별한 희생으로 보상함이 타당시 된다.

Ⅲ 보상규정이 결여된 경우(헌법 제23조 제3항의 효력논의)

1. 문제점

헌법 제23조 제3항에서는 보상은 법률로써 하도록 규정하고 있는바, 헌법의 취지상 원칙적으로 개별법에 유보되어야 마땅하다. 그러나 (가칭)청정자연보호구역의 지정 및 관리에 관한 법률에서는 보상 규정이 결여된 바, 학설 및 판례 등을 검토하여 보기로 한다.

2. 학설 및 판례의 태도

① 헌법 제23조 제3항의 해석을 통하여 손실보상을 긍정하는 직접효력설, 유추적용설이 있고, 부정하는 방침규정설, 위헌무효설이 있다. 최근 위헌성 제거논의로 보상입법부작위위헌설도 있다.
② 대법원은 시대상황을 반영한 판례를 내놓고 있고, 헌법재판소는 89헌마214 결정에서 위헌성 심사기준, 특별한 희생 구별, 해결방법 등에 대한 입법촉구를 제시한 바 있다.

3. 소결

헌법 제23조 제3항의 논의가 모두 일면 타당성이 있으나, 재산권 침해에 대한 甲의 실질적 해결책은 헌법에 의해 직접 보상하는 것이 실효성이 있다고 생각한다. 다만 법치주의 원리상 구체적 입법으로 해결하는 것이 타당하다고 보인다. 이하에서는 89헌마214에서 제시한 ① 종래 용도목적대로 사용가능성, ② 현실적 수인가능성 등이 있는지를 고려하여 입법상 흠결에 대한 쟁점에 대하여 甲 주장의 타당성을 고찰한다.

Ⅳ 甲 주장의 타당성

① 甲 공장을 종래 용도 목적대로 사용가능한지 여부

설문에서 20년간 제조업을 운영하던 甲은 청정자연보호구역 지정 등으로 법령상 강화된 폐수 허용기준을 준수하여야 한다. 이는 제조업의 특성상 종래의 기득권을 유지하는 것은 어려운 바 甲의 손실보상 주장은 타당하다고 보인다.

② 현실적 수인가능성과 실질적인 이주대책의 필요성

甲은 수질정화시설등을 갖추어야 하는데 과도한 비용 등이 들게 되므로 이에 따른 현실적 대 응한계와 수인가능성도 낮은바, 입법정책적으로 실질적인 이주대책 등이 행해지는 것이 타당 시 된다고 보인다.

③ 甲 주장의 타당성 (소결)

일정지역에서 20년간 공장을 운영하여 생계 등을 유지하던 甲에게 청정구역지정으로 인한 재산권 규제는 위에서 상술한 바와 같이 손실보상하여 주는 것이 타당하다 생각된다.

다만 공익사업을 위한 토지 등의 취득 및 보상에 관한 법률(이하 '토지보상법')상 실효성 있는 해결책 제시가 관건으로, 이하에서는 개정 법령 등을 구체적으로 검토하기로 한다.

물음2) 20점

Ⅰ 입법적 해결의 근본적 목적(취지)

최근 토지보상법령 개정안에서는 현금보상이나 채권보상 이외에 대토보상 등이 새로이 도입되면 서 실효적인 손실보상이 가능토록 입법조치하고 있다.

甲과 같이 공장을 운영하던 지역이 청정자연보호구역으로 지정되면 인근지가 폭등할 개연성이 높고, 보상금을 받아 기존 공장운영을 종래 목적대로 인근에서 할 수 없게 되는 것이 현실이다. 따라서 입법적 해결은 헌법상 존속보상의 취지를 살리고 국민의 재산권을 보호하는 근본적 법목 적에 부합된다. 이하에서는 그 실적인 방안으로써 입법적 해결책 등을 상세히 고찰하여 본다.

Ⅱ 현금보상이나 채권보상 이외의 보상방법

1. 대토보상의 현실적 필요성(법 제63조 개정)

현금보상이나 채권 이외로 토지보상법 제63조 개정안에서는 일정한 기준과 절차에 따라서 〈토지 로 보상을 받을 수 있는 자〉로 법정함으로써 인근지가 상승으로 인한 피수용자들의 현실적 박탈 감을 해소하는 측면이 있다.

설문에서 甲의 경우 제조공장부지에 대한 실질적 보상책으로써 이주할 수 있는 토지를 보상하는 것은 매우 실효성 있는 조치로써 판단되어진다.

2. 공사비등의 보상

설문에서 甲이 20년간 공장을 운영하게 되면 그 공장건물이 시간의 경과 등으로 낡을 수도 있으나, 실제 운영에 전혀 어려움이 없는 상태라고 하면 공장건물 등으로 지을 수 있는 공사비 등을 제공하는 것이 실효적인 조치라고 생각된다.

3. 검토

현행 토지보상법에서는 대토보상이나 공사비 보상 등이 적시되어 있지 아니한바, 개정안에서는 대토보상 등이 규정되어 매우 바람직하다고 보인다. 다만 설문에서 甲에게 가장 현실성 있는 입법조치는 이주공장을 제공하여 기존의 공장 운영 목적에 부합되는 보상조치가 요구되어지는바 법령의 정비가 요구된다 할 것이다.

Ⅲ 기타 손실을 완화할 수 있는 제도

1. 현행 법령의 문제점

현행 토지보상법이나 개발제한구역지정 및 관리에 관한 법률(이하 '개특법')등에서는 손실을 완화할 수 있는 직접적인 규정이 미비된 것이 현실이다. 따라서 이에 대한 정비가 시급하여, 위의 공장등이 수용에 해당되는 경우에 기타 손실을 완화하는 조치는 생업과 관련된 국민에게 절실한 생존의 문제이다.

2. 개특법상 매수청구권제도

개특법에서는 일정기준에 해당되는 경우에는 매수청구권제도등이 있다.

설문에서는 甲 공장의 경우 A도지사의 청정자연보호구역 지정에 따른 재산권 침해에 대하여 매수청구권제도를 해당 법령에 적시한다면 어느 정도 손실을 완화하는 조치로 평가받을 수 있을 것이다.

3. 기타 세금 감면, 규제완화 등

기타 손실을 완화할 수 있는 제도로써 甲 공장 운영에 대하여 이주 시까지 각종 세금을 감면하여 준다든지, 공장설립허가 등을 다시 받는 경우에 규제완화 조치 등도 가능하리라 본다. 다만 이에 대한 입법 조치가 선행될 때 甲이 실무 현장에서 실질적 도움이 될 수 있을 것이다.

Ⅳ 소결

① 甲 공장 운영에 대한 재산권 침해에 대하여 입법적 해결은 甲의 현실적 문제 해결을 위한 필요불가결한 조치이다. 특히 대토보상 등을 통한 공장이주단지 등의 조성은 가장 실효성 있는 손실보상이 될 것으로 사료된다.

② B지역에 폐수배출허용기준 등이 강화됨으로써 이주가 불가피한 경우, 甲과 같은 제조공장운영자들에게는 새로운 이주공장설립허가 시에 규제 등을 완화하여 주거, 세금감면 등을 통하여 물질적인 것뿐만 아니라 심적 박탈감등도 함께 고려하여 보상하는 것이 타당시 된다고 보인다. 다만 보상법령의 재정비를 통하여 제도적 법제화가 무엇보다 중요하다고 생각된다.

58절 정당보상으로써 맞춤보상

토지보상법 학계에서는 공영개발에 있어서 맞춤보상에 대하여 상당히 많은 논의가 이루어지고 있는 실정이다. 헌법재판소는 "헌법 제23조 제3항에서 규정하고 있는 정당한 보상은 원칙적으로 피수용재산의 객관적인 재산가치를 완전하게 보상하는 것이어야 한다(헌법재판소 1990.6.25, 89헌마107)."라고 결정한 바 있다. 헌법 제23조 제3항은 손실보상의 일반적 기준에 관하여 정당보상의 원칙을 규정하고 있으며, 「공익사업을 위한 토지 등의 취득 및 보상에 관한 법률」(이하 '토지보상법')에서는 그 구체적인 기준으로서 시가보상원칙(동법 제67조 제1항), 공시지가기준(동법 제70조), 개발이익 배제(동법 제67조 제2항 및 동법 제70조 제5항), 생활보상제(동법 제78조 및 동법 제78조의2 기타) 등을 규정하고 있다. 다음의 설문에 대하여 맞춤보상의 관점에서 검토하시오.(맞춤보상이란 공공사업을 추진하면서 정부 및 지방자치단체와 보상을 받는 주민들 간의 많은 갈등과 마찰을 최소화하고, 어떻게 하면 주민들이 요구하는 사항을 최대한 수용할 수 있는지에 대한 해법으로 추진되고 있는 것을 말한다. 즉, 맞춤보상이란 보상대상자에게 동일하고 일률적인 방법으로 보상하던 종래의 보상제도를 개선하여, 헌법에서 규정한 정당보상의 범위 내에서 보상대상자의 개별적 특성을 반영하여 보상할 수 있도록 하는 것이라고 할 수 있다.) 40점

(1) 헌법 제23조 제3항의 정당한 보상의 의미에 대해 논술하고, 맞춤보상의 관점에서 검토하시오. 10점

(2) 「공익사업을 위한 토지 등의 취득 및 보상에 관한 법률」상 보상의 적정화를 위하여 어떠한 내용으로 구체화되고 있는지 논술하고, 맞춤보상의 관점에서 검토하시오. 15점

(3) 「공익사업을 위한 토지 등의 취득 및 보상에 관한 법률」상 개발이익 배제제도의 의의, 필요성, 문제점에 대하여 논술하고, 맞춤보상의 관점에서 검토하시오. 15점

Ⅰ. 논점의 정리

Ⅱ. 설문 (1)의 검토(헌법 제23조 제3항의 의미)
　1. 문제의 소재
　2. 학설의 태도
　　(1) 완전보상설
　　(2) 상당보상설
　　(3) 절충설
　3. 판례의 태도
　4. 맞춤보상의 관점에서 검토

Ⅲ. 설문 (2)의 검토(토지보상법상의 구체적인 내용)
　1. 손실보상의 기준
　　(1) 개설
　　(2) 시가에 의한 보상
　　(3) 개발이익의 배제보상
　　(4) 생활보상의 지향
　2. 손실보상의 원칙
　　(1) 의의
　　(2) 구체적인 내용

Ⅰ   논점의 정리

손실보상이란 공공필요에 의한 적법한 공권력 행사로 인하여 개인에게 가하여진 특별한 희생에 대하여 사유재산권 보장과 전체적인 공평부담의 견지에서 행하는 조절적인 재산적 전보를 말하며, 법률유보의 원칙에 의거하여 우리나라의 최상위 법인 헌법을 위시하여 많은 개별법에서 규정하고 있다. 참여정부에서 신행정수도건설 시에 충남지사였던 심대평 지사가 맞춤보상에 대해서 언급하면서 맞춤보상이 행해져야 한다고 주장한 바 있다. 맞춤보상이란 공공사업을 추진하면서 정부 및 지방자치단체와 보상을 받는 주민들 간의 많은 갈등과 마찰을 최소화하고, 어떻게 하면 주민들이 요구하는 사항을 최대한 수용할 수 있는지에 대한 해법으로 추진되고 있는 것을 말한다.[19] 재산권에 대한 침해에 대하여 어느 정도까지 손실보상을 인정할 것인가의 문제는 각국의 입법정책 및 재산권에 대한 사회적 가치관에 따라 달라질 수 있다. 우리나라 헌법 제23조 제3항은 "…보상은 법률로써 하되, 정당한 보상을 지급하여야 한다."고 하여 정당보상의 원칙을 취하며 구체적인 보상액의 산정기준을 「공익사업을 위한 토지 등의 취득 및 보상에 관한 법률」(이하 '토지보상법'이라 칭함)에 유보하였다. 이러한 정당보상의 해석에 있어서 견해의 대립이 있는바, 이를 먼저 검토하고, 토지보상법상의 헌법상 정당보상을 구체화하기 위해서 규정한 내용 등을 알아보고, 공익사업의 원활한 수행을 위하여 보상액 산정에 있어서 문제시되고 있는 개발이익 배제와 관련된 사항을 검토하기로 한다. 특히 본 문제에서는 공영개발에 있어서 맞춤보상의 논의가 많이 되고 있는데 "맞춤보상의 관점"에서 접근하여 보기로 한다.

---

19) 심대평 지사는 신행정수도이전시 예정지역에 대한 보상책으로 주민들의 희망사항을 보상계획에 반영하는 것을 제안함

Ⅱ 설문 (1)의 검토(헌법 제23조 제3항의 의미)

1. 문제의 소재

헌법 제23조 제3항은 "…정당한 보상을 하여야 한다."고만 규정하여 헌법에서 천명하고 있는 정당보상의 범위에 대해서는 불확정적인바, 이에 대한 검토가 필요하다 하겠다.

2. 학설의 태도

(1) 완전보상설

손실보상은 피침해재산이 가지는 완전한 가치를 보상해야 한다는 것으로 미국 수정헌법 제5조에서 유래하며, 재산권을 절대적 권리로 보았던 근대 자유주의적 재산권 개념과 관련한다. 이 견해는 다시 ① 손실보상의 목적을 재산권 보장의 실현에 두고 피침해재산 자체의 손실(즉, 피침해재산이 가지는 객관적 시장가치)만을 보상하고 부대적 손실은 포함되지 않는다는 견해와, ② 손실보상의 목적을 평등원칙의 실현에 두어 침해에 의해 발생되는 손실의 전부(즉, 부대적 손실로서 영업손실 이전비용 등)까지도 포함된다고 보는 견해가 있다.

(2) 상당보상설

손실보상은 재산권의 사회적 구속성과 침해행위의 공공성에 비추어 사회국가원리에 바탕을 둔 기준에 따른 적정한 보상이면 족하다는 견해로서 독일 바이마르공화국의 헌법 제153조에서 채택하고 독일 기본법 제14조에서 계승하고 있다.

이 견해는 다시 ① 당시의 사회통념에 비추어 객관적으로 타당하면 완전보상을 하회할 수도 있다고 보는 견해와, ② 완전보상을 원칙으로 하되, 합리적 사유가 있을 시에는 완전보상을 상회하거나 하회할 수 있다고 보는 견해로 나누어진다.

(3) 절충설

완전한 보상을 요하는 경우와 상당한 보상으로써 충분한 경우를 나누고 있다. 즉, 작은 재산의 침해나 기존의 재산법질서의 범위 안에서의 개별적인 재산권 침해행위는 완전한 보상을 요하지만, 큰 재산의 침해나 기존의 재산법질서를 구성하는 어떤 재산권에 대한 사회적 평가가 변화되어 그 권리관계의 변혁을 목적으로 행하여지는 재산권 침해행위는 상당한 보상을 하면 된다는 것이다.

3. 판례의 태도

정당한 보상이란 손실보상의 원인이 되는 재산권의 침해가 기존의 법질서 안에서 개인의 재산권에 대한 개별적인 침해인 경우에는 그 손실보상은 원칙적으로 피수용재산의 객관적인 재산가치를 완전하게 보상하는 것이어야 한다는 완전보상을 뜻하는 것으로 보상금액뿐 아니라 보상의 시기나 방법 등에 있어서도 어떠한 제한을 두어서는 아니 된다고 설시하고 있다(헌재 89헌마107, 대판 93누2131).

4. 맞춤보상의 관점에서 검토

헌법은 공용침해 및 보상은 법률로써 하되, 정당한 보상을 지급할 것을 규정하고 있는바, 어느 정도까지 보상할 것인가는 완전보상이냐 상당보상이냐 하는 획일적인 기준에 의하여 판단할 문제가 아니라 입법자가 수용보상의 조절적 기능을 고려한 정당한 이익형량의 요청에 의하여 판단할 문제에 속하는 것이다. 따라서 원칙적으로 완전보상을 해주어야 하는 경우에 따라서는 완전보상을 하회할 수도 있고, 또한 생활보상까지 해주어야 하는 경우도 있다는 것으로 해석되어야 할 것이다. 맞춤보상의 관점에서 보면 맞춤보상은 헌법상의 원칙인 정당보상에 이르기 위한 수단으로서 재산권보상의 방법에 관한 사항과 보상 후 종전의 생활상태의 재건이라는 생활보상에 관한 사항을 모두 포함하는 것이라 할 수 있다.

Ⅲ 설문 (2)의 검토(토지보상법상의 구체적인 내용)

1. 손실보상의 기준

(1) 개설

헌법의 구체화 법으로 손실보상의 일반법적 지위에 있는 토지보상법에는 정당보상의 실현을 위하여 손실보상의 기준에 대한 규정을 두고 시가보상(토지보상법 제67조 제1항), 개발이익 배제(토지보상법 제67조 제2항), 생활보상의 지향(토지보상법 제78조)을 그 내용으로 하고 있다.

(2) 시가에 의한 보상

보상액 산정은 협의에 의한 경우는 협의 성립 당시의 가격을, 재결에 의한 경우에는 수용 또는 사용의 재결 당시의 가격을 기준으로 하며, 공시지가를 기준으로 보상한다.

(3) 개발이익의 배제보상

개발이익은 현재의 토지소유자에게 귀속되어야 할 성질의 것이 아니라 오히려 사업시행자 혹은 온 국민이 누려야 할 성질의 것이다. 따라서 개발이익은 피수용자의 객관적 재산가치가 아닌 주관적 가치이므로 이를 배제하고 보상액을 산정한다.

(4) 생활보상의 지향

현대 복리국가의 요청으로 공공성 개념의 확대에 따른 대규모 공익사업의 시행과 재산권 관념의 변화에 따른 침해유형의 다양화로 인해 재산권 보상만으로는 메워지지 않는 생활이익의 상실을 초래하게 되는 경우가 빈번하게 되었다. 이에 현실적 필요에 의하여 생활보상적 보상규정들이 입법화되었으나, 아직 체계적으로는 미흡한 점이 있다.

2. 손실보상의 원칙

(1) 의의

손실보상의 원칙이란 공익사업을 시행하는 자가 공용침해에 따른 손실보상을 함에 있어서 지켜야 하는 것을 의미하며, 이는 헌법 제23조 제3항의 정당보상을 구체화하기 위하여 법률로서 규정한 것이다.

(2) 구체적인 내용

손실보상의 의무자를 명확히 하여 정당보상을 보장하는 사업시행자 보상의 원칙(토지보상법 제61조), 사전보상의 원칙(동법 제62조), 객관적 가치로서의 보상을 위한 현금보상의 원칙(동법 제63조), 개인별 보상의 원칙(동법 제64조), 일괄보상의 원칙(동법 제65조), 사업시행 이익과의 상계금지(동법 제66조), 시가보상의 원칙(동법 제67조) 등이 있다.

3. 손실보상액 결정에 대한 불복

(1) 이의 신청

관할 토지수용위원회가 결정한 보상금에 대하여 불복이 있는 경우에는 재결서 정본을 받은 날부터 30일 이내에 중앙토지수용위원회에 이의를 신청할 수 있다(토지보상법 제83조). 이는 특별행정심판의 성격을 가지며, 이에 토지보상법상 규정 흠결시에는 행정심판법 제4조 제2항의 규정에 따라 일반행정심판법이 적용되며, 행정심판을 경유하는 임의주의의 예외이다.

(2) 보상금증감청구소송

재결에 대하여 불복을 하고자 하는 사업시행자, 토지소유자 또는 관계인은 제34조에 따른 재결에 불복할 때에는 재결서를 받은 날부터 90일 이내에, 이의신청을 거쳤을 때에는 이의신청에 대한 재결서를 받은 날부터 60일 이내에 각각 행정소송을 제기할 수 있다. 보상금증감청구소송은 종전의 취소소송을 통한 우회적인 권리구제수단을 보완하기 위함으로 토지보상법 제정 당시에 형식적 당사자소송의 성격을 명확히 하였다고 보인다.

4. 기타의 수단

그 밖에도 완전한 보상을 실현하기 위해, 수용의 개시일까지 보상금을 지급하지 못하는 경우에는 보상금의 공탁(토지보상법 제40조 제2항)을 할 수 있으며, 이 경우 보상금을 공탁하지 않으면 재결은 실효된다(동법 제42조). 또한 확장수용도 일종의 손실보상책의 일환으로 볼 때 정당보상을 실현하기 위한 수단으로 볼 수 있다.

5. 맞춤보상의 관점에서 검토

맞춤보상은 보상추진과정에서 투명성을 확보함은 물론, 토지보상법의 보상기준을 수용하면서도 만족할만한 보상대책을 창출한다.[20] 토지보상법은 금전으로 보상하는 토지·지장물 등의 재산

---

[20] 박용한, 「공영개발사업의 맞춤보상에 관한 고찰」에서 발췌

권 보상에 대해서 중점적으로 규정하고 있는 반면에, 이주대책 등 생활권 보상과 현물보상에 대한 규정은 변화하는 현실을 반영하기 매우 미흡한 실정이다. 맞춤보상은 토지보상법의 보상기준을 근간으로 한다는 한계가 있으나, 생활보상과 현물보상 및 대토보상에 중점을 두어 추진하는 방안을 모색한다면, 피수용자의 권익보호에 한층 더 큰 실익이 있을 것으로 보인다.

Ⅳ 설문 (3)의 검토(개발이익 배제와의 관계)

1. 개발이익의 의의

손실보상에 있어서 배제하는 개발이익이란 개발사업의 시행이나 토지이용계획의 변경, 그 밖에 사회적·경제적 요인에 따라 정상지가(正常地價) 상승분을 초과하여 개발사업을 시행하는 자나 토지소유자에게 귀속되는 토지 가액의 증가분을 말한다(개발이익 환수에 관한 법률 제2조 제1호).

2. 개발이익 배제의 필요성

(1) 잠재적 손실

행정상 손실보상은 적법한 공권력의 행사에 의하여 발생한 특별한 희생에 대하여 그 사회구성원의 공평부담으로 하자는 데 그 목적이 있는바, 그 당시에 현재화된 재산적 가치만 그 대상으로 하고, 아직 실현되지 아니한 잠재적 손실(미실현이익)은 그 대상에 포함되지 않는 것이 원칙이다.

(2) 형평의 원리의 실현

개발이익은 사업시행자의 투자에 의하여 발생하는 것으로, 토지소유자의 노력이나 자본에 의하여 발생하는 것이 아닌바, 개발이익은 토지소유자에게 당연히 귀속되어야 할 성질의 것이 아니고, 오히려 사업시행자 또는 사회에 귀속하도록 하는 것이 형평의 원리에 부합한다.

(3) 주관적 가치에 대한 보상배제

개발이익은 공익사업의 시행에 의하여 비로소 발생하는 것으로, 그것은 수용 당시의 객관적 가치에 포함되지 않으며, 공익사업의 시행을 볼모로 한 주관적 가치 부여에 지나지 않는바, 손실보상액 산정 시 배제되어야 한다.

3. 개발이익 배제제도의 문제점

(1) 공익사업시행지역 내외의 불균형

공익사업시행지역 내는 개발이익 배제가 가능하나, 시행지역 이외에는 거의 환수가 되지 않고 있으며, 현행제도로는 개발이익 환수에 관한 법률상의 개발부담금과 소득세법상의 양도소득세가 있으나 전자는 일정면적 이상의 개발사업이나 지목변경에 대해서만 부과하는바, 면적이 이하이거나 지목변경이 아니면 대상이 아니고, 부담률 및 비과세 대상 여부, 세율에 있어서도 차이가 있다.

(2) 토지보상법 제70조 제5항(동법 제70조 제3항과 제4항의 불균형 해소)

토지보상법 제70조 제5항에서는 개발이익의 배제에 대한 불균형을 해소하는 규정이 있다. 동법 제70조 제5항은 법문에서 "법 제70조 제3항 및 제4항에도 불구하고 공익사업의 계획 또는 시행이 공고되거나 고시됨으로 인하여 취득하여야 할 토지의 가격이 변동되었다고 인정되는 경우에는 제1항에 따른 공시지가는 해당 공고일 또는 고시일 전의 시점을 공시기준일로 하는 공시지가로서 그 토지의 가격시점 당시 공시된 공시지가 중 그 공익사업의 공고일 또는 고시일과 가장 가까운 시점에 공시된 공시지가로 한다."라고 규정함으로써 사업인정 전후의 개발이익의 배제에 대한 불균형 문제를 해소하고 있다.

4. 맞춤보상의 관점에서 검토

맞춤보상은 토지보상법 및 각 개별법령에서 각각 독립하여 운용되고 있는 각종 보상제도를 개선하고, 이를 효율적으로 연계하여 보상대상자의 개별적 특성을 감안하여 보상할 수 있는 방안을 모색함으로써 현행 보상제도의 틀 안에서 최대한 정당보상의 이념이 실현될 수 있도록 하자는 데 중점을 두고 있으므로, 맞춤보상이 정당보상의 범위를 초과하는 등의 문제점을 야기하지 않는다. 특히 개발이익의 배제가 정당보상에 합치되는 것이라면 맞춤보상에서도 개발이익은 배제되고 개별성이 반영되는 보상을 행하는 것이 타당하다고 보인다.

V 결(맞춤보상과 남겨진 문제)

적법한 공권력의 행사로 인하여 개인에게 가하여진 특별한 희생에 대하여는 보상이 이루어져야 함은 자명하다. 이에 헌법 제23조 제3항은 "정당한 보상"을 규정하고 있으며 그 의미에 대하여 견해의 대립은 있으나 완전보상설을 취하고 있다. 이를 구체화하기 위하여 토지보상법은 손실보상의 기준, 원칙, 불복 등을 규정하고 있다. 공익사업의 현실적 실행에 있어서 개발이익의 배제가 문제된다. 이는 현행법상으로는 한계가 있는바, 정책적인 입법이 필요하다고 보인다. 또한 맞춤보상을 위해서는 기본방향[21] 정립이 필요한바, 생활보상원리 적용, 개발 및 보상단계의 주민참여 강화와 보상방법의 다양화가 요구된다. 이를 위해서는

첫째, 맞춤보상을 위한 생활보상의 강화가 필요하다. 현재 토지보상법에는 생활보상의 내용이 통일되어 있지 않으므로, 원칙적인 내용을 법에 규정하여 강화하는 것이 필요하다.

둘째, 맞춤보상의 주민참여절차 강화로서, ① 개발계획 수립 전에 개발예정지역에 대한 사전조사와 자료축적 등 철저한 사전조사 방안이 강구되어야 한다. ② 공영개발사업의 주민참여 확대, ③ 보상협의회를 지방자치단체에 상설 기구화하고 분과위원회를 설치하여 지방자치단체의 참여를 적극적으로 의무화시키는 방안이 필요하다.

---

21) 박용한, 공영개발사업의 맞춤보상에 관한 고찰 논문의 결론부분 발췌

셋째, 맞춤보상을 위한 보상방법의 다양화 방안으로는 채권보상제도의 개선이 필요한바, 채권보상제도를 의무화할 것이 아니라 선택사항으로 하고 채권발행 조건의 개선이 요구된다. 또한 현금보상 위주에서 탈피하여 대체토지 제공의 확대를 모색하고 건물 등으로도 보상하는 현물보상제도를 도입하여야 한다.

이러한 맞춤보상의 기본방향의 정립하에 다음과 같은 보상대상자별 맞춤보상의 전개방안을 제시한다. 토지소유자를 위해서는 ① 손실보상을 위한 감정평가 시 공시지가 적용의 개선이 요구된다. ② 보상방법의 다양화 방안인 대체토지보상이나 건물보상 등 현물보상제도를 도입한다. ③ 토지 등을 협의양도하거나 강제수용 시에는 양도소득세의 추가 감면을 실시한다. ④ 부재지주에 대한 채권보상제도를 개선한다. ⑤ 토지 협의양도인에게 주택을 제공한다.

가옥주와 세입자를 위해서는 ① 각 개별법에서 상이하게 적용하고 있는 이주대책기준일과 그 기준 및 내용을 법에 규정한다. ② 가옥주에게는 이주대책으로 중대형 아파트까지 제공하고, 대체토지나 건물보상 등 현물보상을 실시하며, 이주자 택지를 공동주택 용지나 블럭용지 등으로 다양하게 공급한다. ③ 세입자를 위해서는 세입자에게 공급하는 임대아파트 평형을 국민주택 규모까지 확대하고, 세입자에 대한 이주대책 강구와 주거이전비를 6개월분으로 상향하여 지급한다.

영업자를 위해서는 대체영업장을 확보할 수 있는 상업용지나 근린생활시설용지를 공급하고, 폐업이나 전업자를 위한 직업알선이나 전업훈련 등 적극적인 교육훈련 대책을 실시한다. 또한 공장을 운영하는 자를 위해서도 대체 공장용지 확보 등 이주대책을 마련한다.

영농자를 위해서는 사업지구 주변 대체농지의 확보를 위해 노력하고 무주택자에 대해서는 주택공급을 검토하고, 상가분양권을 공급하거나 전업자에게는 직업알선 등의 대책을 수립한다. 축산업자를 위해서는 이들을 이주대책 대상에 포함시켜 손실보상만 할 것이 아니라 아파트 공급이나 주택용지 공급 등 다각적인 대책을 마련하며, 폐업보상자들은 취업알선, 직업훈련 등을 실시한다.

이러한 맞춤보상의 방안은 토지보상법이나 시행령, 시행규칙 등 법적인 보완이 이루어져야만 적극적인 시행이 가능하리라 본다. 사업시행자의 입장에서는 이러한 복잡하고 사업비용이 추가될지 모르는 방식보다는 과거의 협의보상과 미협의 시 강제수용절차인 재결을 더욱 선호할 것이기 때문이다. 아울러 사업시행자들의 의식 자체도 변화되어야만 한다. 사업시행자들도 주민들이나 보상대상자들의 변화된 욕구나 의견들을 받아들여서 그들의 의견이 최대한 반영되고 요구사항들을 수용하는 주민의 참여에 의한 개발과 보상이 이루어질 때 우리나라의 보상제도도 더욱 발전하여 선진화될 수 있을 것으로 기대된다.

베타답안

문 40점

Ⅰ. 논점의 정리

공공사업을 추진하면서 정부 및 지방자치단체와 보상을 받는 주민들 간의 많은 갈등과 마찰이 일고 있다. 이러한 문제를 해결하기 위해 맞춤보상이 언급되고 있다. 정당보상의 해석에 있어서 견해의 대립이 있는바 이를 먼저 검토하고, 토지보상법상의 헌법상 정당보상을 구체화하기 위해서 규정한 내용 등을 알아보고, 공익사업의 원활한 수행을 위하여 보상액 산정에 있어서 문제시되고 있는 개발이익의 배제와 관련된 사항을 검토하기로 한다. 특히 본 문제에서는 "맞춤보상의 관점"에서 접근하여 보기로 한다.

Ⅱ. 설문 (1)의 검토

1. 문제의 소재

헌법 제23조 제3항은 " ··· 정당한 보상을 하여야 한다."라고만 규정하여 정당보상의 범위에 대해서는 불확정적인바, 검토가 필요하다.

2. 학설의 태도

피침해재산이 가지는 완전한 가치를 보상해야 한다는 완전보상설, 사회국가원리에 바탕을 둔 기준에 따른 적정한 보상이면 족하다는 상당보상설, 작은 재산과 큰 재산의 침해 여부로 구별하는 절충설이 있다.

3. 판례의 태도

손실보상은 원칙적으로 피수용재산의 객관적인 재산가치를 완전하게 보상하는 것이어야 한다고 하며 보상금액, 시기 등에 있어서 어떠한 제한을 두어서는 아니 된다고 설시하고 있다.

4. 맞춤보상의 관점에서 검토

획일적인 기준이 아닌 입법자가 수용보상의 조절적 기능을 고려한 정당한 이익형량의 요청에 의하여 판단할 문제로, 원칙적으로 완전보상을 해주어야 하는 경우에 따라서 완전보상을 하회할 수도 있다. 맞춤보상의 관점에서 보면 맞춤보상은 헌법상의 원칙인 정당보상에 이르기 위한 수단으로서 재산권 보상의 방법에 관한 사항과 보상 후 종전의 생활상태의 재건이라는 생활보상에 관한 사항을 모두 포함하는 것이라 할 수 있다.

Ⅲ. 설문 (2)의 검토

1. 손실보상의 기준

(1) 시가에 의한 보상 및 공시지가기준 보상

협의에 의한 경우는 협의 성립 당시의 가격을, 재결에 의한 경우는 수용 또는 사용의 재결 당시의 가격을 기준으로 하며, 가격시점에 있어 현실적인 이용상황과 객관적 상황을 고려한 공시지가를 기준으로 보상한다.

(2) 개발이익의 배제 및 생활보상의 지향

개발이익은 객관적 보상이 아니라 주관적인 보상인바, 이를 배제하고 보상액을 산정한다. 대규모 공익사업의 시행에 따라 재산권 보상만으로는 메워지지 않아 생활보상적 보상규정들이 입법화되었다.

2. 손실보상의 원칙

손실보상의 의무자를 명확히 하여 정당보상을 보장하는 사업시행자 보상의 원칙, 사전보상의 원칙, 현금보상의 원칙, 개인별보상의 원칙, 일괄보상의 원칙, 사업시행 이익과의 상계금지 등이 있다.

3. 손실보상액 불복

보상금에 대하여 불복이 있는 경우에는 재결서 정본을 받은 날부터 30일 이내에 중앙토지수용위원회에 이의를 신청할 수 있고, 재결서 정본을 받은 날부터 90일 이내에, 이의신청을 거친 경우에는 60일 이내에 소송을 제기할 수 있다.

4. 기타의 수단

그 밖에 보상금의 공탁, 재결의 실효, 잔여지수용 등이 정당보상을 실현하기 위한 수단으로 볼 수 있다.

5. 맞춤보상의 관점에서 검토

맞춤보상은 보상추진과정에서 투명성을 확보함은 물론, 토지보상법의 보상기준을 수용하면서도 만족할 만한 보상대책을 창출한다. 토지보상법은 금전으로 보상하는 토지·지장물 등의 재산권 보상에 대해서 중점적으로 규정하고 있는 반면에, 이주대책 등 생활권 보상과 현물보상에 대한 규정은 변화하는 현실을 반영하기 매우 미흡한 실정이다. 맞춤보상은 토지보상법의 보상기준을 근간으로 한다는 한계가 있으나, 생활보상과 현물보상 및 대토보상에 중점을 두어 추진하는 방안을 모색한다면, 피수용자의 권익보호에 한층 더 큰 실익이 있을 것으로 보인다.

IV. 설문 (3)의 검토

1. 개발이익의 의의

개발사업의 시행 또는 토지 이용계획의 변경, 기타 사회, 경제적 요인에 의하여 정상지가 상승분을 초과하여 개발사업의 시행자 또는 토지소유자에게 귀속되는 토지가액의 증가분을 말한다.

2. 개발이익 배제의 필요성

손실보상은 사회구성원의 공평부담으로 하자는 데 그 목적이 있으며, 형평의 원리 실현 및 주관적 가치의 배제를 위해서 개발이익의 배제가 필요하다.

3. 개발이익 배제제도의 문제점

(1) 공익사업시행지역 내외의 불균형

공익사업시행지역 내에는 개발이익의 배제가 가능하나, 시행지역 이외에는 거의 환수가 되지 않고 있으며, 현행제도로는 개발이익 환수에 관한 법률상의 개발부담금과 소득세법상의 양도소득세가 있으나 실질적으로 그 효과가 미약하다.

(2) 토지보상법 제70조 제5항

토지보상법 개정 전에는 사업인정 전후의 개발이익 배제의 불균형 문제가 있었으나, 토지보상법 제70조 제5항에서는 이러한 불균형 문제를 해소하고 있다.

4. 맞춤보상의 관점에서 검토

맞춤보상은 토지보상법 및 각 개별법령에서 각각 독립하여 운용되고 있는 각종 보상제도를 개선하고, 이를 효율적으로 연계하여 보상대상자의 개별적 특성을 감안하여 보상할 수 있는 방안을 모색함으로써 현행 보상제도의 틀 안에서 최대한 정당보상의 이념이 실현될 수 있도록 하자는 데 중점을 두고 있으므로, 맞춤보상이 정당보상의 범위를 초과하는 등의 문제점을 야기하지 않는다. 특히 개발이익 배제가 정당보상에 합치되는 것이라면 맞춤보상에서도 개발이익은 배제되고 개별성이 반영되는 보상을 행하는 것이 타당하다고 보인다.

V. 결(맞춤보상과 남겨진 문제)

헌법 제23조 제3항은 "정당한 보상"을 규정하고 있으며 그 의미에 대하여 견해의 대립은 있으나 완전보상설을 취하고 있다. 이를 구체화하기 위하여 토지보상법은 손실보상의 기준, 원칙, 불복 등에 있어서 규정하고 있다. 공익사업의 현실적 실행에 있어서 문제가 되는 것은 개발이익의 배제이다. 이는 현행법상으로는 한계가 있는바, 정책적인 입법이 필요하다고 보인다. 또한 맞춤보상을 위해서는 기본방향 정립이 필요한바, 생활보상원리 적용, 개발 및 보상단계의 주민참여 강화와 보상방법의 다양화가 요구된다. 이러한 맞춤보상의 방안은 토지보상법이나 시행령, 시행규칙 등 법적인 보완이 이루어져야 적극적인 시행이 가능하리라 본다.

※ 참고 : 맞춤보상은 일반화된 용어는 아니지만, 정당보상과 관련하여 잘 정리해 두셨다가 실전에서 창조적 답안으로 펼쳐 보시는 것도 좋을 듯합니다.

59절
- 손실보상 등(문화재보호구역의 지정)
- 행정법 논점 : 제19조(취소소송의 대상), 처분 등에 해당하는지 여부

문제

다음은 서울고등법원 2012.9.19, 2011누44701 판결[재결신청거부처분취소]에 대한 처분의 경위와 당사자의 주장이다. 다음 물음에 답하시오. 40점

[원고, 항소인] 원고 (토지소유자 등 乙)(피수용자)
[피고, 피항소인] 문화재청장
[변론종결] 2012.7.25.
[제1심 판결] 서울행정법원 2011.11.24, 2011구합28424

1. 처분의 경위
   가. 피고는 2001.11.29. 충남 태안군 (주소 1 생략) 외 80필지(이하 '이 사건 문화재구역'이라 한다)를 구 문화재보호법(2002.2.4.법률 제6656호로 개정되기 전의 것) 제6조에 의하여 국가지정문화재(천연기념물) (호수 생략)호 '태안 ○○○ ○○○○'로 지정하였는데(이하 '이 사건 문화재지정'이라 한다), 이 사건 문화재구역에는 원고 소유의 (주소 2 생략) 임야 455,074㎡(이하 '이 사건 토지'라 한다)도 포함되어 있었다.
   나. 태안군수는 피고로부터 이 사건 문화재구역에 포함된 토지 등의 보상에 관한 업무를 위탁받고, 공익사업을 위한 토지 등의 취득 및 보상에 관한 법률(이하 '토지보상법'이라 한다)에 따른 협의취득절차를 진행하였으나, 예산 부족 등의 문제로 협의취득하지는 못하였다.
   다. 원고는 2011.3.10.피고와 태안군에 대하여 이 사건 토지를 협의취득하여 달라고 요청하였으나, 태안군은 협의취득을 위한 절차를 이행하지 않았다. 이에 원고는 2011. 5.11. 피고와 태안군에 대하여 토지보상법 제30조 제1항에 의한 재결신청의 청구를 하였으나, 피고는 2011.6.1.원고에게 문화재청은 토지보상법 제30조 제2항에 의한 토지수용위원회 재결신청의무를 부담하지 않는다며 재결신청을 거부한다는 취지의 회신을 하였다(이하 '이 사건 회신'이라 한다).

2. 당사자들의 주장
   가. 원고의 주장
      피고는 문화재보호법 및 토지보상법에 따라 토지소유자와 협의 절차를 거쳐야 하고, 협의가 성립하지 않아 재결신청의 청구를 받게 되면 60일 이내에 중앙토지수용위원회에 재결을 신청해야 할 의무가 있다. 그럼에도 피고는 원고로부터 재결신청의 청구를 받고도 재결신청의무가 없다며 거부하였는바, 이는 위법한 처분이다.
   나. 피고의 본안 전 항변
      문화재보호법 제83조의 취지는 피고가 문화재의 보존·관리를 위하여 필요하다고 인

> 정하는 때에 이 사건 토지를 토지보상법에 따라 효율적으로 수용 또는 사용하려는 데
> 에 있을 뿐, 피고가 그러한 필요성을 인정하지 않을 때에도 토지보상법 제30조가 적
> 용되어 원고에게 재결신청의 청구가 허용된다고 볼 수 없다. 따라서 피고가 이 사건
> 토지의 수용 또는 사용의 필요성을 인정하지 않는 이 사건의 경우, 원고에게는 토지
> 보상법 제30조가 적용되지 않아 이에 따른 재결신청청구권이 없으므로, 법규상·조
> 리상 신청권이 없다. 또한, 이 사건 회신은 원고의 권리·의무에 어떠한 영향을 미치
> 지 않으므로, 이 사건 회신은 어느 모로 보나 항고소송의 대상이 되는 거부처분이라
> 고 할 수 없다.

(1) 문화재보호구역 내 토지소유자 甲(원고)은 문화재보호구역의 지정으로 인하여 토지가
치가 하락하는 등 재산상의 손실이 발생했다고 주장한다. 만약 甲(원고)의 주장이 타당
하다면 공용제한에 대한 손실보상의 기준에 대하여 논하시오. 10점

(2) 「문화재보호법」 제83조는 문화재청장이 문화재의 보존·관리를 위하여 필요하면 지
정문화재나 그 보호구역에 있는 토지 등을 「공익사업을 위한 토지 등의 취득 및 보상
에 관한 법률」(이하 '토지보상법')에 따라 수용·사용할 수 있다고 규정하고 있고, 이때
문화재보호구역의 지정이 있는 때에는 토지보상법상의 사업인정 및 그 고시가 있는 것
으로 보며, 이 경우 토지보상법 제23조의 사업인정 효력기간은 적용하지 않는다고 규
정하고 있다. 이에 따라 토지소유자(피수용자) 乙(원고)은 문화재보호구역 지정 후 상
당기간이 경과하였음에도 문화재청장이 토지·물건의 조서를 작성하는 등의 수용절차
를 전혀 진행하지 않자 토지보상법 제30조 제1항에 따라 재결신청을 청구하였다. 이
러한 재결신청청구에 대해 문화재청장이 거부회신을 하자 토지소유자(피수용자) 乙(원
고)은 그 거부에 대해 취소소송으로 다투고자 한다. 그 취소 소송의 적법성을 논하시
오. 다만 최근에 나온 수용재결신청청구거부(2018두57865)에 대한 대법원 판례와 비
교하여 어떤 차이점이 있는지에 대해서도 검토하시오. 15점

(3) 문화재보호구역 지정 전부터 해당 지역 일대에 택지개발사업계획의 승인고시가 되어 택
지개발사업이 시행되고 있었다면, 택지개발사업구역 내 토지의 보상평가시 그 후에 해당
토지에 지정된 문화재보호구역으로 인한 제한을 반영하여야 하는지를 논하시오. 15점

I 논점의 정리

사안은 문화재보호구역 지정에 따른 구역 내 토지소유자의 권리구제에 관한 것으로서, (물음 1)
은 문화재보호구역의 지정이 헌법 제23조 3항의 공용제한인지 검토하고, 공용제한인 경우 그에
대한 손실보상의 기준을 관련학설을 검토하여 논한다.

(물음 2)는 재결신청청구의 거부가 처분인지, 특히 문화재청장이 구체적인 수용절차를 진행하지
않은 경우에도 토지소유자 을이 재결신청을 청구할 법규상·조리상 신청권이 있는지를 관련 판

례와 함께 검토하여 그에 대한 취소소송의 적법성을 논한다. 다만 최근에 나온 대법원 판례인 재결신청청구거부에 대한 거부처분취소소송이 가능하다고 하는 대법원 2019.8.29, 2018두 57865 판결과 비교 검토해보기로 한다.

(물음 3)은 개발사업시행 후 가해진 공법상 제한의 경우 그러한 공법상 제한이 해당 사업과 무관하게 가해진 것이라면 이를 반영하여 평가하여야 하는지 관련 판례와 함께 검토하여 살펴보기로 한다.

Ⅱ 문화재보호구역 지정에 대한 손실보상의 기준

1. 문화재보호구역 지정의 법적 성질

공용제한이란 공공필요를 위하여 특정인의 토지 등 재산권에 가해지는 공법상의 제한을 말한다. 헌법 제23조 제3항은 공공필요에 의한 재산권의 수용·사용·제한을 규정하는 바 이에 대한 손실보상이 인정되려면 사회적 제약을 넘는 특별한 희생에 해당하는 재산권 침해가 발생하여야 한다. 사안에서 문화재보호구역이 지정되면 건축물의 건축, 토지형질변경 등 행위제한이 발생하는 바 이는 특정 재산권에 가하여진 직접적인 제한으로서 특별한 희생으로 볼 수 있으며, 따라서 문화재보호구역 지정은 공용제한으로 볼 수 있다.

2. 공용제한에 대한 손실보상의 기준

(1) 개요

공용제한에 대한 손실보상의 기준은 법령에 규정되어 있는 경우가 거의 없으므로, 학설 논의를 통하여 해결하여야 한다.

(2) 학설

해당 토지의 이용제한과 상당인과관계가 있다고 인정되는 모든 손실을 보상해주어야 한다는 상당인과관계설, 토지이용제한에 따른 토지이용가치의 객관적인 지가하락을 보상해야 한다는 지가저락설, 토지이용제한을 공적 지역권 설정으로 보아 그에 대한 대가를 보상해야 한다는 지대설, 토지이용제한으로 인하여 적극적이고 현실적으로 지출한 비용만을 보상대상으로 하는 적극적 실손보전설이 있다.

(3) 검토

① 상당인과관계설은 토지소유자의 자의에 의해 유리하게 작용하는 문제가 있으며, ② 적극적 실손보전설은 국가 등에게 유리하여 설득력이 낮고, ③ 지대설은 공용사용의 보상방법으로 공용제한에는 타당하지 않다. 따라서 비록 단점이 없는 것은 아니지만, 공용제한에 의한 지가의 하락분을 보상한다는 ④ 지가저락설이 현실적인 보상방법으로서 타당하다고 판단된다.

3. 사안의 적용

상기와 같이 지가저락설을 공용제한에 대한 손실보상의 기준으로 볼 수 있는 바, 문화재보호구역 지정으로 인하여 지가가 하락한 정도를 파악하여 이에 따라 손실보상을 할 수 있을 것으로 판단된다.

Ⅲ 문화재보호법상 재결신청청구의 거부처분 취소소송의 적법 여부

1. 개설

사안에서 토지소유자 을의 재결신청청구에 대하여 문화재청장이 거부한 경우 이에 대한 취소소송의 적법성을 묻고 있는 바, 소송요건 충족여부를 검토하여 이를 판단하고자 한다.

2. 취소 소송요건의 검토

취소 소송요건에는 당사자적격, 대상적격, 제소기간, 관할법원 등이 있으나, 사안의 원고 을은 재결신청청구를 한 자로서 원고적격이 인정되고, 제소기간 등 그 밖의 요건도 설문에 특별히 제시된 바 없어 충족된 것으로 본다. 다만 대상적격 관련하여 재결신청청구의 거부가 처분인지 여부를 검토하여야 한다.

3. 재결신청청구 거부가 처분이 되기 위한 요건

(1) 거부가 처분이 되기 위한 요건

첫째 ① 공권력행사로서의 거부이어야 하며, 둘째 ② 국민의 권리·의무에 직접적인 영향을 미칠 것, 셋째 판례가 요구하는 요건으로서 ③ 법규상·조리상 신청권이 인정되어야 한다.

> **판례**
>
> 행정청이 국민의 신청에 대하여 한 거부행위가 항고소송의 대상이 되는 행정처분으로 되려면, 행정청의 행위를 요구할 법규상 또는 조리상의 신청권이 국민에게 있어야 하고, 이러한 신청권의 근거 없이 한 국민의 신청을 행정청이 받아들이지 아니한 경우에는 거부로 인하여 신청인의 권리나 법적 이익에 어떤 영향을 주는 것이 아니므로 이를 항고소송의 대상이 되는 행정처분이라 할 수 없다(대판 2014.7.10, 2012두22966).

(2) 법규상·조리상 신청권의 유무

수용절차를 전혀 개시한바 없는 상태에서 피수용자의 재결신청청구에 대하여 사업시행자의 재결신청 청구의 거부로 인하여 피수용자의 권리나 법적 이익에 어떠한 영향도 주지 않는다면 피수용자는 이를 청구할 법규상·조리상 신청권을 가진다고 보기 어려울 것이다.

(3) 관련 판례의 검토

사안과 관련하여 최근 판례는 문화재보호법상 사업인정 의제 및 그에 대한 재결신청청구는 사업시행자가 문화재의 보존·관리를 위하여 필요하다고 인정하여 지정문화재 또는 그 보호구역 내 토지를 토지보상법에 따라 수용하는 절차를 진행하는 경우에 비로소 가능하다고 하면서, 그러한 절차도 진행하지 않은 상태에서는 토지소유자 등이 재결신청을 청구할 수 있는 법규상·조리상 신청권이 인정될 수 없다고 판시한 바 있다.

(4) 사안의 경우

문화재보호법 제83조는 "제83조(토지의 수용 또는 사용) ① 문화재청장이나 지방자치단체의 장은 문화재의 보존·관리를 위하여 필요하면 지정문화재나 그 보호구역에 있는 토지, 건물, 나무, 대나무, 그 밖의 공작물을 「공익사업을 위한 토지 등의 취득 및 보상에 관한 법률」에 따라 수용(收用)하거나 사용할 수 있다."있고, 종전에는 사업인정의제를 규정하면서 토지보상법 제23조의 사업인정실효규정은 배제하고 있는 규정이 있었는데, 이 규정은 2014년도에 삭제되었다. 종전에는 사업시행자가 일정기간 내 재결신청을 하지 않아도 사업인정이 실효되지 않는 것으로 보아, 토지소유자의 조속한 권리구제를 위하여 재결신청청구에 대한 거부를 처분으로 보아 다툴 수 있게 할 실익은 있다고 할 것이다.

그러나 이러한 실익은 토지 등에 보상에 대한 수용절차가 진행될 때에서야 비로소 그 실익이 있는 것으로서, 사업시행자가 토지·물건 조서의 작성 등 수용절차를 전혀 이행하고 있지 않다면 이는 문화재보호법 제83조의 문화재 등의 보존·관리를 위하여 토지 등의 수용·사용이 필요한 때라고 볼 수 없으므로, 토지소유자 등은 사업시행자가 수용절차를 진행하지 않는 한 그에 대한 재결신청을 청구할 법규상·조리상 신청권이 인정되기 어렵다고 판단된다. 따라서 사업시행자의 재결신청청구 거부는 처분으로 보기 어려울 것이다.

4. 최근 나온 재결신청청구거부(2018두57865)에 대한 거부처분 취소소송 가능 판례와 비교

(1) 문화재보호법상 수용절차를 개시한 바 없는 경우 재결신청청구 거부

> **판례**
>
> 문화재보호법 제83조 제2항 및 구 공익사업법 제30조 제1항은 문화재청장이 문화재의 보존·관리를 위하여 필요하다고 인정하여 지정문화재나 보호구역에 있는 토지 등을 구 공익사업법에 따라 수용하거나 사용하는 경우에 비로소 적용되는데, 문화재청장이 토지조서 및 물건조서를 작성하는 등 위 토지에 대하여 구 공익사업법에 따른 수용절차를 개시한 바 없으므로, 갑에게 문화재청장으로 하여금 관할 토지수용위원회에 재결을 신청할 것을 청구할 법규상의 신청권이 인정된다고 할 수 없어, 위 회신은 항고소송의 대상이 되는 거부처분에 해당하지 않는다고 한 사례(대판 2014.7.10, 2012두22966)

(2) 농업보상에 대해 재결신청청구를 했는데 이를 사업시행자가 거부한 경우

> 판례
>
> 공익사업을 위한 토지 등의 취득 및 보상에 관한 법률 제28조, 제30조에 따르면, 편입토지 보상, 지장물 보상, 영업·농업보상에 관해서는 사업시행자만이 재결을 신청할 수 있고 토지소유자와 관계인은 사업시행자에게 재결신청을 청구하도록 규정하고 있으므로, 토지소유자나 관계인의 재결신청 청구에도 사업시행자가 재결신청을 하지 않을 때 토지소유자나 관계인은 사업시행자를 상대로 거부처분 취소소송 또는 부작위 위법확인소송의 방법으로 다투어야 한다(대판 2019.8.29, 2018두57865).

5. 사안의 적용

문화재보호법상 수용절차를 개시한 바 없는 상태에서 재결신청청구를 했고, 사업시행자가 이를 거부한 것은 구체적인 법규상 조리상 신청권에 기한 적법한 재결신청청구라고 보기 어려워 이를 거부한 것은 거부가 처분이 되기 위한 요건에도 부합하지 않고, 최근에 농업보상에 대한 재결신청청구 거부에 대하여 거부처분 취소소송으로 다투도록 한 것은 상당한 보상 진행 과정 속에서 농업보상을 해주지 않는 사업시행자의 행위에 대해 피수용자가 재결신청청구를 한 것이고, 재결신청청구 거부 시에 이를 거부처분취소소송으로 다툴 수 있다는 획기적인 판례를 내놓은 것은 피수용자의 권리구제에 아주 고무적인 일이라고 할 것이다. 그러나 문화재보호법상 재결신청청구거부 판결과 농업보상의 재결신청청구 거부 판결은 그 차이가 명백하여 후에 나온 대법원 2019.8.29, 2018두57865 판결로 인하여 무조건 피수용자의 재결신청청구에 대하여 사업시행자가 재결신청청구를 거부한다고 해서 거부처분 취소소송으로 다투도록 한 것은 아니라고 할 것이다.

Ⅳ 개발사업시행 후 문화재보호구역 지정 시 공법상 제한 반영 여부

1. 개설

사안에서 택지개발사업이 시행되고 있는 지역에 문화재보호구역을 지정한 경우 택지개발사업에 따른 보상평가 시 문화재보호구역 지정에 따른 공법상 제한을 반영하는지 문제된다.

2. 법적 근거 검토

토지보상법 시행규칙 제23조 제1항은 공법상 제한은 받는 상태대로 평가하되, 공법상 제한이 해당 공익사업의 시행을 직접 목적으로 하여 가하여진 경우에는 이를 특별한 희생으로 인정하여 그러한 제한이 없는 상태를 상정하여 평가하도록 규정하고 있다. 또한 동조 제2항에서는 일반적 제한에 해당하는 용도지역 또는 용도지구일지라도 해당 공익사업의 시행을 직접 목적으로 한 경우에는 이를 고려하지 않고 평가하도록 규정하고 있다.

3. 일반적 공법상 제한

일반적인 공법상 제한이란 제한 그 자체로 목적이 완성되고 구체적인 사업의 시행이 필요하지 아니한 국토의 계획 및 이용에 관한 법률의 규정에 의한 용도지역·지구·구역의 지정 및 변경 등을 말한다. 일반적 계획제한의 경우에는 그 제한을 받는 상태를 기준으로 평가한다. 이에 대한 이론적 근거는 일반적 제한은 보상을 요하는 특별한 희생이 아닌 사회적 제약에 해당하기 때문이다.

4. 개별적 공법상 제한

개별적인 공법상 제한이란 그 제한이 구체적인 사업의 시행을 필요로 하는 도시계획시설사업에 관한 실시계획고시 등을 말한다. 개별적 제한사항이 해당 공익사업의 시행을 직접목적으로 가하여진 경우에는 그 제한을 받지 아니한 상태를 기준으로 평가한다. 이때 '해당공익사업의 시행을 직접목적으로 하여 가하여진 경우'에는 당초의 목적사업과 다른 목적의 공익사업에 취득되는 경우를 포함한다. 이론적 근거로는 보상을 요하는 특별한 희생에 해당하기 때문이다.

5. 관련 판례의 검토

판례는 공법상의 제한을 받는 토지의 수용보상액을 산정함에 있어서는 그 공법상의 제한이 해당 공공사업의 시행을 직접 목적으로 하여 가하여진 경우에는 그 제한을 받지 아니하는 상태대로 평가하여야 할 것이지만, 공법상 제한이 해당 공공사업의 시행을 직접 목적으로 하여 가하여진 경우가 아니라면 그러한 제한을 받는 상태 그대로 평가하여야 하고, 그와 같은 제한이 해당 공공사업의 시행 이후에 가하여진 경우라고 하여 달리 볼 것은 아니라고 판시한 바 있다.

6. 사안의 적용

사안에서 문화재보호구역 지정은 일반적 제한으로서 택지개발사업 시행을 직접 목적으로 가하여진 경우가 아니므로, 보상평가 시 그 제한을 받는 상태대로 반영하여 평가하여야 할 것이다.

Ⅴ 사례의 해결

1. 문화재보호구역 지정으로 인한 행위제한에 대하여 이를 헌법 제23조 제3항의 공용제한에 해당하는 것으로 본다면 손실보상을 받을 수 있을 것이며, 그때 공용제한에 따른 손실보상기준은 지가의 하락정도 등을 고려하여 판단하는 것이 타당하다고 보인다.

2. 문화재보호구역 지정을 사업인정으로 의제한다고 하더라도, 사업시행자가 문화재의 보존·관리상 필요하다고 인정하여 수용절차 등을 진행하지 않는 한 반드시 수용이 되는 것은 아니므로, 이에 대하여 토지소유자가 재결신청을 청구할 수 있는 신청권이 없다고 판단되는바, 재결신청청구에 대한 거부도 처분에 해당한다고 보기 어렵다. 이와 관련하여 최근 문화재보호법 개정으로 사업인정 의제규정이 삭제되었는바 이는 의미하는 바가 크다 할 것이다. 또한 최근 대법원 2019.8.29, 2018두57865 판결에서 농업보상에 대한 피수용자의 재결신청청구에 대

하여 사업시행자가 행한 재결신청청구거부에 대하여 거부처분취소소송으로 다툴 수 있도록 한 것은 앞의 문화재보호법상에서는 보상에 관한 수용절차를 전혀 개시한바 없는 상태에서 재결신청청구거부를 한 사안으로 농업보상과 같이 상당히 보상이 진행된 과정에서 이를 거부한 것과는 차이가 있어서 이 판례를 원용하여 재결신청청구거부 시에 이를 취소소송으로 다투도록 하는 것은 타당하지 않다고 할 것이다.

3. 문화재보호구역 지정은 일반적 제한으로서 택지개발사업 시행 후에 가하여진 제한이라 하더라도 해당 사업과 무관하게 가하여진 것으로서 이를 반영하여 제한받는 상태대로 보상액을 산정하여야 할 것이라고 판단된다.

> 📌 **문화유산의 보존 및 활용에 관한 법률[법률 제20369호, 2024.2.27, 타법개정]**
>
> **제83조 (토지의 수용 또는 사용)**
> ① 국가유산청장이나 지방자치단체의 장은 문화유산의 보존·관리를 위하여 필요하면 지정문화유산이나 그 보호구역에 있는 토지, 건물, 나무, 대나무, 그 밖의 공작물을 「공익사업을 위한 토지 등의 취득 및 보상에 관한 법률」에 따라 수용(收用)하거나 사용할 수 있다.
> ② 삭제 〈2014.1.28〉
>
> **부칙 〈법률 제12352호, 2014.1.28.〉**
>
> **제1조 (시행일)**
> 이 법은 공포 후 1년이 경과한 날부터 시행한다.
>
> **제2조 (처분 등에 관한 일반적 경과조치)**
> 이 법 시행 전에 종전의 규정에 따라 행정기관이 한 행위와 행정기관에 대하여 한 행위는 이 법에 따라 행정기관이 한 행위 또는 행정기관에 대하여 한 행위로 본다.
>
> **제3조 (토지의 수용 또는 사용에 관한 경과조치)**
> 이 법 시행 당시 종전의 규정에 따라 「공익사업을 위한 토지 등의 취득 및 보상에 관한 법률」에 따른 사업인정 및 사업인정 고시가 있는 것으로 봄으로써 같은 법 제26조 제1항, 제28조 또는 제61조에 따른 절차가 진행 중인 경우에는 제83조 제2항의 개정규정에도 불구하고 종전의 규정에 따른다.

╭─ 베타답안

📝 풍납토성 사업인정 사건 문제 **40점**

Ⅰ. 논점의 정리

사안의 토지소유자 乙은 자신의 토지가 문화재보호법에 의거 문화재로 지정되면서, 토지보상법에 따라 수용 또는 사용을 할 수 있는 상황이다. 이에 (물음 1)에서는 乙이 문화재보호구역 지정으로 인해 재산상의 손실발생을 주장하고 있는 바, 공용제한에 따른 손실보상의 가능성을 논하고자 한다. (물음 2)에서는 乙소유 토지에 대해 토지보상법상 사용 또는 수용이 가능함에도 수용절차를 진행하지 않자, 乙이 문화재청장에게 재결신청청구를 했으나 거부당한 사안에서 해당 거부가 처분이 될 수 있는지를 논하고, 최근 재결신청청구에 관한 판례와 비교한다. (물음 3)에서는 택지개발사업 시 문화재보호구역으로 지정된 토지에 대해 공법상 제한을 반영해 평가해야 하는지를 검토한다.

II. (물음 1)

1. 문화재보호구역지정의 법적 성질

공용제한이란 공공의 필요를 위해 개인의 재산권에 가해지는 공법상 제한을 의미한다. 헌법 제23조 제3항에서는 재산권의 손실에 대해 보상을 받으려면, 특별한 희생에 해당되어야 한다고 규정하고 있다. 〈사안의 경우〉 문화재보호구역으로 인해 사용·수익이 제한되어 수인한도를 넘는 손실을 발생시키므로 공용제한에 해당된다고 볼 수 있다.

2. 공용제한에 대한 손실보상의 기준

(1) 문제점

공용제한은 일반 손실보상과는 달리 법령에 규정되지 않은 바 손실보상의 근거규정이 문제된다.

(2) 학설

① 해당 토지의 이용제한과 상당인과관계가 인정되는 모든 손실에 대해 보상해야 한다는 〈상당인과관계설〉, ② 토지이용가치의 객관적 하락을 보상해야 한다는 〈지가저락설〉, ③ 토지이용제한을 공적 지역권 설정으로 보아 그에 대한 대가를 보상해야 한다는 〈지대설〉, ④ 토지이용제한으로 인한 적극적·현실적 비용만을 보상해야 한다는 〈실손보전설〉이 있다.

(3) 검토

상당인과관계설은 보상의 기준이 주관적일 수 있는 점, 실손보전설은 보상 범위를 축소하는 점, 지대설은 공용제한의 성격과는 차이가 있다. 따라서 토지의 객관적 가치 하락설인 〈지가저락설〉이 가장 현실적인 보상방법의 근거라 생각한다.

3. 소결

문화재보호구역지정으로 인해 특별한 희생이 발생되고, 이로 인해 사용·수익의 제한으로 지가가 하락되는 바 공용제한에 대해 〈지가저락설〉을 근거로 가치 하락분을 보상해줌이 타당하다 생각한다.

III. (물음 2)

1. 취소소송의 적법성

(1) 재결신청청구의 의의 및 요건

재결신청청구란 토지보상법 제30조 규정을 근거로, 협의가 불성립할 경우 토지소유자 및 관계인이 사업시행자에게 재결신청을 하도록 청구하는 권리를 말한다. 사업인정고시가 된 후 협의가 성립되지 않거나 협의 불성립이 명백한 경우 보상대상에서 제외한 경우를 청구 요건으로 한다.

(2) 재결신청의 거부가 처분인지의 판단

  1) 거부가 처분이 되기 위한 요건

    거부가 처분이 되기 위한 요건으로는 ① 공권력 행사로서의 거부일 것, ② 권리와 의무에 직접적 영향을 미칠 것, ③ 법규상·조리상 신청권이 있을 것을 요건으로 한다. 신청권에 대해 원고적격으로 볼 것인지 대상적격으로 볼 것인지 논의가 있으나 심리의 편의를 위해 대상적격으로 봄이 타당하다.

  2) 사안의 경우

    사안의 문화재청장의 거부는 공권력 행사로서의 거부이나, 현재 토지보상법상 사용·수용이 가능함에도 사업인정을 받거나 수용의 절차를 개시한 바 없는 점, 재결신청청구권은 사업인정 이후 협의 불성립 시에 청구가능한 권리인 점을 들어 乙에게는 법규상 신청권이 없으므로 처분으로 보기 어렵다.

(3) 관련 판례

  재결신청청구와 관련한 판례에서는 문화재청장이 토지조서 및 물건조서를 작성하는 등 토지에 대해 다른 수용절차를 개시하지 않았으므로, 피수용자에게 문화재청장으로 하여금 토지수용위원회에 재결을 신청할 권리가 인정되지 않아, 재결신청에 대한 거부회신은 거부처분이 아니라고 판시한 바 있다.

(4) 원고적격 및 그 밖의 소송요건

  원고적격이란 본안 판결을 받을 '법률상 이익이 있는 자'를 의미하는데 이때 법률상 이익은 개별적, 직접적, 구체적 이익인 경우를 말한다. 乙은 해당 사업지구 내 토지소유자이므로 법률상 이익이 있어 원고적격을 만족한다. 그 밖의 제소기간 및 관할법원 등 요건은 논의의 계속상 만족한 것으로 본다.

(5) 소결

  소유자 乙은 문화재청장의 거부 회신에 대해 취소소송을 제기하였으나 재결신청청구권이 없는 바, 거부를 처분이라 보기 어려워 대상적격을 만족하지 못한다. 따라서 소송요건 불비로 해당 취소소송은 적법하지 않다 생각한다.

2. 최근 판례(대판 2019.8.29, 2018두57865)와의 차이

(1) 2018두57865 판례 검토

  상기 판례에서는 농업손실보상에 대한 재결신청청구 시 권리 구제 수단으로 거부처분 취소소송이나 부작위위법확인소송으로 다툴 수 있다 판시하고 있다. 즉 토지보상법에 따르면 지장물이나 영업·농업손실보상에 대해 사업시행자만이 재결을 신청할 수 있고, 토지소유자 및 관계인에게는 재결신청을 청구하도록 규정되고 있으므로, 피수용자의 재결신청청구에도 사업시행자가 재결신청하지 않는다면 거부처분 취소소송 또는 부작위 위법확인 소송으로 다툴 수 있다고 판시하였다.

(2) 양자의 차이

문화재청장의 거부에 대해서는 거부처분 취소소송으로 다툴 수 없다 판시하였는데, 그 이유는 수용의 절차를 개시한 바 없기 때문이다. 반면, 최근 판례에서는 수용의 절차를 개시한 상태에서 사업시행자가 재결신청청구에 대해 거부를 한 것인바 양자는 차이가 있다. 또한 최근 판례는 거부에 대해 권리구제 수단을 구체적으로 제시함으로서 피수용자의 권리보호를 한층 강화했다는 점에서 그 취지가 인정된다.

IV. (물음 3)

1. 보상법률 주의

헌법 제23조 제3항에서는 공공의 필요에 의해 개인의 재산권에 특별한 희생이 발생한 경우에는 그 손실에 대한 보상을 법률로서 하도록 규정하고 있다. 손실보상은 법규성이 있는 규정에 근거해야 하므로 훈령이나 고시, 규칙에 의한 보상은 위법한 것이 된다. 〈사안의 경우〉 토지보상법 시행규칙 제23조에 의한 보상이므로 법규성이 문제된다.

2. 법정보상평가주의

상기 법률유보의 원칙에 의해 토지보상법에서 손실보상을 규정하고 있으며, 토지보상법의 대표적 조항인 제68조 및 제70조에서는 구체적 보상기준을 국토교통부령과 행정규칙에 위임하고 있고, 토지는 공시지가를 기준으로 보상하도록 규정하고 있다.

3. 공법상 제한받는 토지의 평가

(1) 토지보상법 시행규칙 제23조 제1항

토지보상법 시행규칙 제23조 제1항에서는 해당 공익사업을 직접목적으로 가해지는 제한은 그 공법상 제한을 받지 않은 상태대로 평가하되, 공익사업과 상관없이 가해진 일반적 제한은 반영해서 평가하도록 규정하고 있다. 일반적 제한의 대표적인 예로는 군사시설보호구역 또는 개발제한구역 등이 있다.

(2) 토지보상법 시행규칙 제23조 제2항

토지보상법 시행규칙 제23조 제2항에서는 해당 공익사업으로 인해 용도지역·지구 등이 변경된 경우 변경 이전의 용도지역을 기준으로 평가하도록 하고 있다.

(3) 사안의 경우

택지개발사업과는 상관없이 해당 토지에는 문화재보호구역이 지정되어 있었던 점, 문화재보호구역 지정은 해당 제한만으로도 목적을 완성하는 일반적 제한인 점, 동법 시행규칙 제23조 제1항에서는 해당 사업과 관계없는 일반적 제한은 반영하도록 한 점을 들어 문화재보호구역 제한을 반영해 평가함이 타당하다.

4. 토지보상법 시행규칙 제23조의 법규성

토지보상법 시행규칙 제23조는 토지보상법 제70조의 위임을 받아 제정된 것으로서 법령보충적 행정규칙인바 법규성이 문제된다. 최근 대법원 판례는 토지보상법 시행규칙 제22조에 대하여 상위법령과 결합하여 대외적인 구속력이 인정된다고 보면서 법규성을 긍정하고 있는바, 판례의 태도를 근거로 토지보상법 시행규칙 제23조 또한 법규성을 인정함이 타당하다.

V. 사례의 해결

(물음 1)에서 문화재보호구역지정은 공용제한으로서 지가저락설을 근거로 사용가치의 하락을 손실보상해 주는 것이 타당하다고 생각된다.

(물음 2)에서는 수용의 절차를 개시한 바 없으므로 문화재청장의 거부는 처분이 아니어서 취소소송은 적법하지 않다. 그리고 최근 대법원 2018두57865 판결에서는 상당한 수용절차가 진행된 사항으로 재결신청청구 거부에 대해서는 거부처분취소소송으로 다툴 수 있다고 봄이 타당하다고 판단된다.

(물음 3)에서는 토지보상법 시행규칙 제23조에 의거 일반제한에 해당되어 공법상 제한을 받는 상태로 평가함이 타당하다고 보인다.

60절 | 공무원의 국가배상책임

┌─ 문제 ─

경기도 화성 향남 택지개발에 관한토지수용위원회인 경기도토지수용위원회 위원 공무원 甲은 토지수용에 대한 재결이 신청되자 이를 심리하는 과정에서 수용대상 토지에 자신의 친척 소유 토지가 있음을 확인하고, 사업시행자 乙이 수용재결 신청한 보상금보다 30% 높은 금액으로 손실보상금 증액을 하도록 문서를 조작하여 위원회에서 수용재결이 되도록 하였다. 이에 대해 사업시행자 乙은 보상금액이 너무 높아서 사업을 진행할 수 없으며 이는 친척관계에 있는 경기도지방토지수용위원회 위원인 甲(공무원)이 경기도지방토지수용위원회 위원으로 있고 문서를 조작하였기 때문이라고 주장했다(실제 조사결과 해당 토지수용위원회 위원이 친척관계였고, 관할 토지수용위원회 수용재결 심의·의결 시 서류를 조작하여 잘못된 수용재결을 하도록 함이 밝혀졌고, 사업시행자의 원래 공익사업 예산이 300억원이었는데, 30%인 90억원이 손실보상 증액되어 사업을 진행할 수 없는 극한 상황에 이르러 사업시행자는 사업을 포기하여 직원들을 정리해고하고 사무실은 월세나 이자 등을 내지 못해 큰 손해가 발생하였다). 다음 물음에 답하시오. 20점

(1) 만약 사업시행자 乙이 수용재결을 취소소송으로 다투지 않고, 사업을 진행하지 못하여 발생한 손해를 이유로 국가배상청구소송을 제기한다면 인용될 수 있는지 검토하시오. 5점

(2) 사업시행자 乙은 국가 또는 공무원 甲에게 선택적으로 국가배상을 청구할 수 있는지를 검토하시오. 15점

■ 참고규정

국가배상법 제2조(배상책임)

① 국가나 지방자치단체는 공무원 또는 공무를 위탁받은 사인(이하 "공무원"이라 한다)이 직무를 집행하면서 고의 또는 과실로 법령을 위반하여 타인에게 손해를 입히거나, 「자동차손해배상 보장법」에 따라 손해배상의 책임이 있을 때에는 이 법에 따라 그 손해를 배상하여야 한다. 다만, 군인·군무원·경찰공무원 또는 예비군대원이 전투·훈련 등 직무 집행과 관련하여 전사(戰死)·순직(殉職)하거나 공상(公傷)을 입은 경우에 본인이나 그 유족이 다른 법령에 따라 재해보상금·유족연금·상이연금 등의 보상을 지급받을 수 있을 때에는 이 법 및 「민법」에 따른 손해배상을 청구할 수 없다.

② 제1항 본문의 경우에 공무원에게 고의 또는 중대한 과실이 있으면 국가나 지방자치단체는 그 공무원에게 구상(求償)할 수 있다.

〈설문 (1)에 대하여〉

Ⅰ 논점의 정리

설문은 사업시행자 乙이 제기한 국가배상청구소송의 인용가능성을 묻고 있다. 경기도토지수용위원 甲이 재결절차를 진행하면서 관련규정을 위반하였는지를 검토하여 설문을 해결한다.

Ⅱ 국가배상청구(공무원의 과실책임) 요건의 검토

1. 공무원의 위법행위로 인한 국가배상책임의 의의

국가나 지방자치단체는 공무원 또는 공무를 위탁받은 사인이 직무를 집행하면서 고의 또는 과실로 법령을 위반하여 타인에게 손해를 입힌 때는 그 손해를 배상하여야 한다. 국가배상법 제2조에서 공무원의 위법행위로 인한 손해배상책임을 규정하고 있다.

2. 국가배상책임의 요건(국가배상법 제2조)

국가배상법 제2조에 의한 국가배상책임이 성립하기 위하여는 ① 공무원이 직무를 집행하면서 타인에게 손해를 가하였을 것, ② 공무원의 가해행위는 고의 또는 과실로 법령에 위반하여 행하여졌을 것, ③ 손해가 발생하였고, 공무원의 불법한 가해행위와 손해 사이에 인과관계(상당인과관계)가 있을 것이 요구된다.

3. 사안의 경우

토지보상법 제57조 제1항에서는 관계인의 친족인 경우, 토지수용위원회의 회의에 참석할 수 없다고 규정하고 있으며, 동조 제3항에서는 위원 스스로 그 사건의 심리·의결에서 회피할 수 있다고 규정하고 있다. 그럼에도 불구하고, 토지수용위원회 위원 甲은 직접 회의에 참석하여 30% 높은 금액으로 증액재결을 하였는바, 이는 직무상 고의 또는 과실에 해당된다고 볼 것이다.

> ● **국가배상법상 요건 검토**
>
> ① **공무원 여부** : 설문에서 실제 공무원이기도 하고, 토지수용위원회 위원은 토지보상법 제57조의2(벌칙 적용에서 공무원 의제)에서 "토지수용위원회의 위원 중 공무원이 아닌 사람은 「형법」이나 그 밖의 법률에 따른 벌칙을 적용할 때에는 공무원으로 본다."으로 규정하고 있어 벌칙에서는 공무원으로 의제되고 있고, 국가배상법상 토지수용위원회 위원은 광범위한 공무원의 범주에 포함된다고 할 것이다. 해당 사안에서는 직접적으로 공무원임이 명시되고 있다.
>
> ② **직무를 집행하면서** : 관할 토지수용위원회에서 수용재결하는 심의, 의결하는 과정은 직무를 집행하는 과정이라고 할 수 있다.
>
> ③ **고의 또는 과실 여부** : 고의로 손실보상액 30%를 증액을 하도록 문서를 조작하여 심의, 의결하도록 하는 잘못이 있다.

④ **위법 여부** : 토지보상법 제57조에서는 위원의 제척, 기피, 회피를 규정하고 있고, 동조 제1항 제2호에 보며 친족관계인 경우에 해당되는 바, 이를 위반하여 위법하다고 할 것이다.

⑤ **상당한 인과관계 여부** : 해당 위원회의 심의, 의결 시에 문서를 조작하여 30% 증액함으로써 사업시행자의 예산을 30% 더 부담하도록 함으로써 손해발생과의 직접적인 상당한 인과관계가 있다고 할 것이다.

⑥ **손해의 발생 여부** : 원래 사업보다 30% 증액 손실보상금이 나감으로 인해서 사업시행자는 사업의 직접적인 타격을 받고 직원들을 정리해고 하고, 사무실 월세나 이자 등을 내지 못하고 파산지경에 이르러 사업을 진행할 수 없어 손해가 발생하였다고 볼 수 있겠다.

Ⅲ 소결

설문에서 토지수용위원회 위원인 공무원 甲은 자신의 친족 토지에 대한 위법한 증액재결을 하여 사업을 진행할 수 없는 손해가 발생되었으므로, 사업시행자 乙이 제기한 국가배상청구소송은 인용될 것으로 판단된다.

〈설문 (2)에 대하여〉

Ⅰ 논점의 정리

설문은 사업시행자 乙이 공무원 甲을 상대로 국가배상을 선택적으로 청구할 수 있는지를 묻고 있다. 설문의 해결을 위하여 국가배상청구소송의 법적 성질 및 갑에게 고의과실이 인정될 수 있는지를 검토한다.

Ⅱ 선택적 청구 행사의 가능 여부

1. 국가배상청구소송(공무원의 과실책임)의 법적 성질

(1) 학설

① 대위책임설은 공무원의 위법한 행위는 국가의 행위로 볼 수 없으나 피해자보호를 위해 국가가 대신 부담해야 한다고 하며 ② 자기책임설은 국가는 공무원을 통해 행위하므로 그에 귀속되어 스스로 책임져야 한다고 한다. ③ 중간설은 고의, 중과실은 대위책임이 적용되고 경과실은 공무원에 대한 구상권이 부인됨을 이유로 자기책임으로 본다. ④ 절충설은 경과실인 경우는 자기책임으로 보며, 고의 중과실인 경우에도 직무상의 외형을 갖춘 경우라면 자기책임으로 본다.

(2) 판례

명시적인 입장은 보이지 않으나 "고의·중과실의 경우에도 외관상 공무집행으로 보여질 때에는 국가 등이 배상책임을 부담한다"고 하여 절충설을 취한 것으로 보인다.

(3) 검토

국가면책특권이 헌법상 포기되면서 국가배상책임이 인정되게 되었으며, 고의·중과실에 의한 경우라도 직무상 외형을 갖춘 경우라면 피해자와의 관계에서 국가기관의 행위로 인정할 수 있으므로 절충설이 타당하다고 본다.

2. 선택적 청구 행사의 가능 여부

(1) 학설

① 자기책임설의 입장

논리적으로 보면 자기책임설은 가해행위는 국가의 행위인 동시에 가해공무원 자신의 행위이기에 선택적 청구가 인정된다(국가와 공무원의 책임은 독립하여 성립된다).

② 대위책임설의 입장

논리적으로 보면 대위책임설은 국가배상책임이 원래 공무원의 책임이지만 국가가 이를 대신하여 부담한다고 보기에 공무원의 대외적 배상책임은 부정된다.

③ 절충설의 입장

경과실의 경우에는 국가나 지방자치단체에 대해서만, 고의, 중과실의 경우에는 공무원만 배상책임을 지지만, 후자의 경우 그 행위가 직무로서 외형을 갖춘 경우에는 피해자와의 관계에서 국가도 배상책임을 지기 때문에 이 경우 피해자는 공무원과 국가에 대해 선택적으로 청구할 수 있다.

(2) 판례

판례는 제한적 긍정설(절충설)을 취하고 있다. 국가 등이 국가배상책임을 부담하는 외에 공무원 개인도 고의 또는 중과실이 있는 경우에는 피해자에 대하여 그로 인한 손해배상책임을 부담하고, 가해공무원 개인에게 경과실만이 인정되는 경우에는 공무원 개인은 손해배상책임을 부담하지 아니한다고 보고 있다(대판 1996.2.15, 95다38677 숲숨).

> **판례**
>
> 공무원이 직무수행 중 불법행위로 타인에게 손해를 입힌 경우에 국가 등이 국가배상책임을 부담하는 외에 공무원 개인도 고의 또는 중과실이 있는 경우에는 불법행위로 인한 손해배상책임을 진다고 할 것이지만, 공무원에게 경과실뿐인 경우에는 공무원 개인은 손해배상책임을 부담하지 아니한다고 해석하는 것이 헌법 제29조 제1항 본문과 단서 및 국가배상법 제2조의 입법 취지에 조화되는 올바른 해석이다(대판 1996.2.15, 95다38677 숲숨).

(3) 검토(절충설)

공무원의 고의 또는 중과실로 인한 불법행위가 직무와 관련이 있는 경우에는 국가 등이 공무원 개인과 경합하여 배상책임을 부담하도록 하고, 공무원의 경과실은 직무수행상 통상 일어날 수 있는 것이므로 공무원 개인에게는 책임을 부담시키지 아니하는 것이 타당하다고 보인다.

Ⅲ 사례의 해결

대법원 판례는 국가 등이 국가배상책임을 부담하는 외에 공무원 개인도 고의 또는 중과실이 있는 경우에는 피해자에 대하여 그로 인한 손해배상책임을 부담하고, 가해공무원 개인에게 경과실만이 인정되는 경우에는 공무원 개인은 손해배상책임을 부담하지 아니한다고 보고 있다(대판 1996.2.15, 95다38677 全合)고 판시하고 있으므로 판례의 취지에 따라 문제를 해결코자 한다. 따라서 설문에서 공무원 甲은 자신의 친족 토지가 포함된 것을 알고 30% 높은 금액으로 수용재결을 하도록 문서를 조작하였고, 이는 고의 또는 중과실에 해당한다고 볼 수 있다. 따라서 사업시행자 乙은 국가 또는 공무원 甲에게 선택적으로 국가배상을 청구할 수 있을 것으로 판단된다.

≫ 참고문헌 2024

- 석종현 · 송동수, 일반행정법 총론, 박영사, 2024
- 홍정선, 행정기본법 해설, 박영사, 2024
- 정관영 외4인, 분쟁해결을 위한 행정기본법 실무해설, 신조사, 2021
- 박균성, 행정법 강의, 박영사, 2024
- 정남철, 한국행정법론, 법문사, 2024
- 김철용, 행정법, 고시계사, 2024
- 홍정선, 기본행정법, 박영사, 2024
- 강정훈 · 박혜준, 감평행정법 기본서, 박문각, 2024
- 강정훈 · 박혜준, 감정평가 및 보상법규 기본서, 박문각, 2024
- 강정훈 · 박혜준, 감정평가 및 보상법규 종합문제, 박문각, 2024
- 강정훈 · 박혜준, 감정평가 및 보상법규 기출문제분석, 박문각, 2024
- 강정훈 · 박혜준, 감정평가 및 보상법규 판례정리분석, 박문각, 2024
- 강정훈 보상법규 암기장 시리즈, 박문각, 2024
- 홍정선, 행정법 특강, 박영사, 2013
- 류해웅, 토지법제론, 부연사, 2012
- 류해웅, 신수용보상법론, 부연사, 2012
- 김성수 · 이정희, 행정법연구, 법우사, 2013
- 박균성, 신경향행정법연습, 삼조사, 2012
- 박정훈, 행정법사례연습, 법문사, 2012
- 김연태, 행정법사례연습, 홍문사, 2012
- 홍정선, 행정법연습, 신조사, 2011
- 김남진 · 김연태, 행정법Ⅰ, 법문사, 2007
- 김성수, 일반행정법, 법문사, 2005
- 김철용, 행정법Ⅰ, 박영사, 2004
- 류지태, 행정법신론, 신영사, 2008
- 박균성, 행정법론(상), 박영사, 2008
- 박윤흔, 최신행정법강의(상), 박영사, 2004
- 정하중, 행정법총론, 법문사, 2004
- 홍정선, 행정법원론(상), 박영사, 2008
- 노병철, 감정평가 및 보상법규, 회경사, 2008
- 강구철, 국토계획법, 2006, 국민대 출판부
- 강구철, 도시정비법, 2006, 국민대 출판부
- 佐久間 晟, 用地買收, 2004, 株式會社 プログレス

- 日本 エネルギー 研究所, 損失補償と事業損失, 1994, 日本 エネルギー 研究所
- 西埜 章・田邊愛壹, 損失補償の要否と內容, 1991, 一粒社
- 西埜 章・田邊愛壹, 損失補償法, 2000, 一粒社
- 한국토지공법학회, 토지공법연구 제40집(한국학술진흥재단등재), 2008.5
- 한국토지보상법 연구회, 토지보상법연구 제8집, 2008.2
- 월간감정평가사 편집부, 감정평가사 기출문제, 부연사, 2008
- 임호정・강교식, 부동산가격공시 및 감정평가, 부연사, 2007
- 가람동국평가연구원, 감정평가 및 보상판례요지, 부연사, 2007
- 김동희, 행정법(Ⅰ)(Ⅱ), 박영사, 2009
- 박균성, 행정법 강의, 박영사, 2011
- 홍정선, 행정법 특강, 박영사, 2011
- 강구철・강정훈, 감정평가사를 위한 쟁점행정법, 부연사, 2009
- 류해웅, 신수용보상법론, 부연사, 2009
- 한국감정평가협회, 감정평가 관련 판례 및 질의회신(제1,2집), 2009년
- 임호정, 보상법전, 부연사, 2007
- 강정훈, 감정평가 및 보상법규 강의, 리북스, 2010
- 강정훈, 감정평가 및 보상법규 판례정리, 리북스, 2010
- 한국토지공법학회, 토지공법연구(제51집), 2010
- 국토연구원, 국토연구 논문집(국토연구원 연구전집), 2011
- 감정평가 및 보상법전, 리북스, 2019
- 강구철・강정훈, 新 감정평가 및 보상법규, 2013
- 감정평가 관련 판례 및 질의 회신 Ⅰ・Ⅱ(한국감정평가사협회/2016년)
- 한국토지보상법연구회 발표집 제1집−제19집(한국토지보상법연구회/2019년)
- 한국토지보상법연구회 발표집 제1집−제20집(한국토지보상법연구회/2020년)
- 한국토지보상법연구회 발표집 제21집(한국토지보상법연구회/2021년)
- 한국토지보상법연구회 발표집 제22집(한국토지보상법연구회/2022년)
- 토지보상법 해설(가람감정평가법인, 김원보, 2022년)
- 국가법령정보센터(2024년)
- 대법원종합법률정보서비스(2024년)
- 국토교통부 정보마당(2024년)

박문각
감정평가사

강정훈
감정평가 및 보상법규

2차 | 종합문제(연습)   #1

제7판 인쇄 2024. 7. 25. | **제7판 발행** 2024. 7. 30. | **편저자** 강정훈

발행인 박 용 | **발행처** (주)박문각출판 | **등록** 2015년 4월 29일 제2019-0000137호

주소 06654 서울시 서초구 효령로 283 서경 B/D 4층 | **팩스** (02)584-2927

전화 교재 문의 (02)6466-7202

저자와의
협의하에
인지생략

정가 74,000원
ISBN 979-11-7262-074-5(1권)
ISBN 979-11-7262-073-8(세트)